CB003074

Aluísio Azevedo

Ficção completa

Biblioteca
Luso-brasileira
Série Brasileira

Aluísio Azevedo
Ficção completa em dois volumes

volume 1
Introdução geral
Recepção crítica
Uma lágrima de mulher
O mulato
Girândola de amores
Casa de pensão
Filomena Borges
A Condessa Vésper

volume 2
O homem
O Coruja
O cortiço
A mortalha de Alzira
Livro de uma sogra
Mattos, Malta ou Matta?
Demônios

Aluísio Azevedo no início da última década do século XIX, fotografado por Juan Gutiérrez. Esta fotografia foi publicada na revista *O Álbum*, dirigida por Artur Azevedo. (Coleção Manuel Portinari Leão)

Aluísio

Ficção

AZEVEDO
completa

VOLUME 2

Organização
ORNA MESSER LEVIN

EDITORA
NOVA
AGUILAR

Sumário

Romances

Ficção

COMPLETA

O Homem

*Ao Dr. José Monteiro da Silva**

Quem não amar a verdade na arte
e não tiver a respeito do Naturalismo ideias
bem seguras, fará, deixando de ler este livro,
um grande obséquio a quem o escreveu.

* * *

Tu a amar-me e eu a amar-te;
Não sei qual será mais firme!
Eu como sol a buscar-te;
Tu como sombra a fugir-me!

Le passions et les affections morales
tristes sont les seules qui prédisposent à l'hystérie.
[dr. P. Briquet, *Traité clinique et thérapeutique de l'hysterie*, art. XVI]

L´alienation est, à bien considérer, une douleur;
le malheur est au fond du plus grand nombre des vérsanies.
[Guislain — *Phrénopathies*]

Le sommeil est une façon d'exister tout
aussi réelle et plus générale qu'aucune autre.
[Buffon]

* Volume dedicado "À Imprensa Fluminense" (1887).

1

Madalena, ou simplesmente Madá, como em família tratavam a filha do Sr. Conselheiro Pinto Marques, estava, havia duas horas, estendida num divã do salão de seu pai, toda vestida de preto, sozinha, muito aborrecida, a cismar em coisa nenhuma; a cabeça apoiada em um dos braços, cujo cotovelo ficava numa almofada de cetim branco bordada a ouro; e a seus pés, esquecido sobre um tapete de pelos de urso da Sibéria, um livro que ela tentara ler e sem dúvida lhe tinha escapado das mãos insensivelmente.

No entanto, não havia ainda um mês que chegara da Europa, depois de um longo passeio que o pai fizera com sacrifício, para ver se lhe obtinha melhoras de saúde.

Melhoras? Que esperança! — Madá voltou no estado em que partiu, se é que não voltou mais nervosa e impertinente. O Conselheiro, coitado, desfazia-se em esforços por tirá-la daquela prostração, mas era tudo inútil: de dia para dia, a pobre moça tornava-se mais melancólica, mais insociável, mais amiga de estar só. Era preciso fazer milagres para distraí-la um segundo; era preciso de cada vez inventar um novo engodo para obter que ela comesse alguma coisa. Estava já muito magra, muito pálida, com grandes olheiras cor de saudade; nem parecia a mesma. Mas, ainda assim, era bonita.

Morava com o pai e mais uma tia velha, chamada Camila, numa boa casa na praia de Botafogo. Prédio talvez um pouco antigo, porém limpo; desde o portão da chácara pressentia-se logo que ali habitava gente fina e de gosto bem-educado: atravessando-se o jardim por entre a simetria dos canteiros e limosas estátuas cobertas de verdura, enormes vasos de tinhorões e begônias do Amazonas, e bolhas de vidro de várias cores com pedestal de ferro fosco, e lampiões de três globos que surgiam de pequeninos grupos de palmeiras sem tronco, e bancos de madeira rústica, e tamboretes de faiança azul-nanquim, alcançava-se uma vistosa escadaria de granito, cujo patamar guarneciam duas grandes águias de bronze polido, com as asas em meio descanso, espalmando as nodosas garras sobre colunatas de pedra branca. Na sala de entrada, por entre muitos objetos de arte, notava-se, mesmo de passagem, meia dúzia de telas originais; umas em cavaletes, outras suspensas contra a parede por grossos cordéis de seda frouxa; e, afastando o soberbo reposteiro de *reps* verde que havia na porta do fundo, penetrava-se imediatamente no principal salão da casa.

O salão era magnífico. Paredes forradas por austera tapeçaria de linho inglês cor de cobre e guarnecida por legítimos caquemonos, em que se destacavam grupos de chins em lutas fantásticas com dragões bordados a ouro; as figuras saltavam em relevo do fundo dos painéis e mostravam as suas caras túrgidas e bochechudas, com olhos de vidro, cabeleiras de cabelo natural e roupas de seda e pelúcia. Cobria o chão da sala um vasto tapete Pompadour, aveludado, cujo matiz, entre vermelho e roxo, afinava admiravelmente com os tons quentes das paredes. Do meio do teto, onde se notava grande sobriedade de tintas e guarnições de estuque, descia um precioso lustre de porcelana de Saxe, sobrecarregado de anjinhos e flores coloridas, de pássaros e borboletas, tudo disposto com muita arte numa complicadíssima combinação de grupos. Por baixo do lustre, uma otomana cor de pérola, em forma de círculo, tendo no centro uma jardineira de louça esmaltada onde se viam plantas naturais. A mobília era toda variada; não havia dois trastes semelhantes; tanto se encontravam móveis do último gosto, como peças antigas, de clássicos estilos consagrados pelo tempo. Da parede contrária à entrada dominava tudo isto um imenso espelho sem moldura, por debaixo do qual havia um consolo de ébano, com tampo de mármore e mosaicos de Florença, suportando um pêndulo e dois candelabros bizantinos; ao lado do consolo uma poltrona de laca dourada com assento de gorgorão branco listrado de veludo; logo adiante um divã com estofos trabalhados na Turquia.

Era neste divã que a filha do Sr. Conselheiro achava-se estendida havia duas horas, deixando-se roer pelos seus tédios, aos bocadinhos, com os olhos paralisados num ponto, que ela não via.

Foi interrompida pelo pai.

— Ah!

— Como passaste a noite, minha flor?

Madá fez um gesto de desânimo, soerguendo-se na almofada de cetim, e tossiu. O Conselheiro assentou-se ao lado dela e tomou-lhe as mãos com fidalga meiguice.

— Preguiçosa!...

Um belo homem! Alto, bem apessoado, fibra seca, barba à Francisco I, toda branca, olhos vivos e uma calva incompleta que lhe ia até o meio da cabeça, dando-lhe ao rosto uma fina expressão inteligente e aristocrata.

Fora da marinha, mas aos trinta e cinco anos pedira a sua demissão, instalara-se no Rio de Janeiro, e casara, entregando-se desde essa época à política conservadora. Enviuvou pouco depois do nascimento de Madá, único fruto do seu matrimônio; chamou então para junto de si a irmã, D. Camila, que vivia nesse tempo agregada à casa de outros parentes mais remotos; a filha foi entregue a uma ama até chegar à idade de entrar como pensionista num colégio de irmãs de caridade.

Era a essa infeliz criança, tão cedo privada do amor da mãe, que o Conselheiro dedicava a melhor parte dos seus afetos, e era também das suas mãos pequeninas que recebia coragem para afrontar os desconsolos da viuvez e as neves, que ia encontrando no meio para o resto do caminho da vida. E era essa criança, já mulher, que o desgraçado via agora escapar-lhe dos braços e fugir-lhe para a morte, arrastando atrás de si um triste sudário de mágoas brancas, mágoas de donzela, mágoas flutuantes, que pareciam feitas de espuma, e contra as quais no entanto se despedaçavam todo o seu valor de homem e todas as forças do seu coração de pai.

Coitadinha! Havia dois anos que se achava nesse estado. Pode-se todavia afirmar que começara a sofrer desde a fatal ocasião em que a convenceram da impossibilidade do seu casamento com Fernando.

Que romance!

Fernando fora o seu companheiro da infância, o seu amigo: cresceram juntos. Quando ela nasceu, encontrou-o já em casa do pai com cinco anos de idade, e desde muito cedo habituaram-se ambos à ideia de que nunca pertenceriam senão um ao outro.

Segundo o que sabia toda a gente, este Fernando era um afilhado, que o Sr. Conselheiro adotara por compaixão e a quem mandara instruir; o certo é que o rapaz o estimava muito e não menos verdade era que o rapaz merecia essa estima; dera sempre boas contas de si, e desde o colégio já se adivinhava nele um homem útil e honrado. Um belo dia, porém, quando andava no penúltimo ano de Medicina, o padrinho chamou-o ao seu gabinete e disse-lhe que, de algum tempo àquela parte, observava-lhe com referência a Madá uma certa ternura que lhe não parecia inspirada só pela amizade.

Fernando sorriu e fez-se um pouco vermelho.

— Com efeito — confessou — havia já bastante tempo que sentia pela filha do seu padrinho muito mais que simples amizade. E toda a sua ambição, todo o seu desejo, era vir a desposá-la logo que se formasse; tanto assim, que tencionava, mal concluísse os estudos, pedi-la em casamento.

— Isto é impossível!

— Impossível? — interrogou o rapaz erguendo os olhos para o Conselheiro. — Impossível, como?

O velho fez um gesto de resignação e acrescentou em voz sumida:

— Madá é tua irmã...

— Minha irmã...?

Houve um constrangimento entre os dois. No fim de alguns segundos, o Conselheiro declarou que não tencionava fazer tão cedo semelhante revelação, e que nem a faria se a isso o não obrigassem as circunstâncias.

Fernando continuava abismado. Sua irmã! Visto isto — toda essa história, que ele conhecia desde pequeno; essa história, em que figurava como filho de um pobre marinheiro viúvo, falecido a bordo, era...

— Uma fábula — concluiu o pai de Madá, sempre de olhos baixos. — Inventei-a para esconder a minha culpa.

O moço teve um ar de censura.

— Bem sei que fiz mal — prosseguiu o velho, hesitando em levantar a cabeça. — Mas não podia declarar-me teu pai sem prejuízo de tua parte e sem enxovalhar a memória daquela que te deu o ser. Era casada com outro, e tu nasceste ainda em vida de minha mulher. O marido de tua mãe estava ausente quando vieste ao mundo; ignorou sempre a tua existência, e enviuvou quando tinhas apenas dois anos de idade. Eu então carreguei contigo para casa, inventei o que até aqui supunhas verdade e nunca mais te abandonei.

Fernando deixou-se cair numa cadeira. O pai continuou, aproximando-se mais, e falando-lhe em surdina: — Minha intenção era esconder este segredo até o dia em que, depois de minha morte, viesses a saber que estavas perfilhado por mim e contemplado nas minhas disposições testamentárias; mas — o homem põe e Deus dispõe — para meu castigo, quis a fatalidade que te agradasses de tua irmã e, como bem vês, só me restava agora confessar francamente a situação. Ficas, por conseguinte, prevenido de que, de hoje em diante, deves empregar todos os meios para afastar do espírito de Madá qualquer esperança de casamento, que ela porventura mantenha a teu respeito...

Fernando declarou que preferia desaparecer dali. Partiria no primeiro vapor que encontrasse.

Não! Isso seria loucura! Ele estava bem encaminhado e pouco lhe faltava para terminar a carreira. Que se formasse e partiria depois.

— Olha — concluiu o velho, passado um instante — caso prefiras estudar ainda um pouco na Europa, vê o lugar que te serve e conta comigo. Não sou rico, mas também não és nenhum extravagante; apenas o que te peço é que, de modo algum, reveles a tua irmã o que acabas de saber. Será talvez uma questão de temperamento, mas creio que morreria se o fizesses.

Quando o Conselheiro terminou, Fernando chorava.

— E o marido de minha mãe? — perguntou.

— Há dez anos que morreu; não deixou parentes.

E o pai de Madá, vendo que o filho parecia sucumbido, passou-lhe o braço nas costas: — Então! Vamos, nada de fraquezas! Um abraço! E que esta conversa fique aqui entre nós dois.

O rapaz prometeu e jurou que ninguém, e muito menos Madá, ouviria de sua boca uma só palavra sobre aquele assunto. O velho agradeceu o protesto com um aperto de mão; e ficaram ainda alguns momentos estreitados um contra o outro, até que o Conselheiro se retirou, a limpar os olhos, e o rapaz caiu de novo na cadeira, dobrando os cotovelos sobre a mesa e escondendo no lenço os seus soluços, que agora lhe rebentavam desesperadamente.

Foi Madá quem veio despertá-lo dali a meia hora, depois de o haver procurado embalde por toda a casa.

— Ora, muito obrigado... — ia a dizer, mas deteve-se, intimidada pela expressão que lhe notara na fisionomia. Que era aquilo?... Ele estava chorando?...

— Não.

— Pois se estou vendo... Que te sucedeu?

— Nada! Uma notícia triste a respeito de um amigo...

— Que foi? Morreu?

— Está muito mal.

— Quem é?

— Não o conheces. Um colega.

E ergueu-se, correu o lenço por todo o rosto, assoou-se. — Já passou! disse, afetando um sorriso.

— Logo hoje, que eu precisava de ti... Que contrariedade!

— Para quê?

— Era para irmos à casa do General. Evangelina faz anos.

— Hoje é impossível, e olha, peço-te um obséquio, deixa-me sozinho, sim? Preciso estar só. Tem paciência.

— É a primeira vez que me afastas de junto de ti...

— Estou apoquentado...

— Não pareces o mesmo. Falas-me com tão mau modo!...

— Engano teu.

— Não! Dantes, justamente quando tinhas alguma coisa que te apoquentasse, é que vinhas ter comigo; contavas-me tudo; ouvias até os meus conselhos...

— Tens razão, mas é que eu hoje estou muito impressionado, não imaginas quanto!

— Não és o mesmo!

— Como te enganas: nunca fui tão teu amigo...

— Mentiroso!

— E, para prova...

Ia dar-lhe um beijo na testa, Madá retraiu-se toda, corando.

— É um beijo de irmão... — balbuciou o rapaz.

Ela então, cerrando as pálpebras, aproximou a fronte dos lábios dele; mas, tão de noiva era o pejo que lhe sazonava as faces e tão namorador o seu aspecto, que o moço abaixou os olhos e repeliu-a brandamente.

Madá ficou estática no meio do gabinete, sem compreender, a olhar para o reposteiro da porta, por onde o irmão acabava de sair.

— Ora esta! — disse afinal e, fazendo-se outra vez menina, soltou uma risada e saiu correndo, à procura do pai, para contar-lhe o caso. Encontrou-o na sala de jantar, à janela, e foi lhe passando os braços em volta do pescoço, pelas costas.

— Oh papai! Oh papai! Quer saber de uma muito boa? O Fernando...

— Bem, bem, minha filha — interrompeu o velho. — Eu hoje não estou bom, deixa-me, compreendes? Deixa-me ficar só... Vê se te entreténs com tua tia. Vai!

— Ó senhores! Hoje nesta casa estão todos amuados! Ao outro, encontro chorando que nem um bebê; este diz-me que não está bom e que eu me entretenha com a tia Camila! Ora já se viu!

O pai afagou-lhe a cabeça. — Esta tolinha!...

— Mas, papai, que tem Fernando?

— Não sei, minha filha.

— Diz que um amigo dele está muito mal...

— Pois aí tens...

— E você, papai, por que está triste?

— Não estou triste, apenas preocupado. Não é nada contigo. Política, sabes? Mas vai, vai lá para dentro, que tenho o que fazer agora.

— Política!...

Madá afastou-se, meio enfiada, mas daí a pouco se lhe ouviam os gorjeios do riso nos aposentos da tia Camila.

Já lá estava o demoninho a bolir com a pobre da velha!

2

A tristeza de Fernando, em vez de diminuir com o tempo, foi crescendo de dia para dia. A irmã bem o notou, mas já sem vontade de rir, nem de dar parte ao Conselheiro; estava então justamente no delicado período em que os últimos encantos da menina desabotoam nas primeiras seduções da mulher; transição que começa no vestido comprido e termina com o véu da noiva.

Quinze anos!

E que bem empregados! Muito benfeita de corpo, elegante, olhos negros banhados de azul, cabelos castanhos formosíssimos; pele fina e melindrosa como pétalas de camélia, nariz sereno feito de uma só linha, mãos e pés de uma distinção fascinadora; tudo isto realçando nos seus vestidos simples de moça solteira bem educada, na sua gesticulação fácil, na sua maneira original de mexer com a cabeça quando falava, rindo e mostrando as joias da boca.

Aquela insistente frieza do irmão foi a sua primeira mágoa. Em começo não se preocupara muito com isso; quando viu, porém, que os dias se passavam, e Fernando continuava mais e mais seco e retraído, chegando até a evitá-la, ficou deveras apreensiva. — "Teria o rapaz mudado de resolução a respeito do casamento? — Estaria enamorado de outra?" Essas duas hipóteses não lhe saíam do espírito.

Agora muito poucas vezes achava ocasião de estar a sós com ele e, quando tal sucedia, Fernando, com tamanho empenho procurava escapar-lhe, que de uma feita a pobre menina foi queixar-se ao pai.

— É que naturalmente — respondeu o velho — o rapaz não tenciona casar contigo e procura desiludir-te a esse respeito.

Madá ficou muito séria quando ouviu essas palavras.

— Ouve, minha filha, tu o que deves fazer é olhar para ele como se fosse teu irmão; vocês cresceram juntos e não se podem amar de outro modo... E queres então que te diga? Estes casamentos, forjados assim, entre companheiros de infância, nunca provaram bem. Santo de casa não faz milagre! Eu, em teu caso, ia tratando de atirar as vistas para outro lado...

— O Fernando então é um homem sem caráter!

— Sem caráter por quê, minha filha?

— Ora, por quê! Porque muitas vezes jurou que não casaria senão comigo!...

— Coisas de criança! Hoje naturalmente pensa de outro modo. Talvez até já tenha noiva escolhida...

— Não, não creio... Se assim fosse, ele seria o primeiro a contar-me tudo com franqueza. A causa é outra, e hei de descobri-la, custe o que custar!

Contudo não se animou a inquirir o noivo.

Mas, considerava a moça, como acreditar que Fernando descobrisse um novo namoro se agora, mais do que nunca, andava metido com os estudos e não se despregava dos livros?... Onde, pois, teria ido arranjar essa paixão, se agora não ia à casa de ninguém?... Além disso, as suas tristezas não pareciam de um namorado; mostravam caráter muito mais feio e sombrio. O fato de pretender casar com outra não seria, de resto, razão para que a tratasse daquele modo! Era como se a temesse, se receasse a sua presença... Dantes segurava-lhe as mãos com toda a naturalidade; afagava-lhe os cabelos; endireitava-lhe o chapéu na cabeça quando iam sair juntos; acolchetava-lhe a luva; trazia-lhe livros novos; gostava de brincar com ela, dizer-lhe tolices por pirraça, para fazê-la encavacar; pregava-lhe sustos, tapava-lhe os olhos quando a pilhava de surpresa pelas costas; pedia-lhe perfumes quando ele não tinha extrato para o lenço. E agora? Agora bastava que ela se aproximasse de Fernando, para este já estar todo que parecia sobre brasas e, ao primeiro pretexto, fugir e encerrar-se no quarto, fechado por dentro, às vezes até às escuras. Ora, estava entrando pelos olhos que tudo isso não podia ser natural... Madá, pelo menos, nunca tinha visto um namorado de semelhante espécie!

— Em todo o caso, resolveu de si para si, ele deu-me a sua palavra de honra que me pediria a papai logo que se formasse; por conseguinte não posso ainda queixar-me. Vamos ver primeiro como se sairá do compromisso.

E deliberou esperar até o fim do ano.

Entretanto, o Conselheiro, querendo a todo o custo arredar do espírito da filha a ideia de casar com o irmão, pensava em atrair gente à casa, para ver se despertava nela o desejo de escolher outro noivo. A dificuldade estava em arranjar festas; sim, porque para receber os convidados, só podia contar, além de Madá, com a irmã, D. Camila. Mas D. Camila era uma solteirona velha, muito devota, muito esquisita de gênio e sem jeito nenhum para fazer sala. — Uma verdadeira "barata de sacristia" como lhe chamava nas bochechas o despachado do Dr. Lobão, médico da casa e amigo particular do Conselheiro.

— Ora, se Madá tivesse um pouco mais de idade, considerava este, estaria tudo arranjado. Como, porém, encarregar uma menina de dezesseis anos de fazer as honras de um baile?

Salvou a situação, pedindo a um seu amigo velho, o Militão de Brito, homem pobre, casado e pai de três filhas solteiras já de certa idade, que fosse e mais a família passar algum tempo com ele. — A casa era grande e não haviam de ficar de todo mal acomodados.

Para justificar o pedido, observou que a filha estava na flor da juventude, precisava distrair-se, e que lhe doía a ele, como pai, trazê-la enclausurada na idade em que todas as moças gostam de brincar. O Militão, que também era pai, compreendeu a intenção da proposta, aceitou-a de braços abertos e teve a franqueza de confessar que aquele convite vinha do céu, porque ele igualmente via as suas raparigas, coitadinhas, muito pouco divertidas.

Mudou-se a família do Militão para a casa do Conselheiro, e Madá, adivinhando os planos do pai, sorriu intimamente. Inauguraram-se os bailes, e os pretendentes não se fizeram esperar. Pudera! uma menina que não é pobre, com certa educação, algum espírito, e linda como a filha do Sr. Conselheiro Pinto Marques, encontra sempre quem a deseje.

O primeiro a apresentar-se foi um tal de Martinho de Azevedo, rapaz de vinte e poucos anos, filho de um cônsul em não sei que parte da Europa; ares de fidalgo; bigode louro e olhos de mulher; não tinha nada de feio; ao contrário, chegava a ser impertinente com sua inalterável boniteza risonha; e vestia-se como ninguém, graças a alguns anos que passara em Paris estudando um curso que não chegara a concluir.

Madá esteve quase a desenganá-lo, antes mesmo que o sujeito se lhe declarasse; resolveu, porém, deixar isso ao cuidado do pai, que não embirrava menos com ele.

Com quem o Conselheiro não embirrou, e mostrou até simpatizar, foi com certo ministro argentino, levado à sua casa por um colega que já lá se dava; mas este segundo pretendente não foi mais feliz que o primeiro, nem que os outros apresentados depois.

Todavia as festas continuavam, e por fim a casa do Conselheiro Pinto Marques era tida e havida entre a melhor gente como das mais distintas e bem frequentadas do Rio de Janeiro; e Madá classificada ao lado das estrelas mais rutilantes do empíreo de Botafogo.

Assim se passou o resto do ano.

Ah! Com que ansiedade contou a pobre menina os dias que precederam a formatura do irmão! Como aquele coraçãozinho palpitou de susto e de esperança ao lembrar-se de que em breve o seu Fernando, o único que ele lhe pedia para esposo, o único que aos olhos dela parecia bom, delicado, inteligente e sincero, tinha com uma só palavra de apagar todas as dúvidas que a torturavam, ou destruir-lhe por uma vez todos os sonhos de ventura.

Sim, porque a filha do Conselheiro, agora nos seus dezessete anos, estava bem certa de que amava Fernando; mais se convencera dessa verdade nesses últimos tempos em que ele se mostrara indiferente e esquivo. Só agora podia avaliar o bem que lhe faziam aquelas tranquilas palestras que tantas vezes desfrutara com ele, ora nos bancos da chácara, ora assentados junto à janela, perto um do outro, ou em volta da pequena mesa de *vieux-chêne* que havia numa saleta ao lado do gabinete do Conselheiro, e onde ela costumava ler e estudar no bom tempo em que Fernando se comprazia em dar-lhe lições de preparatórios.

As lições!... Quanto desvelo de parte a parte! Com que gosto ele ensinava e com que gosto ela aprendia!

Madá, logo ao deixar o colégio das irmãs de caridade, entrou a estudar com o irmão, e foi nesse contato espiritual de três horas diárias que os dois mais se fizeram um do outro, e mais se amaram, e mais se respeitaram. Todavia, nesse tempo, ela ainda não lhe tinha observado as feições, nem notado a inteireza de caráter nem a delicadeza do gênio; habituara-se a estimá-lo, e aceitava-o quase que pela fatalidade da convivência ou pela natureza afetiva do seu próprio temperamento; mas depois, quando teve ocasião de contemplá-lo a certa distância; quando teve ocasião de compará-lo com outros, amou-o por eleição, por entender que ele era o melhor de todos os homens, o mais digno de preferência.

Agora, depois daqueles frios meses de retraimento, Fernando parecia-lhe ainda mais belo e mais desejável; aquela transformação inesperada foi como uma dolorosa ausência em que as boas qualidades do rapaz ganharam novo prestígio no espírito da irmã, assumindo proporções excepcionais. Madá esperava pelo dia de formatura, como se aguardasse a chegada de seu noivo; tinha lá para si que o seu amado reapareceria então como dantes, meigo, comunicativo e amigo de estar ao lado dela. Agora idolatrava-o; todo o grande empenho do Conselheiro em substituí-lo por outro apenas conseguia encarecê-lo ainda mais, fazendo-o mais desejável, mais insubstituível. Ela já não podia compreender como é que por aí se amavam outros que não eram Fernando; outros que não tinham aquela mesma barba, aqueles mesmos olhos tão inteligentes e tão doces, aquela mesma estatura bem-conformada, forte sem ser grosseira, aquela boca tão limpa, tão bem tratada, que logo se via não poder servir de caminho à mentira ou a uma palavra feia. E muita coisa, que até então não lhe notara, agora a impressionava; a voz, por exemplo, o metal da sua voz, em que havia uma certa harmonia corajosa; aquela voz velada, discreta, mas muito inteligível; uma voz que não chamava a atenção de ninguém, mas que prendia a de todo aquele que por qualquer circunstância a escutava. — E a cor do seu rosto? Aquele moreno suave, de pele muito fina, em que ia tão bem o cabelo preto? — E aquele modo inteligente de sorrir, quando ele descobria um ridículo em outrem? Aquele ar condescendente com que Fernando ouvia as frioleiras do Martinho de Azevedo ou as bazófias do ministro argentino? Aquele sorriso inteiriço, de alma virgem, onde não havia o menor vislumbre de inveja a ninguém, nem contentamento próprio por vaidade; aquele sorriso, que ele não sabia ver sem sorrir também; aquele sorriso que ela supunha ser a única a compreender.

A própria indiferença de Fernando agora a seduzia e namorava; achava-o por isso mesmo fora do vulgar dos outros homens, um pouco misterioso, como que guardando no fundo do coração alguma coisa superior, muito excelente, que ele não queria expor às vistas dos profanos e só pertenceria àquela que escolhesse para inseparável companheira de sua vida.

Ah! Madá contava que aquele segredo ainda seria também o seu; sua alma estava aberta de par em par e não se fecharia, enquanto não houvesse recolhido todo o conteúdo daquele coração misterioso; só se fecharia para melhor guardar em depósito as gemas preciosíssimas que dentro de sua alma despejasse a alma do seu amado. — Oh, quanto não seria bom ser a esposa daquele homem, ser a sua criatura, ser a testemunha de todos os seus instantes! E ainda lhe passara pela mente a hipótese de uma traição por parte dele!... Mas onde tinha então a cabeça?... Pois Fernando lá seria capaz algum dia de dizer uma coisa e fazer outra?... Pois ela não via logo o modo pelo qual nos bailes de seu pai todas as moças solteiras procuravam requestá-lo, sem nada conseguir, nem mesmo alterar-lhe aquela fria abstração de homem superior?... Oh, sim, sim! a única que ele queria, a única que ele amava, era ela ainda e sempre! Tudo lho dizia; tudo lho confirmava! Nem podia ser que tamanho sentimento continuasse a crescer e aprofundar-se no seu coração de donzela, se, do fundo da aparente indiferença de Fernando não viesse um raio de calor manter-lhe a vida!

Amparando-se nesses raciocínios, Madá viu chegar a véspera da formatura, quase tranquila de todo. Nesse dia recolheu-se mais cedo que de costume; ajoelhou-se defronte de um crucifixo de marfim, herdado de sua mãe, e do qual nunca se separara, e rezou, rezou muito, pedindo ao pai do céu, pelas chagas do seu divino corpo, que a protegesse e fizesse feliz. Falou-lhe em voz baixa e amiga, segredando-lhe ternuras e confidências, como se se dirigisse a um velho camarada de infância, bonacheirão, que a tivesse trazido ao colo em pequenina e que ainda se babasse de amores por ela. E contou-lhe o quanto adorava o seu Fernando e quanto precisava casar com ele. — Deus não havia de ser tão mau que, só para contrariá-la, estorvasse aquela união!...

No dia seguinte Fernando estava formado, e a casa do Conselheiro toda em preparos de festa; Madá, que havia muito não se animava a dirigir-lhe a palavra, foi ter com ele e, depois de lhe dar os parabéns, interrogou-o com um olhar cheio de ansiedade. O moço fez que não entendeu, mas ficou perturbado.

— Então? — disse Madá.

— Então o quê, minha amiguinha?

— Pois não estás formado afinal?

— E daí?

— Daí que havíamos combinado que me pedirias hoje em casamento...

Fernando perturbou-se mais.

— Ainda pensavas nisso?... — gaguejou por fim, sem ânimo de encará-la. E acrescentou depois, percebendo que ela não se mexia: — Parto daqui a dias para a Europa e não sei quando voltarei...

Madá sentiu um calafrio percorrer-lhe o corpo, um punho de ferro tomar-lhe a boca do estômago e subir-lhe até a garganta, sufocando-a.

— Bem!

E não pôde dizer mais nada, virou-lhe as costas e afastou-se de carreira, como se levasse consigo uma bomba acesa e não quisesse vê-la rebentar ali mesmo.

— Ouve, Madá! Espera!

Ela havia alcançado já o quarto; atirou-se à cama. E a bomba estourou, sacudindo-a toda, convulsivamente, numa descarga de soluços que se tornavam progressivamente mais rápidos e mais fortes, à semelhança do ansioso arfar de uma locomotiva ao partir.

3

Terminada a crise dos soluços, Madá sentiu uma estranha energia apoderar-se dela; uma necessidade de reação: andar, correr, fazer exercício; mas ao mesmo tempo não se achava com ânimo de largar a cama. Era uma vontade que se lhe não comunicava aos membros do corpo. Ergueu-se, afinal, mandou chamar o pai, e este não se fez esperar. Ia pálido e acabrunhado; é que estivera conversando antes com o filho a respeito do ocorrido. A notícia do procedimento de Madá fulminara-o; supunha-a já de todo esquecida dos seus projetos de casamento com o irmão e agora se arrependia de não haver dado as providências para que este se apartasse dela; sentia-se muito culpado em ter sido o próprio a detê-lo em casa, e doía-lhe a consciência fazer sofrer daquele modo a pobre menina. No entanto, quando o rapaz lhe pediu licença para confessar a verdade à irmã, negou-a a pé firme, aterrado com a ideia de ter de corar diante da filha. — Não! Tudo, menos isso!

Fernando protestou as suas razões contra tal egoísmo: não era justo que se expatriasse amaldiçoado por uma pessoa a quem tanto estremecia, sem ter cometido o menor delito para merecer tamanho castigo. Ah! se o pai tivesse visto com que profunda indignação, com que ódio, com que nojo, ela o havia encarado!...

— Não! Nunca! Que se poderia esperar de uma filha, que recebesse do próprio pai semelhante exemplo de imoralidade?...

Foi nessa ocasião que o criado o interrompeu com o chamado de Madá. O Conselheiro, quando chegou junto dela, sentiu-se ainda mais comovido: "Não seria tudo aquilo um crime maior do que os seus passados amores com a mãe de Fernando?... Sim; estes ao menos não se baseavam em preconceitos e vaidade, baseavam-se nos instintos e na ternura". E o mísero, atordoado com estas ideias, tomou as mãos da filha, falou-lhe com humildade, perguntou-lhe com muito carinho o que ela sentia.

— Quase nada! Um simples abalo... Já não tinha coisa alguma...

E tremia toda.

— Queres que mande buscar o Dr. Lobão? Estou te achando o corpo esquentado.

— Não, não vale a pena; isto não é nada. Eu chamei-o, papai, para lhe pedir um obséquio...

— Um obséquio? Fala, minha filha.

— Pedir-lhe um obséquio e fazer-lhe uma declaração...

E, brincando com os botões da sobrecasaca do Conselheiro: — Sabe? Estou resolvida a casar com o Martinho de Azevedo; desejava que meu pai lhe mandasse comunicar imediatamente esta minha deliberação...

— Temos tolice!...

— E queria que o casamento se realizasse antes da partida do Fernando...

— Estás louca?

— Se estiver, tanto pior para mim. Afianço-lhe que hei de fazer o que estou dizendo!

— Não sejas vingativa, minha filha; Fernando contou-me o que se passou entre vocês dois, disse-me tudo, e eu juro pela memória de tua mãe que o procedimento dele não podia ser outro... Foi correto; fez o seu dever!

— O seu dever? Tem graça!

— Mais tarde verás que digo a verdade; o que desde já posso afirmar é que o pobre rapaz não tem absolutamente a menor culpa em tudo isto. Não o deves ver com maus olhos, nem lhe deves retirar a tua confiança e a tua estima...

— Mas fale por uma vez! Não vê que as suas meias palavras me põem doida?...

— Não posso; é bastante que acredites em mim; eu juro-te que Fernando, negando-se a casar contigo cumpre o seu dever. Vou chamá-lo e quero que...

— Não, não! — atalhou a filha, segurando-lhe os braços. — Ele que não me apareça! Que não me fale! Detesto-o!

— Não acreditas em teu pai!...

— Não sei; acredito é que entre o senhor e ele há uma conspiração contra mim! Querem engodar-me com mistérios que não existem, como se eu fosse alguma criança! Ah! Mas eu mostrarei que não sou o que pensam!

— Então, minha filha, então!

— Creio que já disse bem claro qual é a minha resolução a respeito de casamento, e agora só me convém saber se meu pai está ou não disposto a tratar disso!

— Não digo que não, mas para que fazer as coisas tão precipitadamente?...

E o velho sentia o suor gelar-lhe o corpo.

— Custe o que custar, eu me casarei antes da partida daquele miserável! Se meu pai não fizer o que eu disse, o escândalo será maior! Ao menos falo com esta franqueza — não tenho "mistérios"!

Ela havia-se desprendido das mãos do Conselheiro e passeava agora pelo quarto, muito agitada, com as faces em fogo, os lábios secos e os olhos ainda úmidos das últimas lágrimas. E em todos os seus movimentos nervosos, em todos os seus gestos, sentia-se uma resolução enérgica, altiva e orgulhosa.

— Não há outro remédio! — pensou o velho, limpando a fronte orvalhada e fria de neve, não há outro remédio!

E aproximou-se da filha, para lhe dizer quase em segredo, com voz estrangulada pela vergonha:

— Fernando não se casa contigo, porque é teu irmão...

Madá retraiu-se toda, como se lhe tivesse passado por diante dos olhos uma faísca elétrica, e fitou-os sobre o pai, que rebaixou a cabeça num angustioso resfolegar de delinquente.

— Ora aí tens... — balbuciou ele, depois de uma pausa, durante a qual só se ouviam os soluços de Madá que se lhe havia atirado nos braços. — Já vês que aqui o único culpado sou eu; nunca devia ter consentido que vocês se criassem juntos, sem lhes ter exposto a verdade. Tua mãe ignorou sempre que Fernando fosse meu filho...

— Vá ter com ele... — pediu Madá, chorando. — Que me perdoe! Que me perdoe! Diga-lhe que eu não sabia de nada, e que sou muito desgraçada!

Quando o Conselheiro saiu do quarto, ela tornou à cama, e daí a pouco delirava com febre.

Transferiu-se a festa; mandou-se chamar logo o Dr. Lobão, que receitou; e só à tarde do dia seguinte, a enferma deu acordo de si, depois de um sono profundo que durou muitas horas.

Despertou tranquila, um pouco abstrata. — Tinha sonhado tanto!...

Levou um bom espaço a cismar, por fim soltou um fundo suspiro resignado e pediu que conduzissem o irmão à sua presença. Ele foi logo, acompanhado pelo Conselheiro, e assentou-se, sem dizer palavra, numa cadeira ao lado da cabeceira da cama. Madá tomou-lhe as mãos em silêncio, beijou-lhas repetidas vezes, e em seguida levou uma delas ao rosto e ficou assim por algum tempo, a descansar a cabeça contra a palma da mão de Fernando. Como por encanto, a sua meiguice havia se transformado da noite para o dia: já não eram de noiva os seus carinhos, mas perfeitamente de irmã. Não por isso menos expansivos, antes parecia agora muito mais em liberdade com ele; pelo menos nunca lhe havia tomado as mãos daquele modo. Ainda fez mais depois: pousou a face contra o seu colo e cingiu-lhe o braço em volta da cintura.

— E eu que cheguei a supor que eras um homem mau!... — balbuciou, com uma voz tão arrependida, tão humilde e tão amiga, que o rapaz a apertou contra o seio e deu-lhe um beijo no alto da cabeça.

Madá estremeceu toda, teve um novo suspiro, e deixou-se cair sobre os travesseiros, com os olhos fechados e a boca entreaberta. Chorava.

— Então, agora estão feitas as pazes?... — perguntou o Conselheiro, alisando com os dedos o cabelo da filha.

Esta ergueu as pálpebras vagarosamente e deu em resposta um sorriso sofredor e triste.

— E ainda pensas no Martinho de Azevedo?... — interrogou o velho, afetando bom humor.

Ela voltou o seu sorriso para Fernando, como lhe pedindo perdão daquela vingança tão tola e tão imerecida.

Todo o resto desse dia se passou assim, sem uma nuvem que o toldasse; a paz era completa, pelo menos na aparência. Madá não se queixava de coisa alguma. O Dr. Lobão, quando lá foi à noite, encontrou-a de pé, muito esperta, conversando com a gente do Brito. O médico desta vez olhou para a rapariga com mais atenção e fez-lhe um cúmulo de perguntas à queima-roupa: — Se era muito impressionável; se era sujeita a enxaquecas e dores de cabeça; o que costumava comer ao almoço e ao jantar; se tinha bom apetite; se usava o espartilho muito apertado; desde que idade frequentava os bailes; se as suas funções intestinais eram bem reguladas; e, como estas, outras e outras perguntas, a que Madá respondia por comprazer, afinal já importunada.

Ela embirrara sempre com o Dr. Lobão; tinha-lhe velha antipatia: achava-o sistematicamente grosseiro, rude, abusando da sua grande nomeada de primeiro cirurgião do Brasil, maltratando os seus doentes, cobrando-lhes um despropósito pelas visitas, a ponto de fazer supor que metia na conta as descomposturas que lhes passava.

— A senhora tem tido muitos namorados? — interrompeu ele, depois de a estudar, medindo-a de alto a baixo, por cima dos óculos.

Madá sentiu venetas de virar-lhe as costas e retirar-se.

— Não ouviu? Pergunto se tem tido muitos namorados!

— Não sei!

E ela afastou-se, enquanto o cirurgião resmungava:

— Que diabo! Para que então me fazem vir cá?...

Ia já a sair, quando o Conselheiro foi ter com ele:

— Então?

— Não é coisa de cuidado; um abalo nervoso. Que idade tem ela?

— Dezessete anos.

— É...! Mas não convém que esta menina deixe o casamento para muito tarde. Noto-lhe uma perigosa exaltação nervosa que, uma vez agravada, pode interessar-lhe os órgãos encefálicos e degenerar em histeria...

— Mas, doutor, ela parece tão bem conformada, tão...

— Por isso mesmo. Ah! Eu leio um pouco pela cartilha antiga. Quanto melhor for a sua compleição muscular, tanto mais deve ser atendida, sob pena de sentir-se irritada e começar a esbravejar por aí, que nem o diabo lhe dará jeito! E adeus. Passe bem!

Mas voltou para perguntar: — E a barata velha, como vai?

— Minha irmã...? No mesmo, coitada! Enfermidades crônicas...

— Ela que vá continuando com as colheradas de azeite todas as manhãs e que não abandone os clisteres. Hei de vê-la noutra ocasião; hoje não tenho mais tempo. Adeus, adeus!

E saiu com os seus movimentos de carniceiro, resmungando ao entrar no carro:

— Não tratam da vida enquanto são moças e, agora, depois de velhas, o médico que as ature! Súcia! Não prestam para nada! Nem para parir!

* * *

A festa de Fernando realizou-se na véspera da sua partida. Madá nunca pareceu tão alegre nem tão bem disposta de saúde; pôs um vestido de cassa cor-de-rosa, todo enfeitado de margaridas, deixando ver em transparência a ebúrnea riqueza do colo e dos braços.

Estava fascinadora; toda ela era graça, beleza e espírito; causou delírios de admiração. Nessa noite dançou muito, cantou e, durante o baile inteiro, mostrou-se para com Fernando de uma solicitude, em que se não percebia a menor sombra de ressentimento; dir-se-ia até que estimara haver descoberto que era sua irmã. Conversaram muito; ela contou-lhe, ora rindo, ora falando a sério, as declarações de amor que recebera; citou nomes, apontou indivíduos, pediu-lhe conselhos sobre a hipótese de uma escolha e declarou, mais de uma vez, que estava resolvida a casar.

No dia seguinte apresentaram-se alguns amigos para o bota-fora. Madá foi a bordo, chorou, mas não fez escarcéu; em casa compareceu ao jantar, comeu regularmente e até a ocasião de se recolher falou repetidas vezes do irmão, sem patentear nunca na sua tristeza desesperos de viúva, nem alucinações de mulher abandonada.

Só dois meses depois foi que notaram que estava um tanto mais magra e um tanto mais pálida; e assim também que o seu riso ia perdendo todos os dias certa frescura sanguínea, que dantes lhe alegrava o rosto, e tomando aos poucos uma fria expressão de inexplicável cansaço.

Alguns meses mais, e o que nela havia de menina desapareceu de todo, para só ficar a mulher. Fazia-se então muito grave, muito senhora, sem todavia parecer triste, nem contrariada; as amigas iam vê-la com frequência e encontravam-na sempre em boa disposição para dar um passeio pela praia, ou para fazer música, dançar, cantar; tudo isto, porém, sem o menor entusiasmo, friamente, como quem cumpre um dever. Vieram-lhe depois intermitências de tédio; tinha dias de muito bom humor e outros em que ficava impertinente ao ponto de irritar-se com a menor contrariedade. Não obstante, continuava a ser admirada, querida e invejada, graças ao seu inalterável bom gosto, à sua linha altiva de procedimento e à sua aristocrática beleza. O pai votava-lhe já essa reverente consideração, que nos inspiram certas damas, cuja pureza de hábitos e extrema correção nos costumes se tornam legendárias entre os grupos com que convivem; tanto assim que, vendo-se o Militão forçado a retirar-se com a família para uma fazenda que ia administrar, o Conselheiro não os substituiu por ninguém, e a casa ficou entregue a Madá.

Quanto à saúde — assim, assim... Às vezes passava muito bem semanas inteiras; outras ficava aborrecida, triste, sem apetite; apareciam-lhe nevralgias, acompanhadas de grande sobre-excitação nervosa. Então, qualquer objeto ou qualquer fato repugnante indispunha-a de um modo singular; não podia ver sanguessugas, rãs, morcegos, aranhas; o movimento vermicular de certos répteis causava-lhe arrepios de febre; se à noite, não estando acompanhada, encontrava um gato em qualquer parte da casa, tinha um choque elétrico, perfeitamente elétrico, e não podia mais dormir tão cedo.

Uma madrugada, em que a tia foi acometida de cólicas horrorosas e sobressaltou a família com os seus gritos, Madá sofreu tamanho abalo que, durante dois dias, pareceu louca. Desde essa época principiou a sofrer de umas dores de cabeça, que lhe produziam no alto do crânio, ora a impressão de uma pedra de gelo, ora a de um ferro em brasa.

Agora também o barulho lhe fazia mal aos nervos: ouvindo música desafinada, sentia-se logo inquieta e apreensiva; o mesmo fenômeno se dava com o aroma ativo de certas flores e de certos extratos: o sândalo, por exemplo, quebrantava-lhe o corpo; o perfume da magnólia enfrenesiava-a; o almíscar produzia-lhe náuseas. Ainda outros cheiros a incomodavam: o fartum que se exala da terra quando chove depois de uma grande soalheira; o fedor do cavalo suado; o de certos remédios preparados com ópio, mercúrio, clorofórmio; tudo isto agora lhe fazia mal, porém de um modo tão vago, que ela muita vez sentia-se indisposta e não atinava por quê.

Notava-se-lhe também certa alteração nos gostos com respeito à comida: preferia agora os alimentos fracos e muito adubados; tinha predileções esquisitas; voltava-se toda para a cozinha francesa; gostava mais de açúcar, mas queria o chá e o café bem amargos.

As cartas de Fernando não a alteraram absolutamente; a primeira, entanto, fora recebida com exclamações de contentamento. Ele dizia-se feliz e divertido, apoquentado apenas pelas saudades da família. Madá escrevia-lhe de irmã para irmão, afetando muita tranquilidade, procurando fazer pilhéria, citando anedotas, dando-lhe notícias do Rio de Janeiro, falando em teatros e cantores.

E assinava sempre "Tua irmãzinha que te estremece — Madalena".

4

Decorreu um ano. O incidente romanesco do namoro entre os dois irmãos ia caindo no rol das puerilidades da infância; Madá se lembrava dele com um criterioso sorriso de indulgência.

— Criancices! criancices!

Agora, no seu todo de senhora refeita, com as suas intransigências de dona de casa, com as suas preocupações de economia doméstica, ela estava a pedir um marido prático, um homem de boa posição, que lhe trouxesse tanto ou mais prestígio que o pai; mesmo porque este, ultimamente, e só por causa dela, havia-se alargado um pouco demais com aquelas festas e começava a sentir necessidade de apertar os cordéis da bolsa.

Não é brincadeira dar um baile por mês!

Foi essa a sua época mais fecunda de pretendentes; apareceram-lhe de todos os matizes, desde o pingue senador do império, até ao escaveirado amanuense de secretaria; concorreram negociantes, capitalistas e doutores de vária espécie. Ela, porém, como se estivesse brincando a "cortina do amor" em jogo de prendas, não entregou o lenço a nenhum. Não os repelia com denodo, antes tinha sempre para cada qual um sorriso muito amável; mas — repelia-os.

Todavia, de vez em quando, lhe vinham reações. Precisava acabar com aquilo por uma vez, decidir-se por alguém. E fazia íntimos protestos de resolução, e empregava todos os esforços para se agradar deste ou daquele que lhe parecia preferível; mas na ocasião de dar o "Sim" hesitava, torcia o corpo, e afinal não se dispunha por ninguém.

Ah! Madá sabia claramente que era preciso tomar uma resolução! Bem percebia que o pai, coitado, já estava fazendo das fraquezas forças e morto por vê-la encaminhada; além disso, o Dr. Lobão, com aquela brutalidade que todos lhe perdoavam, como se ela fosse um privilégio, por mais de uma vez lhe dissera: "É preciso não passar dos vinte, que depois quem tem de aguentar com as maçadas sou eu! compreende?".

Sim, ela compreendia, compreendia perfeitamente. Mas porventura teria culpa de estar solteira ainda? Que havia de fazer, se entre toda aquela gente, que o pai lhe metia pelos olhos, nem um só homem lhe inspirava bastante confiança? Não era uma questão de amor, era uma questão de não fazer asneira! Lá ilusões a esse respeito, isso não tinha: sabia de antemão que não encontraria nenhum amante extremoso e apaixonado; não sonhava nenhum herói de romance. A época dessas tolices já lá se havia ido para sempre; sabia muito bem que o casamento naquelas condições, era uma questão de interesses de parte a parte, interesses positivos, nos quais o sentimento não tinha que intervir; sabia que no círculo hipócrita das suas relações todos os maridos eram mais ou menos ruins; que não havia um perfeitamente bom. — De acordo! mas queria dos males o menor!

Casava-se, pois não! Estava disposta a isso, e até compreendia e sentia melhor que ninguém o quanto precisava, por conveniência mesmo de sua própria saúde, arrancar-se daquele estado de solteira que já se ia prolongando por demais. Estava disposta a casar, que dúvida! Mas também não queria fazer alguma irreparável doidice, que tivesse de amargar em todo o resto da sua vida... Nem se julgava nenhuma criança, para não saber o que lhe convinha e o que lhe não convinha! Enfim, a sua intenção era, como se diz em gíria de boa sociedade: "Casar bem".

Sim! Uma vez que o casamento era arranjado daquele modo; uma vez que tinha de escolher friamente um homem, a quem se havia de entregar por convenção, queria ao menos escolher um dos menos difíceis de aturar; um homem de gênio suportável, com um pouco de mocidade e uma fortuna decente.

Bastava-lhe isto!

Nada, porém, de se decidir, e o tempo a correr! Os vinte anos vieram encontrá-la sem noivo escolhido; o pai principiava a inquietar-se, e o Dr. Lobão a dizer-lhe: "Olhe lá, meu amigo, é bom não facilitar! É bom não facilitar!..."

Que injustiça! O pobre Conselheiro não facilitava; não fazia mesmo outra coisa senão andar por aí arrebanhando para sua casa todo homem que lhe parecia apto para casar com a filha; e tanto, que a roda dos seus amigos crescia largamente, e as suas festas amiudavam-se, e as suas despesas reproduziam-se.

Uma notícia má veio, porém, enlutar a casa e fechar-lhe as portas por algum tempo — a morte de Fernando. O rapaz nas últimas cartas já se queixava da saúde: dizia que andava à procura de ares mais convenientes aos seus brônquios. Fugira da Alemanha para a França, da França para a Itália, desta para a Espanha, e fora morrer, afinal, em Portugal.

O Conselheiro ficou fulminado com a notícia, aparentemente mais sentido do que a própria Madá. Esta recebeu-a como se já a esperasse; saltaram-lhe as lágrimas, mas não teve um grito, uma exclamação, um gemido; apenas ficou muito apreensiva, aterrada, com medo do escuro e da solidão. Durante noites seguidas foi perseguida por terríveis pesadelos, nos quais o morto representava sempre o principal papel, mas, durante o dia, não tinha uma palavra com referência a ele.

Não obstante, duas semanas depois, passeando na chácara, viu pular diante de si um sapo; e foi o bastante para que explodisse a reação dos nervos. Estremeceu com um grande abalo, soltou um grito agudo e sentiu logo na boca do estômago uma pressão violenta. Era a primeira vez que lhe dava isto; acudiram-na e levaram-na para o quarto. Ela, porém, não sossegava: o peso do estômago como que se enovelava e subia-lhe por dentro até a garganta, sufocando-a num desabrido estrangulamento. Esteve assim um pouco; afinal perdeu os sentidos e começou a espolinhar-se na cama, em convulsões que duraram quase uma hora.

Tornou a si nos braços das amigas da vizinhança, atraídas ali pelos formidáveis gritos que ela soltava. O pai e o Dr. Lobão também estavam a seu lado; o doutor, muito expedito, com os óculos na ponta do nariz, suando, rabujava enquanto a socorria:

— Que dizia eu? Ora aí tem! É bem feito! Ainda acho pouco! Quem corre por seu gosto não cansa! Se fizessem o que recomendei, nada disto sucederia! Agora o médico que a ature!...

E, voltando-se para uma das vizinhas que, por ficar muito perto dele, lhe estorvava às vezes o movimento do braço, exclamou com arremesso: — Saia daí! Também não sei que tem de cheirar cá! Melhor seria que estivessem em casa cuidando das obrigações!

— Cruzes! — disse a moça fugindo do quarto. — Que bruto! Deus te livre!

Por este tempo Madá era acometida por uma explosão de soluços e chorava copiosamente, o peito muito oprimido.

— Ora até que enfim! — rosnou o Doutor. E erguendo-se, soprou para o Conselheiro, a descer as mangas da camisa e da sobrecasaca, que havia arregaçado: — Pronto! Estes soluços continuarão ainda por algum tempo, e depois ela sossegará. Naturalmente há de dormir. O que lhe pode aparecer é a cefalalgia...

— Como?

— Dores de cabeça. Mas para isso você lhe dará o remédio que vou receitar.

E saíram juntos para ir ao escritório.

— É o diabo!... — praguejava entredentes o brutalhão, enquanto atravessava o corredor ao lado do Conselheiro, enfiando às pressas o seu inseparável sobretudo de casimira alvadia. — É o diabo! Esta menina já devia ter casado!

— Disso sei eu... — balbuciou o outro. — E não é por falta de esforços de minha parte; creia!

— Diabo! Faz lástima que um organismo, tão rico e tão bom para procriar, se sacrifique deste modo! Enfim — ainda não é tarde: mas, se ela não se casar quanto antes — hum... hum!... Não respondo pelo resto!

— Então o Doutor acha que...?

Lobão inflamou-se: — Oh! O Conselheiro não podia imaginar o que eram aqueles temperamentozinhos impressionáveis!... eram terríveis, eram violentos, quando alguém tentava contrariá-los! Não pediam — exigiam! — reclamavam!

— E se não lhes dá o que reclamam — prosseguiu — aniquilam-se, estrangulam-se, como leões atacados de cólera! É perigoso brincar com a fera que principia a despertar... O monstro deu já sinal de si; e, pelo primeiro berro, você bem pode calcular o que não será quando estiver deveras assanhado!

— Valha-me Deus! — suspirou o pobre Conselheiro, — que hei de eu fazer, não dirão?

— Ora essa! Pois já não lhe disse? É casar a rapariga quanto antes!

— Mas com quem?

— Seja lá com quem for! O útero, conforme Platão, é uma besta que quer a todo o custo conceber no momento oportuno; se lho não permitem — dana! Ora aí tem!

— Visto isso, o histerismo não é mais do que a hidrofobia do útero?...

— Não! Alto lá! Isso não! A histeria pode ter várias causas, nem sempre é produzida pela abstinência; seria asneira sustentar o contrário. Convenho mesmo com alguns médicos modernos em que ela nada mais seja que uma nevrose do encéfalo e não estabeleça a sua sede nos órgãos genitais, como queriam os antigos; mas isso que tem que ver com o nosso caso? Aqui não se trata de curar uma histérica, trata-se é de evitar a histeria. Ora, sua filha é de uma delicadíssima sensibilidade nervosa; acaba de sofrer um formidável abalo com a morte de uma pessoa que ela estremecia muito; está, por conseguinte, sob o domínio de uma impressão violenta; pois o que convém agora é evitar que essa impressão permaneça, que avulte e degenere em histeria; compreende você? Para isso é preciso, antes de mais nada, que ela contente e traga em perfeito equilíbrio certos órgãos, cuja exacerbação iria alterar fatalmente o seu sistema psíquico; e, como o casamento é indispensável àquele equilíbrio, eu faço grande questão do casamento.

— De acordo, mas...

— Casamento é um modo de dizer, eu faço questão é do coito! — Ela precisa de homem! — Ora aí tem você!

O Conselheiro respirou com força, coçou a cabeça. Os dois penetraram no gabinete, e o doutor, depois de escrever a sua receita, acrescentou, como se não tivesse interrompido a conversa: — Noutras circunstâncias, sua filha não sofreria tanto... nada disto teria até consequências perigosas; mas, impressionável como é, com a educação religiosa que teve, e com aquele caraterzinho orgulhoso e cheio de intransigências, se não casar quanto antes, irá padecer muito; irá viver em luta aberta consigo mesma!

— Em luta? Como assim, doutor?

— Ora! A luta da matéria que impõe e da vontade que resiste; a luta que se trava sempre que o corpo reclama com direito a satisfação de qualquer necessidade, e a razão opõe-se a isso, porque não quer ir de encontro a certos preceitos sociais. Estupidez humana! Imagine que você tem uma fome de três dias e que, para comer, só dispõe de um meio — roubar! Que faria neste caso?

— Não sei, mas com certeza não roubava...

— Então — morria de fome... Todavia um homem, de moral mais fácil que a sua, não morreria, porque roubava... Compreende? — Pois aí tem!

5

Depois do ataque Madá sentiu um grande quebramento de corpo e pontadas na cabeça. O Conselheiro, quando a viu em estado de conversar, falou-lhe com delicadeza a respeito de casamento, apresentando-lhe as doutrinas do Dr. Lobão, vestidas agora de um modo mais conveniente.

— Mas eu estou de acordo! — repontou ela — estou perfeitamente de acordo! A questão é haver um noivo! Eu não posso casar sem um noivo!...

— Tens rejeitado tantos...

— Porque não me convinha nenhum dos que me apresentaram; hoje, porém, estou resolvida a ser mais fácil de contentar, e creio que casarei.

— Ainda bem, minha filha, ainda bem!

E abriram-se de novo as salas do Sr. Conselheiro, e começaram de novo as festas, e de novo começou aquela canseira de arranjar um — marido.

E espalhem-se os convites para todos os lados! E corra a gente à confeitaria e aos armazéns de bebidas! E contrate-se orquestra! E chame-se a costureira! E ature--se o cabeleireiro! — Que maçada! Que insuportável maçada!

Entre novos arrebanhados, apareceu o Sr. Comendador José Furtado da Rocha, velhote bem disposto, orçando pelos cinquenta, mas dando tinta ao cabelo e escanhoando-se com muita perfeição. Era português, e havia-se opulentado no comércio, onde principiara brunindo pesos e balanças. Madá aceitou-lhe a corte quase por brincadeira, a rir, ou talvez para não contrariar o pai, que se mostrava muito afeiçoado por ele; ou, quem sabe, talvez ainda na esperança de ver surgir de um momento para outro novo pretendente.

O velhote parecia adorá-la e falava, com meias palavras e sorrisos de misteriosa intenção, em arranjar títulos, deitar palácio, correr a Europa inteira e comprar objetos de arte.

Um gajo! Mas, quando o conselheiro, em nome do amigo, perguntou à filha se estava resolvida a casar com ele, Madá sorriu, espreguiçou-se, e afinal, para não deixar o pai sem resposta, tartamudeou:

— Não digo que não, mas.... sabe?... é cedo para decidir... Havemos de ver! Havemos de ver!...

Três meses depois, o comendador, já desenganado, casava-se em São Paulo com uma viúva ainda moça, professora de piano.

Apresentou-se então, solicitando a mão de Madá, o Dr. Tolentino. Não tinha a metade do dinheiro do outro, mas em compensação era muito mais novo. Muito mais! E com um belo prestígio de homem de talento e um futurão na advocacia, se os seus pulmões lho permitissem.

Sim, senhor, porque o Dr. Tolentino não gozava boa saúde. Era ainda jovem e parecia velho; extremamente magro, vergado, um pouco giboso, olhos fundos, faces cavadas, cabelo pobre e uma tosse de a cada instante. Todo ele respirava longas noites de estudo, sobre os grossos livros de Direito ou defronte das carunchosas pilhas dos autos; todo ele estava a pedir, com seu magro pescocinho, um longo *cache-nez* bem quente, e as suas mãos, extensas e magras, queriam luvas de lã; e os seus pés, longos e espalmados, exigiam sapatos de borracha. Não produzia lá muito bom efeito o vê-lo assim desmalmado, muito comprido dentro de sua sobrecasaca abotoada de cima a baixo, olhando tristemente para a vida por detrás dos seus óculos de míope.

Muito bom efeito — não, não produzia; mas também não produzia muito mau, graças à delicadeza dos seus gestos e à expressão inteligente do seu rosto cor de palha de milho. Cheirava a doença; mas, palavra de honra, falava que nem o José Bonifácio!

Não! Definitivamente merecia a fama de homem ilustre!

O seu namoro à filha do Conselheiro foi calmo, correto e persistente. Porém inútil: Madá, depois de muita negaça, muita hesitação e muito constrangimento, resolveu não o aceitar.

Já lá se ia entretanto quase que meio ano depois do primeiro ataque, e ela começava a torcer o nariz à comida, a fazer-se mais magra, mais irritável e mais sujeita a sobressaltos nervosos.

Abatia.

O drama, a música triste, o romance amoroso, provocavam-lhe agora um choro, que principiava pela simples lágrima e acabava sempre em soluços convulsivos. Ao depois: aí estavam as pontadas no alto da cabeça, o embrulhamento do estômago, os terrores infundados, o exagero de todos os seus atos e um estranho desassossego do corpo e do espírito, que a fazia andar inquieta por toda a casa sem parar três segundos no mesmo ponto.

— Temo-la travada! — exclamava o seu médico; até que, uma ocasião, furioso, avançando de punho fechado contra o Conselheiro, gritou-lhe, cerrando os dentes e arreganhando-os: — Que diabo, homem! Case esta pobre rapariga, seja lá com quem for!

— É boa! — respostou o outro. — Ainda mais esta!... Pois você acha que, se houvesse aparecido com quem, eu já não a teria casado?

— Ora o quê, meu amigo! As minhas observações não me enganam: ela tem qualquer amor contrariado, que me não confessa; e você com certeza sabe de tudo e cala o bico por conveniência... É que o sujeito, naturalmente, é algum tipo sem eira nem beira... Ah! Eu compreendo estas coisas... mas, em todo o caso, fique sabendo para o seu governo que você está mas é preparando uma doida de primeira ordem! Ora aí tem!

* * *

O Conselheiro deu a sua palavra de que não sabia de nada, e afirmou em boa-fé que a filha não tinha namoro oculto, nem claro; que, se o tivera, já ele o houvera descoberto.

— Pois se não tem, é preciso arranjá-lo e arranjá-lo já!

Surgiu então o Conde do Valado.

Trinta a trinta e cinco anos. Elegante, loiro, meio calvo, barba rente espetando no queixo em duas pontas de saca-rolhas; olho azul, monóculo, o esquerdo sempre fechado; uma ferradura de ouro guarnecida de pequeninos brilhantes, na gravata, que também era toda sarapintada de ferraduras, luvas de pele da Suécia com três riscões negros em cima; sapatos ingleses, mostrando meias de cor, onde havia ainda pequenas ferraduras bordadas a seda.

Este, quanto ao chamado vil metal, não tinha nem pouco, nem muito; era pobre, pobre como o país onde nascera; mas descendia em linha reta de uma família portuguesa muito ilustre pelo sangue, e em cujos primeiros galhos até príncipes se apontavam. Vivia à custa de um cavalo igualmente puro no sangue e na raça, com o qual apostava no Prado. De resto — falava inglês, fumava cigarrilhos de Havana, bebia cerveja como qualquer doutor formado na Alemanha, e tinha o distintíssimo talento de encher cinco horas só a tratar de jóquei-clube.

Madá ficou muito impressionada quando o viu pela primeira vez passar a meio trote na praia de Botafogo, fazendo corcovear à rédea tesa um alazão do Moreaux. Achou-o irresistível de botas de verniz, elegantemente enrugadas sobre o tornozelo, calção de flanela branca abotoado na parte exterior da coxa, jaleco de pelúcia cor de pinhão com passamantes e botões de prata, chapéu alto de castor cinzento e luvas de camurça. Por muitos dias conservou no ouvido o eco daquele estalar metódico e compassado, que as patas do animal feriam no calçamento da rua. E, em família, tanto e com tamanha insistência falou do tal conde, que o pai, malgrado as informações contrárias que obtivera a respeito dele, deu providências para o atrair à sua casa.

Foi uma corte sem tréguas a do Valado. Perseguia Madá por toda a parte; passava-lhe a cavalo pela porta todos os dias; convidava-a para todas as valsas; fazia-lhe declarações de amor em todas as ocasiões.

— Então? — perguntou o Conselheiro à filha, depois de lhe comunicar que o conde acabava de pedir a mão dela.

— Não sei, — respondeu Madá. — Mais tarde, mais tarde terão a resposta... É bem possível que aceite...

Deram todos como certo o casamento da filha do Conselheiro com o estróina do conde. Fizeram-se comentários, reprovações. Mas, nessa mesma semana, uma noite, estando aquela ao piano e o outro ao seu lado, a virar-lhe as folhas da partitura, ela de repente deixou de tocar, soltou um grito e foi logo acometida por um novo ataque, ainda mais forte que o primeiro.

Havia descoberto, a passear no colarinho do fidalgo, um pequenino inseto da cor do jaquetão com que ele se exibia a cavalo. Acudiram-na de pronto com sais e algodões queimados. Fez-se uma desordem geral na sala; Madá foi carregada a pulso para o quarto, dando de pernas e braços por todo o caminho. E, daí a pouco, levantava-se a reunião e retiravam-se os convidados.

Não pôde erguer-se da cama no dia seguinte, nem no outro, nem nos cinco mais próximos. Detinham-na grandes dores de cabeça, amolecimento nas pernas e uma ligeira impressão dolorosa na espinha dorsal.

— Olhe! — disse o Dr. Lobão ao Conselheiro. — Isto ainda não é precisamente a tal fome de três dias, mas para isso pouco lhe falta!...

O pai de Madá resolveu aproveitar a primeira estiada da moléstia para casar a filha com o conde.

— Decerto! Decerto! — aprovara o médico.

Todavia a caprichosa, ainda de cama, declarou que — definitivamente — não se casaria com semelhante homem. — Nunca!

— Não! — exclamou — com este é tempo perdido! Façam o que quiserem, eu não me caso!

— Mas por quê, minha filha?...

— Não sei, não quero!

— Ele te deu algum motivo de desgosto?...

— Ora! Já disse que não quero!

E ninguém, nem ela própria, sabia explicar a razão por quê. — Era lá uma cisma.

Quando se levantou estava desfeita; apareceram-lhe náuseas depois da comida e uma tosse seca que a perseguia enquanto estivesse de pé.

Foi então que o Dr. Lobão, enfurecido com a sua doente, porque se recusara a entregar-se ao conde, aconselhou o tal passeio à Europa.

6

A viagem, como ficou dito, pouco lhe aproveitou ao sistema muscular e agravara-lhe sem dúvida o sistema nervoso. Madá voltou mais impressionável, mais vibrante, mais elétrica. De novo, verdadeiramente novo, o que se lhe notava agora era só uma exagerada preocupação religiosa: estava devota como nunca fora, nem mesmo nos seus tempos de pensionista das irmãs de caridade. Mostrava-se muito piedosa, muito humilde e submissa aos preceitos da Igreja. Falava de Cristo, pondo na voz infinitas doçuras de amor.

É que, enquanto percorrera as velhas capitais do mundo católico, visitando de preferência os lugares sagrados e as ruínas, o seu espírito, como se peregrinasse em busca do ideal, fora lentamente se voltando para Deus. Preferira sempre os ermos silenciosos e propícios às longas concentrações místicas. As multidões assustavam-na com a sua grosseira e ruidosa atividade dos grandes centros da indústria e do comércio; o verminar das avenidas e *boulevards*, as enchentes de teatro, a concorrência dos passeios públicos, a aglomeração das oficinas e dos armazéns de moda, o cheiro do carvão de pedra, o vaivém de operários, o zum-zum dos hotéis: tudo isso lhe fazia mal. Agora, a sua delicadíssima suscetibilidade nervosa reclamava o taciturno recolhimento dos claustros; pedia uma vida obscura e contemplativa, toda ocupada com um perenal idílio da alma com a divindade.

Em França chegou a falar ao pai em recolher-se a um convento. O Conselheiro disparatou:

— Estava doida! Pois ele tinha lá criado uma filha com tanto esmero para a ver freira?... Não lhe faltava mais nada! Ah! bem quisera opor-se àquelas incessantes visitas aos mosteiros, aos cemitérios e às igrejas! Não se opusera — aí estavam agora as consequências! — Ser freira! Tinha graça! Não havia dúvida — tinha muita graça que a Sra. Madalena fosse a Paris para lá ficar num convento! Mas era bem feito!... era muito bem feito, porque, desde o dia em que se deu o que se dera com a visita ao túmulo de Heloísa e Abelardo, que ele devia estar prevenido contra semelhantes passeios e tomar providências a respeito daquela mania religiosa!

A visita ao túmulo dos legendários amantes fora com efeito muito fatal à filha do Conselheiro. Esta, depois de contemplá-lo em silêncio e por longo tempo, estática, com os olhos imóveis sobre as duas figuras de mármore, abriu num pranto muito soluçado, findo o qual, pôs-se a dançar e a cantar, num ritmo, que ia aos poucos se acelerando. O pai quis contê-la; Madá fugiu-lhe, correndo pelo cemitério, saltando pelas sepulturas, tropeçando aqui e ali, tão depressa caindo como se levantando, a soltar gritos que pareciam uivos de fera esfaimada. Afinal, já sem forças e com as roupas em frangalhos, abateu por terra, ofegante, mas escabujando ainda num rosnar convulsivo, até perder os sentidos, e logo pegar em sono profundo, do qual só despertou vinte e tantas horas depois, já no hotel, para onde a levaram, sem que ela desse acordo de si.

Entrava no período da coreia e das convulsões.

Este incidente, porém, em vez de lhe servir de lição e de afastá-la de tudo que lhe pudesse causar novas crises, foi, ao contrário, como que o ponto de partida da sua declinação para as coisas religiosas. Começou desde então a sentir-se oprimida por uma ansiedade sem objetivo nem causa aparente; às vezes uma grande mágoa a sufocava, enchendo-lhe a garganta de soluços indissolúveis; outras vezes eram titilações por todo o corpo, uns pruridos que a irritavam, que lhe metiam vontade de morder as carnes, de açoitar-se, de beliscar-se até tirar sangue. E, quando cessavam estas tiranias da matéria, voltavam de novo as mágoas, então o que a consumia era um desejo esquisito, que lhe comia por dentro, onde e por que não sabia dizer; e depois uma esperança sem esperança de conforto, um como ideal despedaçado no seu interior, cujas incalculáveis partículas se lhe espalhassem por todo o ser e procurassem fugir, transformadas em milhões de suspiros.

Valia-se então das súplicas religiosas e ficava longo tempo a rezar, banhada em lágrimas, os olhos injetados, os lábios trêmulos, o nariz frio de neve. Porém a oração não a confortava, e a infeliz pedia a Deus que a matasse naquele mesmo instante ou lhe enviasse dos céus um alívio para as suas aflições.

Foi neste estado que Madá tornou ao Rio de Janeiro. A velha Camila, cuja beatice emperrara com o tempo e já tresandava à idiotia, rejubilou ao vê-la assim; durante a viagem da sobrinha, ela se recolhera ao Convento de Santa Teresa, onde tinha amigas e onde costumava dantes ir passar dias e às vezes semanas inteiras, no tempo em que ainda não estava tão mal de saúde. Qual não seria, pois, o seu gosto, quando Madá, fechando-se com ela no quarto, abriu o coração e franqueou à devota todas as vagas mortificações e místicos arrebatamentos da sua pobre alma enferma?

— Fizeste tu muito bem, minha filha! — aplaudiu a tia, abraçando-a transportada. — Fizeste muito bem em te voltares para a Igreja! Deixa lá falar teu pai, que não entende disto e está tão contaminado de heresia como qualquer homem deste tempo. Deixa-o lá e entrega-te às mãos de Deus, que terás bem-aventurança na terra, como mais tarde a pilharás no céu!

E, porque Madá se queixasse depois dos seus tremores, das suas palpitações e dos seus sobressaltos de todo o instante: — Quanto a isso, não tens que recear, vou ensinar-te uma oração, que é só trazê-la de cor e rezá-la de vez em quando — e hás de ver: tudo se vai embora!

A sobrinha falou em casamento.

— Se encontrares marido, respondeu a velha, e entenderes que deves casar — casa-te, menina, que essa é a vontade de teu pai; mas também se não casares, nem por isso serás menos feliz, uma vez que já estejas na divina graça de Nosso Senhor Jesus Cristo...

E, depois de cruzar as mãos sobre o peito e revirar os olhos para o céu, acrescentou: — Não tenho eu vivido até hoje tão solteirinha como no dia em que nasci?... E, olha, rapariga, que o homem nunca me fez lá essas faltas! Ainda em certa idade, quando andava no fogo dos meus vinte aos trinta, vinham-me assim umas venetas mais fortes de casamento; mas que fazia eu? Disfarçava; metia-me com os meus santinhos; rezava à Nossa Senhora do Amparo, e com poucas — nem mais pensava em semelhante porcaria! A coisa está em tirar uma pessoa o juízo daí! Olha: decora a oração que te vou ensinar, e reza-a sempre que sentires formigueiros na pele e comichões por dentro!

A oração constava do seguinte:

Jesus, filho de Maria, príncipe dos céus e rei na Terra, senhor dos homens, amado meu, esposo de minha alma, vale-me tu, que és a minha salvação e o meu amor! Esconde-me, querido, com o teu manto, que o leão me cerca! Protege-me contra mim mesma! Esconjura o bicho imundo que habita minha carne e suja minha alma! — Salva-me! Não me deixes cair em pecado de luxúria, que eu sinto já as línguas do inferno me lambendo as carnes do meu corpo e enfiando-se pelas minhas veias! Vale-me, esposo meu, amado meu! Vou dormir à sombra da tua cruz, como o cordeirinho imaculado, para que o demônio não se aproxime de mim! Amado do meu coração, espero-te esta noite no meu sonho, deitada de ventre para cima, com os peitos bem abertos, para que tu me penetres até o fundo das minhas entranhas e me ilumines toda por dentro com a luz do teu divino espírito! Por quem és, conjuro-te que me não faltes, porque, se não vieres, arrisco-me a cair em poder dos teus contrários, e morrerei sem estar no gozo da tua graça! Vem ter comigo, Jesus! Jesus, filho de Deus, senhor dos homens, príncipe dos céus e rei na terra! Vem, que eu te espero. Amém.

Madá decorou isto e, desde então, todas as noites, antes de dormir, ficava horas esquecidas ajoelhada defronte do seu crucifixo de marfim, a repetir em êxtase aquelas palavras que a entonteciam com a sua dura sensualidade ascética. E os olhos prendiam-se-lhe na chagada nudez do filho de Maria e ungiam-lhe ternamente as feridas, como se ela contemplasse com efeito o retrato do seu amado. Mas aquele corpo de homem nu, ali, no mistério do quarto, trazia-lhe estranhas conjeturas e maus pensamentos, que a mísera enxotava do espírito, corando envergonhada da sua própria imaginação.

Foi a partir desse tempo que deu para andar sempre vestida de luto, muito simples, com o cabelo apenas enrodilhado e preso na nuca; um fio de pérolas ao pescoço, sustentando uma cruz de ouro, e mais nenhuma outra joia. E, assim, a sua figura ainda parecia mais delgada e o seu rosto mais pálido. A tristeza e a concentração davam-lhe à fisionomia uma severa expressão de orgulho; dir-se-ia que ela, à medida que se humilhava perante Deus, fazia-se cada vez mais altiva e sobranceira para com os homens. O todo era o de uma princesa traída pelo amante, e cuja desventura não conseguira abaixar-lhe a soberbia, nem arrancar-lhe dos lábios frios uma queixa de amor ou um suspiro de saudade.

Os seus atos mais simples e os seus mais ligeiros pensamentos ressentiam-se agora de um grande exagero. Nunca se mostrara tão intolerante nos princípios de dignidade e na pureza dos costumes; nunca fora tão aristocrata, tão zeladora da sua posição na sociedade, nem tão convicta dos seus merecimentos e dos seus créditos.

Uma conduta irrepreensível! Se sofria ou não para sustentar os deveres de mulher honesta, só o sabia a discreta imagem de marfim, a quem unicamente confiava os segredos das suas lutas interiores; os desesperos e as misérias da sua carne, se tinha desejos, tragava-os em silêncio com a mais inflexível nobreza e o mais afincado orgulho. Ao vê-la, na singela gravidade do seu trajo, o rosto descolorido pela moléstia, os movimentos demorados e sem vida, sentia a gente por ela um profundo respeito compassivo, uma simpatia discreta e duradoura. O triste ar de altiva resignação que se lhe notava nos olhos, outrora tão ardentes e tão talhados para todos os mistérios da ternura; a desdenhosa expressão de fidalguia daqueles lábios já sem cor, instrumentos que a natureza havia destinado para executar a música ideal dos beijos e cujas cordas pareciam agora frouxas e embambecidas; aquela respiração curta e entrecortada de imperceptíveis suspiros; aquela voz, poderosa na expressão e fraca na tonalidade, onde havia um pouco de súplica e um pouco de arrogância — súplica para Deus e arrogância para os homens; enfim — tudo que respirava da sua adorável figura de deusa enferma: tudo nos conduzia a amá-la em segredo, reverentemente, como um soldado a sua rainha.

Agora a bem poucos dava a honra de uma conversa; falava sempre sem gesticular e em voz baixa, e ninguém, a não ser o pai, lhe alcançava um sorriso. A dança, o canto, o piano, tudo isso foi posto à margem; as partituras dos seus autores favoritos já se não abriam havia longos meses; a sua caixinha de tintas vivia no abandono; os seus pincéis de aquarela, dantes tão companheiros dela, já lhe não mereciam sequer um beijo. Iam-se-lhe agora os dias quase que exclusivamente consumidos na leitura, lia mais do que dantes, muito mais, sem comparação, mas tão somente livros religiosos ou aqueles que mais de perto jogavam com os interesses da Igreja; gostava de saber as biografias dos santos, deliciava-se com a "Imitação de Jesus Cristo", e não se fartava de ler a Bíblia, o grande manancial da poesia que agora mais a encantava; decorara o "Cântico dos Cânticos" de Salomão, principalmente o capítulo V que principia deste modo:

Venha o meu amado para o seu jardim, e coma o fruto das suas macieiras.

Eu vim para o meu jardim, irmã minha esposa; seguei a minha mirra aromática; comi o favo com o mel; bebi o meu vinho com o meu leite. Comei, amigos, e bebei, e embriagai-vos, caríssimos!

Eu durmo, e o meu coração vela; eis a voz do meu amado que bate, dizendo: — Abre-me, irmã minha, pomba minha, imaculada minha, porque sinto a cabeça cheia de orvalho, e me estão correndo pelos anéis do cabelo, as gotas da noite.

E estes, como todos os outros versículos de Salomão, lhe punham no espírito uma embriaguez deliciosa, atordoavam-na como um perfume capitoso e melífluo de flores orientais ou como um vinho saboroso e tépido que a ia penetrando toda, até a alma, com a sua doçura aveludada e cheirosa. E, depois de repeti-los muitas e muitas vezes, corria a tomar nas mãos a imagem de Cristo, e abraçava-a, e cobria-a de beijos, soluçando e murmurando: "Meu amado, meu irmão, meu esposo!" E dizia-lhe em segredo, num delírio crescente: "Eu sou a tua pomba imaculada; sou o mel de que teus lábios gostam; sou o leite fresco e puro com que tu te acalmas; tu és o vinho com que me embriago!"

— Isto acaba mal! Isto com certeza acaba muito mal! — exclamava entretanto o Dr. Lobão, furioso contra o Conselheiro, sobre quem ele fazia recair toda a responsabilidade do estado de Madá. — Pois já não bastavam os terríveis elementos que havia para agravar a moléstia?... Como então deixar nascer e desenvolver-se o demônio daquela beatice, que só por si era mais que suficiente para derreter os miolos a qualquer mulher?!

Uma tarde, na semana santa, ela saiu em companhia da velha e voltou sem sentidos no fundo de um carro. Tinham ido ouvir um sermão na Capela Imperial, e Madá fora aí mesmo acometida por um ataque de convulsões com delírio.

O Conselheiro revoltou-se formalmente contra a irmã:

— Aquilo era um abuso que orçava pela petulância! Era um desrespeito ao que ele determinava dentro de sua casa e com relação à sua própria filha! Por mais de uma vez havia declarado já que a Sra. D. Madalena não podia ir à igreja e muito menos demorar-se aí horas e horas; e fazia-se justamente o contrário! Se D. Camila não podia passar sem isso, que fosse sozinha! Podia lá ficar o tempo que quisesse, fartar-se de sermões e rezas, deliciar-se com aquela bela atmosfera impregnada de incenso e bodum de negros! Que fosse; ninguém a privava de ir, mas, com um milhão de raios! não arrastasse consigo uma pobre doente para pô-la naquele estado! Era muito bonito, não havia dúvida! Ele em casa a desfazer-se em cuidados de meses e meses para minorar os sofrimentos da filha, a fazer sacrifícios para a ver boa; e a beata da irmã a destruir tudo isso em poucas horas! Não! Não tinha jeito! A continuarem as coisas por aquele modo, ele ver-se-ia obrigado a tomar sérias providências contra semelhante abuso! Se D. Camila não se queria conformar com o que ditava o bom senso, que tivesse paciência, mas voltaria por uma vez para o convento!

E o que mais o irritava era o modo fraudulento por que tudo aquilo se fazia; eram as confidências secretas, as combinações em voz misteriosa, a espécie de conspiração que havia contra ele, entre Madá e a velha. Enganavam-no: saíam para "dar um passeio pela praia", e agora ficava descoberto o que eram os tais passeios! Roubavam-lhe até o amor e a confiança de sua filha! — Dantes, Madá não dava um passo, nem mesmo pensava em fazer fosse o que fosse, sem primeiro consultá-lo, ouvi-lo; e agora — evitava-o; falava-lhe em meias palavras; parecia ter segredos inconfessáveis! Dissimulava!

— Tudo isso é da moléstia! — explicou o Dr. Lobão, cujas visitas à casa do Conselheiro rareavam ultimamente, porque o feroz médico vivia muito preocupado com o estabelecimento de uma casa de saúde, que acabava de montar fora da cidade. Mas o pobre pai não se consolava com a explicação do doutor e sofria cada vez mais por amor da sua estremecida enferma. Madá, com efeito, estava agora toda cheia de dissimulações e reservas; parecia viver só exclusivamente para uma ideia secreta, um ideal muito seu, que ela colocava acima de tudo e de todos. Fazia-se muito manhosa, muito amiga de sutilezas de disfarce, empenhando-se em esconder as suas mais simples e justificáveis intenções e fazendo acreditar que existiam outras de grande responsabilidade. Os passeios clandestinos que continuava a dar com a tia, cegando a vigilância do Conselheiro, para estar algum tempo na igreja, tinham para ela um irresistível encanto de fruto proibido, e a preocupação em escondê-los constituía o melhor interesse de sua existência.

As duas saíam em passo de quem vai espairecer um pouco pelas imediações de casa, mas a certa distância aceleravam a marcha, apressavam-se, conversando em segredo os seus assuntos religiosos. A rapariga, à medida que se aproximava do templo, ia ficando excitada, palpitante, olhando repetidas vezes para trás, como se receasse que a seguissem. Afinal chegava, ofegante, com o coração na garganta e, depois de verificar que não era perseguida por ninguém, entrava na igreja trêmula e assustadiça, como se entrasse no latíbulo de um amante. E aquele silêncio das naves; aquela meia sombra em que rebrilhavam os ouros dos altares; aquela solidão compungida; o ar fresco dos lugares de teto muito alto; tudo isso lhe punha no corpo um meigo quebranto de volúpia sobressaltada.

Ajoelhava sempre num ponto certo; tinha já a sua imagem predileta, era um grupo de Mater Dolorosa, de tamanho natural, com o Cristo deitado ao colo, morto, todo nu, os braços pendentes, o sangue a escorrer-lhe pelas faces e pela ebúrnea rigidez do corpo. Adorava este Cristo, amava-o, preferia-o, tinha íntimas predileções por ele; achava-o mais formoso do que todas as outras imagens sagradas. Embriagava-se com ver-lhe aquele rosto muito pálido, aqueles olhos de pálpebras mal fechadas, adormecidos no negrume dos martírios, aqueles lábios roxos, imóveis, aqueles longos cabelos que lhe caíam pelos ombros, aquela barba nazarena que parecia ter bebido de cada mulher da terra uma lágrima de amor.

E ela, no murmúrio das suas orações dizia-lhe ternuras de esposa; pedia-lhe consolos e confortos, que ele não lhe podia dar; falava-lhe com o magoado orientalismo do "Cântico dos Cânticos"; e suas palavras eram quentes como beijos e ternas e doloridas como suspiros de quem ama. Por aquela imagem querida acentuava na sua imaginação a melancólica figura desse ente perfeito e desejado, de que na Bíblia lhe falavam as filhas de Jerusalém. Era esse o amado que, em sonhos, lhe pedia para abrir a porta, porque lhe estavam correndo pelos anéis do cabelo as gotas da noite; era esse o amado cândido e rubicundo, escolhido entre milhares; era esse, cujos olhos são ternos e doces, bem como as pombas que, tendo os ninhos ao pé do regato das águas, estão lavadas em leite e se acham de assento junto das mais largas correntes do rio; era esse o amado, cujas faces são iguais a canteiros de flores aromáticas e cujos lábios destilam a mais preciosa mirra; era esse de mãos superfinas, feitas ao torno, cheias de jacintos; esse de ventre de marfim, guarnecido de safiras; esse de pernas de mármore sustentadas sobre bases de ouro; esse que era escolhido como os cedros e cuja figura a chorosa e lânguida Sulamita comparava ao Líbano.

Era a esse que ela supunha amar; a quem supunha dar tudo o que seu coração e sua alma possuíam; e, vendo-se descoberta e proibida de ir às místicas entrevistas com ele, foi logo tomada por um grande desgosto, sobrevindo as convulsões, e tendo de guardar cama por muitos dias, porque lhe apareceu então uma febre de caráter especial, apresentando todos os sintomas da pirexia comum, mas que todavia não se subordinava aos medicamentos que a esta combatem.

— Ora aí tem! É a febre histérica! — classificou logo o Dr. Lobão. E, em resposta às perguntas do Conselheiro, despejou um chorrilho de nomes técnicos, dizendo que: "aquilo não podia ser febre tifóide, nem ter a sua origem na flegmasia encefálica, nem tampouco na alteração de algum órgão esplâncnico, porque uma meningite, ou uma encefalite ou mesmo a febre tifóide comum, não poderia chegar àquele grau, porque não havia doente capaz de resistir".

O certo é que Madá, ao levantar-se da tal febre, estava reduzida a uma fraqueza extrema. Voltaram-lhe a dor da espinha, a tosse e a inapetência completa; se insistia em comer, vomitava incontinente. O Dr. Lobão, na sua venerável pretensão de médico antigo, declarou sem cerimônia que "pela contração tônica dos músculos, pressentia a aproximação da letargia".

— A letargia! Agora é que eram elas! Aí estava o que ele menos desejava que viesse!

Depois de praguejar contra todo o mundo e ralhar ruidosamente com o Conselheiro, aconselhou a este que levasse a doente para outro arrabalde mais campestre, onde não houvesse igrejas perto de casa e onde ela pudesse estar mais em liberdade e mais em movimento. E, logo que se sentisse melhor, convinha despertar-lhe o gosto por qualquer ocupação manual. "Nada de belas artes, nem leituras!" — exclamava o cirurgião. — Jardinagem, serviço de horta, jogos de exercício, como o bilhar, a caça, a pesca! E passeios! Muitos passeios ao ar livre, pela fresca da manhã, sem chapéu, sem muito medo de apanhar sol! E, se os passeios fossem depois de um banho bem frio — melhor seria! Era preciso que Madá não deixasse de tomar ferro e aquele xarope de Easton, que ele receitara. Na alimentação devia procurar sempre comer um pouco de carne sangrenta, mariscos, e tomar bom vinho Madeira."

— Ora, aí tem! Faça isto, concluiu ele, e veja se consegue esconder-lhe o diabo dos tais livros religiosos, que ela tem lido ultimamente.

E resmungou ainda, depois de novas pragas: — Pena é que se lhe não possa esconder também aquela barata velha, que é ainda pior do que todas as cartilhas da doutrina cristã!

7

A mudança estava marcada para daí a quinze dias. Iriam refugiar-se na Tijuca, num casarão que o Conselheiro possuía para essas bandas. Sobrado muito antigo e de aparência tristonha, todo enterrado no fundo de uma chácara, enorme e tão destratada, que em alguns pontos até parecia mato virgem. Janelas quase quadradas; paredes denegridas pela chuva e pelo tempo; nas grades da escadaria principal heras e parasitas grimpavam livremente; as trapoerabas cobriam os degraus, e alastravam por toda a parte; e lá no alto, à beira desdentada do telhado, habitava uma república de andorinhas.

Para chegar à casa, tinha-se de atravessar uma longa e tenebrosa alameda de mangueiras, que começava logo no portão da entrada e ia se estendendo por ali acima, lúgubre como um caminho de cemitério. Era triste aquilo com os seus altos muros de pedra e cal, pesados, cobertos de limo, e transbordantes de copas de árvores velhas. O casarão, olhando pelas costas ou pelo flanco esquerdo, deixava-se ver em toda a sua grosseira imponência, porque dava esses lados para a rua, fazendo esquina com as suas próprias paredes. Metia aflição entrar lá; um pavoroso silêncio de igreja abandonada enchia os enormes quartos nus e enxovalhados de pó; um ar frio e encanado, como o ar de corredores de claustro, enregelava e oprimia o coração naqueles longos aposentos sem vida. Tudo aquilo transpirava cheiro de velhice, cheiro de moléstia; sentia-se a friagem da morte e a fedentina úmida das catacumbas.

O Conselheiro porém mandou correr uma limpeza geral na casa; fez ir para lá os móveis e objetos necessários; e, uma bela tarde, meteu-se afinal num landau com a filha e mais a velha Camila e abandonaram Botafogo.

Foram com o carro fechado até certa altura do caminho, porque Madá, de tão incomodada que passara a noite da véspera, não tivera ânimo de pôr outra roupa e apenas enfiara um sobretudo de casimira e agasalhara a cabeça e o pescoço com uma saída de baile.

Chegaram pouco antes do crepúsculo. O sol acabava de retirar-se, mas a terra ainda palpitava na luz. As aves iam-se chegando aos seus penates; toda a natureza se aninhava para dormir; só as vadias das cigarras continuavam espertas, a cantar, fazendo sobressair o seu interminável lá menor dentre os pacatos bocejos da mata que se espreguiçava ali mesmo, a dois passos da casa, tranquila e submissa como um animal doméstico. Madá sentiu-se ternamente impressionada pelo taciturno aspecto do casarão que, lá naquelas alturas, se lhe afigurava um velho mosteiro ignorado. A circunstância da hora também contribuiu para isso; aquela hora sem dono, que não pertence ao dia nem à noite — era dela; chamou-a a si, como se recolhesse um enjeitado, e tomou-lhe carinho. Era o momento predileto para as suas concentrações e para os seus êxtases; em tudo descobria a essa hora o carpir de uma saudade; cada moita de verdura ou cada grupo de árvores tinha para a filha do Conselheiro suspiros e queixumes de amor. Parecia-lhe que a terra, nesse lamentoso e supremo instante em que o sol morre, se vestia de luto e chorava a perda do esposo que além se afogava, em pleno horizonte, atirando-lhe de longe os seus últimos beijos de fogo. Madá ouvia então os abafados soluços da viúva e sentia-lhe o frio orvalhar do pranto.

O pai despertou-a:

— Bem, minha filha, vamos para cima, que já cai sereno.

Ela havia escolhido para seus aposentos uma sala e dois cômodos do andar superior. O quarto da cama era quadrado, muito singelo, uma verdadeira cela, em que o seu inseparável crucifixo de marfim assentava ao ponto de impressionar; tinha uma só janela, essa mesma gradeada de ferro e sem vista, porque ficava justamente defronte de uma grande pedreira em exploração. O Conselheiro teve de contrariar a filha para dar a estas salas um pouco de conforto e elegância.

— Para quê? — dizia ela — não é preciso! Em qualquer parte a gente vive e morre...

Como estava transformada! Ainda assim notava-se-lhe nas maneiras a mesma correção fidalga e nos gostos a fina escolha e apurada sobriedade, que dantes a distinguiam tanto entre as suas amigas. D. Camila foi também para o andar de cima, fazendo-se acompanhar por uma corte de santos de várias espécies, tamanhos e virtudes. Além dos escravos, levaram apenas uma criada branca, para tratar de Madá.

Instalados, o Conselheiro tomou um homem para arranjar o jardim e ocupou seus negros na reparação da chácara, acompanhando ele próprio o serviço, na esperança de despertar igual desejo no ânimo da filha.

Mas qual! Ela, desde o momento em que se enterrou ali, parecia até mais desanimada, mais triste e metida consigo. Agora dava para não ir à mesa e fechar-se no quarto, comendo pedacinhos de pão de instante a instante, roendo queijo seco, chupando frutas ácidas e mastigando goiabas verdes. E sempre a cismar.

O pai embalde protestava contra isto; embalde lhe dizia que ela estava-se preparando para uma séria irritação de estômago; embalde queria arrastá-la para a mesa nas horas da comida; embalde lembrava passeios pela manhã ou ao cair da tarde, a pé, a cavalo, de carro, como ela escolhesse. Era tudo inútil: Madá continuava agarrada ao quarto — cismando.

— Então, ao menos, que acordasse mais cedo, fosse para baixo conversar com ele na chácara; tomar leite mungido na ocasião; ver o pombal que se estava fazendo; dar uma vista-d'olhos pelo galinheiro e pela horta.

Madá prometia, resmungava: — Que sim, que sim, por que não? Do outro dia em diante estaria de pé logo ao amanhecer!

Mas, no dia seguinte, quando iam chamá-la ao quarto, à uma hora da tarde, respondia de mau humor:

— Deixem-me em paz! Oh!

— Nesse caso vamos de novo para Botafogo! — exclamou afinal o Conselheiro, perdendo a paciência. — Eu, se vim encafuar-me aqui, foi na esperança de fazer-te mudar de regime e com isso alcançar-te algumas melhoras! Vejo, porém, que é muito pior a emenda que o soneto!

Ela teve um tremor de músculos, e ficou muito impressionada com o tom quase áspero que o pai pusera nestas palavras.

— Não sei que desejam de mim!... — disse.

— Desejo que fiques boa. Aí tens tu o que eu desejo!...

— Só parece que julgam que me faço doente para contrariar os outros! Se estivesse em minhas mãos, seria mais agradável a todos; não me ponho melhor e bem disposta, porque não posso!...

— Está bom, está bom, — balbuciou o Conselheiro acarinhando-a, arrependido por não ter sido tão amável desta vez como das outras. — Não vás agora afligir-te com o que eu disse... Aquilo não teve a intenção de magoar-te...

Ela prosseguiu em tom infeliz e ressentido: — Se vim para cá, foi porque me trouxeram... não reclamei nada... não me queixei ainda de coisa alguma... sinto-me aqui perfeitamente... dou-me até muito bem, e só peço e suplico que não me contrariem; que me deixem em paz pelo amor de Deus; que me não apoquentem; que...

Vieram os soluços, e Madá principiou a excitar-se.

— Então, minha filha, que tolice é essa?

— É que eu não posso ouvir falar assim comigo!... Bem sabem que estou nervosa! Bem sabem que estou doente!

— Sim, sim, tens razão... Passou! Passou!

E o Conselheiro, deveras surpreso com aquelas esquisitices da filha, espantado por vê-la fazer-se tão humilde, tão coitadinha, puxou-a brandamente para junto de si e afagou-a como se estivesse a consolar uma criança.

— Acabou! Acabou!

Madá chorava com a cabeça pousada no colo dele.

— Então, então, não te mortifiques... Aqui ninguém faz senão o que for do teu gosto... Vamos, não chores desse modo...

Madá chorava mais.

— Então, minha filha, então!

Qual! O resultado foi passar pior esse dia e aumentarem as suas rabugices no dia imediato: — Que desejava morrer! — Acabar logo com aquela miserável existência! Que ali todos já estavam fartos de a suportar! Que todos se aborreciam com ela e procuravam meios e modos de contrariá-la, só para ver se a despachavam mais depressa! Que bem quisera recolher-se a um convento, mas não lhe deixaram! Pois antes tivessem consentido, porque agora até a própria criada parecia fazer-lhe um grande obséquio, quando era obrigada a ter um pouco mais de trabalho com ela!

No fim de contas apareceu-lhe de novo a tal febre de caráter especial; agora, porém, com delírios e movimentos luxuriosos, sobrevindo uma profunda letargia, contra a qual eram inúteis todos os recursos do médico.

Parecia morta. No fim de longas horas de esforços, o Dr. Lobão, já desesperado, teve, a contragosto, de aceitar o conselho de um seu colega ainda moço e de ideias modernas — a compressão do ovário.

Efeito pronto: Madá tornou logo a si depois da operação, livre já perfeitamente das impertinências e infantis rabujices, que tivera antes da febre. Voltara à sua habitual gravidade, às suas maneiras austeras de fidalga enferma; mas começou a sentir-se vagamente magoada nos melindres do seu pudor: queria parecer-lhe, adivinhava que, durante a inconsciência da sua anestesia, o insolente médico a devassara toda; sentia ainda nos lugares mais vergonhosos do corpo a impressão de mãos estranhas que os apalparam e comprimiram. E a ideia de que alguém a vira descomposta e que lhe tocara nas carnes, revoltou-a como imperdoável ultraje feito à sua honra e ao seu orgulho de mulher pura. Todavia não se achava com coragem de interrogar ninguém a esse respeito, e, foi tal o seu vexame, que a infeliz escondeu-se no quarto, a chorar de acanhamento e raiva.

— Oh! — exclamou o doutor, quando o Conselheiro lhe deu conta disto: — Eu punha-a esperta e sã em pouco tempo, se me dessem carta branca para isso! A questão dependia toda do enfermeiro que lhe arranjasse! Aquelas lamúrias e aquelas lágrimas ir-se-iam logo embora com a primeira semana de lua-de-mel!

No entanto, Madá continuava a sofrer: a tosse não a deixava senão quando ela se recolhia à cama; deitada não tossia nunca, mas em compensação, aparecia-lhe uma espécie de asma. Agora, uma das suas manias era pôr-se à janela do quarto e aí permanecer horas e horas esquecidas, a ver o serviço da pedreira que ficava defronte, olhando muito entretida para os cavouqueiros, e ouvindo a toada que eles gemem quando estão minando a rocha para lhe lançar fogo. Parecia gostar de ver os trabalhadores; como que lhe aprazia aquela rica exibição de músculos tesos que saltavam com o peso do macete e do furão de ferro, e daqueles corpos nus e suados, que reluziam ao sol como se fossem de bronze polido.

E, quando alguém ia chamá-la para a mesa ou para conversar com o pai, respondia zangada, sem tirar os olhos da pedreira:

— Não posso ir! Deixem-me!

E se insistiam: — Ó, senhores, que maçada! Não posso ir, já disse! Estou doente! — Oh!

Depois do ataque de letargia, foram voltando pouco a pouco as esquisitices de gênio e os caprichos de criança estragada de mimos; quase nunca se desprendia do quarto e, nas poucas vezes que lhe surgia por lá alguma camarada dos bons tempos, por tal modo se mostrava seca e até grosseira, que a amiga tratava de abreviar a visita e saía sem a menor intenção de voltar.

Nem mesmo a própria criada queria já suportá-la, apesar de muito bem paga. "Pois não! Era uma impertinência de todo o dia! Um repelão por dá cá aquela palha! Se a gente não ia logo correndo saber o que a serrazina queria quando chamava — tome sarabanda! — Oh! Insuportável! Uma verdadeira fúria! De mais a mais a 'barata velha' ultimamente também dera para ficar pior, e havia quase duas semanas que se não desgrudava da cama nem à mão de Deus Padre!"

Pobre velha! Consumia-se numa infernal complicação de moléstias; eram intestinos, era cabeça, eram pernas, era o diabo! Parecia uma decomposição em vida: fedia como coisa podre! Já se não alimentava pela boca; os seus gemidos eram arrotos de ovo choco, e os humores que ela expelia por toda a parte do corpo empestavam a casa inteira.

— Esta já não tem mais que esperar! — declarou bem alto o Dr. Lobão, olhando-a desdenhosamente por cima dos óculos, como se a mísera fosse já um defunto e não pudera ouvir-lhe a desumana profecia. — Está despachada! A consumpção deu-lhe cabo do canastro!

Metia dó. Veio uma velhinha, sua camarada de muitos anos, ajudá-la a morrer, e consigo trouxe duas escravas, especialistas em servir a enfermos desenganados, porque a senhora tinha a mania de acompanhar os últimos instantes de todas as amigas que se iam antes dela. A casa parecia um hospital: sentia-se cheiro de enfermaria e andavam todos sarapantados, cheios de terror pela morte; de manhã à noite faziam-se rezas em torno da doente. O Conselheiro quis que a filha se afastasse daquele espetáculo e fosse passar algum tempo em outra parte; Madá opôs-se a pé firme e deixou-se ficar ao lado da tia, rezando com tamanho empenho que fazia crer que só com os seus esforços contava para salvar-lhe a alma.

O médico dissera a verdade: quatro dias depois da sentença lavrada por ele, D. Camila pediu um padre, muito aflita. Era já a morte que pegava de agoniá-la.

Correu-se a chamar Nosso-Pai.

Não veio logo; e a moribunda, como quem está com o pé no estribo para uma longa viagem e arrisca a partir sem levar um objeto que lhe há de fazer muita falta em caminho, remexia inquieta a cabeça sobre os travesseiros, lançando contínuos olhares de impaciência para a porta do quarto.

O viático demorava-se.

O Conselheiro ia de vez em quando até a janela de uma das salas que davam para a rua e passeava ansioso pelo segundo andar.

— Chegou! — disse por fim, retornando ao aposento da irmã.

Houve uma enternecida agitação. Ouviu-se o toque de uma campainha ecoando nos corredores da casa, e a velha Camila teve um suspiro de alívio. — Já não partiria sem a sua extrema-unção!

O padre entrou com os ajudantes, muito cerimonioso debaixo do pálio, agasalhando a hóstia consagrada junto ao peito, com os cuidados de quem traz uma vasilha cheia até as bordas e não quer entorná-la. Fez-se em redor dele e da paciente respeitoso silêncio; apenas se ouviam, além dos roncos da moribunda, a voz abafada do sacerdote, que resmungava numa alternativa de sussurros, ora mais alto, ora mais baixo, sem fazer pausas, como se estivesse contando intermináveis algarismos.

A cerimônia durou pouco e, quando o religioso se retirou com a sua comitiva, a velha parecia tranquila, nem que houvesse tomado um milagroso remédio de efeito imediato. Madá, por detrás dos pés da cama, orava, ajoelhada defronte de uma mesinha coberta por alva toalha de rendas sobre a qual um crucifixo, entre duas velas de cera que ardiam com pequenos estalinhos secos; tinha os olhos muitos abertos e postos sobre a imagem do Crucificado, transbordando lágrimas que lhe rolavam silenciosas pela face; as mãos cruzadas sobre o peito numa postura de êxtase. O Conselheiro puxou uma cadeira para junto do leito da irmã e assentou-se, colocando a sua mão direita por debaixo do úmido crânio da agonizante; esta começou a agitar-se de novo nos travesseiros. Então, a velhinha amiga dela ajoelhou-se do lado oposto e obrigou-a a segurar nos dedos já sem vida uma das velas, que acabava de tirar de cima da mesa, e pôs-se a rezar em voz baixa. Camila rouquejava gemidos que iam se transformando num pigarro contínuo; as suas pupilas estavam já imóveis e veladas; escorria-lhe das ventas e da boca aberta, como um buraco feito na cara, uma grossa mucosidade esverdinhada e fedentinosa. Assim levou algum tempo, arquejando; até que afinal a respiração lhe foi aos poucos amortecendo na garganta, e até que os olhos espremeram a última lágrima, e os pulmões sopraram o derradeiro fôlego.

Nessa ocasião, Madá acabava de levantar-se e marcava compassos de música com o dedo sobre a mesinha, dançando com o corpo de um para o outro lado, numa cadência inalterável, sem tirar a ponta dos pés do mesmo lugar e movendo os calcanhares suspensos do chão.

— Um! dois! — Um! dois! — Um! dois!

Era um novo ataque de coreia.

8

Com a morte da velha Camila, despedira-se da casa a mulher que estava ao serviço de Madá e fora substituí-la uma rapariga ali mesmo da vizinhança.

— Justina, uma sua criada, para a servir.

Portuguesa, das ilhas, forte, rechonchuda e muito amiga de conversar. Teria trinta anos, era viúva, com três filhos: o mais velho já encaminhado numa oficina de encadernador; o imediato morando com a madrinha em Belém, e o mais novo, que ainda mal se aguentava nas pernas, acompanhava-a para onde ela ia.

— Não! Que isto de crianças, quando estão pequenas, as mães devem aturá-las! Como não?

Dizem que fora sempre mulher de bons costumes e com efeito parecia, ao menos pela cara. Muito risonha, corada, dentes claros, e olhos castanhos, um pouco recaídos para o lado de fora com uma natural expressão de lástima, que aliás não perturbava em nada a alegre vivacidade da sua fisionomia. Tinha papadas, e fazia roscas no cachaço; uma penugem de fruta na polpa do queixo e dois pincéis de aquarela nos cantos da boca. Quando andava tremiam-lhe os quadris como imensos limões-de-cheiro feitos de borracha.

Logo às primeiras palavras que ela trocou com Madá mostrou-lhe simpatia. É que era justamente uma dessas criaturas vindas ao mundo para cuidar de doentes; naturezas que só amam deveras àqueles a quem devem muitas canseiras; que só amam depois de grandes sacrifícios; depois de muita noite perdida e muito sono interrompido. Nascera enfermeira, nascera para os fracos; gostava de encarregar-se de crianças e, quanto mais achacadazinhas fossem estas, tanto melhor. Os raquíticos, os aleijados, eram a gente da sua predileção. Com o leite do seu último pequeno criara um fedelho, que estava morre não morre quando lhe foi parar às mãos; pois ela, depois de salvar-lhe a vida, a custo de longos meses de desvelo sem descanso, tomou-lhe tal carinho que o queria mais do que ao próprio filho, um maroto este, forte e sadio como um bezerro. "Uma coisinha ruim! — afirmava rindo. — Não há mal que lhe entre! Nunca vi — nem chora, o brutinho, Deus me perdoe!"

Madá quis saber onde é que ela estivera até então empregada; qual a casa donde vinha.

— Em parte alguma, não senhora. Morava com a tia Zefa ali mesmo defronte, naquela casinha de duas janelas com entrada pela estalagem.

— Que gente vem a ser essa?

— A tia Zefa é filha da velha Custódia; lavadeiras, como não? Vêm já de trás estas amizades! Nós, por bem dizer, fomos criadas pela tia Zefa; foi de lá que eu saí para casar, e minha mana, a Rosinha, vosmecê não conhece, essa ainda mora com ela.

— Ah! tem uma irmã...

— Então! Muito mais nova do que eu. Solteira, mas já tem o seu noivo. Não é por ser minha irmã, porém é uma rapariga que se pode ver! O Luís...

— Bem, bem! Você então traz um filho em sua companhia?

— Ora coitado! Não há de incomodar... E, se se fizer de tolo, carrego-o logo lá pra defronte, que a velha é perdida por ele. Se o é! Dá-lhe um tudo! Não viu vosmecê aquele chapeuzinho de pluma com que ele veio ontem? Pois quem foi que o deu? Foi ela!

E riu-se toda.

— Bem, bem, trate de ir buscar o que é seu e tome conta desse quarto aí ao pé, porque, não sei se sabe, você tem de fazer-me companhia à noite. Ando muito doente e às vezes é preciso que me deem o remédio, compreende?

— Como não, minh'ama? Pode vosmecê ficar descansada por esse lado, que esta que aqui está não lhe dará razões de queixa!

E já parecia radiante com aquela expectativa de ter uma enferma à sua guarda. Uma enferma nas condições da filha do Conselheiro era o seu ideal. E, por cima de tudo, "bom ordenado, comida com fartura, seu copo de vinho ao jantar e daí até, quem sabe, talvez seu vestidinho de vez em quando...".

— Não há dúvida — concluiu — foi um achado!

Um achado! Ela é que foi um bom achado para Madá. Esta nunca houvera tido criada tão alegre, tão amorosa e tão diligente no serviço.

Além do que: muito sã, muito limpa e muito séria. Perto daquela figura socada, de carne esperta e luzente, a pobre senhora ainda parecia mais magra e mais pálida; gostava, porém, de senti-la ao seu lado, aquecer-se naquele calor de saúde, parasitar um pouco daquele húmus ressumbrante de seiva, sorver aquela forte exalação sanguínea de fêmea refeita e bem adubada.

Nunca entravam em confidências e palestras, que a orgulhosa filha do Conselheiro não dava para essas coisas; mas a mesquinha enferma gostava de deitar-se sobre um tapete no chão, defronte da janela do quarto, e aí ficar cismando nos seus tédios, com a cabeça pousada no morno e carnudo regaço da criada. Às vezes adormecia assim, e então abraçava-se com ela e enterrava o rosto entre as almofadas dos seus peitos, respirando com um regalo inconsciente de criança que já não mama, mas ainda gosta de sentir ao pegar no sono a calentura do colo materno.

Em breve, a Justina era tão indispensável para Madá, quanto uma ama a um orfãozinho recém-nascido. A infeliz moça passava agora muito melhor; conseguia ficar com alguma coisa no estômago e tinha certa regularidade no sono. Um dia, em que a rapariga lhe pediu licença para ir a Belém ver o filhinho que estava à morte, ela quase teve um ataque, tal foi a sua contrariedade.

— É por pouco tempo... — esclareceu aquela. — Eu volto logo. Três dias ou quatro, quando muito; de mais deixo uma outra no meu lugar...

Foi, sempre foi, mas à senhora tanto custou a sua ausência que jurou nunca mais consentir que de novo se separassem. Ficou nervosa e impertinente que causava pena. Veio-lhe outra vez a mania das rezas, voltaram-lhe os monólogos à meia voz e os sobressaltos sem causa aparente.

— Maldito pequeno! Lembrar-se de cair doente! E logo agora!

A Justina demorou-se mais do que contava. Uma semana depois da sua partida Madá, que não havia comparecido ao almoço, fez voltar o *lunch* das duas da tarde, que o pai lhe mandara levar ao quarto.

— Não me aborreça! — gritou ela à substituta da Justina; uma sujeita alta, ossuda, de nariz comprido e mal-encarada. Cheirava a morrinha de cachorro. Madá não a podia ver.

— Saia daqui! Não ouviu?

A mulher observou com a sua voz grossa e compassada:

— O senhor disse para a senhora não deixar de tomar ao menos o caldo, que foi temperado por ele.

— Papai que me deixe em paz! Ponha-se lá fora! Ponha-se lá fora!

A criada saiu, tesa que nem um granadeiro, a resmungar com a bandeja nas mãos; e Madá fechou a porta sobre ela, com estrondoso ímpeto, atirando-se depois no divã e sacudindo a cabeça como se estivesse sufocada.

— Que gente, meu Deus! Que gente!

E levou uma boa hora a fitar um só ponto, com os olhos apertados e as sobrancelhas franzidas e mais retorcidas que um recamo japonês. Ergueu-se afinal, inteiriçada num espreguiçamento suspirado e longo, deu em seguida alguns passos indolentes pela alcova, tomou um resto de leite frio que havia numa xícara sobre a mesa, e encaminhou-se sonambulamente para a janela. Aí encostou o rosto entre dois varões da grade e segurou-se com as mãos nos outros que ficavam mais próximos.

— Ah!... — respirou, igual ao cego que obtém, depois de grandes esforços, chegar ao ponto em que deseja. E olhou à toa para os fundos do céu que se estendiam lá por detrás do horizonte. E seu olhar errou pelo espaço, perdido como andorinha doida a que roubassem o ninho, percorrendo inquieta e tonta, de um só voo, léguas e léguas de azul até ir afinal cair prostrada, de asas bambas, no cimo da pedreira que lhe enfrontava com a janela.

Prendeu-lhe toda a atenção o que se passava ali: os trabalhadores suspendiam por instante o serviço, alvoroçados com a chegada de uma raparigona que lhes levava o jantar. Que alegria! A cachopa era sem dúvida mulher de um deles, o mais alto e mais barbado, porque ela, mal soltou no chão o cesto da comida, lhe arrumou com uma carícia de gado grosso um murro nos rins, e retraiu-se logo, a rir, toda arrepiada, esperando que o macho correspondesse. Este cascalhou uma risada de gozo alvar e ferrou-lhe na anca a sua mão bruta de cavouqueiro, tão encrostada e escamosa, que se não podia abrir de todo. Depois: acercaram-se de um pedaço de pedra, em que a mulher foi depondo o que trouxera na cesta; e de cócoras, ao lado uns dos outros, puseram-se todos a comer sofregamente, no meio de muito rir e palavrear de boca cheia.

Madá, sem conseguir escutar o que eles tanto conversavam, não lhes tirava os olhos de cima, profundamente entretida a ver aquilo. E, coisa estranha, em tal momento daria de bom grado os melhores diamantes que possuía para ter ali um pouco do que eles comiam lá no alto da pedreira com tamanha vontade. Ela, que já não podia sofrer os imaginosos acepipes da mesa de seu pai, sentia vir-lhe água à boca pela comida dos trabalhadores, e até parece incrível, tinha desejos de beber da mesma garrafa em que eles bebiam pelo gargalo, fazendo questão para que nenhum lograsse ao outro.

No dia seguinte, justamente àquelas horas, apresentou-se ao pai, já vestida e pronta para sair.

— Bravo! — exclamou o Conselheiro, surpreendido pela novidade. — Bravo! Muito bem!

E marcou apressado a página do livro que estava lendo, e, como se temesse que a filha mudasse de resolução, correu logo a buscar o chapéu e a bengala. "Ora até que enfim aquela preguiçosa se resolvia a passear!"

Quando se acharam na rua, Madá foi tomando a direção da pedreira; o pai acompanhou-a sem proferir palavra. Só pararam lá perto.

O morro, com as suas entranhas já muito à mostra, arrojava-se para o céu, como um gigante de pedra violentado pela dor; via-se-lhe o âmago cinzento reverberar à luz do sol, que parecia estar doendo. E enormes avalanches de granito, ruídas e arremessadas pela explosão de pólvora, acavalavam-se de cima à base da rocha, lembrando estranha cachoeira que houvera-se petrificado de súbito. Cá embaixo, daqui e dali, ouviam-se retinir ainda o picão e o macete, e lá no alto, no escalavrado cume do penhasco, quatro homens, agarrados com todos os dedos a um imenso furão de ferro, abriam penosamente uma nova mina no granito, gemendo em tom monótono e arrastando uma toada lúgubre.

De cada vez que eles suspendiam a formidável barra de ferro para deixarem--na cair novamente dentro do furo, recomeçava o coro lamentoso que, de tão triste, parecia uma súplica religiosa.

— Vamos lá?... — propôs Madá ao pai, depois de admirar de perto aquele monstro que ela contemplava todos os dias da janela gradeada de seu quarto.

— Onde, minha filha?... — perguntou o Conselheiro, sem ânimo de acreditar no que ouvia.

— Lá em cima, onde aqueles homens estão brocando a pedra. Quero ver aquilo.

— Estás sonhando, ou me supões tão louco que consinta em tal temeridade? Esta pedreira é muito alta!

— Não faz mal...

— Sentirias vertigens antes de chegar ao fim!

— Mas eu quero ir!

— Deixa-te disso.

— Ora que me hão de contrariar em tudo!

— É que é uma imprudência sem nome o que desejas fazer, minha filha!

Já amuada, soltou-se do braço do pai e correu para os lados por onde se subia à montanha.

— Espera aí! — gritou o velho, tentando alcançá-la — espera aí caprichosa! Eu te acompanho!

A caprichosa havia galgado o primeiro lance de pedra.

A subida foi penosa.

Ah! o caminho era muito estreito, irregular, coberto de calhaus. O pé às vezes não encontrava resistência, porque o cascalho rodava debaixo dele.

Mas subiam. Madá, sem querer dar parte de fraca, segurava-se arquejante ao braço do pai; este mesmo, porém, sabe Deus com que heroísmo conseguia não perder o equilíbrio.

— Vamos adiante! Vamos adiante! dizia ela, quase sem fôlego.

— Descansemos um pouco, minha filha.

Não, ela não descansaria, enquanto não alcançasse o morro. Felizmente o caminho em cima era quase plano e com pequeno esforço chegava-se daí ao lugar onde trabalhavam os quatro homens. Mais um arranco, e lá estariam.

Afinal conseguiram chegar. Mas, ah! quando a pobre Madá, toda trêmula e exausta de forças já no tope da pedreira, defrontou com o pavoroso abismo que se precipitava debaixo de seus pés, soltou um grito rápido, fechou os olhos, e teria caído para trás, se o Conselheiro não lhe acode tão a tempo.

— Madá, minha filha! Então! então!

Ela não respondeu.

— Está aí! Está aí o que eu receava! Lembrar-se de subir a estas alturas!... E agora a volta...?

— Pode vossência ficar tranquilo por esse lado — arriscou um dos cavouqueiros, que havia-se aproximado, a coçar a cabeça. — Se vossência quiser, eu cá estou para pôr esta senhora lá embaixo, sem que lhe aconteça a ela menor lástima.

— Ainda bem! — respondeu S. Exa. com um suspiro de desabafo.

O trabalhador que se ofereceu para conduzir Madá era um moço de vinte e tantos anos, vigoroso e belo de força. Estava nu da cintura para cima, e a riqueza dos seus músculos, bronzeados pelo sol, patenteava-se livremente com uma independência de estátua. Os cabelos, empastados de suor e pó de pedra, caíam-lhe em desordem sobre a testa e sobre o pescoço, dando-lhe à cabeça uma satírica feição de sensualidade ingênua.

— Vamos! Vamos! — apressou o Conselheiro, entregando-lhe a filha.

O rapaz passou um dos braços na cintura de Madá e com o outro a suspendeu de mansinho pelas curvas dos joelhos, chamando-a toda contra o seu largo peito nu. Ela soltou um longo suspiro e, na inconsciência da síncope, deixou pender molemente a cabeça sobre o ombro do cavouqueiro. E, seguidos de perto pelo velho, lá se foram os dois, abraçados, descendo, pé ante pé, a íngreme irregularidade do caminho.

Era preciso toda atenção e muito cuidado para não rolarem juntos; o moço fazia prodígios de agilidade e de força para se equilibrar com Madá nos braços. De vez em quando, nos solavancos mais fortes, o pálido e frio rosto da filha do Conselheiro roçava na cara esfogueada do trabalhador e tingia-se logo em cor-de-rosa, como se lhe houvera roubado das faces uma gota daquele sangue vermelho e quente. Ela afinal teve um dobrado respirar de quem acorda, e entreabriu com volúpia os olhos. Não perguntou onde estava, nem indagou quem a conduzia; apenas esticou nervosamente os músculos num espreguiçamento de gozo e estreitou-se em seguida ao peito do rapaz, unindo-se bem contra ele, cingindo-lhe os braços em volta do pescoço com a avidez de quem se apega nos travesseiros aquecidos para continuar um sono gostoso e reparador. E caiu depois num fundo entorpecimento, bambeando as pálpebras; os olhos em branco, as narinas e os seios ofegantes; os lábios secos e despregados, mostrando a brancura dos dentes. Achava-se muito bem no tépido aconchego daquele corpo de homem; toda ela se penetrava do calor vivificante que vinha dele; toda ela aspirava, até pelos poros, a vida forte daquela vigorosa e boa carnadura, criada ao ar livre e quotidianamente enriquecida pelo trabalho braçal e pelo pródigo sol americano. Aquele calor de carne sã era uma esmola atirada à fome do seu miserável sangue.

E Madá, sentindo no rosto o resfolegar ardente e acelerado do cavouqueiro, e nas carnes macias da garganta o roçagar das barbas dele, ásperas e maltratadas, gemia e suspirava baixinho como se estivessem a acarinhá-la depois de longa e assanhada pugna de amor.

Quando o moço, já embaixo, a depôs num banco de pedra que ali havia, a enferma abriu de todo os olhos, deixou escapar um grito e cobriu logo o rosto com as mãos. Agora não podia encarar com aquele homem de corpo nu que ali estava defronte dela, a tirar com os punhos o suor que lhe escorria em bagas pela testa.

Chorou de pejo.

O seu pudor e o seu orgulho revoltavam-se, sem que ela soubesse determinar a razão por quê. Uma cólera repentina, um sôfrego desejo de vingança, enchiam-lhe a garganta com um novelo de soluços. O pranto parecia sufocá-la quando rebentou.

— Eu magoei-a, ó patroazinha?... perguntou o trabalhador com humildade, quase sem poder vencer ainda o cansaço. E o imprudente tocou com a mão no ombro de Madá, procurando, coitado, dar-lhe a perceber o quanto estava consumido por vê-la chorar daquele modo. Ela estremeceu toda e fugiu com o corpo, nem que se houvessem chegado um ferro em brasa; e abraçou-se ao pai, escondendo no peito deste os soluços que agora lhe borbotavam sem intermitência.

O pobre cavouqueiro ainda com o peito para cima e para baixo, quedava-se a olhar para os dois com uma cara palerma de desgosto. E assim que ele fazia o menor movimento de corpo, a senhora retraía-se assustada e enterrava mais a cabeça entre os braços do Conselheiro. Foi preciso que este o afastasse dali, dizendo-lhe que lhe aparecesse logo mais em casa para receber uma gorjeta.

Mal se pilhou no quarto, Madá foi estraçalhando as roupas, como se as trouxera incendiadas; mas sentia também nos seus cabelos, no seu rosto, em toda ela, o mesmo cheiro de animal suado, o mesmo enjoativo bodum de carne crua. Parecia-lhe mais: que a sua própria transpiração já tresandava àquele mesmo fartum do moço da pedreira.

— Diabo! Diabo! Diabo!

E os movimentos que fazia para sacar a camisa eram tão violentos, que ela parecia querer arrancar até a própria pele do corpo.

Um malquerer desnorteado, contra tudo e contra todos, apoderou-se do seu espírito. Estava furiosa e mais ainda por não saber contra quem e contra o quê. Não podia queixar-se a ninguém, nem de ninguém, e sentia-se no entanto ofendida, ultrajada, no seu orgulho e no seu pudor. A vontade que tinha era de mandar matar no mesmo instante aquele maldito homem — para nunca mais o ver, para nunca mais o sentir.

Só depois de muito bem lavada e coberta de perfumes, recolheu-se à cama, ainda estrangulada de raiva. Também, foi só adormecer e começou logo a sonhar com o amaldiçoado cavouqueiro.

9

Sonhou com ele a noite inteira; mas que sonhos! E o melhor é que então o pobre-diabo lhe já aparecia não por um prisma repugnante; ao contrário, imaginando-se ao lado daquele corpo robusto, Madá sentia todo o seu organismo rejubilar de satisfação, ainda melhor do que quando se aninhava no colo da Justina. Perto dele gozava em sonho um bem-estar de calmo conforto, como o dos tísicos junto aos bois, na morna atmosfera dos currais.

Tanto o amaldiçoara acordada, quanto o estremecera durante o sonho; este contudo nem sempre foi agradável e em certas fases orçara até pelas horripilações do pesadelo.

Começou vendo-se no alto da pedreira, a olhar para o espaço, justamente como acontecera na realidade; mas a pedreira afigurava-se-lhe agora três ou quatro vezes maior. De repente, falta-lhe o terreno debaixo dos pés, e ela cai, não para trás e sim bem de frente — no ar. Nisto, uma garra fortíssima empolga-lhe as roupas das costas, sustentando-lhe a vertigem da queda, sem todavia impedir que ela continue a resvalar; mas já não cai, desliza suavemente, como se estivesse voando. Um braço musculoso cinge-lhe as curvas dos joelhos, outro toma-a pela cintura, e o seu colo é recebido em cheio por um largo peito nu, onde há cabelos que lhe põem cócegas na pele. Madá ri com as cócegas, e sua cabeça repousa num táureo pescoço de Hércules, cujo suor lhe umedece as faces. E, assim abraçados, deslizam voluptuosamente no espaço, descendo numa embriagadora delícia de voo contínuo.

O voo dura um tempo infinito. E ela, como receando ficar desamparada, trata de agarrar-se ao outro o melhor que pode. Estreitam-se mais.

E mais.

Há já um princípio de frenesi no modo por que se estreitam. A moça procura com ânsia unir-se bem ao corpo do cavouqueiro; quer que os seus peitos lhe fiquem bem colados ao peito; quer que os seus braços sintam em toda a extensão a carne das espáduas do homem; que a sua barriga se ajuste à dele e que suas coxas lhe apalpem os rins.

E continuam a descair, a descair, sem parar nunca. Madá sente nas faces uma impressão desagradável de frio; sela imediatamente o rosto contra o outro rosto, e deixa-se aquecer ao calor de beijos. Então os seus olhos desmaiam de gosto; as suas narinas arfam com mais força, porque ela não pode respirar pela boca, que está toda tomada pela outra boca. Um arrepio percorre-lhe o corpo, agitando-o até na mais pequenina fibra; e o seu sangue enlouquece; e suspiros quebram-se-lhe na garganta, desfazendo-se em gemidos.

E estreitam-se mais. E unem-se. E confundem no ar os membros enleados e trêmulos. O cavouqueiro soluça, arqueja; ela já não tem uma só parte de si em que não o sinta. E, de improviso, um violento sopro de vida a invade toda, esquentando-a por dentro, penetrando-lhe as vísceras, soprando-lhe nas veias um calor estranho, alheio, que a ressuscita e faz saltaram-lhe dos olhos lágrimas de gozo.

Terminaram caindo, ainda abraçados, aos pés do Conselheiro, que os esperava lá embaixo, vestido com uma túnica vermelha e agitando na mão, colericamente, a sua grossa bengala de cana-da-índia. Madá escondeu o rosto. Mas desta vez não era o moço da pedreira quem lhe fazia vexame, era o próprio pai; não foi, pois, o colo deste que ela agora procurou para ocultar o orvalho do seu pudor, foi o colo do outro.

Houve um duro silêncio, durante o qual S. Exa., cujas barbas haviam crescido muito e cuja calva reluzia que nem a de um patriarca da Bíblia, olhava, ora para a filha, ora para o rapaz, como se estivesse a compará-los.

— Com efeito!...

E sacudia a cabeça, e esticava os beiços, sem desviar a vista. No capricho do sonho, o pobre Conselheiro tinha perdido as suas maneiras distintas e afáveis, e até no modo de se exprimir era grosseiro e burguês.

— Com efeito!... — repisou ele, estalando um riso de sarcasmo. — É até onde pode chegar o aviltamento!... Dar-se a um trabalhador da mais baixa espécie!... É inacreditável!

— A culpa não foi minha, papai...

— Cale-se! Não sei onde estou, que lhe não quebre esta bengala nas costas!

— Creia, patrão, que... — ia a arriscar o rapaz.

— Ó tratante! — berrou o velho. — Ainda te atreves a abrir o bico? Ora espera que te ensino!

E cresceu para o moço, que o esperou sem tugir nem mugir, com o aspecto resignado de uma besta que tem dono. Madá, porém, já se havia metido entre os dois e, de joelhos, chorando, abraçava-se às pernas do patriarca.

— Piedade, meu pai! Piedade!

— Qual piedade, nem qual carapuças! Não fosse tão assanhada!

— Tenha compaixão de dois infelizes, cuja falta foi só uma e única...

— E acha pouco, sua desavergonhada? Acha talvez que esta não basta para me fazer subir ao arame! Tem graça!

E, enquanto a filha soluçava, sem erguer os olhos: — Ingrata! Eu a matar-me para a fazer gente; para lhe dar uma certa educação — e ela a meter-me os pés! Criar uma filha com tanto carinho, para vê-la depois entregar-se a um homem de pedreira!...

— Perdoe, meu pai!

— Não perdoo nada!

— Juro-lhe que não tenho culpa do que sucedeu...

— Perversa! Eu a sacrificar-me para instruí-la e arranjar-lhe um futuro, e ela a sujar-se de lama e a cobrir-me de vergonhas!

— Não fui eu, papai, foi a minha natureza; foi a minha carne; foram os meus sentidos!...

— Qual carne, nem qual sentidos! A patifaria tem sempre desculpas!

Fez uma pausa e prosseguiu depois, comovendo-se, malgrado seu: — Dei-lhe tudo o que se pode desejar! Foi já o professor de piano; foi já o professor de canto; foi já o mestre de desenho! E venha o explicador de francês! E venha outro para história e geografia pátria! E outro para isto! E outro para aquilo! E compre-se mais este dicionário! E assine-se mais este jornal! E corra-se ao Castelões a buscar o camarote do Lírico! E olhe o carro que não esqueça! E veja essa luva de vinte botões que saia! E venha a bela da joia! E venha o belo do vestido de seda! E olhe o chapéu à Sarah Bernhardt! E olhe as regatas! E olhe as corridas! E deem-se festas todos os meses! E façam-se viagens à Europa! — E tudo isto afinal pra quê? — Sim! tudo isto pra quê? Só quero que me digam de que serviu tanto sacrifício!

— Perdoe-me!

— Não! não perdoo, nem devo perdoar! Se queria casar, há muito tempo que o podia ter feito; o que lhe não faltou foram pretendentes! A senhora torceu o nariz a todos! E, logo que o Dr. Lobão me fez ver a necessidade urgente de uni-la a alguém, trouxe-lhe o meu amigo José Furtado

— Um velho!

— Não será uma criança, mas também não é nenhum bisavô! Outra qualquer o teria agarrado com unhas e dentes! Um homem de conta, peso e medida!

— Pudera! Principiou a vida a limpar pesos e balanças!

— E que tem isso? Um homem honrado, trabalhador e econômico. Entrou na vida com um barril às costas, mas hoje é uma das mais sólidas fortunas do Rio de Janeiro!

— Não é de dinheiro que eu preciso!

— Pois então casasse com o Dr. Tolentino...

— Um defunto!

— Defunto! Não terá uma saúde perfeita, coitado, mas é uma das mais bem constituídas cabeças do Brasil. Muito talentoso, muito ilustrado! Membro da Sociedade de Geografia de Lisboa, e consta até que vai receber diploma de sócio não sei de que importante congregação científica da Bélgica!

— Também não é de ciência que eu preciso!

— Nesse caso por que não aceitou o Conde do Valado?

— Um libertino!

— Não é tanto assim.

— Um vicioso comum que, se deixa de falar um instante em cavalos, é para discutir cocotes.

— Que exagero! Não direi que os seus costumes sejam tão puros como os do Comendador José Furtado ou como os do Dr. Tolentino, mas é um moço ilustre, descendente em linha reta de uma das mais importantes casas de Portugal. Seus avós figuram todos na história, e o seu nome tornaria fidalga a mulher que o possuísse!

— Eu não preciso de nobreza!

— Não precisas de nobreza; não precisas de ciência; não precisas de dinheiro! Então de que diabo precisas tu?

— De um homem...

— Um homem! Quanta desfaçatez! Do que precisavas, grandíssima desavergonhada, era de uma boa carga de pau, para te apagar o fogo do rabo!

E o velho, possuindo-se de novo acesso de cólera, estendeu o braço, enxotando a filha e mais o moço da pedreira.

— Já ! Rua, seus bandalhos! E que eu nunca mais lhes ponha a vista em cima! Estão amaldiçoados!

— Meu pai! Meu pai!

— Aqui já não há pai, nem mãe! Não sou pai de mulheres à toa! Ponham-se a andar, e que sejam muito felizes! Boa viagem!

— Deixe-me ao menos ir lá dentro buscar as minhas joias, um pouco de roupa e os meus livros...

— Joias, roupas, livros! Para quê? A senhora já não tem tudo quanto deseja, para que mais?... As boas roupas fizeram-se para os nobres, as joias para os ricos, e os livros para os sábios! A senhora nada tem que ver com esta gente e com estas coisas! Só queria "um homem", pois já o tem! É andar! Ele que lhe compre joias; que se encarregue de vesti-la, de sustentá-la, e de consolá-la. Tem obrigação disso; e, se não dispõe de meios, invente-os — trabalhe! Se não puder tratá-la a bicos de rouxinol, comam feijão com carne-seca, que a senhora tem obrigação de contentar-se com o que ele lhe der! É o "seu homem" e, por conseguinte, é quem de hoje em diante a governa com direito de vida e de morte! Acompanhe-o submissa para onde ele for, seja para o inferno ou seja para o paraíso! A partir deste momento — o seu destino é o dele! E deixem-me!

— Meu pai!

— Foi tempo! Nada mais há de comum entre nós! Para continuar a ser seu pai, seria preciso que eu me fizesse pai também daquele pedaço de asno; e eu não quero ter filhos de tal espécie!

E S. Exa., notando que Madá não se resolvia a largar-lhe as pernas e continuava a chorar, ordenou, voltando-se para o cavouqueiro:

— Olá, seu coisa! Tome conta dessa mulher! É sua! Pode levá-la para onde bem entender!

— Ah! — exclamou a filha, caindo por terra, de borco, com os braços estendidos no chão, enquanto o velho, arrepanhando a sua túnica da cor simpática às histéricas, se afastava para casa, muito fresquinho e muito senhor de si, assoviando, de cabeça empertigada, nem como se a coisa tivera sido com ele.

Madá permanecia de bruços, a soluçar. Então o moço da pedreira inclinou-se sobre ela e deu-lhe com toda a delicadeza um ósculo nos cabelos. Depois tomou-a ao colo, e pôs-se a caminhar, vagarosamente, muito vagarosamente, na direção da fatal montanha onde ele trabalhava. E toda a natureza, que parecia haver entristecido e tomado luto com a maldição do velho, começou a reanimar-se, a rir de novo, tingindo-se de luz purpúrea e entoando em voz baixa epitalâmios sensuais. E os dois, abraçados, formando um só grupo, lentamente penetraram numa deliciosa alameda de laranjeiras, cujos galhos se vergavam na sua passagem para lhes beijar a fronte, derramando-lhes sobre a cabeça uma odorífera chuva de flores desfolhadas. E do céu baixava doce harmonia religiosa, que parecia balbuciada por uma nuvem de anjos.

Nisto — despertou.

Circunscreveu o olhar em torno de si, reconhecendo a custo a própria alcova. O seu pequeno relógio Luís XV, de bronze dourado, marcava, no mostrador de porcelana de Sèvres esmaltada, meia hora depois do meio-dia. Uma cortina cinzenta, de seda de Lyon, quebrava na janela a luz que batia de fora, e dava ao quarto o tom opalino de um crepúsculo de inverno. Madá suspirou, espreguiçando-se. O drama fantástico de toda aquela noite dissolveu-se; teatro e personagens desapareceram. Mas ouvia-se ainda, bem distintamente, o tal coro religioso que baixara dos céus para solenizar a sua passagem na encantada alameda; a moça soergueu-se no leito, concheando a mão no ouvido que ficava do lado da janela e, meio maravilhada, pôs-se a escutar com atenção aquela tristonha cantilena que persistia ali, na vida real, como um prolongamento do sonho.

Caiu logo em si: era a toada melancólica dos trabalhadores que minavam a pedreira. E ela deixou-se tombar de novo sobre os travesseiros e aí permaneceu, com os olhos muito quietos, enquanto duas lágrimas lhe serpeavam ao comprido das faces.

Oh! Sentia-se profundamente envergonhada do que sonhara a noite inteira.

— Minh'ama, — rosnou a nova criada, afastando o reposteiro da porta com a cabeça — o senhor mandou perguntar como vossuncê passou de ontem pra hoje.

— Diga-lhe que pode vir daqui a pouco, e você volte já para me vestir.

Quando se achou preparada, foi esperar o pai na saleta contígua à sua alcova.

— Então, minha filha, como passaste a noite?

— Bem, respondeu ela, beijando-lhe a mão.

— Dormiste?

— Bastante.

— Pareces-me, no entanto, fatigada... Como te sentes hoje de humor?

— No mesmo.

— Aquela loucura de ontem...

Madá estremeceu e abaixou as pálpebras. Dir-se-ia que o pai lhe lançava em rosto uma falta humilhante.

— Ficaste tão apreensiva com a tal subida da pedreira, que...

— É melhor não falarmos mais nisso...

E tomou as mãos do Conselheiro, fazendo-o chegar-se para bem junto dela. E, depois de contemplá-lo em silêncio com um meio sorriso, abraçou-o, demoradamente, como se procurasse ficar convencida por uma vez de que aquelas tolices do sonho não tinham o menor fundamento, e que seu pai, o seu extremoso pai, a quem tanto queria do fundo do coração, ainda ali estava a seu lado, para amá-la como sempre e protegê-la contra o maldito intruso que habitava dentro dela e que a consumia para alimentar-se.

— O senhor é muito meu amigo, não é verdade, papai?...

— Ora, que pergunta, minha filha!

— Diga!...

— Pois ainda não tens certeza disso?

— E o senhor seria capaz de abandonar-me, capaz de desprezar-me, fosse lá pelo que fosse?

— Mas que lembrança é esta, Madá? Desprezar-te, eu? Enlouqueceste!

— Ama-me muito, não é verdade? Por coisa alguma desta vida seria capaz de enxotar-me da sua companhia, não é assim? Responda.

— Deixa-te de criancices, minha flor, e olha! Toma o teu chocolate que ali está esfriando há meia hora. Mas que é isto?... Choras?... Então! então! Que sentes tu, Madá? Fala, meu amor.

Ela começou a soluçar.

— Nada! Nada! Nervoso! Acordei hoje muito nervosa!

— Mas não te aflijas deste modo. Vamos — toma o teu chocolate e desce comigo ao jardim. Anda! Vê se consegues não pensar em coisas que te façam mal... Não sejas criança...

O Conselheiro, à força dos carinhos, conseguiu que ela levasse, além de meia chávena de chocolate, uma colherada do xarope de Easton, que o Dr. Lobão havia receitado.

E arrastou-a para a chácara.

Mas, pobre senhora! Mal acabava de descer a escada do jardim, deu logo, cara a cara, com o moço da pedreira, que ia buscar a espórtula prometida pelo Conselheiro.

— Ah! — exclamou toda trêmula, corando e abaixando as pálpebras. E tratou de abraçar-se ao pai e esconder a cabeça no colo deste, como na véspera depois da síncope.

O bom velho não pôde compreender o que era aquilo.

— Tens alguma coisa? — perguntou. — Sentes alguma novidade? Fala.

— Voltemos para cima! Voltemos para cima! dizia a moça, aflita, sem mostrar o rosto.

O trabalhador, muito rendido, continuava defronte deles, com os olhos em terra, a torcer vexadíssimo entre as mãos o seu seboso casquete de pele de lebre.

— Ó patrão, se quer, eu apareço noutra ocasião... — gaguejou... — Não é pressa!...

— Sim, sim, é melhor, — volveu o Conselheiro, muito ocupado com Madá.

— Não! — acudiu esta, sempre com o rosto escondido. — Despache-o por uma vez! Para que fazer este homem voltar ainda aqui?

Ao perceber uma pequena parte destas palavras, o cavouqueiro fez uma careta que tanto podia ser de surpresa como de lástima, e resmungou meio ressentido:

— Vossência queira desculpar, mas eu, se aqui vim, foi porque me disseram pra vir... Tinha que com isso não ofendia pessoa alguma... mas à vista de que ando mal, peço desculpa e o mais que posso fazer — é não tornar cá!

— Não! — opôs S. Exa. — Espere aí um instante. E, passando o braço na cintura da filha, segredou ao ouvido desta: — Vamos, vamos lá para cima. Creio que hoje não estás boa...

10

O cavouqueiro ficou a esperar no jardim, encostado por ali numa árvore, e a fazer lá as suas considerações.

— Que macacos o lambessem se entendia aquela gente! A tal dos "me deixes" ficara a modos que assanhada quando ele lhe pôs a vista em riba! Pois estava que não havia razão de zangar, antes pelo contrário — havia de agradecer: Sim! Prestara-lhe um serviço; não era lá nenhum grande serviço, mas enfim, que diabo, na ocasião, ela não tinha quem a pusesse cá embaixo!

Tecia este raciocínio quando sentiu no ombro uma palmada de mão polpuda.

— Estás a cismar, ó Luís!

— Olá, s'óra Justina! Bons olhos a vejam! Como chegou vosmecê?

Ela chegara bem, graça a Deus.

— E o pequeno? Como ficou?

— Ora! Pronto pra outra!

— Vosmecê está chegando agora?

— Não. Já lá estive na estalagem com a tua gente. Estão muito apertadas de serviço com a roupa de uma família que embarca depois de amanhã. E tu? Não foste hoje ao trabalho?

— Já se vê que sim. Pus o casaco para vir aqui, mas volto.

— Isto é novidade...

— Não é nada, é que ontem a senhora aí de cima...

— Minh'ama...

— Deve ser — foi passear lá na pedreira e...

— Ah! Ela subiu à pedreira...?

— Subiu, mas caiu, logo com um faniquito: eu carreguei-a cá pra baixo. Vai então o pai disse-me que lhe aparecesse para me dar uma gorjeta, e eu vim. Ora aí tem vosmecê!

— 'Stá direito. Já falaste?

— Já, mas não entendo esta gente. Se a s'ora Justina chega um bocadinho antes, havia de presenciar o mais bonito!

— Que houve?

— Pois a moça não fez aqui umas partes?...

— Que foi, Luís?

— Pois não! Vinha descendo muito bem a escada e assim que me bispou — zás!

— Zás — como?

— Abriu a chorar que nem uma criança, e agora o verás!

— Coitada! Eu sei — é moléstia!

E a Justina comoveu-se. Sempre que lhe tocavam na ama, apertava mais as sobrancelhas e ficava com uma cara de profunda lástima.

— Arrenego de tal moléstia! — replicou o trabalhador. — Uma coisa que dá para espantos, nem que a gente fosse alma do outro mundo! Olhe que se o pai não me dissesse para esperar aqui, juro-lhe que já cá não estava! Diabo de uma esganiçada, que parece que está parte não parte pelo meio! Ontem quando a trouxe tive medo de chegar cá embaixo com um pedaço em cada mão!

— Não sejas má língua, Luís! Não seria a primeira vez que perdesses por falar demais! Se não fora semelhante balda, estarias a esta hora casado já com a Rosinha...

— Ora, sua mana mesmo foi que teve a culpa! Ela gosta mais de falar do que eu!

— Como teve a culpa, se tu és que andavas todo o santo dia a debicar o Comendador? Pois não dizias a todo o mundo que ele era um sapo-boi e não o arremedavas lá na estalagem para quem queria ver?... A caçoada chegou aos ouvidos do homem, e ele deu o dito por não dito — não quis mais ajudar o casamento da afilhada... Fez muito bem! Tu, no caso dele, farias o mesmo! Como não?

— Sim, mas se sua irmã não fosse lá contar o que se fazia na estalagem, o homem não bufava e teria caído com os cobres para o enxoval!

— Fez de tola!

— Ah! Mas deixe estar que o casório há de ser, mesmo sem a ajuda do sapo velho! O pobre homem vive!

A outra era do mesmo parecer: — Como não? Que isto de raparigas, a gente deve despachá-las logo, antes que o demo as tente!

E, vendo que um escravo do Conselheiro descia a escada: — Olha! Aí vem o negro com a tua gorjeta.

Com efeito eram dez mil réis que o pai de Madá mandava ao cavouqueiro.

— Que fica muito obrigado, ouviu? E quando precisar, lá estou às ordens.

O escravo afastou-se.

— Vê lá agora se te metes hoje em alguma bebedeira!... — observou Justina, a bater-lhe no ombro. — E até logo, que ainda me não apresentei à patroa!

Já a certa distância, parou, para gritar:

— Olha! Dize à tia Zefa que não me deixe o pequeno socar-se muito de aipim, que foi isto o que derrubou o outro!

E galgou de carreira a escadaria do Conselheiro, num ativo remeximento de quadris em evidência.

— Vou comprar um bilhete inteiro! — deliberou consigo o Luís, guardando a cédula na algibeira.

Luís era filho da tia Zefa, e morava com esta, mais a avó e mais a Rosinha, irmã de Justina e noiva dele, na tal casita de duas janelas, com entrada pela estalagem que ficava em frente da chácara do Sr. Conselheiro. Viera novo para o Brasil, onde se achava perfeitamente aclimado; não sabia ler nem escrever; tinha, porém, força e saúde "que é o principal para quem deseja ganhar a vida". O seu casamento estava já para se realizar havia um ano, porque Luís queria fazer coisa asseada. "Não! Que para um homem atrasar a vida, junto com a da mulher, antes ficar solteiro! A pequena que esperasse, que o que tinha de ser dela às mãos lhe chegaria! Com outra não se casava — isso é que era dos livros! Ah! Se a fortuna se lembrasse dele, já tudo estaria feito; mas o diabo da sorte andava arisca: todos os vigésimos da loteria, que ele comprava às ocultas da mãe e da avó, saíam-lhe brancos... Só mesmo podia contar com o triste peculiozinho do trabalho; o verdadeiro, por conseguinte, era ir se preparando aos poucos — hoje com uma coisa, amanhã com outra, conforme desse o cobre e conforme as pechinchas que aparecessem. Seu padrinho de batismo, um velhote apatacado que emprestava dinheiro a juros, esse prometera entrar com uma famosa cama de jacarandá, que tinha em casa e da qual não se servia desde a morte da mulher. Ah! este não era o Comendador! Muito seguro, muito apertado, não havia dúvida! mas também, prometendo, podia a gente contar com o bruto. — A cama era certa! Ora pois, com o dinheiro que lá estava na Caixa Econômica, ele teria um fato novo e um arranjo de roupa branca. Vinte e cinco mil-réis seriam para um relógio de prata dourada, dos modernos — Isso era sagrado! Porque ele não admitia que ninguém se casasse sem ter relógio e corrente. Corrente já tinha — um cordão de ouro que foi do pai e que vivia fechado na cômoda da tia Zefa ao lado dos ouros da família."

E estava a ver defronte dos seus olhos todo aquele tesouro: grandes rosetas redondas e abertas, do tamanho de moedas de vintém; anelões de chapa em cima; um crucifixo de trazer ao pescoço em dias de festa; uma figa que era uma riqueza, no peso; um alfinete de peito representando um anjo a tocar trombeta; três pulseiras lisas e polidas; outras de coral com fecho de ouro; vários objetos de filigrana de prata fabricados no Porto; um paliteiro e três castiçais também de prata, sem contar com dois diamantezinhos que a vovó ganhara aos vinte anos, quando se casou, e que fazia questão de levá-los nas orelhas para a sepultura. "Era lá mania da velhinha — respeitava-se!"

"Ora... a Rosinha, além de tudo tinha também os seus cobritos juntos; por conseguinte Luís, com mais algum tempo e economias, bem que podia casar com ela." Foi sacudido por este risonho raciocínio que o cavouqueiro, já de volta do serviço, entrou em casa às sete da noite, mais satisfeito que de ordinário, graças à gorjeta do pai de Madá, e talvez por haver tomado depois do trabalho alguns martelos de vinho com os companheiros.

A pequena sentiu-lhe cheiro de bebida logo que ele entrou.

— An... an...! Você hoje entortou o cotovelo, hein, seu Luís? Muito bonito!

— Um nada! Foi para beber à saúde da moça dali defronte...

— A filha do Conselheiro... Ah! E deram a molhadura?

— Já se deixa ver que sim. Mas aviem-me esse jantar, que estou a tinir!

E assentou-se à mesa, que a tia Zefa cobria nesse instante com uma toalha de linho grosso, enquanto a Rosinha corria a buscar lá dentro a tigela da sopa. A avó chegou-se também para vê-lo comer, como fazia todos os dias. Uma velhinha engraçada, a vovó Custódia! — seca, pequenita, a pele enrugada que nem um jenipapo maduro; a cabeça que era um algodão; a boca fechando e abrindo sempre, e toda cheia de pregas, tal qual a boca de um saco fechado. Mas toda ela ainda esperta, agarrando-se à vida com as unhas, que os dentes já lá se tinham ido.

Sentia-se ali um cheiro especial de roupa engomada e de roupa lavada. Justificando este cheiro, viam-se acumuladas por toda a parte, sobre as mesas, sobre as cadeiras, pilhas de camisas dobradas, montões de peças de roupa branca; e, dependuradas de uma corda, pelo cós, muitas anáguas, e muitas saias, penteadores bordados, e vestidos de linho com guarnições de renda. Um candeeiro de querosene iluminava a pobre sala de duas braças de largura e três de comprimento, toda caiada de cima a baixo, e com uma pequena barra de roxo-terra. Havia um armário de pinho sem pintura, onde se guardava a louça, aquela grossa louça de doze vinténs o prato, e aquelas canecas de pó de pedra, onde eles tomavam café antes de levantar o dia. Na parede — uma gaiola de pindoba com um gaturamo. A casa constava ainda de duas alcovas e outra salinha; ao fundo um pequeno quintal que dava para o cortiço. Era propriedade da mãe de Luís; deixou-lha o marido, um ferreiro, que morreu de desastre.

O que o rapaz, enquanto jantava, falou a respeito das esquisitices da filha do Conselheiro causou grande impressão na sua gente. Quiseram pormenores; crivaram-no de perguntas: "Se Madá tinha cara de doida; se era bonita, se se dava ao respeito." Luís respondia a tudo, devorando colheradas de feijão amassado com farinha.

— Pois a mana Justina diz que ela é muito boa, — observou Rosinha. — E o caso é que lhe tem dado muita coisa! Ainda há dias mostrou-me um anel, que...

— Um anel? De ouro?

— Sim, senhora, de ouro! Juro por esta luz! Eu vi! Lindo! Com umas pedrinhas em cima!

A notícia do anel abriu um silêncio comovido.

A tia Zefa observou afinal:

— Aquela chorou na barriga da mãe! Tem muita sorte o diabo da rapariga! Hão de ver que ainda encontra marido, apesar dos filhos...

— Ora se encontra! — respondeu Luís. — Isso é tão certo como me achar eu aqui! Pois não se vê como está o Manoel das Iscas por ela?... Não fala noutra coisa! "Porque a s'óra Justina pra cá! a s'óra Justina pra lá!" Até já fede!

— Que me estás tu a dizer, rapaz?

— Ora! Caidinho! E, se ela o souber levar, apanha-o mesmo!

— Uma sorte grande! O Iscas tem já alguma coisa de seu!

— Olá! Só aquele correr de casas, que ele fez agora, dá-lhe com que passar mais duas vidas!...

Depois do Iscas, a filha do Conselheiro tornou a entrar para assunto da conversa, e discutiram-se com assombro os presentes dados por ela à Justina. Por fim o cavouqueiro ergueu-se da mesa, tomou a sua viola e foi esperar pela hora de dormir, assentado à porta da estalagem, repinicando o seu fado favorito. Rosinha acompanhou-o logo e instalou-se ao lado dele como costumava fazer; ao passo que as duas velhas, tomando cada qual a sua cadeira, ficaram defronte uma da outra, a falar, entre bocejos e cochilos, no que tinham trabalhado esse dia e no que iam trabalhar no dia seguinte. Daí a pouco já não diziam palavra, e a própria Rosinha dava marradas no noivo, cabeceando de sono. Só a viola do cavouqueiro continuava bem acordada, quebrando o denso recolhimento das nove e meia com o seu "tir-lim-tim--tim" monótono e embebido de saudade.

Luís cantava:

O sol prometeu à lua
Uma faixa de mil cores;
Quando o sol promete à lua,
Que dirá quem tem amores!...

Tir-lim-tim-tim! Tir-lim-tim-tim!

Tu a amar-me, e eu a amar-te,
Não sei qual será mais firme!
Eu como sol a buscar-te,
Tu como sombra a fugir-me!

Esta cantilena chegava até a casa do Conselheiro reduzida a uma toada errante e tão lânguida que entristecia. Madá escutava-a da sua alcova, deitada no colo da Justina, à espera do sono.

E, quando lá pela meia-noite, conseguiu adormecer, continuou logo a sonhar com o moço da pedreira.

11

O sonho ligava-se ao da véspera. Tornou a ver-se ao colo do rapaz, abandonando a casa paterna e dirigindo-se vagarosamente para a montanha; esta, porém, surgia-lhe agora defronte dos olhos, não como pedreira esbrugada, mas em plena efervescência de verdura e toda coberta de flores.

Começaram a subir. Uma floresta virgem abria-se diante deles, para lhes dar passagem, e logo se fechava sobre os seus passos, como cortinas de um leito de folhas. O moço parecia não cansar com o peso que levava, e Madá por sua vez sentia-se leve, muito vaporosa; e, à proporção que ela se afastava de casa e ia-se entranhando na mata, fazia-se melhor, mais satisfeita e feliz.

E subiam, subiam, sem consciência do tempo, nem da direção que tomavam. Era como se tivessem escapado às relações da vida comum e penetrassem na eternidade; havia em tudo uma paralisação geral; uma existência etérea, em que se não envelhecia; uma existência de além-túmulo; alguma coisa de paraíso, antes da ideia da morte.

Afinal deram com uma planície. Haviam chegado ao cimo da montanha; aí o círculo de verdura que os guardava abriu em clareira, destoldando o azul, onde o sol resplandecia, transbordante de ouro por entre espumas de prata. Reinava na luz um meio-tom suave e comunicativo; tudo era doce, temperado e calmo; as vozes da natureza chegavam aos seus ouvidos apenas balbuciadas; as folhas e as asas cochichavam, como se temessem acordar alguém; perto corria um regato sussurrando.

O moço pousou Madá sobre a relva e assentou-se ao lado dela, tomando-lhe as mãos entre as suas.

— Como te sentes agora, minha flor? — segredou-lhe, aproximando o rosto.

— Melhor, muito melhor... — respondeu a filha do Conselheiro com um suspiro. — Sinto-me ainda um pouco fraca, mas conto que estes ares me restituam as forças...

— Em breve estarás perfeitamente boa e serás completamente feliz! — disse o outro, e soltou-lhe um beijo na boca. Madá percebeu então que o hálito do moço tinha o perfume da murta, e que as barbas dele eram agora mais macias do que os arminhos da sua saída de baile. E, encantada com a descoberta, notou ainda que as mãos do cavouqueiro já não eram duras e maltratadas, mas bem torneadas e de uma flexibilidade muito enérgica e nervosa; que o cheiro do seu corpo já não tresandava a cavalo suado, mas recendia a um odor fecundo de carne sadia e limpa, lembrando o cheiro do leite fresco; que os seus dentes eram alvos e puros como as areias da praia; que o seu peito era mais branco e mais rijo que o granito da pedreira; que os seus cabelos, roçando nela, acordavam desejos, e que os seus braços eram cadeias de fogo em que toda ela se abrasava de amor.

— Gostas de me ter ao teu lado?... — perguntou ele.

— Tu restituis-me a vida... — respondeu Madá, cingindo-o pelos rins e pousando o rosto abatido e frio sobre o colo vigoroso e largo do amigo. — Oh! — balbuciou depois, aconchegando-se mais — como eu me sinto bem assim! Com a cabeça aqui! A gozar nos meus peitos o calor do teu corpo! Deixa-me ficar ainda! Deixa-me ficar um instante, meu senhor e meu amado!

E apertava-o nos míseros braços, fechando os olhos e aspirando com força, como se quisesse sorver de um só hausto, a vitalidade que ele de si exalava, mais capitosa que o vapor de um vinho velho fervendo ao fogo.

— Tu és só meu?

— Todo teu e para sempre!

— Nunca amarás outra mulher?

— Não, Madá, nunca!

— Se me esquecesses por outra, eu morreria de ciúmes, antes que as feras me devorassem aqui! Olha! Vê como, só com pensar nisto, tremo toda...

Ele puxou-a de vez para o seu colo e afagou-a.

— Não chores — disse. — Descansa, que nunca mais nos separaremos. Eu serei eternamente o teu companheiro, o teu amigo, o teu esposo! Quando te sentires com força, irás a pé, pelo meu braço, passear ao outro lado da montanha, que é ainda mais belo do que este. Depois chegaremos até lá embaixo, no vale, onde encontrarás tudo o que de melhor há na vida: os mais saborosos frutos, as flores mais mimosas, as aves mais lindas, as águas mais puras, o sol mais carinhoso e os seres mais benfazejos da natureza. Lá tudo é nosso amigo; tudo nos ama; nenhum ente da terra te fará mal, porque aqui tu és a rainha, e eu sou o rei. Não tenho para te oferecer aposentos como os de teu pai; não tenho carruagens, nem sedas, nem baixelas de prata; mas, em compensação, nenhuma outra te disputará o poder sobre estes teus domínios, nem o amor deste teu escravo! Quando sentires vontade de comer, eu irei buscar os pomos mais suculentos e gostosos; quando tiveres sede, eu trarei nas minhas mãos a água mais cristalina das nossas fontes; quando te sentires cansada, eu te carregarei nos meus braços. Eu percorrerei o mundo inteiro para te matar um desejo! E, quando dormires, estarei ao teu lado pedindo a Deus que te dê bons sonhos e encha tua alma de consolações.

— Como sou feliz agora, meu amigo...

— Sim, tu serás muito feliz, porque aqui não haverá ódios nunca, nem invejas, nem ambições, nem vícios; aqui só o amor existe! Este é o seu reino; nada aqui vive senão dele e para ele! Amarmo-nos será o nosso único destino e o nosso único dever. Desde que o não fizéssemos, seríamos logo expulsos deste paraíso por indignos e maus, e teríamos de ir chorar a nossa miséria lá na outra existência, onde os homens se detestam e atraiçoam a todo o momento. Vês estas árvores, estes pássaros, todo este mundo alegre e feliz que canta em torno dos nossos beijos? Pois todo ele vive só para se amar! Vê ! Repara como todos crescem aos pares; como concebem e como produzem! Olha para cima da tua cabeça; olha para debaixo dos teus pés; olha para os lados, e observa! — Está tudo amando! Em cada beijo que damos, um infinito de vidas se forma entre nossos lábios!

— E há quanto tempo vives aqui neste reino encantado do amor?

— Não sei; não me lembra como vim ao mundo, nem conheci o autor dos meus dias; porém, à força de pesquisas, cheguei a crer que sou o mais recente produto de uma geração privilegiada, que chegou mais depressa do que as suas congêneres ao meu estado de aperfeiçoamento. O fundador da minha dinastia era de sílex, nasceu com o mundo, e, no entanto, meu pai era já nada menos do que um quadrúmano; de mim não sei ainda o que sairá...

— Mas tu então não és o moço da pedreira?...

— Tolinha! Aquilo foi o disfarce que tomei para te poder alcançar.

— Como assim?

— Desejei-te e jurei que havia de possuir-te. Mas como me aproximar de ti?... Lembrei-me da pedreira que fica defronte da tua janela, tomei a forma de um cavouqueiro e comecei a namorar-te, a empregar todos os meios para atrair-te. Tu a princípio te negaste; eu, porém, não desanimei e todos os dias te chamava cantando. Afinal, uma bela tarde, não pudeste mais resistir, e lá foste. Estava ganha a vitória! Fiz logo com que perdesses os sentidos; ofereci-me a teu pai para transportar-te nos meus braços e, assim que te pilhei no colo, penetrei-te com o meu desejo e com o meu amor; enleei-te toda no meu querer, e então quando já te não possuía, fui buscar-te num sonho, e hoje és minha para sempre!

— Sim, sou tua, toda tua, não há dúvida; és o meu dono, pertenço-te; mas uma coisa não compreendo...

— Que é?

— A razão por que, para me seduzires, tomaste a forma de um grosseiro trabalhador de pedreira e não a de elegante e gentil cavalheiro, que houvesse penetrado nas salas de meu pai e de mim se apossado licitamente, por meio do casamento...

— Tão tolo sou eu que caísse na asneira de namorar-te sob a forma de um homem de sociedade; porque, se assim fizesse, lograria apenas impressionar-te o espírito, já tão viciado pela própria sociedade, e não conseguiria pôr em jogo os teus sentidos, como obtive disfarçado em simples trabalhador, de corpo nu, forte, inteiro, e homem para toda a mulher! Se eu tomasse a forma de um janota, não estarias a estas horas aqui comigo, porque tu não me seguiste seduzida pela minha inteligência, que te não mostrei; nem pela minha riqueza de caráter, que escondi; vieste pura e simplesmente arrastada pela minha beleza varonil e pela masculinidade do meu corpo! Se eu me tivesse apresentado a ti sob a forma de um elegante rapaz, desconfiarias de mim, como desconfiaste de tantos que te pretenderam; havias de supor-me tão corrompido e tão inutilizado como os outros; não acreditarias na integridade do meu sangue, na sinceridade de minha saúde, e ainda menos na do meu amor. E, quanto ao fato de justificar a nossa união pelo casamento, para que e por que semelhante formalidade pueril e ridícula... O casamento é a prova pública do amor, e nós por enquanto não temos público! Deixa isso lá para a tua mesquinha sociedade, onde se casam enganando-se uns aos outros; onde se casam sempre por qualquer interesse, que não é o da procriação.

— Não! Lá também há casais que se amam...

— Muito raros. Além disso, o meio que os cerca é quanto basta para corrompê-los em pouco tempo e fazê-los tão ruins como os outros. Viverão a primeira lua de mel em pleno amor, mas na seguinte já o marido procura com quem trair a esposa, e esta já precisa chamar em seu socorro toda a energia de que é capaz para ver se consegue não enganar o marido! Ah! — Uma gente adorável, não há dúvida!

— E achas que Deus não se zangará comigo por eu não ter ido à igreja receber a sua bênção antes de acompanhar-te?

— Zangar-se contigo! Quem? Deus? Que loucura! Ele, ao contrário, filhinha, longe de amaldiçoar-te porque me amas deste modo, mais ainda te estimará por isso. Ele quer que as suas criaturas se amem como nós dois nos amamos! O seu coração é um grande manancial de ternura, que se derrama noite e dia, a todo instante, sobre as nossas almas, para fecundá-las, como o sol se derrama sobre a terra. Quando, em longas noites de luar, ficavas cismando esquecida à janela do teu quarto e suspiravas sem saber por quem, era ele que me trazia de longe os teus beijos errantes e solitários com o mesmo sopro benfazejo com que conduz a cada momento de uma a outra flor o pólen dourado e fecundo!

— Deus?

— Sim, Madá, tudo o que vem das suas mãos de Pai traz o germe do amor, que é a vida. A própria terra nada mais é do que um grande ovo, que ele encuba com a calentura do seu amor eterno! O Criador deu ao homem vesículas seminais, o ovário à mulher, para que eles se correspondessem, e se amassem, e se reproduzissem. Só nos amando assim, como agora nos amamos, podemos glorificá-lo, porque o amor é a perpetuidade da sua obra! E ainda me vens falar em cerimônias de Igreja!... Mas aqui, minha amada, eu não sou o moço da pedreira, nem tu és a filha de um conselheiro; aqui somos apenas um casal que se ligou pelos únicos laços que Deus criou para unir o homem à mulher — a cópula! Aqui somos o macho e a fêmea; aqui somos iguais porque somos e seremos igualmente puros, castos e eternos! A única substância da nossa vida, nestas infinitas e deliciosas regiões do amor, é o próprio amor! Nosso Deus — o amor! Nosso ideal — o amor! Só por ele e para ele nos achamos aqui reunidos os dois, assim abraçados e presos nos lábios um do outro!

E com estas palavras o moço estreitou Madá contra todo seu corpo. E calaram-se ambos.

— Sim, — disse ela afinal, quando recuperou a fala — sim, que me importa a outra vida, se tudo o que de melhor concebe o meu coração e o meu cérebro é o teu amor? Desapareça tudo mais; arrasem-se todos os mundos; apaguem-se todas as paixões; sufoquem-se todas as crenças; aniquilem-se todos os instintos; e este amor ilimitado, ardente, sempre novo e sempre vivo, há de sobreviver, como um espírito imortal, como um princípio incriado, uma força mais arbitrária e mais indomável do que a força impulsiva da matéria!

E seus lábios uniram-se de novo aos lábios dele, e seu corpo de novo estrebuchou na relva em convulsões de amor. Em volta a natureza festejava aquelas núpcias com uma orquestra em surdina de beijos e arrulhos. Um crescendo ansiar de suspiros estalados ia se formando lentamente; até que, de súbito, um geral espasmo se apoderou de toda a montanha, levantando-lhe pela raiz a cabeleira verde. Encrespou-se-lhe o dorso. As árvores, com as folhas arrepiadas, estorciam-se, atirando-se umas às outras e rangendo os galhos; as flores palpitavam sob o doidejar das borboletas; os répteis corriam de rojo por toda a parte, rondando, seguros e assanhados; vermes esfervilhavam, brotando aos cardumes do solo úmido; as rolas acoitavam-se, gemendo de gosto e ruflando as asas no chão; ouviam-se rouxinolar duetos de amor no fundo azul das matas; insetos zumbiam voando, agarrados no ar, aos pares; uma nuvem de poeira cor de fogo remoinhava no espaço, embebedando as plantas; e o sol, vitorioso e potente, resplandecendo na sua armadura de ouro, emprenhava a terra na esplêndida fornicação da luz.

12

Acordou muito nervosa e muito triste. O sonho deixara-a num grande abatimento físico e moral; pungia-lhe um como remorso de quem se arrepende de haver passado a noite em claro, no deboche. Sentia-se humilhada.

— Maldito homem! Maldita a hora em que ela se lembrou de subir à pedreira!

Não é que não compreendesse perfeitamente que tudo aquilo era devido ao seu lastimável estado de doença; mas, por melhores esforços empregados para se convencer de que lhe não cabia a mais ligeira responsabilidade em semelhantes extravagâncias, um profundo vexame apoderava-se do seu espírito, constrangendo-a de vergonha contra si própria. Reconhecia-se criminosa por aqueles delitos de uma sensualidade tão brutal e tão baixa; não podia conceber como era que ela — ela! a filha do Conselheiro Pinto Marques, a intolerante, a escrupulosa por excelência, a irrepreensível nos seus gostos e nas suas predileções, mantinha, segregadas nos meandros da sua fantasia, tais sementes de luxúria, que bastava cair uma única no misterioso terreno dos sonhos para rebentar logo uma floresta inteira de concupiscência. Lembrou-se de contar tudo com franqueza ao Dr. Lobão e pedir-lhe que lhe arranjasse um remédio contra aqueles desvarios; mas só a ideia de repetir, de confessar certas particularidades do seu delírio, faziam-na tremer toda, de pejo. "Ah! se a tia Camila ainda fosse viva!..." E o que ela não se animou de confiar ao médico, disse em confidência de alcova ao seu crucifixo, pedindo-lhe entre lágrimas, pelo amor da Virgem Mãe Santíssima, que a protegesse; que a livrasse daqueles pensamentos impuros; que lhe mandasse dos céus todas as noites um dos seus anjos para lhe velar o sono e impedir que a sua pobre alma, enquanto ela dormia, fosse vagabundear por aí, como a alma de qualquer perdida.

Cristo não a atendeu. A mísera, depois de um dia como os outros, dia arrastado entre colheradas de remédio e tédio de enferma, sem um riso, nem a sombra de uma esperança de alegria, mal adormeceu, aninhada no colo da Justina, acordou em sonho nos braços do cavouqueiro.

Continuava a sua existência fantástica. Despertou com um beijo dele.

— Ah! — disse, e olhou em torno de si, procurando reconhecer o sítio da quimérica felicidade.

Sorriu logo, satisfeita: era o mesmo lugar em que na véspera havia pegado no sono acalentada pelo amante. — Era, que dúvida! — lá estavam as mesmas árvores, agora tranquilas e confortadas; as mesmas palmeiras sussurrantes, o inalterável regato de águas diamantinas em que se destacavam os nenúfares, formando pequenas ilhas cor de esmeralda e guarnecidas de grandes flores vermelhas e brancas. E, como para se certificar de que o seu amado ainda era também o mesmo, pôs-se a tatear-lhe a musculatura dos braços e do peito.

— Era ele mesmo! Era! Nem outro possuía aquela rijeza de carnes junto àquela maciez de pele.

Apalpou-o todo. Depois, como se ainda não estivesse bem convencida, esfregou o rosto nas barbas dele, meteu os dedos por entre os anéis do seu cabelo, cheirou-lhe a boca.

— Era! Era o mesmo! Cheirava à murta.

E beijou-o.

— Olha, — falou o moço. — Enquanto dormias tu, andei por aí colhendo estas frutas. Deves sentir fome.

— É verdade, — respondeu Madá. — Tenho uma fome enorme. Há muito tempo que não como.

E ergueu-se a meio para o banquete.

— Vê como são boas... — observou o outro, trincando um cajá e levando-lhe à boca o pedaço que tinha entre os dentes.

Ela comeu e pediu outro bocado, mas queria assim mesmo — de boca para boca.

— Como é bom! Como é bom! — repetia batendo palmas.

— Estes, que estão picados de passarinho, são os mais doces. Olha! experimenta.

Ela afinal deitou-se no colo dele, para comer à moda das crianças. O rapaz escolhia os melhores frutos, mordia-os primeiro e dividia o pedaço com ela, ambos a rirem-se muito desta brincadeira.

— Mais! Mais!

Ele mostrou uma grande manga.

— Oh! Que bela! — exclamou a filha do Conselheiro, tomando em cheio nas mãozinhas a imensa manga que o companheiro lhe apresentava. E, farta de admirá-la, lembrou com um repente:

— Vamos chupá-la os dois juntos?...

— Como?

— Deita-te aqui no chão, ao meu lado. Assim!

E, uma vez deitados, começaram, com o rosto muito unidos, a chuchurrear a manga, como se mamassem ao mesmo tempo por uma só teta. Madá sentia com isto uma volúpia indefinível; de vez em quando despregava os lábios da fruta, para poder olhar o amigo, soltava uma risadinha, e continuava a mamar. Quando se sentiram satisfeitos, ele foi buscar água na parra de um tinhorão e deu de beber à companheira.

— Bem, — disse depois — Agora vamos dar um passeio.

— Sim, mas eu não posso ir muito longe... Sinto-me ainda tão fraca...

— Eu te carregarei, quando não puderes andar. Encosta-te a mim.

Madá ergueu-se e pôs-se a caminhar vagarosamente ao lado do amante, toda reclinada sobre ele; os braços na cintura um do outro. Ouviam-se então cantar as aves; e as plantas inclinavam-se com ternura e respeito por onde seguia o amoroso par; a folhagem tinha sorrisos; as boninas beijavam-lhes os pés.

Um cheiro delicado de baunilha enriquecia o ar.

Chegaram à beira do regato, e Madá mirou-se na água com faceirice de noiva. Ao seu lado refletia-se a robusta figura do moço.

— Dá-me algumas flores, — pediu ela. — Quero enfeitar-me para te parecer mais bonita. Estou tão magra!...

Ele afastou-se e voltou logo com um braçado de rosas, magnólias, jasmins e manacás. O ambiente trescalou de aromas. Madá soltou o cabelo e depois, a rever-se na própria imagem refletida a seus pés, fez novas tranças, em que ia intercalando flores, com o mimoso capricho de quem faz uma obra de arte. O moço olhava-a sorrindo.

— Vaidosa... — murmurou.

— Ingrato! É para te agradar...

E ela, quando deu por pronto o seu toucado, foi colocar-se defronte do amigo para receber os afagos da aprovação.

— Senta-te aqui, disse este, em seguida a um beijo.

A amante obedeceu; ele deitou-se na relva e pousou a cabeça no colo de Madá, que começou a afagar-lhe os cabelos, segredando ternuras, vergando-se sobre o seu rosto, para alcançar-lhe os lábios. Estiveram assim um tempo infinito; alheios e esquecidos de tudo, bebendo pela boca um do outro o vinho da sua animalidade, embriagando-se de camaradagem, aos poucos, voluptuosamente; até que, ébrios de todo, se deixaram rolar ao chão e se quedaram abraçados, mudos, inconscientes, quase mortos na deliciosa prostração do coma venéreo.

Só se deram por si ao declinar do dia. Continuaram o passeio.

— Que ruído é este? — perguntou Madá, parando em certa altura da floresta.

— Não tenhas medo, meu amor, é o trapejar de uma cascata que fica do outro lado da montanha. Havemos de lá ir um dia.

— Espera! Parece que vai chover... Senti uma gota d'água cair-me na face.

— Vai, sim, mas não faz mal; nós nos recolheremos à gruta.

— Que gruta?

— Verás. Fica muito perto daqui. Vamos.

Principiava com efeito a chuviscar. Ele tomou Madá nos braços e correu para a gruta, que em verdade era muito perto dali. Consistia numa grande rocha negra, toda encipoada de heras e parasitas com uma pequena fenda que mal dava passagem a uma só pessoa de cada vez. O cavouqueiro transpôs a brecha e em seguida fez entrar a companheira.

— Agora pode lá fora chover a cântaros! — declarou — estamos perfeitamente agasalhados.

Madá olhou em torno de si na meia escuridão da caverna, e notou que se achava num lugar muito aprazível, de atmosfera de alcova. Os seus pés eram embebidos em armelina e doce alfombra; suas mãos tocavam nas paredes uma penugem macia que lembrava a pluma do algodão. Era um ninho, um verdadeiro ninho de musgo cheiroso, aveludado e tépido.

O rapaz deixou-se cair em cheio sobre o tapete de relva, arrastando Madá na queda. E, fechando-a nos seus braços, disse-lhe com o rosto unido ao dela:

— Não ouves lá fora um arrulhar mavioso e triste?...

— Sim, por quê?

— É o uru que anuncia a noite. Vamos dormir.

E ela sonhou que adormecia, justamente na ocasião em que acordava na vida real. O gemebundo piar das rolas desdobrou-se na monótona e pesarosa cantilena dos trabalhadores da pedreira.

13

— Terceiro sonho!... Era já o terceiro sonho!... — cismava Madá, muito impressionada e ainda recolhida na sua cama de *érable* com esculturas de mogno. — Três sonhos seguidos, de noite inteira, com aquele miserável trabalhador!... E, não poder reagir contra semelhante violência!... Não dispor de um único recurso contra esse misterioso tirano que a constrangia àquela convivência extravagante, àquele amor ignóbil por um ente, que ela na vida real malqueria e desprezava! Terrível cativeiro! Não poder dizer à sua imaginação: "Acomoda-te, demônio! Sossega!" Isto com quem não estava habituada a repetir uma ordem; com ela, que não fora nunca desatendida nos menores caprichos, como nas maiores imposições!... Que desespero — ter de submeter-se ao jugo da sua carne! Que inferno — sentir-se todos os dias ao acordar humilhada por si mesma, indignada contra os seus próprios sentidos!

E se aquilo desse para continuar?... Sim, como havia de ser, se nunca mais terminasse aquela nova existência que ela agora vivia com o cavouqueiro durante a noite?... Oh, antes a morte! Antes a morte!

Justina abriu o cortinado da cama, para saber se a senhora queria já o chocolate.

— Que horas são?

— Meio-dia.

— Não consigo acordar mais cedo...

E notava agora na boca um gosto acre e doce ao mesmo tempo, muito enjoativo, sabendo a sangue.

— Minh'ama sente alguma coisa? — perguntou a criada, reparando que Madá estalava com insistência a língua contra o céu da boca.

— Um gosto esquisito.

— É do estômago! Não tenho dito a vosmecê que não é bom estar paparicando guloseimas todo o dia?... Como não? Está aí!

— Mas eu ontem nada comi que me pudesse fazer mal. Tomei um caldo e bebi um cálice de vinho; e à tarde... Ah! Talvez seja do xarope... diz o doutor que leva muita estricnina.

— Deve ser, como não? Estes remédios de hoje são todos uns venenos, Deus me perdoe!

— Prepara-me água para lavar a boca.

— Está tudo pronto.

Madá ergueu-se da cama.

E, enquanto se preparava: — Ó senhores! Que frenesi me mete aquilo!

— Aquilo quê, minh'ama?

— Aquela maldita cantilena!

— Ah! Os homens da pedreira! Coitados! Diz que assim não sentem tanto o peso do serviço... Aquilo é um trabalho muito bruto! Vosmecê não imagina... Ainda outro dia...

— Sim, sim! Meu pai já saiu?

— Ainda não, senhora, e já veio saber como minh'ama passou a noite.

— 'Stá bem.

— ... Ainda outro dia, o Luís...

— Que Luís...?

— Esse rapaz que está para casar com minha irmã, com a Rosinha; aquele que desceu minh'ama da pedreira!... O Luís, vosmecê conhece, como não?

— Sim, sim! Não quero saber disso... Dá-me o chocolate e o remédio.

Justina precipitou-se logo para fora da alcova, e Madá, contra a sua vontade, repetia mentalmente: "O Luís, esse rapaz que está para casar com Rosinha..." Mas a fisionomia não se lhe alterou e, como era do seu costume ao levantar-se do leito, tomou um espelhinho de mão e pôs-se a mirar de perto as feições. Achou-se extremamente abatida e muito descorada; em compensação sentia-se agora de melhor humor e até disposta a sair do quarto. O diabo era aquele maldito gosto de sangue que lhe não deixava a boca. Bebeu dois tragos de chocolate, rejeitou o frasco do xarope, e em seguida desceu ao primeiro andar, mais animada que nos outros dias.

O pai fez um espalhafato quando a viu.

— Assim é que ele a queria!

E beijou-a na testa. — Assim é que Madá devia fazer sempre! Hoje até, acrescentou risonho e afagando-lhe o queixo, bem podias dar um passeio comigo, hein? Mando buscar o carro? Que dizes?

— Onde o passeio?

— Onde quiseres; em qualquer parte. Está dito?

Ela aceitou, com grande contentamento do Conselheiro; e a surpresa deste subiu ao zênite quando viu a filha ordenar ao copeiro que lhe servisse um pouco dum *roast-beef* que estava sobre a mesa.

— Bravíssimo! Bravíssimo!

Madá, porém, logo que percebeu sangue no assado, repeliu o prato, a estalar a língua; mas exigiu que lhe dessem sardinhas de Nantes e comeu depois meia costeleta de carneiro, um pouco de pão, queijo com mostarda, um gole de vinho, e ainda tomou uma chávena de chá preto. E não sentiu náuseas.

O pai ficou louco de contente.

— O xarope está produzindo efeito!... — raciocinou ele, esfregando as mãos.

Ela pôs um vestido de cor, o que havia muito tempo não fazia; e daí a pouco embarcava no carro com o Conselheiro.

Mandou tocar para o lado da cidade. — Ah! Estava farta de árvores e de florestas; agora precisava ver casas, ruas com gente, movimento de povo; para deserto bastava-lhe o paraíso dos seus sonhos!

Durante o caminho mostrou-se de magnífica disposição, conversou bastante, chegou a rir mais de uma vez. Ao passar pelo Campo de Santana apeteceu-lhe entrar no jardim. O carro ficou à espera defronte da estação de bombeiros.

Eram três horas da tarde quando penetraram no parque. Fazia calor; a areia dos caminhos estava quente; os lagos reluziam, e os côncavos tabuleiros de grama, que dão vontade à gente de rolar por eles, tinham reflexos de esmeralda nos pontos em que lhes batia o sol; os patos e os gansos amoitavam-se nas touceiras de verdura, à beira d'água, procurando sombra; a mole compacta dos crótons parecia formada de incontáveis retalhozinhos de seda de várias cores; os gordos cactos e as bromélias cintilavam como se fossem de aço polido. Mas toda esta natureza simétrica, medida, como que metrificada e até rimada, parecia mesquinha em confronto com as luxuriantes paisagens, que Madá sonhara naquelas últimas noites. Todavia nem por isso deixou de impressioná-la, trazendo-lhe ao espírito recordações vexativas; por mais de uma vez sentiu a moça subir-lhe o sangue às faces, à maneira do seu delito; mas não falou em retirar-se; apenas propôs ao pai que descansassem um pouco.

O Conselheiro levou-a até a cascata. Aí estava com efeito muito mais agradável; fazia inteira sombra, e a água, que caía lá do alto, esfarelando-se contra os pedregulhos artificiais, refrescava o ar e punha-lhe um tom úmido de beira de praia. Madá ficou um instante à entrada da gruta, apoiada na corrente da ponte, entretida a olhar os peixinhos vermelhos que nadavam em cardumes por entre as ilhotas de pedra. O velho esperava ao lado, em silêncio, sem nenhuma expressão na fisionomia, com uma paciência de pai; ao penetrarem na gruta, ele percebeu que o braço da filha tremia.

— Sentes alguma coisa?...

— Não. É que isto escorrega tanto...

Lá dentro havia um casal que se retirou com a chegada deles, conversando em voz baixa e afetando grande interesse na conversa. S. Exa. teve um gesto largo de quem admira; Madá olhou indiferentemente o teto de cimento, as grossas estalactites pingando sobre as estalagmites com um aprazível ruído de noite de inverno. A umidade da gruta fez-lhe sede; o Conselheiro procurou uma bica e descobriu afinal uma caneca pendurada a um canto, donde jorravam goteiras mais grossas.

— Eu bebo aí mesmo — disse Madá, correndo para ele e arrepanhando as saias, porque o chão era nesse lugar muito encharcado. O Conselheiro notou a impropriedade daquelas estalactites numa rocha que fingia ser de granito; Madá não prestou nota à observação científica do pai e enfiou por um corredor à esquerda. Foi dar lá em cima; assentou-se cansada no rebordo onde está a entrada para a caixa d'água. O velho ficou de pé.

— Aqui está bom, não achas? — perguntou.

Ela não deu resposta. Olhava. A voz de um sujeito, que tinha subido pelo lado oposto, espantou-a; a nervosa soltou um pequenino grito e ficou ligeiramente trêmula.

— É melhor descermos... — aconselhou S. Exa., vendo que dois vagabundos se aproximavam com as suas calças de boca muito larga, a cabeleira maior que a aba do chapéu e grossos porretes na mão.

Voltaram pelos fundos da cascata. Um bêbado dormia aí, estendido por terra, meio descomposto, uma garrafa ao lado. O Conselheiro fez um trejeito de contrariedade e seguiu mais apressado com a filha. Quando se acharam fora da gruta, o sol declinava já, e as ruas do parque enchiam-se de sombra. Corria então um fresco agradável. Anilavam-se as verduras mais distantes; desfolhavam-se os heliotrópios ao tépido soprar da tarde; as amendoeiras desfloresciam, recamando o tapete verde de pontos amarelos. Havia uma surda transformação nas plantas; reviviam as flores amigas da noite e começavam a murchar os miosótis e as papoulas; as árvores sacudiam-se, rejubilavam, aliviadas do mal que lhes fazia tanto sol; ouviam-se nas moitas suspiros de desabafo. Os patos e os gansos deslizavam agora vitoriosamente, rasgando com o peito a brunida superfície dos lagos; chilreavam pássaros, saracuras assustadas cortavam de vez em quando o caminho, olhando para os lados; ouviam-se grasnar marrecos e frangos-d'água. Tudo estava mais satisfeito.

Uma nuvem de gaivotas pairava sobre os tabuleiros verdes, debicando na relva; as cambaxilras saltitavam por toda a parte. Via-se aparecer ao longe, por detrás dos horizontes de folhagem, a agulha da igreja de S. Gonçalo, destacando-se do límpido azul do céu toda esmaltada pelo sol das cinco e meia.

Principiava a chegar gente; surgiam homens de palito na boca, o colete desabotoado sobre o ventre; calcinhas brancas, curtas e malfeitas, mostrando botas empoeiradas; gorduras feias dos climas abrasados; hidroceles obscenas; chapéus altos ensalitrados de suor. Mulheres da Cidade Nova, com umas caras reluzentes, vermelhas como se acabassem de ser esbofeteadas; portuguesas monstruosas, com umas ancas que pediam palmadas, os pés túrgidos em sapatos de pano preto sem feitio. "Uma gente impossível!" Madá via-os a todos, um por um, enjoada, com o narizinho torcido e cheia de uma secreta vontade de chicoteá-los.

Deteve-se para contemplar o grupo muito pulha de L. Despret, logo à direita de quem sai da gruta: um homem, auxiliado por um cão, a lutar com um tigre; mas o homem corta o peito da fera como se estivesse talhando pão de ló, e o cão raspa com os dentes a anca da mesma, como se tentasse morder um animal de bronze. Não obstante, Madá parou defronte da escultura e parecia interessada por ela. Aquele homem de músculos atléticos prendia-lhe a atenção. Por quê? — Sabia lá! O Conselheiro, intimamente estranhado pela importância que a filha dava a semelhante obra, falou-lhe no museu do Louvre, nos belos mármores que os dois mais de uma vez apreciaram juntos. Ela não ouviu e, depois de muito contemplar o lutador, disse:

— Não há no mundo um homem assim como este, hein, papai?

— Assim como, minha filha?

— Assim forte, musculoso...

— Ah! decerto que não.

— Mas já houve...

— Ora, noutros tempos, quando os guerreiros carregavam no corpo armaduras de dez arrobas.

— E as mulheres dessa época? Deviam ser também bastante vigorosas...

— Com certeza! Pois se uns descendiam dos outros...

Nisto passou perto deles um bêbado, muito esbodegado, a cambalear cantarolando; a camisa esbofada no estômago, o chapéu à ré; os punhos sujos a saírem-lhe da manga do paletó, engolindo-lhe as mãos. O Conselheiro desviou-se discretamente com a filha para o deixar passar; o borracho parou um instante, cumprimentou-os com toda a cerimônia, quase sem poder abrir os olhos, e lá se foi aos bordos, empinando a barriga para a frente. Madá soltou uma risada tão gostosa, que abismou S. Exa.

— Definitivamente aquele era o dia dos prodígios... — pensou o extremoso pai. E qual não seria o seu espanto quando ouviu a rapariga soltar a segunda, e a terceira, a quarta e, enfim uma crescente escala de gargalhadas contínuas.

— Com efeito!... — disse. — Muita graça achaste tu naquele tipo.

Ela não podia responder; o riso sufocava-a.

— Está bom, minha filha, não vá isso te fazer mal...

Madá procurava conter a hilaridade, mas não conseguia. Os transeuntes olhavam-na, tomados de grosseira curiosidade; o Conselheiro, meio vexado por ver que ela chamava a atenção de todos, repetia-lhe baixinho:

— Está bom... está bom...

Foi um capadócio quem afinal a fez calar; um que passou de súcia com outros, medindo-a de alto a baixo e que, depois de mirá-la muito, começou por caçoada a remedar-lhe o riso. Madá ficou furiosa. Subiu-lhe sangue à cabeça, e teve ímpetos de... nem ela sabia de quê!... fazer um disparate! Tomar a bengala do pai e quebrá-la na cabeça do tal sujeito.

— Atrevido! — resmungava entre dentes cerrados, afastando-se com o Conselheiro.

E, apesar dos esforços que este empregou para distraí-la, o resto do passeio foi todo feito sob a impressão daquele incidente.

— Não penses mais nisso... — insistia o velho, quando Madá, já dentro do carro, se referia ao fato pela milésima vez.

Tocaram para casa; ela em toda a viagem não falou noutra coisa. Vinha-lhe agora uma inabitual vontade de brigar, de fazer escândalo. Esteve quase a pedir ao pai que voltasse e fosse à procura do malcriado até descobri-lo, para lhe pespegar duas bengaladas, mas bem fortes!

E jurava que, naquele momento, seria capaz de estrangular o maldito. Não parecia a mesma. Ela, que fora sempre tão inimiga de tudo em que transpirasse escândalo e barulho, sentia agora uma estranha sede de provocações, de desordens; já não era com o capadócio do jardim, mas com qualquer pessoa. Quando entrou em casa, porque a Justina não respondeu logo à primeira pergunta que lhe fez, bradou trêmula:

— Você também é um estafermo!

— Estafermo?

— Não me replique!

— Eu não estou replicando...

— Rua!

— Vosmecê despede-me?...

— Rua! Não a quero aqui nem mais um instante!

— Mas, minh'ama...

— Rua! Não ouviu?

O Conselheiro interveio:

— Então, minha filha, não te mortifiques!

— Pois meu pai não vê como esta mulher me provoca, só pelo gostinho de me pôr nervosa?

— Tu parecias gostar tanto dela...

— Nunca! Não a posso olhar! Tenho-lhe ódio!

Justina, coitada, ia tentar a sua defesa, já banhada em lágrimas, quando o pai de Madá lhe fez sinal de que se afastasse; ao passo que a histérica, falando sozinha e praguejando contra tudo e contra todos, dirigia-se furiosa para o quarto.

— Uma súcia! Todos uma súcia, resmungava, enterrando as unhas na palma da mão. E fechou-se por dentro com arremesso, atirando-se à cama, desesperada e arquejante.

Justina enxugava as lágrimas no avental, dando guinadas com todo o corpo a cada suspirado soluço que lhe vinha.

— Descanse que você não irá embora, — disse-lhe o amo. — Quando a Sra. D. Madalena chamar por alguém, apresente-se e não se mostre ressentida com o que se deu. Aquilo passa! É da moléstia! Vá!

— Uma coisa assim!... — lamuriou a criada. — Eu que tanto faço por agradá-la.

— 'Stá bem, 'stá bem! Já lhe disse que você não será despedida.

— Não é por nada, mas é aquela que a gente toma às pessoas!... Eu estava já afeita com minh'ama, e ter de deixá-la assim de um momento pra outro, sem lhe ter dado motivo... dói, como não dói?

— Mas vá, vá sossegada, que não haverá novidade!

Justina afastou-se chorando a valer.

O Dr. Lobão chegava nesse momento, e o Conselheiro passou a narrar-lhe as últimas esquisitices da doente. O médico escutou-o calado, fazendo bico com a sua boca sem lábios; olhando por cima dos óculos, com as sobrancelhas no meio da testa, arqueadas como duas sanguessugas.

— Ela tem tido as funções mensais com regularidade?... — perguntou no fim da sua concentração. E rosnou, depois da resposta: — É o diabo! É o diabo!... Preciso examiná-la de novo! E lembrar-me de que tudo isto se teria evitado com tão pouco sacrifício para todos nós! Pensam que é brincadeira contrariar a natureza! Agora — o médico que a aguente!

Quando o doutor saiu, já a filha do Conselheiro dormia a sono solto, e sonhava: escusado é dizer com quem.

14

— Madá! Madá, repara que já é dia! Aqui não é permitido dormir assim até tão tarde! Vem ver despontar o sol. A passarada já está toda de fora, não ouves? Não há mais um só casal nos ninhos! Levanta-te! Sua Majestade aí chega, esfogueado da viagem, pedindo a cada corola uma gota de orvalho para beber e acendendo em cada gota de sangue uma centelha de amor!

A filha do Conselheiro abriu os olhos — sonhando. A primeira palavra que lhe escapou dos lábios foi o nome do trabalhador da pedreira.

— Bravo! — exclamou este, apanhando-lhe a boca num beijo. — Até que enfim te ouço dizer o meu nome!

— É que o ignorava...

— E como o sabes tu agora?

— Sonhei.

— Ah!... sonhaste comigo?...

— Todo tempo que levei a dormir.

— E que sonhaste, meu amor?

— Que estava ainda na minha primitiva existência, no mundo que troquei por este, e do qual não tenho saudades, a não ser por meu pai.

— E então?

— Via-te a todo o instante; levava-te comigo no pensamento para toda a parte; vi-te até em estátua, lutando com um tigre...

— Fantasias de sonho...

— Sonhei com tudo isto que nos cerca neste nosso éden; sonhei com esta gruta, com estas árvores, com estes lagos e com esta deliciosa luz sanguínea que me aviventa.

— Sim, sim, mas vai tratando de deixar a cama, que não havemos de ficar aqui metidos o dia inteiro. Hoje quero levar-te ao vale, onde passa o rio que nos separa da ilha do Segredo.

— Ilha do Segredo? Que vem a ser isso?

— Tu verás... É encantadora.

— Muito longe daqui?

— Não, e se fosse? Não estou eu a teu lado para te carregar?

— É que me sinto tão fraca, tão pobre de coragem... tão magra!...

— Lá encontrarás novas forças. Vamos!

Ela ergueu-se pela mão do companheiro, e saíram da gruta.

Repontava o dia. Tudo se enchia de vida; as abelhas saíam para as suas obrigações; borboletas peralteavam já pelo ar, em troça, mexendo com as flores; a pequenada dos ninhos reclamava o almoço, e os pais andavam por fora, a tratar da vida, aflitos, preocupados, mariscando na umidade da terra o pão nosso da família. O sol erguia-se como um patrão madrugador e ativo, acordando toda a sua gente e chicoteando a golpes de luz a mata inteira, folha por folha, para não deixar nenhum preguiçoso dormindo acoitado pela sombra. Uma dourada nuvem de lavandeiras doidejava sobre os lagos, picando a água com a cauda, de instante a instante, num crepitar frenético de asas.

— Então? — perguntou Luís, de braço passado na cintura de Madá. — Não é melhor estarmos aqui do que metidos lá na gruta?

— Certamente, meu amigo.

— Ampara-te, pois, ao meu corpo e deixa o passeio por minha conta.

Puseram-se a andar por entre a chilreada dos caminhos. De vez em quando paravam para colher um fruto, que dividiam entre si com a boca.

Andaram muito. Quando a moça chegou ao vale estava prostrada de cansaço. O sol ia já bem alto no horizonte.

— Descansemos aqui à sombra deste tamarindeiro, para irmos depois até o rio, propôs Luís. E, enquanto Madá repousava no chão, ele foi apanhar um coco e trouxe-lho já em estado de se lhe sorver o saboroso leite refrigerante. Quando a viu de todo acalmada, principiou a descalçar-lhe os sapatinhos de cetim.

— Que fazes?

— Vou despir-te

E tirou-lhe as meias.

— Despir-me, para quê? — perguntou a filha do Conselheiro com um retraimento de pudor.

— Para atravessarmos o rio.

E foi logo lhe desabotoando o colo. Madá não se animou a dizer que não, mas fez-se vermelha e abaixou os olhos. Luís, todo vergado sobre ela, ajudou-lhe a desenfiar as mangas do corpinho e sacou-o fora. Desacolchetou-lhe depois as saias na cintura e arrepanhou-as para debaixo das pernas dela.

A moça levou as mãos às roupas, assustada, olhando com receio para os lados, como se quisesse, antes de despi-las, certificar-se bem de que não era vista senão pelo seu amante. Este compreendeu o gesto e disse-lhe sorrindo e tocando-lhe com os dedos no alvo cetim da espádua:

— Não tenhas medo... Aqui não há mais ninguém além de nós! Podemos ficar à nossa plena vontade, fazer o que bem quisermos; rolar nus e abraçados por estes tabuleiros de relva; entregar-nos a todos os delírios do amor; enlouquecer de gozo! Só Deus nos espreita, e Deus foi quem te fez para mim, para que eu te goze e te fecunde, minha flor! Ele observa-nos satisfeito, lá de muito alto, espiando pelas estrelas e sorrindo a cada beijo que damos! Quando nascer o fruto do teu ventre, ele descerá logo num raio de luz, e virá abrir na boca de nosso filhinho o seu primeiro riso e beber-lhe dos olhos a primeira lágrima. É com esta lágrima e com esse riso das criancinhas que o bom velho fabrica todos os dias o mel e o perfume das flores, o canto dos pássaros e o azul dos céus.

E Luís continuou a despi-la.

Madá cruzou os braços sobre os peitos — ele achava de lhe arrancar afinal a camisa — e fechou os olhos, toda vexada e retraída. Mas depois, sentindo nas carnes o olhar ardente que a queimava, porque o moço permanecia a contemplá-la, embevecido e mudo, torceu-se logo sobre o quadril esquerdo, repuxando para esconder a sua mimosa nudez as largas parras de um tinhorão que havia junto.

— Vergonhosa!... — balbuciou o amante, ajoelhando-se aos pés dela.

E acrescentou em voz alterada, procurando alcançar com os lábios o rosto que Madá se empenhava em esconder: — Não deves ter desses escrúpulos comigo, esposa de minha alma!... Acaso não sou todo teu? Não és toda minha?... Por que escondes o semblante? Por que abaixas os olhos? Fita-os antes em mim e deixa-me beber o mel dos teus lábios! Deixa-me abraçar-te bem... assim... toda inteira, toda nua, que eu sinta na minha carne, a carne do teu corpo! Cinge-me nos teus peitos! Aperta-me! mais! mais ainda! Madá — um beijo... Dá-me um bei... Ah!

— Tu me matas de amor! — soluçou ela.

E, por entre o suspirado resfolegar dos dois, estalejava o seco farfalhar das folhas caídas.

Seguiram depois para o rio. Ele levou-a de colo, porque Madá não podia andar descalça; só a largou à margem d'água.

— Mas eu não sei nadar... — considerou ela, assustada.

— Sabes sim; todos sabem nadar. A questão é não ter medo.

— Ah! Eu tenho muito medo!...

— Irás comigo. Espera.

Luís entrou no rio e disse à companheira que lhe passasse os braços em volta do pescoço. Madá obedeceu.

— Ah! Não me soltes, hein?...

— Não tens confiança em mim?...

— Ui, ui, ui, meu Deus!

— Então!

— Ai, minha Nossa Senhora! É agora!

— Medrosa! Não vês como vamos tão bem?...

— Voltemos para terra! Voltemos!

— Olha que estás me apertando a garganta...

— Aqui já é muito fundo!... É melhor voltarmos...

— Não sejas criança...

— A ilha está muito longe ainda?...

— Não a vês defronte de ti?

— É verdade! Oh! E como é linda!...

Calaram-se por instantes.

— Ainda tens medo?... — perguntou depois o moço.

— Não. Ela agora estava até gostando daquela excursão.

— Não te dizia?...

— E tu, não te sentes cansado?

— Qual o quê!

Parecia mesmo não cansar; nadava como um cisne, quase sem se lhe perceberem os movimentos, de tão suaves que eram. E a outra perdera afinal inteiramente o medo, e, toda estendida à flor das águas, com os cabelos derramados pelo rosto e pelos ombros, lá ia flutuando segura no amante, mais branca e leve que uma pena de gaivota arrastada pela corrente.

— Então?... — consultou o rapaz, tomando vau à margem da ilha e passando o braço em volta de Madá. — Que me dizes do passeio?...

— Delicioso.

— Aqui podes andar por teu pé, que o chão é todo de areia fina; mas vamos primeiro assentar-nos debaixo daquelas juçareiras para repousarmos um instante. Tens fome?

— Não, — respondeu a moça, contemplando a ilha.

Era esta encantadora com a sua praia argentina lavada em esmeralda. Daqui e dali surgiam dentre o salivar das espumas pequenos rochedos reverdecidos de musgo aquático, onde garças e guarás mariscavam tranquilamente. Um palmeiral sem fim nascia quase à beira d'água e, pouco a pouco, à medida que se entranhava pela terra, fazia-se mais compacto, até se fechar de todo com murmurosa cúpula de verdura suspensa por milhões de colunas. Mundos de parasitas serpenteavam em todas as direções, já suspensas e pendentes, emboladas pelo vento; já dependuradas em arco, formando grinaldas; já grimpando encaracoladas pelos troncos e alastrando em cima, como se quisessem quebrar a interminável noite daquele céu de folhas com um infinito de estrelas de todas as cores.

Madá, ao transpor o assombrado átrio da floresta, deteve-se para fazer notar ao companheiro o perfume ativo que se respirava ali; um cheiro como o da magnólia, agudo e penetrante, que ia direto ao cérebro com sutil impressão de frio.

— Vem dessas florinhas que vês aqui nos espiando de todos os lados; essas que ora são cor-de-rosa, ora avermelhadas, ora cor de laranja e ora cor de sangue. É uma trepadeira; não há canto da ilha em que não as encontres. Mas não toques em nenhuma delas, porque, se colhesses alguma nunca mais poderíamos sair daqui.

— Ora essa! Por quê?

— Não sei, é segredo! Foi Deus que assim o quis... Repara: não se descobre uma só dessas flores pelo chão, e também a gente não as vê nascer; quando vão murchando mudam de cor e revivem.

— E não dão fruto?

— Nunca.

— É esquisito.

— E perigoso...

— Mas como é que elas prendem a quem lhes toca?...

— Pois se é um segredo, como queres tu que eu saiba?...

— E nunca tiveste desejos de descobri-lo!

— Para quê? Sou perfeitamente feliz sem isso...

— Não és curioso....

— Sou, mas tenho medo de tornar-me desgraçado.

Nesta conversa haviam chegado à fralda de um oiteiro coberto de murta e empenachado por um frondoso bosque de bambus.

— Este morro divide a ilha em duas partes, — explicou Luís. — Queres subir?

Madá consentiu, posto se visse já bastante fatigada e fraca; tanto que, do meio para o fim da viagem, foi preciso que o rapaz a carregasse. Sentia-se quase desfalecida.

— Meu Deus, como estás pálida! — disse ele, pousando-a à sombra dos bambus. — Vou buscar-te um pouco d'água ali à fonte. Espera um instante; eu volto já.

— Não, não! — gemeu a moça, segurando-o com ambas as mãos. — Não te afastes de mim! Não é de água que eu preciso, é de um pouco de vida! Sinto fugirem-me as últimas forças! Eu preciso de sangue.

E fazia-se cor de cera, e fechava os olhos, e entreabria os lábios, como um orfãozinho abandonado que morre à míngua do leite materno.

Cortava o coração!

— Madá! Meu amor! Minha vida! — exclamou Luís, tomando-a nos braços. — Não desfaleças! Não fiques assim! Desperta!

Ela soergueu as pálpebras, e murmurou baixinho, quase imperceptivelmente:

— Sangue, sangue, sangue, senão eu morro!...

— Ah! — fez o moço com vislumbre. E sem sair donde estava, quebrou um espinho de palmeira e com ele picou uma artéria do braço. — Toma! — disse, apresentando à amante a gota vermelha que havia orvalhado na brancura da sua carne. — Bebe!

Madá precipitou-se avidamente sobre ela e chupou-a com volúpia. Não se ergueu logo; continuou a sugar a veia, conchegando-se mais ao amigo, agarrando-se-lhe ao corpo, toda grudada nele, apertando os olhos, dilatando os poros, arfando, suspirando desafogadamente pelas narinas, como se matasse uma velha sede devoradora.

Luís, sem uma palavra, ouvia-lhe os estalinhos da língua e o gluglutar sôfrego de criancinha gulosa pela mama.

— Ah! — respirou enfim a filha do Conselheiro, desprendendo os lábios do braço dele e sorrindo satisfeita e vitoriosa. — Agora sim posso viver!

O amante encarou-a e recuou, não podendo conter a sua surpresa e a sua admiração. Madá readquiria por encanto a frescura, a beleza e a saúde, que havia perdido nos últimos anos. Reconstruía-se, revivificava-se à semelhança das florinhas feiticeiras da ilha.

Ergueu-se triunfante.

As suas faces eram de novo duas rosas que atraíam beijos, como o matiz das flores atrai sobre a sua corola o inseto portador do pólen; os olhos rebrilhavam-lhe já com a sedutora expressão primitiva. Os seus lábios trêmulos recuperaram logo o perdido sorriso dos tempos passados; a garganta carneou-se, reconquistando as linhas macias, as doces flexibilidades da pele sã; as curvas do desnalgado quadril retomaram enérgicas ondulações; os seios empinaram; as coxas enrijaram; e toda ela se retesou, se refez de músculos e nervos, numa súbita revisceração deslumbradora.

Luís caiu-lhe aos pés, beijando-lhos com transporte.

— Como estás bela! Como estás bela! Abençoada gota de sangue que te dei!

Madá sorriu, estendendo-lhe os braços, agora carnudos e torneados. E, logo que ele se levantou, cingiram-se ambos um contra o outro, num só arranque, em igualdade pletórica de ternura.

Passaram o resto da tarde à sombra dos bambus, celebrando a sua nova lua-de-mel com um opulentíssimo banquete de amor. Sentia-se já a aproximação da noite, quando resolveram abandonar a ilha.

Madá quis, porém, antes de partir, lançar lá de cima um olhar de despedida sobre aquelas paragens encantadas. O companheiro levou-a ao ponto mais elevado do morro.

— Contempla os teus domínios! — disse, desferindo no ar um círculo com a mão aberta.

Ela deixou cair o seu olhar de rainha sobre a esplêndida natureza virgem que a cercava. Bosques e bosques acumulavam-se numa interminável aglomeração de tons, em que entravam todas as tintas da mágica palheta do divino artista, dissolvidas em fogo, essa cor primordial que nenhum outro pintor possui. O horizonte ardia em chamas; o céu rasgava-se, deixando transbordar em jorros uma cascata de luz que dava ao menor objeto da terra o brilho de um metal precioso. As florestas cintilavam. Gigantescos paus-d'arco bracejavam por entre as árvores vizinhas para mostrar bem alto a sua coroa de ouro; mas as palmeiras não se deixavam vencer e reagiam vitoriosamente por entre a espessura da mata, agitando no ar o seu penacho indígena; a gameleira brava procurava erguer a cabeça engrinaldada de heras e parasitas; pinheiros seculares, cedros mais velhos que a religião, paineiras, angicos, perobas, todos os gigantes da selva, pelejavam para sobressair! Uma luta silenciosa e terrível! Viam-se púrpuras que se rompiam de cólera; cetros que se despedaçavam de inveja! As tímidas plantas escondiam-se de medo e os lírios retraíam-se, estremecidos e assustados, procurando ocultar a candura das suas urnas embalsamadas atrás de rasteiros tinhorões e discretas folhas de begônia. Entretanto, o indiferente rio, em preguiçosos torcicolos, rastreava lá embaixo, franjando de rendas de prata aquela imensa túnica de veludo verde-negro, que a montanha arrastava, estendendo-a sobranceiramente pelo vale. Afinal declinou a luta: era a noite que vinha já, com os seus cabelos sempre molhados, a sacudi-los, orvalhando estrelas pelo espaço e apaziguando a terra debaixo das suas asas.

Ah! como Madá amava agora tudo isso! Como estremecia aquela montanha em que vivera os seus primeiros dias com Luís! Era lá a pátria da sua felicidade!

E ficou a cismar embevecida neste devaneio, revendo-se na sua fraqueza de então, quando ainda lhe não era permitido dar um passo sem o auxílio do amante. E veio-lhe uma grande saudade, uma forte vontade desensofrida de rever no mesmo instante aquele lugar querido, onde ela tanto padecera e gozara ao mesmo tempo! Ao seu lado, Luís parecia tomado dos mesmos enlevos; e tão distraídos estavam ambos, que a moça, sem reparar, colhera uma das tais florinhas feiticeiras, e ele a deixara colher sem dar por isso.

Mal, porém, a flor se desprendeu da haste, um medonho estampido ecoou pelo espaço, deslocando o ar e abalando a terra. Madá estremeceu, soltou um grito e viu, em menos de um segundo, o rio que cercava a ilha levantar-se com ímpeto e, enovelando-se, arrojar-se para cima das margens opostas e rebentar em pororocas, engolindo a terra. E a montanha, com a sua túnica real, e os monarcas da floresta, com os seus diademas cravejados de pedraria, e os prados com as suas cândidas boninas, e os vales com os seus lírios tímidos, tudo defronte dos seus olhos se convertera rapidamente num oceano sem fim, onde enorme sol vermelho e trôpego se atufava, arquejante, ensanguentando as águas.

E Madá, vendo a ilha isolada no meio do tamanho mar, atirou-se ao chão, escabujando em gritos e soluços, e por alguns instantes perdeu de todo os sentidos.

Voltou a si chamada por uma voz meiga que lhe dizia:

— Madá, minha filha! Valha-me, Deus! Valha-me, Deus! Até o demônio daquela pedreira havia de ficar defronte justamente aqui do quarto!...

E, reconhecendo a voz do Conselheiro, reconheceu também a da Justina, que exclamava:

— Pestes! Atacarem fogo à pedreira sem prevenir nada, sabendo que há aqui uma pobre doente neste estado! É maldade, como não?

Madá, quando abriu os olhos, percebeu que estava nos braços do pai.

— Ora graças! Ora graças, minha filha, que recuperas os sentidos!

15

De todos os seus sonhos este foi até aí o que a deixou mais vencida pela fadiga e pela vergonha. Duas horas depois de acordada, ainda permanecia na cama, a cismar, sem ânimo de se erguer. Aquele incidente da ilha, em que ela se via completamente nua, punha-lhe o espírito em dura revolta, contra a qual a desgraçada antejulgava que não encontraria consolações.

— Mas — pensava — que mal fizera a Deus para ser castigada daquela forma?... Pois não bastavam já os seus padecimentos físicos, os seus desgostos e os seus tédios?... Por que e para que ia então o Criador descobrir com tamanha falta de coração aquele novo modo de tortura?... Atacá-la no que ela mais encarecia — atacá-la no seu pudor...! Não! Antes morrer; antes mil vezes, do que suportar por mais tempo semelhante desvario dos sentidos!

Felizmente veio a reação; deliberou-se a abrir luta contra o sonho. E, para dar logo começo à campanha, resolveu passar a seguinte noite acordada.

— Minh'ama quer o seu chocolate? — perguntou Justina pela terceira vez.

Madá levantou-se afinal.

— Você por que se enfrasca deste modo em perfumes, sabendo que isso me faz mal?

— Eu, minha senhora?

— Então quem há de ser?

— Juro por esta luz que não pus nenhum cheiro no corpo!

— Veja então se há algum frasco de perfumaria por aí desarrolhado! Está recendendo, não sente?

— Não, minh'ama, não sinto, — respondeu a criada a fungar forte, como um animal que procura descobrir alguma coisa pelo faro. — Não sinto nada!...

— Que olfato tem você, benza-a Deus! Estou sufocada! Abra o diabo dessa porta, deixe entrar o ar!

Justina apressou-se a cumprir a ordem da senhora, mas o maldito cheiro continuava. E o mais estranho é que era aquele mesmo perfume agudo da ilha do Segredo; aquele perfume ativo que lhe penetrava no fundo do cérebro como agulhas de gelo.

— Veja se deixaram por aí algumas flores!... Sinto cheiro de magnólia!

Justina percorreu a alcova e os aposentos imediatos, fariscando ruidosamente. Nada! Não encontrava nada de flores!

— Vá então lá embaixo saber o que é isto! Parece que estou numa fábrica de perfumarias!

A criada afastou-se, e Madá ficou a estalar a língua contra o céu da boca. Era ainda o terrível gosto de sangue que não a deixava.

— Oh! Quanta coisa desagradável, meu Deus!

Lembrou-se então da extravagante passagem da ilha, em que ela sugara o sangue do trabalhador. Vieram-lhe engulhos, muita tosse, e acabou vomitando o chocolate que tomara nesse instante.

— É o mesmo cheiro, não há dúvida, — pensou depois, indo à janela — o mesmo cheiro que eu sentia no sonho!

E respirava alto, com insistência. — Sim, sim, é o mesmo perfume! Ora esta! Parece que tudo tresanda a magnólia! Será muito bonito se eu, de agora em diante, não puder livrar-me, nem acordada, de semelhante perseguição!...

Todo esse dia entretanto se passou assim; o cheiro de magnólia e o gosto de sangue não a deixaram um segundo. Nunca estivera tão nervosa, tão excitada; achando em tudo um pretexto para implicar, chorando sem causa aparente, irrequieta, a passarinhar pela casa, com um desassossego de ave quando está para fazer o ninho. O Dr. Lobão conversou com o Conselheiro e os olhos deste se encheram d'água.

— Acha então que ela está pior, doutor?... Acha que está muito mal?...

— Está entrando já no terceiro período da moléstia. Este desassossego que sobreveio agora é um terrível sintoma... Mas não desanime! Não desanime!

E, para o consolar, afiançou que Madá era o caso mais bonito de histeria observado por ele.

À noite a enferma pediu café.

— Café?!

Houve um espanto. Não lho quiseram dar; afinal, depois de grande disputa, consentiram em ceder-lhe meia chávena, muito fraco.

— Não, não, não! Ela não queria assim; queria um bulezinho cheio e de café forte.

— Mas, minha filha, lembra-te do estado melindroso em que tens os nervos! Se o café em grandes doses faz mal a qualquer, quanto mais a ti!

Madá chorou, arrepelou-se, arrancou cabelos. O médico, porém, voltando à noite, aconselhou que a deixassem tomar todo o café que lhe apetecesse.

— Deixem-na beber à vontade! Pode ser até que isso lhe produza uma reação favorável sobre os nervos! Nada de contrariá-la!

Foi levada uma cafeteira para o quarto de Madá. Esta assentou-se à mesinha defronte do candeeiro e começou a ler, depois de tomar uma chávena de café, que se lhe conservou no estômago.

— Você, — ordenou à criada — não durma, hein? Nem me deixe dormir também, compreende?

— Como, minh'ama? Pois vosmecê não tenciona dormir tão cedo?...

— Tenciono passar a noite em claro.

— Jesus! Mas isso lhe há de fazer muito mal! Ora como não?

— Vá buscar-me aqueles jornais ilustrados e aqueles álbuns de desenho, que estão lá na sala, e ponha-me tudo aí em cima da mesa.

Justina afastou-se, trejeitando esgares de lástima.

Madá sentia-se agora menos inquieta; fazia-lhe bem o empenho com que ela queria pregar um logro ao sonho, faltar à entrevista com o moço da pedreira. Sentia gosto em enganar alguém. Era uma preocupação e por conseguinte um divertimento. Ardia de impaciência por ver passada aquela noite; afigurava-se-lhe que, depois disso, poderia dormir à vontade, tranquilamente, sem cair nunca mais nas garras do seu maldito perseguidor.

A Justina é que daí a pouco cabeceava, sem conseguir abrir os olhos. Madá obrigou-a a tomar uma xícara de café, o que não impediu que a boa mulher uma hora depois ressonasse, ali mesmo, de pé, encostada à ombreira da porta, com os braços cruzados.

A senhora sacudiu-a, frenética.

— Eu não lhe disse, criatura, para ficar acordada?

A pobre respondeu com bocejos.

— Vamos! Ponha-se esperta! Tome outra xícara de café!

A senhora que a desculpasse; havia, porém, um ror de tempo que ela não dormia direito e puxava muito pelo corpo durante o dia...

— E por que você não tem dormido direito?

— Ora! Porque é necessário estar sempre meio acordada, para ver quando minh'ama precisa de alguma coisa... Como não?

— Eu então não tenho o sono tranquilo?

— Tranquilo? Quem lho dera! Vosmecê durante o sono tem arrepios de vez em quando; doutras parece que está ardendo em calor; que sente comichões pelo corpo; coça-se, remexe-se, abraça-se e esfrega-se nos travesseiros; geme, suspira; tão depressa dá pra chorar, como pra rir; ora se encolhe toda, ora atira com as pernas e com os braços e quer lançar-se fora da cama! Pois então? É preciso que a gente a endireite; que lhe dê o remédio do frasco maior ou um pouco d'água com flor de laranja... De quantas e quantas feitas eu não tenho deitado a vosmecê no meu colo, para sossegá-la?...

— E não falo quando durmo?

— Às vezes, como não? e muito! Mas não se entende patavina; fala entredentes. Ainda ontem, foi muito boa! Vosmecê, lá pela volta das duas da madrugada, deu para embirrar por tal modo com a roupa, que eu tive de sacar-lhe fora a camisa.

— Pois você me despiu, mulher?

— E tornei a vestir depois, sim senhora.

— E eu não acordei!...

— Ah! Vosmecê agora tem o sono muito ferrado. Quer parecer que acorda, mas qual! está dormindo que é um gosto! abre os olhos, isso abre; passa a mão pela testa; se lhe dou a água — bebe-a; às vezes levanta-se, quer andar, eu não deixo. Uma ocasião, quando dei fé, já minh'ama se tinha safado da cama e estava a procurar não sei o que naquele canto do quarto... Por sinal que me pregou um tal susto, credo!

Madá ficou a cismar com as palavras da criada, estalando sempre a língua contra o céu da boca. Uma ideia extravagante atravessava-lhe o espírito nesse momento: "E quem sabia lá se aquela mulher não lhe tinha dado sangue a beber?..."

Fitou Justina, e com tal insistência, que a rapariga perguntou:

— Sente alguma coisa, minh'ama?...

— Deixe ver o seu braço.

Justina estendeu o braço, intrigada.

Madá examinou-o todo, minuciosamente, mas não descobriu nele a menor escoriação.

— Por que vosmecê me revista o braço?...

— Cale-se!

E, depois de fitá-la de novo: — O que é que você me tem dado a beber durante o sono? Mas não minta!

— Ó minha senhora, eu já disse, como não? A água pura ou com açúcar e flor de laranja, ou quando não, aquele remédio de frasco maior, que o doutor mandou dar, quando vosmecê acordasse à noite com os seus incômodos.

Madá pediu o tal frasco para ver e, apanhando uma gota do remédio com a língua, ficou a tomar-lhe o sabor.

Qual! Não era dali que vinha o gosto de sangue!

Bateu meia-noite no relógio da sala de jantar.

— Olhe, minh'ama, meia-noite!

— Já sei! Vá lá abaixo buscar um pouco de presunto com pão.

— Que diz, minh'ama? Não caia nessa! Vosmecê tem visto o mal que lhe faz a comida fora d'horas...

— Não me aborreça! Veja o que lhe disse!

Justina saiu do quarto, resmungando, e a senhora logo que se achou sozinha, teve um tremor de medo. A criada felizmente não se demorou muito.

— Cá está, minh'ama. Vosmecê quer vinho?

— Não.

Madá gulosou algumas febras de presunto, bebeu mais café, e atirou-se aos seus jornais ilustrados, disposta a não ceder um passo na resolução tomada.

— Por que vosmecê não se vai deitar, minh'ama? É melhor! Agasalhe-se! Daqui a pouco está aí a friagem da madrugada! Já passa de uma hora!

A filha do Conselheiro não respondeu e ferrou a vista, com uma fixidez de teima, no desenho que tinha debaixo dos olhos.

— Vosmecê nunca se deitou tão tarde...

— Cale-se, que diabo!

— É que lhe pode fazer mal...

— Pior!

A criada calou-se, bocejou traçando com a mão uma cruz, mais sobre o nariz do que sobre a boca, e daí a nada pediu, quase de olhos fechados, que su'ama então lhe deixasse encostar a cabeça um instante. "Ela estava a cair de canseira."

Pois sim, que fosse, mas que ficasse alerta.

"Como não?" Mal porém encostou a cabeça, dormiu logo a sono solto.

No entanto, a senhora parecia bem entretida com as suas ilustrações. Correu meia hora — e ela sempre a ver os desenhos e a ler. De repente teve uma contração nervosa, muito rápida.

— Mau!... — disse, e procurou segurar melhor a atenção no que estava lendo.

Mas com pouco um calafrio empolgou-lhe os ombros e foi lhe descendo pelo dorso, até fazer vibrar-lhe o corpo inteiro.

— Justina! Justina!

A criada não se abalou, e o silêncio e a solidão da noite começaram prontamente a fazer das suas. A histérica estremeceu de novo, olhando para os lados, aterrada, sem poder mais articular palavra. Um pânico apoderou-se dela, pondo-lhe estranha agitação no sangue.

Teve uma ideia — rezar.

Ergueu-se desvairada, com os cabelos em pé, e encaminhou-se para o crucifixo. Nisto ouviu distintamente uma voz dizer ao seu ouvido:

— Madá!

Voltou-se com um gemido rouco e caiu de joelhos defronte da imagem, toda trêmula e gelada.

Tinha reconhecido a voz do seu amante fantástico. E principiou logo a ver tudo avermelhado como nos sonhos: o que era branco fazia-se cor-de-rosa; o que era cor-de-rosa tingia-se de escarlate; o amarelo tomava a cor de laranja, e o azul arroxeava-se.

Ela arfava; levou a mão à testa: os dedos voltaram úmidos de suor frio; quis gritar e não pôde. E o seu corpo escaldava em febre; e as suas fontes latejavam. Contudo não tinha perdido ainda de todo a razão, e mentalmente suplicava a Deus que a amparasse, que a socorresse naquele horroroso transe:

— Pois não me será dado escapar a esta maldita perseguição?... Ó meu Pai misericordioso, que irá me suceder? Que irá me suceder agora?

Mas os objetos difundiam-se já e transformavam-se em torno de seus olhos, que só viam a imagem de Cristo — de braços abertos, e a crescer, a crescer, enchendo a parede.

E, naquela palpitação nervosa, Madá sentia as palavras borbotarem no seu espírito e derramarem-se pelos seus lábios com a verbosidade e a inspiração de um poeta ébrio.

— Preciso não sonhar! Preciso arrancar aqui de dentro esta dolorosa loucura que me absorve, gota a gota, toda a substância da minha vida!

E, de joelhos, o rosto levantado, as mãos erguidas para o céu, as lágrimas a desfiarem-lhe uma a uma pelas faces, ela acrescentou depois da oração que lhe ensinara a tia Camila: — Jesus, meu amado, meu esposo, acode-me, acode-me depressa, que a fera já aí está comigo! Vem, que ela me farisca e me cerca rosnando! Vem, que lhe ouço o respirar assanhado e já sinto o seu bafo e o cheiro carnal que ela solta de si! Vem, que a maldita me acompanha por toda a parte e me cheira como o cão à cadela! Vem depressa; não a deixes saciar no meu corpo de virgem os seus apetites lascivos! Não me deixes assim, amado do meu coração, cair tão feiamente em pecado de impureza e luxúria! Não me atires como um pedaço de carne às garras do lobo imundo! Esconde-me à tua sombra; protege-me como o fizeste com a outra Madalena, menos merecedora do que eu, que sou donzela e sempre te amei e servi com a mesma candura! Lembra-te, querido de minh'alma, de que estou enferma e fraca e só tenho força e ânimo para te amar! Vê que não me posso defender só por mim! Ajuda-me! Tem pena de quem te quer e adora acima de todas as coisas! Vê como tremo e choro! Se és o pai dos humildes, vale-me agora, salva o meu pudor e não consintas que de hoje em diante a minha virgindade se haja ainda de retrair corrida e envergonhada! Vem e acompanha-me nos meus sonhos, conduze-me pela tua mão, como fazias com as crianças que encontravas perdidas no caminho; se te vir a meu lado não sonharei desatinos e sujidades que me matam de vexame e nojo contra mim própria! Vem ter comigo e exorciza de dentro de mim o demônio que habita minha carne e enche de fogo todas as veias do meu corpo! Não deixes que a luxúria esverdinhe minha alma com a baba do seu veneno! Reabilita-me, para que eu me estime e preze como dantes! Lava-me da cabeça aos pés com a luz da tua divina graça; perfuma-me com os teus aromas celestiais; sopra teu hálito sobre mim, para que não me fique vestígio de terra na pele e nos cabelos; beija minha boca, para lhe apagar o gosto de pecado que a põe amarga e suja; beija meus olhos, para que eles não enxerguem o que não devem ver; beija meus ouvidos, para que eles não escutem o que não devem ouvir; beija-me toda, para que toda eu me purifique e me faça digna do teu amor! Sacode em cima de mim o orvalho do teu manto e as gotas do teu cabelo, para que eu me acalme e abrande; traça com a tua mão pura uma cruz sobre a minha testa, para afastar por uma vez os maus pensamentos, e passeia três voltas em torno do meu corpo para que a fera nunca mais se aproxime de mim! Vem, vem! que ela aí torna e começa a uivar de novo! Acode-me, Senhor, acode-me!

Estremeceu toda num arrepio mortal, escondendo o rosto, sacudida pelos soluços. E, como em resposta às suas súplicas, não descia dos céus nenhum alívio, ela revoltou-se afinal contra Jesus: — Para que então servis? interrogou. — Para que então sois Deus, se não baixais em meu socorro, quando eu tanto preciso de amparo e de defesa?! Que é feito então do extremoso amigo das mulheres e das crianças, ao qual me ensinaram a amar desde o berço? que é feito desse ente apaixonado e casto, que tinha dantes consolações para toda a desgraça e um raio de luz para secar a mais escondida lágrima dos que padeciam? Que é feito do sudário cor de lírio em que se enxugava o pranto dos desamparados? Que é feito dessas bênçãos de pai, que apaziguavam a terra e confortavam o coração dos pobres? Para onde se voltaram aqueles olhos misericordiosos, que dantes enchiam o mundo com o eflúvio da sua ternura? Como para sempre se fecharam aquelas entranhas de piedade, aquele peito de amor, onde a mísera humanidade se refugiava, como num templo de ouro e marfim? Se não vierdes imediatamente em meu socorro, acreditarei no que dizem os contrários da vossa Igreja, ou que desertastes de vez para os céus, esquecido de todo das vossas criaturas! Se não vierdes já e já, acreditarei que estais outro e que já não sois aquele mesmo Jesus, terno, humilde, casto, bom, fiel e onipotente! Acreditarei que vives no egoísmo e na indiferença, amarrado ao trono, ébrio de orgulho e vaidade, como qualquer miserável monarca da terra!

E interrogou a imagem com um olhar em que havia súplica e ameaça. Mas soltou logo um rugido surdo, apontando para o crucifixo e balbuciando cheia de terror: — Não! Já não sois vós quem aí está crucificado! Quem está aí agora é o outro! É ele! É o demônio!

E, caiu de bruços no chão, com um grito. E logo em seguida, sem ânimo de erguer a cabeça, transida de medo, sentiu distintamente que o Cristo se agitava na parede, como forcejando para despregar-se da cruz, e que afinal descia, pisava no chão, encaminhava-se para ela e tocava-lhe de leve com a mão no ombro, aproximando a boca, para lhe falar ao ouvido. Madá sentiu recender o cheiro da murta.

— Levanta-te, amiga minha, formosa minha, e vem! A mangueira começou a dar as suas primeiras mangas; as flores do caju lançaram já o seu cheiro! Vem, pomba minha: nos segredos do teu quarto mostrar-me a tua face; soe a tua voz dentro dos meus ouvidos, porque a tua voz é doce e a tua face graciosa!

A moça ergueu a cabeça.

Ele beijou-a, prosseguindo, com o rosto unido ao dela: — Sim, Madá, minha irmã, minha esposa, minha amada, teus olhos de tão belos se parecem com os olhos de Maria Santíssima; são ternos, são negros, humildes e majestosos; tuas mãos brancas relembram os lírios da Virgem, e os teus dedos destilam a mirra mais preciosa; as faces do teu rosto recendem como as rosas do amor divino; os teus cabelos excedem no cheiro aos aromas excelentes do seu altar; os teus peitos são brancos como duas ovelhas gêmeas e tão rijos como os jacintos da sua coroa de rainha dos céus; a tua carne é tão macia como o cetim do seu manto e o cheiro dos teus vestidos é como o cheiro do incenso; o sorrir da tua boca é tão lindo como o dela, mas eu gosto mais do teu, por menos divino e etéreo e porque mais me enfeitiça e me abrasa de amor; o teu hálito, minha pomba, é melhor que os perfumes do país de Cedar; tua garganta é de sândalo; tua voz é um aroma; a luz dos teus olhos é um diamante líquido; teus dentes são pérolas de orvalho entre pétalas de rosa. Tu, entre as mulheres da terra, és a mais bonita, a mais sedutora e a mais amável; entre as mulheres tu és como a palmeira entre as outras árvores: não tens igual; és majestosa como os cedros do Líbano e delicada e cheirosa como os eloendros de Jerusalém!

Madá deixava-se embalar pela música sensual e mística destas palavras e o cheiro de murta. E, já sem medos nem sobressaltos, quedava-se imóvel e comovida, como se estivesse conversando em êxtase com um Cristo só dela, um Cristo destronado e sem orgulhos de Deus, um Cristo seu amante, fraco, de carne, submisso e humano.

E a voz ainda lhe disse, entrando-lhe pelos ouvidos, pela boca, por todos os poros, com o seu aroma agreste e afrodisíaco: — Levanta-te, minha amada, e torna comigo ao nosso ninho de amor! Eu te busquei esta noite a meu lado, busquei-te e não te encontrei! Ergui-me à luz das estrelas e rodeei como um louco a ilha, e não te achei! Busquei-te pelas matas, pelos vales e pelo monte, e não te descobri! Chamei-te: "Madá! Madá! Madá!" e não me respondeste! Perguntei às águas do mar, às árvores do campo, aos ventos do espaço, se tinham visto aquela a quem ama minh'alma; e todos eles não souberam dar novas tuas; e eu aqui estou; eu vim buscar-te, e não tornarei sem te levar comigo! Vem! Na tua ausência fiz um leito de madeiras aromáticas e alcatifei-o todo de flores, para te receber; colhi os mais saborosos frutos para a tua chegada, e fermentei a uva mais doce para nos embriagarmos com ela!

— Sim, sim, — respondeu afinal Madá, entregando-se a ele — leva-me! Eu te acompanho de novo para onde bem quiseres! Carrega-me, querido! Preciso ir beber do teu vinho, comer dos teus frutos, amar do teu amor e reviver com o teu sangue! Leva-me! Aqui me tens! Sou tua!

16

Esta crise prostrou-a de cama por dois dias, dois dias de febre e delírios, em que ela não deu acordo de si e falava de coisas inteiramente estranhas para os mais. Sonhava-se na ilha do Segredo.

Quando, enfim, se levantou havia já entrado totalmente no terceiro período da moléstia. Estava cadavérica; os olhos muito fundos; as faces cavadas e a pele estalando em pequeninas rugas, como porcelana velha. Contudo, em nenhum dos seus gestos, como em nenhuma de suas palavras se lhe notava desarranjo cerebral; aparentemente era a mesma em orgulho, em virtudes e em fidelidade aos seus princípios religiosos; apenas sucedia que todas estas qualidades cada vez mais se acentuavam com certo exagero progressivo. O cheiro de magnólia e o gosto de sangue ainda a perseguiam com maior ou menor intensidade. De novo o que Madá apresentava agora de mais notável eram umas espécies de alucinações letárgicas, muito rápidas, que a acometiam de vez em quando e nas quais reatava quase sempre o seu último sonho; mas não falava durante essas crises, ficava num estado comatoso, estática, de olhos bem abertos, dentes cerrados, um ligeiro rubor nas faces; às vezes sorrindo e às vezes deixando que as lágrimas lhe escorressem surdamente pelo rosto.

O médico recomendou que não a despertassem dessas letargias. "Deixassem-na lá, que por si mesma havia de recuperar a razão."

Outra novidade era que já não parecia sentir, como dantes, repugnância em ouvir falar no futuro cunhado de Justina; agora, ao contrário, quando esta se referia ao rapaz, a senhora escutava-a com interesse e até já lhe fazia perguntas a respeito do pobre-diabo. Uma ocasião quis saber que tal era ele de gênio; quais os seus costumes, se bons ou maus; se estimava muito a noiva; se pretendia realizar em breve o casamento; se era homem dado a bebidas, ou ao jogo, ou a outras coisas feias. A criada informou muito a favor do Luís: elogiou-lhe o caráter; contou as suas boas ações, falou na sua economia, no seu amor pela mãe e pela avó, e terminou declarando que a Rosinha apanhara um homem às direitas. "Às direitas, como não?"

À filha do Conselheiro contrariaram um tanto esses elogios. Não sabia por que, mas intimamente desejava que aquele imbecil fosse mais desgraçado e menos digno de estima; preferia ouvir dizer pelos outros os horrores que ela tinha vontade e não podia despejar contra o miserável; preferia saber que ele era um perdido, sem a menor ideia de estabelecer família, um bêbado devorado pela vil e baixa crápula das vendas e dos cortiços. E Madá ficava revoltada, sentia as mãos frias de raiva, quando, ao chegar por acaso à janela, dava com o cavouqueiro que ia ou vinha do trabalho, ostentando o ar satisfeito de quem traz a vida direita e anda em dia com as obrigações.

— Ah! O seu desejo era descarregar-lhe um tiro na cabeça!

Um domingo, em que ela espairecia à porta da chácara, o Luís passou na rua, todo chibante nas suas roupas de ver a Deus, de braço dado à noiva, e rindo muito e conversando com a mãe e com a velhinha Custódia: contentes que metia gosto vê-los. Pois a filha do Conselheiro, só por causa disso mostrou-se contrariada e ficou pior esse dia. Tanto que, já de noite, estando a cismar na sala, com os olhos fitos num pequeno grupo de mármore que aí havia, ergueu-se, tomou-o nas mãos e, depois de o examinar com o rosto muito carregado, arremessou-o de encontro à laje da janela. O grupo representava em miniatura "Amor e Desejo", de Miguel Ângelo: Um casal de quinze anos preso pelos lábios em um beijo ideal e ardente. Quando o Conselheiro, deveras contrariado, perguntou quem havia quebrado a escultura, ela respondeu sem se alterar:

— Foi a Justina, papai, mas não lhe diga nada, coitada!

Sim, por último dera para isto pregar destas pequenas mentiras, e, se acaso queriam provar o contrário do que afirmava, punha-se furiosa, acabando sempre por desabafar em soluços a sua contrariedade. Assim, tendo uma vez matado um casal de rolas que havia na sala de jantar, só porque o surpreendera em flagrante delito de procriação, não só fugiu à responsabilidade do ato, como ainda afetou grande desgosto pela morte dos brutinhos, chegando a revolucionar toda a casa para descobrir o suposto assassino.

Entretanto, os sonhos com Luís continuavam sem interrupção, e Madá, a contragosto, habituava-se com a sua existência em duplicata, ajeitando-se pouco a pouco ao contraste daquelas duas vidas tão diversas e tão inimigas. Não podia ser mais feliz do que era ao lado do seu fantástico amante; ah! mas bem caro pagava depois essa felicidade, quando, acordada, o seu orgulho de mulher honesta abria em luta contra as degradantes lubricidades do sono.

Viviam nus desde o fatal momento em que se prenderam na ilha do Segredo. Luís construíra uma cabana de bambus, coberta de pindoba, e fez alguns utensílios domésticos; já tinham cama, bancos, um armário para guardar frutas, e dois ou três potes para conservar o mel das abelhas, o vinho do caju e o leite de uma cabra que apanharam no monte.

Cercaram a choupana com valentes toros de madeira e, quando anoitecia, levantavam uma fogueira defronte da porta. É que já se não sentiam tão seguros como dantes; Luís temia até qualquer invasão, porque, logo que o rio se converteu em mar, estava franqueada a ilha.

E, com efeito, um belo dia, passeavam os dois na praia, secando os cabelos ao sol depois do banho, quando avistaram no horizonte uma vela que se aproximava.

Ficaram ambos transidos de sobressalto; Luís ordenou a Madá que se metesse em casa e não saísse sem ser chamada por ele.

A filha do Conselheiro obedeceu, mas ficou espiando lá de dentro.

Daí a pouco viu chegar num escaler, tripulado por quatro marinheiros, um magote de seis pessoas que, pela distância, não podia reconhecer, distinguindo apenas que havia quatro mulheres no grupo; que um dos homens trazia farda de oficial de marinha e que o outro estava todo envolvido numa enorme capa negra, que lhe dava aparências de espectro.

O oficial saltou na ilha e fez apearem-se as mulheres. Estas, logo que se pilharam em terra, correram de braços abertos sobre Luís, soltando gritos de contentamento. E, depois de muitos beijos e abraços, puseram-se todos a caminhar na direção da palhoça, acompanhados pelos quatro marinheiros que vinham armados de escopetas e machadinhas de abordagem.

Madá reconheceu então que o oficial era o Conselheiro, vestido e remoçado como num retrato a óleo, que ele tinha no seu gabinete de trabalho em Botafogo.

Tremeu, quis fugir, mas lembrou-se da ordem de Luís e deixou-se ficar. Em uma das mulheres descobriu Justina; em outra Rosinha; nas outras a mãe e a avó do moço da pedreira. Vinham todas com as roupas do domingo; as duas velhas traziam lenços de ramagem na cabeça, e nos ombros xales encarnados de Alcobaça. As raparigas, com os seus vestidinhos de chita, tinham o ar contrafeito e grosseiramente sério das moças de cortiço; as mangas do casaquinho muito justas, quase insuficientes, dando difícil saída a punhos grossos, vermelhos e lustrosos, terminados em mãos curtas, socadas, de gordura sanguínea.

O outro, o da túnica negra, é que Madá não conseguiu reconhecer, a despeito dos esforços que empregava para isso; só pôde distinguir-lhe as feições quando ele já se achava a uns quarenta passos da choupana. Era seu falecido irmão, o Fernando; vinha cor de cadáver, muito desfeito; parecia ter saído naquele instante da sepultura. Ela estremeceu toda e, com um arranco de anta bravia, pinchou o corpo para fora da toca e abriu num carreirão pelo mato.

— Não fujas! — gritou Luís — Não tenhas medo, que ninguém aqui te quer fazer mal!

— Madá! Madá!

— Espera, minha filha!

Era tudo inútil. Madá, completamente nua, os cabelos soltos ao vento, lá ia, por trancos e barrancos, internando-se na floresta. Um fugir vertiginoso de cabrita assustada! Morros e valados desapareciam atrás dela; não havia encruzamento de cipó que lhe tolhesse a marcha, nem espinheiro, por mais bravio, que lhe quebrasse a fúria. E sentia atrás de si uma gritaria infernal e um tropel confuso de passos rápidos.

— Madá! Madá! — bradavam-lhe na pista.

E ela corria mais. De repente... parou. Uma voz grossa exclamava-lhe pela frente:

— Cerca! Cerca!

Em menos de um minuto fecharam-na por todos os lados gritos de caçadores e passos que se aproximavam com vertigem.

— Cerca! Cerca!

— Por aqui!

— Por ali!

E de cada ponto surgiu logo uma cabeça de marujo, rompendo a argamassa das folhas.

Madá caiu por terra sem forças, as carnes alanhadas, os pés em sangue, os cabelos arrebentados. Incontinente os homens a rodearam, sem todavia nenhum deles lhe tocar com um dedo; a prisioneira, estarrecida no chão, arquejava, cruzando as pernas e os braços para esconder as suas partes vergonhosas. Afinal chegaram os outros, entre os quais vinha o Luís, agora mais composto por uma capa, que o Conselheiro lhe pusera aos ombros; o primeiro a aproximar-se dela foi Fernando, que despiu logo a manta e estendeu-a sobre a nudez da irmã.

— Minha filha! Minha filha! — disse o Conselheiro, vergando-se para lhe dar um beijo. — Em que estado a encontro, meu Deus! E ordenou aos marinheiros que improvisassem uma padiola de bambus e folhas de bananeira.

Daí a pouco Madá era levada ao ombro daqueles para a cabana. Arrearam-na sobre o tosco leito fabricado pelo amante; deram-lhe a beber os confortativos que se foram buscar a bordo com toda a pressa e lavaram-lhe em arnica as feridas que ainda sangravam.

Quando conseguiu falar, pediu ao pai e ao irmão que não a castigassem.

— Castigar-te, minha filha...? — respondeu o Conselheiro, afagando-a. — Não! Nada tenho que te exprobrar, porque agora compreendo que o moço da pedreira te salvou a vida, trazendo-te para o seu desterro. Se eu te obrigasse a ficar lá em casa, sozinha comigo, a estas horas estarias sem dúvida debaixo da terra; ao passo que aqui — vives! e estás forte, e bela, e feliz! Não! Eu te abençoo, como abençoo a este rapaz, cujos esforços foram muito mais proveitosos que os do Dr. Lobão!

E, palavras ditas, o pai de Madá abraçou-se a Luís.

— Não desejo contrariar-te... — prosseguiu ele, voltando-se de novo para a rapariga, com os olhos carregados d'água — se quiseres continuar a viver aqui, fica; se quiseres voltar para a minha companhia, eu te receberei e mais ao teu homem; apenas o que lhes peço, quer vão ou fiquem é que se casem e quanto antes. Trouxe no meu navio um padre e tenho a bordo o necessário para armar o altar.

— Pois está dito — balbuciou Madá. E chegando os lábios ao ouvido do pai, disse-lhe um segredo, que a ela própria fez corar, mas que a ele encheu de vivo contentamento.

— Um neto! — exclamou o Conselheiro. — Oh, que felicidade!

Madá, afogada em pejo, tapou-lhe a boca com a polpa da mão.

— Ter um neto era o meu sonho dourado! Como vou ser feliz no resto da minha vida!...

— Ora, papai!...

— Que mal faz que o saibam todos, se vais esposar o pai de teu filho?... Acaso, desse momento em diante, não ficarás reabilitada aos olhos do mundo inteiro!

— Cale-se, papai...

— Não! Deixa-me falar! Deixa-me dar expansão à minha alegria! Não vês como estou rindo?... E não sentes, minha filha, estas lágrimas que me abandonam, porque o coração, de tão contente que está, as enxota de casa, como inúteis de hoje em diante? Oh, obrigado, Madá! Muito obrigado!

De junto, Fernando contemplava-a silenciosamente com o seu imóvel e apagado olhar de morto; os braços em cruz sobre o casco do peito; a pele sem brilho; as barbas ressequidas e cobertas de pó. Agora é que ele de todo se parecia com o Cristo da Mater Dolorosa; a irmã teve impulsos de ajoelhar-se defronte daquela melancólica imagem e rezar, como fazia dantes nas suas tredas escápulas religiosas.

Ficou resolvido que o casamento se efetuaria daí a dois ou três dias com a maior solenidade que lhe pudessem dar. Começou-se logo a construir outra casa maior, não mais de bambus amarrados com embira e coberta de folhas de pindoba, mas feita de madeiras escolhidas, forrada de tábuas pela parte de fora e de lona pela parte de dentro. Mobiliaram-na depois com muito gosto e sortiram-na com enorme provisão de mantimentos em conserva, e pipas de vinho e aguardente e latas de bolacha inglesa. E vieram também aparelhos de porcelana e lanternas e candeeiros, muitas caixas de velas, jarros, quadros, um piano, colchão, colchas lavradas e roupas de toda a espécie, não esquecendo as joias, os livros e mais objetos de que se privara Madá ao partir com o cavouqueiro.

— Mas isto é uma mudança completa! Meu pai não deixou nada em terra...! — observou ela, notando as coisas que desembarcavam e reconhecendo-as uma por uma.

Com efeito vinha tudo; lá estavam as louças da Saxônia, os candelabros bizantinos, as peles da Sibéria, as velhas tapeçarias do salão de Botafogo, os caprichosos caquemonos, os espelhos, os damascos bordados a ouro e prata e os consolos com mosaicos de Florença. É que o Conselheiro, uma vez que a filha não estivesse resolvida a acompanhá-lo, voltaria à vida inconstante do mar, para nunca mais se desprender do seu navio.

Pronta e armada a casa, principiou-se a fazer defronte dela um altar ao ar livre, com uma imensa cruz de cedro tosco entre duas palmeiras e fincada num grande pedestal de troncos de árvores, cujos degraus não se viam, era tal a profusão de flores que os carregava de alto a baixo. Arranjaram-se faróis para iluminar toda a ilha, e a tripulação de bordo saiu, em parte armada de espingardas, a caçar pela floresta, e em parte carregada de redes para a pescaria. Engendrou-se uma soberba tenda destinada ao banquete, embandeirou-se tudo e pregaram-se lanternas chinesas em volta da habitação.

No dia das bodas cinquenta peças de caça e outras tantas de pesca rechinavam e lourejavam sobre braseiros e fogueiras; grandes tachos de cobre luziam ao fogo, soprando nuvens de vapor odorante; fabricavam-se os doces mais estimados; batiam-se as massas mais delicadas. E os marinheiros, agora de avental branco e carapuça de cozinheiro, cruzavam-se no morro, ora levando largas braçadas de frutas, ora carregando enormes travessões de assado, ou conduzindo para a mesa ânforas de prata cheias de vinho. Havia uma grande atividade; a velha Custódia e a tia Zefa não descansavam um segundo, iam e vinham azafamadas, a saia enrodilhada na cintura, os braços arremangados, tão depressa a encher garrafas e canjirões, como preparando ramilhetes para os jarros ou pejando as corbelhas com as frutas que lhes traziam os marujos. O Conselheiro, sempre de farda, dirigia todo o serviço tal qual como se manobrasse um navio; só dava as suas ordens apitando ou então gritando por um porta-voz de que se não separava nunca. E ao seu comando afestoava-se toda a ilha, com uma rapidez de serviço de bordo.

A cerimônia religiosa estava marcada para o meio-dia em ponto e devia ser seguida por uma salva de vinte tiros de canhão, toque de caixa e corneta, repiques de sino e vivas da marinhagem. O capelão havia chegado já, acompanhado por dois marujos vestidos de batina e sobrepeliz, vendo-se-lhes por debaixo as botas de couro cru, sentindo-se-lhes ranger o cinturão e adivinhando-se-lhes a navalha grudada aos largos quadris. Os turíbulos e a caldeirinha pareciam em risco de esfarelar-se entre os seus dedos grossos como cabos de enxárcia. Aquelas caras mareadas, com a barba feita de fresco e uma faixa branca no lugar da testa em que o boné não deixara que o sol as encardisse, não pareciam de gente e, no entanto, coisa singular! Ambas lembravam a carranca do Dr. Lobão. Madá, ao vê-las, retraiu-se intimidada, e não se animou a dar palavra, nem a mexer-se do lugar em que estava. Ficou tolhida, a fitá-las por muito tempo.

A voz da Justina despertou-a com uma vibração estranha, que a fez estremecer toda; uma voz que desafinava do resto.

— Que é, mulher? — perguntou Madá, arregalando os olhos sobre ela.

Acordara por instantes, mas não chegou a reconhecer o seu quarto da Tijuca.

— Então, minh'ama não se veste?... Fica vosmecê desse modo a olhar para mim?... Vamos, prepare-se...

— Sim, tens razão; são horas. Dá-me o banho.

E acrescentou de si para si:

— Está tudo pronto! Já chegou o padre com os seus ajudantes; meu noivo deve agora parecer lindo como um Deus! Vou perfumar-me e fazer-me bela, para que ele mais se abrase de amor assim que me veja...

Era o delírio que prosseguia, mesmo sem a intervenção do sono.

A criada trouxe-lhe o banho que lhe servia todos os dias; ela, porém, supondo-se na sua casa da ilha, tinha que se lavava em águas perfumadas, e que cortava e brunia as unhas, alisava os cabelos com óleo cheiroso, enchia-se de aromas finos e, em seguida, que se cobria toda de rendas e cambraias e punha um vestido de veludo branco bordado de prata, calçava meias de seda finíssima, sapatinhos de cetim e guarnecia a cabeça e o pescoço com longos fios de pérolas.

Mirou-se no espelho e nunca se achou tão bela.

— Está pronta a noiva! Está pronta a noiva! — exclamaram de todos os lados, assim que a viram surgir à porta da habitação acompanhada pela Justina.

Os marujos soltaram gritos de entusiasmo.

Madá volveu os olhos em redor de si e notou, sorrindo, que, nem só as pessoas que ali estavam, como também a natureza inteira, pareciam alegrar-se com a sua felicidade; mas deixando cair a vista para o fundo do vale, teve um sobressalto: lá embaixo, na fralda do monte, o espectro de Fernando passeava tristemente por entre as árvores, arremedando Cristo no horto das Oliveiras; tinha os passos lentos, a figura alquebrada, uma doce resignação na fisionomia. Viu depois uma mulher aproximar-se dele, atirando-se ao chão para lhe beijar os brancos pés descalços e a fímbria da sua túnica rota pelos espinhos e embranquecida pela areia das estradas; reconheceu Rosinha. E a dura melancolia daquele canto de paisagem, mergulhado na sombra, lembrava Jerusalém; e a menina do cortiço, com as suas roupas em desalinho, cabelos soltos e cobertos de terra, o rosto escorrendo de lágrimas, parecia estrangulada por uma aflição profunda e fascinadora como a de Maria Madalena.

A infeliz abraçava-se às pernas de Fernando, desfazendo-se em queixas e lamentos, que Madá não conseguia ouvir; ele, afinal, ergueu-a carinhosamente, pousou-lhe a mão aberta sobre a cabeça e, terno e comovido, tornou para o céu os olhos castos, onde havia súplicas de infinita doçura.

Rosinha pôs-se então a rezar vergada sobre o peito; enquanto o outro se afastava, caminhando sutil, que nem uma sombra, por entre as árvores.

Madá desceu de carreira pela encosta da montanha na direção que ele tomara. O seu vulto de noiva sobressaía errante na azul penumbra dos caminhos como um lírio levado pelo vento; mas, quando alcançou a campina, já Fernando ia distante.

— Atende! Atende! — gritou atrás dele.

O espectro não atendeu e lá foi por diante, agitando às brisas do mar a sua túnica solta.

— Fernando! Irmão meu, amado de minha alma, não me fujas!

E o lírio precipitava-se pelo vale, sem conseguir alcançar a sombra dos seus amores.

Venceram assim toda a floresta; a sombra sempre a fugir, e o lírio a persegui-la; até que chegaram às margens da ilha, e Madá viu estender-se o oceano defronte de seus olhos. E a sombra, a fugir-lhe sempre, ganhou as águas, andando por sobre elas, como Jesus sobre o lago de Genesaré.

A sonhadora parou na praia, resignada e triste, e o seu olhar acompanhou aquela estremecida sombra fugitiva que se fazia ao largo, até vê-la desaparecer de todo no infinito das ondas.

"Eu como sol a buscar-te... tu como sombra a fugir-me!..." — pensou, tornando então sobre seus passos, e ajoelhando-se de vez em quando, para beijar em êxtase as pegadas que Fernando deixara na areia. Afinal penetrou de novo na mata e, caminhando distraidamente, chegou à fralda da montanha sem dar por isso, de tão preocupada que ia.

Uns soluços que vinham do fundo do vale despertaram-na do seu enlevo. Encaminhou-se para lá, e descobriu Rosinha, deitada de bruços à sombra de uma figueira brava, chorando, com o rosto escondido nos braços.

Aproximou-se dela e tocou-lhe no ombro; a outra pôs-se de pé e teve um gesto de cólera quando reconheceu a rival.

— Está zangada comigo?... — perguntou a filha do Conselheiro, fazendo-se meiga.

— E a senhora ainda mo pergunta? Rouba-me o noivo e pergunta se estou zangada! Tem graça!

Madá procurou acalmá-la, dizendo-lhe com extrema brandura que o Luís, que Rosinha conhecia do cortiço, o moço da pedreira, era um ser fantástico, um mito; e que o único verdadeiro Luís, o existente, era o da ilha, o poderoso monarca, o senhor daqueles domínios, um ente superior, um ente privilegiado por Deus que lhe concedera o dom de tomar na terra a encarnação que lhe aprouvesse. Rosinha que se conformasse com a sorte, coitada! que se resignasse, que tivesse paciência; mas o Luís, o legítimo, o único, o rei da ilha, esse lhe pertencia a ela, Madá, e nunca seria de nenhuma outra mulher.

— Isso é o que veremos! — replicou a moça do cortiço, lívida de raiva. — Não é a mim que a senhora convence de que este Luís não é aquele mesmo que me havia prometido casamento! Ah! Eu não tenho, bem sei, os seus segredos para o enfeitiçar, mas também juro-lhe que o verdadeiro amor, o amor que ele me inspirou, sincero e ardente, é capaz de tudo e é mais poderoso do que quantos artifícios possam imaginar as bruxas da sua espécie! O que lhe afianço pelo menos é que eu, desprezada como sou, seria mulher para dar por ele a minha vida, ao passo que a senhora, só com o fim de se fazer bonita, lhe tem roubado todo o sangue!

— Cala-te, miserável!

— Ah, pensavas que eu não sabia...? Bem te conheço, vampiro! Não é à toa que o pobre rapaz ultimamente anda tão fraco, que nem pode subir à pedreira sem ficar cansado! Ele, o Luís, dantes mais rijo e mais ágil que um potro!

— Calas-te ou não, atrevida?!

— Ah, mas conto que a tia Zefa há de descobrir que lhe estás matando o filho! Livre-te Deus de que a velha Custódia suspeite de longe o que se tem passado com o neto! Aquela velhinha, ali onde a vês, é capaz de arrancar-te a língua pela boca, ladra fementida!

E a rapariga do cortiço, dando em Madá um empuxão que lhe abalou o corpo inteiro, exclamou terrível:

— Vai! Vai! Casa-te com o Luís! Farta-te, loba! As festas estão prontas! O altar está armado! A cama está juncada de flores! Vai, deita-te mais ele e, logo que o tenhas embebedado com o teu almíscar de cobra traiçoeira, suga-lhe o resto do sangue, sorve-lhe a última gota! Vai, agora és a dona do homem, como és a rainha desta ilha! Vai; mas eu te juro, sanguessuga, que te hei de perseguir mesmo depois da tua morte!

— Então, Madá, então! — disse o noivo, aparecendo por entre duas moitas de crótons. — Há boas horas que te esperamos lá em cima para a celebração das nossas núpcias, e tu aqui a conversares com esta sujeita. Anda, vamos, meu amor; estou farto de procurar-te!

Ele vinha vestido de veludo carmesim com botões de ouro, calção largo, blusa apertada na cintura, donde lhe pendia uma espada cintilante de pedraria; polainas pretas de couro envernizado; chapéu cinzento de abas largas com uma grande pluma branca que lhe ia até ao pescoço, destacando-se do ébano brilhante dos seus cabelos encaracolados, como uma pena de garça entremetida na asa de um pássaro negro; capa escura com forro cor de sangue e em volta do colo uma reluzente cadeia de esmeraldas, safiras e rubis.

Deu-lhe o braço Madá, pousando a cabeça sobre o ombro dele. E puseram-se ambos a subir a montanha, salpicados pelo sol que se peneirava por entre folhas e chicoteados por um olhar ameaçador de Rosinha, que resmungava:

— Vão, vão, mas que a cama de vocês dois se transforme num espinheiro bravo!

17

Depois destes delírios, tão complexos, que em parte foram sofridos durante o sono e parte durante as letargias, agora mais repetidas e prolongadas, Madá piorou consideravelmente. Ouvia-se-lhe já no meio da conversa palavras de um sentido estranho, que ninguém compreendia; por exemplo: querendo certa vez dar ideia de um grande estampido, disse: "Fez tamanho estrondo, que nem um rio quando se transforma em mar." Os que a escutavam olharam-se entre si disfarçadamente. Outra ocasião, falando de um susto que apanhara, usou desta frase: "Assustei-me ainda mais do que no dia em que Fernando me foi visitar à ilha." E, como estas, fugiam-lhe muitas referências à sua vida fantástica; coisas que ela dizia com a maior naturalidade, enchendo não obstante de lágrimas os olhos do Conselheiro e provocando no Dr. Lobão um desesperançado sacudir de ombros. Este último se mostrava mais que nunca empenhado no tratamento da enferma, a ponto de descuidar-se da própria casa de saúde — a menina dos seus olhos. "Porém não era — dizia ele — a filha do amigo o que tanto o prendia e interessava, mas simplesmente o caso patológico. Puro interesse de médico."

Justina admirava-se de ver a sua ama tão desvelada pela família do Luís: não se passava um só dia sem que Madá lhe fizesse várias perguntas a respeito dela, principalmente sobre a noiva do cavouqueiro, a rubicunda Rosinha. Quando a criada lhe deu parte de que o casamento estava definitivamente marcado para o seguinte mês, a senhora estremeceu e encarou-a por tal modo, que a rapariga julgou vê-la cair ali mesmo com um ataque de convulsões.

— É então no mês que vem?... — interrogou depois do abalo.

— Se Deus quiser, minh'ama. E as roupas da cama estão quase prontas, que era só o que faltava. Ah! Eu penso com o Luís que a gente não deve casar sem ter arranjado umas tantas coisas, como não? É muito feio casar-se uma pessoa sem enxoval, inda que seja um enxoval pobre, mas contanto que cheire a novo!

Daí em diante a filha do Conselheiro indagava quotidianamente da criada "se o casamento era sempre no mesmo dia", como se contasse com qualquer inesperado incidente que o transferisse ou desmanchasse de um momento para outro. Todavia, a sua existência quimérica dos sonhos prosseguia com a mesma regularidade: uma vez casada com o belo e encantador príncipe, declarou ao pai que não se achava disposta a abandonar a ilha, e pediu-lhe que a fosse visitar de quando em quando, visto que ele agora tencionava ficar para sempre erradio sobre as águas do mar. O Conselheiro retirou-se triste com os seus companheiros de viagem, deixando aos desposados tudo o que de supérfluo havia a bordo e a Justina para os servir. A vida ideal dos dois amantes tornou-se então muito humana, muito deliciosa e fácil. Comiam em baixelas de prata e em porcelanas da Índia; bebiam em taças de cristal da Boêmia; vestiam-se confortavelmente de linho, veludo e seda; tinham leito macio; e à noite, fechados no doce aconchego do lar, Madá cantava às vezes ao piano e de outras lia em voz alta, para entreter o marido, ou jogavam as cartas antes do chá. Luís em breve já não era o mesmo selvagem, graças à mulher que lhe dava lições de leitura, de escrita, de desenho e de música, o que ele aprendia tudo com um talento verdadeiramente sobrenatural.

E assim viveram felizes até o dia em que a filha do Conselheiro percebeu que ia ser mãe. Preparou-se o ninho, e ela deu à luz sem a menor dificuldade, nem o mais ligeiro vislumbre de dor: um parir silencioso e tranquilo como o dos vegetais.

Era menino. Forte, moreno, de cabelos e olhos pretos; o mais extraordinário, porém, é que a criança não se parecia com o pai, nem com a mãe; parecia-se com o Fernando. Não o Fernando escaveirado e espectral que lhe apareceu na ilha, mas o dos bons tempos de Botafogo; aquele belo moço a quem ela tanto amara e tanto desejara possuir. O pequeno tinha a mesma doçura no olhar, o mesmo enternecimento no sorriso; eram as mesmas feições e a mesma palidez aveludada e fresca. Madá amamentava-o pensando no irmão.

— Como havemos de chamá-lo? — perguntou Luís.

— Fernando! Está claro! — respondeu ela.

E a partir daí, Madá vivia nos seus sonhos exclusivamente para o filho. Era feliz, muito feliz com essa nova dedicação que absorvia todas as outras; mas acordada, uma dolorosa tristeza pungia-lhe a alma à vista dos seus mesquinhos seios, fanados e emurchecidos antes do tempo, como fruta perdida que não chegou a sazonar. Vinham-lhe lágrimas aos olhos quando comparava o seu magro corpo da vida real com a opulenta carnação que na outra vida possuía; chorava contemplando a pobreza das suas espáduas de tísica, considerando os seus quadris sem curvas, a exiguidade dos seus braços, a miséria das suas pernas de esqueleto; chorava mirando no espelho o seu rosto de múmia, os seus lábios secos e estalados; chorava observando de perto as suas mãos transparentes e trêmulas.

E começou então a preferir o sonho à realidade; tomava-se de amores por ele à proporção que se aborrecia desta. Aquela dura repugnância cheia de ódio, que sentia acordada contra o fiel companheiro dos seus delírios e contra si própria, não a experimentava absolutamente contra o filho; ao contrário: sempre que se lembrava deste entezinho fantástico, possuía-se de ternura, como se ele com efeito lhe houvera saído das entranhas. Agora até era a primeira a provocar o sono ou a letargia. Muitas vezes, de repente, tais saudades lhe acudiam do pequenino, que a infeliz chegava a tomar láudano para dormir mais depressa e por mais tempo; e adormecia sorrindo de contentamento e pedindo a Deus que lhe fizesse os sonhos bem longos, intermináveis; e acordava amaldiçoando a vida real, contrariada e triste, sem achar consolações para a ausência do seu filhinho amado.

E esse amor de mãe foi crescendo tanto e enfolhando tão depressa, que o Luís afinal se resguardava perfeitamente à sombra dele. Madá, quando acordada, já não o maldizia; já não sentia aquela negra aversão, aquele nojo, que lhe inspirava dantes o moço da pedreira. Oh! Dava-se agora justamente o oposto: quando, da janela do seu quarto, ela via o pobre-diabo passar lá embaixo para o trabalho, ficava compungida e acompanhava-o com um enternecido olhar de bondade; tinha até desejos de o chamar e dizer-lhe: "Olha, Luís, deixa aquele estúpido serviço da pedreira; sobre ser muito bruto, é muito ingrato! Ali um homem está sempre com a vida em perigo; a rocha é traidora! Não confies na submissão com que ela consente que lhe retalhem todos os dias o ventre; lá uma bela vez, quando menos o esperares, zanga-se, e ai de ti, meu amigo, serás devorado! O cavouqueiro é como o domador de feras: acaba sempre nas garras da que ele explora... Olha, queres saber? Vem cá para casa; o que aí não falta são cômodos desocupados, e sobra sempre à mesa bastante comida!" E, de bom grado Madá pediria ao Conselheiro para tomar ao seu serviço o pobre rapaz; não porque ela o quisesse perto de si — nada disso! mas simplesmente para lhe fazer bem, para o tornar um pouco menos desgraçado: "E, como lhe querer mal?... Como não o estimar, coitado, se ele no fim de contas era o cúmplice do seu crime e ao mesmo tempo o da sua felicidade? Se não fosse Luís, ela não possuiria um filho, e o filho era para Madá a melhor coisa do mundo!"

Sim, no seu espírito alucinado já não protestavam conveniências sociais, nem tradições de costumes, nem hábitos de família; o seu orgulho murchara como os seus peitos de donzela; o seu pudor despira-se; agora só o que lhe dominava o espírito, o que lhe enchia o coração, era a ideia do filho; era a mística loucura desse amor visionário por aquela criança de olhos meigos, que estava sempre a chamá-la de longe, lá das misteriosas margens da ilha encantada dos seus sonhos; era a saudade dessa criaturinha ideal, que ela já não podia deixar de ver, não só todas as noites durante o sono, mas a todo o instante, na deliciosa insânia dos seus êxtases.

O filho era a sombra de Fernando; ela vivia para esta sombra.

18

E entanto, na verdadeira casa de Luís, na casinha do cortiço, as coisas corriam de modo muito diverso.

Aí é que havia sincero contentamento e legítima felicidade; aproximava-se o dia do casório do rapaz e, tanto a noiva como as duas velhas, resplandeciam de júbilo. Falava-se desde a manhã até à noite no grande assunto, e discutiam-se já os doces, o carname, o peixe frito e a vinhaça da pagodeira.

Ah! que eles teriam uma festa para se ver, ninguém o punha em dúvida. "Como não? Seriam os primeiros da família que se casassem à capucha, como aí qualquer ovelha sem pastor! Não! Que para isso, graças a Deus, ainda havia quatro vinténs no fundo da arca!"

E a velha Custódia, a tia Zefa e a Rosinha saracoteavam pela estalagem, mesmo durante o serviço, a responder para a direita e para a esquerda; a falar com este, a dar trela àquele, sem sossegar um instante, a rir, a papaguear, e sempre com o casamento na boca. Agora cantavam mais durante o trabalho, mas nem por isso labutavam menos. A pequena, muito roliça e esfogueada pelo ferro de engomar, mostrava a toda amiga que a visitava o seu vestido de cambraia branca, o seu véu, a sua grinalda, o seu ramo de cravos artificiais, como as suas camisas e as suas anáguas novas em folha, algumas até com renda. Estava provida de tudo; ninguém o podia negar! "Só vestidos de chita, dessa à moda, tinha cinco prontos e fazendas para outros tantos; meias — que fazia pena calçá-las, de tão lindas; e muita peça de morim para lençóis e roupa branca, e belas fronhas bordadas, e mais uma colcha de lã. — Ah! Ah! — verde e amarela, com as armas imperiais no centro, que era uma grandeza!"

A Justina dava de vez em quando uma escapula até lá e voltava entusiasmada, falando pelos cotovelos. No dia em que se esperava a tal cama prometida pelo padrinho do Luís, ela não parou cinco minutos em casa dos amos; tão depressa a viam aí, como no cortiço.

— Já chegou? Pois ainda não veio? Oh, que demora! — Quem sabe se o homem não manda?... Ele é tão agarrado!

— Não! Há de vir! Ainda não deu meio-dia! Com poucas ela aí está!

E havia no cortiço uma grande impaciência pela chegada da cama. A cama era o grande acontecimento do dia!

— Virá?

— Não virá?

Fizeram-se apostas na estalagem. Rosinha, de instante a instante, largava o ferro e corria à porta, para dar uma vista d'olhos pela rua; de uma das vezes voltou saltando, batendo palmas, e a gritar como louca:

— Aí vem ela! Aí vem ela!

E, com efeito, na esquina da rua surgiam seis negros descalços e em mangas de camisa, a cantarem em voz alta, equilibrando na cabeça uma enorme cama do tempo antigo, bastante usada, mas polida de novo. Vinha armada e trazia já o colchão, os lençóis e um par de grandes travesseiros.

Era toda de jacarandá com embutidos de madeira amarela, muito larga; tinha forma de caixão, e o espelho de cabeceira media nunca menos de dez palmos de altura. Dos quatro cantos erguiam-se colunas oitavadas, de uns três metros de comprimento, sustentando uma formidável cúpula do feitio de um chapéu do Chile, a que quadrassem as abas, forrada por dentro e por fora de cetim azul já desbotado. No alto das colunas, e sobressaindo dos ângulos do sobrecéu, aprumavam-se dois pares de respeitáveis maçanetas que pareciam quartinhas da Bahia.

Foi um sucesso em todo o quarteirão a chegada desta velha relíquia dos bons tempos: os vizinhos de Luís assomaram à janela, atraídos pelo grosseiro canto dos africanos; o cortiço inteiro agitou-se; as lavadeiras abandonaram as tinas e os coradouros e vieram ruidosamente ao portão da estalagem, com os braços nus, saias arrepolhadas no quadril, mostrando pernas sem meias e grossos pés metidos em tamancos; a pequenada descalça acompanhava os carregadores numa grande algazarra; o homem da venda acudiu em camisa de meia, o peito muito cabeludo aparecendo; pretos e pretas, que andavam nas compras do jantar, estacionaram em frente ao cortiço com a cesta no braço; negras minas pararam para olhar, monologando em voz alta, o tabuleiro na cabeça, e na mão um banquinho de pau; algumas traziam ainda um filho escarranchado atrás, nos rins, e encueirado numa toalha, cujas pontas elas amarravam na cintura. A velha Custódia apareceu, levando enfiada nos dedos uma meia, que cerzia; a tia Zefa e mais a Rosinha, essas não se puderam conter, e foram logo ao encontro dos carregadores, gritando, ralhando, afastando com berros a molecagem que não se arredava nem à mão de Deus Padre; Luís, lá do alto da pedreira, onde estava trabalhando a essas horas, mal compreendeu pelo movimento da rua que a sua cama chegava, desgalgou o morro e precipitou-se de carreira para o cortiço, nu da cintura para cima, muito suado e coberto do pó branco da pedra.

Os carregadores chegaram por fim defronte do portão da estalagem, pararam a um só tempo, e depois, com uma certa manobra especial, volveram para o lado da entrada, continuando sempre a cantar; seguiram, enfim, e os curiosos seguiram atrás deles. O cortiço foi invadido por muita gente e então principiou a verdadeira balbúrdia. Destacavam-se os gritos do Luís, da tia Zefa e da Rosinha.

— Olha como a viras, estupor! Queres quebrar-lhe as maçanetas?

— Força mais para a esquerda, com os diabos!

— Arriba!

— Vira!

— Abaixa!

— Olha a árvore!

Todos se metiam a ajudar, mas o demonhão da cama não entrava, nem mesmo pelos fundos da casa.

— Também não sei pra que um espantalho deste tamanho!

— E o que tem você com isso. Meta-se lá com a sua vida!

— Ali dormem seis casais à larga!

— Podia caber-lhe a família toda em riba!

— Arria!

— Livra!

— Torce!

Já a gaiola de um papagaio, que havia na parede, tinha ido pelos ares, levando o louro preso na corrente, a gritar como se o estivessem matando; um pequeno, filho de uma lavadeira, berrava com um trompázio que apanhara sem saber de quem. "Era bem feito, para não ser intrometido!" O cão da casa, junto com os da vizinhança, protestava energicamente contra a invasão daquele monstro de jacarandá que tudo revolucionava. Fazia-se um catatau infernal; todos aconselhavam; todos queriam mandar; todos falavam ao mesmo tempo; mas, melhor que gritassem: "Arria! — Torce! — Levanta! Afasta! — Aguenta! — Para!" o monstro não passava do quintal e, mesmo para chegar lá, fora preciso arrancarem-se algumas estacas da cerca que separava a casa do cortiço.

Afinal, um marceneiro do bairro, quieto até aí a presenciar a função com um superior e mudo desdém, disse, torcendo o cavanhaque: "que se quisessem, ele desmancharia aquela caranguejola e comprometia-se a armá-la no quarto, tal qual como a entregassem". Surgiram logo mil opiniões; umas contra e outras a favor da proposta, e só depois de calorosa discussão, em que o marceneiro não deu palavra, resolveram desarmar o monstro.

— Ora, que pena! — lamentavam.

— Que lástima não entrar armada!

A cama foi levada para o meio do quintal, e o homem do cavanhaque, que tinha feito vir já a sua ferramenta, meteu mãos à obra, cercado de gente por todos os lados. Rebentaram de novo, ao redor, os comentários, as chufas e os ditérios.

Luís, ao lado da noiva, acotovelava-a, sorrindo e piscando o olho para o lado dos colchões.

— Ali em cima é que eu te quero pilhar!... — considerou, dando-lhe uma pontada no bojo do quadril.

Rosinha conteve o riso e resmungou, abaixando os olhos:

— Este sem-vergonha!...

Não obstante, entre todos os curiosos que presenciavam a espetaculosa chegada do leito nupcial do cavouqueiro, o mais impressionado não estava ali, nem na rua, estava sim lá defronte, na casa de S. Exa., espiando por detrás das grades de uma das janelas do sobrado.

Era Madá.

Estranho abalo punha-lhe nos sentidos aquela escandalosa exibição de cama em pleno ar livre. Vendo-a, como a viu, publicamente armada e feita, patenteando sem o menor escrúpulo o seu largo colchão para dois, com travesseiros duplos, afigurava-se-lhe ter defronte dos olhos um altar que se trazia de longe, para a cruenta e religiosa cerimônia do desfloramento de uma virgem. Havia alguma coisa de pagão e bárbaro em tudo aquilo; alguma coisa que a levava a pensar na paradisíaca impudência dos seus sonhados amores; alguma coisa que a levava de rastros, puxada pelos cabelos, para a vermelha sensualidade dos seus delírios.

A cama, apesar de recolhida ao cortiço, não desapareceu para ela, que continuou a vê-la com a imaginação, já muito maior, fantasticamente grande. Depois, viu surgir, deitado de barriga para o ar sobre o colchão, a dormir, completamente nu, como nos primeiros dias da ilha, Luís — esse homem com quem afinal todo o seu ser se habituara, nem se com efeito houvera passado com ele as melhores noites da sua vida.

Depois, viu surgir um pequenito ao lado do cavouqueiro; reconheceu o filho, e notou sobressaltada que este chorava de susto. Procurou o que metia medo à criança, e descobriu então aos pés da cama, que atingira proporções colossais, três mulheres: uma muito moça, outra de meia-idade e a terceira já bastante velha, e todas desesperadas por lhes não ser possível subir até onde estava Luís. Madá observava isto do alto, imaginando-se no interior da cúpula do leito, cujo cetim azul a pouco e pouco se estrelava, transformando-se em um céu, onde ela se mantinha suspensa como se tivesse asas.

E notou que a mais moça das três mulheres levantava aflitivamente para ela o olhar afogado em lágrimas, pedindo-lhe por amor de Deus que lhe restituísse o seu noivo.

— Ele não serve para a senhora — exclamava a mísera entre soluços — é um pobre-diabo muito à toa; muito grosseiro só serve mesmo para uma rapariga de cortiço como eu! Restitua-me o Luís, senhora! Não lhe tire mais sangue! Não o mate, não o mate, por tudo o que V. Exa. mais estima na vida! Se lhe desagrada vê-lo comigo, juro-lhe que nunca estarei com ele; que não nos casaremos; prometo que iremos os dois cada um para seu lado; prometo o que a senhora quiser; tudo, tudo! Mas por amor de Deus, não o mate, não o mate, minha rica senhora!

Madá riu-se, e a rapariga vendo que as suas súplicas eram baldadas, atirou-se ao chão, estrangulada pelo pranto. Então a velhinha, ameaçando a filha do Conselheiro com o punho fechado, gritou colérica:

— Malvada, põe já pra cá o meu neto ou ruim praga te perseguirá para sempre! Larga o homem que não é teu. Entrega o seu a seu dono, ou que Deus Nosso Senhor te rache a madre com o mal dos lázaros!

E Luís continuava a dormir. E Madá sorria, de má.

A outra mulher enxugou os olhos e pegou então de falar, suplicante:

— Senhora, minha senhora, tenha dó de uma pobre mãe!... Dê cá o meu filho, dê cá o meu querido Luís! Ah, se vosmecê soubesse o que é ser mãe, com certeza não mo negaria... Dê-mo, bem vê que o reclamo de joelhos... Se a sua questão é de beber sangue, aqui estou eu — sou forte, muito mais forte do que ele... repare para as minhas cores; veja como tenho as carnes rijas e socadas; comprometo-me a deixar que vosmecê me sugue até a última gota; mas, por quem é, poupe-me o rapaz, que o pobrezinho já não pode mais alimentá-la... está muito fraco, está quase com a pele nos ossos!

Madá sorriu ainda, e Luís não acordou; o pequenito é que parecia agora muito intimidado por aqueles clamores: calara-se de medo, e, engatinhando, fora até as bordas do colchão, cuja superfície se havia por último coberto de relva. As mulheres, logo que deram com ele, começaram a atirar-lhe pedras; estas, porém, não chegavam ao seu destino, porque a cama, sempre a crescer, era já um grande morro plantado de bambus. E, como os lados do leito se transformaram em declives de montanha, as três puseram-se a subir, chamando por Luís e correndo em direção ao menino; este abriu de novo a chorar, fugindo; e Madá, percebendo-o em risco, precipitou-se do alto e foi cair ao seu lado, tratando logo de resguardá-lo com o corpo e gritando ao mesmo tempo pelo marido.

Mas o lugar em que ela agora se julgava já não era um descampado relvoso; via-se dentro da sua casa fantástica na ilha, ao lado do filho e do marido; perfeitamente abrigada e defendida. Lá fora roncava uma tempestade, estralejando no espaço, entre uivos de feras assustadas.

— Que barulho é este? — perguntou Madá, abraçando-se ao esposo, muito trêmula.

— Não tenhas medo, minha flor, é a tempestade.

— E não ouviste vozes de gente, a gritar?

— Qual! Era o vento que sibilava nos bambus.

— Não! Não! Eu ouvi perfeitamente! Entendi tudo o que diziam!

— Sonhavas com certeza...

— Sim, Deus queira que tenhas razão, porque não podia ser mais horrível o que se passava...

— Que foi?

— Sonhava, imagina tu, que ias casar com a Rosinha...

— Mas como, se eu sou casado contigo?

— E chegava a cama para o teu noivado, e depois a cama se transformava numa montanha e a tua suposta família vinha disputar-te contra mim e queria matar a pedradas o nosso filho.

— Que loucura! — respondeu o esposo com um sorriso de homem feliz.

— Sim, foi loucura, foi um sonho que felizmente já passou, e vejo-te a meu lado, fiel e amoroso como sempre. Não é verdade que só a mim amas e ao nosso filhinho? Fala, meu querido!

— Tão verdade quanto é mentira o que sonhavas; mas dorme, sim? dorme de novo, que precisas muito de repouso.

Madá adormeceu com a cabeça no colo do marido imaginário e acordou a valer nos braços de Justina.

— Como se sente, minh'ama?

— Perfeitamente.

E acrescentou, depois de uma pausa: — Aquece um pouco de leite para dar ao Fernandinho, ouviste?

Justina olhou muito séria para a senhora e não se achou com ânimo de dizer nada.

— Ora esta!... — pensou. — De que Fernandinho falará ela?...

E saiu do quarto benzendo-se toda

O Conselheiro, a quem a rapariga foi logo comunicar o disparate da ama, correu a ter com a filha; mas, durante as longas horas em que conversaram, não lhe apanhou uma só palavra que levasse a desconfiar da sua razão. Madá, ao contrário, parecia muito senhora das suas faculdades e até menos nervosa que de costume.

— Com certeza era tolice da criada!

19

Assim chegou a véspera do casamento de Luís com Rosinha. Haviam escolhido um domingo e achava-se tudo quase pronto para o grande rega-bofe: a casa foi esfregada por dentro e por fora com sabão e areia; não ficou um átomo de pó nas paredes, um sinal de escarro no assoalho, nem uma teia de aranha no teto. Desde a porta da rua até a cozinha recamou-se o chão de folhas de mangueira e trevo cheiroso, pregaram-se arcos de verdura em todas as portas; pediram-se cadeiras, louças, copos e talheres emprestados a amigos para que nada faltasse na ocasião do banquete; mandaram-se vir dois garrafões, um de vinho e outro de parati, o tacho de açúcar não saiu do fogo e encheram-se compoteiras e tigelas de doce de coco, de araçá, de leite, de ovos, de goiaba, marmelo, bananas, sem contar com bolos e pudins: uma orgia de açúcar! O forno do padeiro, que lhes fornecia o pão, prestou-se a assar um peru, um quarto de carneiro, um leitão e um grande alguidar de arroz, guarnecido de azeitonas e rodelas de linguiça. Trabalhou-se até à meia-noite em preparar o aposento dos noivos. A formidável cama lá estava, atravancando tudo; houve grandes discussões na ocasião de colocá-la porque aqueles não queriam, por coisa nenhuma desta vida, ficar com os pés para o lado da rua, "que era de mau agouro!" Resolveu-se a dificuldade condenando a porta da alcova e estabelecendo passagem por uma janela aberta sobre a salinha de jantar. Era um pouco maçante ter de entrar e sair do quarto aos pulos, lá isso era; mas, antes assim do que ficar com os pés para a rua. "Deus te livre!"

A cama estava imponente: descia-lhe da cúpula um enorme cortinado de labirinto, que a avó do Luís, em quando moça, recebera como presente de uma senhora do Porto, a cujo filho amamentara antes de vir para o Brasil; arrepanhavam-no pelas extremidades, à base das quatro colunas, grandes ramos de flores naturais, donde pendiam laços de cetim azul, baratinho, mas muito vistoso. Por cima da famosa colcha auriverde com armas brasileiras figurava uma cerimoniosa cobertura de rendas, sobre a qual se desfolharam rosas e bogaris; e lá no alto, por fora do sobrecéu, esparralhado contra o teto, um imenso feixe de tinhorões e crótons.

— Que lindo! — diziam comovidos.

Ao lado da cama, a que não se podia subir sem o auxílio de uma cadeira, estendeu-se um tapete já surrado, mas onde se distinguia ainda o desenho de um leão em repouso; a um canto do quarto uma retrete com braços, e de outro uma pequena mesa de pinho, coberta de chita até os pés, tendo em cima uma lamparina de azeite e um econômico oratório de madeira pintada, com uma Virgem que desaparecia engolida no seu desproporcionado resplendor de prata. Não se podia ir de uma à outra banda do aposento sem galgar por cima do leito.

O casório fez-se no dia marcado, às dez da manhã, numa igreja do Andaraí--Grande. Que pagode! Os noivos foram e voltaram a bonde, seguidos por uma dúzia de convidados de ambos os sexos, e mais os padrinhos e as madrinhas; todos em gala de domingo. Muita roupa de cor, muita água florida, muita joia maciça e tosca, e muita pilhéria de tirar couro e cabelo. O tempo ajudava; fazia um belo sol de inverno, alegre e comunicativo. Rosinha, baixota, bem socada, parecia mais vermelha no seu vestido de cassa branca, e o enorme véu de cambraia pouco transparente e dura que a envolvia da cabeça aos pés, dava-lhe um feitio piramidal de pão de açúcar. Ia muito encalistrada sob a vista curiosa dos passageiros estranhos à festa; não ergueu os olhos durante toda a viagem, e as mãos suavam-lhe com o grande ramo simbólico, cuja haste ela mantinha sobre o peito, como quem segura o cabo de um estandarte. O Luís, à sua esquerda, mostrava-se ao contrário muito senhor de si e quase petulante de ventura; vestia calça e paletó de pano preto, novo em folha; nada de colete; tinha grandes sapatos de bezerro, engraxados, chapéu de lebre e gravata branca de cetim com um alfinete de ouro atravessando o laço. O casaco fechava-se-lhe sobre o estômago, deixando ver um peito de camisa, que era a última expressão da arte de reduzir o pano à madeira por meio do polvilho e do ferro de engomar; de tão duro e violento, rompia por entre as golas da roupa e abaulava-se arrogante numa só curva de alto a baixo; três botõezinhos de osso tingido de vermelho desfrutavam a suprema honra de guarnecer esta preciosidade. Levava dobrado ao pescoço, para resguardar o colarinho do suor, um lenço usado pela primeira vez, e no bolso do lenço trazia o relógio, com o trancelim bem à mostra por cima do peito. E todo ele recendia ao óleo e à brilhantina do barbeiro.

Quando, ultimada a cerimônia religiosa, tornaram para casa, com a ideia no resistente almoço preparado, foram à porta da rua surpreendidos por um oficlide; um pistão, um clarinete e um sax, que os perseguiram desd'aí até a sala de jantar, tocando furiosamente; era uma ovação feita ao recém-casado pelos seus companheiros de trabalho, que lá se achavam todos, mais ou menos endomingados. A refeição correu de princípio a fim muito alegre e animada; não havia cerimônia; era comer e beber à vontade; fizeram-se os brindes do estilo e trocaram-se entre risadas as clássicas chalaças, com que essa boa gentinha dos cortiços costuma frisar brejeiramente a vexada felicidade dos noivos. Rosinha teve de repetir por várias vezes a sua frase de repreensão: "Este sem-vergonha!..." Depois da mesa engendrou-se um forrobodó e foi dançar pr'aí até o diabo dizer basta!

Um pagodão! Só uma coisa contrariava ao cavouqueiro, era ver entre aquelas moças, todas elas gente direita, a peste de uma bruaca que morava lá perto, uma tal D. Helena Guimarães, a quem a velha Custódia se lembrara de convidar.

— Ora pistolas!

— Mas que mal te fez a pobre de Cristo? — perguntou-lhe a avó.

— Não sei! É mulher de má vida!

— É, não senhor, foi! Hoje não tem o que se lhe diga...

— Porque está canhão! Ninguém a quer para nada! Aparecesse um tolo... e veríamos!

— Coitada!

— Um estupor, que parece estar metendo pela cara dos outros aquele vestido de seda mais velho que a Sé! Um raio de uma biraia toda cheia de não me toques, com uma cara de que tudo lhe fede, e a abanar-se como no teatro! Má peste a lamba!

— São maneiras, filho!

— Maneiras! Eu dava-lhas, mas havia de ser com um bom marmelo! Demônio de um calhamaço, que tisna as farripas e pinta os olhos para parecer bonita! Uma lata toda rebocada, que até faz nojo!

E escarrou de esguelha. — Não! Com certeza seria melhor que ela cá não estivesse!

E tinha razão. Ali, no meio daquela áspera gente do trabalho, gente de honestidade feroz, entre a qual o adultério do homem é tão severamente punido como o da esposa, a figura da tal D. Helena Guimarães destacava-se mais do que uma nódoa de lama no meio de uma camisa de algodão lavado. Na roda das que são o que ela fora, na roda das prostitutas, seria um ornamento alegre, uma nota cômica — faria rir; mas ali servia apenas para constranger aos que queriam folgar em liberdade. Felizmente, porém, o estupor, mal acabou de jantar, ergueu-se e retirou-se logo, confessando-se indisposta. Sem dúvida foi para casa vomitar as tripas, que estômagos daqueles já não resistem à forte comida dos que se levantam antes do sol e trabalham doze horas por dia.

Pela volta das nove da noite surgiram como por encanto as violas e as guitarras, e o pagode tomou novo caráter. Pegou-se então de cantar o Fado Corrido, o Malhão, a Caninha Verde e a Espadelada Começava a verdadeira festa.

Justina, que era louca pelo Fado, tratou de esgueirar-se, fugindo à tentação.

— Então já te raspas? — perguntou-lhe a irmã.

— Minh'ama está só... — respondeu num tom misterioso e apressado...

— Mas ainda é cedo... dança ao menos uma roda e vai-te ao depois...

— Não, não! A pobrezinha está muito ruim! Não imaginas, está como nunca; até parece que já não regula bem!...

A outra fez um espanto e quis informações.

— Não sei, filha, moléstias de família. O doutor disse outro dia que a mãe também acabara mal.

— E ela ainda pergunta por nós?

— Sempre. Ind'hoje me perguntou pelo Luís...

— Coitada!

— Mas adeus, adeus, que já lá estão gritando por teu nome! Vai, filha, vai! Se me bispa o Manuel das Iscas não se me desgarra tão cedo!

Ao sair, na carreira que a Justina levava para atravessar a rua, um capadócio, tresandando a cachaça e cambaleando, deu-lhe uma atracação. A rapariga desviou o corpo e soltou-lhe tal punhada pelas ventas, que o borracho rodou sobre os calcanhares e zás — por terra! Ela seguiu adiante.

— Diabo dos vagabundos! — resmungou; mas, ao transpor o portão da chácara do Conselheiro, ria-se com a ideia do trambolhão que pregara ao tipo. — Bem feito! É para não se fazer de tolo cá pra meu lado!

Encontrou a senhora ainda acordada, a cismar, estendida no divã da alcova.

— Então, que tal correu a festa? — perguntou Madá com um bocejo.

A criada deu conta de tudo; descreveu o lindo que estava a casa; o rico que foi o banquete; o muito que se dançou durante o dia; a gente que lá se achava, nomeando um por um todos os convidados.

— Ah, minh'ama, vosmecê não faz ideia! Não me fica bem a mim falar, mas esteve que se podia ver! Nada faltou! Até sorvetes, creia!

E passou aos pormenores: citou os pratos que se exibiram, as garrafas que se enxugaram. "Uma coisa era ver e outra dizer!"

— E o quarto?... — acrescentou com interrogação de assombro — o quarto dos noivos?! Ah, que lindo! Todo forradinho de novo, com um papel azul de ramagens brancas. Metia gosto! E a cama? Só lençóis de linho — quatro! E mais três de algodão; não contando as colchas!

— Sete lençóis?...

E, porque a ama fizesse um certo ar de estranheza: — Para não manchar o colchão, como não?

— Ah!... — fez Madá, caindo em si.

— E o colchão é novo em folha! O homem saiu-se!

— Que homem?

— O padrinho do Luís, o Antônio Pechinchão! Pois quem foi que lhe deu a cama?

— Sim, sim.

— É um traste que mete respeito. Aquilo deita a netos!

E, vendo que a senhora mostrava interesse, continuou a dar à língua, particularizando os episódios mais insignificantes da função, repetindo as partidas que se deram, narrando pilhérias, contando os namoros, os ciúmes, e afinal! — Ai! a Caninha Verde! "Que pena não poder ficar para ver!" Depois, sem se conter e rindo envergonhada, confessou a festa que lhe fez o Manuel das Iscas. "Pois o demônio do homem não lhe tocou em casar?... Ora que asneira!... uma viúva mãe de três filhos pode lá pensar nisso!..." E por aí foi, no calor do entusiasmo, derretendo em palavras o seu bom humor condimentado com os brindes desse dia.

Madá escutava-a, imóvel, sem lhe opor uma palavra; agora assentada; o queixo enterrado entre as mãos, os cotovelos fincados sobre as coxas magras. Lá fora, na casa dos noivos, continuavam a cantar ao desafio, ao som plangente das guitarras; e aquela música, simples e melancólica, dissolvida num lamento harmonioso e contínuo, ora chorado por voz de homem, ora soluçado por voz de mulher, chegava aos ouvidos dela, embebida em deliciosas mágoas de amor. Doía como uma saudade; gemia mais triste que a derradeira esperança quando abre as asas e desfere o voo, para nunca mais voltar.

— Olhe, minh'ama! — exclamou de súbito Justina — É ele que está cantando agora! É o Luís!

Madá ergueu-se com um sobressalto e correu à janela. Era, com efeito, a voz do seu companheiro da outra vida:

"Tu a amar-me e eu a amar-te,
Não sei qual será mais firme!
Eu como sol a buscar-te;
Tu como sombra a fugir-me!"

E um coro de vozes abafadas respondia:

"Verde no mar
Anda à roda do vapor.
Ainda está para nascer
Quem há de ser
O meu amor."

E os olhos de Madá orvalharam-se de ternura, e o seu coração enlanguesceu dolente, como se aquela voz, tão meiga e tão sentida, a estivesse chamando lá da misteriosa ilha dos seus amores.

— Escute, escute, minh'ama! Agora é a Rosinha!

"Se fores domingo à missa,
Fica em lugar que eu te veja,
Não faças andar meus olhos
Em leilão por toda a igreja!"

E vinha logo o lamentoso estribilho, cujas últimas notas se prolongavam surdamente e morriam de leve, como orações feitas no alto-mar em noites de tempestade.

Madá estava num enlevo. Depois de Rosinha, Luís cantou de novo, e outros e outros os sucederam, e o desafio foi se prolongando, e o tempo correndo, até que veio a madrugada surpreendê-la ainda esquecida à janela, na esperança de reconhecer entre aquelas vozes, e ouvi-la inda uma vez, a voz do seu fantástico amante.

— Ele não canta mais?... — perguntou, afinal, à criada.

Justina sacudiu os ombros e disse entre dois bocejos que "era natural que o rapaz já se tivesse ido aninhar junto com a noiva".

— Ah!

— Também são horas e vosmecê devia fazer outro tanto...

— Outro tanto, como?...

— Devia deitar-se; descansar o corpo. São mais que horas.

— Que horas são?

— Caminha pras quatro.

— Já? Creio que eles não cantam mais...

— Não, minha senhora, acabou-se o pagode. Vosmecê quer que eu a adormeça no meu colo?

— Não. Você está caindo de sono.

— É que hoje lidei tanto...

— Pois recolha-se.

— E minh'ama, não se deita?

— Sim; já vou. Durma.

— Vosmecê sente alguma coisa?

— Não; suponho que não...

— Então, faça-me a vontade, sim? Recolha-se também; agasalhe-se, minh'ama.

E Justina foi fechar a janela e conseguiu obrigar a senhora a ir para a cama.

Mas a filha do Conselheiro não podia dormir; sentia-se inquieta, sobressaltada, cheia de estranha e dolorosa impaciência; uma impaciência sem objetivo; um desejar vago, sem contornos; um querer, fosse o que fosse, que ela não lograva determinar lucidamente, por melhores esforços que fizesse. Deram cinco horas; seis. Madá ergueu-se de novo, frenética, atordoada, enfiou o sobretudo de lã, agasalhou a cabeça e o pescoço num xale de seda e pôs-se a passear no quarto. Agora o que mais lhe apertava o coração era uma enorme saudade do filho; precisava vê-lo, abraçá-lo, devorá-lo de beijos.

— Oh! que falta lhe fazia o sonho... — disse ela, torcendo-se de ansiedade.

Foi ter à janela da saleta contígua à sua alcova e ficou a olhar abstratamente lá para fora. O dia acordava, estremunhado, remanchão, preguiçoso, sem ânimo de abrir de todo as pálpebras sonolentas, espiando por entre as cambraias da neblina: não havia linhas de horizonte, não havia contornos definidos; era tudo uma acumulação de névoas, onde mal se pressentiam apagadas sombras. Nem viva alma se destacava; nem um só trabalhador passava para o serviço; a pedreira transparecia apenas, como se estivesse mergulhada dentro de uma grande opala derretida. E, aos olhos de Madá, tudo aquilo principiou de afigurar uma natureza em embrião, um mundo ainda informe, em estado gasoso; alguma coisa que já existia e que ainda não vivia: um ovo ainda não galado por Deus.

Mas, daí a pouco, no fundo desse caos opaco, no âmago daquela albumina, a montanha começou a bulir, a mexer-se como um corpo em gestação, e depois a agitar-se como um feto que quer nascer.

A infeliz delirava já.

E ela distinguiu que o imenso feto, sequioso de vida, espedaçava a crisálida e, erguendo a cabeça, sacudia cá fora, à luz do dia, a treva dos seus cabelos; e nessa cabeça, Madá enxergava olhos que eram ternos e humanos, e lábios que sorriam de amor. E viu em seguida o gigante erguer os braços e romper as nuvens de alto a baixo, e pôr-se de pé, altivo e risonho, tocando com a fronte nas estrelas que a cingiam e constelavam de régio diadema.

E reconheceu logo o seu amante.

— Oh, enfim! — exclamou num brado de contentamento, estendendo-lhe os braços e pedindo-lhe entre lágrimas de gozo, que sem demora a arrebatasse lá para a outra vida ideal da fantasia. Nessa ocasião, porém, outro gigante inda maior assomara para além das bandas do oriente, e este agora vinha formidável e terrível, armado da cabeça aos pés, irradiando fogo; e, só com o dardejar e reluzir do seu escudo, desmaiavam no céu as deusas tímidas e palpitantes, fugia a lua assustada, e a terra tremia toda como a noiva na primeira noite das bodas.

Então Madá viu entristecida a ciclópica figura do seu amado abalar-se e estremecer também, depois ir empalidecendo, até volver-se de novo montanha, agora resfraldada de gases cor de pérola, que se rasgavam e desteciam aos raios do sol nascente; enquanto ao redor surgiam aqui e acolá pontas de igrejas e ângulos de chalés esmaltados pela aurora, e repontavam grupos d'árvores, e saíam no chão manchas verdes que logo se transformavam em hortas e jardins, e alvejavam curvas tortuosas que se desfaziam em ruas e caminhos, e pontos negros que eram carroções de lixo, e outros menores e ligeiros que eram carrocinhas de pão; e apareciam vacas a tilintar o chocalho à porta das chácaras; e homens de jaquetão à galega e chapéu desabado apregoando perus, frutas ou garrafas vazias; e lavadeiras com imensas trouxas de roupa na cabeça, e pretas e pretos carregando altos tabuleiros de verdura ou de carne fresca. E ouviam-se vozes de gente, choro e riso de crianças, latir de cães, cantar de galos, rodar de seges; um esfalfado zum-zum de mundo gasto e enfermo, que acorda contra a vontade, inalteravelmente, como na véspera, para vegetar mais um dia de tédio, à espera da morte.

E Madá afastou-se da janela e fechou-a com ímpeto, cheia de horror e cheia de nojo pelo mundo.

— Oh, que miséria! Oh, que miséria, meu Deus!

E cerrou os olhos para não ver nada, e tapou os ouvidos para nada ouvir; mas, apesar disso, sentia, nauseada, que ali estava a sua alcova de doente, o seu leito impregnado de moléstia, a mesinha de cabeceira coberta de abomináveis frascos de remédio; a enfermeira, a Justina, ressonando a um canto, sobre um colchão, de papo para o ar, a boca aberta, o peito almofadado, meio à mostra, e uma perna, brutalmente gorda, aparecendo estirada por entre os lençóis.

E isto era a vida! — Que horror! Que horror! — Que abjeção! — Que porcaria!

E Madá saiu do quarto para não espancar com os pés a criada, para não esbofetear a sua própria sombra; furtando-se daquilo tudo desorientada, inconsolável, com ânsias de desertar do mundo, de fugir de si mesma, do seu próprio corpo, da sua própria alma. E, no entanto as saudades do filho a crescerem, a crescerem-lhe por dentro, cada vez mais, alastrando como hera florida e viçosa por entre ruínas.

E nada de chegar o sonho ou o delírio! — Que desespero!

Oh, mas precisava ver o filho no mesmo instante, readquiri-lo; matar aquele desensofrido desejo que a devorava como exigências de um vício profundo, adquirido na primeira idade; precisava refugiar-se nele — no seu Fernando — no seu amado, que era todo casto, amoroso e lindo, que era todo ideal e puro, e nada tinha deste mundo e com esta vida, estúpidos ambos, e ambos dessorados por enfermidades e por paixões de toda a casta, infames, monstruosas e mesquinhas!

Correu à mesa dos medicamentos, rebuscou entre os vidros o de láudano, apoderou-se dele com avidez e tomou uma grande dose.

No fim de algum tempo, viu, porém, que nem assim lhe acudia o sono ou a letargia. — Que suplício! — Apenas ficava estonteada, presa de tênue vertigem, que de quando em quando lhe apagava a luz dos olhos. Entrou no mesmo estado pelo dia alto, muito abstrata, andando por toda a casa como uma sonâmbula. Ao *lunch* das duas da tarde, o pai quis detê-la ao seu lado e obrigá-la a conversar; ela escapou-lhe por entre os dedos e fugiu em silêncio para o andar superior, olhando a espaços para trás, desconfiada.

Agora, neste momento, não sentia nada, absolutamente nada, que a incomodasse: nem enxaquecas, nem dores na espinha, nem dormência nas pernas; já não a perseguiam o gosto de sangue e o cheiro de magnólia; via-se leve, como se estivesse oca, vaporosa, aeriforme; sentia-se capaz de voar e de manter-se sobre uma pluma sem a abater. E dava-se ainda um outro fenômeno bem curioso: a vida real parecia-lhe agora o sonho, e o sonho afigurava-se-lhe a vida real; os fatos verdadeiros embaralhavam-se-lhe na mente, confundiam-se uns com os outros, fragmentavam-se, difundiam-se, escapavam; ao passo que os mais insignificantes pormenores da sua vida fantástica lhe permaneciam inteiros no espírito, claros e seguros à memória, como os cantos de um poema decorado na infância.

Queria lembrar-se do que, acordada, fizera na véspera; do que fizera havia poucos instantes, e não conseguia rememorar coisa alguma; enquanto que ainda lhe cantavam no ouvido, bem lúcidas e sonoras, as mais remotas palavras de Luís, e ainda sentia nos lábios a impressão dos últimos beijos de seu filho. Recordava-se de toda a sua existência fictícia, instante por instante; poderia narrá-la inteira, seguida; descrevê-la de princípio a fim, sem lhe esquecer um episódio; e, no entanto, estranhava a sala em que estava, sem poder determinar que casa era aquela e donde tinham vindo aqueles objetos que a cercavam.

Volvia surpreendida os olhos em torno de si, alheia ao lugar; nada, de quanto a sua vista lobrigava, lhe trazia à razão a sombra mais sutil de uma reminiscência. Afinal, deu com um dos grandes espelhos que havia erguidos sobre os consolos, e mirou-se, deixando escapar uma longa exclamação de pasmo.

— Oh!

Desconhecera-se.

Aproximou-se mais da sua lívida e descarnada imagem, profundamente abismada de se ver tão feia. Virou-se de um para outro lado e voltou-se para trás, procurando quem era aquela múmia, aquela horrorosa criatura que se refletia lá no espelho.

— Não! Não! — murmurou, sem se alterar e até sorrindo. — A que aparece lá não sou eu. É impossível!

E sacudia com a cabeça, punha a língua de fora, arregalava os olhos. O vidro reproduzia tudo.

— Mas não, não é possível que seja eu — insistiu a desgraçada, fugindo da sua sombra e gritando, a correr pela sala: — Eu tenho sangue nos lábios, brilho nos olhos, frescura na pele! Meus peitos são carnudos e suculentos como duas mangas picadas por passarinho! Meu corpo é todo cheio e torneado como o da novilha que foi coberta e ainda não pariu! Eu sou a mais formosa entre as mulheres da terra, por isso meu amado me escolheu entre todas. Quando eu vou ter com ele, ando depressa, sacudindo as saias, e a barra do meu vestido recende que nem a baunilha e a trevo-cheiroso!

Justina acudiu aos lascivos gritos da senhora. O Conselheiro não foi logo, porque nessa ocasião fazia a sesta no divã do seu gabinete.

— Então que é isso, minh'ama?...

— Não! Não! Aquela que ali estava não era eu!... Bem sei que isto não passa de uma extravagância de sonho!...

— É porque vosmecê está muito fraca... Quer que lhe vá buscar o caldinho?...

Madá não respondeu; olhava fixamente para as suas mãos angulosas e desfeadas. Depois, com uma careta de repugnância, tenteou-se toda e ficou a tomar nos dedos a magreza das suas coxas.

Mas riu-se logo, repetindo, a apalpar-se:

— Que sonho extravagante! Que sonho engraçado!

E ia de novo ao espelho, e apontava para a sua figura, e ria-se a bandeiras despregadas, como ébria.

— Que sonho! Que sonho!

— Então, minh'ama, posso ir buscar-lhe o caldinho?...

Madá pôs-se muito séria e correu para junto da criada, como se só então tivesse dado pela sua presença.

— Hein? Que é?

— Pergunto se vosmecê quer tomar o seu caldo?...

— Que caldo?

— Ora essa! O seu caldinho das três horas.

— Três horas?

— Da tarde, minh'ama. Eu lho trago já.

E Justina saiu, resmungando: — Coitada! Inda ontem tão senhora de si e já hoje dá para não dizer coisa com coisa!... Mas isto há de passar, é fraqueza talvez... ela, coitadinha, ainda não meteu nada pra o estômago!...

Daí a um instante voltava à sala.

— Prove, minh'ama, para ver como está seu apetite!

E esfriava o caldo com a colher, soprando-lhe em cima. Madá sorvia automaticamente as colheradas que ela lhe levava à boca.

— Você onde estava?... — perguntou a senhora.

— Na cozinha. Por que, minh'ama?

— E ontem à noite?

— No casamento de minha mana...

— Sua mana?

— A Rosinha, como não?

— Com quem ela casou?

— É boa! Com o Luís! Pois minh'ama já se não lembra...

— Luís? Quem é o Luís?

— Olh'agora! É o filho da tia Zefa, o moço ali da pedreira...

— Ah!... Um de corpo nu, com a cara molhada de suor.

— Que trouxe vosmecê ao colo, quando minh'ama subiu o morro... Minh'ama conhece-o, como não?

Justina dizia estas coisas com a paciência de quem conversa com um alienado de estimação; e a outra olhava para ela sem pestanejar, interrompendo a sua imobilidade apenas para sorver as colheradas de caldo.

— Um descalço — prosseguiu Madá — um que tem cabelos no peito; a carne rija como pedra; branca de marfim; a boca cheirando a murta!... Conheço! Oh, se conheço!... Pois se lhe quero tanto bem! .. E por onde anda agora esse ingrato?...

— Está em casa, minh'ama... Ele hoje não foi ao serviço, porque se casou, mas...

— Ah! Ele casou-se...? Que homem!

— Casou-se ontem, sim senhora, mas amanhã está fino para o trabalho!

— Ah! Ele amanhã não fica na cama!...

— Não fica, não senhora.

— Casou-se! Pois diga-lhe que venha aqui com a noiva; quero dar-lhes um presente, um bom presente de núpcias. Traga-os, não se esqueça; ouviu?

— Sim, senhora. E quando?

— Quando quiserem vir.

— E a que horas, minh'ama?

— A qualquer hora, contanto que venham.

Nisto entrou o Conselheiro, e, a um sinal trocado secretamente com a criada, esta lhe respondeu em voz baixa:

— Agora... depois do caldo, está melhorzinha, sim senhor.

— Era debilidade.... — pensou o velho e, aproximando-se da filha, perguntou, tomando-lhe as mãos:

— A minha flor como se sente agora?... Já está mais disposta a conversar com o seu papai?...

Ela olhou para ele, estendeu-lhe o rosto e recebeu sorrindo um beijo na testa.

— Vamos dar uma volta pela chácara... — propôs o pobre homem, tomando-a pela cintura e amparando-lhe o corpo sobre seu peito.

Madá deixou-se levar, sem dizer palavra e, enquanto andou lá por baixo, esteve sempre muito entretida, ligando grande interesse a tudo que encontrava, nem como se houvesse recuperado a vista naquele momento, depois de uma cegueira de nascença. Correu tudo, revistou todo o jardim e todo o porão da casa; e cada objeto, que seus olhos topavam, a não serem os produtos puramente da natureza, despertava-lhe espantos de criança: um regador de folha, pintado de encarnado, causou-lhe enorme curiosidade: deteve-se alguns minutos a contemplá-lo, muito admirada, sem conseguir compreender o que era aquilo; um chapéu velho, de copa alta, atirado ao chão, fez-lhe medo; parecia-lhe um bicho. O Conselheiro viu-se martirizado por um não acabar de perguntas verdadeiramente infantis, a que ele respondia com paciência de santo.

Quando, já ao dobrar da tarde, Justina a recolheu à alcova, ela assentou-se na cama e deu para fitar o seu crucifixo, indiferentando-se a tudo mais.

Era a letargia que enfim chegou.

Desta vez a imagem não cresceu, conservou-se do mesmo tamanho, apenas se despregou da cruz e ficou, posto que suspensa, na posição de quem se espreguiça. O papel da parede foi a pouco e pouco se convertendo em um fundo de verdura esbranquiçada, cujos planos iam lentamente se formando e acentuando com as precisas gradações dos tons; entretanto o Cristo continuava sempre do mesmo tamanho, num desses planos, como por um efeito de perspectiva. Afinal, destacaram-se árvores, plantas, uma paisagem inteira, e o Cristozinho deixou de espreguiçar-se e pegou de andar por entre a mata, com a tranquilidade de quem passeia nos seus quintais.

Só então foi que Madá percebeu que estava observando tudo isto de uma janela, e apressou-se a olhar em torno de si.

— Ah! — exclamou, reconhecendo a sua adorada habitação da ilha. — Enfim! Ora graças a Deus!

Lá estavam os seus objetos d'arte, a sua mesa, o seu piano.

— Ah! agora sim... era outra coisa!... — prosseguia, considerando o próprio corpo, afagando-o por vê-lo novamente belo e forte; mas, tocada por uma ideia que a fez estremecer, correu ligeira ao fundo do quarto, onde havia um berço.

— Ah! ah! Cá está ele! Cá está o meu ladrãozinho!

Fernando dormia; Madá tomou-o nos braços, ergueu no ar o seu lindo corpinho nu e, vendo que ele agitava as pernas, rabujando zangado, chamou-o para os lábios e devorou-o de beijos.

O manhoso, assim que se pilhou no colo, pôs-se a rir.

— Coitadinho... — balbuciou ela, rindo também, com as lágrimas nos olhos.

E levou-o para a janela. O pequenito, logo que deu com o Cristo que continuava a passear por entre as árvores, gritou sacudindo os seus bracinhos feitos de roscas gordas.

— Papá! Papá!

E, ao que parece, o Cristo lhe ouviu a voz, porque veio então se aproximando, aproximando, fazendo-se homem, até chegar à janela.

Não era mais o Cristo; era o moço da pedreira.

20

Passou a noite toda inteira na ilha, muito sossegada, muito feliz ao lado do marido. Lá não havia sobressaltos nervosos, nem infundados temores, nem súbitos esquecimentos do que se fizera pouco antes; lá a vida era boa, corredia, larga e tranquila. Como de costume, fizeram o seu bocado de música, leram, jogaram e conversaram: ela contou-lhe rindo e chasqueando, os seus últimos sonhos — o casamento dele com Rosinha — o desafio à guitarra.

Cantou:

Tu a amar-me e eu a amar-te,
Não sei qual será mais firme
Eu como sol a buscar-te;
Tu como sombra a fugir-me!

— Parece que ainda estou te ouvindo, meu amigo.

— Sonhadora!

— Ah, mas via-me tão magra, tão escaveirada, tão amarela, que metia pena!

Ele achava graça, ria.

— Magra, tu? Que tens este corpo!...

E apertava-lhe a polpa do braço com os seus dedos vigorosos.

— Mas não imaginas, meu querido, a má impressão que me fazia o demônio do sonho; era tudo como se fosse verdade: eu sentia e via como te estou vendo aqui!

— Estavas então muito feia...?

— Horrorosa! Se aquilo não passasse de pura ilusão — matava-me! Acredita que me matava!

— Que vaidade, Madá!

— Ora, no fim de contas sou mulher; além disso, prezo menos por mim a minha beleza do que por tua causa...

O rapaz agradeceu com uma carícia. E os dois continuaram a palestrar. Vieram à baila as saudades que Madá sentira do filho e os seus tormentos por julgar-se longe dele.

— Estava como louca — disse a visionária — lembra-me bem de que, numa ocasião em que me fazia a passear pelo braço de meu pai na chácara da Tijuca, vi um regador de folha pintado de encarnado; pois queres acreditar que eu não podia atinar com o que aquilo era?...

— Tem graça!

— O que mais me admira, porém, de tudo isto, é que eu sonhe com todas as pessoas da minha convivência: contigo, com papai, com nossa criada Justina, com a família desta, e jamais com meu filho... Nunca sonhei com ele!

— Como não, se não pensas noutra coisa enquanto dormes? Pelo menos assim acabas de o afirmar...

— Sim, mas nunca o vejo a meu lado...

— Vem a dar na mesma.

E assim cavaqueando, foram até à hora do chá, às dez, depois da qual, Madá deu de mamar ao seu bebê. Em seguida lavou-se, tomou a sua roupa de alcova, e afinal recolheu-se à cama com o marido, muito prosaicamente, a cantarolar um estribilho banal, feliz na convicção de que tinha ali mesmo a seu lado, ao mais curto alcance, tudo de quanto precisava para satisfazer as suas necessidades de mulher-moça.

Foi então que ela tornou a si, na vida real. Estivera dezesseis horas em estado letárgico; havia caído em torpor às cinco da tarde e só acordara às nove da manhã do dia seguinte. Tomou a custo uma colherinha de xarope, que lhe deu a Justina, de um frasco novo que acabava de ser aberto, e ficou a olhar para a criada, fixamente, sem expressão, como uma figura de cera.

— Minh'ama ainda se lembra do que me disse ontem?...

— Que foi?

— Que eu falasse à Rosinha para vir cá, junto com o marido.

— Ah! Lembro-me perfeitamente...

— Pois eles estão aí fora...

Madá conservou-se estática; não teve a mais ligeira contração no semblante. A criada acrescentou, depois de vesti-la:

— Quer vosmecê qu'eu os faça entrar par'esta saleta aí ao pé?

— Pois bem.

Justina saiu do quarto, nadando em satisfação, e desceu de carreira à chácara, onde o Luís a esperava ao lado da mulher.

Daí a pouco eram estes dois conduzidos à presença da filha do Conselheiro. O rapaz trazia a sua fatiota nova do casamento, conservando a gravata de cetim; a outra um vestido de fustão branco, sarapintado de florinhas azuis e cheirando à malva. Era ele agora quem estava muito vexado, e Rosinha não. Esta, ao contrário, resplandecia de contentamento expansivo; abria-lhe as pétalas da boca um sorriso largo de rosa ao desabrochar. Era a alegria vitoriosa da carne dos vinte anos, o riso da vontade satisfeita, o canto alegre da pomba depois do primeiro arrulho.

O sorriso do Luís já era outro; um sorriso de sonso, de felizardo consciente da largueza da sua fortuna e da escassez do seu próprio merecimento. Não levantava o rosto e não olhava de frente como a esposa; tinha os olhos em terra e torcia e destorcia entre os dedos calejados o seu chapéu novo de abas largas; todo ele envergonhado de ser tão feliz, envergonhado como um pobre-diabo que é surpreendido a comer às escondidas um manjar delicadíssimo e digno da boca de príncipes.

Madá ainda mais o confundia, porque não lhe tirava a vista de cima; considerava-o da cabeça aos pés; parecia estudar-lhe os menores traços da fisionomia, como se intimamente o comparasse com alguém.

— Então, com que, sempre se casaram...? — perguntou afinal, mordendo o lábio inferior e achinesando os olhos.

Os dois, que até aí guardavam um silêncio espesso, apressaram-se a responder juntos, dando um pequeno passo para a frente:

— Casamos, sim senhora.

— E desde quando se gostam? Há muito tempo já?...

— Ora há que tempo!... — resmungou Luís, olhando de soslaio para a mulher.

Esta soltou uma risadinha e disse:

— Eu ainda bem não tinha acabado a muda e já ele andava atrás de mim...

— E agora... estimam-se deveras?...

Os maganões não responderam, olharam um para o outro, apertando os beiços, e afinal duas gargalhadas espocaram ao mesmo tempo, sem que ambos pudessem mais trocar um olhar entre si; esfogueados por aquele riso escandaloso, aquele riso que denunciava o que só eles, os brejeiros, lá sabiam.

Houve um silêncio, em que Madá parecia meditar, muito séria; depois — fez um quase imperceptível movimento d'ombros e ordenou à criada que fosse lá embaixo buscar uma garrafa de vinho: "Vinho bom, hein!"

Justina saiu correndo, e de passagem atirou aos noivos um gesto que dizia: "Vocês agora é que vão ver o que é uma boa pinga!"

A histérica passou ao quarto de dormir e foi buscar o frasco de xarope de Easton, aberto havia pouco; enquanto Luís, vendo-se a sós com a mulher, ferrou-lhe um beliscão na cinta.

— Fica quieto! — segredou a moçoila, indicando com o polegar a porta por onde saíra a filha do Sr. Conselheiro.

Esta tornou a aparecer e propôs-lhes, com uma das mãos escondida atrás das costas:

— Por que não entram aí para essa outra sala?... Sentem-se lá... Estejam à vontade...

Os dois seguiram, um após outro, para o compartimento contíguo, e a enferma acompanhou-os com estranho olhar, em que havia um duro ressaibo de cólera invejosa. Chispava-lhe na pupila o mesmo rábido fulgor com que ela vira uma vez matrimoniar-se o casalzinho de rolas da sala de jantar e com que, de outra, fitara a voluptuosa miniatura do "Amor e Desejo", que seu pai tanto estimava.

Justina voltou, trazendo uma bandeja com uma garrafa já aberta e três copos.

— Agora vai buscar doces e biscoitos — encomendou-lhe a senhora.

A criada depôs a bandeja sobre a mesa do centro e saiu de novo. Então Madá, com muita calma, sem lhe tremer nem de leve a mão, encheu um dos copos de vinho e despejou no restante da garrafa todo o xarope do frasco; em seguida ia a chamar os noivos, mas deteve-se; tomou novamente a garrafa, mirou-a contra a luz, provou do vinho na ponta da língua e, satisfeita com o resultado do seu exame, tornou à alcova, trouxe outro frasco de xarope ainda intacto, abriu-o, e fez deste o mesmo que com o primeiro.

— Agora sim — disse baixinho, sacolejando a garrafa, e acrescentou em voz alta, dirigindo-se para a sala próxima, enquanto enchia tranquilamente o segundo e o terceiro copo:

— Olá! Venham daí beber à minha saúde!

Os desgraçados acudiram logo de pronto. Madá apoderou-se do copo que havia enchido antes e ofereceu-lhes com um gesto amável os outros.

Luís e Rosinha deram-se pressa em lançar mão cada um do seu.

— Então, vá! Para que sejam muito felizes! disse a histérica, levando o vinho à boca. — Bebam tudo! Bebam tudo!

Os dois obedeceram, enxugando de um trago o líquido, com uma pequena careta, que não puderam reprimir.

— Que tal? — perguntou Madá.

— Bom, muito obrigado — respondeu o cavouqueiro — mas, franqueza, franqueza, achei-o a modo que muito doce e muito azedo ao mesmo tempo...

— É que a gente não está acostumada... — explicou Rosinha com um pigarro.

Nesse momento, Justina reaparecia, trazendo os biscoitos; porém, tanto o rapaz, como a noiva, posto se servissem logo, já não podiam comer, que lhes principiavam os queixos a emperrar. E amargava-lhes a boca e ardia-lhes a garganta de um modo muito esquisito.

Pediram água.

Justina não se achou com ânimo de gracejar e correu em busca do que eles reclamavam.

— Sentem alguma coisa? — inquiriu Madá tranquilamente.

— Uma apertura aqui... — disse Rosinha com dificuldade, levando a mão às têmporas e depois à nuca.

— Também a mim dói-me a cabeça... — confirmou o cavouqueiro em voz alterada.

— Sentem-se — aconselhou a senhora. — Fiquem a gosto...

E sorriu.

Fez-se um silêncio gélido, em que se ouvia pendular na alcova de Madá o seu pequeno regulador de bronze; mas no fim de alguns instantes os pobres noivos, que pareciam cada vez mais sobre-excitados, puseram-se a mexer com a mandíbula inferior, contraindo os músculos da face e daí a pouco tinham rápidos estremecimentos convulsivos, que lhes agitavam o corpo inteiro, de instante a instante, violentamente.

Luís quis falar e não pôde; apenas gorgolejou uns bufidos guturais.

Madá ria-se, olhando as caretas convulsivas que ele e a mulher faziam. Esta, agoniada, levava simultaneamente as mãos à garganta e ao estômago, sem poder gritar, tão contraída tinha já a laringe.

Repetiam-se os espasmos com mais intensidade, acompanhados de feias agitações tetaniformes. O cavouqueiro estorcia-se na cadeira, rilhando os dentes e tomado de uma ereção dolorosíssima.

Quando Justina voltou, encontrou-os por terra, a estrebuchar; roxos, as pupilas dilatadas, os membros hirtos, os queixos cerrados.

A criada soltou um grito, atirou com a bilha d'água e os copos e saiu a berrar.

Com este barulho, Luís teve um acesso mais forte e retesou-se todo, vergando--se para trás, a ponto de encostar a cabeça na coluna vertebral.

E roncava, escabujando horrorosamente.

— Que é isto?! — exclamou o Conselheiro, invadindo o aposento, seguido por Justina que parecia louca.

— Stchio!... — fez Madá, pondo o dedo nos lábios e arregalando os olhos. — Não façam espalhafato!... Deixem tudo por minha conta...

— Jesus! Que aconteceu? — gritou o pai, fazendo-se cor de mármore e tentando levantar do chão o trabalhador. Não pôde. Luís estava duro como uma estátua.

O pobre velho, a tremer, desorientado, precipitou-se sobre a mesa e descobriu os frascos de xarope.

— Ah! — explodiu, arrancando os cabelos. — Meu Deus! Meu Deus! Envenenou-os!

— Que extravagância!... — dizia Madá com uma risada. — Que extravagância!... Meu marido há de achar graça!...

O Conselheiro corria de um para outro lado, atônito, e, percebendo que os envenenados iam morrer, pediu socorro em altos brados.

Justina havia fugido para a rua e gritava:

— Acudam! Acudam!

Entretanto, Rosinha e Luís agonizavam ao lado um do outro; a boca muito aberta e as ventas arregaçadas à falta de ar.

Em breve, a casa foi assaltada por uma porção de gente. A mãe e a avó do cavouqueiro entraram na carreira, terríveis, desgrenhadas, estralando com os tamancos no soalho — os braços nus, a saia enrodilhada na cintura — a bramirem chorando; ao passo que o Conselheiro deixava-se estrangular pelos soluços, atirado ao fundo de uma poltrona, com o rosto escondido entre as mãos.

Havia em todos os estranhos um lívido assombro de terror. Surgiram pálidas figuras curiosas e assustadas, espiando pelas portas; só bem distintos se ouviam os uivos e os rugidos da tia Zefa e da velha Custódia, que iam, rápido, farejando a casa toda, sala por sala, tontas e assanhadas como duas leoas rebuscando os filhos que lhes roubaram.

Uma onda feroz e atroadora invadiu os aposentos de Madá, mas de súbito assomou por entre ela o sobretudo alvadio do Dr. Lobão que, atropeladamente, abriu caminho com três murros, e foi colocar-se defronte da criminosa, quando esta ia já ser alcançada pelas duas feras.

O populacho do cortiço e os trabalhadores da pedreira queriam acabá-la, ali mesmo, a unhas e dentes; porém o médico, muito esbofado, porque viera da rua lá a passo de lobo, o chapéu de castor no alto da cabeça, o suor a inundar-lhe o pescoço, os olhos faiscantes, mostrava os punhos e refilava as presas, rosnando contra quem se aproximasse da "sua enferma".

Estava formidável; metia medo! Nunca homem nenhum defendeu, nem a própria amante, com tamanha dedicação.

Ninguém ousou tocar em Madá.

Entretanto, outro facultativo cuidava de Luís e Rosinha, mas sem resultado; os infelizes expiraram penosamente meia hora depois da intoxicação.

Afinal, chegaram as autoridades policiais. Fez-se o corpo de delito. Os cadáveres foram carregados para a sala do fundo. Expeliu-se o povo, fechou-se a casa e postaram-se soldados à porta.

Conduzida Madá à presença de suas vítimas, interrogaram-lhe se ela conhecia aqueles mortos.

— Pois não!... perfeitamente — respondeu a alucinada.

E acrescentou, segurando os cabelos do moço da pedreira: — Este é o meu querido esposo bem-amado, pai de meu filho, senhor poderoso na terra e descendente de Deus, matei-o e mais a essa outra que aí está, porque ele me traiu com ela!

21

Madá, acompanhada pelo pai e pelo médico, foi nesse mesmo dia conduzida à Casa de Detenção.

Delirou por todo o caminho. Afigurava-se-lhe que o carro em que iam era um barco; e a rua, um grande rio deslizando entre paredes de verdura.

— Mais depressa! Mais depressa! — exclamava a insensata aos dois falsos tripulantes que tinha ao lado. — Não deixem dormir os remos!

— Há de ser difícil encontrar semelhante ilha... — observou um deles.

— E eu duvido muito que a encontremos... — considerou o outro.

— Ah! — disse a filha do Conselheiro, notando que o rio se alargava. — Talvez que apareça agora!...

— Mas isto já é o mar!... — contrapôs um daqueles.

— Pois é justamente no mar que ela está... — confirmou a desvairada.

— No mar?! Pois a senhora quer viajar em pleno mar com um barquinho tão à toa?...

— Não faz mal! — respondeu a senhora. — Não faz mal! Vamos adiante!

— É que é muito arriscado! Podemos levar o diabo!

— Procuremos! Procuremos!

— Procurar uma ilha como quem procura uma casa!...

— Não tenham medo! Vamos para a frente!

E o barco, embalançado agora pelas águas do alto-mar, proejava errante; ora batido para a direita, ora para a esquerda; ora avançando, ora recuando, à procura da ilha encantada. Madá, erguida de pé, os cabelos soltos ao vento, concheava a mão sobre os olhos e procurava descobrir ao longe, nos limbos do horizonte, algum ponto negro que lhe desse uma esperança.

— Por aqui não há ilha nenhuma!... — objurgou um dos mareantes. — É loucura continuarmos a procurá-la!

— Mas como se chama esse tal demônio de ilha? — perguntou o outro.

— Não sei, não sei como se chama, a "Ilha do Segredo" talvez, ou talvez nem tenha nome; porém juro-lhes que ela existe, porque é lá que eu vivo há muito tempo, é lá que moro com minha família! Procuremos! Procuremos! Eu lhes darei todas as minhas joias, eu lhes darei, senhores, tudo o que possuo, menos meu filho! Não parem! Não hesitem, por amor de Deus!

Com estas palavras os remadores pareciam criar novo ânimo.

— Espera! — gritou um deles, no fim de algum tempo. — Há terra naquela direção!

— E, se me não engano, é com efeito uma ilha... — acrescentou o companheiro.

— Pois vamos lá! Vamos lá! — suplicava a histérica, esfregando as mãos com impaciência.

— Mas como é longe!...

— Eu já nem sei por onde andamos!...

— Não desanimem! Não desanimem! Agora pouco falta! Vamos! — Um pequeno esforço!

Enormes vagalhões erguiam-se de todos os lados; o horizonte aparecia e desaparecia quase sem intermitência; o barquinho, tão depressa rastejava pelo fundo de abismos tenebrosos, como se alcantilava deslizando no claro dorso de espumosas montanhas; entretanto — seguia, seguia sempre, agora sem mais auxílio de remos, como se fosse levado por uma correnteza.

A ilha aumentava rapidamente defronte dos olhos de Madá.

— É ela mesma! É ela! — exclamava a louca. — Já daqui enxergo a colina, toda emplumada de bambus!

E alçava os braços para o céu, rindo e chorando de alegria. — É ela! É a minha querida prisão! É o meu ninho adorado! Vou tornar a vê-la! Vou habitá-la de novo! Que ventura, que ventura suprema!

E avançavam, cada vez mais aceleradamente, arrastados pelas águas. Em menos de um minuto avistavam-se já as palmeiras da campina; via-se rebrilhar ao sol o areal da praia; destacavam-se caminhos de verdura, e o teto da habitação surgia por entre massas de arvoredo.

Mas já ninguém podia resistir ao ímpeto da carreira que levava o barco; o miserável precipitava-se agora vertiginosamente como se fosse arrebatado por uma pororoca.

— Aguenta! Aguenta! — berravam os catraeiros.

— Estamos perdidos!

Aguenta!

— Proteja-nos Deus!

— Valha-nos a Virgem!

Os marinheiros tinham a feroz catadura de quem vê a morte face a face. Praguejaram maldições, blasfêmias; depois abriram a chorar, como duas mulheres.

E Madá sorria com a ideia de que, se expirasse afogada, o seu cadáver seria levado pelo oceano aos braços do milagroso amante, que a faria ressuscitar imediatamente.

Os dois homens rezaram, para morrer.

Redobrou a fúria da corrente. O barco rodopiava, que nem um tronco que a voragem sorveu. Madá já não sentia o ponto de apoio, já não via ninguém a seu lado, arrebatada por um turbilhão de vagas que a sufocavam.

Remoinhou nessa aflição alguns instantes; de súbito, ouviu um estrondo de onda que espoca e sentiu-se rolar na praia, cuspida numa golfada de espumas.

Correu até onde nascia a relva e deixou-se cair aí, prostrada.

Assim esteve longo tempo, descansando ofegante sobre a grama fresca e macia, completamente nua, os olhos fechados; toda ela penetrada por um capitoso perfume de magnólia. Este aroma, que dantes tanto a importunava, dava-lhe agora inefáveis consolações; era esse o perfume da sua ilha querida; esse o aroma do paraíso de amor, onde nascera o ente que ela mais estremecia no mundo.

Todavia a prostração não a deixava ainda correr ao encontro do filho; e seus lábios estalavam de sede pelos beijos dele, e toda ela ardia na impaciência da saudade.

— Maldito abatimento!

Entardeceu. Um vento fresco agitava agora os carnaubais em melancólicos sussurros; a patativa gemia na mata, chamando o companheiro; e toda a ilha se apurpurava na fúlgida congestão do sol poente.

Madá ergueu-se a meio na relva, admirada de que o marido ainda não tivesse dado por falta dela e não fosse à sua procura: "Não era aquela a hora em que todos os casais se recolhiam ao aconchego dos ninhos?..."

Ficou a cismar.

— Teria acontecido alguma desgraça?... — disse consigo. E então, a ideia do envenenamento de Luís e Rosinha veio-lhe à lembrança com o pânico de um sonho pressago.

Teve um arrepio. Recordou-se de os ter visto mortos, ao lado um do outro, lívidos e enrijados pela estricnina. Seu coração encheu-se com um pressentimento horrível. Levantou-se logo e tomou aflita a direção da casa.

A porta estava aberta. Foi entrando.

Achou tudo deserto e silencioso.

Estremeceu aterrada.

— Luís! — gritou ela.

Ninguém respondeu.

— Luís! Ó Luís!

A sua voz perdia-se nos surdos murmúrios da tarde.

Sem ânimo de fazer uma conjetura, correu ao berço do filho.

Encontrou-o vazio.

Apalpou-lhe as roupas, levou-as à face — nenhum calor as aquecia.

Estremeceu de novo. E, já aturdida, mais pálida do que a estrela da manhã, foi a todos os cantos da casa, gritando pelo filho e chamando pelo esposo.

Nada! Nada!

Saiu a correr; entranhou-se na mata, percorreu vales e montanhas; cercou doidamente a ilha inteira, gritando e chorando.

Não encontrou ninguém! Ninguém!

Tornou pelos caminhos andados; bateu de novo todos os recantos da ilha, e voltou à casa, possessa, estrangulada de soluços.

— Roubaram meu filho! Roubaram meu filho!

E pôs-se a quebrar tudo que pilhava ao primeiro alcance. Arremessou por terra e de encontro às paredes, as jarras, o tinteiro, estatuetas e faianças; atirando depois consigo mesma ao chão, estrebuchando, torcendo-se em arco, encostando a cabeça nos calcanhares, a espumar entre dentes e a espolinhar-se como um hidrófobo. Em seguida começou a engatinhar, firmada nas mãos e nos joelhos, resbunando prolongadamente, com o pescoço estendido, a boca virada para o alto:

— Fernando! Fernando!

A sua voz, lenta e abafada, lembrava o mugido tristonho de uma vaca perdida num deserto, ao cair da noite.

— Fernando! Fernando!

Corriam-lhe lágrimas pela face. De repente, ergueu-se e caiu de novo em fúria, a querer dar cabo de tudo; então sentiu que vigorosos pulsos a agarravam por detrás e enlaçavam-lhe os braços.

— Fernando! Fernando!

E tentava morder os que a seguravam, arremetendo com a cabeça para os lados.

Mas um homem suspendeu-a pelas costas e outro lhe enfiou pelos pés uma abominável mortalha de linho cru, que se lhe estreitava até ao pescoço, tolhendo-lhe o corpo inteiro.

E Madá, em vão tentando debater-se na camisola de força, foi, entre policiais, conduzida para uma célula nos braços do Dr. Lobão, que praguejava, furioso, por lhe não permitirem as leis carregá-la consigo no mesmo instante para a sua casa de saúde.

Ficou lá dentro sozinha, a roncar como uma fera encarcerada. O pai viu fecharem-lhe a jaula, mais sucumbido do que se aquela porta fosse a lousa de um túmulo.

— Está perdida para sempre! — soluçou o desgraçado, resvalando no colo do médico.

O esquisitão fez que limpava o suor da testa, para disfarçar duas lágrimas rebeldes que lhe saltavam dos olhos escandalosamente.

O Coruja

Primeira Parte

1

Quando, em uma das pequenas cidades de Minas, faleceu a viúva do obscuro e já então esquecido procurador Miranda, o pequenito André, único fruto desse extinto casal, tinha apenas quatro anos de idade e ficaria totalmente ao desamparo, se o pároco da freguesia, o Sr. padre João Estevão, não o tomasse por sua conta e não carregasse logo com ele para casa.

Esta bonita ação do Sr. vigário levantou entre as suas ovelhas um piedoso coro de louvores, e todas elas, metendo até as menos chegadas ao padre, estavam de acordo em profetizar ao bem-aventurado órfão um invejável futuro de doçuras e regalias, como se ele fora recolhido pelo próprio Deus e tivesse por si a paternidade de toda a corte celeste.

A Joana das Palmeirinhas, essa então, que era muito metediça em coisas de igreja, chegava a enxergar no fato intenções secretas de alguma divindade protetora do lugar e, quando queriam-lhe falar nisso, benzia-se precatadamente e pedia por amor de Cristo que "não mexessem muito no milagre".

— É melhor deixar! — segredava ela. — É melhor deixar que o santinho trabalhe a seu gosto, porque ninguém como ele sabe o que lhe compete fazer!

Mas o "pequeno do padre", como desd'aí lhe chamaram, foi aos poucos descaindo das graças do inconstante rebanho, pelo simples fato de ser a criança menos comunicativa e mais embesourada de que havia notícia por aquelas alturas. O próprio Sr. vigário não morria de amores por ele, e até se amofinava de vê-lo passar todo o santo dia a olhar para os pés, numa taciturnidade quase irracional.

— Ora, que mono fora ele descobrir!... — dizia de si para si, a contemplar o rapaz por cima dos óculos. — Aquela lesma não havia de vir a prestar nem para lhe limpar as galhetas!

O pequeno era de fato muito triste e muito calado. Em casa do reverendo não se lhe ouvia a voz durante semanas inteiras; e também quase nunca chorava, e ninguém se poderia gabar de tê-lo visto sorrir. Se o vestiam e o levavam a espairecer um bocado à porta da rua, deixava-se o mono ficar no lugar em que o largavam; o rosto carrancudo, o queixo enterrado entre as clavículas, e seria capaz de passar assim o resto da vida se não tomassem a resolução de vir buscá-lo.

A criada, uma velha muito devota, mas também muito pouco amiga de crianças, só olhava para ele pelo cantinho dos olhos e, sempre que olhava, fazia depois uma careta de nojo. "Apre! Só mesmo a bondade do Sr. vigário podia suportar em casa semelhante lorpa!"

E cada vez detestava mais o pequeno; afinal era já um ódio violento, uma antipatia especial, que se manifestava a todo o instante por palavras e obras de igual dureza. E a graça é que jamais nenhuma destas vinha só; era chegar a descompostura e aí estava já o repelão, em duas, três, quatro sacudidelas, conforme fosse o tamanho da frase.

O André deixava-se sacudir à vontade da criada, sem o menor gesto de oposição ou de contrariedade.

— Ah! Só mesmo a paciência do Sr. vigário!

Apesar, porém, de tanta paciência, o Sr. vigário, se se não mostrava arrependido daquela caridade, era simplesmente porque esse rasgo generoso muito contribuíra para a boa reputação que ele gozava, não só aos olhos da paróquia inteira, como também aos dos seus superiores, a cujos ouvidos chegara a notícia do fato. Mas, no íntimo, abominava o pupilo; mil vezes preferira não o ter a seu lado; suportava-o, sabia Deus como! como quem suporta uma obrigação inevitável e aborrecida.

Ah! não havia dúvida que o pequeno era com efeito muito embirrantezinho. Sobre ser uma criança feia, progressivamente moleirona e triste, mostrava grande dificuldade para aprender as coisas mais simples. Não era com duas razões, nem três murros, que o tutor conseguia meter-lhe qualquer palavra na cabeça.

O pobre velho desesperava-se, ficava trêmulo de raiva, defronte de semelhante estupidez. E, como não tivesse jeito para ensinar, como lhe faltasse a feminil delicadeza com que se abrem, sem machucar, as tenras pétalas dessas pequeninas almas em botão, recorria aos berros, e, vermelho, com os olhos congestionados, a respiração convulsa, acabava sempre empurrando de si os livros e o discípulo, que iam simultaneamente rolar a dois ou três passos de distância.

— Aquele maldito estúpido não servia senão para o encher de bílis! O melhor seria metê-lo num colégio, como interno... Era mais um sacrifício. — Vá! mas, com a breca! ao menos ficava livre dele!

Oh! o bom homem já não podia aguentar ao seu lado aquela amaldiçoada criança. Às vezes, ao vê-la tão casmurra, tão feia, com o olhar tão insociável e tão ferrado a um ponto, tinha ímpetos de torcê-la nas mãos, como quem torce um pano molhado.

Nunca lhe descobrira a mais ligeira revelação de um desejo. À mesa comia tudo que lhe punham no prato, sem nunca deixar ou pedir mais. Se o mandavam recolher à cama, fosse a que hora fosse, deitava-se incontinente; se lhe dissessem "Dorme!" ele dormia ou parecia dormir. "Acorda! Levanta-te!" ele se levantava logo, sem um protesto, como se estivesse à espera daquela ordem.

Qualquer tentativa de conversa com ele era inútil. André só respondia por monossílabos, no mais das vezes incompreensíveis. Nunca fazia a ninguém interrogação de espécie alguma, e, certo dia perguntando-lhe o padre se ele o estimava, o menino sacudiu com a cabeça, negativamente.

— E que tal?... — considerou o vigário; — olha que entranhas tem o maroto!...

E segurando-lhe a cabeça para o fitar de frente:

— Com que então, não gostas de mim, hein?

— Não.

— Não és agradecido ao bem que te tenho feito?

— Sou.

— Mas não me estimas?

— Não.

— E, se fores para o colégio, não terás saudades minhas?

— Não.

— De quem então sentirás?

— Não sei.

— De ninguém?

— Sim.

— Pois então é melhor mesmo que te vás embora, e melhor será que nunca mais me apareças! Calculo que bom ingrato não se está preparando aí! Vai! Vai, demônio! e que Deus te proteja contra os teus próprios instintos!

Entretanto, à noite, o padre ficou muito admirado, quando, ao entrar no quarto do órfão que dormia, o viu agitar-se na cama e dizer, abraçando-se aos travesseiros e chorando: "Mamãe! minha querida mamãe!"

— São partes, Sr. vigário, são partes deste sonso!... — explicou a criada, trejeitando com arrelia.

2

André seguiu para o colégio num princípio de mês. Veio buscá-lo à casa do tutor um homem idoso, de cabelos curtos e barbas muito longas, o qual parecia estar sempre a comer alguma coisa, porque, nem só mexia com os queixos, como lambia os beiços de vez em quando.

Foram chamá-lo à cama às cinco da manhã. Ele acordou prontamente, e como já sabia de véspera que tinha de partir, vestiu-se logo com um fato novo que, para esse dia, o padre lhe mandara armar de uma batina velha. Deram-lhe a sua tigela de café com leite e o seu pão de milho, o que ele ingeriu em silêncio; e, depois de ouvir ainda alguns conselhos do tutor, beijou-lhe a mão, recebeu no *bonet*, uma palmada da criada e saiu de casa, sem voltar, sequer, o rosto para trás.

O das barbas longas havia já tomado conta da pequena bagagem e esperava por ele, na rua, dentro do trole. André subiu para a almofada e deixou-se levar.

Em caminho o companheiro, para enganar a monotonia da viagem, tentou chamá-lo à fala:

— Então o amiguinho vai contente para os estudos?

— Sim — disse André, sem se dar ao trabalho de olhar para o seu interlocutor. E este, supondo que o *bonet* do menino, pelo muito enterrado que lhe ficara nas orelhas com a palmada da criada, fosse a causa dessa descortesia, apressou-se a suspender-lho e acrescentou:

— É a primeira vez que entra para o colégio ou esteve noutro?

— É.

— Ah! É a primeira vez?

— Sim.

— E morou sempre com o reverendo?

— Não.

— Ele é seu parente?

— Não.

— Tutor, talvez...

— É.

— Como se chamava seu pai?

— João.

— E sua mãe?

— Emília.

— Ainda se lembra deles?

— Sim.

E, depois de mais alguns esforços inúteis para conversação, o homem das barbas convenceu-se de que tudo era baldado e, para fazer alguma coisa, pôs-se a considerar a estranha figurinha que levava a seu lado.

André representava então nos seus dez anos o espécime mais perfeito de um menino desengraçado.

Era pequeno, grosso, muito cabeçudo, braços e pernas curtas, mãos vermelhas e polposas, tez morena e áspera, olhos sumidos de uma cor duvidosa e fusca, cabelo duro e tão abundante, que mais parecia um *bonet* russo do que uma cabeleira.

Em todo ele nada havia que não fosse vulgar. A expressão predominante em sua fisionomia era desconfiança, nos seus gestos retraídos, na sua estranha maneira de esconder o rosto e jogar com os ombros, quando andava, transparecia alguma coisa de um urso velho e mal domesticado.

Não obstante, quem lhe surpreendesse o olhar em certas ocasiões descobriria aí um inesperado brilho de inefável doçura, onde a resignação e o sofrimento transluziam, como a luz do sol por entre um nevoeiro espesso.

Chegou ao colégio banhado de suor dentro da sua terrível roupa de lustrina preta. O empregado de barbas longas levou-o à presença do diretor, que já esperava por ele, e disse apresentando-o:

— Cá está o pequeno do padre.

— Ah! — resmungou o outro, largando o trabalho que tinha em mão. — O pequeno do padre Estevão. É mais um aluno que mal dará para o que há de comer! Quero saber se isto aqui é asilo de meninos desvalidos!... Uma vez que o tomaram à sua conta, era pagarem-lhe a pensão inteira e deixarem-se de pedir abatimentos, porque ninguém está disposto a suportar de graça os filhos alheios!

— Pois o padre Estevão não paga a pensão inteira? — perguntou o barbadão a mastigar em seco furiosamente e a lamber os beiços.

— Qual! Veio-me aqui com uma choradeira de nossa morte. E, "porque seria uma obra de caridade, e, porque já tinha gasto mundos e fundos com o pequeno", enfim, foi tal a lamúria que não tive outro remédio senão reduzir a pensão pela metade!

O das barbas fez então várias considerações sobre o fato, elogiou o coração do Dr. Mosquito (era assim que se chamava o diretor) e ia a sair, quando este lhe recomendou que se não descuidasse da cobrança e empregasse esforços para receber dinheiro.

— Veja, veja, Salustiano, se arranja alguma coisa, que estou cheio de compromissos!

E o Dr. Mosquito, voltando ao seu trabalho, exclamou, sem mexer com os olhos:

— Aproxime-se!

André encaminhou-se para ele, de cabeça baixa.

— Como se chama?

— André.

— De quê?

—Miranda.

— Só?

— De Melo.

— André Miranda de Melo... — repetiu o diretor, indo a escrever o nome em um livro que acabava de tirar da gaveta.

— E Costa, acrescentou o menino.

— Então por que não disse logo de uma vez?

André não respondeu.

— Sua idade?

— Dez.

— Dez quê, menino?

— Anos.

— Hein?

— Dez anos.

— An!

E, enquanto escrevia:

— Já sabe quais são as aulas que vai cursar?

— Já.

— Já, sim, senhor, também se diz!

— Diz-se.

— Como?

— Diz-se, sim, senhor.

— Ora bem! — concluiu o Mosquito, afastando com a mão o paletó para coçar as costelas. E, depois de uma careta que patenteava a má impressão deixada pelo seu novo aluno, resmungou com um bocejo:

— Bem! Sente-se; espere que venham buscá-lo.

— Onde? — perguntou André, a olhar para os lados, sem descobrir assento.

— Ali, menino, oh!

E o diretor suspendeu com impaciência a pena do papel, para indicar uma das duas portas que havia do lado oposto do escritório. Em seguida mergulhou outra vez no seu trabalho, disposto a não interrompê-lo de novo:

André foi abrir uma das portas e disse lentamente:

— É um armário.

— A outra, a outra, menino! — gritou o Mosquito, sem se voltar.

André foi então à outra porta, abriu-a e entrou no quarto próximo.

Era uma saleta comprida, com duas janelas de vidraça, que se achavam fechadas. Do lado contrário às janelas havia uma grande estante, onde se viam inúmeros objetos adequados à instrução primária dos rapazes.

O menino foi assentar-se em um canapé que encontrou e dispôs-se a esperar.

Foi-se meia hora e ninguém apareceu. Seriam já quatro da tarde e, como André ainda estava só com a sua refeição da manhã, principiou a sentir-se muito mal do estômago.

Esgotada outra meia hora, ergueu-se e foi, para se distrair, contemplar os objetos da estante. Levou a olhá-los longo tempo, sem compreender o que tinha defronte da vista. Depois, espreguiçou-se e voltou ao canapé.

Mais outra meia hora decorreu, sem que o viessem buscar.

Duas vezes chegou à porta por onde entrara na saleta e, como via sempre o escritório deserto, tornava ao seu banco da paciência. E, no entanto, o apetite crescia-lhe por dentro de um modo insuportável e o pobre André principiava a temer que o deixassem ficar ali eternamente.

Pouco depois de entrar para a saleta, um forte rumor de vozes e passos repetidos lhe fez compreender que alguma aula havia terminado; daí a coisa de cinquenta minutos, o toque de uma sineta lhe trouxe à ideia o jantar, e ele verificou que se não enganara no seu raciocínio com o barulho de louças e talheres que faziam logo em seguida. Depois, compreendeu que era chegada a hora do tal recreio porque ouvia uma formidável vozeria de crianças que desciam para a chácara.

E — nada de virem ao seu encontro.

— Que maçada! — pensava ele, a segurar o estômago com ambas as mãos.

Afinal, a escuridão começou a invadir a saleta. Havia cessado já o barulho dos meninos e agora ouviam-se apenas de vez em quando alguns passos destacados nos próximos aposentos.

Em tais ocasiões, o pequeno do padre corria à porta do escritório e espreitava. Ninguém.

Já era noite completa, quando um entorpecimento irresistível se apoderou dele. O pobrezito vergou-se sobre as costas do canapé, estendeu as suas pernitas curtas. E adormeceu.

Dormindo conseguiu o que não fizera acordado: seus roncos foram ouvidos pelo inspetor do colégio, e, daí a pouco, André, sem dar ainda acordo de si, era conduzido à mesa do refeitório, onde ia servir-se o chá.

Seu tipo, já de natural estranho, agora parecia fantástico sob a impressão do estremunhamento; e os estudantes, que o observavam em silêncio, abriram todos a rir, quando viram o inesperado colega atirar-se ao prato de pão com uma voracidade canina.

Mas André pouco se incomodou com isso e continuou a comer sofregamente, no meio das gargalhadas dos rapazes e dos gritos do inspetor que, sem ele próprio conter o riso, procurava chamá-los à ordem.

Por estes fatos apenas fez-se notar a sua entrada no colégio, visto que ele, depois da ceia, recolheu-se ao dormitório e acordou no dia seguinte, ao primeiro toque da sineta, sem ter trocado meia palavra com um só de seus companheiros.

Não procuraram as suas relações, nem ele as de ninguém, e, apesar das vaias e das repetidas pilhérias dos colegas, teria passado tranquilamente os primeiros dias da sua nova existência, se um incidente desagradável não o viesse perturbar.

Havia no colégio um rapaz, que exercia sobre outros certa superioridade, nem só porque era dos mais velhos, como pelo seu gênio brigador e arrogante. Chamava-se Fonseca, e os companheiros o temiam a ponto de nem se animarem a fazer contra ele qualquer queixa ao diretor.

André atravessava numa ocasião o pátio do recreio, quando ouviu gritar atrás de si "Ó Coruja!".

Não fez caso. Estava já habituado a ser escarnecido, e tinha por costume deixar que a zombaria o perseguisse à vontade, até que ela cansasse e por si mesma se retraísse.

Mas o Fonseca, vendo que não conseguira nada com a palavra, correu na pista de André e ferrou-lhe um pontapé por detrás.

O pequeno voltou-se e arremeteu com tal fúria contra o agressor, que o lançou por terra. O Fonseca pretendeu reagir, mas o outro o segurou entre as pernas e os braços, tirando-lhe toda a ação do corpo.

Veio logo o inspetor, separou-os e, tendo ouvido as razões do Fonseca e dos outros meninos que presenciaram o fato, conduziu André para um quarto escuro, no qual teve o pequeno esse dia de passar todos os intervalos das aulas.

Sofreu o castigo e as acusações dos companheiros, sem o menor protesto e, quando se viu em liberdade, não mostrou por pessoa alguma o mais ligeiro ressentimento.

Depois desse fato, os colegas deram todavia em olhá-lo com certo respeito, e só pelas costas o ridicularizavam. Às vezes, do fundo de um corredor ou do meio de um grupo, ouvia gritar em voz disfarçada:

— Olha o filhote do padre! Olha o Coruja!

Ele, porém, fingia não dar por isso e afastava-se em silêncio.

Quanto ao mais, raramente comparecia ao recreio, e apresentava-se nas aulas sempre com a lição na ponta da língua.

No fim de pouco tempo, os próprios mestres participavam do vago respeito que ele impunha a todos; e, posto que estivessem bem longe de simpatizar com o desgracioso pequeno, apreciavam-lhe a precoce austeridade de costumes e o seu admirável esforço pelo trabalho.

Uma das particularidades de sua conduta, que mais impressionava aos professores, era a de que, apesar do constante mal que lhe desejavam fazer os colegas, ele jamais se queixava de nenhum, e tratava-os a todos da mesma forma que tratava ao diretor e aos lentes, isto é, com a mesma sobriedade de palavras e a mesma frieza de gestos.

Em geral, era por ocasião da mesa que as indiretas dos seus condiscípulos mais se assanhavam contra ele. O Coruja, como já todos lhe chamavam, não tinha graça, nem distinção no comer; comia muito e sofregamente, com o rosto tão chegado ao prato que parecia querer apanhar os bocados com os dentes.

Coitado! Além do rico apetite de que dispunha, ele não recebia, à semelhança dos outros meninos, presentes de doce, de requeijão e frutas que lhes mandavam as competentes famílias; não andava a paparicar durante o dia como os outros; de sorte que, à hora oficial da comida, devorava tudo que lhe punham no prato, sem torcer o nariz a coisa alguma.

Um dia, porque ele, depois de comer ao jantar todo o seu pão, pediu que lhe dessem outro, a mesa inteira rebentou em gargalhadas; mas o Coruja não se alterou, e fez questão de que daí em diante lhe depusessem ao lado do prato dois pães em vez de um!

— Muito bem! — considerou o diretor. — É dos tais que paga por meio e come por dois! Seja tudo por amor de Deus!

3

Assim ia vivendo o Coruja, desestimado e desprotegido no colégio, e como que formando na sua esquisitice uma ilha completamente isolada dos bons e dos maus exemplos, que em torno dele se agitavam.

Dir-se-ia que nascera encascado em grossa armadura de indiferença, contra a qual se despedaçavam as várias manifestações do meio em que vivia, sem que elas jamais conseguissem lhe corromper o ânimo. A tudo e a todos parecia estranho, como se naquele coração, ainda tão novo, já não houvesse uma só fibra intacta.

E, todavia, nenhum dos companheiros seria capaz de maltratar em presença dele um dos mais pequenos do colégio, sem que o esquisitão tomasse imediatamente a defesa do mais fraco. Não consentia igualmente que fizessem mal aos animais, e muita vez o encontraram acocorado sobre a terra protegendo um mesquinho réptil, ou lhe enxergaram vivos sinais de ameaças em favor de alguma pobre borboleta perseguida pelos estudantes.

Na sua mística afeição aos fracos e indefesos, chegava a acarinhar as árvores e plantas do jardim e sentia vê-las mal amparadas na hora do recreio. Não reconhecia em ninguém o direito de separar uma flor da haste em que nascera ou encarcerar na gaiola um mísero passarinho.

E tudo isso era feito e praticado naturalmente, sem as tredas aparências de quem deseja constituir-se em modelo de bondade. Tanto assim, que tais coisas só foram deveras percebidas por um antigo criado da casa, o Militão, a quem os meninos alcunharam por pilhéria de "Dr. Caixa-d'óculos".

O Caixa-d'óculos era nada mais do que um triste velhote de cinquenta a sessenta anos, vindo em pequeno das ilhas e que aqui percorrera a tortuosa escala das ocupações sem futuro. Fora porteiro de diversas ordens religiosas, moço de câmara a bordo de vários navios, depois permanente de polícia, em seguida sacristão e criado de um cônego, depois moço de hotel, bilheteiro num teatro, copeiro em casa de um titular e afinal, para descansar, criado no colégio em que se achava o Coruja.

De tal peregrinação apenas lhe ficara um desgosto surdo pela existência, um vago e triste malquerer pelos fortes e pelos vitoriosos.

E foi por isso que ele simpatizou com o Coruja; porque o supunha ainda mais desprotegido e ainda mais desarmado do que ele próprio.

Era, enfim, o único em quem o pequeno do padre, durante o seu primeiro ano de colegial, nem sempre encontrara o desprezo e a má vontade.

Vindas as férias, o Revmo. João Estevão, a pretexto de que o pupilo lucraria mais ficando no colégio do que indo para casa, escreveu a esse respeito ao Dr. Mosquito, e bem contra a vontade deste, o pequeno por lá ficou.

André recebeu a notícia, como se já a esperasse, e viu, sem o menor sintoma de desgosto, partirem, pouco a pouco, todos os seus companheiros. Destes, a alguns vinham buscar os próprios pais e as próprias mães: e, ali, entre as frias paredes do internato, ouviram-se, durante muitos dias, quentes palavras de ternura, e sentiram-se estalar beijos de amor, por entre lágrimas de saudade.

Só ele, o Coruja, não teve nada disso.

Viu despovoar-se aos poucos o colégio; retirarem-se os professores, os empregados, e afinal o último colega que restava. E então julgou-se de todo só e abandonado como uma pobre andorinha que não pudesse embandar-se à revoada das companheiras.

Só, completamente só.

É verdade que o diretor ocupava o segundo andar com a família, isto é, com a mulher e duas filhas ainda pequenas; mas as férias aproveitavam eles para os seus passeios, e, além disso, o Coruja só poderia procurá-los à hora das refeições. Embaixo ficaram apenas o hortelão e o Caixa-d'óculos.

André pediu licença ao diretor para tomar parte no serviço da horta e obteve-a prontamente.

Com que prazer não fazia ele esse trabalho todas as manhãs! Ainda o sol não estava fora de todo e já o Coruja andava pela chácara, descalço, em mangas de camisa, calças arregaçadas, a regar as plantas e a remexer a terra. O hortelão, vendo o gosto que o ajudante tomava pelo serviço, aproveitava-o quanto podia e limitava-se a dirigi-lo.

— Ó Coruja — gritava-lhe ele, já em tom de ordem, a perna trançada e o cachimbo no canto da boca: — Apara-me aí essa grama! Ou então: Remexe-me melhor aquele canteiro e borrifa-me um pouco mais a alface, que está a me parecer que levou pouca água!

As horas entre o almoço e o jantar dedicou-as o Coruja aos seus estudos, e às quatro da tarde descia de novo à chácara, onde encontrava invariavelmente o Caixa-d'óculos às voltas com uma pobre flauta, dentro da qual soprava ele o velho repertório das músicas de seu tempo.

Foi essa miserável flauta que acordou no coração de André o gosto pela música. Caixa-d'óculos deu por isso, arranjou um outro instrumento e propôs-se ministrar algumas lições ao pequeno. Este aceitou com um reconhecimento muito digno de tão boa vontade, mas sem dúvida de melhor mestre, porque manda a verdade confessar que aquele não ofuscava a glória de nenhum dos inúmeros flautistas que ocupam a superfície da terra, contando mesmo os maus, os péssimos e os insuportáveis.

Mas o caso é que, depois disso, eles lá passavam as últimas horas da tarde, a duelarem-se furiosamente com as notas mais temíveis que um instrumento de sopro pode dardejar contra a paciência humana; e terminada a luta, recolhia-se André ao dormitório e pegava no sono até à madrugada seguinte.

As férias não lhe corriam por conseguinte tão contrárias, como era de supor, e só dois desgostos o atormentavam. Primeiro, não poder comprar uma flauta nova e boa; segundo, ver sempre fechada a biblioteca do colégio.

Que curiosidade lhe fazia aquela biblioteca!

Ele a rondava como um gato que fareja o guarda-comida; parecia sentir de fora o cheiro do que havia de mais apetitoso naquelas estantes, e, por seu maior tormento, bastava trepar-se a uma cadeira e espiar por cima da porta, para devassar perfeitamente a biblioteca.

Um suplício! Vinham-lhe até ímpetos de arrombar a fechadura; e, como consolação, passava horas esquecidas sobre a cadeira, na pontinha dos pés, a olhar de longe para os livros, procurando distinguir e ler o que diziam eles nas letras de ouro que expunham nas lombadas.

Alguns, então, lhe produziam verdadeiras angústias, principalmente os grandes, os de lombo muito largo, que ali estavam de costas, soberbos, como bojudos sábios, concentrados e adormecidos na sua ciência.

O Coruja tivera sempre um pendor muito particular por tudo aquilo que lhe cheirava a alfarrábio e línguas mortas. Adorava os livros velhos, em cuja leitura encontrasse dificuldades a vencer; gostava de cansar a inteligência na procura de explicação de qualquer ponto duvidoso ou de qualquer frase sujeita a várias interpretações.

Já desde a casa do padre Estevão que semelhante tendência se havia declarado nele. É que seu gênio retraído e seco dava-se maravilhosamente com esses amigos submissos e generosos — os livros; esses faladores discretos, que podemos interromper à vontade e com os quais nos é permitido conversar dias inteiros, sem termos aliás obrigação de dar uma palavra.

Ora, para o André, que morria de amores pelo silêncio, isto devia ser o ideal das palestras. Além do que, à sua morosa e arrastada compreensão só o livro podia convir. O professor sempre se impacienta, quando tem de explicar qualquer coisa mais de uma vez; o livro não, o livro exige apenas a boa vontade de quem o estuda, e no Coruja a boa vontade era justamente a qualidade mais perfeita e mais forte.

Um dia, o diretor, descendo inesperadamente ao primeiro andar, encontrou-o tão embebido a espiar para dentro da biblioteca que se chegou a ele sem ser sentido e deu-lhe uma ligeira palmada no lugar que encontrou mais à mão.

O Coruja, trepado às costas de uma cadeira e agarrado à bandeira da porta, virou-se muito vermelho e confuso, como se o tivessem surpreendido a cometer um crime.

— Que faz o senhor aí, *seu* Miranda?

— Olhava.

— Que olhava o senhor?

— Os livros.

O Dr. Mosquito encarou-o de alto a baixo, e, depois de meditar um instante, acrescentou:

— Vá lá acima e diga à mulher que mande as minhas chaves.

André saltou do seu observatório e apressou-se a dar cumprimento às ordens do diretor.

Este, logo que chegaram as chaves, abriu a biblioteca e entrou. O pequeno, à porta, invadiu-a com um olhar tão sôfrego e tão significativo, que o Dr. Mosquito o chamou e perguntou-lhe qual era o livro que tanto o impressionara.

André coçou a cabeça, hesitando, mas a sua fisionomia encarregou-se de responder, visto que o diretor, depois de lamentar com um gesto a grande quantidade de pó encamado sobre os livros, foi à fechadura, separou do molho de chaves a da biblioteca e disse, passando-lha:

— Durante o resto das férias, fica o senhor encarregadc de cuidar destes livros e de trazer tudo isto arranjado e limpo. Quer?...

André sacudiu a cabeça afirmativamente e apoderou-se da chave com uma tal convicção, que o diretor não pôde deixar de rir.

Logo que se viu só, tratou de munir-se de um espanador e de um pano molhado, e, com o auxílio de uma escadinha que havia na biblioteca principiou a grande limpeza dos livros.

Não abriu nenhum deles, enquanto não deu por bem terminada a espanação. Metódico, como era, não gostava de entregar-se a qualquer coisa sem ter de antemão preparado o terreno para isso.

Oh! Mas quão diferente foi do que esperava a impressão recebida, quando se dispôs a usufruir do tesouro que lhe estava franqueado.

Não sabia qual dos livros tomar de preferência; não conseguia ler de nenhum deles mais do que algumas frases soltas e apanhadas ao acaso.

E, toda aquela sabedoria encadernada e silenciosa, toda aquela ciência desconhecida que ali estava, por tal forma o confundiu e perturbou que, no fim de alguns segundos de dolorosa hesitação, o Coruja como que sentia libertar-se dos volumes a alma de cada página para se refugiarem todas dentro da cabeça dele.

Bem penosas foram as suas primeiras horas de biblioteca. O desgraçadinho quase que se arrependeu de havê-la conquistado com tanto empenho, e chegou a desejar que, em vez de tamanha fartura de livros, lhe tivessem franqueado apenas quatro ou cinco.

Mas veio-lhe em socorro uma ideia que, mal surgiu, começou logo por acentuar-se-lhe no espírito, como uma ideia de salvação.

Era fazer um catálogo da biblioteca.

Esta luminosa ideia só por si o consolou de toda a sua decepção e de todo o seu vexame. Afigurava-se-lhe que, catalogando todos aqueles livros num só, vê-los-ia disciplinados e submissos ao seu governo. Entendeu que, por esse meio, tê-los-ia a todos debaixo da vista, arregimentados na memória, podendo evocá-los pelos nomes, cada um por sua vez, como o inspetor do colégio fazia a chamada dos alunos ao abrir das aulas.

E o catálogo ficou sendo a sua ideia fixa.

Principiou a cuidar dele logo no dia seguinte. Mas, a cada instante, surgiam-lhe dificuldades: não sabia como dar começo à sua obra, como levá-la a efeito. Tentou arranjar a coisa alfabeticamente; teve, porém, de abandonar essa ideia, como inexequível; numerou as estantes e experimentou se conseguia algum resultado por este sistema; foi tudo inútil.

Afinal, depois de muitas tentativas infrutíferas, o acaso, no fim de alguns dias, veio em seu auxílio, atirando-lhe às mãos o catálogo de uma biblioteca de província.

Era um folheto pequeno, encadernado e nitidamente impresso.

Coruja abriu-o religiosamente e passou o resto do dia a estudá-lo. Na manhã seguinte, a sua obra achava-se começada, pela nona ou décima vez, é certo, mas agora debaixo de auspícios muito mais prometedores.

E em todo o resto das férias foi o seu tempo sistematicamente dividido entre o trabalho da horta, o estudo de seus compêndios, as lições do Caixa-d'óculos e a organização do famoso catálogo. Esta, porém, era de todas as suas ocupações a mais querida e desvelada; o que, entretanto, não impediu que ela ficasse por acabar depois da reabertura das aulas.

— Fica para mais tarde — pensou o Coruja, cheio de confiança na sua vontade.

E, sem confiar a sua ideia a ninguém, nem mesmo ao diretor, passava todos os dias feriados e todas as horas de recreio, metido na biblioteca, de cuja fiscalização continuava encarregado.

4

Entre os novos alunos, que entraram no seguinte ano para o colégio do Dr. Mosquito, vinha um, que se chamava Teobaldo Henrique de Albuquerque. Menino de doze anos, muito bonito, elegante e criado com mimo.

Falava melhor o inglês e o francês do que a sua própria língua, porque estivera mais tempo em Londres do que no Brasil.

O tipo desta criança fazia um verdadeiro contraste com o do Coruja. Era débil, espigado, de uma palidez de mulher; olhos negros, pestanudos, boca fidalga e desdenhosa, principalmente quando sorria e mostrava a pérola dos dentes. Todo ele estava a respirar uma educação dispendiosa; sentia-se-lhe o dinheiro na excelência das roupas, na delicada escolha dos perfumes que a família lhe dava para o cabelo e para o lenço, como em tudo de que se compunha o seu rico enxoval de pensionista.

Criança como era, já falava de coisas em que o outro nem sonhava ainda; tinha já predileções e esquisitices de gosto; discutia prazeres, criticava mulheres e zombava dos professores, sem que estes aliás se dessem por achados, em razão dos obséquios pecuniários que o colégio devia ao pai de Teobaldo, o Sr. Barão do Palmar.

Não obstante, esses mesmos dotes e mais sua estroinice de menino caprichoso, sua altivez natural e adquirida por educação abriam em torno dele o ódio ou a inveja da maior parte dos condiscípulos. Logo ao entrar no colégio, fizera muitos inimigos e, pouco depois, era tido e julgado como o mais embirrante e o mais insuportável entre todos os alunos do Dr. Mosquito.

Não lhe perdoavam ser ao mesmo tempo tão rico, tão formoso, tão inteligente e tão gentilmente vadio. Além de tudo isso, como se tanto já não bastava, havia ainda para o fazer malquisto dos companheiros aquela escandalosa proteção que lhe votavam os professores, apesar da formidável impertinência do rapaz.

Em verdade a todos falava Teobaldo com uma sobranceria ofensiva e provocadora. No seu modo de olhar, no tom da sua voz, no desdém de seus gestos, sentia-se a uma légua de distância o hábito de mandar e ser obedecido.

Esta constante arrogância, levada ao supremo grau, afastou de junto dele todos os seus condiscípulos. Mas o orgulhoso não parecia impressionar-se com o isolamento a que o condenavam as suas maneiras, e, se o sentia, não deixava transparecer em nenhum dos gestos a menor sombra de desgosto.

Ninguém o queria para amigo.

Um domingo, porém, ao terminar o almoço, ouviu dentre um certo grupo de seus colegas uma palavra de ofensa, que lhe era dirigida.

Voltou-se e, apertando os olhos com um ar mais insolente que nunca, exclamou para o grupo:

— Aquele de vocês que me insultou, se não é um covarde, apresente-se! Estou disposto a dar-lhe na cara!

Ninguém respondeu.

Teobaldo franziu o lábio com tédio e, atirando ao grupo inteiro, por cima do ombro, um olhar de desprezo, afastou-se, dizendo entredentes:

— Canalha!

Mas, ao chegar pouco depois à chácara, seis meninos, dos mais fortes dos que compunham o grupo, aproximaram-se dele e exigiram que Teobaldo sustentasse o que havia dito no salão.

Teobaldo virou-lhes as costas e os seis iam precipitar-se sobre ele, quando o Coruja, que tudo presenciara a certa distância, de um pulo tomou-lhes a frente e os destroçou a murros.

Acudiu o inspetor, fez cessar a briga e, tomando o Coruja pelo braço, levou-o à presença do Dr. Mosquito.

Teobaldo acompanhou-o.

Exposto o ocorrido, foi o Coruja interrogado e confessou que era tudo verdade: "Batera em alguns de seus companheiros."

— Pois então recolham-no ao quarto do castigo, disse o diretor. Passará aí o domingo, fazendo considerações sobre o inconveniente das bravatas!

— Perdão! — observou Teobaldo. — Quem tem de sofrer esse castigo sou eu! Fui o causador único da desordem. Este menino não tem a menor culpa!

E apontou para o Coruja.

— Ó senhores! Pois se eu o vi atracando-se aos outros, como um demônio! exclamou o inspetor.

— E ele próprio o confessa... — acrescentou o diretor. — Vamos! Cumpra-se a ordem que dei!

— Nesse caso eu também serei preso — respondeu Teobaldo.

E tão resolutamente acompanhou o colega, que ninguém o deteve.

Foram recolhidos à mesma prisão, e desta vez, graças à influência de Teobaldo, o outro, além de não ter de gramar o escuro, recebeu licença para levar consigo alguns livros e a flauta que lhe emprestara o Caixa-d'óculos.

Logo que os dois meninos se acharam a sós, Teobaldo foi ter com o Coruja e disse, apertando-lhe a mão:

— Obrigado.

André fez um gesto com a cabeça, equivalente a estas palavras: "Não tem que agradecer, porque o mesmo faria por qualquer criatura."

— Se o senhor fazia parte do grupo que insultei — volveu Teobaldo — peço-lhe desculpa.

— Não fazia — respondeu o outro, dispondo-se a entregar-se de corpo e alma à sua ingrata flauta.

Felizmente para o colega, foram interrompidos por uma pancada na porta.

Teobaldo correu a receber quem batia, e soltou logo uma exclamação de prazer:

— Oh! Você, Caetano! Como estão todos lá em casa? Mamãe está melhor? E papai, papai que faz que não vem me ver, como prometeu?

Caetano, em vez de responder, pousou no chão uma cesta que trazia, e abriu os braços para o menino, deixando correr pelo sorriso de seu rosto duas lágrimas de ternura que se lhe escaparam dos olhos.

Era um homem de meia-idade, alto, magro, de cabelos grisalhos, à escovinha, cara toda raspada; e tão simpático, tão bom de fisionomia, que a gente gostava dele à primeira vista.

Trajava uma libré cor de rapé, com botões de latão e alamares de veludo preto.

Caetano entrara muito criança para o serviço do avô de Teobaldo, pouco antes do nascimento do pai deste, e nunca mais abandonou essa família, da qual mais adiante teremos de falar, e por onde se poderão avaliar os laços de velha amizade que ligavam aquele respeitoso criado ao neto de seu primeiro amo.

Por enquanto diremos apenas que o bom Caetano viu crescer ao seu lado o pai de Teobaldo; que o acompanhou tanto nas suas primeiras correrias de rapaz, como mais tarde nas suas aventuras políticas durante as revoluções de Minas; e que a intimidade entre esses dois companheiros por tal forma os identificou, que afinal o criado era já consultado e ouvido como um verdadeiro membro e amigo da família a que se dedicara.

— Mas, Caetano, que diabo veio você fazer aqui? — perguntou Teobaldo. — Há novidade lá por casa? Fale! Mamãe piorou?

— Não; graças a Deus não há novidade. A senhora baronesa não piorou, e parece até que vai melhor; o que ela tem é muitas saudades de vossemecê.

— E papai, está bom?

— *Nhô-Miló* (era assim que chamava o amo) está bom, graças a Deus. Foi ele quem me mandou cá. Vim trazer um dinheiro ao doutor.

— Ah! Ao diretor? Quanto foi?

— Trezentos mil réis.

— Seriam emprestados, sabes?

— Creio que sim, porque trouxe uma letra que tem de voltar assinada...

— E isso que trazes aí no cesto é para mim?

— É, sim senhor. É a senhora baronesa quem manda.

Teobaldo apressou-se a despejar a cesta. Vinham doces, queijo, nozes, figos secos, passas, amêndoas, frutas cristalizadas e uma garrafa de vinho Madeira.

— Isto é que é pouco; devia ter vindo mais... — considerou ele, pousando a garrafa no chão.

— Pois fique sabendo que, se não fosse *Nhô-Miló*, nem essa teria vindo... A senhora baronesa chegou a zangar-se com ele.

E, mudando de tom: — Mas é verdade, vossemecê está preso?

— Qual! Estou aqui porque assim o quis.

Em quatro palavras Teobaldo contou o motivo da sua prisão.

— Ah! — disse o criado. — Vossemecê é seu pai, sem tirar nem pôr!

— Sim, mas não contes nada em casa...

— Não há novidade, não senhor!

E, depois de conversarem ainda mais alguma coisa, Caetano abraçou de novo o rapaz, despediu-se do outro e retirou-se, pretextando que não convinha demorar-se para não chegar muito tarde à fazenda.

Outra vez fechada a prisão, Teobaldo, restituído ao seu bom humor com o presente da família, voltou-se, já risonho, para o companheiro e disse, batendo-lhe no ombro:

— Ao menos temos aqui com que entreter os queixos. — E, dispondo tudo sobre uma cadeira, principiou a expor o conteúdo dos pacotes e das caixinhas de doce: — Felizmente a garrafa está aberta e o púcaro d'água serve para beber o vinho. Não acha que isto veio a propósito?

— É — resmungou o Coruja.

— Pois então, mãos à obra! Gosta de vinho?
— Não sei...
—Como não sabe?
— Nunca provei.
— Nunca? Oh!
— É exato.
— Pois experimente. Há de gostar.
André entornou no púcaro três dedos de vinho e bebeu-o de um trago.
— Que tal? — perguntou o outro fazendo o mesmo.
— É bom! — disse Coruja a estalar a língua.
— Com um pouco de queijo e doce ainda é melhor. Atire-se!

André não se fez rogado, e os dois meninos, em face um do outro, puseram-se a petiscar, como bons amigos. Teobaldo, porém, depois de repetir várias vezes a dose de vinho, precisava dar expansão ao seu gênio comentador e satírico; ao passo que o companheiro saboreava em silêncio aqueles delicados pitéus, que chamavam ao seu mal confortado paladar delícias inteiramente novas e desconhecidas para ele.

E contentava-se a resmungar, de vez em quando: — É muito bom! É muito bom!

—Pois eu, sempre que receber presentes lá de casa — prometeu o outro —, hei de chamá-lo para participar deles. Está dito?

— Está.
— Você chama-se...
— André.
— De...
— Miranda.
— André Miranda.
— De Melo.
— Ah!
— E Costa.
— Não sabia. Como todos no colégio só o tratam por "Coruja"...
— É alcunha.
— Foi aqui que lha puseram?
— Foi.
— Por quê?
— Porque eu sou feio.
— E não fica zangado quando lhe chamam assim?
— Não.
— Eu também faria o mesmo, se me pusessem alguma. Os nossos colegas são todos uns pedaços d'asnos, não acha?

Coruja sacudiu os ombros e Teobaldo, um pouco agitado pelo Madeira, começou a desabafar todo o ressentimento que até aí reprimia com tanto orgulho. Falou francamente, queixou-se dos companheiros, julgou-os a um por um, provando que eram todos aduladores ou invejosos.

— Não quero saber deles para nada! — exclamou indignado. — Você é o único com que me darei!

E, muito loquaz e vário, passou logo a falar dos colégios europeus, do modo pelo qual aí se tratavam entre si os estudantes, dos modos de brincar, de estudar em comum, do modo, enfim, pelo qual se protegiam e estimavam.

André o escutava, sem dar uma palavra, mas patenteando no rosto enorme interesse pelo que ouvia.

Era a primeira vez que se achava assim, em comunicação amistosa com um seu semelhante; era a primeira vez que alguém o escolhia para confidente, para íntimo. E sua alma teve com a surpresa desse fato o mesmo gozo de impressões que experimentara ainda há pouco o seu paladar com os saborosos doces até aí desconhecidos para ele.

E o Coruja, a quem nada parecia impressionar, começou a sentir afeição por aquele rapaz, que era a mais perfeita antítese do seu gênio e da sua pessoa.

Quando Salustiano veio abrir-lhes a porta à hora do jantar, encontrou Teobaldo de pé, a discursar em voz alta, a gesticular vivamente, defronte do outro que, estendido na cadeira, toscanejava meio tonto.

— Então? — exclamou o homem das barbas longas. — Que significa isto?

— Isto quê, ó meu cara de quebra-nozes? — interrogou Teobaldo, soltando-lhe uma palmada na barriga.

— Menino! — repreendeu o homem — não quero que me falte ao respeito!

— E um pouco de Madeira, não queres também?

— O senhor bem sabe que aqui no colégio é proibido aos alunos receberem vinho...

— Para os outros, não duvido! Eu hei de receber sempre, senão digo ao velho que não empreste mais um vintém ao diretor.

— Não fale assim... O senhor não se deve meter nesses negócios.

— Sim, mas em vez de estares aí a mastigar em seco e a lamber os beiços, é melhor que mastigues um pouco de requeijão com aquele doce.

— Muito obrigado.

— Não tem muito obrigado. Coma!

E Teobaldo, com a sua própria mão, meteu-lhe um doce na boca.

— Você é o diabo! — considerou Salustiano, já sem nenhum sinal de austeridade. E, erguendo a garrafa à altura dos olhos: — Pois os senhores dois beberam mais de meia garrafa de vinho?!...

André, ao ouvir isto, começou a rir a bandeiras despregadas, o que fazia talvez pela vez primeira em sua vida.

Pelo menos, o fato era tão estranho que tanto o Salustiano como Teobaldo caíram também na gargalhada.

— E não é que estão ambos no gole?... disse o homem, a cheirar a boca da garrafa e, sem lhe resistir ao bom cheiro, despejou na própria o vinho que restava.

— Que tal a pinga? — perguntou Teobaldo.

— É pena ser tão mal empregada... — respondeu o barbadão a rir.

— Este Salustiano é um bom tipo! — observou o menino, enchendo-lhe as algibeiras de frutas e doces.

— Ora, quando o diretor não pode com o senhor, eu é que hei de poder?...

E, querendo fazer-se sério de novo:

— Vamos! vamos! Aviem-se, que está tocando a sineta pela segunda vez!

— Não vou à mesa — respondeu Teobaldo. — Daqui vou para o jardim; diga ao doutor que estamos indispostos.

E, voltando-se para o Coruja.

— Oh! André! toma conta de tudo isso e vamos lá para baixo ouvir a flauta do Caixa-d'óculos.

5

Desde então os dois meninos fizeram-se amigos.

Foi justamente a grande distância, o contraste, que os separava, que os uniu um ao outro.

As extremidades tocavam-se.

Teobaldo era detestado pelos colegas por ser muito desensofrido e petulante; o outro por ser muito casmurro e concentrado. O esquisitão e o travesso tinham, pois, esse ponto de contato — o isolamento. Achavam-se no mesmo ponto de abandono, viram-se companheiros de solidão, e é natural que se compreendessem e que se tornassem afinal amigos inseparáveis.

Uma vez reunidos, completavam-se perfeitamente. Cada um dispunha daquilo que faltava no outro; Teobaldo tinha a compreensão fácil, a inteligência pronta; Coruja, o método, e a perseverança no estudo; um era rico; o outro econômico; um era bonito, débil e atrevido; o outro feio, prudente e forte. Ligados, possuiriam tudo.

E, com o correr do ano, por tal forma se foram estreitando entre os dois os laços da confiança e da amizade, que afinal nenhum deles nada fazia sem consultar o camarada.

Estudavam juntos e juntos se assentavam nas aulas e à mesa.

Por fim, era já o André quem se encarregava de estudar pelo Teobaldo; era quem resolvia os problemas algébricos que lhe passavam os professores; era quem lhe arranjava os temas de latim e o único que se dava à maçada de procurar significados no dicionário. Em compensação o outro, a quem faltava a paciência para tudo isso, punha os seus livros, a sua vivacidade intelectual à disposição do amigo, e dividia com este os presentes e até o dinheiro enviado pela família, sem contar as regalias que a sua amizade proporcionava ao Coruja, fazendo-o participar da ilimitada consideração que lhe rendia todo o pessoal do colégio, desde o diretor ao cozinheiro.

De todas as gentilezas de Teobaldo, a que então mais impressionara ao amigo foi o presente de uma flauta e de um tratado de música, que lhe fez aquele à volta de um passeio com o diretor do colégio.

Coruja trabalhava à sua mesa de estudo quando o outro entrou da rua.

— Trago-te isto — disse-lhe Teobaldo apresentando-lhe os objetos que comprara.

— Uma flauta! — balbuciou André no auge da comoção. — Uma flauta!

— Vê se está a teu gosto.

Coruja ergueu-se da cadeira, tomou nas mãos o instrumento, e experimentou-lhe o sopro, e ficou tão satisfeito com o presente do amigo que não encontrou uma só palavra para lho agradecer.

— Que fazias tu? — perguntou-lhe Teobaldo.

Mas correu logo os olhos pelo trabalho que estava sobre a mesa e acrescentou:

— Ah! É ainda o tal catálogo!

— É exato.

— Gabo-te a paciência! Não seria eu!

E, tomando a bocejar uma das folhas escritas que o outro tinha defronte de si.

— Isto vem a ser?...

— Isto é a numeração das obras — respondeu André.

— Ah! Vais numerá-las...

— Vou. Para facilitar.

— E isto aqui? — Interrogou Teobaldo, tomando uma outra folha de papel.

— Isso é uma lista dos títulos das obras.

— E isto?

— O nome dos autores.

— Depois reúnes tudo?

— Reúno.

— Melhor seria fazer tudo de uma só vez. Seria mais prático. Assim, não é tão cedo que te verás livre dessa maçada!

— Há de ficar pronto.

Mas estava escrito que o célebre catálogo não teria de ficar acabado nas férias desse ano. Uma circunstância extraordinária veio alterar completamente os planos do autor.

Logo ao entrar das férias, o pai de Teobaldo apresentou-se no colégio para ir em pessoa buscar o filho.

Entrou desembaraçadamente a gritar pelo rapaz desde a porta da rua.

— Ah! É V. Exa.! — exclamou o diretor com espalhafato, logo que o viu. E correu a tomar-lhe o chapéu e a bengala.

— Bela surpresa! Bela surpresa, Sr. Barão! Tenha a bondade de entrar para o escritório!

— Vim buscar o rapaz. Como vai ele?

— Muito bem, muito bem! Vou chamá-lo no mesmo instante. Tenha a bondade V. Exa. de esperar alguns segundos.

E, como se a solicitude lhe dera sebo às canelas, o Dr. Mosquito desapareceu mais ligeiro que um rato.

O Sr. Barão do Palmar, Emílio Henrique de Albuquerque, era ainda nos seus cinquenta e tantos anos uma bela figura de homem.

A vida acidentada e revessa, a que o condenara sempre o seu espírito irrequieto e turbulento, não conseguira alterar-lhe em nada o bom humor e as gentilezas cavalheirescas de sua alma romântica e afidalgada.

Como brasileiro, ele representava um produto legítimo da época em que veio ao mundo.

Nascera em Minas, quando ferviam já os prelúdios da independência, e seu pai, um fidalgo português dos que emigraram para o Brasil em companhia do Príncipe Regente e de cujas mãos se passara depois para o serviço de D. Pedro I, dera-lhe por mãe uma formosa cabocla paraense, com quem se havia casado e de quem não tivera outro filho senão esse.

De tais elementos, tão antagônicos, formou-se-lhe aquele caráter híbrido e singular, aristocrata e rude a um tempo; porque nas veias de Emílio de Albuquerque tanto corria o refinado sangue da nobreza, como o sangue bárbaro dos tapuias.

Crescera entre os sobressaltos políticos do começo do século, ouvindo roncar em torno do berço a tempestade revolucionária, que havia de mais tarde lhe arrebatar a família, os amigos e as primeiras e mais belas ilusões políticas.

Desde muito cedo destinado às armas, matriculou-se na Escola Militar, fez parte da famosa guarda de honra do primeiro Imperador, e, com a proteção deste e mais a natural vivacidade do seu temperamento mestiço, chegou rapidamente ao posto de capitão.

Teve, porém, de interromper os estudos para fazer a lamentável guerra da Cisplatina, donde voltou seis meses depois, sem nenhuma das ilusões com que partira, nem encontrar os pais e amigos, que sucumbiram na sua ausência, e nem mais sentir palpitar-lhe no coração o primitivo entusiasmo pelos defensores legais da integridade nacional.

Orfanado, pois, aos vinte e dois anos, senhor de uma herança como bem poucos de tal procedência apanhavam nessas épocas, pediu baixa do Exército e levantou o voo para a Europa, fazendo-se acompanhar por um criado que fora de seu pai, o Caetano, aquele mesmo criado que, trinta e tantos anos depois, apareceu no colégio do Dr. Mosquito vestido de libré cor de rapé, com botões amarelos.

Ah! Se esse velho quisesse contar as estroinices que fez o querido amo pelas paragens europeias que percorreu! se quisesse dizer quantas vezes não expôs a pele para livrá-lo em situações bem críticas! quantas vezes por causa de alguma aventura amorosa ou por alguma simples questão de rua ou de café não voltaram os dois, amo e criado, para o hotel com o corpo moído de pauladas e os punhos cansados de esbordoar!

Durante essas viagens levaram eles a vida mais aventurosa e extravagante que é possível imaginar; só voltaram para o Brasil no período da regência, depois da abdicação do Sr. D. Pedro I, por quem o rapaz não morria de amores.

Tornando à província, Emílio, talvez na intenção de refazer os seus bens já minguados, casou-se, a despeito da oposição do Caetano, com uma rapariga de Malabar, filha natural de um negociante português que comerciava diretamente com a Índia.

Atirou-se então a especular no comércio, mas o seu temperamento não lhe permitia demorar-se por muito tempo no mesmo objeto e, achando-se viúvo pouco depois de casado, lançou as vistas para Diamantina, que nessa ocasião atraía os ambiciosos, e lá se foi ele, sempre acompanhado pelo Caetano, explorar o diamante.

Tão depressa o viram em 1835 na Diamantina, como em 1842 em Santa Luzia na revolução dos liberais mineiros, lutando contra a célebre reação conservadora manifestada pela lei de 3 de dezembro.

A galhardia e valor com que se houve nessas conjunturas valeu-lhe a estima de Teófilo Otoni e outros importantes chefes do seu partido. Dessa estima e mais dos bens particulares que então gastou na política foi que se originou o título, com que mais tarde o agraciaram.

A sua atitude política, a sua riqueza e os seus dotes naturais haviam-lhe já conquistado na corte as melhores relações desse tempo.

Uma vez, por ocasião de trazer para aí uma excelente partida de diamantes, travou conhecimento com um importante fazendeiro de café, em cuja fazenda se hospedou por acaso.

Esse homem, mineiro da gema, era no lugar a principal influência do partido conservador e, sem dúvida, um dos que primeiro explorou a famosa *Mata do Rio*, que então começava a cobrir-se de novas plantações.

O fazendeiro tinha uma filha e Emílio cobiçou-a para casar. Mas o encascado político, descendente talvez dos antigos *emboabas* que avassalaram o centro de Minas, não cedeu ao primeiro ataque, e Emílio teve de lançar mão de todos os recursos insinuativos da sua raça para conseguir captar a confiança do pai e o coração da filha.

Quando lá tornou segunda vez, deixou o casamento ajustado. Então foi ainda a Diamantina liquidar os seus negócios e, voltando à Mata, recebeu por esposa a mulher que, mal sabia ele, estava destinada a ser a mais suave consolação e o melhor apoio do resto de sua vida.

Foi desse enlace que nasceu Teobaldo, logo um ano depois do casamento.

Emílio só reapareceu na corte em 1847, onde os seus correligionários, então no poder, o agraciaram com o título de Barão do Palmar; mas voltou logo para Minas e tratou de estabelecer com os seus capitais uma fazenda na vizinhança da do sogro, que acabava de falecer.

Foi esse o melhor tempo de sua vida, o mais tranquilo e o mais feliz. Só depois de casado, Emílio pôde avaliar e compreender deveras a mulher com quem se unira; só depois de casado, descobriu os tesouros de virtude que ela lhe trouxe para casa, escondidos no coração.

Laura, assim se chamava a boa esposa, era um desses anjos, criados para a boa segurança do lar doméstico; uma dessas criaturas que nascem para fazer a felicidade dos que a cercam.

Em casa, senhores e escravos chamavam-lhe "Santa". E este doce tratamento condizia com os seus atos e com a sua figura.

— Esta, sim! — exclamava o Caetano, entusiasmado. — Esta, sim, é uma esposa de conta, peso e medida!

Pouco a pouco, Emílio foi amando a mulher, ao ponto de chegar a estremecê-la, o que até aí lhe parecia impossível.

No meio de toda essa felicidade, Teobaldo deu os seus primeiros passos pela mão do pai, da Santa e do fiel Caetano, que já o adorava tanto como os outros.

O pequeno era o mimo da casa; era o cuidado, o enlevo, a preocupação de quantos o viam crescer.

Com que sacrifício não consentiu, pois, o Barão do Palmar que o filho, daí a seis anos, seguisse sozinho para um colégio de Londres, donde havia de passar a Coimbra.

Mas assim era necessário, porque Emílio, então comprometido no tráfico dos negros africanos, viu-se atrozmente perseguido por Euzébio de Queiroz, terror dos negreiros e seu inimigo político.

Eis aí quem era e donde vinha o pai de Teobaldo.

E agora, visto aos cinquenta e tantos anos, aquele tipo, correto na forma e um pouco desabrido nas maneiras, estava ainda a dizer a sua procedência mestiça. Por mais despejado que fosse todavia, cativava sempre com muita graça e muita insinuação. Ar gentil e franco, gestos largos, coração tão aberto a tudo e a todos, que até ao mal franquearia a entrada, desde que houvesse lá por dentro uma ideia de vingança.

Possuía ele um desses temperamentos desensofridos e ao mesmo tempo saturados de bom humor; tão prontos a zombar dos grandes perigos, como a inflamar-se à menor palavra que de longe lhe tocasse em pontos de honra. Temperamentos que não conhecem meio-termo e que vão da pilhéria à bofetada com a rapidez de um salto.

Amava loucamente a mulher e adorava o filho. Todas as suas paixões de outrora, todos os seus gostos e hábitos sacrificados ao atual meio em que ele vivia, como que se transformaram em um sentimento único, em um amor de quinta-essência, em uma dedicação sem limites por Teobaldo. Mas não sabia educá-lo e por cegueira de afeição permitia-lhe todos os caprichos. A mais extravagante fantasia do menino era uma lei em casa do Sr. Barão.

Defronte daquele pequeno Deus, ninguém seria capaz de levantar a voz. Teobaldo vivia entre os seus parentes como um príncipe no meio da sua corte; o pai, a mãe, uma irmã desta, que agora a acompanhava, todos pareciam apostados em merecer-lhe as graças em troca de amor e submissão.

Pode-se, pois, facilmente calcular qual não seria a comoção de Emílio ao ver o filho, quando o foi buscar nas férias, depois de tantos meses de ausência.

— Teobaldo! — exclamou o barão, correndo para ele de braços abertos.

O menino saltou-lhe ao pescoço e deixou-se beijar, enquanto perguntava pelos de casa.

E depois, a queixar-se:

— Ora! prometeste que virias visitar-me, e nem uma vez!...

— Não pude abandonar a fazenda um só dia durante o ano! Aquilo por lá tem sido o diabo!...

Ia continuar, mas interrompeu-se para dizer ao filho:

— Anda daí, rapaz! Mexe-te, que, ao contrário, chegaremos muito tarde!... Vamos! Eu te ajudo a preparar a mala. Onde é o teu quarto?

Teobaldo tomou de carreira a direção do dormitório e o pai acompanhou-o, a mexer com todos os pequenos que encontrava no caminho.

— Quem é o tal André, de que falas tu nas cartas com tanta insistência? — perguntou ao filho, enquanto este emalava a sua roupa.

— Ah! o Coruja? É o meu amigo; mostro-to já; espera aí.

E, quando atravessavam o salão, já com a mala pronta, Teobaldo exclamou, puxando o braço do pai:

— Olha! É aquele! Aquele que está ao lado do diretor.

— E aquele padre, quem é? Aquele que conversa com o Dr. Mosquito?

— Deve ser o tutor de André.

— O tutor?

— Sim, porque André já não tem pai, nem mãe; foi o vigário quem tomou conta dele e quem o meteu no colégio.

— E agora veio buscá-lo e leva-o para casa durante as férias?...

— Talvez não. Já o ano passado, deixou-o ficar aqui sozinho com os criados.

— Mas pode ser que desta vez não aconteça o mesmo...

Emílio foi, porém, convencido logo do contrário pelo que ouviu entre o diretor e o padre, cujo diálogo ia-se esquentando a ponto de lhe chegar perfeitamente aos ouvidos.

— Abuso?... — exclamava o vigário. — Não vejo onde esteja o abuso!

— Pois não! — replicava o diretor. — Pois não! V. Revma. vem ter comigo e pede-me que tome conta de seu pupilo pela metade do que recebo pelos outros alunos; eu consenti, consenti, porque sabia que o pobre menino não tem outra proteção além da sua... Pois bem! chegam as férias; o senhor não o manda buscar, o que é sempre um inconveniente para um estabelecimento desta ordem, e...

—Não sei por quê... — interrompeu o padre.

—Sei eu — gritou o diretor. — E a prova, olhe, é que tencionava fazer pelas férias um passeio à corte com minha família, e não fiz!...

— Sim, mas o senhor, naturalmente, não foi detido só por este...

— Engana-se; seu pupilo foi o único aluno que ficou no colégio durante as férias!

— Não é culpa minha!

— De acordo e não é disso que faço questão. Deixa-me continuar...

— Pode continuar.

— Como dizia: o senhor, não satisfeito com o abatimento que lhe fiz durante o ano inteiro, pediu-me ainda que lhe fizesse um novo abatimento durante as férias. Permita que lhe diga: o que V. Revma. pagou não deu sequer para as comedorias, porque não é com tão pouco que se alimenta aquele rapaz! Não imagina que apetite tem ele!

André, ao ouvir esta acusação, abaixou o rosto, envergonhado como um criminoso, e pôs-se a roer as unhas, sentindo sobre si o olhar colérico do padre, que o media da cabeça aos pés.

— Pois bem! — prosseguiu o diretor. — Chegam de novo as férias e, quando estou resolvido a remeter-lhe o menino, vem o senhor e diz que desta vez não pode pagar tanto como das outras!... Ora! há de V. Revma. convir que isto não tem jeito!

— Seria uma obra de caridade!... — objetou o padre.

— Sim, mas eu já fiz o que pude...

— Pois vá! Pagarei o mesmo que nas férias do ano passado.

— Não, senhor, não serve! V. Revma. leva o menino e, se quiser, pode apresentar-mo de novo em janeiro. De outra forma, não!

— Tenho então de levar o pequeno comigo? — exclamou o padre, fazendo-se vermelho.

— Decerto — respondeu o diretor sem hesitar. — As férias inventaram-se para descanso e eu não posso ficar tranquilo, sabendo que há um aluno em casa. Dá-me o mesmo trabalho que me dariam vinte! Não! não!

— Mas, doutor!...

— Não, não quero! É um cuidado constante. Retiram-se todos os empregados e fica aí o menino só com o servente; de um momento para outro, uma travessura, uma tolice de criança, pode ocasionar qualquer desgraça, e serei eu por ela o único responsável! Não quero!

— E se eu pagar o mesmo que pago durante o ano? — perguntou o reverendo já impaciente e cada vez mais vermelho.

— Nem assim.

— Nem assim? E quanto então é preciso que eu pague?

— Nada, porque estou resolvido a não aceitar.

— De sorte que eu tenho por força de levar o pequeno?...

— Fatalmente.

— Pois então, pílulas! — exclamou o padre, deixando transbordar de todo a cólera — pílulas!

E, voltando-se para o Coruja:

— Vá! vá fazer a trouxa e avie-se!

O Coruja afastou-se tristemente enquanto o padre resmungava: Peste! só me serve para dar maçadas e fazer-me gastar o que não posso!

O barão, que a certa distância ouvira tudo ao lado do filho, disse a este em voz baixa:

— Pergunta ao teu amigo se ele quer vir conosco passar as férias na fazenda.

Teobaldo, satisfeito com as palavras do pai, foi de carreira ter com o Coruja e voltou logo com uma resposta afirmativa.

— Reverendo — disse então o fidalgo aproximando-se do padre com suma cortesia. — Por sua conversação com o Dr. Mosquito fiquei sabendo que o contraria não poder deixar o seu pupilo no colégio; lembrei-me, pois, se não houver nisso algum inconveniente, de levá-lo com meu filho, a passar as férias na fazenda em que resido.

O diretor deu-se pressa em apresentá-los um ao outro, desfazendo-se em zumbaias com o barão. E o padre, cuja fisionomia se iluminara à proposta do adulado, respondeu curvando-se:

— Meu Deus! O Sr. Barão pode determinar o que bem quiser!... Receio apenas que o meu pupilo não saiba talvez corresponder a tamanha gentileza; uma vez, porém, que o generoso coração de V. Exa. sente vontade de praticar esse ato de caridade...

— Não, não é caridade! — atalhou Emílio, francamente. — Não é por seu pupilo que faço isto, mas só para ser agradável a meu filho... Eles são amigos.

— Se V. Exa. faz gosto nisso...

— Todo o gosto.

— Pois então o pequeno está às ordens de V. Exa.

— Bem. Ficamos entendidos. Levo-o comigo e trá-lo-ei com Teobaldo, quando se abrirem de novo as aulas.

O reverendo entendeu a propósito contar ao Sr. Barão, pelo miúdo, a história do "pobre órfão"; como ele o recolhera e sustentara, repetindo no fim de cada frase "Que não estava arrependido" e, terminando com a financeira e conhecida máxima: "— Quem dá aos pobres, empresta a Deus!...".

6

— É bem feiozinho, benza-o Deus! o tal teu amigo!... — disse o barão ao filho, enquanto André se afastava para ir buscar a sua trouxa.

— Sim, mas um belo rapaz — respondeu Teobaldo. — Tem por mim uma cega dedicação.

— Embora! É muito antipático! Está sempre a olhar tão desconfiado para a gente!... E parece mudo — só me respondeu com a cabeça e com os ombros às perguntas que lhe fiz.

— É assim com todos.

— Nem sei como vocês se fizeram amigos. Então tu, que, segundo me disse ainda há pouco o Mosquito, não te chegas muito para os teus colegas.

— Só me chego para o Coruja. É o único.

— Coitado! O reverendo, ao que parece, não morre de amores por ele; nem à mão de Deus Padre queria carregá-lo para casa.

— Um mau sujeito, o tal reverendo!

— Mas, com certeza não foi por maldade que ele o recolheu à sua proteção.

—Não sei. Talvez!...

Emílio olhou mais atentamente para o filho e disse sorrindo:

— Tens às vezes coisas que me surpreendem. Com quem aprendeste tu a desconfiar desse modo dos teus semelhantes?

— Contigo. Não me tens dito tantas vezes que a gente deve desconfiar de todo mundo?

— Para não sofrer decepções a cada passo... é exato!

— E que, no caso de erro, é preferível sempre nos enganarmos contra, do que a favor de quem quer que seja!...

— Decerto. O homem deve sempre colocar-se superior a tudo e fazer por dominar a todos. O mundo, meu filho, compõe-se apenas de duas classes — a dos fortes e a dos fracos; os fortes governam, os outros obedecem. Ama aos teus semelhantes, mas não tanto como a ti mesmo, e, entre amar e ser amado, prefere sempre o último; da mesma forma que deves preferir sempre — dar, a pedir, principalmente se o obséquio for de dinheiro.

— Achas mau que eu seja amigo do Coruja?

— Ao contrário, acho excelente. Essa escolha, entre tantos colegas mais bem parecidos, confirma o bom juízo que faço do teu orgulho, e mostra que tens sabido aproveitar-te dos meus conselhos.

— Não compreendo.

— Também ainda é cedo para isso. É preciso dar tempo ao tempo.

O Coruja reapareceu sobraçando a sua pequena mala de couro cru.

—Pronto? — perguntou-lhe Teobaldo.

O outro meneou a cabeça, afirmativamente.

— Pois então a caminho! — exclamou Emílio, descendo a escada na frente dos rapazes.

Um carro os esperava à porta do colégio; o cocheiro tomou conta das bagagens; Emílio fez subir os dois meninos e assentou-se defronte deles.

André, muito esquerdo com a sua roupinha de sarja, que ia já lhe ficando curta, não olhava de frente para os companheiros e parecia aflito naquela posição; ao passo que Teobaldo, muito filho de seu pai, conversava pelos cotovelos, dizia o que vira, praticara e assistira durante o ano, criticando os colegas, ridicularizando os professores e, ao mesmo tempo, fazendo espirituosos comentários sobre tudo que lhe passava defronte dos olhos pela estrada.

Chegaram à fazenda às oito horas da noite. Vieram recebê-los ao portão a senhora baronesa e mais a irmã, D. Geminiana, acompanhadas ambas pelo Caetano, que trazia uma lanterna.

Santa lançou-se ao encontro do filho, cobrindo-o de beijos sôfregos e a chorar e a rir ao mesmo tempo, enquanto um escravo, que acudira logo, desembarcava as malas e ajudava o cocheiro a desatrelar os animais.

Teobaldo passou dos braços da mãe para os da tia, que não menos o idolatrava, apesar de ser um tanto rezingueira de gênio.

— O nosso morgado traz-lhes um hóspede! — declarou o barão, empurrando brandamente o Coruja para junto das senhoras. — É aquele amigo de que ele fala nas cartas. Vem fazer-lhe companhia durante as férias.

André, muito atrapalhado de sua vida, porque jamais se vira em tais situações, quando deu por si estava nos braços da mãe de seu amigo e recebia um beijo na testa.

Coitado! Que estranhas sensações não lhe produziu aquele beijo, ainda quente da ternura com que foram dados os outros no verdadeiro filho! Há quanto tempo não aspirava o pobre órfão essa flor ideal do amor, essa flor sonora — o beijo!

Depois de sua mãe ninguém mais o beijara. E Santa, sem saber, acabava de abrir no coração do desgraçado um sulco luminoso, que penetrava até às suas mais fundas reminiscências da infância.

— Este menino está chorando! — considerou D. Geminiana, que até aí observara o Coruja como quem contempla um bicho raro.

— Que tens tu? — perguntou Teobaldo ao amigo.

— Nada — respondeu este, limpando as lágrimas na manga da jaqueta.

E o seu gesto era tão desgracioso, coitadinho, que todos, à exceção de Santa, puseram-se a rir.

— Não é nada, com efeito! A comoção talvez!... — exclamou Emílio, batendo levemente nas costas de André. — Há muito tempo que não se vê entre família! Daqui a pouco nem se lembrará que chorou... Não é verdade, amiguinho?

O Coruja disse que sim, enterrando a cabeça nos ombros.

— Mas, vamos para cima, que eu estou morrendo por comer! — protestou Teobaldo, passando os braços em volta da cinta das duas senhoras e obrigando-as a acompanhá-lo.

Assim subiram a pequena alameda de mangueiras que conduzia à casa e, dentro em pouco, penetravam todos na sala de jantar.

A despeito de se achar naquelas alturas, Emílio cercava-se de todas as comodidades que lhe permitia a época. O seu primeiro casamento abrira-lhe o gosto pelos objetos do luxo asiático e trouxera-lhe uma riquíssima coleção de louças, de sedas e caxemiras, charões, marfins, pinturas, objetos de goma-laca, teteias de sândalo e tartaruga, e tudo mais que era de costume nesse tempo introduzirem no Brasil os portugueses vezeiros no comércio das Índias.

Viam-se aí também, pelas paredes, quadros antigos, de santos, alguns dos quais haviam pertencido a D. João VI, e das mãos deste passado às do avô de Teobaldo. Viam-se igualmente estalados retratos de damas e cavalheiros da corte de D. José e D. Maria I, detestavelmente pintados, nas suas pitorescas vestimentas do século XVIII e defronte de cujas telas inutilizadas e ressequidas pelo antiaristocrático sol brasileiro, habituara-se o velho Caetano a possuir-se de todo o respeito, porque lhe constava que entre aqueles figurões havia parentes do seu rico amo.

E, ao lado da mobília, relativamente nova, descobriam-se clássicas peças de madeira preta, que juntavam ao aspecto daquelas salas uma nota religiosa e grave.

Na biblioteca, aliás bem guarnecida, destacavam-se, por entre as estantes, antigas armas portuguesas, dispostas em simetria e caprichosamente entrelaçadas por arcos e flechas do Brasil. Na sala de jantar, dominando a larga e longa mesa da comida, havia um grande retrato de Cromwell, representado na ocasião em que ele invadiu o parlamento inglês de chicote em punho.

O Coruja passou por tudo isso, às cegas, sem ânimo de olhar para coisa alguma. O desgraçado sentia perfeitamente que agora, à luz das velas, a sua antipática figura havia de produzir sobre todos uma impressão ainda muito mais desagradável do que a primeira; sentia-se mais feio, mais irracional, posto em contraste com aquela gente e com aqueles objetos.

Mal se assentaram à mesa, D. Geminiana continuou a observá-lo fixamente e concluiu afinal o seu julgamento franzindo os cantos da boca em um trejeito de repugnância; Santa, porém, não se mostrou tão desagradada e chegou a sorrir para o Coruja, quando lhe passou o prato de sopa.

O barão, que havia tomado a cabeceira, fizera sentar o filho ao seu lado e, segundo o costume, conversava com ele, como se estivesse defronte de um homem.

Entretanto, o Coruja continuava tão mudo e tão fechado, que do meio para o fim do jantar ninguém mais se animava a dirigir-lhe a palavra.

Depois do café, Santa ergueu-se da mesa e foi pessoalmente dar as suas ordens para que nada faltasse ao taciturno hóspede; mandou acrescentar uma cama no quarto do filho e disse ao outro que podia recolher-se quando quisesse.

Coruja apertou a mão de todos, um por um, e meteu-se no quarto.

— Já vais? — perguntou-lhe o amigo. — És um mau companheiro!

Na sala, onde ficou ainda a família a conversar por algum tempo, veio o Coruja à discussão. Emílio contou o diálogo que ouvira entre o padre e o diretor do colégio, e D. Geminiana, que parecia disposta a não perdoar ao órfão o ser tão desengraçado, acabou ela própria louvando o procedimento do cunhado.

7

Ninguém seria capaz de descrever a comoção que se apoderou do Coruja na sua primeira manhã daquelas férias.

Ergueu-se antes do despontar do sol, vestiu uma roupa de Teobaldo, que lhe mandaram pôr ao lado da cama, e, com as calças e as mangas dobradas, saiu mais o companheiro ao encontro do barão, que já esperava por eles à margem de um rio, situado a cinquenta passos do fundo da casa.

Era aí que Emílio dava ao filho as suas lições de natação.

Mas não houve meio de conseguir que o Coruja se despisse na presença dos outros. Já em casa do padre, e também no colégio, observava-se a mesma coisa; tinha o Coruja um pudor exageradíssimo, uma invencível vergonha da nudez; não podia admitir que ninguém lhe visse a pele do corpo. E, só depois que o barão e o filho se banharam, consentiu ele, bem certo de que não era espiado, em meter-se n'água.

Sem dar demonstração, o Coruja estava maravilhado com tudo que ia se patenteando em torno dele. Seu coração, puro e compassivo, abria-se para receber amplamente aquela grande paz do campo tão simpática às precoces melancolias de sua pobre alma.

E as castas propensões do Coruja, os gostos imaculados que dormiam a sono solto dentro dele, tudo isso acordou alegremente aos primeiros rumores da floresta e às primeiras irradiações da aurora como um bando de pássaros quando vai amanhecendo.

Nunca se julgou assim feliz. Todas aquelas vozes da natureza, todo aquele aspecto tranquilo das matas e das montanhas, tudo o fascinava secretamente, como se ele tivera nascido ali, entre aquelas coisas tão calmas, tão boas, tão comunicativas.

Os currais, os trabalhos agrícolas, o gado grosso e o gado miúdo, a criação dos animais domésticos, a cultura dos legumes e hortaliças, tudo isso tinha para ele um encanto muito particular e muito suave.

— Então? que tal achas isto aqui? — perguntou-lhe Teobaldo, depois de mostrar ao amigo as benfeitorias da fazenda.

— Tudo muito bom — respondeu ele.

— E o velho? Que tal?

— Bom, muito bom.

— E Santa?

— Uma santa.

— E a tia Gemi?

— Não é má.

— Um pouquinho rezingueira, não é verdade? Mas não faças caso, que ela se chegará às boas. Olha! se a quiseres agradar, faze-te devoto; reza-lhe dois padre-nossos e tê-la-ás conquistado.

E mudando logo de tom:

— Depois do almoço temos um passeio com o velho. Vais ver o que é bom! Sabes montar a cavalo?

— Não, mas aprendo. Onde é o passeio?

— À fazenda do Hipólito. Não é longe.

— Que Hipólito?

— Um vizinho nosso, amigo do velho e pretendente à mão da tia Gemi.

— Ah!

— Vem comigo à estrebaria.

Defronte dos animais, Teobaldo chamou a atenção do amigo para um belo cavalo alazão, meio sangue, que o pai lhe havia comprado ainda o ano passado.

— Eu preferia aquele burro... — disse o Coruja, depois de examinar minuciosamente as bestas.

— Quê? Pois preferes o jumento àquele belo alazão?...

— Decerto.

— Mas, por quê?

— Não sei: gosto mais do burro que do cavalo.

— Que gosto! Antes andar a pé.

E acrescentou ainda, apontando para o alazão:

—Olha só para aquilo! É um animal nobre! Parece que tem consciência do seu valor!

Terminado o almoço e vestido o Coruja pelo melhor que se pôde arranjar, o barão, os dois meninos e o velho Caetano abandonaram a casa e encaminharam-se para a estrebaria.

— Sabes, papai? O André prefere ir no burro.

— Porque não é cavaleiro? O burro com efeito é muito menos perigoso para ele. Anda com isso, ó Caetano.

Prontos os animais, o velho criado ajudou Coruja a cavalgar o burro.

— Não tenha medo! — gritou-lhe, a segurar a brida. — Esta besta é mais mansa do que uma pomba!

André, todo vergado sobre o peito e a segurar as rédeas com ambas as mãos, não conseguia endireitar-se na sela do animal, por mais que o amigo lhe gritasse:

— Espicha as pernas, rapaz! Levanta a cabeça! Pareces um macaco!

O barão e o filho, uma vez montados, meteram entre os seus cavalos o jumento em que ia o Coruja, e puseram-se a caminho, seguidos a certa distância pelo criado, cuja libré dava à modesta cavalgata um ligeiro colorido de aristocracia.

Os primeiros minutos do passeio foram todos gastos com André, que, diga-se a verdade, fazia o possível para bem aproveitar as lições.

— Assim! assim! — gritou-lhe Teobaldo, metendo as esporas no animal. — Afrouxa um pouco mais a rédea e mete-lhe o chicote com vontade! Não tenhas medo!

Coruja foi pôr em prática esta ordem, mas com tal precipitação o fez que o burro se espantou e, dando um salto, cuspiu-o por terra.

— Ó diabo! — exclamou Emílio, fazendo parar o seu cavalo.

— Ficaste magoado? — perguntou Teobaldo ao amigo.

— Foi nada! — disse o Coruja, erguendo-se a segurar o asno pela rédea, e, antes que lhe pusessem embargos, tomou o estribo, galgou de um pulo a sela e, tocando o animal com certa energia, gritou aos companheiros:

— Vamos adiante!

E às quatro da tarde, sem nenhum outro incidente desagradável, voltavam à fazenda, trazendo consigo o tal Hipólito, que parecia embirrar com o Coruja ainda mais do que a própria noiva.

Mas com quem não embirraria aquele demônio de barbas pretas e cabelo ruivo, eterno maldizente, capaz de encontrar pontos de censura na vida de Santa Maria e de São José?

O barão suportava-o, tão somente para não prejudicar a trintona cunhada, que arriscava-se a ficar solteira se lhe escapasse ocasião de ter marido. Hipólito era já um bom arranjo, tinha algum dinheiro e prometia ir muito mais longe com o seu sistema de economia que orçava sensivelmente pela avareza.

A política era talvez a sua paixão dominante; ele, porém, a disfarçava quanto possível e não se metia com os partidos, receoso de gastar alguma coisa. Aparecia frequentemente na fazenda de Emílio e estava sempre a criticar, em segredo com a noiva, a educação que davam a Teobaldo.

— Deus queira que não venham a amargar mais tarde! — dizia Hipólito, cheio de repreensão. — Nunca vi em dias de minha vida semelhante gênero de ensino! Pois se até o fedelho trata aos pais por tu, como se estivesse a falar com os negros! Enfim cada um faz o que entende; eu, porém, tenho o direito de achar bom ou mau.

Outro pretexto constante para a sua indignação era a vida dispendiosa de Emílio.

— Para que tanta prosápia e tanta galanice? — resmungava frenético. — Ora eu, que sei perfeitamente com que linhas ele se cose, não posso ver isto a sangue-frio! As consequências deste esbanjamento bem sei eu quais são: os parentes que se apertem! Mas não há de ser comigo que ninguém se arranjará! Cá sei o quanto me custa a conservar o que tenho! E já não é pouco!

Que importava, porém, a mastigação do serrazina, se ela ficava sepultada nas discretas orelhas de D. Geminiana?

Não seria por isso que as matilhas do Sr. Barão deixariam de acordar as florestas com seus latidos, à madrugada, em busca da anta ou do porco bravo; não seria por isso que a mesa do fidalgo seria menos farta, os seus cavalos menos de raça e os seus vinhos menos escolhidos e generosos.

* * *

Assim se abria para o Coruja uma existência completamente nova e imprevista, mas muito ao sabor do seu gênio rústico e simples.

A certos divertimentos ia entretanto só pela satisfação de acompanhar o amigo, porque, à medida que ele se familiarizava com o campo, acentuavam-se-lhe os gostos e as preferências. Não trocaria, por exemplo, a mais modesta pescaria pela melhor caçada; desagradava-lhe o alvoroço, o grito dos batedores, o barulho dos cães e não gostava de ver cair ao tiro das escopetas a pobre besta foragida e tonta de terror.

A pesca, sim, era um prazer afinado pelo seu temperamento calmo e silencioso; passava horas esquecidas, de caniço em punho, à espera que se chimpasse o peixe no anzol. Teobaldo às vezes o acompanhava ao rio por condescendência, mas levava sempre consigo uma espingarda passarinheira.

Era interessante de ver aqueles dois meninos tão contrários e tão unidos, partirem de madrugada para o mato, onde passavam quase sempre as melhores horas do dia. André carregava consigo os utensílios da pesca e raro dizia uma palavra enquanto matejava; o outro, com a sua passarinheira a tiracolo, falava por si e por ele, descrevendo entusiasmado as façanhas do pai ou do avô, que muitas vezes, em noites de invernada, ouvira da boca do velho Caetano.

Todavia, um adorava o sossego, a doce e morna tranquilidade dos vales ou as margens frondosas e sombreadas do rio, para onde levava os seus livros favoritos, entre os quais *Robinson Crusoé* tinha o primeiro lugar; o outro, não; o outro só queria da floresta aquilo que ela lhe pudesse dar de imprevisto e aventuroso: queria a sensação, o perigo, o romanesco e o transcendente.

Às vezes, enquanto o Coruja lia ou pescava à beira d'água, Teobaldo, ao seu lado, deitado sobre a relva, olhos fitos na verde-negra cúpula das árvores, sonhava-se herói de mil conquistas, cada uma do seu gênero; tão depressa se via um grande poeta, como um político inexcedível ou um divino orador. Idealizava-se em todas as atitudes gloriosas dos grandes vultos; não lhe passava pela vista a biografia de qualquer celebridade, fosse esta conquistada pelo talento, pela energia, pela fortuna, pela intrepidez ou pela grandeza d'alma, que ele não descobrisse logo em si muitos pontos de contato com o biografado.

Teobaldo não amava o campo, aceitava-o apenas como um fundo pitoresco em que devia destacar-se maravilhosamente a sua "extraordinária figura", aceitava-o como simples acessório das suas fantasias. Nunca lhe compreendera as vozes misteriosas nem jamais comunicara a sua alma com a dele. Tanto assim que naqueles passeios, o que mais o preocupava não era a contemplação da natureza e sim os pequenos detalhes elegantes que diziam respeito particularmente à sua pessoa, como a roupa, o aspecto do animal que montava e a distinção do exercício que escolhia.

Ele nunca saía a passear sem as suas trabalhadas botas de polimento, sem o seu calção de flanela, a sua blusa abotoada até ao pescoço e cingida ao estômago por um cinturão com fivela de prata; não saía sem o seu chapéu de pluma, a sua bolsa de caça, o seu polvarinho, o seu chumbeiro e, ainda que tivesse a certeza de não precisar da espingarda, levava-a, porque a espingarda fazia parte do figurino.

Um dia exigiu que o pai lhe desse uma pistola e um punhal.

— Para que diabo queres tu todo esse armamento? — perguntou-lhe o barão, sem poder deixar de rir.

—Para o que der e vier...

— Descansa, que por aqui não terás necessidade disso.

— Mas eu queria...

— Pois bem, havemos de ver.

E, para não contrariar de todo o filho, o que não estava em suas mãos, Albuquerque estabeleceu nos fundos da casa um tirocínio de pontaria ao alvo e consentiu que o rapaz nos seus passeios à mata trouxesse à cinta um rico punhal de ouro e prata que pertencera ao avô.

— Tu não queres também uma arma? — perguntou Teobaldo ao Coruja.

— Não; só se fosse um facão para cortar mato.

— Ora, vocês não querem também uma peça de artilharia? — exclamou o barão, quando o filho lhe foi pedir o que desejava o amigo.

Enquanto Teobaldo fazia tanta questão das aparências e das exterioridades, André, enfronhado em um fato de ordinária ganga amarela, que nem era dele, com um grande chapéu de palha na cabeça e às vezes descalço, comprazia-se em percorrer a fazenda, não em busca de aventuras como o amigo, mas de alguém que lhe ensinasse o nome de cada árvore, a utilidade e a serventia de todas elas, assim como o processo empregado na cultura de tais e tais plantações, o modo de semear e colher estes ou aqueles cereais; qual a época para isto, qual a época para aquilo; queria que lhe explicassem tudo! Uma de suas mais arraigadas preocupações era a obscura existência dos insetos; interessava-se principalmente pelos alados, procurando acompanhar-lhes as metamorfoses, desde o estado de larva à mariposa. Se lhe despejassem as algibeiras, haviam de encontrar aí várias crisálidas, besouros e cigarras secas, como encontrariam igualmente vários caroços de fruta e pedrinhas de todos os feitios.

Algumas semanas depois de sua estada na fazenda era ele quem mais se desvelava pelos carneiros e pelos porcos e quem ia dar quase sempre a ração aos cavalos. E, quando havia uma ferradura a pregar ou qualquer tratamento a fazer nos animais, mostrava-se tão afoito que parecia o único responsável por isso.

No fim do primeiro mês das férias já o Coruja sabia nadar, correr a cavalo, atirar ao alvo e, por tal forma havia-se familiarizado com a vegetação, com a terra viva, com o sol e com a chuva, que parecia não ter tido nunca outro meio que não fosse aquele.

Em geral acordava muito mais cedo que o amigo e, ainda dormia este a sono solto, já andava ele a dar uma vista d'olhos pelo serviço das hortas e dos currais.

Dentre toda essa bela existência só uma coisa o contrariava sem que todavia deixasse o Coruja transparecer o menor desgosto contra isso: — era a teimosa perseguição que lhe fazia D. Geminiana. A rezingueira senhora achava sempre um mau gesto ou uma palavra dura para lhe antepor aos atos mais singelos.

Manifestou-se-lhe logo a impertinência a propósito da flauta do rapaz. André, coitado, não desmentia o mestre que lhe dera o acaso, e D. Geminiana, uma noite em que conversava com o noivo, depois de ouvir por algum tempo o fiel discípulo do Caixa-d'óculos arrancar do criminoso instrumento certas melodias bastante equívocas, foi ter com ele, sacou-lhe vivamente das mãos o corpo de delito e, atirando com este para cima de um canapé, tornou ao lado de Hipólito, sem dar uma palavra ao delinquente, rica, porém, de gestos e caretas muito expressivas.

O homem das barbas ruivas e cabelo preto observou tudo isso em silêncio, contentando-se apenas com sacudir a cabeça e apertar os beiços em sinal de aprovação.

Coruja, quando os noivos mergulharam de novo no seu colóquio, retomou sorrateiramente a flauta e fugiu com ela para um caramanchão de maracujás, que havia a alguns passos da casa. Supunha que daí não seria ouvido pela ríspida senhora; mas, no dia seguinte, procurando o instrumento não o encontrou em parte alguma.

— Minha flauta?... — perguntou ele a D. Geminiana.

— Está guardada! — disse essa secamente. — Só lha restituirei quando o senhor voltar para o colégio.

Coruja resignou-se, sem um gesto de contrariedade e não falou a ninguém sobre esse incidente, nem mesmo ao amigo.

Com efeito, só tornou a ver sua querida flauta ao terminar das férias, quando se dispunham, ele e Teobaldo, a voltar para o internato do Dr. Mosquito.

O barão foi levá-los em pessoa ao colégio, e Santa, chorando pelo filho, despedira-se do Coruja, dizendo-lhe:

— Continue a ser amigo de Teobaldo e nós faremos com que você passe aqui as férias do ano que vem.

8

Com o correr do seguinte ano, a dedicação do Coruja pelo amigo parecia crescer de instante para instante. Uma leoa não defenderia os seus cachorros com mais amor e mais zelos.

Já não se contentava André com resguardá-lo das ameaças e malquerenças dos colegas, como exigia também de todos que lhe rendessem a mesma estima e o mesmo respeito, que lhe tributava ele.

Teobaldo, vadio como era por natureza, quase nunca estudava as lições, e quando não lhe valiam os recursos do seu "proverbial talento" ou da sua astúcia, tinha de copiá-las quatro, cinco ou seis vezes, conforme fosse o castigo. Então se revoltava e queria protestar contra a sentença dos mestres, mas o Coruja puxava-lhe a ponta do casaco e dizia-lhe baixinho:

— Não te importes, não te importes, que eu me encarrego de tudo...

E, com efeito, mal chegava a hora do recreio, enterrava-se André no quarto de estudo e, imitando a letra do amigo, aprontava as cópias; feliz com aquele trabalho, como se o descanso do outro fosse o seu melhor prazer.

Muita vez perdeu com isso grande parte da noite, e no dia seguinte ainda encontrava tempo para tirar os significados da lição do amigo, para resolver-lhe os problemas de álgebra e fazer-lhe os temas de latim.

Uma vez, em que o Coruja se apresentou nas aulas sem haver preparado as próprias lições, o professor exclamou com surpresa:

— Oh! Pois o senhor, *seu* André, pois o senhor não traz a sua lição sabida!... Então que diabo fez durante o tempo de estudo o senhor que não larga os livros?...

Entretanto, o outro, Teobaldo, estava perfeitamente preparado.

Esta dedicação fanática de Coruja pelo amigo crescia com o desenvolvimento de ambos; mas em Teobaldo a graça, o espírito e a sagacidade eram o que mais florescia; enquanto que no outro eram os músculos, o bom senso, a força de vontade e o férreo e inquebrantável amor pelo trabalho.

Agora, o pequeno do padre já emitia opinião sobre várias coisas, já conversava; tudo isso, porém, era só com o seu amigo íntimo, com o seu Teobaldo. Parecia até que, à proporção que abria o coração para este, mais o fechava para os estranhos.

Quando terminou o ano, o filho do barão havia crescido meio palmo e o Coruja engrossado outro tanto; aquele se fizera ainda mais esbelto, mais distinto e mais formoso; este ainda mais pesado, mais insociável e mais feio.

Afinal, assim tão completados, formavam entre os seus companheiros uma força irresistível. Teobaldo era a palavra cintilante e ferina, era a temeridade e o arrojo; o outro era o braço em ação, a força e o peso do músculo. Um provocava e o outro resistia.

Um era o florete aristocrático, fino e aguçado, que só tem a serventia de palitar os dentes do orgulho; o outro era o malho grosseiro e sólido, que tanto serve para esmagar, como serve para construir.

***

Partiram de novo para a fazenda, deixando atrás de si a solene gratidão do colégio pelo catálogo da biblioteca, que "eles" concluíram e ofereceram ao estabelecimento; e deixando também por parte de seus condiscípulos um rastro de ódios, ódios que serviram aliás durante o ano para melhor os aproximar e unir, acabando por constituí-los em uma espécie de ser único, do qual um era a fantasia e outro o senso prático.

Foi então que lhes chegou a notícia da morte do padre Estevão; sucumbira inesperadamente a um aneurisma, do qual nunca desconfiara sequer, e, no testamento, legara o pouco que tinha a uma comadre e àquela criada de mau gênio que o servira.

Quanto ao Coruja, nem uma referência, nem um conselho ao menos; o que fazia crer fosse escrito o testamento antes da adoção do pequeno e nunca mais reformado.

Esta circunstância da morte do padre levou André a pensar em si, a pensar na sua vida e no seu destino. Interrogou o passado e o futuro e, pela primeira vez, encarou de frente a posição que ocupava ali, naquela fazenda do Barão do Palmar, esse protetor tão do acaso como o primeiro que tivera ele. Então notou que na sua curta e triste existência passara de uma para outra mão, que nem um fardo inútil e sem dono.

— Que será de mim? — perguntava o infeliz a si mesmo nas suas longas horas de concentração. Mas o amigo, com a prematuridade intuitiva do seu espírito, saltava-lhe em frente, antecipando razões, como se adivinhara todos os pensamentos de André.

— Em que tanto pensas tu, meu urso? — perguntava-lhe ele, quando se achavam a sós, no bosque. — Já ontem à noite não quiseste aparecer na sala e cada vez mais te escondes de todos, nem como se fosses um criminoso.

— E quem sabe lá?

— Quê? Se és um criminoso?...

— Sim. A necessidade, quando chega a um certo ponto de impertinência, que mais é senão um crime? Que direito tenho eu de incomodar os outros?

— Exageras.

— Não. A caridade é muito fácil de ser exercida e chega a ser até consoladora e divertida, mas só enquanto não se converte em maçada.

— Não te compreendo...

— Pois eu me farei compreender. Vou contar-te uma parábola, que o defunto padre Estevão repetia constantemente.

— Venha a história.

— Senta-te aí nesse tronco d'árvore e escuta:

Era um dia um sacerdote, que pregava a caridade.

"— A caridade — dizia ele —, deve ser exercida sempre e apesar de tudo."

Vai um caboclo, que o ouvira atentamente, perguntou-lhe depois do sermão:

"— Ó *sôr* padre, é caridade enterrar os mortos?

"—Decerto — respondeu o pregador —; é uma obra de misericórdia."

E o caboclo saiu, matou uma raposa e foi esperar o sacerdote na estrada; quando sentiu que ele se aproximava, pôs a raposa no meio do caminho e escondeu-se no mato. O padre, ao topar com ela e observando que estava morta, ajoelhou-se, cavou no chão, enterrou-a e, depois de dizer uma sentença religiosa, seguiu o seu caminho. O caboclo, assim que o viu pelas costas, correu à sepultura, sacou a raposa e, ganhando por um atalho, foi mais adiante e jogou com ela ao meio da estrada, antes que o pregador tivesse tempo de chegar; este, porém, não tardou muito e, ao ver de novo uma raposa morta no caminho, fez o que fizera da primeira vez, enterrou-a, mas sem se ajoelhar, nem repetir a sua máxima latina. O caboclo deixou-o seguir, tomou de novo da raposa e foi depô-la mais para diante na estrada; o padre, ao topá-la, enterrou-a já de mau humor e prosseguiu receoso de encontrar outras raposas mortas. Todavia, o caboclo não estava ainda satisfeito e repetiu a brincadeira; mas, desta vez, o padre perdeu de todo a paciência e, tomando a raposa pelo rabo, lançou-a ao mato com estas palavras: "Leve o diabo tanta raposa morta!" Então o caboclo lhe apareceu e disse: "— Já vejo que enterrar um morto é obra de caridade, mas fazer o mesmo quatro ou cinco vezes é nada menos do que uma formidável estopada!" Ao que o sacerdote respondeu que, desde que houvesse abuso da parte do protegido, era natural que o protetor se enfastiasse...

— Queres dizer com isso — observou Teobaldo, que já estamos fartos de te aturar...

— Decerto, porque tudo cansa neste mundo.

— És injusto e, se meu pai e minha mãe te ouvissem, ficariam zangados contigo.

— Ah! eles não me ouvirão, podes ficar tranquilo. Só a ti falo porque nós nos entendemos e bem sabes que não sou ingrato.

— Meus pais te compreendem tão bem ou melhor do que eu.

— Mas não me perdoam, como tu perdoas, o fato de ser eu tão feio, tão antipático e tão desengraçado...

— Ora! aí vens tu com a cantiga do costume. Deixa-te disso e vamos dar um passeio à rocinha do João da Cinta.

— Outra vez? Que diabo vamos lá fazer agora?

— Convidá-lo e mais a família para virem ao casamento da tia Geminiana.

— É sempre no dia 15 o casamento?

— Infalivelmente, e o alfaiate deve trazer-nos amanhã os nossos fatos novos. Mas, anda, vamos!

Coruja ergueu-se do lugar onde estava assentado e acompanhou o amigo, que já havia se posto a caminho.

Três quartos de hora depois chegavam a um grande cercado de acapu, a cuja frente corria um riacho quase escondido entre a vegetação.

Teobaldo parou, disse ao amigo que esperasse um pouco por ele e, trancando pelos barrancos do riacho, foi ter à cerca e soltou um prolongado assobio.

A este sinal, com a presteza de quem está de alcateia, surgiu logo uma rapariguita de uns treze anos, forte, corada e bonitinha.

— Ah! — disse ela, vindo encostar-se às estacas.

— Não esperavas por mim?... — perguntou o rapaz.

A pequena respondeu, entregando-lhe um ramilhete que trazia à sorrelfa. E perguntou depois como passava de saúde o Sr. Teobaldo.

— Com saudades tuas... — disse o moço, tomando-lhe uma das mãos.

— Mentiroso...

— Não acreditas?

Ela encolheu os ombros, a sorrir, de olhos baixos.

— Dize a teu pai que não deixe de ir com vocês ao casamento da tia Gemi. Vim convidá-los.

— Entre. Fale com mamãe. Ela está aí.

— Não; é bastante que lhe dês o recado.

E mudando de tom:

— Não faltes, hein, Joaninha?...

— Se me levarem, eu vou.

— Vá, que lhe tenho uma coisa a dizer...

Teobaldo havia conseguido passar o braço por entre duas estacas da cerca e segurava a cintura da rapariga; deu-lhe um beijo; ela o retribuiu com outro de igual sonoridade, fazendo-se muito vermelha e fugindo logo em seguida.

Este namoro, inocente de parte a parte, era o primeiro de Teobaldo. Nascera naquelas férias um dia em que ele, por acaso, encontrou a pequena a lavar no riacho em frente da casa as roupinhas do irmão mais novo. Desde então ia vê-la todas as tardes antes do jantar; falavam-se às vezes à beira do córrego, outras vezes com a cerca de permeio. De certa época em diante ela o esperava com um ramilhete; conversavam durante um quarto de hora e despediam-se com um beijo.

O Coruja foi logo o depositário do segredo; Teobaldo contou-lhe a sua aventura e exigiu que ele o acompanhasse todos os dias à rocinha do João da Cinta, quedando-se a certa distância durante o tempo da entrevista.

André consentiu, sem mostrar o mais ligeiro espanto pelo que lhe revelara o amigo.

Ainda inocente e deveras casto, não conhecia os meandros do amor e julgava dos outros corações pelo seu, que resumia toda a gama do afeto e da ternura em uma nota única. Não calculava a que podia chegar aquele inocente namoro originado entre o filho do Sr. Barão do Palmar e uma sertaneja, que nem ler sabia.

* * *

No dia seguinte o Coruja passeava sozinho por uma alameda sua favorita, quando o Caetano lhe foi dizer que o Sr. Teobaldo o mandava chamar e ficava à espera dele no quarto.

André correu ao encontro do amigo.

— Chegaram as nossas roupas! — exclamou este ao vê-lo.

E sua fisionomia rejubilava com essas palavras.

— Ah! — fez o outro, quase com indiferença.

— Experimentemos.

— Há tempo.

O alfaiate observou que não podia demorar-se muito.

— Deve estar direito... — respondeu André. — Pode deixar.

— É bom sempre ver... — insistiu o alfaiate.

— É indispensável! — acrescentou Teobaldo.

André não teve remédio senão experimentar a roupa. Era um fato preto, fato de luto, que mal deixava perceber o colarinho da camisa.

E ele, pequeno, grosso, cabeçudo, o queixo saliente, os olhos fundos, com as suas bossas superciliais principiando a desenvolver-se pelo hábito da meditação;

ele, enfardelado naquela roupa muito séria, toda abotoada, só precisava de uns óculos para ser uma infantil caricatura do velho Thiers.

Contudo, e apesar dos conselhos que lhe dava o amigo para mandar diminuir três dedos no comprimento do paletó e tirar um pouco de pano das costas, achou que estava magnífica.

— Ao menos — disse Teobaldo, que acabava de se vestir —, manda encurtar essas calças, rapaz! e soltar a bainha dessas mangas!

— Estão boas... — teimou o Coruja, esforçando-se por fazer chegar as mangas até às mãos.

— Parece que te meteste nas calças de teu avô.

E voltando-se para o alfaiate:

— Também não sei como o senhor tem ânimo de apresentar uma obra desta ordem... Está uma porcaria!

— Perdão! — respondeu o alfaiate, dispondo-se logo a modificar a roupa de André. — Vossemecê poderia dizer isso se a sua roupa não saísse boa, e essa está que é uma luva, mas, quanto à deste moço, nem só é a primeira vez que trabalho para ele, como não podia acreditar que houvesse alguém com as pernas tão curtas e os braços tão compridos. Parece um macaco!

— Bem, bem, veja lá o que é preciso fazer na roupa, e deixe-se de comparações! — observou Teobaldo, defronte do espelho, a endireitar-se, muito satisfeito com a sua pessoa.

Para esse dia estava reservado ao André uma surpresa muito agradável: D. Geminiana, tendo com o casamento de separar-se do sobrinho, queria deixar a este uma lembrança qualquer e mandou buscar da corte um bom relógio de ouro e a respectiva corrente. A encomenda chegou essa noite, Teobaldo recebeu o seu presente da tia e, ato contínuo, tomou do antigo relógio e da cadeia que até aqui usara, e deu tudo ao Coruja.

Seja dito que um dos sonhos dourados de André era possuir um relógio; desejava-o, não como objeto de luxo, mas como objeto de utilidade imediata.

— Poder contar o tempo pelas horas, pelos minutos e pelos segundos!...

Isto para aquele espírito metódico e regrado era nada menos do que uma felicidade.

9

Durante o tempo que precedeu ao casamento, a fazenda do Sr. Barão do Palmar descaiu um tanto da sua patriarcal serenidade e tomou um quente aspecto de festas, porque com muita antecedência começaram a chegar os convidados.

Emílio quis reunir os seus vizinhos de uma légua em derredor e não se poupou a esforços para que nada lhes viesse a faltar. Havia de ser uma festa verdadeiramente gamaquiana.

Ao lado das delicadas distrações das salas, o jogo, a dança, a música e a palestra, queria ele a grande fartura da mesa e da copa; queria o grosso prazer pantagruélico: — Carne para mil! — Vinho para outros tantos!

À faca as grandes reses que pastavam sossegadamente no campo; à faca os trôpegos, os chibarros, os carneiros e os perus! Que não ficassem por ali, naquelas cinco léguas mais próximas, estômagos nem corações com laivos de tristeza!

O casamento devia efetuar-se na própria capela da fazenda, e meio mês antes da festa já ninguém descansava em casa de Emílio. Vieram cozinheiros de longe; cada convidado trazia dois e três serventes e, apesar disso, havia trabalho para todos.

O Coruja ia pela primeira vez em sua vida assistir a um baile, e essa ideia, longe de o alegrar, trazia-lhe um fundo ressaibo de amargura, como se o desgraçado estivesse à espera de uma terrível provação.

O fato de perturbarem a calma existência da fazenda, só por si já não lhe era de forma alguma agradável; quanto mais a ideia de ter de acotovelar-se com pessoas inteiramente estranhas, a quem sem dúvida não iria ele produzir bom efeito com a sua triste figura desengraçada.

Oh! se fosse possível ao Coruja presenciar toda aquela festa, sem aliás ser descoberto por ninguém!... se ele pudesse, por um meio maravilhoso, tornar-se em puro espírito e estar ali a ver, a observar, a ouvir o que dissessem todos, sem que ninguém desse pela presença dele — oh! então conseguiria desfrutar, e muito!

Chegou entretanto a véspera do grande dia, e de todos os pontos começavam a surgir, desde pela manhã, convidados a pé, a cavalo e de carro.

Um enorme telheiro, que se havia engendrado de improviso nos fundos da casa, ficou cheio de cavalgaduras, troles, carroções e seges das que se usavam no tempo.

A fazenda apresentava um aspecto magnífico. Emílio, como homem de gosto que era, procurou afestoá-la quanto possível. Por toda a parte viam-se florões de murta engranzados com as parasitas mais caprichosas; jogos d'água formando esplêndidos matizes à refração das luzes multicores das lanternas chinesas. Defronte da casa o fogo de artifício, que seria queimado pelo correr da noite.

Às seis horas da tarde uma salva de vinte tiros de peça anunciou que estava terminada a cerimônia religiosa do casamento e que principiava o banquete. Os noivos foram tomar a cabeceira da mesa, acompanhados por mais de quinhentas pessoas.

Como nenhum dos aposentos da casa podia comportar tanta gente, o barão fez levantar no vasto terreiro da fazenda uma enorme tenda de lona, sustentada por valentes carnaubeiras, engrinaldadas de verdura.

Nessa festa foi que o Coruja teve ocasião de apreciar mais largamente as brilhantes qualidades do amigo. Viu-o e admirou-o ao lado das damas, cortês e cavalheiro como um homem; viu-o igualmente ao lado dos amigos do pai e notou que Teobaldo nem uma só vez caía em qualquer infantilidade, e mais, que todos, todos, até os velhos, prestavam-lhe a maior atenção, sem dúvida fascinados pelo talento e pelas graças do rapaz; viu-o na biblioteca, tomando parte nos jogos carteados, que André nem sequer conhecia de nome, e reparou que ele puxava por dinheiro e ganhava ou perdia com uma distinção sedutoramente fidalga; viu-o nas salas da dança, conduzindo uma senhora ao passo da mazurca, teso, correto, elegante mais do que nunca, e como possuído de orgulho pelo gentil tesouro que levava nos braços; viu-o à mesa erguer-se de taça em punho e fazer um brinde à noiva, levantando aplausos de toda a gente, e o Coruja, de cujas mãos saíra aliás essa festejada peça literária, chegou a desconhecer a sua obra, tal era o realce que lhe emprestavam os dotes oratórios do amigo; viu-o depois ao ar livre, debaixo das árvores, a beber ponches e a mexer com a filha do João da Cinta, a qual olhava para ele, escrava e submissa, como defronte de um Deus.

Mas tudo isso não o fez ficar tão fortemente impressionado, como quando o contemplou ao lado de Santa, ao lado daquela adorável mãe, que parecia resplandecer de orgulho e satisfação a rever-se no filho idolatrado.

Foi com a alma banhada pelos eflúvios da felicidade de Teobaldo que o pobre Coruja ouviu palpitar entre essas duas criaturas as seguintes palavras, mais ternas e harmoniosas que um diálogo de beijos:

— Amas-me muito, meu filho?

— Eu te adoro, minha Santa.

— E nunca te esquecerás de mim?

— Juro-te que nunca.

— Nem mesmo depois de eu ter morrido?

— Nem mesmo depois de teres ido para o céu.

— E sabes tu, meu filho, o muito que te quero?

— Queres-me tanto quanto eu a ti.

— E sabes quanto sofreria tua mãe se por instantes te esquecesses dela?

— Não, porque não sei como possa a gente se esquecer de ti.

— E, quando fores completar os teus estudos na corte, juras que...

Não pôde ir adiante. A ideia da separação, que já se avizinhava a passos largos, tolheu-lhe a fala com uma explosão de soluços.

— Então, Santa, então, que é isso? — murmurou Teobaldo, erguendo-se e chamando para sobre o seu peito a cabeça da baronesa. — Não chores! não te mortifiques!...

Emílio acudiu logo, afastou o filho com um gesto e, tomando o lugar deste, segredou ao ouvido da esposa:

— Vamos, minha amiga, nada de loucuras!...

— Não posso conformar-me com a ideia de que Teobaldo torna a separar-se de mim...

— Bem sabes que é indispensável...

— Perdoa-me. Ninguém melhor do que eu aprecia os teus atos e as tuas intenções. Sei que ele precisa fazer um futuro condigno do seu talento; sei que não podemos acompanhá-lo de perto, não podemos morar na corte, porque as nossas condições de fortuna já não...

— Santa! olha que te podem ouvir!...

— Não me conformo com esta separação! É talvez um pressentimento infundado; é talvez loucura, como dizes, mas não está em minhas mãos; sou mãe, e ele é tão digno de ser amado!

— Mas valha-me Deus! não é uma separação eterna!...

— Não sei! É que uma terrível ideia me preocupa. Afigura-se-me que nunca mais o tornarei a ver!... Oh! nem quero pensar nisto!

E os soluços transbordaram-lhe de novo, ainda com mais ímpeto que da primeira vez.

O barão, sem perder uma linha do seu donaire, passou o braço na cintura da esposa e, deixando que ela se lhe apoiasse de todo no ombro, arrastou-a vagarosamente até à sua alcova.

* * *

Coruja, ignorado a um canto da sala, viu e ouviu tudo isso, e ao ver aquelas lágrimas de mãe e ao ouvir aquelas palavras de tanto amor e aqueles beijos mais doces do que as bênçãos do céu, que estranhas amarguras sua alma não carpiu em silêncio!...

Amargura, sim, que, por menos egoísta, por menos homem que fosse ele, lá do fundo do seu coração havia de sair um grito de revolta contra aquela injustiça da sorte, que para uns dava tudo e para outros nada!

Aquele espetáculo de tamanha felicidade havia fatalmente de amargurá-lo. Ainda se Teobaldo, possuindo muitos dotes, fosse ao menos feito como ele, o Coruja; ainda se fosse miserável ou estúpido — vá! Mas não! Teobaldo era lindo, era rico, era talentoso e, além de tudo — amado! amado por tantas criaturas e, principalmente, por aquela adorável mãe, cujos beijos e cujas lágrimas eram o bastante para lhe adoçar todos os espinhos da vida.

E André, assim considerando, via-se perfeitamente, tinha-se defronte dos olhos, como se estivesse em frente a um espelho. Lá estava ele — com a sua disforme cabeça engolida pelos ombros, com o seu torvo olhar de fera mal domesticada, com os sobrolhos carregados, a boca fechada a qualquer alegria, as mãos ásperas e curtas, os pés grandes, o todo reles, miserável, nulo!

O desgraçado, porém, em vez de dar ouvidos a estes raciocínios, voltou-se todo para uma voz íntima, uma voz que também lhe vinha do coração, mas toda brandura e humildade.

E essa voz lhe dizia:

— Pois bem, miserável ingrato! tu, que és órfão; tu, que não tens onde cair morto; tu, que és feio, que és o *Coruja*; tu, que não tens nenhum dote brilhante, que não és distinto, nem espirituoso, nem possuis mérito de espécie alguma; tu, mal agradecido! — és amado por Teobaldo, que dispõe de tudo isso à larga e que te faz penetrar à sua sombra no santuário de corações onde nunca penetrarias sem ele.

E o Coruja, saindo da sala para respirar lá fora mais à vontade, pôs-se a caminhar, a caminhar à toa entre as sombras das árvores, sentindo-se arrebatado por um inefável desejo de ser bom, um desejo de ser eternamente grato a quem, possuindo todas as riquezas, o escolhia para seu íntimo, para seu irmão — a ele, que nada possuía sobre a terra.

Ser "bom"!

Mas seria isso humildade ou seria ambição e orgulho?

Quem poderá afirmar que aquele enjeitado da natureza não se queria vingar da própria mãe, fazendo de si um monstro de bondade? Sim. Vingar-se, fugindo da esfera mesquinha dos homens, fugindo às paixões, às pequenas misérias mundanas e procurando refugiar-se no próprio coração, ainda receoso de que o céu, cúmplice da terra, lhe negasse também a graça de um abrigo.

Ou quem sabe então se o ambicioso, vendo-se completamente deserdado de todos os dotes simpáticos a que tem direito a sua espécie, não queria supri-los por uma virtude única e extraordinária — a bondade?

A bondade, esse pouco!

Visionário! Não se lembrava de que a bondade, à força de ser esquecida e desprezada, converteu-se em uma hipótese ou só aparece no mercado social em pequenas partículas distribuídas por milhares de criaturas; como se dessa heroica virtude houvesse apenas uma certa e determinada porção desde o começo do mundo e que, de então para cá, à medida que se multiplicaram as raças, ela se fora dividindo e subdividindo até reduzir-se a pó.

Segunda Parte

1

Dois anos depois do casamento de D. Geminiana, Teobaldo e André chegaram ao Porto da Estrela acompanhados por três pajens e mais por um moleque, o Sabino, que vinha para ficar ao serviço daquele durante o tempo dos estudos.

Desmontaram cobertos de pó e derreados por vinte dias de viagem a cavalo. Foi recebê-los à boca do caminho o Sampaio, um negociante de meia-idade, a quem Emílio recomendara os rapazes.

— Então o barão não quis dar um pulo até à corte? — perguntou a Teobaldo o negociante, depois de fazer descarregar o *bagageiro* e providenciar para que o moleque se não extraviasse.

— Não lhe foi possível — respondeu o interrogado. — Não nos pôde acompanhar, a despeito do empenho que fazia nisso. Minha mãe está doente e ele não quis deixá-la sozinha.

— Sozinha, não; ficaria com a irmã.

— Já não mora conosco. Seguiu com o marido para Tijupá.

— E o que sente a senhora sua mãe é coisa de cuidado?

— Diz o velho que sim; um pouco de cuidado.

— Qual moléstia?

— Não sei. Uma complicação. Nervoso principalmente.

— Coitada! E já está assim há muito tempo?

— Há mais de ano. Foi isso que retardou a minha vinda para a corte.

— E este moço é o tal que seu pai também me recomenda?

— É — confirmou Teobaldo, apresentando o amigo.

— Bem! — disse o negociante. — Aí está a diligência. Podemos ir. As bagagens já seguiram adiante.

Os três encarapitaram-se no carro e tomaram a direção da cidade.

Teobaldo estalava de impaciência por cair nesse burburinho da corte, que de longe o atraía em silêncio, mas confessou-se prostrado pela viagem. Precisava desfazer-se de toda aquela roupa, meter-se num banho e estender-se ao comprido numa boa cama.

— Tenho pó até dentro dos miolos! — exclamou ele, a sacudir o seu poncho de brim enxovalhado. — Hei de ver-me limpo e ainda me parecerá um sonho!

— É ter um bocado de paciência. Daqui a nada estaremos em casa.

— Onde mora?

— Na rua de S. Bento.

— É longe?

— Nem por isso. Este seu companheiro é que não gosta muito de falar... — observou o Sampaio, querendo puxar o Coruja à conversa. — Também vem para os estudos?

— Não sei — balbuciou André secamente.

— Talvez se empregue — acrescentou Teobaldo.

— No comércio?

— Ou em outra qualquer coisa.

E Teobaldo, abrindo a boca em um bocejo: — Não sei que mais tenho, se vontade de dormir, de comer ou tomar banho!

— Com poucas fará tudo isso. Estamos quase em casa; e descanse que nada lhe faltará. Há de ver!

Estas atenções do negociante pelo rapaz não eram puro espírito de hospitalidade e provinham sem dúvida dos interesses que o barão dava anualmente à casa comercial dele. Sampaio era o encarregado de lhe sortir a fazenda de tudo que precisava ir da corte, e nessas faturas o fornecedor de antemão pagava-se de todas aquelas galanterias.

Às nove horas da noite, achavam-se os nossos rapazes, depois do indispensável banho, assentados em volta do seu hospedeiro e defronte de uma excelente ceia, que fumegava sobre a mesa.

Sampaio, enquanto eles comiam, procurava instruí-los pelo melhor nos costumes da vida fluminense, da qual se julgava grande conhecedor, sem nunca aliás ter arredado pé do burguês e acanhado círculo em que vivia.

— Isto aqui — rezava ele — é um demônio de uma terrinha, que tanto pode ser muito boa, como pode ser muito má. Depende tudo de cada um e de cada qual. Não há terra melhor e nem há terra pior! Para aqueles que desejam se fazer gente, trabalhar, dar-se ao respeito — não há terra melhor; mas para os que só pensam na pândega e têm, como o senhor, ordem franca em uma casa comercial como esta — não há terra mais perigosa! Estou certo, porém, de que o Sr. Teobaldo há de dar boa conta de si!

— Também eu — disse o filho do barão, recuperando o seu bom humor.

— Sim — continuou o negociante —, mas com esses ares, com essa carinha de moço bonito, é preciso ter muito cuidado com as francesas!

— Com as francesas?

— Francesas é um modo de dizer. Refiro-me a todos esses diabos de que vai se enchendo o Rio de Janeiro e que não fazem outra coisa senão esvaziar as algibeiras dos tolos!

— Mas de que diabos fala o Sr. Sampaio?

— Ora essa! das mulheres! Pois então o senhor não me compreende?

— Ah! Com que isto por aqui é fechar os olhos e...

— Um desaforo! Dantes ainda as coisas não iam tão ruins; mas ultimamente é uma desgraça! Todos os dias estão chegando mulheres de fora! Eu nem sei como o governo não toma uma medida séria a este respeito!

Teobaldo sorriu desdenhosamente, e o Sampaio acrescentou: — Todo o cuidado é pouco para não cair nas garras de algum dos tais demônios! Encontrando o perigo — é fugir, fugir, para não chorar ao depois lágrimas de sangue! O senhor veio ao Rio foi para estudar, não é? Pois enterre a cara dentro dos livros e feche os olhos ao mais!

— Pode ficar tranquilo, — respondeu Teobaldo levando o seu copo à boca.

— Não digo que não se divirta... — prosseguiu o Sampaio. — Consinto que vá ao teatro de vez em quando; se se der com alguma família, pode frequentá-la; mas tudo isso, já se vê, com muita prudência e com muito juízo. Evite as más companhias, fuja dos vadios e dos viciosos; não frequente a rua do Ouvidor; não entre nos cafés! E, abaixando a voz e chegando-se mais para o moço, disse, com o mistério de quem faz uma revelação terrível: — E, principalmente, meu amigo, não se meta a escrevinhador.

Teobaldo ergueu a cabeça, surpreso:

— Como?

— Sim — confirmou o outro. — Não se meta a escrevinhador, que isso tem posto muita gente a perder! Poderia citar-lhe mais de cem nomes de estudantes, de quem fui correspondente, que perderam anos, que cortaram a carreira por causa da maldita patifaria das letras! Eu os vi, a todos, por aí, enchendo as ruas de pernas, mal alimentados, e mal vestidos, com a mesada suspensa pela família, a fazerem garbo das suas necessidades e às vezes até das suas bebedeiras!

Teobaldo ouvia agora o negociante com singular atenção.

— Fuja! — continuava aquele — fuja de semelhante porcaria! se não quiser ver o seu nome todos os dias na boca do mundo!

— O nome?

— Sim, sim, o nome, que seu pai lhe pôs à pia do batismo! Se não quiser vê-lo de boca em boca não se meta a escrevinhador! E ainda se fosse apenas isso... vá! É feio, mas enfim, sempre há homens sérios, cujo nome o público não ignora; o pior é que às vezes rebenta por aí cada descompostura, que é mesmo uma vergonha! Quem se deixa cair em tal desgraça não está livre das chufas da imprensa e dos comentários do mundo inteiro!

E o Sampaio, para melhor firmar os seus argumentos, principiou a citar nomes.

— Mas esses nomes — acudiu Teobaldo recorrendo às leituras que fizera na província — esses nomes são todos muito distintos. O senhor está citando os nossos poetas mais conhecidos!

— Ah! Ninguém nega que não sejam conhecidos, nem que não sejam poetas, mas posso afiançar-lhe que não são homens sérios.

— Homens sérios?... Que diabo entende o senhor por homem sério?

— Ora essa! Que entendo por homem sério? — é boa! Por homem sério entendo todo aquele que não dá escândalos, que não é tratante e que se ocupa em alguma coisa séria! Enfim, todo aquele que trabalha!

— Então quem escreve não trabalha?

— Não digo isso, mas...

— Acabe.

— Mas não é um trabalho sério!

Teobaldo, em vez de prosseguir no diálogo, olhou para o Sampaio com um gesto que tanto podia ser de lástima como de repugnância, e, deixando escapar o seu predileto sorriso de ironia, ergueu-se, bateu-lhe levemente no ombro e disse:

— O senhor é um grande homem!... Mas eu preciso descansar. Boa-noite!

Semanas depois, mudaram-se os dois rapazes para Mata-cavalos, levando em sua companhia o moleque.

Teobaldo, no meio da casa, envolvido em um *robe de chambre* de seda azul, um cigarro entre os dedos, dirigia a colocação dos móveis.

— Esse espelho ali, ó André! E a secretária deste outro lado. Assim! Agora, vejamos onde deve ficar o piano... Ah! cá está o lugar dele, aqui, entre estas duas janelas. E anda com isso, ó Sabino! que ao contrário não se acaba tão cedo a arrumação!

O Sampaio espantara-se quando ele lhe dera a lista dos móveis de que precisava.

— Pois o senhor também quer cortinas? — exclamou arregalando os olhos.

— Quero tudo isso que aí está notado — respondeu o estudante — o resto me encarrego de comprar pessoalmente.

— O resto? Há então ainda outras coisas além disto?...

— Sem dúvida. É preciso alegrar a casa com alguns objetos d'arte. Chegam-me quatro ou cinco estatuetas...

— Estatuetas?...

— ... uma pêndula de bom gosto, dois jarros para flores e meia dúzia de quadros.

— Mas o senhor onde já viu casa de estudante com esse luxo?

— Não preciso ver para usar: se faço deste modo é porque assim o entendo. Compreende?

— Bem, bem! isso é lá com o senhor... Tem ordem franca...

E jurou consigo que Teobaldo não havia de ir muito longe com aquelas tafularias.

A casa, depois de cada objeto no seu lugar, não parecia com efeito destinada à habitação de dois estudantes ainda tão novos; tal era a boa ordem, o asseio, o gosto bem-educado e familiar que a tudo presidia. Tanto assim que a proprietária e locadora do prédio, que a princípio não se mostrara lá muito satisfeita com os novos hóspedes, rejubilava-se agora ao ponto de lhes propor que almoçassem e jantassem com ela, mediante uma estipulada mensalidade.

Instalados, cuidou Teobaldo de arranjar os necessários explicadores para os preparatórios que lhe faltavam e mais ao Coruja, e dispôs-se a estudar com afinco.

Mas o seu espírito inconstante e vadio não se queria fixar sobre um ponto certo, e os dias passavam-se em repetidas polêmicas a respeito da carreira que ele devia abraçar.

— Mas, afinal, é preciso que te decidas por alguma!... — dizia-lhe o Coruja. — Se não saíres dessa hesitação, acabarás fatalmente por não estudar nada!

Teobaldo principiava sem dúvida a demorar muito a escolha de uma profissão. Ao sair da sua província vinha aparentemente resolvido a repetir na corte os preparatórios e seguir logo para a Academia de São Paulo. O Direito, porém, se lhe apresentava à trêfega fantasia com o insociável aspecto de um velho carregado de alfarrábios, tresandando a rapé, fanhoso, pedantesco, sem bigode e de óculos na testa.

— Abomino-o! — exclamava ele a discutir com o amigo. — Aquilo nem é ciência: é uma coisa toda convencional, uma coisa arranjada segundo o capricho de quem a inventou! Nada possui de certo e determinado! No Direito tudo admite sofismas; tudo se pode inverter; tudo está sujeito a mil e um alvarás e a duas mil e tantas reformas! Além disso, consta-me que ninguém pode se gabar de saber Direito antes de lidar com ele pelo menos quarenta anos! Oh! bela carreira! bela carreira, que exige quase meio século de estudo para se ficar sabendo alguma coisa dos seus mistérios!... E, demais, que diabo de vantagem oferece o tal Direito?.... A magistratura? Deus me defenda! A advocacia? Mas eu detesto os advogados!

— Por quê? — atalhou o Coruja.

— Ora! Qual é o papel de um advogado, qual é a sua missão? Defender os réus; muito bem! Mas, das duas uma — ou o réu não tem crime e nesse caso está defendido por si; ou o réu é um criminoso, e não menos será aquele que, por meio da eloquência e da astúcia de seu talento, conseguir provar que ele é um inocente!

— Isso é asneira!

— Pois qual é a missão do advogado, senão empregar meios e modos para alterar a favor do seu constituinte o juízo feito pelos jurados? Qual é a missão do advogado, senão convencer a quem supõe um homem estar tão inocente como no dia em que vestiu o seu primeiro par de calças?...

— Enganas-te — acudiu o Coruja — o advogado serve para muitas outras coisas; serve para evitar que um inocente sofra a pena que não merece; serve para...

— Ora qual! — interrompeu Teobaldo. — O advogado quase nunca se acha convencido da inocência do seu constituinte. Defende-o, porque a sua vida é defender os réus, e para isso lança mão de todos os recursos da oratória e serve-se de todos os laços e armadilhas da retórica!

— Mas...

— Ora! se o advogado, empregando esses meios, consegue dos jurados a absolvição do réu, é um homem pernicioso, porque faz com que aqueles se pronunciem, não pelo seu juízo calmo e refletido, mas sim dominados pelos efeitos sedutores de um bom discurso; e, se o advogado não consegue vencer a opinião dos jurados, será nesse caso um falador inútil, visto que não adianta absolutamente nada do que estava feito!

— Pois, se o Direito te inspira tal repugnância, escolhe então a Medicina...

— A Medicina! Mas, onde iria eu buscar paciência e disposição para retalhar cadáveres e aprender os remédios que se aplicam no tratamento de tais e tais moléstias?... Acreditas lá que semelhante coisa possa ocupar a vida de um homem cheio de aspirações como eu?... Podes lá acreditar que eu chegasse a tomar interesse por um tumor ou por uma erisipela?!...

— É o diabo!

— De todas as carreiras, metendo a engenharia de que não gosto, por embirrância às matemáticas, só a das armas não me desagrada totalmente.

— Pois aí tens, decide-te pelo Exército ou pela Marinha.

— Mas, valha-me Deus! o curso militar baseia-se todo nos malditos algarismos e eu nem para fazer uma conta de somar tenho jeito...

— Então...

— Além de que eu jamais daria um bom soldado ou um bom marinheiro. Só a ideia de ficar eternamente submisso ao governo do meu país; só a ideia de que tinha de deixar de ser um homem, para ser um instrumento do militarismo, um defensor oficial da pátria, com obrigação de ser um bravo a tanto por mês e de ter uma honra talhada pelo padrão de um regulamento; só isso ou tudo isso, meu André, faz-me desanimar.

— Então não há remédio, decide-te pela engenharia...

— Impossível! Seria um engenheiro que havia de contar pelos dedos, quando precisasse somar três adições!

— Então, parte quanto antes para a Alemanha e vai estudar ciências naturais...

— Que de nada me serviriam aqui no Brasil e para as quais tenho tanta aversão quanta tenho às tais ciências exatas e morais!

— Dedica-te à igreja...

— Se eu tivesse jeito, quem sabe?

— Ou então às belas-artes. Faz-te músico, pintor ou escultor.

— E o talento para isso, onde ir buscá-lo? Queres que eu peça ao velho que me remeta lá de Minas, todos os meses, um pouco de gênio?...

— Ora! Tu tens talento para tudo.

— O que equivale a não ter para coisa alguma. Entendo um pouco de desenho, um pouco de música, de canto, de poesia, de arquitetura, mas sinto-me tão incapaz de apaixonar-me por qualquer dessas artes, como por qualquer daquelas ciências. Tudo me atrai; nada, porém, me prende!

E, depois de um silêncio, durante o qual não encontrou o Coruja uma palavra para dar ao amigo:

— Queres saber qual era a carreira que eu de bom grado abraçaria, se não fossem as conveniências?...

— Qual?

— O teatro! Fazia-me ator.

— Estás louco?

— Ah! não! Ainda não estou, que, se o estivesse, já teria me resolvido a entrar em cena.

— Havias de arrepender-te...

— Quem sabe lá?...

2

Levavam os dois amigos uma existência bem curiosa na sua casinha de Mata-cavalos.

Completavam-se perfeitamente. Teobaldo era quem determinava tudo aquilo que dependesse do gosto, era sempre quem escolhia, o outro limitava-se a conservar e desenvolver.

Ao André faltava a fantasia, a originalidade; não tinha inspirações, nem sabia comunicar às pessoas e às coisas que o cercavam o mais ligeiro reflexo individual; mas o que lhe faltava por esse lado sobrava-lhe em método, em paciência e bom senso. Era ali o espírito da ordem, o pacífico regulador do asseio e da decência; queria as coisas no seu lugar, não podia compreender o que lia ou escrevia, sem ver em torno de si a mais harmoniosa disposição nos móveis, nos livros e em todos os objetos de que se compunha a casa.

Teobaldo entrava e saía de casa, sem horas certas, mudava de roupa, atirando a camisa enxovalhada para cima do primeiro traste que encontrava, e daí a pouco perdendo a cabeça à procura do chapéu, ou da bengala, que ele próprio arrojara a um canto do quarto, por detrás de algum móvel. O Coruja, ao contrário, não punha os pés fora de casa, sem passar uma vista d'olhos por tudo, sem arrumar aquilo que estivesse desarrumado; e, às vezes, depois de estar na rua, ainda voltava para certificar-se de que havia fechado a janela da sua alcova ou a gaveta da sua secretária.

Por este modo vivia a casa sempre no mesmo pé de limpeza e ordem.

Um dia Teobaldo, entrando da rua, exclamou para o companheiro, que estudava à secretária, como era do seu costume:

— Sabes, Coruja? Decidi-me pela Medicina!

— Mas tu ainda ontem disseste que ias entrar para a Escola Central!

— Mudei de intenção. A vida militar é incompatível comigo! Uma vida sem futuro e sem liberdade! Não quero!

E, gritando pelo Sabino, estendeu as pernas, para que o moleque lhe sacasse as botas.

— É verdade! — acrescentou. — Convidei hoje para jantar um rapaz que me foi apresentado ontem no teatro, o Aguiar, belo moço, que chegou há dias de Londres.

— Ah!

— E os teus negócios, caminham?

— Qual! Não obtive a cadeira que desejava no colégio do tal Madeiros, mas em compensação um amigo do Sampaio arranjou-me um lugar de conferente no *Jornal*.

— Quanto vais ganhar?

— Trinta mil-réis por mês.

— Oh!

— Antes isso do que nada...

— Quantas horas de serviço?

— Das sete às onze da noite.

— É horrível.

— Prometeram-me arranjar também alguns explicandos de latim, francês e português.

Teobaldo já não o ouvia, porque estava entretido a falar com a dona da casa, que ele acabava de descobrir no andar de baixo.

— Temos então hoje um convidado? — perguntou ela, depois do que lhe disse o rapaz.

— É exato, um amigo. Pode acrescentar um talher à mesa; dos vinhos encarrego-me eu.

D. Ernestina, assim se chamava a senhoria, era uma rapariga de vinte e poucos anos, cheia de corpo, muito bem disposta, mas um tanto misteriosa na sua vida íntima. Pelo jeito possuía alguma coisinha de seu e era mulher honesta.

Viúva, casada ou solteira?

Viúva, podia ser; casada é que não, porque em tal caso não seria ela a senhora da casa e sim o marido. Solteira... mas há tantos gêneros de mulher solteira...

Contudo ninguém podia dizer mal de sua conduta. Passava todo o santo dia ocupada com os arranjos da casa e só se mostrava à janela ou saía a passear no jardim nas tardes de muito calor, quando o corpo reclama ar livre.

Teobaldo notara que, todas as noites, entre as sete e as dez, aparecia na sala de jantar de D. Ernestina um sujeito de meia-idade, gordo, semicalvo, discretamente risonho e pelo jeito homem de negócios.

A persistência deste tipo ao lado da rapariga e as maneiras carinhosas com que ele a tratava levaram o estudante a decidir para si que o homem, "Seu Almeida", como lhe chamava ela, era sem dúvida o verdadeiro dono da casa; mas nem de leve se preocupou com isso.

Às vezes D. Ernestina reunia em torno de si duas ou três senhoras de amizade e palestravam antes do chá. Nessas ocasiões, Teobaldo descia quase sempre ao andar de baixo e, com a sua presença, animava a sala, cantando, tocando piano, fazendo prestidigitações e recitando poesias.

Uma vez, em que ele deixou-se ficar à mesa depois do almoço, Ernestina guardou também a cadeira e os dois principiaram a conversar:

— Ainda não tinha vindo à corte? — perguntou ela.

— Vim, mas de passagem, quando saí de Minas para ir à Europa.

— Ah! viajou pela Europa?

— Estive em um colégio de Londres.

— E depois voltou para junto de sua família?...

— Até o dia em que vim para aqui.

— Seu pai é fazendeiro?

— Sim, senhora.

— E pelos modos, rico...

— Remediado.

— Como se chama?

— Barão do Palmar.

— Ah!

— Ou então Emílio Henrique de Albuquerque.

— Ainda vive a senhora sua mãe?

— Ainda. Quer ver o retrato dela? Trago-o nesta medalha.

D. Ernestina levantou-se e ficou por alguns segundos debruçada sobre Teobaldo a ver a delicada miniatura em marfim que ele trazia na corrente do relógio.

— Ainda está moça... muito bem conservada....

— Hoje tem os cabelos quase todos brancos. Meu pai, que é muito mais velho, não está tão acabado.

— Que perfume é esse que o senhor usa?

— É dos que ainda trouxe de casa. O velho recebe-os diretamente da Inglaterra.

— É muito agradável.

— Pois, se quiser, posso ceder-lhe um frasquinho; tenho ainda muitos lá em cima.

D. Ernestina aceitou; ele correu a buscar a perfumaria e, depois de conversarem a respeito do Coruja, que fora trazido à baila e o qual declarou ela com franqueza que achava detestável, Teobaldo entendeu chegada a sua vez de interrogar, e perguntou-lhe sem mais preâmbulos:

— A senhora é casada?

Ela respondeu que “sim”, mas vacilando.

— Com o Almeida...

Outro sim dúbio.

— Há muito tempo?

— Há algum já...

— Era viúva antes disso?

— Sim, senhor.

— E não tem filhos?

— Não, felizmente.

— Felizmente, por quê?

— Ora, os filhos fazem a gente velha...

E assim palavrearam durante uma boa hora, sem que o rapaz conseguisse precisar o seu juízo sobre aquela mulher, da qual nem mesmo a idade podia determinar.

Um homem mais velho que Teobaldo notaria entretanto que Ernestina era bem servida de formas, que tinha bons dentes, cabelos magníficos e um par de olhos bem guarnecidos e banhados de uma certa umidade voluptuosa.

Mas o filho do barão estava na idade em que os homens ainda não sabem apreciar as mulheres e aceitam-nas indeterminadamente, como simples recreio dos seus sentidos. Orçava ele então pelos dezoito anos e, mais formoso do que nunca, desenvolviam-se-lhe as feições, sem detrimento da primitiva frescura. Tinha ainda alguma coisa da graciosa candura da criança e já, nos traços enérgicos de sua fisionomia e nos movimentos donairosos de seu corpo, pressentiam-se as manifestações de uma forte e precoce virilidade. Tez aveludada e pura, sorriso crespo e frio, olhar indiferente e terno a um tempo — dir-se-ia que ele, naquele todo de jovem príncipe aborrecido, realizava com a sua graciosa e pálida figura o tipo ideal do romantismo da época.

Entrando em casa uma ocasião às duas horas da tarde, disse-lhe o Coruja que D. Ernestina o mandara procurar havia pouco e que lhe pedia o obséquio de ir ter com ela, logo que chegasse.

— Para quê, sabes? — Perguntou.

— Creio — respondeu André — que ela recebeu hoje a notícia da morte de algum parente... Uma tia, se me não engano.

— Sim? E que diabo tenho eu com isso?

Mas, por curiosidade, Teobaldo sempre desceu ao primeiro andar. E, ao barulho de seus passos, ouviu gritar logo de um quarto.

— É o senhor, Sr. Teobaldo?

— Sou eu, sim, minha senhora.

— Venha até cá; entre. Tenha paciência!

Ele, que não conhecia ainda os quartos do primeiro andar, seguiu a direção da voz e achou-se pouco depois em uma alcova, meio atravancada de trastes, onde teve de andar às apalpadelas, tão completa lhe parecia a princípio a escuridão.

Entrou a tropeçar nos móveis e, de braços estendidos, tateou casualmente alguma coisa que pela macieza seriam talvez as faces de D. Ernestina.

— Fique! pode ficar! — disse ela a um movimento de retração que fez o estudante. — O senhor não é de cerimônia, fique!

Teobaldo, que acabava de esbarrar com as pernas em uma cadeira, assentou-se e, habituando-se pouco a pouco à escuridão, foi gradualmente distinguindo o que o cercava. Só então reparou que D. Ernestina conservava uma das mãos dele entre as suas, e que ela estava estendida em uma cama larga, de casados, onde apenas a cabeça e os braços se lhe viam por entre coberta e lençóis.

— Está doente? — perguntou ele.

— Muito, Sr. Teobaldo, muito!

— Que foi isso?

— Ora! Imagine que recebi hoje pela manhã a notícia da morte da única parenta que me restava no mundo.

— Sua tia — disse-me o Coruja.

— Minha tia, não; não era só minha tia, era o meu tudo!

E a um rebote de soluços:

— Oh! como aquela nunca mais encontrarei outra! Nunca encontrarei!

Dizendo isto, D. Ernestina ergueu os braços para o teto e, deixando-os cair em volta do pescoço do rapaz, encostou a cabeça no peito deste e assim ficou a chorar por longo tempo.

— Bem... — resmungou ele um tanto constrangido. — Mas a senhora não lucra nada em se afligir desse modo! Faça por conformar-se com o que sucedeu... Não há de ser à força de lágrimas que sua tia voltará à vida! Console-se!

— Oh! mas é que eu não posso! mas é que eu não posso!

E, a cada exclamação, mais se estreitava contra o moço, a ponto de lhe fazer sentir nas faces, nas orelhas e afinal nos lábios o resfolegar ardente dos seus soluços.

— Não posso! não posso conformar-me com semelhante desgraça!

— Mas faça por isso... — retrucou ele, quase que a soprar-lhe as palavras pela boca. — Faça por ter um pouco de resignação!...

— Obrigada, muito obrigada!... — suspirou a chorosa procurando conter o pranto.

E, como em agradecimento àquelas boas palavras de condolência, levou aos lábios as duas mãos do rapaz e cobriu-as de beijos que a outro qualquer surpreenderiam, não a ele, desde o berço amimado a cada instante.

Em Teobaldo era já um hábito muito antigo receber carinhos daquela espécie. Quase nunca os retribuía; aceitava-os friamente, sem comoção, como um provecto e glorioso artista recebe os elogios de um homem que lhe fala pela primeira vez.

3

Depois desta cena Ernestina passava a maior parte dos seus dias no segundo andar. Mas não gostava de lá ir enquanto o Coruja não tivesse saído para a rua.

É que ele a intimidava com o seu ar antipático e carrancudo e com aquela repreensiva gravidade de homem sério; defronte dele sentia-se acanhada e contrafeita, como se estivesse defronte de um velho intolerante e respeitável; sentia-se mais criminosa ao lado de André do que ao lado do próprio Almeida.

Quanto a Teobaldo, esse, longe de a constranger, fascinava-a, atraindo-a, dominando-a com a sua indiferença e com o seu orgulho gracioso e sedutor.

Ao tom senhoril das palavras dele, defronte daquele olhar fidalgo ou daquele frio sorriso de adulado, ela se sentia escrava e submissa, feliz em amá-lo, mesmo com a certeza de ser mal correspondida.

E, quanto mais passiva se tornava a pobre moça, mais senhor se fazia ele; tanto que afinal já lhe dava ordens e já a repreendia, como se estivesse a falar com o Sabino.

Uma vez em que Teobaldo à secretária respondia às cartas da família, ela tomou-lhe a cabeça entre as mãos e beijou-lhe os olhos.

— Que é isso? — perguntou ele.

— Não ralhes comigo...

— Vejo fogo!

Ernestina obedeceu e foi colocar-se depois ao lado dele.

— Queres que me vá embora?... — perguntou no fim de algum silêncio.

— Pode ir.

Ela deu alguns passos para sair da sala, mas voltou na ponta dos pés.

— Por que me tratas assim?... — Disse encostando a cabeça na dele.

— Ainda? — exclamou Teobaldo, sem levantar a pena do papel.

— Estás farto de mim, não é?

— É.

— Ingrato!

Ele não lhe deu mais uma só palavra e continuou a escrever até que Ernestina se foi embora, a enxugar as lágrimas.

Entretanto, nem sempre a tratava assim; às vezes chegava até a mostrar-se carinhoso com ela. Nos bons dias, ao entrar da rua, corria-lhe a mão pelos cabelos e fazia-lhe festinhas no queixo. Dependia tudo do seu bom ou mau humor.

Uma noite, ela o fitou com mais insistência e perguntou-lhe se queria que o Almeida fosse para o olho da rua.

— Mas a senhora não disse que era casada com ele?

— Tu bem sabes que não sou, e sabes igualmente que serei muito capaz de lhe fechar a porta, se o ordenares.

— Deixa-te disso, filha!

— É porque não me amas...

— Talvez.

O rapaz, com efeito, nada sentia do que ela experimentava por ele. Deixava-se adorar com uma indiferença de verdadeiro ídolo: tanto se lhe dava que aquilo acabasse logo.

— Deixa-te estar — profetizava ela —, deixa-te estar, que algum dia serei vingada! Deus é grande! Hás de encontrar uma mulher que judie contigo ainda mais do que tens judiado comigo!

E as angústias e dissabores de D. Ernestina foram crescendo à proporção que Teobaldo ia conhecendo a corte e à medida que ele se relacionava e desenvolvia.

Dentro de um ano grandes modificações se operaram na vida dos dois rapazes. Teobaldo concluíra os preparatórios e matriculara-se na Escola de Medicina, esperançoso de largá-la de mão logo que descobrisse melhor carreira; ao passo que o Coruja não conseguira passar em nenhum dos seus exames, se bem que estivesse deveras senhor nas matérias.

E, no entanto, fora ele, o Coruja, quem fornecera ao outro os elementos daquele sucesso; fora ele quem o preparara, quem lhe metera alguma coisa na cabeça!

Teobaldo ficou furioso com as reprovações do amigo.

— Ora entendam lá esta gente! — exclamou entre um grupo de colegas. — A mim, que passei pelos livros, como gato por brasas — distinção! Ao Coruja, que estudou por vinte — tome bomba! Ora bolas! Pois então reprova-se um pobre rapaz, só porque ele é acanhado?...

O Coruja, ainda assim, procurava desculpar os examinadores:

— Coitados! — dizia ele. — Não fizeram isso por mal; supunham naturalmente que eu de fato não sabia as matérias. Quem me mandou a mim não ser mais desembaraçado?...

— Qual! Nada me convencerá de que este nosso escandaloso sistema de exames é só aproveitável para os charlatas e pomadistas! Os estudantes de tua ordem fazem sempre má figura! Ali só o que se quer é presença de espírito!... E, fica sabendo, tomei tal embirrância a tudo isto, que vou escrever ao velho, dizendo-lhe que estou resolvido a seguir para a Europa. Formo-me em ciências naturais!

Em ciências naturais!

— Em grande peralta é que ele se está formando! — afirmava o Sampaio, à vista do dinheiro que Teobaldo retirava por mês de sua casa. — É pândega, pândega e mais pândega! O pai afinal não é nenhuma Índia! e se o doido do filho não mudar de rumo, há de dar com a família em pantanas!

O Coruja havia então conseguido, com muito custo em razão da sua tremenda antipatia, arranjar alguns discípulos, cujo produto, ligado ao do trabalho de revisão, dava-lhe já para as primeiras despesas.

Escrupuloso como era, tratou logo de conduzir a sua vida de modo a não ser pesado a ninguém, ainda que tivesse para isso de sacrificar as suas pretensões de formatura.

Dava uma parte do dia aos seus discípulos e uma parte da noite ao serviço do *Jornal*. Deitava-se impreterivelmente à uma hora e acordava às cinco da madrugada; não tinha vícios de espécie alguma; não comia senão ao almoço e ao jantar e nem sequer pensava em mulheres.

— É um esquisitão! é um selvagem! — diziam a respeito dele os amigos de Teobaldo, enquanto que a este qualificavam de "bom rapaz".

O Coruja não se incomodava com aquele juízo e, quando o forçavam a prestar contas de suas virtudes, desculpava-se humildemente, como se estivesse a pedir perdão para elas. Se lhe ofereciam charutos: "Desculpe, não fumo". Se lhe ofereciam bebidas: "Não posso, queira desculpar".

E todo ele parecia envergonhado de ser tão puro.

Ao lado da amizade que lhe dedicava, Teobaldo ia criando por ele um certo respeito, que era o freio único para os seus excessos. Às vezes o bonito moço reunia em casa uma troça de amigos, fazia vir o que beber e, entre o fumo dos charutos, discutiam-se todos os assuntos, diziam-se todas as asneiras e a casa transformava-se em um verdadeiro inferno. Mas, sempre que algum dos rapazes se aproximava da mesa de André, que estava ausente, Teobaldo exclamava desviando-o: — Não! aí não mexam! É a mesa do Coruja!

Quando também levava à noite para casa algum companheiro meio ébrio, a quem oferecia hospitalidade, dizia-lhe sempre, ao subir as escadas: — Agora, toda a atenção!... O Coruja está dormindo! É preciso não o acordar!...

E, em completa antítese de gênios e de costumes, iam os dois todavia vivendo juntos. André descobriu um colégio de certa importância, que lhe dava bom ordenado, casa, comida e roupa lavada, com a condição de que ele, além do serviço de professor, havia também de fiscalizar os rapazes à hora do recreio e fazer a escrituração da casa.

Consultou Teobaldo e, depois de ouvir a opinião deste, resolveu mudar-se para o colégio.

Agora podia abandonar o trabalho de revisão e tomar ainda alguns discípulos para as horas vagas, porque nele o gosto pelo professorado começava a assumir as proporções de uma verdadeira paixão.

Ensinava latim, francês, português, história e geografia do Brasil; tudo isso com muito método, muita paciência e sem nunca parecer fatigado.

— E a respeito de tua formatura? — perguntou-lhe o amigo.

— Ora! — respondeu ele. — Formar-me! Acho desnecessário! Minha vocação toda é o professorado, e para isso não preciso ter carta, basta-me saber conscienciosamente as matérias que ensinar.

4

Havia em Catumbi uma velha de uns quarenta e tantos anos, chamada Margarida, que vivia em companhia de sua filha única — a Inesinha, e sobre quem ela firmava todas as suas esperanças e a quem dedicava todos os seus afetos.

Moravam sozinhas e, porque não dispunham de outra fonte de receita senão o trabalho, labutavam a valer desde pela manhã até ao fugir do sol.

A velha era incansável, ativa como poucas, mas, por outro lado, geniosa e rezingueira como ninguém. Posto que o trabalho lhe tomava todas as horas do dia e às vezes uma boa parte da noite, ainda ela descobria algum tempo para dar à língua com os vizinhos e comentar a vida do próximo.

— Aquela almazinha não tinha um momento de descanso — murmuravam os seus conhecidos.

E isso mesmo estava a dizer a figurinha enfrenesiada de D. Ernestina: pequena, seca e viva como um camundongo.

Era a primeira que se levantava no seu quarteirão, e, ainda não se sabia a cara que traria o sol, já andava o demônio da velha na sua canseira de todos os dias; braços arremangados, saia puxada ao cós, a lidar, a vassourar para a direita e para a esquerda e a ralhar com a filha, que "Benza-a Deus! não parecia ter vindo de tal mãe!"

E daí atiravam-se às costuras, à lavagem ou ao engomado, e era trabalhar para a frente, até dizer basta.

A Inesinha, porém, com o seu ar de mosca-morta, os seus olhos sonolentos e a sua voz arrastada e frouxa, metia-lhe fezes no coração.

— Ó pequena! — gritava-lhe a velha muitas vezes, a sacudir-lhe o braço, como se quisesse acordá-la. — Onde diabo vais tu parar com toda essa moleza?... Deus me livre! Parece que tens chumbo nas pernas! Pois olha que é preciso puxar pelo serviço, se queremos que não nos faltem os feijões!

Mas Inesinha não endireitava nem à mão de Deus Padre e cada vez parecia mais ronceira e menos capaz de tomar caminho.

— Aí está — resmungava a mãe —, aí está para que serviu saberes mais do que eu! Bem dizia teu pai, a quem Deus haja; bem dizia ele, quando te pus no colégio, que nada havíamos de lucrar com isso!

— Mas eu faço o que posso... — contrapunha a rapariga. — Que culpa tenho eu de não me ajeitar à lavagem da roupa e muito menos ao ferro de engomar? Se algumas vezes deixo o serviço, é porque não há outro remédio, é porque me aparece a pontada no estômago! Ora aí está!

A mãe ralava-se. Aquela filha era o seu tormento! Ainda se Inês fosse uma rapariga esperta, diligente para outras coisas, vá! Dar-se-lhe-ia um jeito; mas aquela mesmo, Deus te livre! aquela que não sabia se mexer pelos seus pés, aquela sem-vontade que só caminhava quando alguém a empurrava para a frente! Credo! que até parecia castigo do Deus!

Foi nessa conjuntura que D. Margarida se lembrou de fazer a filha tomar crianças para ensinar.

Vieram os primeiros discípulos, e tal gosto revelou Inês para esse gênero de trabalho, que no fim de pouco tempo a sua ideia fixa era arranjar uma cadeira de professora régia.

— Mas, com que pagar a um bom explicador de português, que a aprontasse em pouco tempo?... A coisa não podia ser tão barata, e elas, coitadas, mal ganhavam para o pão de cada dia.

A velha, entretanto, não descansou mais e tanto furou, tanto virou e tanto tagarelou sobre o caso, que afinal descobriu o Coruja, por intermédio da filha de uma sua amiga, a quem ele ensinava de graça.

Foi logo procurá-lo no colégio, levando engatilhado um arsenal de lamúrias, que haveria de mover o coração do professor, por mais duro que fosse. André, porém, não lhe deu tempo para lançar mão do arsenal e, logo às primeiras palavras da velha, declarou que ela estava servida.

— Deixe-me o número de sua casa — disse ele —, e vá descansada, vá, que a menina há de aprontar-se para a primeira ocasião.

D. Margarida quis beijar-lhe as mãos.

— Não tem que me agradecer; vá, vá! Hoje por mim, amanhã por ti. Talvez que ainda esta noite dê um pulo até lá. E adeus, adeus, que vai entrar a aula de latim.

Daí a dois dias principiava ele a dar as suas lições a Inês, com a mesma pontualidade e o mesmo inalterável zelo que empregava para com todos os seus discípulos.

Chegava lá regularmente às sete horas da noite e principiava logo o trabalho, defronte de um grande candeeiro de azeite, que D. Margarida trazia para o centro da mesa.

As duas senhoras viam em André um benfeitor caído do céu e, para mostrarem o seu reconhecimento, desfaziam-se em pequeninos obséquios: davam-lhe a melhor cadeira, só lhe falavam a sorrir e obrigavam-no a aceitar todas as noites uma xícara de café.

Em pouco o bom rapaz não representava para elas um simples professor, mas um amigo, uma espécie de membro da família.

No fim de alguns meses ele já as levava aos domingos a dar uma volta no Passeio Público e, lá uma vez por outra, acompanhava-as a alguma festa de arraial ou a algum espetáculo no Provisório.

E tudo isso era praticado com tamanha seriedade, com tanto afeto e respeito, que a velha principiou a enxergar no Coruja um noivo capaz de fazer a felicidade da filha e, por conseguinte, a sua felicidade dela, Margarida.

Mas o pior era que, a despeito dos conselhos maternos, Inês tratava o seu dedicado professor com a mesma dubiedade de maneiras, com a mesma frieza e, pode-se dizer até, com a mesma indiferença com que tratava a toda gente. Seus gestos e seus olhares estavam como a dizer: A mim tanto se me dá seis como meia dúzia... Casar com este ou casar com aquele, para mim é tudo a mesma coisa, contanto que não me incomodem e não me obriguem a ter de tomar uma resolução. Querem que eu case com o Sr. Miranda? Pois seja, não digo o contrário, mas, por amor de Deus, deixem-me em paz!...

A mãe, porém, que não tinha aquela fleuma e entendia que sem a sua intervenção nada se arranjaria, resolveu tomar o negócio a seu cuidado.

— O Sr. Miranda nunca pensou em casar?... — perguntou-lhe ela uma vez, sem mais preâmbulos.

André corou e respondeu que não podia ainda pensar nisso.

— Ainda é muito cedo... — disse.

E, abaixando os olhos e a voz:

— Além de que eu não devo esperar semelhante coisa... Conheço-me perfeitamente... sei quanto sou feio... quanto sou antipático... Onde iria descobrir uma mulher que me aceitasse?...

— Quem sabe lá!... — retrucou a velha, olhando com intenção para o lado da filha. — Quem sabe lá, *seu* Miranda!... Às vezes a gente nem desconfia e as coisas estão nos entrando pelos olhos!...

André tornou a corar, mas desta vez sorrindo e levantando a vista para sua discípula.

Inês, porém, não tugia nem mugia. Ali estava, como uma empada, tão pronta para casar no dia seguinte como para não casar nunca.

A velha, percebendo isso e confiando muito pouco no gênio iniciativo do professor, teimou com tal insistência nas suas alusões, que o rapaz não teve remédio senão entrar no assunto.

—Ah! eu não digo que... sim, quer dizer, se eu encontrasse uma menina de bom gênio, que me estimasse, não digo que não; teria até muito prazer com isso...

— Pois há! — acudiu a velha. — Há uma menina nessas condições! E ali está ela defronte de nós! Não é verdade, Inesinha, que de bom grado aceitarias o Sr. Miranda para teu marido?

Inesinha disse que sim com a cabeça, e a velha acrescentou, muito comovida:

— Pois então, meus filhos, abracem-se em minha presença. Quero ver isto assentado de pedra e cal! Vamos, vamos! Não têm de que se mostrar tão envergonhados!... Então, Inês! então, Sr. Miranda!...

Os dois taciturnos namorados ergueram-se em silêncio e deram entre si um abraço de pura formalidade.

— Agora — volveu D. Margarida —, é cuidarmos de decidir quando há de ser o grande dia!

O Coruja, sempre metódico e cauteloso, declarou que achava bom esperar um pouco. Nada de precipitações!... Ele estava no princípio de sua carreira, ainda não podia realizar o casamento; mas, se as coisas caminhassem para a frente, como era de esperar, em breve tudo se poderia fazer.

Desde então as suas constantes visitas à casa da discípula tomaram um caráter mais exclusivo e mais familiar. Aparecia agora mais cedo e assentava-se ao lado da noiva, no mesmo lugar onde, desde o princípio, se habituara a dar as suas lições.

O estudo durava em geral duas horas, no fim das quais se afastavam os livros e começavam todos os três a conversar até ao bater das nove.

Coruja, fácil como era para se escravizar aos hábitos, no fim de algum tempo já não podia passar sem aqueles calmos serões à luz do velho candeeiro de D. Margarida; já não podia dispensar a xicarinha de café, que ele ouvia moer ao pilão, no quintal; e precisava sentir ao seu lado, durante aquelas horas certas, o vulto passivo e silencioso de Inês.

Seu coração imaculado e casto foi pouco a pouco se deixando vencer por um sentimento até aí desconhecido para ele.

Era um amor muito transparente, muito calmo, que esperava com evangélica paciência o dia da ventura, sem a mais ligeira perturbação dos sentidos.

5

Desde que André se mudou para o colégio, a casa de Teobaldo foi aos poucos perdendo o seu digno aspecto de asseio e de ordem, até se transformar em verdadeira república de estudantes.

A Ernestina ficou pasma.

— Como este rapaz tem mudado!... — exclamava ela a cada instante, sem atribuir sequer ao outro, ao feio, a alma da primitiva limpeza e do primitivo arranjo, que tanto a maravilharam.

Agora, Teobaldo já não tinha, como dantes, certo escrúpulo em conservar a casa decente. Os seus companheiros da pândega, que lhe apareciam com mais frequência, já não lhe ouviam dizer em certas ocasiões: "Não; não façam isso, para não afligir o Coruja! Ele não gosta destas brincadeiras!..."

Ernestina suportava-lhe as estouvices porque não tinha outro remédio: adorava-o cada vez mais; sofria em vê-lo tão extravagante, tão sem coração e sem juízo, mas sofreria ainda pior se não o pudesse ver absolutamente

Enquanto a não abandonara a esperança de conquistá-lo, empregou para isso todos os recursos de sua ternura; depois, certa de que nada conseguiria, resignou-se às migalhas do amor que ele lhe atirava de vez em quando, como para a esfaimar ainda mais.

A infeliz já se não queixava e já nem sequer procurava disfarçar o seu cativeiro; entretanto, um dia em que lhe apareceu na porta uma mulher alta, bonita, vestida com um certo exagero de moda, a perguntar muito desembaraçada se era ali que morava Teobaldo, ela disparatou:

— Pois até mulheres já queriam entrar também na patuscada? Era só o que faltava!

E, fechando-lhe a porta no nariz:

— Procure-o na rua, se quiser!

Depois, meteu-se no quarto e pôs-se a chorar, como uma desesperada.

Às três horas, quando Teobaldo chegou de fora, ela foi-lhe ao encontro e, mais branca do que a cal da parede, os beiços trêmulos, as feições estranguladas de ciúme, disse-lhe quase sem poder falar:

— Isto não pode continuar assim!

— Assim, como?

— Nesta desordem em que vai tudo! O senhor está um perdido!

— E a senhora que tem a ver com isso?

— Quero desabafar!

— Pois desabafe, mas que seja longe daqui!

— Cínico!

— Não me aborreça!

E Teobaldo galgou a escada do segundo andar.

Ela seguiu atrás.

— O senhor precisa mudar de vida! — exclamou penetrando no quarto.

Ele, com a certeza de quem é amado a ponto de lhe perdoarem tudo, pôs-se a cantarolar, tirou o paletó e estendeu-se sobre o divã.

— Até aqui — prosseguiu Ernestina, sem poder conter a cólera —, até aqui suportei e suportei muito! O senhor transformou esta casa em uma república, mas agora a coisa é outra; agora até as mulheres querem entrar na pândega!

— Hein? — fez Teobaldo, voltando-se para ela.

— Sim, senhor! Veio aí uma mulher à sua procura.

Teobaldo deu um pulo da cama.

— Uma mulher? — exclamou. — Ah! Eu bem contava que ela havia de vir!

E, voltando-se vivamente para a rapariga:

— Uma mulher alta, não é verdade? Pálida, de olhos pretos?!...

— Vá para o diabo que o carregue! — respondeu Ernestina, virando-lhe as costas e saindo do quarto furiosa.

— Então?... — disse consigo Teobaldo, esfregando as mãos. — Voltou ou não voltou?... Ah! logo vi que Leonília havia de voltar!...

Leonília era a mais formosa criatura que empunhava nesse tempo o cetro do amor boêmio.

Teria então pouco menos de trinta anos e parecia não haver ainda orçado pelos vinte.

No poema de sua vida, poema caprichoso e fantástico, escrito *au jour le jour*, ora com lágrimas, ora com *champagne*, Teobaldo representava talvez a página mais sentida e com certeza uma das mais recentes e palpitantes.

Mas, que diabo tinha consigo aquele rapaz para enfeitiçar desse modo as mulheres de toda a espécie? Que fluido misterioso espalhava ele em torno de si, com a ironia de seus risos, com o desdém de seus olhos, com a fidalguia de suas maneiras, para as render tão cativas e arrastá-las a seus pés, como Cristo antigamente?

Leonília vira-o uma noite, por acaso, no teatro, desejou-o logo e pediu a um amigo comum que lho apresentasse.

Teobaldo tratou-a com o mesmo sedutor e natural desinteresse que costumava usar para as mulheres desse gênero; mas depois, quando a conheceu mais de perto e teve ocasião de compulsar-lhe o espírito, principiou a distingui-la entre todas as outras com certa preferência.

Leonília, porém, no solipsismo da sua paixão, não se contentou com isso e quis amor, amor tão bom e tão ardente como o que ela lhe dava.

Louca! Teobaldo não era homem para essas transações e, à primeira cena de ciúmes que lhe fez a amante, tomou o chapéu e desertou da alcova dela, sem lhe atirar ao menos uma palavra de despedida.

A loureira apanhou entredentes a afronta e resolveu lançá-lo à vala comum dos seus amores esquecidos; mas tal energia só durou enquanto durou a esperança de ver Teobaldo regressar aos seus braços; e, logo que se convenceu de que o ingrato não voltava, calcou no coração todos os reclamos do orgulho e foi ac encontro dele.

O adorado moço consentiu em tornar à abandonada alcova, mas consentiu friamente, como por mera condescendência, e fazendo-se rogar aos seus carinhos.

Leonília submeteu-se. Precisava daquele demônio para a sua ventura; que diabo havia de fazer? Todavia, a uma palavra de ressentimento que lhe escapou uma ocasião ao jantar, Teobaldo soltou-lhe, em cheio no rosto, uma tremenda bofetada e desapareceu de novo.

Foi depois deste episódio que ela o procurou em casa pela primeira vez. E não o fez esperar muito, visto que já calculava com experiência que o rapaz não voltaria por *motu proprio*.

Ernestina, coitada, é que ficou brutalmente ferida no seu amor próprio. Ao sair do quarto ia tonta, estrangulada de raiva; mas, ferida por uma ideia voltou logo ao segundo andar, fechou-se por dentro e disse a Teobaldo, que nessa ocasião se aprontava para sair de novo:

— Você não há de agora sair de casa!

— Por quê? — perguntou o rapaz, atando a gravata defronte do espelho.

— Porque não quero!

— Não quer? Tem graça!

— Verá!

— Veremos!

E, quando ele deu por finda a sua *toilette*, aproximou-se de Ernestina:

— Vamos, filha, basta de tolice! Dá-me a chave.

— Não quero que saia, já disse!

— Dá-me a chave por bem ou eu te obrigo a dar-ma à força!..

Ernestina passou-lhe os braços em volta do pescoço.

— Não sejas mau! — disse chorando. — Não judies comigo deste modo!

— Dê-me o diabo dessa chave! — berrou ele, soltando-lhe um empurrão.

A rapariga deixou-se cair por terra e começou a soluçar.

— Ora pílulas! — rosnou Teobaldo, avançando sobre a porta disposto a arrombá-la com um pontapé. Mas nesse momento alguém bateu pelo lado de fora e ele estacou, perguntando com um grito:

— Quem é?

— Abra! — respondeu uma voz.

— Estou perdida!... — gaguejou Ernestina. É o Almeida.

— Bonito! — pensou o estudante. — Vamos ter escândalo!...

E, voltando-se para a mulher:

— Abra a porta!

— Abrir? E onde me escondo?

— Em parte alguma. Fique!

Ernestina entregou-lhe a chave e Teobaldo abriu a porta. Mas, enquanto ele fazia isto, ela, apanhando as saias, fugia para a alcova imediata.

— Entre! — disse o moço, empurrando com um movimento desembaraçado a folha da porta.

O Almeida entrou; estava mais vermelho cinquenta por cento do que era de costume. O seu colete branco, boleado pelo grande abdômen, arfava; os músculos faciais tremiam-lhe como as carnes de um bêbado velho.

Pela primeira vez Teobaldo reparou bem para aquele tipo. Notou, obra de um segundo, que ele tinha na fisionomia e no feitio do corpo alguma coisa que lembrava uma foca; notou que as suíças do Almeida principiavam logo por debaixo dos olhos e perdiam-se por dentro do colarinho: notou que ele tinha uma cabeça quase quadrada, encalvecida pela face superior; notou que o nariz do homem não era grego, nem árabe, nem tampouco romano e que, se o separassem do rosto, ninguém seria capaz de dizer o que aquilo era, e tanto podiam supor que seria um legume ensopado, como um pólipo extraído ou um mexilhão fora da casca; e notou ainda que o Almeida constava de quatro pés de altura sobre outros tantos de largura e que as mãos dele eram tão papudas, tão escarlates e tão luzentes de suor, que pareciam esfoladas.

— Exponha o que deseja! — ordenou secamente o rapaz, depois deste exame instantâneo.

— O senhor escusa de negar... — principiou o Almeida.

— Eu nunca nego o que faço!... — interrompeu Teobaldo.

— Escusa, porque eu sei que ela está aqui.

— Ela quem?

— A Ernestina.

— Está.

— Pois era disso que eu precisava me capacitar! Não me suponha tão tolo, que não tivesse há mais tempo desconfiado da marosca; quis, porém, ter uma certeza e agora posso proceder à vontade, sem me doer a consciência!

— Explique-se.

— Pois não: uma vez que ela o prefere a mim, cedo-lha!

— Hein? Como é lá isso?

— Cedo-lha, repito!

— Cede-ma?!

— Sim. Pode tomar conta dela. É sua!

E, dito isto, o Almeida soprou com força, como quem se vê livre de uma carga pesada, e abicou para a saída.

Teobaldo deteve-o com um gesto.

— Espere — disse-lhe. — Antes de tomar conta de um fardo, que eu estava longe de esperar, quero saber ao menos qual é o seu conteúdo e a sua procedência!

— Ela que lhe explique tudo!... — respondeu o velhote.

— Não — contradisse o outro —, não quero trocar com ela uma palavra!... Ao senhor compete pôr tudo em pratos limpos. Em primeiro lugar, desejo saber ao certo que diabo vem a ser o senhor para D. Ernestina.

— Pois então o senhor não sabe?

— Se soubesse não perguntaria.

— Com franqueza?

— Não falo de outro modo.

— Pois então, ouça.

Teobaldo ofereceu uma cadeira ao Almeida e assentou-se em outra.

— Vamos lá — disse.

— Haverá coisa de oito anos... casei-me — principiou aquele.

— Muito bem.

— Casei-me, mas não fui feliz...

— Sua mulher traiu-o?

— Não; tinha mau gênio. Era uma víbora!

— Muito bem.

— Suportei-a durante três anos; empreguei todos os meios para quebrar-lhe a fúria.

— Quebrou?

— Foi tudo debalde. A megera ficava cada vez pior. Resolvi largar de mão o negócio!

— Abandonou-a?

— Justamente; mas...

— Que idade tinha sua mulher?

— Cinquenta anos.

— Ah!

— E o senhor casou por amor?

— Sim, por amor... dos seus interesses.

— Ah! era rica.

— Nem por isso...

— Quanto possuía?

— Cinquenta contos.

— Um conto por ano. Adiante!

— Mas bem, como eu lhe dizia...

— Como me dizia...

— Resolvi separar-me dela e, foi dito e feito, zás!

— Separou-se!

— Logo.

— Muito bem.

— Foi então que uma noite, voltando para a minha nova residência, encontrei, encostada à porta da rua, uma rapariga...

— Era D. Ernestina...

—Não; era uma mulatinha que me disse haver fugido de casa, porque o senhor estava muito bêbado e queria dar-lhe cabo da pele, depois de ter feito o mesmo à mulher. Perguntei onde ficava a tal casa, e como era perto, dei um pulo até lá. A mulatinha entrou adiante com toda a cautela e voltou pouco depois, declarando que a peste do patrão havia já pegado no sono. "E o cadáver?" perguntei eu. "Deve estar na sala", respondeu a mulatinha. Abrimos a porta, e vi então um corpo de mulher estendido no chão. Esta é que era D. Ernestina.

— Estava morta?

— Não, não estava morta, infelizmente, mas estava muito moída de bordoada! E, ainda bem não me tinha visto entrar na sala, começou a chorar com gana e disse-me então que o borracho do marido, além de que lhe não dava de comer, punha-a naquele estado. "Tem fome?" perguntei-lhe eu. "Muita" respondeu-me ela com a voz fraca. "Quer vir cear comigo?" "Onde?" "Em minha casa." "E meu marido?..." "Mande-o plantar batatas!" Ela aceitou; pôs um xale sobre a cabeça, chamou a mulatinha e saímos todos três.

Quando o Almeida chegou a este ponto da sua narração, ouviram-se fortes soluços dentro da alcova de Teobaldo. O Almeida sacudiu os ombros e prosseguiu:

— Desde essa noite ela ao meu lado substituiu minha mulher. Despedi a mulatinha, que era alugada, montei esta casa e...

— E o marido?

— Morreu pouco depois, no hospital.

— Não deixou filhos?

— Creio que não; pelo menos foi o que ela me disse.

— Bem! — fez Teobaldo, erguendo-se. — De sorte que tudo isso que aí está no primeiro andar foi comprado pelo senhor?

— Tudo, e a casa também.

— Logo, tudo isto lhe pertence?

— Não, porque pertence àquela ingrata...

— E está sempre disposto a separar-se dela?...

— Decerto.

— E quanto ela lhe custava em despesa por mês?

— Para que deseja saber?

— Para medir a altura do meu sacrifício.

— Dava-lhe oitenta mil réis por mês em dinheiro e comprava-lhe muitas coisas: roupa, calçado, chapéus, tudo que ela precisava.

— Bem. Pode ir quando quiser.

— Estamos então entendidos, não é verdade? — concluiu o Almeida, apertando a mão do estudante e ganhando a saída. — Fico ao seu serviço — rua do Piolho, nº 5.

— Seja feliz! — disse Teobaldo, sem lhe voltar o rosto. E, logo que o viu sair chamou por Ernestina.

— Ouviu o que eu acabo de praticar? — perguntou ele.

— Ouvi... — disse ela abaixando os olhos.

— E no entanto a senhora tem plena certeza de que eu nada fiz para merecer semelhante espiga!

— Por que não declarou enquanto era tempo?

— Porque nunca me desculpo comprometendo uma mulher, seja ela quem for, ainda que eu lhe vote a mais completa indiferença.

— Então o senhor não me tem amor?

— Não, digo-lhe agora com franqueza, já que assim o quis.

— Mas por que não disse isso mesmo ao Almeida? por que consentiu que ele me abandonasse?... por que não lhe pediu para...

— Eu não peço nada a ninguém...

E, enquanto ela soluçava:

— Pelo respeito que devo a mim mesmo, tive de comprometer-me a sustentá-la. Seja! Dar-lhe-ei uma mesada, mas nunca porei os pés nesta casa. Retiro-me hoje mesmo.

— O senhor também me abandona?

— Não a abandono, porque nunca a amparei!

— Sou muito desgraçada! — exclamou ela, deixando-se cair sobre uma cadeira, a soluçar. — O senhor perdeu-me para sempre!

— Essa agora é melhor! Eu não a perdi! Não tenho culpa de que a senhora seja indiscreta! Quem lhe mandou vir ao meu quarto e fechar-se por dentro? Ora essa!

— Ai, meu rico Almeida! Como tu é que eu não encontrarei nenhum!

A esta exclamação de Ernestina a porta da sala abriu-se; o tipo do Almeida apareceu de novo, não com o aspecto de há pouco, mas risonho e ressumbrante de ventura.

— Oh! Ainda o senhor? — disse Teobaldo.

— Ouvi tudo, meu amigo...

— Ouviu ou escutou?

— Escutei, escutei por detrás da porta...

E estendendo-lhe a mão:

— Toque!

— Hein?...

— Toque! Desejo apertar a sua mão! Poucos homens tenho encontrado tão nobres como o senhor! Seu procedimento para com uma mulher, que o acaso comprometia, foi mais do que de um fidalgo, foi de um príncipe! Toque!

Teobaldo consentiu afinal que o Almeida lhe apertasse a mão, mas resolveu de si para si mudar-se quanto antes daquela casa.

— Nada! — refletia ele, enquanto os outros dois se abraçavam chorando. — Isto não me convém! É sempre desagradável estar entre um tolo e uma mulher apaixonada! Safo-me!

6

Com efeito, Teobaldo, daí a dias, mudava-se para o Hotel de França, abandonando a Ernestina todos os trastes que ele possuía no segundo andar...

Foi então que lhe chegou às mãos uma carta do pai, a primeira que tratava de questões pecuniárias. O barão, a pesar seu, tinha de entrar nesse assunto e pedia ao filho que apertasse um pouco os cordéis da bolsa.

Não estamos no caso de fazer muitas larguezas, meu querido filho, dizia ele depois de confessar que a sua vida achava-se um tanto complicada; *ultimamente persegue-me um azar terrível: em nada do que empreendo me saio bem, e a continuarem as coisas deste modo teremos fatalmente a ruína pela proa! É preciso que desde já restrinjas as tuas despesas. No primeiro ano de Rio de Janeiro gastaste um conto de réis, no segundo quase três e ainda não findou o terceiro e já tens despendido neste muito mais do que nos outros dois reunidos. Acredita que não te falaria nisto se a tal não me obrigassem as circunstâncias. Acabo de ajustar contas com o meu correspondente, não lhe fiz recomendação nenhuma a teu respeito, porque entendo melhor fazê-la a ti próprio; tens bastante critério para avaliar o que aqui vai dito e tomares sérias medidas a respeito de tua vida.*

Nada de envolver estranhos neste negócio; mais vale arruinado em segredo do que às claras, porque tudo perdoam à gente, menos a pobreza.

Tua mãe continua cada vez mais incomodada; principio a ter sérios receios; os seus padecimentos agravam-se de um modo bem desconsolador. Vê se te aprontas o mais depressa possível e dá um pulo até cá: temos ansiedade de teus abraços.

Esta carta foi um choque terrível para Teobaldo; estava bem longe de contar com ela e, pela primeira vez, refletiu na possibilidade de ficar pobre de um momento para outro; e pensou também no muito que esbanjara desde que residia na corte e no muito que se descuidara dos seus estudos.

Não podia ser por menos com a vida que ele levava ultimamente: os seus dias eram em geral consumidos do seguinte modo: acordava às onze horas da manhã, descia ao tanque, onde durante meia hora se deliciava dentro de um banho perfumado; depois deixava-se enxugar pelo Sabino, vestia-se com o auxílio deste e subia ao quarto, onde já o esperava o cabeleireiro com a sua navalha e os seus pentes. Acabada a *toilette* passava ao salão do hotel e almoçava. Às vezes fazia duas horas de trote pela praia de Botafogo ou pela rua de Mata-cavalos; jantava à noite; ia quase sempre ao teatro ou à casa de alguma família conhecida ou então, o que era mais frequente, entretinha-se a beber e conversar com amigos em casa de mulheres do gênero de Leonília.

A respeito de escola — nada.

Quando se recolhia antes da meia-noite, ainda se entregava a qualquer leitura, literária ou científica, conforme o apetite do momento; outras vezes recorria ao piano e passava duas ou três horas a recordar o clássico repertório que aprendera em casa da família.

É de notar que Teobaldo, no meio da sua espécie de boêmia aristocrática, não perdera o sentimento do belo, o amor às letras, o entusiasmo pelas coisas heroicas e o respeito às mulheres honestas; tão poderosos e salutares foram para ele os singelos conselhos de sua mãe.

Apesar da egoística filosofia do Barão do Palmar, Teobaldo conservava ainda para com o Coruja a mesma sagrada amizade e a mesma dedicação da infância. Era tal o apreço em que tinha o amigo, que chegava a sentir remorsos de não proceder como ele. Instintivamente e a despeito dos seus dotes intelectuais e físicos, reconhecia em André uma certa superioridade moral, um certo privilégio de bondade que o tornava digno de inveja.

Aquele vulto modesto, feio mas sem vícios, trabalhador e honrado, bom e ao mesmo tempo antipático, às vezes até lhe aparecia defronte da consciência como um juiz sobrenatural, que tacitamente o condenava. E Teobaldo, quisesse ou não, via, através daquela rígida couraça de monstro, transparecer a alma imaculada de um herói.

Entretanto, não seria capaz de confessar a ninguém semelhante coisa e, quando falava do Coruja, aos seus companheiros de pândega, tinha na fisionomia, em vez da admiração, um gesto frio de risonha condescendência.

* * *

Às vezes, aos domingos, quando André tirava o dia para descansar, ia ter com Teobaldo muito cedo e arrancava-o da cama para uma excursão fora da cidade.

Aquele amor ao campo, despertado em seu coração pelas primeiras férias passadas na fazenda de Emílio, conservava-se inalterável; e esses passeios, prolongados até à Caixa d'água, aos Dois Irmãos ou à Tijuca, constituíam a grande distração, o luxo, a extravagância de sua vida.

Teobaldo, ou fosse porque estimava deveras o Coruja, ou porque um espírito fatigado da pândega precisa de vez em quando remansear ao abrigo de um prazer tranquilo, o certo é que ele não acompanhava o outro por mera condescendência, mas ao contrário punha nisso muito empenho.

Se o passeio era longo, preparavam de véspera o seu farnel, de cuja condução se encarregava o Sabino, e no dia seguinte partiam a cavalo, antes de surgir no horizonte o primeiro raio da aurora.

Era nesses longos passeios de domingo, que entre si os dois amigos prestavam contas do que faziam na ausência um do outro. Passavam horas esquecidas a conversar: Teobaldo, sempre muito expansivo, não lhe escondia nenhum dos seus atos, bons ou maus, e falava amargamente dos seus tédios e das contrariedades; o Coruja, sempre disposto a achar a vida melhor do que esperava, confessava-se agradecido à fortuna, falava da sua prosperidade e não tinha uma palavra de queixa contra ninguém.

Teobaldo uma vez lhe perguntou:

— A quantos discípulos ensinas tu de graça, ó Coruja?

— Em verdade a nenhum... — respondeu o professor, incomodado com a pergunta.

— Todos eles te pagam?

— Sim; os que não podem pagar já, pagarão mais tarde... Neste mundo a gente não deve olhar só para si... Uma mão lava a outra! Lembra-te de que eu nada seria no rol das coisas, se não fosses tu!

— Sim, mas eu ouvi dizer que até compravas livros, papel, penas e lápis para alguns discípulos.

— Ah! isso é só quando são de todo muito pobres...

— E que até lhes davas dinheiro para levarem à família.

— Casos muito extraordinários! E o dinheiro não é dado, é emprestado... Hão de pagar, quando puderem...

E, receoso de que o outro insistisse no assunto, Coruja cortou a conversa, perguntando-lhe se tinha escrito mais alguma coisa depois que estiveram juntos.

— Fiz versos. Queres vê-los? Aí os tens.

André passou a ler com todo o cuidado os versos do amigo e logo depois travou-se entre eles a discussão natural entre um espírito que vive da fantasia e um outro que vive do estudo.

Coruja não admitia um galicismo, uma imperfeição de linguagem. Lido como era nos clássicos, queria o português puro e correto; além disso, com a sua memória mais do que privilegiada, poderia jogar facilmente com a velha terminologia da língua, no caso que lhe não faltasse a imaginação; e com Teobaldo sucedia o contrário justamente — tinha ideias e não tinha a forma.

— Vê agora que tal achas esta balada — disse este, passando-lhe uma folha de papel.

O Coruja leu:

Meu coveiro, já teu braço
Não te custa a levantar?
Não te pede do cansaço
O teu corpo descansar?

Não me custa, caminheiro,
Não me pesa trabalhar;
Ganho nisto meu dinheiro;
Tenho gente a sustentar.

Pois bem, coveiro, prossegue,
Mas de ti quero um favor;
Não é coisa que se negue,
Não é coisa de valor:

Trago aqui, agasalhada,
Minha amante, que morreu;
Tinha na terra a morada
Mas sua pátria era o céu.

Quero apenas, meu coveiro,
Que sepultura lhe dês,
Porém me falta o dinheiro
Para pagar-te, bem vês...

Anda avante, caminheiro;
Já meia-noite bateu.
Não sepulto sem dinheiro,
Que dos mortos vivo eu!

— Está assim, assim — disse o Coruja, depois de ler; e fez algumas alterações na construção das frases. — Aquela rima em *ar* não devia ser repetida na segunda estrofe, mas enfim pode passar.

7

Teobaldo viu pela primeira vez o seu nome em letra redonda, assinando uma produção original, graças a um amigo que fez publicar a balada no *Diário do Rio*.

Ah! Que contentamento o seu! contentamento que triplicou, quando o rapaz recebeu da capital de sua província uma folha onde vinham as seguintes palavras:

"Teobaldo Henrique de Albuquerque — Este jovem e talentoso mineiro, filho do Sr. Barão do Palmar e que se acha presentemente na corte cursando a Faculdade de Medicina, acaba de publicar aí a bela poesia que em seguida transcrevemos.

"É sempre com o maior prazer que registramos fatos desta ordem, e fazemos votos para que o esperançoso poeta prossiga na carreira que tão brilhantemente encetou."

Seguia-se a balada.

Desde então, começou Teobaldo a cultivar as letras com mais entusiasmo; não que o apaixonasse a arte de escrever, mas pelo simples gosto de ter seu nome em circulação. Fez contos, poemetos, artigos que, depois de apurados pelo Coruja, surgiam no primeiro jornal que os aceitasse.

O que lhe faltava em fôlego para as largas concepções do espírito, sobrava-lhe em habilidade para engendrar pechisbeques literários, muito ao sabor de certa ordem de leitores.

Mas um funesto acontecimento veio tarjar de preto os seus dias — a morte de Santa.

Teobaldo ficou fulminado com a notícia; subiu-lhe à cabeça, em ondas, um delírio de paixões que o teria sufocado se logo não se resolvesse em soluços.

Foi a sua primeira ideia abandonar a corte e correr à casa do pai; este, porém, na mesma carta em que lhe dava a triste nova, participava-lhe que iria ao encontro dele.

Coruja, em prejuízo dos seus trabalhos, entendeu que não devia abandonar o amigo e passava ao seu lado grande parte do dia no Hotel de França.

Estavam juntos, quando chegou o barão. Teobaldo lançou-se nos braços do pai e, tanto este como o filho, abriram a chorar por longo tempo.

André, meio esquecido a um canto da sala, observava em silêncio o seu protetor, e surpreendia-se de vê-lo tão transformado.

Emílio não parecia o mesmo homem; não dava ideia daquele fidalgo de bom humor, que a todos se impunha, quer pela energia do caráter, quer pela insinuação das suas maneiras à Pedro I. Agora estava sombrio, horrivelmente pálido, a fronte coberta de rugas, em cujas dobras se percebia todo o mistério dos seus últimos padecimentos.

Já não era a sombra do que fora; já não era aquela figura desempenada e ruidosa, mas um vulto sinistro, todo vergado para a terra, e em cujo olhar dorido e pertinaz se via transparecer o surdo desalento de uma dor sem tréguas.

E aquele espectro lutuoso, descarnado e alto, inspirava compaixão e simpatia.

— Meu filho — disse ele, quando a comoção lhe permitiu falar, — a perda de tua mãe é para nós muito mais grave do que podes supor. Com ela fugiu-me a coragem e tudo que me restava de esperanças... Só tu ficaste e só por tua causa viverei mais algum tempo.

Calou-se, depois chamou o Coruja com um gesto, apertou-o nos braços sem lhe dar uma palavra e acrescentou, dirigindo-se de novo ao filho:

— Preciso ter contigo uma longa conferência, mas quero primeiro repousar um pouco, porque ao contrário não poderei ligar duas ideias...

Teobaldo chamou um criado, mandou servir um quarto ao pai e voltou para junto do Coruja, que à janela abafava os seus soluços com as duas mãos espalmadas sobre o rosto.

Horas depois, Emílio de Albuquerque mandava chamar o filho e, tendo-o feito assentar-se perto dele, começou a pintar-lhe francamente a triste posição em que se achava.

A sua primeira comunicação foi a respeito da hipoteca da fazenda, o que, em completa ignorância de Teobaldo, se realizara havia mais de dois anos. Levara-o a dar semelhante passo a esperança de poder à custa de certas especulações recuperar os bens perdidos e desembaraçar-se das dificuldades em que se via; mas, por desgraça, tudo falhou, e o que ele supunha uma tábua de salvamento não foi mais do que a mortalha das suas ilusões. E desde então a roda da fortuna, como se recebera um grande impulso, começou a desandar freneticamente; quanto mais enérgicos eram os esforços e tentativas que ele fazia para suster a sua queda, tanto mais vertiginosa ela se tornava; a sorte, afinal, já não tendo de que lançar mão para lhe quebrar a coragem, arrebatou-lhe a última força que lhe restava, a esposa; e tão certeiro fora este último golpe, que o desgraçado sucumbiu de todo, para nunca mais se erguer.

— Dentro em pouco tempo — disse ele, — tenho de entregar tudo aos credores; só nos restarão alguns contos de réis que se acham espalhados por aí nas mãos de vários amigos; fica-me, porém, a consolação de que em toda esta desgraça não cometi uma única baixeza; podia ter enganado os meus credores e assegurar-te, a ti, um futuro mais auspicioso; não quis todavia e não me arrependo disso! Creio que farias o mesmo no meu lugar...

— Honro-me de poder afiançar que sim! — respondeu Teobaldo com tal firmeza, que o pai lhe estendeu a mão, exclamando:

— Obrigado, meu filho!

* * *

Emílio demorou-se na corte apenas dois dias mais; Teobaldo acompanhou-o até ao Porto da Estrela e voltou para o hotel muito impressionado e tolhido de estranhos pressentimentos.

Coruja vinha ao seu lado, caminhando de cabeça baixa, o ar concentrado e mudo de quem procura a solução de um problema.

O amigo acabava de lhe confiar tudo o que ouvira do pai.

— Que achas tu que eu devo fazer?... — perguntava-lhe.

André respondeu depois de um silêncio:

— Em primeiro lugar deves sair daquele hotel; é muito dispendioso e, uma vez que estás pobre, precisas fazer economias...

— Tens razão, — replicou o outro — mas para onde irei morar? Bem sabes que nunca me vi nestes apuros...

— Eu me encarrego de arranjar a casa. Queres tu morar outra vez comigo?

— Não poderia desejar melhor... Mas, e o colégio?...

— Dá-se-lhe um jeito. O colégio não precisa de mim à noite; é bastante que eu me apresente lá às seis horas da manhã.

— Quanto és meu amigo...

— Pudera!...

E os dois separaram-se daí há pouco concordes na mudança.

Teobaldo correu então à casa do seu correspondente.

— Espere! — disse-lhe o Sampaio com mau humor; aquele mesmo Sampaio que dantes se mostrava tão atencioso com ele.

Teobaldo estranhou a grosseria do tratamento, mas teve ainda a generosidade de não acreditar que ela fosse já uma consequência da ruína de seu pai.

— Venho saber se... — ia ele a dizer, quando o outro repetiu ainda mais forte:

— Espere!

O filho do barão mordeu os beiços e não retrucou, até que, meia hora depois, o negociante se dignou enfim de prestar-lhe atenção.

— Disse meu pai que eu tenho aqui algum dinheiro a receber. Quero saber quanto é.

— São quinhentos mil réis, e é o resto. Depois disso nada mais tenho a lhe dar; terminaram os negócios de seu pai com esta casa.

— Já sei.

— O senhor pode receber a quantia de uma só vez ou por partes, como quiser...

— Quero-a toda.

— Lembre-se de que é o resto...

— Despache-me.

— Mas por que não deixa alguma coisa de reserva?

— Porque não quero de novo aturar as suas grosserias.

— Obrigado. Vai ser servido.

— Mas ande com isso!

— Espere, se quiser.

À noite, Teobaldo depositava em poder do Coruja os seus últimos quinhentos mil-réis.

— É o que me resta — disse ele — guarda-os tu, que sempre tens mais juízo do que eu.

André obedeceu, e a mudança efetuou-se no dia seguinte.

Foram ocupar duas salas de uma casa de cômodos. O Coruja escolheu logo a pior para si, dizendo ao entregar a outra ao amigo:

— Agora é preciso começar vida nova... Tens belos recursos e ainda estás muito em tempo de fazeres de ti o que bem quiseres...

— Ah! decerto! — respondeu Teobaldo, sempre com a mesma confiança na sua pessoa. — É impossível que eu não encontre meios de ganhar a vida!

— Sim, mas convém não te descuidares.

— Não descansarei.

— E os teus estudos?

— Sei cá! Julgo que o melhor é deixar-me disso! Não tenho fé com as academias!

— Não sei se farás bem...

— Mas não vejo em ti mesmo um exemplo palpitante?...

— O meu caso é muito diverso; sou de poucas aspirações, não desejo ser mais do que um simples professor; tu, porém, tens direito a muito, e aqui em nossa terra a carta de doutor é a chave de todas as portas das boas posições sociais.

— Havemos de ver. Não posso agora pensar nisso, tenho a cabeça fora do lugar...

Pouco tempo depois, quando eles ainda estavam inteiramente possuídos pelo golpe que acabavam de sofrer com a morte de Santa, apareceu-lhes em casa, banhado de lágrimas, o velho Caetano, o fiel criado do Barão do Palmar.

Teobaldo estremecera com um pressentimento horrível e levou as mãos à cabeça, como para não ouvir o que seu coração já adivinhava.

E depois, voltando-se rapidamente:

— Fala!

— Ele morreu, é exato!

E o velho servo começou a chorar, sem mais poder dizer uma palavra.

Teobaldo arrancou-lhe das mãos uma carta que ele havia tirado da algibeira, e leu o seguinte:

Meu filho — Evoca toda a tua coragem e todos os conselhos que te dei durante a minha vida para poderes ler com resignação o que se segue. Escrevo estas linhas resolvido a meter uma bala nos miolos, quando as houver subscritado para ti. Será isso talvez uma fraqueza de minha parte, será talvez um crime, porque tens apenas vinte e um anos; eu, porém, no estado em que me acho, não posso continuar a viver sem aquela Santa a quem devemos, tu — a vida e eu — a única felicidade que já não tenho.

Morro ainda mais pobre do que supunha, mas não deixo dívidas; perdoa-me e procura dirigir a tua existência melhor do que eu.

O nosso velho procurador fica encarregado de remeter-te o que pagarem porventura os meus devedores, e Caetano entregar-te-á pessoalmente um cofre com as joias que tua mãe possuía antes do casamento; as outras, as que eu lhe dei, foram já reduzidas a dinheiro.

E adeus, até à eternidade, se não me enganaram na religião que aprendi no berço.

Teu pai — Emílio

8

Os últimos acontecimentos vieram perturbar de todo a vida dos dois rapazes.

Coruja tinha de guardar um pouco mais a companhia de Teobaldo, cuja inquietação de espírito lhe trazia agora sérios receios.

Cobertos ambos de luto, pareciam eternamente fechados a qualquer consolação mundana; Teobaldo caíra em uma espécie de abatimento moral, de cujo estado não conseguiam arrancá-lo as palavras do companheiro.

— É preciso que também não te deixes levar assim pelo desgosto — dizia-lhe este, procurando meter-lhe ânimo. — A vida não se compõe só de coisas agradáveis! Concordo em que não estejas habituado a certas provações e que por isso as sintas mais do que qualquer; mas, valha-me Deus! um homem deve antes de tudo ser um homem!

— Do que me serve a vida?... — respondia o outro — do que me serve a vida, se já não tenho as pessoas que mais me amaram?...

— E então eu?! — reclamava André. — Eu não estou ainda a teu lado?... É uma injustiça o que acabas de dizer!...

— Tens razão, é uma injustiça não pensar em ti; mas imagina que será de mim agora, sem recursos e sem o hábito de trabalhar?...

— Ora! Deixa-te disso! não pareces um rapaz de 20 anos!... Que diabo! com o teu talento e com os teus recursos só quem de todo não quer subir!... Tens um enorme futuro diante de ti.

— Ah! Falas assim porque te coube em sorte a inestimável ventura de dar no mundo os teus primeiros passos pelo teu próprio pé e não tiveste, como eu, de entrar na vida carregado ao colo de meus pais! Ah! o trabalho é a alegria e a consolação dos filhos da pobreza, mas é também o castigo e o suplício dos que nasceram ricos e mais tarde se acham no estado em que me vejo!...

— Teobaldo! Essas ideias são indignas de ti!

— Não! Tudo que eu dissesse ao contrário disto, seria hipocrisia!

— É porque estão ainda muito abertos os dois tremendos golpes que acabas de receber tão em seguida um do outro; tenho plena certeza de que em breve a tua coragem se erguerá mais altiva e mais forte do que nunca e que, à força de talento, conseguirás uma invejável posição. Enquanto assim não suceder, cá estou eu ao teu lado para amparar-te; e com isto, não tens que te envergonhar, porque nada mais faço do que seguir os exemplos aprendidos em casa de teus pais, quando me socorreram. Eu te pertenço, meu amigo!

Teobaldo, sinceramente comovido, agradeceu aquela dedicação e prometeu que se faria digno dela.

Mas pelo espaço de um ano quase inteiro a sua mágoa absorvia-lhe todos os instantes, não lhe deixando tempo nem forças para coisa alguma. Descuidou-se de obter os meios de ganhar a vida e, depois de comido o último dinheiro, teve de lançar mão de algumas joias das que foram de sua mãe — para vender.

Agora, com o correr do tempo por cima da sua desgraça, vinham-lhe já, de quando em quando, alguns rebotes de energia; então falava em trabalhar muito, fazer-se independente e forte por meio do próprio esforço. E neste delírio de boas intenções lembrava-se de tudo conjuntamente e sonhava com o comércio, com as indústrias, com as artes e com a literatura.

Qual não foi, porém, a sua decepção, quando, levando trabalho a um jornal, ouviu estas palavras daqueles mesmos que dantes o elogiavam:

— Homem! deixe ficar isso... Havemos de ver, mas o senhor bem sabe que o público vai se tornando exigente: é preciso dar-lhe coisas boas!...

Teobaldo compreendeu então o alcance de certas palavras de seu pai: "Esconde o mais que puderes a tua necessidade; ela só por si é o pior estorvo que se pode levantar defronte de ti, quando precisares de dinheiro..."

E com efeito: dantes, Teobaldo, mal apresentava algum trabalho nas redações, só ouvia em torno de si elogios e palavras de entusiasmo. É que sabiam perfeitamente que ele não precisava ganhar a vida; agora era um necessitado como qualquer e então viravam-lhe as costas, porque a necessidade é sempre ridícula e importuna.

O mesmo justamente lhe sucedera com os teatros. Dantes, quando Teobaldo frequentava a caixa dos teatros nas horas de ensaio, pagando *champagne* aos artistas e levando-os depois do espetáculo a cear nos melhores hotéis; dantes, quando ele os presenteava nos benefícios e lhes emprestava dinheiro, muita vez perguntaram-lhe os empresários por que razão, dispondo de tanto talento e de tanto espírito, não escrevia ele alguma coisa para ser levada à cena. Havia por força de fazer sucesso!... Teobaldo que experimentasse!

E agora, quando a necessidade lhe invadira a casa, e o rapaz, lembrando-se de tão repetidas solicitações feitas ao seu talento, tomou de um romance inglês e extraiu daí um drama que, se não era um primor de arte, estava ao menos no gosto do público e podia dar lucro, aqueles mesmos empresários o receberam com frieza, dizendo-lhe secamente que deixasse ficar o trabalho e aparecesse depois. E, mais tarde, talvez sem terem lido a obra, acrescentaram-lhe com meias palavras e dando-lhe o pretensioso tratamento de "filho" que ele fosse cuidar de outro ofício e perdesse as esperanças de arranjar alguma coisa por aquele modo.

Com o seu gênio altivo, com a educação que tivera, Teobaldo não podia insistir em tais pretensões. Era bastante perceber um gesto de má vontade ou de pouco caso para lhe subir o sangue às faces, e muito fazia já conseguindo reprimir a cólera que se assanhava dentro dele, sôfrega por escapar em frases violentas.

Depois dessas lutas e dessas tentativas estéreis, voltava para casa desanimado e furioso contra tudo e contra todos, encerrando-se no quarto e fechando-se por dentro para chorar à vontade.

Vinha-lhe então quase sempre a ideia do suicídio, mas não vinha com ela a resolução, e o desgraçado continuava a viver.

Todavia o tempo ia-se passando e o círculo das necessidades apertava-se cada vez mais.

Coruja era agora o único sustentáculo da casa; era quem pagava o aluguel, a pensão de comida para Teobaldo (que ele continuava a almoçar e jantar no colégio), era quem lhe pagava a lavadeira, e quem lhe fornecia dinheiro.

Mas tudo isso era feito com tamanha delicadeza, com tanto amor, que Teobaldo, quando lhe aparecia qualquer revolta do caráter, ficava mais envergonhado de seu orgulho do que com receber aqueles obséquios.

E nunca o André andou tão satisfeito, tão alegre de sua vida; dir-se-ia que ele, praticando aqueles sacrifícios, alcançava enfim a realização dos seus melhores sonhos.

Era comum vê-lo chegar à casa com uma caixa de charutos debaixo do braço e depô-la ao lado do amigo, dizendo quase envergonhado:

— Olha! como estavam a acabar estes charutos e sei que são dos que mais gostas, trouxe-tos, porque depois, quando fosses procurá-los, já não os encontrarias à venda.

E tinha sempre uma desculpa a apresentar, uma razão para disfarçar os seus benefícios. Teobaldo quis privar-se do vinho à mesa; Coruja, que aliás não bebia nunca, opôs-se-lhe fortemente.

— Não! — disse ele — Estás muito acostumado com o vinho à comida e, por uma miserável economia de alguns tostões, não vale a pena fazeres um sacrifício!...

A maior dificuldade era, porém, quando precisava passar-lhe dinheiro, sem lhe ferir, nem de leve, o amor-próprio. A princípio tinha para isso uma boa desculpa — os quinhentos mil-réis; mas esta quantia não podia durar eternamente e, já por último, dizia o Coruja:

— Sabes? Quando eu tinha em meu poder aquele teu dinheiro, servi-me de tanto e esqueci-me de repor o que tirei; por conseguinte, se precisas agora receber algum por conta, eu posso pagar.

Um dia ele apareceu em casa com um grande rolo de papéis, e disse ao companheiro que o diretor do colégio o havia encarregado de organizar uma seleta muito especial, destinada ao estudo da sintaxe portuguesa.

— A coisa não é má... — acrescentou o Coruja, abaixando a voz, como quem conspira. — Eles pagam 300$ pelo trabalho...

— Bom — fez Teobaldo.

— Eu estive a recusar, porque me falta talento; lembrei-me, porém, de que tu, se quisesses... podias encarregar-te disso... A coisa é maçante, é, mas enfim... sempre é um achego... Além de que, eu te posso ajudar, sim, quer dizer que...

— Ah! Para ajudar não te falta talento! Hipócrita! — respondeu Teobaldo abraçando-o.

— E se precisares durante a obra de algum dinheiro adiantado... É do contrato! Sabes!

* * *

Esta situação tinha para o Coruja apenas um ponto de desgosto e vinha a ser este o seguinte: desde que D. Margarida lhe falou em casamento com a filha, André resolveu ir fazendo as suas economias para poder em breve realizá-lo; mas, com o amigo na difícil posição em que se achava, não lhe era permitido pôr de parte um só vintém, e o projeto ia ficando adiado para mais tarde.

E D. Margarida a perguntar-lhe como iam os negócios dele e a pedir-lhe com insistência que marcasse o dia das núpcias. Ora, o Coruja, que era tão incapaz de mentir, quanto era incapaz de confessar o verdadeiro motivo da sua demora, via-se deveras atrapalhado e desculpava-se como melhor podia.

Entretanto, D. Inesinha concluíra afinal os estudos, fizera exame e estava preparada para reger uma cadeira de primeiras letras.

A mãe resplandecia com isso.

— Assim desembuchasse por uma vez aquele demônio do Coruja!... — exclamava ela às amigas, quando lhe falavam na filha.

E tão impaciente se fez com as reservas e meias palavras do futuro genro, que afinal disparatou e disse-lhe às claras:

— Homem? Você se não tenciona casar com a pequena, é melhor dizer logo, porque não faltará quem a queira! Estas coisas, meu caro, quando não são ditas e feitas, servem apenas para atrapalhar o capítulo!

— Oh, minha senhora — respondeu André, — se eu não tivesse a intenção de casar com sua filha, há muito tempo que já o teria declarado!...

— Pois então!?...

— Mas é que ainda não me é possível! Estas coisas não se realizam só com o desejo!

— Ora! Com boa vontade tudo se faz!

— Nem tudo; entretanto, se a senhora entende que sua filha não pode esperar por mim, é casá-la com outro; não serei eu quem a isso se oponha!... Estimo-a muito, desejo fazer dela a minha esposa, mas não quero de forma alguma prejudicar-lhe o futuro. Se há mais quem a deseje, e se ela acha que deve aproveitar a ocasião, aproveite; porque eu me darei por muito feliz em vê-la satisfeita e contente de sua vida!...

— O senhor diz isso porque sabe que ela está disposta a esperar.

— Tanto melhor, porque nesse caso realizarei o que desejo.

— Mas, se o seu desejo é casar com ela, case-se logo por uma vez! Tanto vive o pobre como vive o rico!

E por este caminho a impertinência de D. Margarida foi subindo a tal ponto, que o Coruja, para tranquilizá-la um pouco, deixou escapar um segredo que a ninguém tinha ainda revelado. Era a ideia de montar um colégio seu, perfeitamente seu, feito como ele entendia uma casa de educação; um colégio sem castigos corporais, sem terrores; um colégio enfim talhado por sua alma compassiva e casta; um colégio, onde as crianças bebessem instrução com a mesma voluptuosidade e com o mesmo gosto com que em pequeninas bebiam o leite materno.

Sem ser um espírito reformador, o Coruja sentiu, logo que tomou conta de seus discípulos, a necessidade urgente de substituir os velhos processos adotados no ensino primário do Brasil por um sistema todo baseado em observações psicológicas e que tratasse principalmente da educação moral das crianças; sistema como o entendeu Pestallozzi, a quem ele mal conhecia de nome.

Froebel foi quem veio afinal acentuar no seu espírito essas vagas ideias, que até aí não passavam de meros pressentimentos.

Mas não era essa a única preocupação de sua inteligência: ainda havia uma outra que não lhe merecia menos desvelos, a de fazer um epítome da história do Brasil, em que se expusessem os fatos pela sua ordem cronológica.

Nesse trabalho de paciente investigação revelava-se aquele mesmo cabeçudo organizador do catálogo do colégio; continuava o Coruja a pertencer a essa ordem de espíritos, incapazes de qualquer produção original, mas poderosíssimos para desenvolver e aperfeiçoar o que os outros inventam; espíritos formados de perseverança, de dedicação e de modéstia, e para os quais uma só ideia chega às vezes a encher toda a existência.

9

Passadas as primeiras épocas depois da morte dos pais de Teobaldo, o verdadeiro temperamento deste, aquele temperamento herdado do velho cavalheiro português e da cabocla paraense, aquele temperamento mestiço agravado por uma educação de mimos e liberdades sem limites, começou a ressurgir como o sol depois de uma tempestade. Reapareceu-lhe o gênio alegre e petulante e com este voltaram também as suas propensões, os seus gostos, os seus hábitos e as suas amantes; só as antigas posses é que não voltaram.

A princípio, acordando pouco a pouco do desânimo em que caíra, parecia resolvido a vencer, fosse como fosse, todos os obstáculos que se lhe antolhassem no caminho; dizia-se disposto a tudo suportar com energia; disposto a passar por cima dos maus modos e da impertinência dos ricos até galgar uma posição social. E já o inconsolável Caetano ouvia-o cantarolar ao descer de manhã para o banheiro, já procurava sorrir às suas pilhérias quando ele servia o almoço e já o via aprontar-se alegremente para sair, acender o charuto e ganhar a rua, muito ativo, em busca de um emprego.

Mas Teobaldo, ao dobrar a primeira esquina, encontrava logo um conhecido dos bons tempos e, sem poder evitá-lo e sem coragem para lhe expor francamente a sua posição, fingia-se feliz e falava dos seus extintos prazeres como se ainda os desfrutasse.

O amigo convidava-o a beber, depois iam jantar a um hotel, depois metiam-se no teatro, e afinal Teobaldo só voltava para casa às duas horas da manhã, arrependido daquele dia e fazendo protestos de regeneração para o dia seguinte.

Mas no dia seguinte, quando dava por si, estava já em qualquer confeitaria, a beber, a conversar com os amigos, sem mais pensar nos seus protestos da véspera.

E assim se foi habituando a essa fictícia existência, que no Rio de Janeiro levam muitos rapazes: entrada franca nos teatros, contas abertas em toda a parte, um amigo em cada canto e um credor a cada passo. Devia ao alfaiate, devia ao chapeleiro, ao sapateiro, ao hotel, mas andava sempre com a mesma elegância e bebia dos mesmos vinhos.

— Que diabo! as coisas haviam de endireitar, e ele então pagaria tudo!

De vez em quando recebia algum dinheiro de antigos devedores de seu pai; nessas ocasiões gastava como se ainda fosse rico; não porque não compreendesse o mal que fazia, mas por uma fatalidade do seu temperamento e da sua educação.

* * *

Em uma dessas vezes, acabava ele de assentar-se à mesa do botequim do teatro lírico, quando sentiu baterem-lhe de leve com um leque nas costas. Voltou-se e viu Leonília defronte dele.

Ela havia chegado da Europa dois ou três dias antes; fora passear em companhia de um banqueiro rico e voltara carregada de joias e dinheiro. E só, livre; o banqueiro, depois de insistir em querer detê-la na Itália, ameaçou-a com uma separação, mas no dia seguinte, em vez da amante, encontrou sobre a cama este bilhete: "Meu caro banqueiro, a uma mulher de minha ordem, nunca se deve ameaçar com o abandono — abandona-se logo, para não suceder como lhe acontece agora. — Fujo! Adeus, até outra vez!"

Tudo isso ela contou a Teobaldo em menos de três minutos, assentando-se defronte dele.

Estava agora mais bonita e incontestavelmente mais elegante. Vestia cor de cana, tinha os ombros e os braços nus, a cabeça constelada de diamantes.

— Tomas alguma coisa? — perguntou-lhe o rapaz.

— Um gole de *champagne*.

Teobaldo pediu uma garrafa, e os dois antigos amantes continuaram a conversar, sem que durante toda a palestra se tocasse, nem de leve, no atual estado de pobreza a que se via aquele reduzido.

— Naturalmente ela ignora tudo... — pensou ele.

Afinal vieram de parte a parte as recordações; lembraram-se as cenas de ciúme, as tolices que os dois fizeram por tanto tempo.

— Recordas-te ainda daquela ceia que engendramos em casa do teu cocheiro? — perguntou Leonília, rindo.

— Quando voltávamos de um passeio à Cascatinha?... — reforçou ele; não, não me lembro, nem devo lembrar-me.

— E daquele baile carnavalesco, em que me obrigaste a fingir um ataque de nervos por causa do velho Moscoso?...

— Bom tempo aquele!... — resmungou Teobaldo, ferrando o olhar no chão e tornando-se triste. — Ah! bom tempo!...

— Queres saber de uma coisa?... — segredou-lhe a moça, erguendo-se — vamos fugir para casa: tenho lá um marreco assado. Vai ao camarote buscar a minha capa; nº 8, primeira ordem.

Teobaldo quis recusar-se e confessar com franqueza a sua posição; mas, ou porque lhe faltasse a coragem para isso, ou porque aqueles ombros e aqueles braços lhe trouxessem irresistíveis lembranças, ou porque Leonília se mostrava tão empenhada em levá-lo consigo para casa, ou porque os olhos dela o prendiam com tanto desejo e acordavam nele adormecidas paixões, ou porque depois de algumas taças de *champagne* ninguém resiste a uma mulher formosa, o fato é que o rapaz não se deteve um segundo e correu ao camarote.

Ela, ao vê-lo tornar à mesa, entregou-lhe os ombros, e Teobaldo envolveu-a na capa, uma grande capa alvadia e orlada de arminhos; em seguida pagou a garrafa e conduziu a bela mulher para um *coupé* que a esperava à porta do teatro.

Seriam onze e meia da noite quando chegavam os dois à casa dela. Veio recebê-los um criado inglês, que os fez entrar para uma pequena sala, caprichosamente mobiliada.

— Espera um pouco por mim — disse Leonília ao rapaz, fugindo para o interior da casa.

Teobaldo atirou-se em um divã e pôs-se a fazer íntimas considerações sobre o ato que acabava de praticar:

— Não seria uma baixeza de sua parte — interrogou a si mesmo, — conservar aquela mulher no engano em que se achava a respeito dele?... Porventura seria possível deixar-se ficar ali nas circunstâncias precárias em que ele se via, sem com isso humilhar-se aos seus próprios olhos?... Poderia acaso sustentar aquelas relações no mesmo pé de superioridade em que as mantinha dantes?... E, uma vez que aceitasse qualquer concessão da parte daquela mulher, uma vez que não tivesse como qualquer de corresponder a peso de ouro com o amor que ela lhe dava, não ficaria ele obrigado a respeitá-la com a submissão de um obsequiado; não ficaria ele devendo em gratidão, em finezas e em considerações aquilo que não pudesse pagar a dinheiro?...

— Sim! — deliberou Teobaldo — nem por forma alguma devo iludir-me a este respeito! Não posso ficar!

E, afastando do pensamento toda a ideia de hesitação, procurando arrancar da memória a imagem daqueles ombros e daqueles braços nus, ergueu-se resolutamente, tirou um cartão do bolso e ia a escrever algumas palavras, com a intenção de retirar-se depois, quando se abriu uma porta, que comunicava com o interior da casa, e Leonília reapareceu já em trajos domésticos: um belo penteador de rendas, os cabelos a meio despenteados e os pés em chinelas turcas.

Teobaldo suspendeu o seu movimento, franzindo ligeiramente o sobrolho.

— Que é isso? — perguntou ela. — Ias escrever?...

— Sim, e a tua presença poupa-me esse trabalho. Senta-te aqui comigo e ouve com atenção o que te vou dizer.

Leonília, com um gesto que a tornava mais engraçada, deixou-se cair ao lado dele no divã.

— Sabes? Eu não posso cear contigo e é natural que não volte à tua casa.

— Por quê?...

— Porque tenho sérios motivos que mo impedem. Mais tarde, sem que seja necessária a minha intervenção, hás de saber de tudo. É só esperar mais alguns dias.

— Não preciso esperar! Já sei — é porque estás pobre...

Teobaldo fez-se vermelho, como que se aquela última palavra fosse uma bofetada. Ergueu-se, sem dizer palavra, tomou o chapéu e estendeu a mão à rapariga:

— Adeus.

Ela, em vez de apertar-lhe a mão, passou-lhe os braços em volta do pescoço e alongou os lábios suplicando um beijo em silêncio.

E depois, em resposta a uma nova menção de Teobaldo:

— É inútil tentar sair, porque as portas estão fechadas... Dei ordem para que não as abrissem a ninguém.

O rapaz fez um gesto de contrariedade e disse, tornando-se sério:

— Creio que terás bastante espírito para não me colocares em uma posição ridícula...

— Ridículo serias tu se me abandonasses agora...

— Paciência. Dos males o menor!...

— Mas, nesse caso, ao menos ceia comigo. O fato de estares pobre não te desobriga dos teus deveres de cavalheiro. Serias o mais incivil dos homens se me obrigasses a ir sozinha para a mesa.

Ele respondeu largando o chapéu e o sobretudo, que tinha ido tomar.

— Ainda bem! — disse Leonília. — Passemos para a sala de jantar.

E acrescentou, puxando-o pelo braço:

— Entra por aqui mesmo.

Os dois atravessaram uma pequena antecâmara, depois uma grande alcova, que Teobaldo considerou de relance, e afinal, tendo ainda atravessado um quarto de toucador, acharam-se na sala de jantar.

— Estamos completamente a sós — observou a rapariga, mostrando a ceia já servida — dei ordem ao copeiro que se recolhesse, e disse à criada que podia dormir à vontade.

— Está bom...

— Temos tudo à mão. Não precisamos de ninguém.

E, assentando-se ao lado de Teobaldo:

— Sabes? A primeira pessoa de quem pedi notícias, ao chegar aqui, foste tu...

— Muito obrigado.

— Oh! não calculas o prazer que tive quando me disseram que estavas totalmente arruinado!

— É bondade tua!

— E, olha, se não fosse isso, eu talvez não tivesse te prendido hoje.

— Orgulho! Compreende-se.

— E é exato. Nós, mulheres, quando gostamos deveras de um homem, sentimos dessa espécie de orgulho.

— Caprichos do amor... Queres uma fatia de presunto?

— Aceito. Vocês, homens, são os bichos mais pretensiosos que o céu cobre. Querem ter sobre as pobres das mulheres todas as superioridades!... Enquanto nós nos sentimos felizes em depender do homem que amamos, vocês, vaidosos, sentem-se humilhados em dar ternura em troca da ternura que lhe damos. Súcia de egoístas!

— Não, filha, isso depende também da qualidade da mulher.

— Que gentileza!

— Pois não! Há certas mulheres, cuja ternura não é lícito pagar só com ternura...

— Não. O amor só com o amor se paga! Passa a mostarda.

— Oh! mas é que há tanta espécie de amor...

— Protesto! O amor, o verdadeiro amor, é um só, insolúvel e eterno! e por ele tudo se explica e tudo se perdoa! É preciso não enxovalhar esse nome sagrado emprestando-o a outro qualquer sentimento; eu quando te falo em amor, não me refiro ao amor fingido... Toma um pouco de Borgonha.

— Sim, mas também há mulheres, das quais seria tolice esperar o tal amor genuíno de que falas...

— Ora, dize-me uma coisa, Teobaldo; quantas espécies de mulheres conheces tu?

— Eu? Duas.

— Quais são elas?

— A mulher virtuosa e a mulher que não é virtuosa.

— Só?

— Só.

— Ora bem, dize-me ainda: que diabo entendes tu pela tal mulher virtuosa?

— A mulher casta.

— E pela outra entendes naturalmente a que não é casta. Para aquela tens tudo que *há de bom em ti* — o respeito, o amor, a confiança; e para esta, guardas o contrário de tudo isso: — desconfias dela, não a estimas sinceramente e não lhe dedicas a menor consideração, porque a infeliz nada te merece!

— Não é uma lei criada por mim...

— Bem sei, e nem tenho a pretensão de destruí-la com as minhas palavras; apenas quero provar-te que vocês, homens, no juízo que formam das mulheres, são os entes mais injustos e mais tolos que se podem imaginar!

— Vamos ver isso.

— Quero provar-te que esse desprezo a que condenam a mulher perdida é nada menos do que a condenação de todas as mulheres em geral.

— Como assim?

— Vou ver se me explico. Toda a mulher é capaz de ser honesta ou deixar de ser, conforme as circunstâncias que determinam a sua vida; não é exato? Todas elas estão sujeitas às mesmas leis fisiológicas e aos mesmos irreparáveis descuidos, pelos quais, confessemos, são sempre as responsáveis e dos quais muito raras vezes têm a culpa. Apenas acontece que umas são espertas e outras são eternamente ingênuas. Daí a divisão da mulher em duas ordens — a mulher maliciosa e a mulher simples; pois bem, em casos de sedução — a maliciosa resiste, a inocente sucumbe. Não achas que é muito mais fácil perder uma menina verdadeiramente ingênua do que uma outra que não o seja?

— Sim, mas isso nada prova.

— Bem. Admitindo que é mais difícil seduzir a mulher velhaca do que a mulher inocente; e visto que a classe das perdidas compõe-se em geral destas últimas, segue-se que toda a mulher é má, umas por natureza e outras à força de circunstâncias; daí a condenação de todas elas!

— Isso é uma filosofia muito apaixonada!...

— Não, é simplesmente verdadeira. Ora, dize-me se, em vez de me teres agora ao teu lado, tivesses uma rapariga de minha idade, casada aí com qualquer sujeito e mãe de um pequeno que ela tivesse ao colo e de mais três que lhe subissem pelas pernas; dize-me, que impressão te produziria no espírito essa mulher?

— Uma impressão toda de respeito e acatamento.

— Pois bem; agora imagina tu por outro lado que essa mesma rapariga, antes de conhecer o homem que havia de casar com ela, era uma criatura inocente ao ponto de ignorar o valor da própria virgindade, e crédula ao ponto de não supor o seu noivo capaz de a enganar; imagina ainda que esse noivo é nada menos do que um sedutor; imagina que ele a abandona depois de desvirtuá-la e que à infeliz se fecham, como é de costume, todas as portas, menos, está claro, a de um sujeito que se propõe substituir o primeiro, não com o casamento, que vocês são incapazes disso, mas substituí-lo amancebando-se com ela...

— Bem.

— Pois, feito isto, meu amigo, está feita a grande viagem de perdição, porque depois desses dois degraus é só escorregar, e escorregar fatalmente, sem esperança de apoio. Se do primeiro ao segundo amante mediou um ano, do segundo ao terceiro vai só um mês, do terceiro ao quarto uma semana, e os outros contam-se pelos dias e afinal pelas horas. E agora, imagina tu, meu orgulhoso, que, em vez de mim, tivesses a teu lado uma dessas desgraçadas que têm amantes por hora, uma dessas mártires que, por inocência e por credulidade, se deixaram arrastar à última degradação; imagina essa mulher ao teu lado e dize-me depois que sentimentos ela te inspiraria.

— O da compaixão, está claro.

— O da compaixão! Mas que espécie de compaixão é essa, que só se veste de desprezo e desdém?... Para os entes que nos inspiram compaixão entendo que deve haver palavras consoladoras e cheias de caridade, deve haver ternura e carinhos e não o abandono e a maldição!

— Mas... — ia a dizer Teobaldo.

— Espera. Disseste ainda há pouco que só conheces duas espécies de mulheres e declaraste que uma te inspira respeito e outra compaixão; pois quero saber agora a qual dessas duas espécies pertenço eu.

— Ora, que exigência de mau gosto!... Voltaste do passeio à Europa com uma dialética bem esquisita!...

— Não! responde!

— Mas, filha, não há que saber... pertences à segunda espécie...

— E assim é... — disse Leonília, meneando a cabeça. — Todos nós merecemos ou devemos merecer compaixão. Ontem a inocência e a perseguição; hoje a vergonha e o desprezo; amanhã a miséria e talvez o hospital!

— Para que pensar nisso — observou Teobaldo, já aborrecido com as palavras da rapariga. — Mudemos de assunto.

— Causo-te lástima, não é verdade? Dize com franqueza!

— É.

— E sabes, meu adorado, qual é o único meio de socorrer uma mulher que nos causa compaixão?

— Qual é?

— Amando-a.

— Oh!

— Não te sentes capaz de tanto?

— Não.

— Nem se eu para isso empregar todos os meios?... Se eu me fizer tua escrava, tua amiga e tua amante, só tua?

— Impossível.

— E se nisso estiver empenhada a minha vida, a minha felicidade e talvez a minha reabilitação?

— Paciência!

— É a tua última palavra!

— É e peço-te licença para sair.

— Não dou.

— Mas é preciso.

— Não quero. Aqui mando eu!

Teobaldo experimentou as portas; estavam todas fechadas por fora.

— É então uma violência? — perguntou ele, afetando bom humor.

— É — respondeu a cortesã.

E, tomando a direção da alcova, acrescentou com um sorriso:

— Vem.

10

Só no dia seguinte, às duas horas da tarde, foi que ele saiu da casa de Leonília.

Sentia-se aborrecido e como que importunado por uma espécie de remorso: afigurava-se-lhe que em torno daquele seu desleixo pela vida girava um mundo de atividade dos que trabalham para comer, dos que labutam desde pela manhã. Pungia-lhe a ideia de haver-se deixado arrastar por uma mulher, cujo amor seria para ela uma virtude, mas para ele era nada menos do que uma depravação moral.

Ao chegar ao centro da cidade, o movimento comercial das ruas, o vaivém das classes laboriosas, ainda mais lhe agravaram a consciência da sua inutilidade e da sua inércia.

— Por que — perguntava consigo, — não pertenço ao número desses que trabalham, desses que sabem ganhar a vida?

E arrependia-se de ter ido ao Lírico, de haver oferecido de beber a Leonília, em vez de a tratar com frieza, o que afinal seria digno de sua parte. E vinham-lhe de novo os ímpetos de reação e um grande desejo de atirar-se a qualquer trabalho produtivo e honesto.

— Mas por onde principiar? Onde e em que descobrir ocupação? Fazer-se professor? Isso, porém, era tão precário, tão maçante e tão subalterno... Empregar-se na redação de um jornal? Mas em qual? e como? a quem devia dirigir-se?

E daí não passavam as íntimas reclamações do seu caráter.

Às vezes, à mesa dos cafés, dizia ele aos companheiros:

— Homem! Vejam se me arranjam um emprego!... Eu preciso trabalhar! É preciso viver, que diabo!

Mas estas palavras caíam por terra, sem aparecer quem as erguesse. O que aparecia eram novos e novos convites para tomar alguma coisa — para jantar em companhia de mulheres suspeitas e para assistir a espetáculos bufos. O Aguiar, principalmente, nunca o abandonara com as suas franquezas de moço rico e com os seus eternos protestos de estima e admiração.

E Teobaldo topava a tudo, considerando interiormente, para se desculpar, "que não seria metido em casa que ele havia de descobrir arranjo; precisava furar, ir de um lado para outro, até achar o que desejava".

E, visto que aceitava esses obséquios, apressava-se a retribuí-los, quando porventura lhe caía de Minas algum dinheiro, sem reservar nenhum para os seus credores.

Por várias vezes, em ceias fora de horas, depois de enxutas algumas garrafinhas de Chianti e Malvasia, que eram os seus vinhos prediletos, os amigos de Teobaldo, na febre dos brindes, faziam-lhe grandes elogios ao talento e à educação; e ele, coitado, ouvia tudo isso já com uma certa amargura, porque ia cada vez mais se convencendo de que lhe faltava competência para ganhar a vida. E quando, pelas três ou quatro da manhã, conseguia chegar à casa, tinha a cabeça em vertigem e o coração estrangulado por um desgosto profundo.

A casa! que suplício para ele!... Como tudo aquilo que respirava a presença do Coruja lhe exprobrava silenciosamente as suas culpas. Era aí que Teobaldo mais sentia o peso brutal de própria nulidade; era aí, já recolhido aos lençóis, que ele considerava, um por um, todos os seus passos na vida. E excitado, cheio de revolta contra si mesmo, levava longo tempo a virar-se de um para outro lado da cama, antes de conseguir pegar no sono.

Na manhã seguinte acordava muito prostrado, sem ânimo de deixar o colchão, e, ainda de olhos fechados, chamava pelo moleque.

Quase sempre, em vez do Sabino, era o fiel Caetano quem acudia ao seu primeiro chamado, e, enquanto Teobaldo se preparava defronte do toucador, o pobre velho o observava com um profundo olhar de comiseração.

Depois, meneava a cabeça, suspirando, e punha-se a escovar a roupa que o rapaz tinha de vestir.

Teobaldo às vezes batia-lhe carinhosamente no ombro, dizendo:

— Como tudo isto mudou, hein, meu velho amigo?... Como tudo isto é tão diverso dos nossos bons tempos!...

O criado então levava aos olhos a manga de sua velha libré, que nunca mais fora reformada depois da morte do barão, e entre lágrimas falava neste para desabafar.

Teobaldo perguntava sempre a que horas saíra o Coruja.

— Às seis da manhã — respondia invariavelmente o criado.

E os dois conversavam um pouco; depois Teobaldo descia ao banheiro, que era no primeiro andar. Banho, café, vestir e leitura dos jornais nunca se liquidavam antes do meio-dia. Por almoço tomava em geral dois ovos quentes, um cálice de vinho; feito o que, saía logo, sem destino, à procura da tal colocação.

* * *

No dia imediato ao em que ele esteve com Leonília, acordou mais cedo do que de costume, vestiu-se com certa presteza, foi à secretária e escreveu a seguinte carta:

Querida — Não voltarei a ter contigo e peço-te que não dês o menor passo com o fim de fazer-me mudar de resolução, porque perderias o tempo. Aceita a insignificante lembrança que com esta te envio, e esquece-te para sempre do mais infeliz Teobaldo que há no mundo.

Fechada a carta, meteu-a no bolso e saiu.

Na véspera, antes de dormir, havia deliberado o que agora punha em prática. Era preciso, era indispensável, não tornar à casa de Leonília, ainda que para isso fosse necessário que ele se fizesse mau e grosseiro. E, neste propósito, chegou à rua dos Ourives, à loja de um joalheiro, a quem vendera as joias de Santa, escolheu uma medalha de ouro, com um pequeno brilhante no centro e perguntou quanto custava.

— Cem mil réis, respondeu o joalheiro.

— Do que tenho comigo posso apenas dispor de cinquenta. Consente que fique lhe devendo o resto?

O dono da casa fez um ligeiro ar de hesitação, mas disse em seguida:

— Pois leve.

— Já não quero! — exclamou Teobaldo, empurrando de defronte de si o escrínio onde estava a joia. — Pode guardá-la!

— Não, doutor, leve-a! Peço-lhe que a leve!

E, por suas próprias mãos, introduziu o estojo no bolso do rapaz.

Este passou-lhe os cinquenta mil-réis e correu logo para a casa de Leonília. Entrou, bateu, entregou ao criado a carta e mais o estojo e, sem esperar pela resposta, saiu apressado.

À noite desse mesmo dia, atravessava a rua do Cuvidor, quando o Aguiar foi ao encontro dele e disse-lhe, estendendo-lhe o braço pelas costas:

— Amanhã faço anos e quero que jantes comigo. Serás o único rapaz que terei ao meu lado! Prometes ir?

— Pois bem — respondeu Teobaldo. — Mas onde é o jantar?

— No Pharoux.

— A que horas?

— Às cinco.

— Lá estarei.

No outro dia, quando Teobaldo chegou ao hotel, não lhe passou despercebido certo *coupé*, que estacionava à porta; mas não fez caso e subiu a escada.

— É aqui — disse-lhe um criado discretamente, mal o viu, e fê-lo entrar para um gabinete particular.

Teobaldo ficou surpreso ao dar com Leonília, que estava à cabeceira da mesa.

— Ah! — fez o Aguiar, como em resposta ao gesto do amigo, — convidei esta dama para te ser agradável, sabendo que a companhia dela só poderia dar-te gosto...

— Oh! certamente, certamente! — exclamou o filho do barão, puxando uma cadeira e assentando-se ao lado de Leonília, a quem cercou de galanteios.

— E esta outra senhora?... — perguntou ele depois, apertando a mão a uma rapariga de pouca idade, que se quedava assentada à esquerda de Leonília.

— Ah! essa convidei para ser agradável a mim mesmo — respondeu o Aguiar, por sua vez tomando assento junto da tal rapariga.

— É uma amiga das minhas — explicou a outra, que parecia muito empenhada no jantar.

E, voltando-se diretamente para Teobaldo:

— Só desta forma conseguiríamos pilhá-lo hoje! Com efeito! O senhor faz-se agora de manto de seda!...

— É que às vezes a gente pretende dar valor às coisas, exigindo por elas muito mais do que valem...

— Bravo! — gritou Aguiar. Eis uma teoria comercial na boca de Teobaldo! Estou encantado! Não te fazia capaz de tanto!...

— Ah! — respondeu o outro, a rir; — o comércio é toda a minha vocação!...

— E não digas brincando... Quem sabe se algum dia não serás meu colega no comércio?...

— Pode ser! E que todo o meu mal fosse esse!...

— Eu... queres que te diga?... eu, pelo menos — continuou o Aguiar, derramando Madeira nos cálices, — nunca me arrependi de haver entrado para o comércio. Verdade é que nada fiz por mim e que não estaria na posição em que me acho, se não fosse meu pai, mas nem por isso sou menos feliz, verdadeiramente feliz! Que diabo! Ganhar sem sentir, às vezes sem trabalhar!... Pode haver coisa melhor? Passo semanas e semanas inteiras na pândega, gasto por vinte e, quando julgo que os negócios vão mal, diz-me o guarda-livros que ganhei mais do que nunca! Ah! nada há como o comércio para fazer dinheiro! E hoje, deixem falar quem fala, o dinheiro é tudo! Com ele tudo se obtém: — glórias, honras, prazeres, consideração, amor! tudo! tudo!

— É exato! — confirmou Teobaldo, sorrindo amargamente e no íntimo arrependido de ter aceitado o convite do Aguiar. É exato!

— Ah! — disse a rapariga, que este convidara para ser agradável a si mesmo. — Quem pode negar a grande superioridade do dinheiro sobre todas as coisas?

— Eu! — acudiu Leonília, que acabava de observar os gestos de Teobaldo. — Protesto contra as teorias de Aguiar e juro que o dinheiro não representa para mim a menor sedução... Gosto dele, não nego, mas nos outros, não por ele, mas pelo gostinho de o extrair gota a gota, beijo a beijo, e tanto assim que, mal o apanho, lanço-o à rua pela primeira janela que encontro aberta. Nunca depenei um ricaço por amor ao seu dinheiro, mas tão somente pelo gostinho de o deixar depenado. É uma paixão comparável à dos jogadores ricos, uma paixão de glória, uma febre de querer vencer, de querer derrotar, ainda com o sacrifício dos próprios interesses.

E erguendo o copo: — Dinheiro! Dinheiro! rio-me dele! O dinheiro, quanto a mim, é a mais triste recomendação que um homem pode ter! Quais seriam os milhões que valeriam, por exemplo, o amor deste demônio?

E, dizendo isto, levava as mãos ao cabelo de Teobaldo e chamava a atenção dos outros para a cabeça dele, como quem mostra um objeto de arte.

— Que dinheiro vale a doçura aveludada destes olhos mais belos que os diamantes?... Que dinheiro vale toda esta riqueza? — esta boca, este sorriso desdenhoso, estes dentes, esta palidez de estátua e este ar de senhor que mata de amores as suas escravas? Sim! que me digam as mulheres qual é o dinheiro que paga tudo isto, sem contar ainda com o que há escondido neste tesouro — o talento, o caráter, a educação e a energia!

— Olha a Leonília apaixonada! — exclamou o Aguiar, rindo muito.

— E por que não?! — perguntou ela, a encará-lo firme. — Por que não? Julgas que sou incapaz de um sentimento nobre e desinteressado?... Pois olha, filho, queres que te diga? No dia em que abandonei o meu banqueiro estava em véspera de receber das mãos dele alguma coisa que equivale a tanto como o que possuis, e não foi por isso que não o mandei passear, logo que entendi que o devia fazer!

— Ah! todos sabem que tu és mulher caprichosa!...

— Caprichosa, não! Sou apenas mulher! Tenho coração, tenho nervos! Quando adoro um homem, sou capaz de tudo por ele, de tudo! compreendem? de tudo! Ainda que tenha de quebrar todas as conveniências como quem quebra isto!

Assim dizendo, tinha arrancado do pescoço o seu colar e arremessava-o partido sobre a mesa.

Teobaldo compreendeu a intenção com que isso fora feito, e lançou sobre ela um olhar de ameaça.

— Que significa esse olhar? — perguntou a cortesã. — Não o compreendo.

— Tanto melhor para mim! — disse o moço, esvaziando o copo — porque não tenho a menor necessidade de ser compreendido por quem não o merece!

— Sempre o mesmo orgulho e a mesma vaidade! — replicou Leonília.

— Ah! — volveu aquele, rindo com desprezo. — Estás à beira da praia e julgas-te em pleno oceano! Meu orgulho! conhecê-lo-ás depois, se te passar pela fantasia a ideia de experimentá-lo!

— Então! então! — reclamou o Aguiar, — nós não estamos aqui para discutir questões dessa ordem. Perante a pândega somos todos iguais. Faço anos e exijo que se lembrem um pouco de mim! Ainda não me fizeram um só brinde!

Leonília soltou uma risada e disse, voltando-se para o festejado:

— Desculpa, filho, mas já não me lembrava que te devo o obséquio de teres feito anos hoje.

— Não repares — acrescentou Teobaldo, batendo com o seu copo no do outro rapaz. — E — bebamos à tua saúde! — para que nunca te arrependas de tuas teorias sobre o dinheiro!...

— Obrigado! — respondeu Aguiar, mas consente que eu te diga uma coisa com franqueza: Eu não faço anos hoje!

— Como assim?

— Perdoa-me, mais tarde o saberás!

Teobaldo olhou para o amigo, depois para Leonília e afinal sacudiu os ombros.

Já haviam comido a sobremesa e dispunham-se a tomar café, quando aquele deu por falta do Aguiar e da rapariga que este convidara para seu recreio.

— Para onde teriam ido? — perguntou ele a Leonília.

— Foram-se embora. Chega-te mais para mim e ouve o que te vou dizer.

Teobaldo obedeceu.

— Sabes? — disse ela. — Este jantar foi uma cilada que te armei; eu, só eu, podia fazer com que o Aguiar se achasse na intimidade em que o viste com aquela rapariga; em troca, ele empregou os meios para te arrastar até aqui.

— De sorte que eu servi de divertimento a vocês ambos?... Servi para objeto de especulação, fui negociado!

— É exato — respondeu ela, — e creio que não levarás a tua birra ao ponto de me deixares aqui sozinha, em um hotel!...

— Mas por que não procederam de outro modo?

— Porque já te conheço e tenho plena certeza de que só assim havias de vir.

— E, se por gosto eu não teria vindo, para que obrigar-me então a vir à força?

— Porque antes assim do que nada. Para o amor todos os meios são bons.

— Pois saiba que errou nos seus cálculos — disse Teobaldo, indo buscar o chapéu — estou disposto a acompanhá-la até à casa, mas não subirei um só degrau de sua escada.

— Por quê?

— Porque, para fazer da senhora a minha amante — sou pobre demais, e para ser o seu *amant de coeur* — sou muito rico e muito orgulhoso.

— Eu então só posso pertencer a um homem rico?

— Decerto, porque é preciso muito dinheiro para comprar o luxo com que a senhora se habituou.

— Bem — volveu ela — já não precisa vir comigo. Adeus. Só lhe peço um obséquio...

— Qual?

— Vá amanhã à minha casa depois do meio-dia.

— Fazer o quê?

— Buscar a resposta do que acabou de me dizer agora. Vai?

— Vou. Adeus.

Leonília saiu, meteu-se no carro e Teobaldo ainda ficou no hotel, a fumar charutos e a beber, muito enfastiado de sua vida.

11

Resolveu não ir, mas no dia imediato, quando deu por si, estava defronte da casa de Leonília.

Tencionava não entrar, mas uma grande confusão de vozes, que vinha das salas, prendeu-lhe a atenção.

— Que diabo significa isto? — pensou ele. — Dir-se-ia que fazem leilão em cima.

Pelo corredor viam-se entrar e sair negros e galegos carregados de móveis; ao passo que um formigar de homens sem bigode, cabelo curto, de jaqueta, sem gravata e sem colete, enchia todos os aposentos da casa.

— É um leilão! não há dúvida!... — considerou o rapaz, subindo até ao primeiro andar, e o seu raciocínio foi confirmado logo pela presença de um sujeito que, de martelo em punho, apregoava o preço dos móveis a um grupo de arrematantes:

— Vinte mil-réis pelo espelho! É de graça, meus senhores! Vinte e cinco mil-réis! Ninguém dá mais?... Vinte e cinco! vinte e cinco!

Teobaldo, com esta música a perseguir-lhe os ouvidos, atravessou a sala e depois os quartos, até encontrar o criado que o recebera naquela noite do Lírico.

— Ah! É o Sr. Teobaldo?

— Sim — disse este.

— Aqui tem esta carta.

O rapaz tomou a carta, abriu-a e leu:

Mudei-me para Santa Teresa; agora já não tens razão para fugir de mim; espero-te, não te demores.

Tua — Leonília

Vinha escrito o nome da rua e o número da casa.

Teobaldo, sem ânimo de entestar com as ideias que lhe trouxe a leitura dessas poucas palavras, desceu à rua e, quase que maquinalmente, foi seguindo a indicação do bilhete.

Chegou às três horas ao lugar marcado; era uma casinha nova, muito modesta e pequenina, escondida entre meia dúzia de árvores e coberta de trepadeiras, que lhe davam um aspecto encantador.

Ele atravessou o pequeno jardim e bateu.

Leonília veio em pessoa abrir a porta.

Não parecia a mesma, tal era a transformação por que passara; até a sua própria fisionomia parecia outra.

Trazia um singelo vestidinho de chita, apertado à cintura, que mal deixava perceber uma pequena parte do colo; os braços, porém, mostravam-se livres por entre a largura das mangas e o cabelo, enrodilhado sobre a nuca e seguro por um simples pente de tartaruga, já lhe não caía na testa como dantes, mas ao contrário dividia-se-lhe em dois bandós naturais, fazendo ver uma fronte cor de mármore, cujos sutis reflexos de ouro mais pálida a tornavam.

Por únicas joias trazia ao pescoço a medalha que lhe dera Teobaldo e no dedo anular da mão esquerda uma aliança, de casamento; em vez dos caprichosos sapatos de peito aberto e grande salto, que ela até aí usava, tinha agora uma honesta botina, preta, de duraque, apenas guarnecida por um laço de fita da mesma cor.

O filho do barão, ao vê-la assim tão outra, ficou longo tempo a contemplá-la, perguntando com o gesto que significava aquela transformação.

Ela, em resposta ao pensamento dele, sorriu e disse, indo colocar-se-lhe ao alcance dos lábios:

— Estás satisfeito?

— Eu?

— Sim, creio que não poderás dizer agora o que disseste ontem.

— Mas tu és doida?... Não te compreendo, filha.

— Isto quer dizer que em resposta à tua frase de ontem, resolvi separar-me de tudo que me prendia ao passado; vendi o carro, a mobília, as joias, as roupas, e, com o produto dessas coisas, suponho que terei um pequeno fundo de reserva para o dia em que me abandonares.

E passando-lhe o braço no ombro:

— Aqui nada há que te possa fazer corar!... Nada disto foi pago ainda e não o há de ser sem ordem tua; também é tudo tão pouco que não tens que recear pela despesa...

Ficaram ambos calados por um instante.

— Vem ver a casa comigo — disse ela afinal, puxando-o brandamente para fora da pequena sala. — É um verdadeiro ninho de noivos pobres... Aqui tudo é simples quanto pode ser: mobília americana, louça de família... Vês?... tenho até uma máquina de costura...

Teobaldo olhava para tudo aquilo, como se assistisse à representação de uma comédia; afigurava-se-lhe que, uma vez caído o pano do teatro, Leonília tornaria logo ao primitivo estado.

— Então? — perguntou esta — não me dizes nada? Ficas assim, mudo, como se nada disto te interessasse?...

— É que ainda não voltei a mim, filha. Estou pasmo!

— Pois então prepara-te para ouvir o mais extraordinário: do princípio do mês que vem em diante vou trabalhar em casa do Gabardan.

— Que Gabardan?

— Aquele cabeleireiro da rua Direita.

— Tu?

— Sim. Meu pai, que era francês como já sabes, foi o primeiro cabeleireiro aqui da corte; eu aprendi a trabalhar com ele e, até o dia em que lhe fugi de casa, tinha as honras da sua primeira discípula; ninguém me excedia na oficina!... E juro-te que, se voltar ao serviço, hei de sair-me tão bem ou melhor do que nesse tempo! Ah! não calculas! eu fazia muito mais do que todas as minhas companheiras e apresentava sempre trabalho muito limpo; já ganhava um belo ordenado!

— É admirável! — respondeu o rapaz.

— Ora — prosseguiu Leonília, — o Gabardan há muito que me fala em entrar para a casa dele; hoje lhe mandei dizer que aceito e, do princípio do mês que vem em diante, é natural que...

— De sorte que tencionas fazer uma completa regeneração...

— Só depende de ti...

— É por conseguinte uma regeneração por meio do amor?

— Não! O amor servirá apenas para dar o primeiro impulso; depois o interesse e a ambição se encarregarão do resto.

— A ambição?

— Decerto; trabalhando com vontade, é natural que apareçam lucros e com estes a febre de prosperar. Então, todo o meu ideal será ter uma boa casa, uma firma bem acreditada, um capital seguro e, para conseguir tudo isso, é indispensável uma conduta exemplaríssima; é necessário que não possam dizer a mais pequenina coisa contra mim. Compreendes?

— Sim, senhora; o plano é engenhoso e faz honra ao teu espírito, mas convém saber se terás bastante energia e bastante perseverança para realizá-lo...

— Não me conheces!

— Oh! se conheço!... Vocês, pobres filhas do vício, são como os ingleses: por mais que viajem, por mais que se demorem nos países estrangeiros, têm sempre o sentido, a alma e o pensamento voltados para a pátria! Veio-te agora a fantasia de dar um passeio pelo amor, mudaste de roupa, tiraste as joias, tomaste para disfarce esse modesto vestidinho de chita, e desferiste afinal o voo; mas, se quiseres falar com franqueza, hás de confessar, minha querida, que a tua alma não se prende a esta pobre casinha sem espelhos, sem tapetes e sem as fosforescências do luxo; tua alma ficou lá donde partiste! Apenas trouxeste a imaginação para uso da viagem! Eu seria capaz de apostar a cabeça em como a tua primeira ideia, quando resolveste fazer tudo isto, não foi o amor, nem a ambição, mas pura e simplesmente calcular o efeito que semelhante fantasia iria produzir sobre as tuas companheiras e sobre os teus admiradores!... "Que dirá fulana quando souber?... Que dirão fulanos e beltranos?... Com certeza hão de achar-me original, caprichosa, uma verdadeira heroína de romance..." E, se amanhã suceder que as tuas companheiras e os teus amantes, em vez de enxergarem na tua regeneração uma fantasia original, entendam que te regeneraste por necessidade, que te fizeste sóbria e modesta por já não poderes ser extravagante e opulenta; se eles julgarem assim, filha, juro que a tua mal-entendida vaidade de cortesã despertará furiosa, e então tu, para provares que não és inferior a nenhuma das tuas competidoras, voltarás fatalmente ao primitivo estado!

— Cala-te!

— Ah! bem sabes, minha Leonília, que as recaídas são sempre muito mais perigosas do que a própria moléstia!...

— És cruel!

— Não; sou apenas sensato!

— E de que pretendes me convencer com a tua sensatez?

— De que não acredito em semelhante reabilitação!

— Nem no meu amor?

— Nesse acredito. Não que ele dure muito tempo, mas acredito que ele exista agora. Toda a mulher ama sempre; algumas dedicam-se a um só homem durante a vida — são as constantes; outras gostam de variar — são as do gênero a que pertences. Mas, no fim de contas, todas elas amam, naturalmente, sem esforço, por uma fatalidade orgânica, sem haver nisso outro mérito mais do que se obedecessem a qualquer uma das funções fisiológicas do seu corpo.

— Pois então no amor que te consagro, cujas provas reais acabo de dar-te, não há mérito algum?...

— Não digo isso, filha! Há um mérito relativo no que acabas de fazer; apenas sustento que o amor, qualquer que ele seja, não me causa entusiasmo nem admiração de nenhuma espécie. Se não me amasses, amarias a outro; amas-me, não porque eu seja forte, inteligente ou bom, mas sim por uma razão muito simples — porque és mulher! O caso seria para espantar, se em vez de te apaixonares por mim, te apaixonasses por uma estátua ou por uma árvore ou por um elefante ou por esta bengala!

— Enganas-te! Amo-te, não pelo simples fato de ser mulher, mas porque tu reúnes em ti todos os dotes que nos seduzem; és nobre e altivo como um príncipe; és forte e corajoso como um homem; és belo como uma estátua; original como um gênio; e espirituoso como um parisiense; e tudo isso reunido: força, altivez, beleza, espírito e originalidade, tudo isso é o que eu amo e o que faz de mim a tua escrava!

— Logo, se eu fosse feio, estúpido e fraco, não me amarias?

— Não, decerto.

— E é esse amor que, entendes tu, deve me entusiasmar?... Tem graça!

— Por quê?

— Nada conheço mais egoístico, mais baixo e mesquinho do que semelhante amor! No fim de contas não é a mim que amas, é a ti própria; não é a mim a quem pretendes contentar, é ao teu próprio gosto, é ao teu próprio coração!

Se te sacrificas por mim, se me preferes a tudo e a todos, não é porque eu goze muito com isso, mas sim porque tudo isso é necessário para a tua felicidade; e se me desejas o bem, é ainda para que a minha ventura se reflita sobre ti; é para que tu a possas desfrutar, para que a possas saborear com delícia!... Não achas que isto é exato?...

— E conheces porventura algum amor que não esteja nessas condições? — perguntou Leonília. — Olha em torno de ti; procura em todos os corações um amor que não tenha sempre por base o mesmo egoísmo!

— O amor materno... — respondeu Teobaldo, transpondo com a amante o portão da chácara e indo assentar-se ao lado dela sob um caramanchão. — A mãe ama sempre o filho, seja este feio, estúpido ou mau.

— Mas só ama o próprio, o seu, e esta ideia de propriedade só por si é já egoísmo. Vai dizer a qualquer mãe que faça pelos filhos dos outros o que a natureza lhe inspira por aquele que lhe saiu das entranhas; ela te responderá que "quem pariu Mateus que o embale". E se há uma dedicação sem a menor sombra de altruísmo é essa justamente, porque a mãe nunca ama o filho pelas qualidades que ele possui, mas tão somente porque ele é uma continuação dela, porque ele é um pouco de sua carne e porque é a consequência palpitante, por bem dizer, a personificação, do amor de quem a possuiu. No filho ela se vê a si e vê também o homem a quem amou; isto é, vê todos os gozos, todas as egoísticas venturas de que há pouco falavas; e, meu amigo, se penetrares no âmago de todas as outras afeições, hás de sempre encontrar lá dentro a mesma mola feita de egoísmo!

— E o amor filial?

— Não existe.

— Como não existe?

— Não existe, porque o amor filial é a convivência, é o hábito, é o primeiro beijo que recebemos, é a canção que nos embalou no berço, é a lágrima que se juntou à nossa primeira lágrima, o sorriso que se fundiu com a nossa primeira alegria e, mais tarde, é a recordação de tudo isso! Separa ao nascer um filho dos braços maternos e dir-me-ás depois qual é o amor que ele sente pela mãe. E assim são pouco mais ou menos todos os afetos—uns amam para gozar, outros por hábito, outros simplesmente por necessidade.

— Estás iludida — replicou Teobaldo, acendendo um charuto. — Eu, pelo menos, tenho em minha vida uma afeição que se constituiu sem o concurso de nenhuma dessas circunstâncias; tenho um amigo, cuja única boa qualidade que possui e que me leva a estimá-lo, é ser bom; bom, não só para comigo, mas para todos, todos, seja lá quem for!

— Um amigo?

— Sim, o Coruja; não o conheces e é bem provável que não chegues nunca a conhecê-lo.

— Por que não?

— Porque ele teria medo desse teu espírito diabólico e profanador. É uma alma imaculada, que se retrai e fecha ao mais leve rumor de tudo que é feliz, espetaculoso e barulhento, com a mesma facilidade com que se abre para tudo aquilo que chora e sofre. É uma triste criatura que vive silenciosamente para a dedicação e para o amor. Tanto é capaz de sacrificar-se pelo bom, como pelo mau; um estúpido ou um gênio, uma mulher monstro ou uma mulher encantadora, todos lhe merecem a mesma ternura, desde que há uma lágrima a estancar ou a mais ligeira sombra de sofrimento a desfazer. É capaz de despir o paletó para cobrir um cão que tem frio, e fica triste se em sua presença decepam uma árvore qualquer.

— É um santo — disse Leonília, a rir.

— Não — volveu Teobaldo — é simplesmente um homem feliz...

E, depois de descrever o tipo do amigo:

— Tenho inveja dele. Confesso.

— Tu?!

— Sim; tenho-lhe inveja...

— Ora essa!...

— Calculo quanto não gozará ele com ser tão dos outros e tão pouco de si mesmo; calculo a infinita volúpia da sua abnegação; o prazer supremo de não ter um vício, a consciência de não ter cometido uma ação má durante toda a sua vida.

— Há de haver um pouco de exagero de tua parte...

— Qual! Não disse a metade do que ele é...

— Que entusiasmo! Parece que o estimas mais do que a mim!...

— Pudera! — resmungou o rapaz, disposto a continuar o elogio do Coruja; mas foi interrompido pelo criado, que os chamava para jantar.

Teobaldo tinha às vezes dessas expansões; dava para discorrer com entusiasmo sobre alguém que na ocasião o impressionava; ao passo que no dia seguinte seria capaz de fazer o mesmo por uma pessoa completamente oposta.

Do meio para o fim do jantar, jantarzinho de hotel, porque nesse dia ainda não se havia acendido o fogão da casa, ele se mostrou menos pessimista a respeito do amor das mulheres e mais disposto a corresponder com os carinhos ao sacrifício de Leonília; entretanto, quando esta lhe falou em viverem juntos, Teobaldo protestou energicamente:

— Não! Isso não era possível!

Ele tinha lá as suas aspirações, precisava fazer carreira e não estava resolvido a começar com o pé esquerdo.

— És um ingrato!... — queixava-se ela, enxugando as lágrimas. — És um ingrato! Até aqui fugias de mim, porque eu não era só tua; pois abandono tudo, venho meter-me neste canto e tu, mesmo assim, declaras abertamente que não queres morar comigo!... Oh! isto também é demais! Já passa à maldade!

— Não, filha; é impossível morarmos juntos! Não posso. Hei de aparecer-te de vez em quando, sempre, talvez todos os dias, mas...

— És um homem mau, um egoísta.

E multiplicaram-se as recriminações. Afinal Teobaldo, apesar do firme propósito em que estava de moscar-se depois do jantar, resolveu não ir; ficou.

— Também que diabo! seria crueldade deixá-la ali, naquela casa, em companhia de um criado admitido na véspera.

E de mais, pensava ele, que posso eu recear?... Quando a coisa se torna perigosa, mando-a plantar batatas!

12

Voltou de lá às três horas da tarde do dia seguinte.

— Mais um dia perdido! — considerava ele amargamente ao entrar em casa já ao cair da noite e depois de ter jantado em companhia de amigos.

Ainda no corredor foi detido pelo Coruja, que lhe disse com reserva:

— Acho bom que não subas agora! Aquela sujeita do Almeida, a Ernestina, está aí à tua espera. Não subas!

— Está aí? — perguntou Teobaldo, deveras contrariado. Que diabo quer ainda de mim essa mulher?

— Não sei; diz o Caetano que ela já aí está há quatro horas.

— Ora esta! E, logo hoje, que eu precisava dormir!

— Recolhe-te mais tarde; ela talvez não se demore.

— Qual! Vou despachá-la! Verás!

E, enquanto subia a escada acompanhado pelo amigo:

— Não faltava mais nada!... Estou mesmo muito disposto a aturar mulheres!... Já me bastam as maçadas que me dão as outras! Além dela ninguém me procurou?

— Depois de eu chegar, não.

Teobaldo tinha por costume perguntar sempre se alguém o procurara na sua ausência. É que esperava que a fortuna viesse um belo dia ao encontro dele, como vinham as mulheres; era uma espécie de vaga confiança no acaso; um modo preguiçoso de desejar ser feliz.

Assim, quando pilhava dinheiro, arriscava algum na roleta ou na loteria.

Foi de mau humor que ele entrou na sua pequena sala, abriu a porta com um empurrão e dirigiu-se de cara fechada para a rapariga, que o esperava.

— Teobaldo! — exclamou esta, querendo lançar-se-lhe nos braços.

— Perdão! — disse o perseguido, afastando o corpo. — Não estou disposto a dar abraços; venho incomodado. Faça o favor de dizer o que deseja, mas que seja breve!

— Oh! não te reconheço! Não pareces o mesmo!...

— Diz muito bem! Eu com efeito já não sou o mesmo. Grandes transformações se deram na minha vida. Adiante!

— Compreendo; é que amas a outra!

— Ai, ai, ai, minhas encomendas! — gritou o rapaz, sem poder dominar a impaciência. — Teremos ainda discussões sobre o amor? Mas, minha senhora, há uma porção de dias que não ouço falar em outra coisa! Estou farto! o que se pode chamar farto! Oh!

Ernestina pôs-se a chorar.

— Então, então! — resmungou ele — deixe-se de asneiras e diga o que a trouxe.

— Ah! já não me posso iludir; amas a outra!

— Engana-se! Não amo mulher alguma!

— Nem a mim?

— Mas que lembrança foi essa a sua de vir aqui? Há mais de dois anos que nos separamos, creio que sem protestos e sem juramentos!... E vê-la assim, sem mais nem menos, tirar-se dos seus cuidados e...

— É que então eu não era livre, não podia acompanhar-te; vivia meu marido!

— Marido?

— Sim. O Almeida afinal enviuvou, casou-se comigo e três meses depois faleceu nos meus braços.

— Que não casasse... — respondeu Teobaldo, rindo.

— És cruel!

— A mesma frase da outra — pensou ele, com um suspiro de tédio.

Ernestina circunvagou os olhos em torno de si, para certificar-se de que estava a sós, e acrescentou:

— Um dia ofereceste-me a tua proteção, não é verdade? Venho reclamá-la...

— Sim, mas é que os tempos se mudaram; já não tenho com que proteger ninguém, nem a mim mesmo! Estou na espinha!

— Teobaldo! eu não vim pedir-te esmola!

— Então diga o que veio pedir.

— Vim em busca de amor! Para esquecer-me de ti fiz o que era possível; nada consegui e cá estou, disposta a afrontar o último sacrifício, contanto que fique ao teu lado. Amo! e, dizendo isto, tenho dito tudo!

— Sim?... — perguntou o rapaz, apertando os olhos. — Mas não me fará o obséquio de dizer que culpa tenho eu disso?

— Não sei; amo-te, e nós, as mulheres, quando amamos deveras, somos capazes de tudo!

— Pois, se é capaz de tudo, veja se consegue deixar-me em paz!

— Menos isso!

— Pois, olha, filha, custa-me a confessar, mas acredite que estou em uma tal situação que não me é possível absolutamente pensar em mulheres. Não imagina! Acho-me com a vida muito atrapalhada; falta-me tempo para tudo; os dias fogem-me por entre os dedos como se fossem minutos. Se a senhora é minha felicidade, não queira ser a primeira a criar-me novos obstáculos. Já tenho tantos!

— Não! Quero apenas saber se amas a uma outra mulher.

— Não! já lhe disse que não, e acrescento que, se não amo, é porque não posso, é porque não tenho jeito, não tenho tempo, e é porque agora me faltam recursos para isso! Está satisfeita?

— Pois, se não amas a outra, juro-te que hei de, à força de dedicação, fazer-me amada por ti! Verás!

— Aconselho-lhe que não tente semelhante coisa! Perderia o seu tempo! O que não falta por aí são rapazes em muito melhores circunstâncias do que eu. Experimente e verá!

— Mas se só a ti desejo e amo? Se ninguém é belo, forte, inteligente como tu?

— Sempre a mesma cantiga! — exclamou Teobaldo. — Malditos dotes! Afinal, preferia ser mais feio do que o Coruja!

— Não blasfemes!

— Qual blasfemes, nem qual histórias! Quer saber de uma coisa? Errou a pontaria. Veio buscar amor? Pois bem — não há!

E, passeando de um lado para outro, furioso:

— Oh! oh! É demais! Não tenho obrigação nenhuma de aturar isto! Apre!

Ernestina, defronte daquele transbordamento de cólera, principiou a soluçar, dizendo que era a mais desgraçada das mulheres; que amava um homem que a tratava daquele modo, e, enfim, que se Teobaldo não estivesse disposto a ser mais generoso, ela daria cabo da vida.

— Faça o que entender, minha senhora!

— Tu serás a causa de minha desgraça!

— Paciência!

— Malvado!

— Não acho! A senhora é infeliz porque me ama; não me amasse!

Ela então lançou-lhe os braços em volta do pescoço e abriu a dizer entre beijos:

— Não! não é possível que sejas tão mau! Sei que dizes tudo isso para me experimentar! Amo-te, adoro-te! Estou disposta a afrontar tudo!

Teobaldo desembaraçou-se das mãos dela grosseiramente, foi buscar o chapéu, enterrou-o na cabeça e saiu, dando-se aos diabos.

A pobre rapariga, depois do esforço que fizera para detê-lo, deu ainda alguns passos, muito ofegante, até à porta e afinal caiu sem sentidos. Esta crise era promovida pelo despeito e em grande parte pela ausência do jantar.

Coruja, que no seu quarto aprontava com pressa um trabalho para o dia seguinte, ouviu-lhe o baque da queda e correu a socorrê-la.

— Que significa isto? — perguntou ele, erguendo-a do chão e indo depô-la sobre a cama de Teobaldo, que ficava na alcova próxima.

— Fugiu-me! — disse a infeliz, abrindo os olhos e soluçando com mais ânsia — fugiu-me, depois de dizer que não me amava e que nunca me amaria!

— Pois ele disse isso?... — murmurou André, sem saber o que devia fazer, muito perturbado com aquelas lágrimas e com aquele desespero.

— É um ingrato! É um homem mau! exclamava ela nas curtas intermitências do choro. É um malvado.

— Veja se consegue ficar tranquila... — aconselhava o professor a acarinhá-la. — Faça por isso...

E, com uma ideia:

— Mas, agora reparo, a senhora está aqui há um bom par de horas e naturalmente precisa comer.

Vou arranjar-lhe qualquer coisa.

— Não se incomode.

— É que por essa forma a senhora ficará pior. Vamos, procure tranquilizar-se enquanto lhe arranjo a ceia.

Ela aceitou afinal e o Coruja afastou-se.

No fim de um quarto de hora voltava ele com uma bandeja nos braços.

— Veja se consegue sempre meter alguma coisa no estômago — dizia a arranjar a mesa — eu lhe farei companhia. Vamos.

Ernestina arrastou-se ainda muito chorosa até à mesa e, entre suspiros, principiou a comer. O Coruja ao seu lado desfazia-se em solicitudes, sem aliás conseguir animá-la.

— Oh! mas é que dói muito semelhante ingratidão! — exclamava ela com a boca cheia. — Um rapaz, por quem eu seria capaz de dar a vida, tratar-me deste modo, dizer-me cara a cara o que me disse e, afinal, sair como saiu, desprezando-me, nem que se eu fosse um cão tinhoso!

— É que ele estava hoje de mau humor, coitado! — arriscou André. — Há de ver que amanhã já a tratará de outro modo...

— Qual! amanhã fará pior; tola fui eu em mostrar-me apaixonada! Ingrato!

O professor empregou ainda alguns esforços para tranquilizá-la e depois confessou que estava muito atrapalhado de serviço e precisava continuá-lo.

— Não me posso descuidar um instante — acrescentou. — É um trabalho com pressa. Olhe, a senhora fique a seu gosto, está em sua casa, se precisar de qualquer coisa é só chamar por mim. Com licença. Até logo.

E, enquanto ele se afastava, muito feio com o seu ar giguento e mal amanhado, Ernestina murmurava:

— Foi-se aquele ingrato e ainda por cima deixa-me aqui este maldito Coruja, que a gente só de olhar para ele parece que fica doente! Credo! Que estupor!

13

Teobaldo saiu de casa verdadeiramente aborrecido.

— Malditas fossem todas as mulheres! Maldito fosse ele, que não conseguia dar um passo sem tropeçar logo num rabo de saia! Arre! Era preciso despedir-se de Leonília por uma vez e fazer com todas as outras o que fizera com Ernestina! Esta com certeza estava mais que despachada!

E, assim considerando pelo caminho, principiou a passar uma revista mental aos seus amores.

— No fim de contas — pensava — só trouxera de tudo isso consequências ridículas ou perniciosas, que serviam apenas para lhe atrasar a vida e afastá-lo dos seus verdadeiros interesses. Ah! mas desta vez havia de tomar uma resolução, uma medida séria! Naquele andar não conseguiria nunca fazer carreira!... A ter de ter amores, que fossem estes com mulheres de quem lhe viesse algum benefício real; mulheres que, lhe abrindo os braços, abrissem-lhe também as portas de um futuro garantido e cômodo. Estava disposto a amar, sim senhor, contanto que lhe viesse daí algum proveito imediato para as suas ambições.

Com estes cálculos chegava ao largo de S. Francisco, quando o Aguiar lhe bateu no ombro. Virou-se, sem ter tempo de compor um sorriso amável.

— Oh! Estás com uma cara! — disse-lhe aquele.

— Não é nada! Tédio.

— Eu também não me sinto de bom humor. Dormi mal à noite passada e tive enxaqueca durante todo o dia. Vou beber para ver se distraio; queres vir também?

— Não, obrigado; estou incapaz de tudo.

— Anda daí.

— Está bom. Vamos lá.

E à mesa do botequim, defronte dos copos de cerveja:

— Mas, que diabo tens tu? — perguntou Aguiar.

— Desanimado, filho, totalmente desanimado! Não imaginas a série de contrariedades que me sucedem todos os dias. Agora, para cúmulo de caiporismo, é o diabo da Leonília que entendeu perseguir-me de um modo atroz!

E contou minuciosamente o que ela fizera.

Aguiar abriu os olhos com exagero de espanto.

— Quê! Pois seria crível? Ora, para que lhe havia de dar! — exclamava a rir. — Paixão aguda, com caráter pernicioso! Pobre Leonília.

— Pobre, mas é de mim! — emendou Teobaldo, muito preocupado.

— De ti? Tu o que és é um grande felizardo! — disse o outro. — As mulheres procuram-te e são capazes de ir ao inferno para te descobrirem!

— Não esta má fortuna! Dava-a de boa vontade a quem a quisesse!

— Deixa-te disso...

— Juro-te, meu amigo, que estou deveras aborrecido com tudo isto e que de bom grado abandonaria o Rio de Janeiro, se me achasse em condições de fazer uma viagem.

Depois de alguns outros copos, os dois rapazes ficaram mais expansivos. Aguiar confessou, então, que a causa do seu mal-estar não era a tal noite mal passada, nem tampouco a suposta enxaqueca, mas o diabinho de uma prima que ele tinha, um diabinho de quinze anos, que ele adorava, sem conseguir arrancar-lhe um ar de sua graça.

— Não te corresponde?

— Qual! parece até embirrar comigo. Talvez me confunda com os tipos que a cobiçam por causa do dote...

— Ah! é rica!

— Tem cento e tantos contos... Ah! mas tu sabes perfeitamente que eu, só por parte de minha mãe, possuo mais do que isso, sem contar com a morte de meu avô.

Teobaldo soltou um suspiro.

— Já vês... — disse o outro — que não é pelo dote!

— Está claro!

— Pois, apesar disso, não consigo agradá-la. Tenho empregado todos os meios; não penso em outra coisa: persigo-a por toda a parte, e a malvadinha cada vez mais cruel!

— Decerto; toda a mulher foge enquanto a perseguem. Deixa-a de mão; finge indiferença, e verás que ela se chega.

— Homem, e dizes bem, vou fazer-me indiferente.

Mas acrescentou logo depois: — Qual! É impossível! Não tenho forças para isso!... Será bastante vê-la, encontrá-la na rua, para que eu perca de todo a cabeça e não saiba mais regular os meus atos. Fico louco!

— Oh! mas então a coisa é séria!

— Que queres tu? Adoro-a!

— Ela é bonita?

— Encantadora! Queres ver o retrato?

E, tirando do bolso uma fotografia.

— Olha.

— É linda, com efeito. Pois, filho, se estás tão apaixonado, é insistir, porque a água mole em pedra dura...

— Sim, mas já me vão faltando as esperanças de conseguir qualquer coisa... E, sabes? Ela depois de amanhã faz anos; hesito ainda no presente que lhe devo dar...

— Não lhe dês nada.

— Impossível. Há uma festa em casa da família. O pai, o comendador Rodrigues, que protege as minhas pretensões sobre a filha, convidou-me.

— Ah! O pai protege-te?

— Pai, parentes, amigos, todos me protegem, menos ela.

— É o diabo! Estás mal!

— Contudo, ainda não desanimei de todo e vou experimentar uma ideia, que tive agora, uma ideia para o dia de seus anos.

— Qual é?

— Uma ideia magnífica; só tu, porém, me podes valer.

— Eu? De que modo?

— Vou levar-lhe de presente uma poesia... Que achas?

— É um presente econômico.

— Mas eu não sei fazer versos; tu és quem os há de arranjar.

— Não seja essa a dificuldade. Podes contar com eles.

— Não. Há de ser já; ao contrário sei que não os pilho.

— Agora?

— Sim. Olha; ali tens uma mesa com papel e tinta; toma a fotografia para te inspirares, e mãos à obra!

— Ora, filho, mas isso é uma espiga...

— Anda! escreve!

Teobaldo ainda recalcitrou, mas o outro insistiu por tal forma, que ele afinal não teve remédio senão fazer-lhe a vontade.

E, colocando o retrato defronte de si, compôs ao correr da pena meia dúzia de estrofes líricas, repassadas de arrebatamento amoroso; depois limou-as pelo melhor que pôde e leu-as ao amigo.

— Que tal achas?

— Soberbo! Com isto creio que avanço uma légua nas minhas pretensões.

E guardando os versos na algibeira:

— É verdade! Tu bem podias vir comigo à festa; é domingo. Hás de gostar.

— Pode ser... — respondeu o outro

— Não; quero que venhas com certeza; desejo apresentar-te a meu tio.

Teobaldo, havia muitos meses, não tinha ocasião de visitar famílias, o que, com a sua educação, fazia-lhe certa falta; não lhe foi por conseguinte de mau efeito o convite do amigo, e, logo que este pôs à disposição dele algum dinheiro, ficou entre os dois combinado que jantariam juntos no domingo em casa do Aguiar e seguiriam depois para o baile do comendador Rodrigues.

Depois foram daí ao teatro e à volta deste cearam no Mangini em companhia de uma francesa que se lhes agregara durante o espetáculo.

Eram duas horas da madrugada quando Teobaldo, um pouco eletrizado pelos seus vinhos italianos, recolhia-se afinal à casa, pé ante pé, para não acordar o Coruja.

Mas, ao entrar no quarto, ficou surpreendido; alguém ressonava na sua cama.

Acendeu a vela; era Ernestina, que dormia a sono solto.

— Ora esta! — pensou ele, tomando uma carta que acabava de descobrir sobre a mesa, e, ato contínuo, soprou a vela e tornou a sair, muito enfiado.

— Diabo! — exclamou, fechando sobre si a porta da rua. — Pois nem com a minha pobre cama posso contar?

Neste instante, Ernestina, que havia acordado, aparecia à janela, estremunhada e aflita.

— Quê! pois não ficas em casa?! — perguntou ela.

— Decerto! — respondeu de baixo o moço com raiva.

— És um homem impossível!

E ouviram-se soluços.

— Impossível é a senhora! — gritou ele. — Creio que não podia lhe falar com mais franqueza do que falei! Fez mal em ficar!

— Sobe! — pediu ela com a voz chorosa.

— Não me aborreça — replicou Teobaldo, afastando-se furioso.

E pensar, considerava o fugitivo pela rua, que não fui ter hoje com Leonília só para gozar uma noite completamente sossegada...

E, depois de alguns passos, enquanto seu pensamento trabalhava, deteve-se no meio da rua, batendo freneticamente com a bengala no chão.

— Mas isto não tem jeito! No fim de contas é uma violência que me incomoda, que me irrita, que me põe neste estado! Quero dormir, quero repousar e nem isso me permitem! Antes ser escravo! antes ser um cão, que esses ao menos descansam!

Então foi que se lembrou da carta encontrada sobre a mesa; aproximou-se de um lampião e abriu-a.

Reconheceu logo pelo sobrescrito que era de Leonília.

Teobaldo — *Confesso-te que estou deveras surpresa com o teu procedimento; vejo que me enganei — não és um cavalheiro. Por tua causa enterrei-me neste arrabalde, transformei toda a minha vida, e tu, logo nos primeiros dias, foges de mim como se eu fosse a peste em pessoa; ora, hás de...*

Teobaldo não leu o resto; amarrotou a folha de papel entre os dedos e lançou--a fora com arremesso.

— Vão todas para o diabo! — disse, e foi continuando a caminhar até à porta do hotel Paris. Bateu e pediu um quarto.

Só depois de recolhido se lembrou de que tinha consigo pouco dinheiro e, pois, não devia gastá-lo em coisas supérfluas.

— Amanhã... amanhã darei um jeito a tudo isto!... — deliberou entre os lençóis. — Vou falar com franqueza ao Coruja e pedir-lhe que me ajude a fugir desta crítica situação em que me acho... Ele é muito capaz de descobrir um meio, e se não descobrir, arranjarei o negócio por minha conta... Aqueles demônios das mulheres...

Adormeceu em meio deste raciocínio e tão profundamente, que só acordou no dia seguinte à uma hora da tarde.

A despeito disso não teve vontade de sair da cama; um entorpecimento doentio parecia chumbá-lo ao colchão; e, com os olhos ainda cerrados, deixava que a sua consciência funcionasse à vontade, grupando em torno dela um mundo de exprobrações.

Para mais lhe enervar o espírito ali estava aquele insociável aspecto do quarto de hotel, onde se sentiam ainda os rastros da última mulher que o habitara.

Teobaldo, despertando afinal, reparou para tudo isso, minuciosamente, com o doloroso prazer de quem repisa de propósito uma parte do corpo que está dorida e machucada.

A cama era muito larga, com um grande colchão de molas, onde o corpo se abismava; os travesseiros monstruosos e enfeitados de rendas e fitas; e por cima um imenso cortinado de labirinto, enxovalhado de pó. Sobre o mármore do lavatório via-se a bacia de gigantescas proporções, ao lado de uma porção de vasilhas de porcelana; e, em contraste com o resto, um miserável pedaço de sabão de 200 réis, fornecido pelo hotel. Ao canto da pedra, esquecida sobre os rebordos do lavatório, havia uma escova de dentes, suja de opiato.

E todo esse aspecto de abandono e desleixo, todo esse falso conforto de quarto sem dono e nunca desocupado, tudo isso ainda mais o entristecia e acabrunhava.

Depois — o fato de não ter mudado de roupa e ver-se obrigado a vestir aquela mesma camisa da véspera também o torturava.

— Maldita Ernestina!

Pagas a dormida e uma xícara de café que lhe deram, não lhe ficava dinheiro suficiente para o almoço; vestiu-se, disposto a sair logo. Mas, enquanto se aprontava, ouviu no quarto imediato uma voz grossa, de homem, que altercava com o criado.

— Esta voz!... — pensou o rapaz.

E, tomado de curiosidade, abriu a porta e espiou para o corredor, justamente quando o seu vizinho ia a sair.

— Mas, não me engano! — exclamou. — É ele! é o marido da tia Gemi! o velho Hipólito!

— Velho, não! — respondeu o homem. — Velho é trapo!

E a sua testa enrugava-se em orlas regulares, como água onde caísse uma pedra.

E reparando:

— Ora, espera! Você é o Teobaldo!...

— Em carne e osso, meu tio.

As orlas da testa do velho acentuaram-se mais, numa expressão de contrariedade, que ele não procurava disfarçar; circunstância que alterou no mesmo instante o ar de contentamento que se havia formado no rosto do moço.

— Não sabia que o senhor estava na corte... — disse este, para quebrar o silêncio.

— Cheguei ontem e tive o caiporismo de meter-me no diabo deste hotel, que afinal me parece o menos próprio para mim! Com a breca, só vejo francesas e pelintras! E, demais, esfolam-me! Pedem-me os olhos da cara por dá cá aquela palha! Você mora aqui?...

— Não, senhor; vim apenas dormir esta noite: mas a ninguém lembra morar neste hotel. O senhor deve procurar outro. Como ficou minha tia?

— Bem. Está perfeitamente boa!

— Oh! dir-se-ia que o senhor dá notícias de sua mulher contra a vontade...

— É o meu gênio!

E, sem poder dominar-se:

— Demais, para que precisa você das notícias de sua tia? Parece-me que uma pessoa que, durante dois anos, não se lembrou dos parentes, não há de ter muito interesse por eles...

— Perdão! — replicou Teobaldo. — Eu escrevi à tia Gemi por ocasião da morte de meu pai e depois creio que mais duas vezes; segundo, porém, a única resposta que recebi, quis acreditar que tanto ela como o senhor estavam persuadidos de que eu lhes escrevia para obter dinheiro, e...

— Ah, sim! Sua tia chegou a falar-me em dar-lhe uma mesada, mas, se me não engano, você foi o próprio a rejeitá-la.

— Não me lembro disso, mas é natural que seja exato.

— Pois eu me lembro perfeitamente e afianço que é.

— Bom.

E Teobaldo declarou o número da casa em que morava e pô-la à disposição do tio.

— Passe bem! — respondeu este.

E, quando o rapaz havia-se afastado:

— Um peralta que abandonou os estudos, que não arranjou meios de vida, um pobre-diabo! Ainda vem para aqui com soberbias!... Bata a outra porta, se quiser: comigo não se arranjará! Ah! eu logo vi que semelhante educação havia de dar nisto mesmo!

Entretanto Teobaldo sofria e sofria muito. Só quem já atravessou uma boa quadra de necessidades, quando se tem o estômago mal confortado e o coração cheio de orgulho, poderá julgar do desgosto profundo e do tédio homicida que o acompanhavam.

Maldita educação! Maldito temperamento! Compreender o seu estado e não poder reagir contra ele; sentir escorregar-se para o abismo e não conseguir suster a queda; haverá maior desgraça e mais dolorosa tortura?

A surda aflição que lhe punha no espírito a sua falta de recursos, a força de reproduzir-se, havia já se convertido em estado patológico, numa espécie de enfermidade nervosa, que o trazia sempre desinquieto e lhe dera o hábito de levantar de vez em quando o canto do lábio superior com um certo trejeito de impaciência.

Orgulhoso como era, a ninguém, a nenhum amigo, exceção feita do Coruja, confessava as suas necessidades, e este fato ainda mais as agravava.

E quando em tais ocasiões lhe pediam dinheiro emprestado? Oh! não se pode imaginar que suplício para Teobaldo!

Principiava por lhe faltar a coragem de confessar que não o tinha; e, se o do pedido insistia, começava ele a arranjar pretextos, a remanchear, a prometer para daí a pouco, a mentir, como um caloteiro que deseja engodar um credor impertinente.

E, se o sujeito não desistia, Teobaldo dizia-lhe que esperasse um instante e corria a empenhar o relógio, a arranjar dinheiro fosse lá como fosse, contanto que não tivesse de confessar a sua miséria a outro necessitado.

Estes sacrifícios eram tanto mais rigorosamente cumpridos, quanto menos seu amigo era o sujeito que lhe fazia o pedido; não representavam desejo de servir, mas pura e simples manifestação de vaidade.

Quando, porém, o pedinchão lhe era de todo desconhecido, Teobaldo preferia passar por mau e respondia-lhe com a lógica de um sovina, e aos mendigos negava a esmola rindo, fingindo não acreditar nas lágrimas de fome que muita vez lhes saltavam dos olhos.

14

Voltou à casa às horas de jantar, e mais aborrecido do que nunca. Para isto contribuía em grande parte a insociável catadura com que o tio o recebeu.

Ao entrar na alcova soltou uma exclamação:

— Pois a senhora ainda está aí? — perguntou ao dar com Ernestina estendida na cama. — Ora esta!

— Você é um malvado! — respondeu ela com dificuldade, por causa de uma formidável rouquidão. — Você é um judeu!

— Está incomodada?

A teimosa meneou a cabeça afirmativamente e explicou, mais por mímica do que por palavras, que aquela sua ida à janela a pusera naquele estado.

— Estou ardendo em febre — disse. — Seu amigo chamou um médico, foi buscar os remédios e deu-me um suadouro. Creio que vou transpirar. É preciso não abrir a janela.

— Pois eu hei de ficar fechado aqui com este calor? Ora, minha senhora!

E o pior, pensava ele, é que estou sem vintém.

Entretanto, desceu ao banheiro, lavou-se, mudou de roupa e, antes de assentar-se à mesa de jantar, chamou pelo Caetano e, entregando-lhe o seu relógio e a sua corrente, ordenou-lhe que levasse esses objetos a uma casa de penhores.

— Irei depois — objetou o criado — por enquanto tenho de servir o jantar.

— E o Sabino?

— O Sabino desapareceu há três dias.

— Bem, nesse caso irás depois.

E mais baixo: — A Ernestina almoçou?

— Bebeu um caldo. O médico recomendou que não lhe dessem nada de comer.

— Bom. Não te descuides dela.

— É verdade! — acrescentou o criado — aqui está uma carta de Minas para vossemecê.

— Por falar nisso: o Hipólito chegou; já sabias?

— Ainda não senhor. Vossemecê falou com ele? Como ficou sinhá Gemi?

— É dela justamente esta carta. Vejamos.

Querido sobrinho — Teu tio segue amanhã para aí, vai tratar da compra de um engenho e conta demorar-se um mês ou mais; desejaria eu que o procurasses logo que esta recebesses. Ele há de falar-te sobre um pedido que lhe fiz a teu respeito: é uma questão de mesada, visto que, segundo me consta, tens aí, depois da morte de teu pai, lutado com grandes dificuldades. Eu, se há mais tempo não fui ao teu socorro, é porque teu tio está cada vez mais apertado em questões de dinheiro e não queria por coisa alguma entrar em acordo comigo.

Mas agora consegui dele prometer-me que te havia de procurar e que te daria 50$ por mês; não é muito, bem sei, mas com esse pouco e alguma boa vontade poderás continuar os estudos, que muito lamento haveres interrompido.

Acredita, meu filho, que, se a coisa dependesse só de mim, não chegarias a sofrer a menor privação; posto que nunca te lembres desta tua pobre tia, que muito te ama e quer.

Adeus. Recebe um abraço, dá lembranças ao Caetano e, quando puderes, vem fazer um passeio à fazenda.

O criado, que ouvira atentamente a leitura, chorava de alegria quando o amo acabou a carta.

— Sim senhor! Gostei! — exclamou ele — não esperava outra coisa de sinhá Gemi!

— E no entanto — respondeu Teobaldo, — nada disto me adianta, pois já estive hoje com meu tio e recusei de antemão a mesada!

— Pois vossemecê recusa a mesada de sua tia?

— Não é por ela, é por aquele malcriado do Hipólito.

— Vossemecê faz mal.

— Embirro com ele. Acabou-se!

E erguendo-se da mesa: — Mas que ainda fazes aí? Dá-me o café e vai onde mandei. Anda! — Então! Não te mexes?

Caetano dirigiu-se para a porta, mas voltou hesitando.

— Então! — fez Teobaldo.

— É que, se vossemecê permitisse... eu tenho aí algum dinheirinho, que...

— Não, não, obrigado, meu amigo, não te incomodes; desejo mesmo empenhar o relógio... Anda! Vai!

— Então faça ao menos uma coisa: empenhe-o em minhas mãos; sempre é mais seguro...

— Ah! Que és mais impertinente do que o próprio Samuel! — disse o rapaz.

E o Caetano, aproveitando esse bom humor, correu ao seu quarto e voltou com uma pequena caixa de folha.

— Vossemecê tenha a bondade de servir-se...

Teobaldo retirou duas notas de vinte mil-réis.

— Estás satisfeito, usurário? Não sabia que era essa a tua vocação!

— Agora, vossemecê faz-me um favor...

— Ainda?

— É de guardar-me esses objetos; podem roubá-los e...

— Mas, que diabo! eu não devo ficar com o dinheiro e com o penhor!

— Vossemecê pagará depois os juros...

— Também já entendes de juros, hein?...

— Oh! se entendo... Fosse vivo nhô Miló, coitado! que ele lhe diria as contas que eu sabia fazer de cabeça!... Nunca me passaram a perna num vintém!

— Pois olha, se com todos fazias negócios desta ordem, podes limpar as mãos à parede!

O velho, satisfeito com o que acabava de dar-se, prendeu por suas próprias mãos a corrente ao colete do amo, meteu-lhe o relógio na algibeira e afastou-se, receoso de comovê-lo com a sua presença.

Logo depois Teobaldo saiu e dirigiu-se diretamente para o colégio onde trabalhava o Coruja.

Encontrou-o ainda ocupado com a última aula e dispôs-se a esperar por ele.

— Tu por aqui? — disse André, quando lhe apareceu no fim de meia hora.

— É verdade, procurei-te para te pedir um obséquio.

— Estou às tuas ordens.

— Quando fores para casa, se ainda encontrares lá aquele estafermo, despede-a por uma vez e dize-lhe que eu não voltarei enquanto me constar que ela não se foi embora.

— A Ernestina? mas sabes que ela está doente?

— Apenas constipada; não é motivo para não ir.

— Coitada. Ela parece gostar tanto de ti...

— De acordo, mas eu é que não tenho nada com isso. São muito engraçadas estas senhoras: entendem que um homem, pelo simples fato de que as agrada e lhes merece amor, deve ficar submisso às ordens delas.

— Mas...

— Imagina tu que vinte mulheres pensam do mesmo modo e ao mesmo tempo a meu respeito; algumas, pelo menos, ficarão fatalmente sacrificadas, porque a gente não pode dedicar-se a tantas... E note-se que nenhuma delas admite divisões de ternura; cada uma quer tudo para si e leva o egoísmo ao ponto de não consentir que o objeto do seu amor pense em outra pessoa que não seja ela! Ah! É uma bela coisa, não há dúvida!

— Escolhe uma entre todas e dedica-te só a essa. A Ernestina, por exemplo...

— Não, não quero Ernestina, como não quero nenhuma. Trata tu de despachá-la, que eu me encarrego das mais. Daqui, vou já principiar a cuidar disso; é preciso não perder tempo. Adeus.

Coruja quis ainda detê-lo:

— Olha, ouve!

— Nada! Faze-me o que te pedi e, se ela de todo não quiser sair, amanhã mesmo nos mudaremos. Adeus.

E ganhou a rua, tomando logo a direção da casa de Leonília.

Durante o caminho fez ainda várias considerações sobre aquela "terrível fatalidade" que lhe prendia aos calcanhares uma inevitável cauda de mulheres. Suplício estranho, contra o qual não havia remédio possível, a não ser que ele fugisse para um lugar onde só houvesse homens.

Teobaldo tinha um desses tipos de que em geral gostam infinitamente as senhoras de moral fraca. Nele tudo parecia feito de propósito para cativá-las: os seus grandes olhos apaixonados, ora ternos, ora atrevidos, tão prontos a desmaiarem de amor como a ferirem com arrogância; o seu pequeno bigode crespo, arrebitado; a sua boca desdenhosa, aristocrata e sensual a um tempo; a sua fronte de homem de talento, sobre a qual uma bela cabeleira caía em anéis que se agitavam ao menor movimento da cabeça; o seu largo pescoço de estátua, pálido e rijo como o mármore; o seu perfil sereno e firme, orlado pela fina transparência da epiderme; as suas mãos longas e formosas; o seu porte gracioso e desafetadamente altivo; a sua voz insinuante e ligeiramente irônica; a sua verbosidade original, cheia de espírito e alheia aparentemente ao efeito que levantava; tudo isso, e mais os pequeninos nadas do seu todo, que ninguém poderia determinar, mas que todos sentiam como se sente um perfume sem saber donde ele vem: tudo isso parecia destinado a encher de sonhos a fantasia das mulheres ávidas de ideal. E cada uma delas via nele o homem ambicionado; e cada uma, por amá-lo como as outras, entendia-se com o direito exclusivo de persegui-lo.

Triste martírio para quem, como Teobaldo, não queria aceitar favores de qualquer gênero que fosse, e para quem era necessário cuidar seriamente do futuro.

E a graça é que a pobreza, a que ele se via agora reduzido, longe de ser uma barreira de resguardo contra aquela invasão, era como que um novo atrativo ajuntado aos seus encantos. E quanto mais fugia delas, com tanta mais insistência o rebuscavam; quanto era maior a sua indiferença, tanto maior o empenho que elas faziam. Se as tratava pelo modo por que tratou Ernestina, se as ameaçava, se lhes chegava a bater, como fizera a diversas, então é que o não deixavam de todo e a perseguição contra o belo desgraçado tomava um caráter horroroso.

E ele, que a princípio com isso se divertia, chegando até a julgar-se lisonjeado no seu amor-próprio, já por último andava sinceramente aborrecido com tanto amor; já o irritavam os beijos soluçados e as delirantes palavras de ternura. — Ah!

não queria ouvir falar em paixão, e fugia de certas mulheres como um criminoso foge da polícia.

A Ernestina, então, uma atriz de segunda ordem em tudo, mas que não perdia as esperanças de conquistá-lo, essa o trazia num cortado. Era bispá-la, quebrava ele a primeira esquina, metia-se no primeiro corredor, enfiava pela primeira escada, e, apesar disto, não conseguia escapar-lhe, porque o demônio da mulher parecia ter faro de cão mateiro.

Quando ele chegou à casa de Leonília, disseram-lhe que esta havia-se mudado para um hotel na Tijuca, porque o médico assim lho ordenara.

— Está doente? — perguntou Teobaldo.

Responderam-lhe que sim, que lhe aparecera febre, uma enorme sobre--excitação nervosa, fastio e dores na caixa do peito.

Entrou na alcova. O isolamento desta, em vez de o impressionar desagradavelmente, trouxe-lhe ao contrário um certo prazer íntimo de quem se vê livre de uma maçada que já tinha como inevitável.

Deitou-se na cama e tomou um livro que estava sobre o velador. Dentro do livro havia uma carta sobrescritada para ele.

— Escreveu-me, mas não se animou a remeter-me a carta — pensou, abrindo-a.

Teobaldo.

És um miserável. Melhor seria que, em vez de procederes infamemente para comigo, como acabas de proceder, me houvesses falado logo com toda a franqueza e tivesses me mandado para o diabo. Seria mais simples e muito mais digno. Até hoje homem nenhum teve a petulância de fazer-me a vigésima parte do que tens feito; envergonho-me de me haver iludido ao ponto de contar, já não digo com o teu amor, que tu só amas a ti próprio, mas ao menos com o teu reconhecimento, que era dever teu para comigo.

Saíste-me vulgar e mesquinho como os outros — paciência!

Ontem fui à tua casa; mas, ao subir as escadas ouvi uma voz de mulher, espiei pela fechadura, vi-te a discutir e a ralhar com uma sujeita; alguma cena de ciúmes! quis entrar e confundir a ambos, resolvi, porém, não ligar tanta importância a um fato que afinal não a merecia, e saí com a intenção de nunca mais te procurar.

Ao chegar à casa, ardia em febre; à noite não pude me levantar da cama; veio o médico, aconselhou-me todo o repouso, e que eu evitasse contrariedades e que, mal me achasse em estado de sair, procurasse um arrabalde bem tranquilo e salubre.

Não sei qual é a minha moléstia, posso apenas afiançar que estou muito doente, nervosa a um ponto de fazer lástima, sem poder comer e sem poder dormir; a boca muito amarga, a caixa do peito muito dorida, e que a causa de tudo isso — és tu.

Não obstante perdoo-te, porque não és o culpado de te amar eu tanto. Só desejo que nunca te façam passar pelo que me tens feito sofrer.

Adeus. Amanhã sigo para a Tijuca, e é natural que em breve esteja de viagem para a Europa. Se quiseres me ver antes disto procura-me e, se não quiseres, remete--me o teu retrato. Adeus.

Assinara o nome dela.

— Sempre a mesma coisa!... — pensou Teobaldo com um gesto de aborrecimento; mas foi interrompido pelo criado, que vinha fazer entrega de uma carta que deixara a senhora.

— Uma carta?... Para mim?... — perguntou o rapaz.

— Sim, para o Sr. Teobaldo.

Lembrou-se este então de que a outra, que acabava de ler, não lhe tinha sido remetida e abriu a nova com uma certa curiosidade.

Querido Teobaldo.

Peço-lhe que não me procure. Deixo esta casinha por interesses particulares e é natural que do lugar a que me destino siga logo para a Europa.

Sou inconstante, perdoe, é uma questão de temperamento!

Adeus. Seja feliz!

Teobaldo riu ao terminar a leitura.

— Coitada! — disse consigo. — Foi infeliz! — esqueceu-se de inutilizar a outra carta, sem o que talvez produzisse esta o efeito a que se destina. Definitivamente não nasci para sofrer pelas mulheres!...

E, ganhando de novo a rua:

— Daqui nada mais tenho a recear! Desta estou livre!

Ao entrar na cidade encontrou logo o Aguiar.

— Amanhã, hein? — disse-lhe este, — não te esqueças!

Teobaldo já se não lembrava de quê.

— Oh! homem, da festa de meu tio! Amanhã é o dia dos anos de Branca.

— Ah! sim! É bem possível que eu vá.

E seguiram juntos, para tomar alguma coisa.

15

Enquanto para Teobaldo a vida corria desse modo, oscilando entre amarguras e contrariedades de todo o gênero; enquanto ele sofria por não ter coragem para abrir por uma vez contra os seus hábitos e tomar energicamente um novo caminho, o Coruja ralava-se de serviço, preocupado apenas pela ideia de que nada viesse a faltar ao seu amigo.

Daí começou para André uma triste época de sacrifícios ignorados e obscuras privações. O diretor do colégio chegou a dizer-lhe que não se apresentasse tão mal trajado; ele, com efeito, trazia agora um fato que, à força de uso, perdera de todo a cor primitiva e já em certos lugares se mostrava transparente.

A sua economia, depois que Teobaldo precisava de socorros, parecia milagrosa: só comprava roupa já usada e calçado já servido, e com este regime, e mais sem ter nenhum vício e comendo a expensas do colégio, passava semanas inteiras sem gastar um vintém com a sua pessoa.

Entretanto, não vivia alegre, porque, apesar de tamanho heroísmo, Teobaldo ainda sofria privações.

Um outro motivo do seu desgosto era D. Margarida. A velha, desesperada com a demora do casamento da filha, acabara por perder de todo a paciência e desabafou uma vez defronte do Coruja:

— Ele, se não tinha intenção de casar, por que iludiu a pobre rapariga?

— Eu não a iludi... — explicou André, corando. — Pelo menos nunca tive a ideia de iludir pessoa alguma...

— Então por que não casou já por uma vez?

— Porque tenho encontrado dificuldades com que não contava...

— Ora! é sempre a mesma cantiga! Dificuldades! e afinal de contas o senhor não é capaz de dizer que dificuldades são essas!? Eu, por mim, confesso que já desconfiei do negócio e, quando dou para desconfiar, é o diabo! Para o que, veja-se: dantes, quando o senhor ainda não estava tão ligado a nós, trazia-nos quase sempre algum presente: eram cortes de chita, eram lenços, latas de doce, camarotes de teatro... e hoje?! Hoje é isto que se vê! O senhor esbodega-se lá por fora e já faz muito quando nos traz uma desgraçada libra de café! Ainda se gastasse consigo, vá! mas nem isso, que o senhor anda mais bodega que um cigano! tem a roupa a cair aos pedaços, os sapatos que é uma vergonha, só a camisa é decente, porque a engomamos nós! Ora, pois, a coisa está a entrar pelos olhos! Pois então, quando o senhor ganhava muito menos, podia gastar consigo e conosco, e agora, que faz por mês o dobro do que fazia, não tem com que comprar um chapéu, para não se apresentar com essa rodilha de limpar panelas, que até encalistra a quem se dá com o senhor?!

— É exato... é exato — dizia o Coruja, envergonhado de si mesmo.

— Ora, pois! Isto é coisa! Gato ou raposa! Quanto a mim, digo-lhe com franqueza, ninguém me tira da cabeça que o senhor o que tem é por aí algum diabo de uma mulher que lhe come até à última!

O Coruja, ao ouvir isto, fez-se cor de sangue e balbuciou escandalizado:

— A senhora está enganada, Sra. D. Margarida!...

— Pois, então, se não é uma mulher que o está depenando, o senhor deu para jogador...

— Jogador! Eu?

— Sem dúvida!...

— Deve duvidar, sim, senhora! Eu nunca joguei!...

— Então deu para avarento!

— Se eu tivesse pecúlio ajuntado já não estaria solteiro.

— Pois então não sei! A verdade, porém, é que o senhor ganha e o dinheiro não aparece!...

E estas recriminações iam longe. Inesinha em compensação fazia justamente o contrário:

— Não se dê por achado, *seu* Miranda — dizia-lhe ela, sempre muito mole e muito por tudo — aquilo em mamãe é gênio...

— É que não me convém casar, sem a certeza de que nada faltará à minha mulher... — respondeu ele.

— Decerto...

— Acho que é um crime obrigar uma menina a sofrer necessidades.

— Decerto...

— Acho que ninguém tem o direito de oferecer-se para marido, enquanto não pode ser pai...

— Decerto...

— A senhora, se quiser esperar que eu melhore de condições, espere; se não pode, então o caso muda de figura.

— Eu estou por tudo, *seu* Miranda.

— Visto isso é preciso fazer com que sua mãe se deixe daquelas coisas...

— É gênio, coitada! Olhe, a mim nunca o senhor ouvirá dizer nada... O que tem de ser, traz força... Do que serve a gente se amofinar?... Consumições não adiantam nada...

E, como sempre, terminava com a sua invariável frase:

— Mais vale a nossa saúde...

O Coruja, todavia, mortificava-se deveras com a situação. Por coisa alguma ele seria capaz de confessar o verdadeiro motivo da sua penúria, e só a ideia de passar por um impostor aos olhos da velha era o bastante para lhe tirar todo o sossego do espírito. O fato de haver prometido casamento a uma rapariga e não ter certeza de poder cumprir honestamente com o prometido tomava naquela imaculada consciência as proporções de um crime monstruoso.

Vinham-lhe ímpetos, às vezes, de escrever uma carta a Margarida, dizendo que não contasse com ele e desse a filha a um outro que a desejasse; mas o Coruja ao lembrar-se disto já estava a ver defronte de si o tremendo vulto da velha, a gritar, com as mãos nas cadeiras:

— Então! Que é que eu dizia?! O homem esteve ou não esteve divertindo-se à nossa custa? É ou não é um impostor? Ora pois, isto tem jeito?... Enganar assim uma pobre rapariga, fazê-la perder o seu melhor tempo e depois virar-lhe as costas!

Além de que, sendo ele tão geralmente antipatizado e desquerido, prezava do fundo da alma aquela condescendente afeição de Inês, como um bem inesperado e singular que lhe viera quebrar o monótono abandono em que vivia. Posto que a sua extrema bondade o levasse constantemente a se esquecer de si mesmo para só cuidar dos outros, não podia ficar indiferente à vista daquele fato, que lhe enchia o coração com esta frase: — Eu também tenho uma mulher que me ama!

Amá-lo-ia?

Talvez não; mas o que para qualquer outro não passava de simples afabilidade vulgar e obrigada, para ele era a extrema manifestação da ternura feminil, tão habituado estava à indiferença e ao desamor dos seus semelhantes.

Para quem se acha nas trevas qualquer claridade que chega é um belo foco de luz.

Pela primeira vez julgou possível ter uma companheira ao lado de sua vida, e esta ideia o transportou de júbilo; ser bom para todos, indiferentemente, é um gozo, mas ser bom para quem nos retribui os sacrifícios com amor e carinhos, isso já é o que se chama a felicidade.

E amou-a, idolatrou-a com a alma ajoelhada, cheia de reconhecimento e respeito; amou-a como os crentes amam a Deus, pedindo que os não repila nunca do seu seio.

No casamento, entretanto, ele não via apenas o caminho mais curto para chegar à felicidade, via também um meio de dirigir e regular as suas qualidades morais, dando-lhes um objetivo; o casamento era por bem dizer o modo de reunir em uma só criatura a humanidade inteira, por quem o Coruja ter-se-ia dedicado se pudesse.

Ou quem sabe se ele, considerando a grandeza exagerada do seu coração, não queria dividi-lo com Inês, à semelhança de um milionário pródigo que, receoso de não poder sozinho gastar o seu tesouro, convida uma mulher para ajudá-lo?

Por conseguinte a ideia daquele amor, ao mesmo tempo que o consolava, o constrangia.

— Mas, que fazer?... — pensava. — Casar, sem dispor de meios para isso? — não! — Negar a Teobaldo o seu auxílio — nunca! Logo, o melhor e mais acertado era ir protelando o seu desígnio, até que chegasse a ocasião oportuna para realizá-lo condignamente.

Essa ocasião, porém, só chegaria com uma grande transformação na existência de Teobaldo.

André esperava que, de um momento para outro, o amigo encontrasse trabalho, modificasse os seus hábitos e endireitasse a vida. — O que mais o atrapalha, dizia consigo — são as mulheres!... Ele, coitado, não tem culpa, porque até lhes foge, como tenho já observado, mas as malditas não se lhe despregam nem à mão de Deus Padre! Não sei que diabo tem o rapaz para as enfeitiçar deste modo!... São bilhetes, recadinhos, visitas, uma verdadeira perseguição! Ah! se eu fosse assim querido!...

E aquelas duas criaturas, inteiramente opostas, invejavam-se em silêncio, não com essa inveja mesquinha que se transforma em raiva, mas nessa outra que produz admiração e respeito.

— Se eu fosse feliz como ele... — dizia cada um por sua vez, quando falava no outro.

E tinham-se ambos na mesma conta de infortunosos: um por ser desejado demais e o outro por bom em demasia.

Em demasia, está claro, porque o Coruja, naquela aberração, inculpada e santa, do seu amor pelos semelhantes, compadecia-se indistintamente de todo e qualquer desgraçado, fosse um faminto ou um assassino, um ladrão ou uma prostituta.

Uma noite, já tarde, trabalhava ele, como de costume, à sua secretária, quando ouviu um forte rumor na janela que dava para o telhado, e logo depois aparecer aí uma cabeça de homem, cujos olhos brilhavam como os do tigre.

Espantou-se, mas, tornando a si, disse com toda a calma:

— Entre.

Não era necessária semelhante permissão, porque o homem de olhos de tigre acabava de transpor a janela e deixava-se cair no soalho, ofegante e prostrado de fadiga.

— Deixe-me descansar primeiro — disse, quase sem poder articular as palavras — depois o senhor fará de mim o que entender!...

Só então o Coruja, correndo a uma das janelas da frente, deu pelo motim em que estava a rua. Aquele homem vinha naturalmente perseguido por soldados e talvez pelo povo; e, de telhado em telhado, conseguiria chegar até ali.

Pela atitude dos que se aglomeravam lá fora, compreendeu que ninguém desconfiava do destino do fugitivo, pois a atenção deles voltava-se para o telhado de uma outra casa, donde, a julgar pelas exclamações e pelas pedradas que lançavam, esperavam sem dúvida ver surgir o perseguido.

— Bom — disse o Coruja — não sabem que você está aqui.

E fechou as janelas.

O sujeito vinha completamente esfarrapado, a ponto de se lhe perceber a carne das pernas e do tronco, cheia de contusões e esfoladelas que vertiam sangue.

Uma enorme cabeleira, hirsuta e destratada, cobria-lhe a cabeça e ligava-se-lhe às grandes barbas grisalhas, dando-lhe um aspecto terrível de facínora. Viam-se-lhe as palmas das mãos rasgadas e ensanguentadas, porque o desgraçado fizera talvez um quarto de légua de gatinhas pelos telhados.

De tão cansado que vinha não podia respirar sem abrir de todo a boca, a patentear a dentadura enegrecida de fumo e embaciada pelo álcool.

Logo que se achou menos convulso, volveu em torno os olhos, com o assombro de uma fera perseguida, e pediu um pouco d'água — por amor de Deus.

O Coruja, que estava a contemplá-lo silenciosamente, foi buscar uma bilha cheia e trouxe-lha, dizendo:

— Aqui tem, amigo.

Então o homem, tomando a bilha entre as mãos enormes e sangrentas, olhou-o espantado, luzindo nos seus grandes olhos, verdes e arregalados, uma expressão de terror e de pasmo.

— Beba — acrescentou o Coruja, batendo-lhe no ombro — não tenha medo, que aqui não será perseguido. Beba sem receio e descanse, que ao depois eu lhe darei de comer, se você tem fome.

Ao ouvir isto, o homem, que nesse instante acabava de despejar de um trago a bilha inteira, começou a fitar o Coruja e a rir apalermadamente.

Este arrastou para junto dele uma poltrona que havia no quarto, e disse-lhe com um gesto que se assentasse.

Não se ergueu o foragido e, cada vez mais admirado, engatinhou-se para a poltrona e ia assentar-se nela, olhando de esguelha para o Coruja, quando um rumor no corredor fê-lo dar um salto e, de mãos abertas, os dedos espetados, os olhos com a mesma primeira expressão da janela, regougou assombrado:

— Quem é?! Quem é?!

E precipitou-se para um dos cantos do quarto.

— Não é nada — volveu o Coruja. — Talvez algum vizinho que se recolhe. Pode ficar tranquilo que aqui não lhe acontecerá mal de espécie alguma. Vamos, assente-se e descanse.

Para melhor o tranquilizar, foi à porta da entrada e fechou-a por dentro, a chave. Depois, ao voltar de fazer isto, foi que notou deveras a estranha figura do seu protegido.

Este agora, de pé, com a sua grande cabeleira caída sobre os olhos, estava medonho. Era de enorme estatura, magro, mas vigoroso; peito cabeludo e punhos grossos, que pareciam raízes de árvore.

O Coruja sentiu-se pequeno defronte daquele colosso. Foi quase intimidado que se aproximou dele novamente, para lhe repetir que se assentasse.

O homem acompanhava-lhe todos os movimentos sempre com o mesmo desconfiado espanto. André foi ao interior da casa, andou por lá remexendo nos armários e voltou afinal com uma travessa de carne assada e um pão.

Pôs isto sobre uma mesinha, que ele mesmo desocupou para esse fim, foi ainda buscar lá dentro uma garrafa de vinho e disse ao hóspede:

— Coma.

O foragido, sem deixar de lhe acompanhar os menores movimentos, encaminhou-se logo para a mesa e ia lançar-se sofregamente sobre a comida, quando uma explosão de soluços lhe tomou a garganta; e, escondendo a carranca nas suas mãos enormes, ele soluçava com tal ímpeto, que o corpo todo se lhe sacudia nos arrancos do choro.

Coruja não deu palavra, deixou o homem chorar à vontade e pôs-se a fingir que lia um livro junto à secretária; depois foi fazer café.

Passada a crise das lágrimas, o desgraçado principiou a comer, a comer muito, como quem traz uma velha fome de muitos dias. Deixou os pratos limpos e a garrafa enxuta.

— Sente-se agora melhor? — perguntou o rapaz.

O outro tomou-lhe a mão e beijou-lha, enquanto dois fios grossos lhe escorriam dos olhos pela aspereza das barbas.

— Está pronto o café — disse Coruja indo buscar a máquina e enchendo duas xícaras.

— Nisto eu lhe faço companhia.

E, depois de lhe passar uma delas:

— O senhor talvez esteja habituado a fumar...

O hóspede fez um gesto afirmativo e ele apressou-se a ir buscar um dos charutos que comprara para Teobaldo.

Durante o café conversaram. O homem declarou que era muito desgraçado: fora trabalhador, tinha o ofício de ferreiro, mas estava preso havia mais de três anos e só agora conseguira fugir, depois de frustradas tentativas, que só lhe renderam novas penas e novos castigos.

— Por que o prenderam?

— Porque eu matei minha mulher. Havia muito tempo que andava desconfiado dela, um dia escondi-me, vi entrar um homem no meu quarto e, quando a descarada apareceu para se deitar com ele, meti-lhe uma faca na barriga!

— E o sujeito?

— O sujeito ficou atrapalhado, atirou-se, sem saber o que fazia, por uma janela e foi cair embaixo, meio morto. Um diabo de um vizinho que eu tinha foi quem me entregou à polícia. Fui preso na mesma ocasião.

— E agora, você o que tenciona fazer?

— Não sei. Dizem que o Brasil vai ter guerra com o Paraguai, eu marcharei para a guerra. Fugi, porque todos os dias pensava em fugir e afinal apareceu uma ocasião. Anteontem, às Ave-Marias, o carcereiro foi à minha célula buscar como de costume a tigela em que ele dá comida à gente; mas, em bem o cabra não se tinha abaixado para a apanhar, ficou mais roxo que uma berinjela e caiu de focinheira no chão, sem tugir, nem mugir. Eu peguei-lhe assim pelo braço e vi que o bruto estava mole; então saquei-lhe fora esta farda, que é a que eles lá usam, vesti as calças do bicho, pus o boné na cabeça, e por aqui é o caminho! Mas um diabo de um guarda desconfiou da marosca e eu — Pernas pra que te quero! Foi o meu mal! Abri pelo corredor, ganhei a rua, mas o demônio do guarda atrás. Enfiei pela primeira porta que encontrei, era a casa de uma quitandeira, varei até o quintal, havia um muro, saltei-o, estava em um cortiço, havia um cercado, atravessei-o nem sei como, e vi-

-me de repente em um curral; havia um telheiro, trepei-me para ele e daí passei a um telhado mais alto. Atravessei quatro ou cinco telhados, correndo como um gato e em risco de me levar o diabo a cada instante! Afinal ouvi gritar na rua: "Ali está ele!" E vi seis soldados que escoravam a casa. Então, segurei-me a uma goteira, desci, pilhei-me em outro telhado e deste passei adiante; mas os policiais me acompanharam da rua, apitando, cercando os quarteirões, entrando pelas casas e, quando eu dei fé, havia povo por toda a parte, nas chaminés, nas árvores, nos muros, e atiravam-me pedras e pedaços de pau, enquanto outros se divertiam com a minha pelotica! Já estava para ser agarrado, porque não tinha mais forças e via-me cercado, quando por um acaso do céu escorreguei pelo telhado dessa casa que fica aí ao pé e vim ter àquela janela por onde entrei!

O assassino tomou fôlego e acrescentou depois, mudando de tom:

— Quis Deus que eu encontrasse uma alma boa; aqui estou e não me vexo de dizer a verdade. Vossemecê pode agora fazer de mim o que entender; não lhe fico querendo mal por isso!

— Pode ir em paz — respondeu o Coruja — mas, se quiser ouvir o meu conselho, espere um pouco, não saia já. Olhe, ali tem uma bacia com água; lave-se, que você está sujo de sangue; depois tire essa roupa que o compromete, e vista a que lhe vou dar. Naquele toucador há pente, escova e óleo para o cabelo; arranje-se, durma um pouco e depois então saia. Para a sua viagem não lhe posso dar muito, mas aqui tem cinco mil-réis.

— Vossemecê algum dia foi criminoso? — perguntou o assassino.

— Criminosos somos todos nós — respondeu o Coruja.

— Mas nunca matou ninguém?

— Creio que não.

— Deus o conserve assim, moço!

O assassino lavou-se e vestiu uma roupa do Caetano e, depois de guardar o dinheiro que lhe dera André, beijou as mãos deste e saiu.

— Olhe — disse-lhe o rapaz que o fora acompanhar até à escada. — Faça por ser bom e, quando precisar de qualquer coisa, apareça. Adeus.

16

Na manhã seguinte, em que Teobaldo encarregou de despachar Ernestina ao Coruja, viu-se este em sérios embaraços.

Que diabo havia ele de dizer àquela mulher?... Contudo era urgente tomar uma resolução, porque as coisas não podiam continuar pelo jeito que levavam...

A rapariga, mal calculou pelo exórdio onde chegaria o sermão de André, ergueu-se do lugar em que estava, avançou contra ele de punhos fechados e gritou-lhe sobre o nariz:

— Bem desconfiava eu! Você mesmo é quem me anda intrigando com o outro, seu cara do diabo! Desconfiei, e eu, quando desconfio, não me engano!

— Não diga assim...

— Peste! Um bicho feio, que parece estar sempre a maquinar maldades!

— As aparências muita vez enganam...

— Qual! enganam o quê? Pensam e conversam lá o que bem entendem a meu respeito e depois vem este basbaque me atenazar os ouvidos: "Porque a senhora deve convir, porque a senhora deve perceber que isto prejudica Teobaldo!" Prejudicar em quê?! Eu porventura exijo dele alguma coisa?! Já alguma vez lhe pedi dinheiro?! Vocês falam de boca cheia! Onde iriam descobrir uma rapariga de minha idade, jeitosa como eu sou e que nada mais pede do que um pouco de delicadeza! Brutos! Ainda por cima se queixam, como se eu lhes desse prejuízos!

— Desculpe, mas dá...

— Prejuízo? Em quê? Recebo porventura alguma coisa das mãos dele? Exijo algum sacrifício?

— Não, mas perturba...

— Perturbo? Como?

— Perturba a vida de Teobaldo. Olhe, enquanto a senhora estiver aqui, ele não voltará à casa e, como sabe, isto é já um sério transtorno para quem precisa cuidar do futuro...

— Qual! Ele se não vem para casa, é porque anda lá por fora na pândega! Encontra por lá em que se divertir!

— Juro-lhe que se engana...

— A mim não embaçam!

— E ninguém pensa em tal; a senhora é que procura iludir-se; já devia ter percebido que Teobaldo não está agora em circunstâncias de a tomar a seu cargo...

— Porque tem outras!

— Não sei; isso é lá com ele.

— É um ingrato!

— Pode ser.

— Um cínico!

— Não acho.

— Você é tão bom como ele!

— Quem me dera.

— Uma corja, ambos!

— São opiniões!

— Dois imbecis

— Talvez...

— Dois idiotas!

O Coruja não replicou mais e pôs-se a passear ao comprido do quarto, muito aborrecido com o insucesso das suas palavras.

Depois, tendo ido e revindo mais de vinte vezes, voltou-se de novo para Ernestina:

— Mas a senhora por que não se vai embora? É muito melhor... Em casa nada lhe falta, tem tudo! Vá! deixe em paz o meu amigo...

— Não deixo!

— Mas isso não é justo... Que interesse tem a senhora em fazer semelhante coisa?...

— Não sei! Ele é o homem que eu amo, acabou-se!

— E que culpa tem ele disso, coitado?

— Não sei. Amo-o!

— Pois não o ame...

— Não posso.

— Ou, se o ama, não queira fazer-lhe mal.

— Ele que não faça a mim!

— Ele? ele não lhe faz mal.

— Como não? Pois o senhor ainda acha pouco? Pois então eu desço da minha dignidade e venho procurá-lo aqui; ponho-me aos pés dele, declaro que estou disposta a ser sua escrava, se ele me tratar com carinho, e a única resposta que recebo é um coice?

— Coice!

— Decerto; quando um homem faz com uma mulher o que Teobaldo fez comigo, dá coices!

— Mas, perdão, minha senhora, Teobaldo falou-lhe com toda a franqueza. A senhora apresentou-lhe um contrato, não é verdade? Pois bem, ele não o aceitou. A senhora é que faz mal em, no lugar de retirar-se dignamente, ficar aí dias inteiros e fazer o que tem feito...

— Não saio! Pode dizer o que quiser, é inútil; não saio!

— Mas há de convir que com isso pratica uma arbitrariedade. Teobaldo não lhe deve nada...

— Deve-me tudo! Deve-me dedicação e amor!

— Mas os sermões, quando não são encomendados...

Nisto, o diálogo foi interrompido pelo barulho de um carro que parava à porta da rua. E logo em seguida ouviram-se ligeiros passos no corredor e uma voz de mulher, que gritava:

— O Teobaldo ainda mora aqui?

Coruja correu na direção da voz, enquanto Ernestina se instalava na poltrona, afetando ares de dona de casa, e dizia com todo o desembaraço:

— Entre, quem é.

Leonília apareceu à porta do quarto, hesitante, olhou em torno de si, como quem receia haver-se enganado:

— Desculpe, mas supunha que ainda morava aqui um rapaz que procuro...

— Teobaldo?

— Justamente.

— É aqui mesmo — respondeu Ernestina. — Que deseja dele?

— Desejo falar-lhe. A senhora vem a ser...

— O que não é de sua conta. Se tem algum recado a deixar, eu me encarrego de transmiti-lo a Teobaldo.

— A senhora então é a mulher dele?... — perguntou Leonília, cuja impaciência principiava a denunciar-se.

— Não, não é! — apressou-se a afirmar o Coruja, que parecia muito aflito com a situação. — Não é mulher dele, não senhora.

— Quando digo — mulher — quero dizer — amante. Sei que ele não é casado...

— Também não é amante... — respondeu aquele, a despeito dos olhares que lhe lançava Ernestina.

— É talvez uma criada...

A outra, então não resistiu mais, e veio colocar-se defronte de Leonília, a medi-la de alto a baixo, como se quisesse fulminá-la com os olhos.

A cortesã soltou uma risada.

— Também não é criada?... — disse. — Então que diabo é?... Ah! já sei... talvez alguma parente da província!

— Não, não — respondeu André.

— Será simplesmente uma amiga? — perguntou ainda Leonília.

— Previno-a — acudiu a outra, — de que não admito debiques para o meu lado!

— Não, filha, eu apenas desejo saber a quem tenho de confiar o que trago para Teobaldo. Encontrei a senhora aqui, com ares de dona de casa, pergunto-lhe muito naturalmente se é mulher dele, ou amante, ou parente, ou quando menos uma criada, e a senhora fica dessa forma e parece que me quer comer viva! Se alguém deve estar aborrecida sou eu, porque, no fim de contas, venho fazer uma visita e, das duas uma: ou a senhora representa a dona da casa e neste caso devia ser mais cortês, ou não representa coisa alguma e por conseguinte devia ser menos intrometida...

— Isso é desaforo!

— Será, mas é um desaforo justo e merecido; quanto à decepção que acabo de sofrer, não é com a senhora que me avenho, pois nem a conheço, mas sim com Teobaldo, que me ofereceu a casa e é o único responsável por esta sensaboria.

Mal acabava Leonília estas palavras, quando se ouviu parar na rua um tílburi, e logo no corredor os passos de Teobaldo.

— E ele aí está — acrescentou ela, dirigindo-se para a porta da sala, o que fez com que o Coruja não tivesse tempo de prevenir o amigo.

— Olá! — exclamou este, vendo Leonília. — Por aqui! Supunha-te longe, já em viagem para a Europa!

Mas o seu bom humor transformou-se em tédio logo que ele deu com a figura enfurecida de Ernestina que, a um canto do quarto, parecia colada à poltrona por uma tremenda raiva. E, como em resposta à presença dela:

— Não tive remédio senão vir à casa, porque tenho de ir hoje a uma *soirée* com o Aguiar.

— Sim, sim — respondeu Leonília — antes, porém de mais nada, dize-me quem é aquela senhora e qual é aqui a sua posição.

Teobaldo, parado em meio da sala, de pernas abertas, começou a coçar a cabeça, sem encontrar uma resposta. Por esse tempo, o Coruja, que não podia ver ninguém na situação em que estava Ernestina, aproximou-se da outra e disse:

— Aquela senhora está aqui por minha causa...

— Você não se enxerga! — exclamou a mal-agradecida, sem compreender a intenção benévola do moço. — Estar aqui por causa dele! Olha que pretensão! Verdade é que...

— Basta! — interrompeu Teobaldo. E, voltando-se para a outra: — Ela está aqui por mim.

— É tua amante? — perguntou Leonília.

— Não.

— Tua parenta?

— Também não. É uma amiga e veio a meu convite passar aqui alguns dias.

Cavalheiro, como sempre, não quis, dizendo a verdade, cobrir de ridículo uma pobre mulher, cujo crime único era amá-lo até à impertinência; Leonília, porém, que não estudara pelo mesmo código de civilidade, já não pensava desse modo e acrescentou com ironia:

— Ah! Veio a tomar ares... Estimo que aproveite isso, mas é bom que lhe recomendes seja um pouco mais cortês com as pessoas que te procuram...

— Deixa-te disso! — repreendeu Teobaldo.

— Não — insistiu Leonília. — Que tu protejas aquela mulher compreende-se, porque só tens recebido de suas mãos protestos e mais protestos de amor; eu, porém, não estou no mesmo caso, dela só recebi as mais significativas provas de grosseria e de atrevimento.

— Sim, sim, mas acabemos com isto! — replicou Teobaldo.

Ernestina ergueu-se e foi ter com ele:

— Exijo que repilas aquele insulto.

— Ora!

— Não repeles?

— Ninguém aqui te insultou, filha!

— És tão bom como ela!

— Mau!

— És um infame!

— Pior!

— És um miserável!

— Cale-se!

— Colocar-me nesta posição ridícula...

— Olhe que me faz perder a paciência!...

— Pensei que estivesse na casa de um cavalheiro e vejo que me sucede justamente o contrário!...

— Ah! o meu procedimento é imperdoável, não há dúvida!

— Com certeza! Um homem que se preza não coloca uma mulher nesta posição!...

— Ah! Insiste? Além de impertinente é atrevida? Pois então ouça: A senhora, se se acha nesta posição, é porque assim o quis; eu, há três dias, que emprego todos os meios e modos para a afastar de mim, e a senhora cada vez mais a agarrar-se-me que nem uma ostra! E fique sabendo agora que, se não fossem os meus escrúpulos de homem delicado, há muito que a teria enxotado daqui ou encarregado alguém de despejá-la lá fora!

Ernestina ouviu tudo isto sem um gesto, nem um movimento. Quando Teobaldo acabou estava mais lívida que um defunto e os lábios tremiam-lhe tanto quanto lhe arfava o peito; a outra ainda mais lhe aumentava a agonia lançando-lhe olhares de desprezo.

— Coitada! — disse afinal Leonília.

Ernestina deu um arranco na direção do quarto, naturalmente com a intenção de preparar-se para sair, mas em meio do caminho cambaleou e, soltando um grito agudo, desfaleceu nos braços do Coruja, que a acudira de pronto.

— Agora, entram os nervos em cena!... — observou Leonília em ar de caçoada.

Coruja conduziu a desfalecida para a cama de Teobaldo, enquanto este, bufando de impaciência, andava de um lado para o outro da sala, muito agitado, as mãos nas algibeiras, o olhar carrancudo.

— Que maçada! — resmungava de vez em quando. Que maçada!

— É pô-la na rua! — aconselhou Leonília.

— Ora, deixe-me você também! — respondeu ele furioso.

— Recebeste a minha carta?

— Recebi.

— Não ficaste zangado?

— Não.

— E é dessa forma que me amas?

— É.

— Pois olha que eu não sou como aquela desgraçada, sabes?

Teobaldo sacudiu os ombros com indiferença.

— Confesso que te havia escrito uma outra carta, mas não quis dar-te o gostinho de recebê-la.

— E eu a encontrei no teu quarto, dentro de um livro.

— Pois leste?...

— Sim, e afianço-te que ela me causou ainda pior efeito que a outra, a cínica.

— Isso quer dizer...

— Que estimei a notícia da tua viagem.

— Obrigada — exclamou Leonília. — Não devia esperar outra coisa de ti! És um miserável! Ah! mas descansa que não te perseguirei!

E, rabanando a cauda do vestido, saiu como um raio.

— Passe bem! — disse Teobaldo, sem lhe voltar o rosto, e continuou a passear de um para o outro lado da sala, gesticulando enfurecido a cada grito histérico que partia da sua alcova.

— Sabino! — gritou ele.

Apareceu o velho Caetano:

— Vossemecê que deseja?

— O Sabino?

— Ainda não voltou.

— Quero o fato de casaca e o sobretudo; mas isso com pressa! Não posso me demorar neste inferno! Que delicioso domingo!

Os gritos de Ernestina repetiam-se.

— E de mais a mais aquela música!... — pensava o rapaz a morder os beiços. — Ah! mas tudo isto há de endireitar agora por uma vez ou eu não serei quem sou!...

O Coruja surgiu à porta do quarto para dizer muito aflito:

— Teobaldo! ó Teobaldo! Vê esta mulher, que está perigosa, coitada!

— Que a leve o diabo! não fosse idiota!

O outro lançou-lhe um olhar de censura.

— Isso passa... — disse aquele como para se justificar. — Um simples ataque de nervos...

E, vestindo a roupa que lhe trouxe Caetano: — Não tenhas receio, ela voltará a si...

— É que parece que lhe falta o ar...

— Desaperta-lhe o colete...

— Eu?... — perguntou o Coruja enrubescendo.

— Isso é o que devias ter feito logo.

E, apressando o laço da sua gravata branca, foi ter com Ernestina, desabotoou-lhe o vestido, desatacou-lhe o colete e, depois de a sacudir duas vezes, deixou-a cair de novo sobre a cama.

— Não é nada... — disse ele — olha, põe-lhe mais água-de-colônia na cabeça e dá-lhe a cheirar daquele frasquinho que está sobre a mesa.

Coruja obedeceu e ele voltou à sala para acabar a sua *toilette*.

Já pronto, o sobretudo no braço, um charuto ao canto da boca:

— Melhorou?

— Está mais tranquila, creio que vai tornar a si...

— Bem. É preciso que eu saia antes que ela acorde. Despediste-a, como te recomendei?

— Sim, mas inutilmente, não houve meio de a convencer...

— Pois então, em voltando de todo a si, repete-lhe a ordem, e, se ela insistir, mudamo-nos amanhã mesmo...

— Amanhã?...

— Ah! É preciso acabar com isto uma vez por todas!... Quero saber se vim ao mundo só para servir de divertimento a estas senhoras!... Que horas são?

— Devem ser quatro.

— Bom! Ó Caetano!

— Meu senhor.

— Vê se o tílburi ainda está aí embaixo.

E, muito elegante na sua casaca, disse ao Coruja, batendo-lhe no ombro:

— Até logo. Janto com o Aguiar e depois vou a uma *soirée*, na casa de um tio que ele tem em Botafogo. Adeus, não te descuides da Ernestina.

E saiu.

17

O Aguiar morava lá para Mata-cavalos, em casa própria, e tão caprichoso era com esta quanto com a sua própria pessoa.

Aquelas pequenas salas forradas de fresco, mobiliadas com certo esmero, enfeitadas de quadros e cortinas, diziam admiravelmente com o tipo do dono.

Orçava ele então pelos vinte e oito anos e parecia mais bem disposto que nunca. Bonito, mas antipático, tinha uma dessas caras gordas, bem barbeadas, sem rugas nem espinhas, bigode curto e retorcido à força, queixo redondo, olhos pequenos e vivos, nariz grosso, testa muito estreita e magníficos cabelos.

Não era muito gordo, nem tampouco muito magro; não era alto, mas igualmente ninguém podia dizer que era baixo, e vestia-se com inalterável apuro, chegando a fazer disso uma preocupação.

Era um luxo a roupa branca que ele usava durante o trabalho; gostava das calças de brim engomado e trazia sempre boas pedras de valor no peito da camisa e nos dedos.

Aguiar pertencia ao comércio tanto por gosto como pelas circunstâncias em que nascera; destinado para isso desde o berço por seu pai, um rico negociante português, dera os primeiros passos entre o Razão e o Caixa e criara os primeiros cabelos da barba em Londres, para onde o enviara aquele a praticar em velhas casas comerciais.

Não chegara a conhecer a mãe, porque esta morrera pouco depois de o dar à luz; só tornou ao Brasil com a notícia do falecimento de seu pai, cujo lugar no comércio preencheu logo.

Foi então que Teobaldo se relacionou com ele, por acaso, em um baile de máscaras no Pedro II. O filho do barão, que nesse tempo era ainda um bom gastador, fascinou-o de pronto com as suas maneiras fidalgas e muito mais distintas que as dele; dentro em pouco haviam-se feito companheiros inseparáveis de pândega; quase sempre ceavam juntos, gastavam com a mesma largueza, conheciam as mesmas mulheres e, muita vez, jogavam ao lado um do outro nas tavolagens da época.

As desastrosas circunstâncias a que ao depois se viu Teobaldo reduzido, separaram-nos por algum tempo, mas não de todo; e, agora, aquele convite para a casa do comendador Rodrigues e as confidências que o precederam, como que os ligavam de novo e mais estreitamente.

O comendador era tio do Aguiar por parte de pai; velhote de seis palmos de altura, forte e nervoso, coração bom, mas de gênio irascível e fulminante.

O sobrinho dizia a rir que ele, se lhe chegassem um charuto aceso à ponta do nariz, estourava.

Viera muito pequeno de Portugal em companhia do irmão; fora tropeiro durante uns vinte anos em São Paulo e Minas; depois estabeleceu-se na Mata, negociou forte e veio afinal, já velho, a levantar a sua tenda no Rio de Janeiro. Da sua paixão pela política apenas lhe restavam as recordações de quarenta e dois, ano em que se batera pela revolução de Minas, saindo ferido de uma pequena escaramuça na ponte de Santa Luzia; contava este fato a toda a gente e sempre com o mesmo entusiasmo.

Era viúvo; tivera três filhas, das quais apenas uma lhe restava, Branca; um mimo de quinze anos, a formosa tirana para quem o Aguiar pedia versos ao amigo e em honra da qual se afestoava agora o velho casarão do comendador.

Teobaldo chegou às cinco horas a Mata-cavalos, ainda muito impressionado pelas contrariedades desse dia.

— Ah! mas desta vez creio ter conseguido endireitar a vida!... — disse ele logo que entrou em conversa com o dono da casa.

E pôs-se a contar o ocorrido a respeito de Leonília e Ernestina.

— Tomara eu as tuas desgraças... — respondeu aquele disposto a falar dos próprios amores.

Teobaldo não lhe deu licença para isso e continuou a tratar de si, até à ocasião de irem ambos para a mesa.

Aguiar, que não era dos mais pecos em questões culinárias, caprichou no jantar que ofereceu ao amigo, e, à prova do terceiro vinho, já os dois lamentavam intimamente não dispor de mais segredos para os confiar um ao outro.

Teobaldo pediu novas informações a respeito de Branca.

— Ah! — fez o negociante, meneando a cabeça com os olhos fechados — vais ver o que é uma criatura perfeitamente adorável. Bela, inteligente, distinta, espirituosa, tudo o que há de bom, que há de puro e que há de mais sedutor no mundo! Uma obra-prima! Ah! que se ela sentisse por mim a metade do que eu sinto por ela!...

— É não desanimar, filho! Deixa correr o tempo; não acredito que uma menina aos quinze anos resista a todo esse amor!

— Não sei; ela é de uma tal frieza para comigo...

— Talvez aparente... Não conheces as mulheres... foi para elas que se inventou o provérbio "Quem desdenha quer comprar".

— Em todo o caso não desanimarei sem ter esgotado até o último recurso.

— Está claro! E teu tio? que tal é?

— Um tipo, mas belo homem... Vais gostar dele. Fala-lhe na revolução mineira...

— Aquela casa pertence-lhe, ou é alugada?

— A casa em que ele mora? Pertence-lhe, e, como essa, mais duas lá mesmo em Botafogo.

— E ele vive só com a filha?

— Não; tem mais uma pessoa em casa: Mme. de Nangis.

— Mme. de Nangis?... Quem vem a ser?...

— É uma professora francesa, a quem meu tio encarregou da educação de Branca.

— Ah!... E é velha?

— Meia-idade...

— Bonita?

— Não é feia.

— Mora lá há muito tempo?

— Há mais de oito anos.

— E não dizem nada a respeito dela com teu tio?

— Não, porque já disseram tudo o que podiam dizer.

— Com razão?

— Sei cá; é de supor que sim...

— Nunca percebeste nada entre eles?

— Nem pretendo.

— Por conveniência...

— Não.

— Então por quê?

— Ora! Que diabo me interessa isso?...

— É boa! Pois não tencionas casar com tua prima?...

— Sim, mas minha prima nada tem que ver com Mme. de Nangis...

Teobaldo sacudiu os ombros em sinal de desaprovação.

— E ela que tal é? simpática? — perguntou depois.

— Quem? A professora? É: toca piano admiravelmente e dizem que tem espírito.

— Dizem?

— Sim; eu ainda não dei por isso.

— É instruída?
— Tanto como qualquer pretensiosa.
— Amável?
— Tanto quanto é instruída.
— Parece que não morres de amor por ela...
— Enganas-te; Mme. de Nangis protege o meu casamento.
— Ah! E só por isso é que a estimas?...
— Por isso e pela grande influência que ela tem sobre meu tio.
— Então é exato o que disseram a respeito deles...
— Homem, a coisa vem desde os últimos tempos de minha tia...
— E por que o velho não se casa agora com a professora?
— Por uma razão muito simples: Mme. de Nangis é casada...
— Casada? E o marido?
— Está em Paris.
— Ah!...
— E a graça é que ela lhe dá uma pensão.
— À custa do comendador?
— À custa do comendador é um modo de dizer, porque o que é dele é dela...
— Ah! a coisa chegou a esse ponto?
— Ora!

* * *

Às dez da noite apearam-se os dois rapazes à porta do comendador Rodrigues de Aguiar.

Casa antiga, de aparência muito feia, mas com um belo interior. Teobaldo, ao primeiro passo que deu de portas adentro, notou logo em tudo uma certa felicidade de escolha, uma bem-educada sobriedade nos objetos de luxo; percebeu que não entrava em uma dessas casas burguesas em que a gente se fatiga só com olhar para os móveis e donde se sai com a alma atordoada e cheia de tédio.

Ele, que havia muito não entrava em uma sala dessa ordem, sentiu despertar dentro de si todo o seu passado adormecido, e, como a planta desterrada que ia amortecendo ao ar livre e logo se endireita quando a recolhem à tepidez da estufa, assim ele se fez o que era dantes ao lado da família.

Ali, Teobaldo achou-se perfeitamente bem; estava no seu elemento.

Flor amimada e crescida entre carinhos, era, quando se achava nas ruas, nos cafés ou nas casas de trabalho, uma criatura deslocada e nostálgica. Para o seu completo bem-estar e para o seu bom humor tornava-se indispensável aquele perfume de riqueza, aquele meio aveludado e fino.

O amigo apresentou-o ao tio, e os três conversaram por longo tempo ao fundo de uma saleta, onde se jogava.

É inútil dizer que o filho do Barão do Palmar, insinuante como era, cativou logo as simpatias do velho, principalmente depois que lhe falou de Minas e do papel que seu pai representara na revolução. Aprovou muito o projetado casamento do amigo com Branca e terminou desfazendo-se em elogios ao bom gosto e à distinção que presidiam àquelas salas.

— Não, quanto a isso — respondeu o velho — não aceito os seus cumprimentos, porque não devem ser dirigidos a mim; pertencem de direito a uma senhora que acompanha minha filha há oito anos, Mme. de Nangis. Daqui a pouco lhe serão ambas apresentadas. Se não fosse Mme. de Nangis...

E, como Branca passasse nesse momento pela sala próxima de braço com uma amiga, o comendador interrompeu o que dizia e correu ao encontro dela.

Teobaldo apressou-se a segui-lo.

— É esta — disse o velho.

E, voltando-se para a menina: — O Sr. Teobaldo Henrique de Albuquerque, filho de antigos conhecidos meus e amigo de teu primo Afonso, que teve a boa ideia de o trazer a esta casa.

Teobaldo vergou-se respeitosamente e declarou que estava encantado em ter feito conhecimento com pessoas tão distintas.

Em seguida o comendador deu-lhe o braço e levou-o até onde estava Mme. de Nangis.

Nova apresentação.

— Agora — disse o velho — está cumprido o meu dever e o senhor que trate de si; faça-se apresentar às amigas de minha filha. Com licença.

— Vai principiar o concerto — observou a professora aceitando o braço que lhe ofereceu Teobaldo — o senhor gosta de música?

— Apaixonadamente, minha senhora.

— Toca algum instrumento?

— Um pouco de piano.

— Quando tiver ocasião dar-nos-á muito prazer em se deixar ouvir.

— V. Exa. confunde-me...

E chegaram à sala próxima, onde duas rabecas, uma violeta e um violoncelo dispunham-se a executar uma serenata de Schubert.

Depois da serenata, Mme. de Nangis anunciou a Teobaldo que ia dançar uma quadrilha e perguntou se ele queria um par.

O rapaz respondeu que ficaria muito lisonjeado se ela própria o aceitasse para seu cavalheiro.

— Com muito gosto, mas fique sabendo que o senhor perde com a troca — replicou a professora.

Dentro de uma hora, Teobaldo era o objeto da curiosidade de todas as damas.

Seu tipo destacava-se naturalmente, sem o menor exagero de galanteria, sem frases pretensiosas, e sempre correto, elegantemente frio e de um distintíssimo comedimento nas palavras e nos gestos.

Branca foi o seu par nos Lanceiros; depois cedeu-lhe também uma valsa, terminada a qual puseram-se ambos a conversar.

— O senhor é que é o autor de uns versos, que saíram há poucos dias no jornal?

— Sim, minha senhora, mas como chegou V. Exa. a lembrar-se de semelhante coisa?

— É que meu primo me havia dito que eram de um amigo dele, creio até que chegou a citar o seu nome e, agora, vendo-os juntos...

— V. Exa. gosta de versos?

— Qual é a moça de minha idade que não gosta de poesia?... Ainda ontem meu pai trouxe-me o livro de Casimiro de Abreu. Conhece?

— Já li. Tem coisas admiráveis.

— Oh! É tão terno, tão apaixonado, que faz chorar.

E, mudando de tom:

— Sabe? Meu primo também é poeta...

— Ah! fez Teobaldo.

— Ofereceu-me hoje uma poesia. Quer ver?

Teobaldo bem podia dispensar a leitura, mas não quis prejudicar o outro e disse quando a terminou:

— Magnífico! Não sabia que o Aguiar tem tanto talento!

— Eu também não...

— Até aqui o apreciava somente pelas suas qualidades morais.

Branca não respondeu, porque neste momento uma senhora principiava a cantar ao piano.

Daí a pouco, a um canto da janela, perguntava Afonso ao amigo:

— Então, que tal achaste minha prima?

— Encantadora.

— Não é?!

— Adorável! Uma flor!

— Falou-te nos versos que lhe dei?

— É verdade, e eu tive de elogiá-los, para fazer não desconfiar que eram meus. Imagina em que estado não ficaria minha modéstia; qualifiquei-os de admiráveis!

— E, com efeito, são muito bons.

— Qual! Escrevi-os de afogadilho! Ah! mas se eu já a conhecesse, juro-te que sairiam inspirados!

— Pois reserva a inspiração para outra vez.

Não continuaram a conversa, porque Mme. de Nangis veio ter com Afonso e arrebatou-o, dizendo ao outro:

— Tenha paciência, roubo seu amigo por um instante!

Teobaldo ia também deixar a janela, quando a cortina desta se agitou e apareceu Branca.

— Ah! — fez ele — V. Exa. estava aí?

— Sim, o que foi muito bom, porque posso lhe agradecer os versos que o senhor me fez.

— Pois ouviu?

— Ouvi, mas foi sem querer... Que mal há nisso?

— Seu primo é que não ficará satisfeito...

— Se souber, mas que necessidade tem ele de saber?..

— Quer que eu não lhe diga nada?

— Decerto, e nem só isso, como desejo que meu primo não fique na primeira poesia e me ofereça muitas outras. Vou daqui direitinha dizer isso mesmo a ele próprio.

E, como para agradecer antecipadamente os versos de Teobaldo, estendeu-lhe a mão, que o moço apertou entre as suas, um tanto comovido.

Horas depois, os dois rapazes, já instalados nos seus sobretudos, metiam-se no carro e abandonavam a festa do comendador.

Pela viagem Teobaldo, a despeito do bom humor do companheiro, quase que não deu palavra; e, ao separarem-se, Afonso notou que o achava triste.

— Não é nada — respondeu o outro. — Adeus. Até mais ver!

E deixou-se cair para o fundo do *coupé*, respirando com alívio e murmurando entredentes:

— Adorável criança!

18

Enquanto Teobaldo dançava, ouvia música e conversava em casa do comendador Rodrigues de Aguiar, o pobre Coruja via-se em palpos de aranha com os nervos da Ernestina, cuja crise não fora tão passageira como afiançara aquele.

De mais a mais, o Caetano havia saído logo em seguida ao amo e nessa noite recolhera-se mais tarde que de costume; teve André por conseguinte de servir de enfermeiro à rapariga, sem licença de abandoná-la um só instante, porque as convulsões histéricas e os espasmos se repetiam nela quase que sem intermitência.

Foi uma noite de verdadeira luta para ambos; o rapaz, apesar da riqueza dos seus músculos, nem sempre lhe podia conter os ímpetos nervosos. A infeliz escabujava como um possesso; atirava-se fora da cama, rilhando os dentes, trincando os beiços e a língua, esfrangalhando as roupas, em um estrebuchamento que lançava por terra todos os objetos ao seu alcance. No fim de algumas horas o Coruja sentia o corpo mais moído do que se o tivessem maçado com uma boa carga de pau.

Além de que, a sua nenhuma convivência com mulheres e o seu natural acanhamento, mais penosa e crítica tornavam para ele aquela situação. Ernestina cingia-se-lhe ao corpo, peito a peito, enterrando-lhe as unhas na cerviz, mordendo--lhe os cabelos, refolgando-lhe com ânsia sobre o rosto, como em um supremo desespero de amor. E André, tonto e ofegante, sentia vertigens quando seus olhos topavam as trêmulas e agitadas carnes da histérica, completamente desvestidas nas alucinações do espasmo.

Às quatro horas da madrugada, quando Teobaldo chegou do baile, ele ainda estava de pé e a enferma parecia ter afinal sossegado e adormecido.

— Quê! — exclamou aquele. — Pois ainda trabalhas?

— Schit! Qual trabalho... — respondeu Coruja, pedindo silêncio com um gesto. — Passei a noite às voltas com a Ernestina... Ah! não imaginas... ataques sobre ataques!... Pobre rapariga! Não faças bulha... Creio que ela agora está dormindo...

— Impressionou-se naturalmente com o que eu lhe disse à tarde... Ora! não fosse importuna!

— Coitada!

— Bem — disse Teobaldo — mas recolhe-te ao quarto e trata de descansar; eu fico aqui. Vai.

— Mas não te deitas?

— Tenho ali aquele sofá; não te incomodes comigo. Vai para a cama, que deves estar caindo de cansaço. Adeus.

O Coruja notou que o amigo trazia qualquer preocupação.

— Sentes alguma coisa? — perguntou-lhe.

— Ao contrário: há muito tempo não me acho tão bem-disposto.

— Então boa-noite.

— Até amanhã.

Coruja recolheu-se ao quarto e o outro pôs-se a passear na sala, enquanto se despia; depois chegou à porta da alcova, encarou com um gesto de tédio o vulto prostrado de Ernestina e voltou logo o rosto, como se tivesse medo de acordá-la com o seu olhar.

Todo ele era só uma ideia: — a filha do comendador. Branca não lhe saía da imaginação; tinha ainda defronte dos olhos aquele sorriso que ela lhe deu à janela; sentia ainda entre as suas a sua trêmula mãozinha e nos ouvidos a música das últimas palavras que lhe ouviu.

— Adorável! adorável! — repetia ele.

E foi para a mesa em mangas de camisa e começou a escrever versos sentimentais.

Ouviam-se, no silêncio fresco da madrugada, o bater inalterável do relógio e os bufidos suspirados de Ernestina, que parecia dormir um sono de ébrio.

— Que mulher impertinente!... — considerou ele, atirando com a pena e deixando pender para trás a cabeça, a fitar o teto.

E pensou:

— Quando eu me lembro que a esta criatura nada falta — casa, rendimentos, criados, e que ela se vem meter aqui, possuída de esperanças injustificáveis... nem sei que juízo forme a seu respeito!... Será isto o verdadeiro amor?... Talvez, mas, se assim é, arrenego dele, porque não conheço coisa mais insuportável!... Ainda se ela não fosse tão desengraçada!... tão tola!... Mas, valha-me Deus! nunca vi mulher mais ridícula quando tem ciúmes; ainda não vi ninguém fazer cara tão feia para chorar!... Se ela fosse jeitosa ao menos; mas não tem gosto para nada, não sabe pôr um vestido, não sabe pôr um chapéu; e, em vez de endireitar com o tempo, parece que vai ficando cada vez mais estúpida! Não! Definitivamente é uma mulher impossível, apesar de toda a sua dedicação!

E, para se divertir, pôs-se a lembrar as asneiras dela. Ernestina não dizia nunca "eu fui", era "eu foi"; pronunciava "pãos", "razãos", "tostãos" e gostava muito de preceder com um "a" certos verbos, como divertir, divulgar, reunir, retirar e outros; como também não pronunciava as letras soltas no meio da palavra. "Obstáculo" em sua boca era "ostáculo", "obsta" era "osta" e assim por diante. E a respeito dos tempos do verbo? Se ela queria dizer "entremos", dizia "entramos" e vice-versa; perguntava — "tu fostes? — tu fizestes?" Uma calamidade!

Além disso, ultimamente dera para engordar, por tal forma que parecia ainda mais baixa e mais desairosa.

Não era feiazinha de rosto, isso não; mas em toda a sua fisionomia, como no resto, não se encontrava um só traço original, distinto, impressionável. Vestia-se, calçava-se e penteava-se como toda a gente, e só conversava a respeito de vulgaridades, sem ter nunca uma frase própria; rindo quando repetia uma pilhéria já muito estafada, e desconfiando sempre que lhe diziam qualquer coisa que ela não entendesse. Uma lesma!

E Teobaldo a fazer estas considerações; e ela lá dentro a ressonar, agitada de vez em quando pelo sonho; ora gemendo, ora articulando palavras incompletas e destacadas.

— O bonito será se ela adoece deveras aqui em casa!... — considerou ele. — Era só o que faltava!

E, notando que amanhecia, ergueu-se da mesa, lavou-se, mudou de roupa e tomou um cálice de *cognac*. Já de chapéu e de bengala, ia a sair, quando Ernestina se remexeu na cama, depois assentou-se e perguntou com a voz muito quebrada e fraca:

— És tu, Teobaldo?

— Que deseja? — interrogou ele secamente...

— Não te recolhes?

— Não, porque me tomaram a cama.

— Não sejas mau.

— Ora!

— Para que me tratas desse modo?... Estou tão incomodada, tão doente... Se soubesses como tenho sofrido!...

— Sofre por teima! A senhora podia perfeitamente estar em sua casa, feliz e tranquila...

— É exato; a culpa é minha. Que horas são?

— Amanhece.

— Quê? Pois já se passou a noite inteira? Ah! agora me recordo que estive sem sentidos...

— Adeus.

— Vais sair?

— Vou.

— Por que não te demoras um pouco? Faze-me um bocado de companhia...

— Não, filha, preciso sair. Adeus.

— Escuta: foste sempre ao baile?

— Fui.

— Divertiste-te muito?

— Sim.

— Namoraste?

— Adeus.

— Vem cá.

Ele se aproximou dela com má vontade.

— Acho-te tão aborrecido, meu amor; não me trates com essa indiferença...

— Se lhe parece!

— Quê?

— Que não devo estar aborrecido...

— Por minha causa?

— Naturalmente.

— Pois então vai-te embora, vai! Nunca mais te aborrecerei!

Teobaldo apertou-lhe a mão. Ela pediu-lhe um beijo, ele negou-lho e saiu cantarolando um trecho de ópera.

Logo que se perdeu no corredor a voz do moço, Ernestina ergueu-se e foi, amparando-se aos móveis e à parede, até à mesa, onde estavam, ao lado do candeeiro de petróleo ainda aceso, os versos há pouco escritos por Teobaldo. Leu-os, chorou e, assentando-se no lugar em que ele estivera, tomou da pena e lançou em uma folha de papel o seguinte, pouco mais ou menos:

Declaro que sou a única autora de minha morte e declaro também que reconheço por meu legítimo herdeiro o Sr. Teobaldo Henrique de Albuquerque, morador nesta casa. O meu testamento, no qual lego-lhe todos os meus bens, acha-se nas notas de tabelião Ramos.

Datou, assinou, pôs a folha de papel sobre a cômoda e, tornando à mesa, agarrou o candeeiro, desatarrachou-lhe a griseta, lançou esta para o lado sem lhe apagar a torcida e, julgando-se cheia de resolução, levou aos lábios o reservatório de querosene.

Mal, porém, encheu a boca com o primeiro trago fugiu-lhe a coragem de suicidar-se e, já arrependida de tal propósito, arrevessou de uma golfada sobre a mesa o venenoso líquido, que foi ter à torcida e logo se inflamou.

Ernestina, assustada com isto, arremessou nervosamente o candeeiro que tinha ainda nas mãos, e o petróleo derramou-se, inundando-a.

Então levantou-se uma grande chama que a envolveu toda. Ela soltou um grito e procurou ganhar a porta da sala; a chama recresceu com o deslocamento do ar.

A desgraçada conseguiu todavia chegar até onde estava André. O Coruja ergueu-se de pulo e viu, sem compreender logo, aquela enorme labareda irrequieta, que lhe percorria o quarto, a berrar desesperadamente.

Correu a socorrê-la; mas Ernestina acabava nesse momento de cair por terra, agonizante. Embalde ele procurava com os próprios punhos apagar-lhe as chamas do vestido.

Da sala até ali, por onde ela atravessara de carreira, viam-se na parede, de espaço a espaço, a forma de sua mão, desenhada com gordura derretida e pequenos pedaços de carne.

Três vizinhos haviam acudido do andar de baixo e procuraram esclarecer o fato; a carta, encontrada sobre a cômoda, tudo explicou. Em breve a casa encheu-se de gente do povo e empregados da polícia.

Puxou-se o sofá para o meio da sala e nele se depôs o corpo de Ernestina; não foi possível despi-lo totalmente dos farrapos que o cobriam, porque estes se tinham grudado às enormes feridas abertas pelo fogo. Toda ela, coitadinha, apresentava uma triste figura negra e esfolada em muitos pontos. Estava horrível; o cabelo desaparecera-lhe; os olhos eram duas orlas vermelhas e ensanguentadas; a boca, totalmente deslabiada, mostrava os dentes cerrados com desespero; e dos ouvidos sem orelhas e do nariz sem ventas escorria-lhe um líquido gorduroso e amarelento.

Um dos vizinhos, que era médico, passou logo o atestado de óbito e o Coruja tratou de dar as providências para o enterro.

Teobaldo, ao entrar da rua às três horas da tarde, parou, sem ânimo de penetrar na sala, e, muito lívido, perguntou ao companheiro:

— Que é isto? Ela morreu?...

— Matou-se.

E André, carregando com ele para o seu quarto, narrou-lhe minuciosamente o ocorrido e disse-lhe depois:

— E o seu herdeiro és tu.

— Eu!

— É exato. Deixou-te o que possuía, coitada!

E limpou as lágrimas.

— Diabo! — exclamou Teobaldo, soltando um murro na cabeça. — Diabo! Maldito seja eu!

O outro não queria consentir que ele visse o cadáver, mas Teobaldo repeliu-o e correu para junto de Ernestina. Atirou-se de joelhos ao lado dela e abriu a soluçar como um perdido.

— Desgraçado que eu sou! Desgraçado que eu sou!

E ergueu a cabeça para lhe dar um beijo na testa.

— Quem sabe — pensou ele, inundando-a de lágrimas — quem sabe se este mesmo beijo um pouco antes não teria te poupado à morte!... Criminoso que sou! Enquanto morrias aqui, abandonada e repelida por mim, que te não merecia; enquanto me lançavas com o teu último suspiro a tua bênção e o teu perdão, eu te amaldiçoava e maldizia o teu afeto, sem ao menos compreendê-lo!

Coruja veio arrancá-lo dali à força, e tão acabrunhado o achou depois do enterro que, para o consolar, lhe disse:

— Então, então, meu Teobaldo! O que está feito já não tem remédio! Nada lucras com ficar neste estado! Vamos! No fim de contas não tens culpa do que sucedeu!...

— Não é verdade, meu bom André? — volveu o outro, apoderando-se das mãos do Coruja. Não é verdade que não sou um assassino perverso?... Não é verdade que, se a matei...

— Oh! tu não a mataste!...

— Sim, matei-a! Sei perfeitamente que fui a causa de sua morte; mas eu também não podia adivinhar que a minha indiferença a levasse a tal extremo!

— Decerto, decerto!

— Ah! sou um desgraçado! sou um ente maldito! Todos me cercam de carinhos e bondades, eu só os retribuo com o mal e com a ingratidão! Reconheço que sou amado demais! Reconheço que nada mereço de ninguém, porque nada produzo em benefício de quem quer que seja! Deviam dar cabo de mim, como se faz com os animais daninhos!

— Enlouqueceste, Teobaldo! Estás a dizer tolices!

— Não! — replicou este — não! E em ti mesmo vejo a confirmação do que estou dizendo! És trabalhador, és perseverante, és digno de toda a felicidade, e, só por minha causa, não consegues ser feliz!

— Ao teu lado não posso ser infeliz, meu amigo.

— Ao meu lado és sempre tão desgraçado como eu! Ainda não conseguiste o teu casamento, ainda não conseguiste fazer o teu pecúlio, e tudo por quê?... Porque eu aqui estou! Já hoje não foste à tua obrigação; ontem gastaste o dia inteiro a cuidar desta pobre mulher que eu matei...

Coruja percebeu que eram inúteis as suas palavras de consolação, porque o desespero de Teobaldo estava ainda no período agudo, e, para distraí-lo, resolveu procurar casa no dia seguinte e tratar logo da mudança.

* * *

Aqueles fatos serviram para redobrar a irregularidade da vida de Teobaldo, porque vieram modificar as teorias deste sobre o amor da mulher e aqueceram-lhe durante algum tempo as algibeiras.

Foi por seu próprio pé à procura de Leonília que, não conseguindo realizar a premeditada viagem, havia tornado à existência primitiva e achava-se luxuosamente instalada como dantes. Contou-lhe todo o ocorrido e acabou pedindo-lhe perdão de se ter mostrado até aí tão indiferente e grosseiro também com ela.

A cortesã estranhou a visita, mas não menos a estimou por isso, abençoando instintivamente do fundo d'alma a morte da outra, que lhe restituía o amante.

Foi assim que Teobaldo voltou aos braços dela, entregando-se como por castigo, como para cumprir uma penitência, em honra à memória de Ernestina.

Todavia não se esqueceu de Branca; era esta a ideia verdadeiramente boa e consoladora de sua vida; era a sua doce estrela de esperanças, o grande lago azul onde o seu pensamento ia descansar, quando voltava desiludido dos prazeres ruidosos e prostrado pelo tédio da ociosidade.

Agora assistia à casa do comendador com mais frequência e, uma vez em que se achou a sós com Branca, tomou-lhe as mãos e disse-lhe:

— Ah! Se eu pudesse lhe falar com franqueza...

— Mas...

— Sei que não tenho esse direito: a senhora nunca me autorizou a tal; muito me custa, porém, esconder por mais tempo o meu segredo... Oh! É um desgosto tão grande... tão profundo...

— Um desgosto? creia que me penaliza essa notícia...

— Obrigado, no entanto...

— Mas, qual é o desgosto?

— Consente que lho confesse?

— Sim.

— Promete não ficar zangada comigo.

— Diga o que é.

— É o seu casamento.

— Com meu primo? Ora, isso ainda não está decidido.

— Mas estará em breve...

— Crê?

— É a vontade do comendador... e a senhora como filha dócil e obediente...

— Meu pai não seria capaz de casar-me contra a minha vontade...

— E é contra a sua vontade este casamento?

— O senhor já sabe que sim; mas não vejo onde esteja a causa do seu desgosto...

— É porque sou amigo de seu primo...

— E desejava vê-lo casado comigo?...

— Ao contrário, e por isso que me desgosto.

— E por que não deseja vê-lo casado comigo?

— Porque...

— Diga.

— Porque a amo.

Branca estremeceu toda e quis fugir.

— Ouça-me — acrescentou Teobaldo, segurando-a pelos braços. — Ouça e perdoe, minha doce esperança, minha vida! A senhora foi o meu bom anjo, foi a salvadora de minha alma; eu já me sentia perdido, gasto, morto; desde que a vi, reanimei-me como por encanto! Adoro-a, Branca, e basta uma palavra sua, uma única, para que eu seja o mais feliz ou o mais desgraçado dos homens!

— Cale-se, Teobaldo!

— Não! Quero que me responda!...

— Mas que lhe hei de eu dizer?...

— Diga-me se devo ou não ter esperanças de ser amado pela senhora.

Ela quis escapar-lhe de novo; ele não deixou.

— Vamos! Fale.

— Sim... — disse Branca afinal, corando muito e fugindo.

19

A vida de André ficou muito mais desafrontada depois da morte de Ernestina, graças ao magro legado que a infeliz deixara ao outro.

O bom rapaz principiou logo a pôr de parte algum dinheiro do que ganhava, para ver se podia afinal realizar o seu casamento; pois, a despeito das insistências do amigo, não houve meio de lhe fazer aceitar das mãos deste um só vintém.

— Não, não! — dizia. — Isso, nas condições em que te achas, mal chega para te equilibrares de novo! nada, meu amigo, é preciso que endireites a tua vida; que a ponhas em ordem e possas manter por algum tempo certa independência. Paga aos teus credores e não te preocupes comigo; deixa-me cá, deixa-me cá com os meus rapazes e trata de aplicar agora o que possuis melhor do que fizeste da outra vez! Isso é que é! Lembra-te das privações e dissabores por que passaste!...

Mas qual! Teobaldo, mal empolgou a herança, tornou à mesma ou pior vidinha que levara antes de empobrecer; não era homem para ficar quieto com dinheiro no bolso. Enquanto tivesse o que gastar, não pensaria noutra coisa; e dir-se-ia até que as suas provações dos últimos tempos, em vez de o corrigirem, serviram apenas de lhe estimular a febre da prodigalidade.

Quem o visse um ano depois não acreditaria que ali estava o desesperado herdeiro de Ernestina; que ali estava aquele mísero rapaz a quem, por castigo, o remorso e o arrependimento arrastaram de novo aos braços de Leonília. E, a julgar pelas aparências, tão proveitoso lhe fora o tal castigo, que Teobaldo acabara por esquecer totalmente a culpa.

Todo ele agora respirava júbilo, elegância e prosperidade; seus esplêndidos vinte e sete anos luziam por toda a parte. Também a época não podia ser melhor para isso: o Rio de Janeiro passava por uma transformação violenta, estava em guerra; e, enquanto as províncias se despiam para cobrir com os seus filhos os sertões paraguaios, o Alcazar erguia-se na rua da Vala e a opereta francesa invadia-nos de cabeleira postiça e perna nua.

Durante o dia ouvia-se o Hino Nacional acompanhando para bordo dos vasos de guerra os voluntários da pátria; à noite ouvia-se Offenbach.

E o nosso entusiasmo era um só para ambas as músicas.

A guerra tornava-nos conhecidos na Europa e uma nuvem de mulheres de todas as nacionalidades precipitava-se sobre o Brasil, que nem uma praga de gafanhotos sobre um cafezal; as estradas de ferro desenvolviam-se facilitando ao fazendeiro as suas visitas à corte e o dinheiro ganhado pelos escravos desfazia-se em camélias e *champagne*; abriam-se hotéis onde não podiam entrar famílias; multiplicavam-se os botequins e as casas de penhores. Redobrou a loteria e a roleta, correram-se os primeiros cavalos no Prado; surgiram impostos e mais impostos, e o ouro do Brasil transformou-se em papel-moeda e em fumaça de pólvora.

Teobaldo estava, pois, com o seu tempo; já demandando todas as noites o Alcazar dentro do seu *cabriolet*, que ele mesmo governava com muita graça; já percorrendo a cavalo as ruas da cidade em marcha inglesa; já servindo de juiz de raia no *Jockey Club* ou madrugando nas ceias do Raveaux ao lado das Vênus alcazarinas.

Entretanto, posto esquecesse a culpa, não se descuidava totalmente da sua penitência a respeito de Leonília e tinha para ela uma espécie de estima obrigatória, como a de alguns maridos pela competente esposa.

A cortesã, já então um pouco ofuscada pela concorrência estrangeira, resignava-se àquele meio amor, esperando, cheia de fé, que o seu amado haveria, mais cedo ou mais tarde, de recorrer aos braços dela como supremo recurso quando lhe chegasse a ele a saciedade ou quando se lhe esgotassem recursos para a peraltice.

— Aquela vidinha não podia durar muito e, uma vez comido o último vintém, não seria com as francesas que ele se havia de achar!

Com efeito, ainda não estava em meio o segundo ano da nova opulência de Teobaldo e já este começava de retrair-se da pândega, não para tornar fielmente a Leonília, mas torcendo para o lado de Branca, de cujo namoro se descuidara um pouco nos últimos tempos.

E ao sentir murcharem-lhe de todo as algibeiras, veio-lhe uma ardente febre de liquidar quanto antes aquele casamento, que passava a ser de novo para ele o extremo porto de salvação. Aguiar, porém, que não desistia uma polegada de suas pretensões sobre a prima, deu logo por isso, pôs-se de sobreaviso, estudou-os a ambos e afinal, sem mais se poder conter, interrogou abertamente a menina, de uma vez em que a pilhou de jeito.

Branca respondeu que não reconhecia nele direito algum que o autorizasse a fazer semelhante interrogatório e, depois de muito instigada pelo primo, confessou que votava ao Sr. Teobaldo particular afeição e que estaria disposta a casar-se com ele, no caso que ele a desejasse.

— Com que a senhora o aceitaria para marido?

— A ter de escolher...

— Escolhia-o...

— É exato.

— Quer dizer que o ama!...

— Não sei o que é o amor; apenas reconheço no seu amigo todas as qualidades que eu sonhava no meu noivo; assim pensasse ele a meu respeito.

— Ah! descanse que não! Aquilo não é homem para sentimentos dessa ordem! É um libertino!

— Meu primo!

— A senhora já o defende?... Bravo!

— Decerto, porque o senhor o está caluniando!

— E minha prima o conhece porventura? Saberá ao menos quais são os precedentes da vida dele?

— Não, mas calculo.

— Pois erra no cálculo! Fique sabendo que Teobaldo não a merece; é, repito, um homem incapaz de qualquer afeição séria e duradoura; é um homem que se gastou, que se estragou em amores de todo o gênero e...

— Se continua a falar desse modo, vou para junto de meu pai...

— Ah! não quer ouvir as verdades a respeito dele; está bom, está muito bom!... Não sabia que a coisa chegara a este ponto; mas, enfim, sempre lhe direi que o seu rico Teobaldo até hoje tem vivido, por bem dizer, à custa de mulheres!...

Branca ergueu-se indignada e fugiu.

— Miserável! — considerou o Aguiar — é preciso ser muito infame para fazer o que ele fez! Apresento-o a esta casa, confio-lhe as minhas intenções, declaro-lhe quanto adoro minha prima, e o patife responde a tudo isso procurando disputar-ma. Ah! Mas a coisa não lhe há de ser assim tão doce! Eu cá estou para te cortar os planos, especulador! Queres apanhar-lhe o dote? Pois tens de te haver comigo! Não te lamberás com o dinheiro de meu tio como te lambeste com o dinheiro da pobre Ernestina!

Daí a dias falava o Aguiar com o comendador:

— É preciso abrir os olhos, meu tio, é preciso abrir os olhos. Aquele tratante é capaz de tudo! Abra os olhos, se não quiser que ele lhe pregue alguma peça...

— Mas, com a breca! Não foste tu mesmo que mo apresentaste?

— Não o conhecia nesse tempo: andava iludido; só hoje sei a bisca que ali está.

E contou a respeito de Teobaldo todas as verdades que sabia e mais ainda o que lhe pareceu necessário para as realçar; assim, disse que ele era um grande devasso e um grande hipócrita; que ele para conseguir qualquer *desideratum* não hesitava defronte de obstáculos, nem considerações de espécie alguma, e que, no caso presente, se o comendador não tratasse de defender a filha, o patife conseguiria apoderar-se dela, pois já lhe havia captado a confiança e talvez o coração.

— Estás sonhando com certeza!

— Não! Digo a verdade. Branca deseja casar com ele!

— Não creio! Isso não pode ter fundamento!

— Juro-lhe que tem! Ela própria mo confessou!

— Nesse caso vou interrogá-la.

— Pois interrogue, e verá!

Branca respondeu ao pai com toda a franqueza que "Se tivesse de escolher noivo preferiria o Sr. Teobaldo a qualquer outro..."

— Bem, filha, isso é lá uma questão de gosto; não se argumenta! mas, sempre te direi que é de minha obrigação evitar que dês um passo mau; preciso esclarecer-te sobre os precedentes e sobre o caráter desse moço, a quem na tua inocência escolheste para marido.

— Oh! Mas foi vossemecê justamente quem me deu o exemplo de gostar dele!... Não posso compreender como um rapaz, até aqui tão querido e simpatizado por todos nesta casa, mereça o que meu pai acaba de dizer!...

— Sim, minha filha, mas o casamento é coisa muito séria; pode a gente simpatizar com uma pessoa, achar que ela tem talento, que é bonita, que é engraçada; sim, senhor! Daí, porém, a querer metê-la na família vai uma distância enorme!...

— Não sei que possa faltar àquele rapaz para ter direito à minha mão!...

— Não se trata do que lhe falta, meu bem, mas do que lhe sobra!...

— Como assim?

— É que há feios boatos a respeito da vida que ele tem levado aqui na corte...

— Intrigas de meu primo...

— Eu, pelo menos, preciso tomar certas informações antes de consentir que penses nele.

— Ora, papai, isto de pensar ou de não pensar em alguém não depende da vontade; e, quase sempre, quanto mais a gente faz por não pensar em uma pessoa ou em uma coisa, é quando mais ela não lhe sai da ideia.

— Bem, bem, bem! — disse o velho afastando-se contrariado — mais tarde havemos de falar neste assunto; por ora não tens a cabeça no seu lugar.

Toda esta conversa foi à noite desse mesmo dia relatada minuciosamente a Teobaldo por Branca, que se encontrou com ele em casa de uma família conhecida de ambos.

— Estás disposta a casar comigo? — perguntou-lhe o rapaz.

— Bem sabes que sim.

— Mesmo sem a autorização de teu pai?

— Sim, mas exijo que lhe faças o pedido.

— E se ele negar?

— Insistiremos.

— E se ele insistir também na recusa?

— Esperaremos.

— E se ele nunca mudar de ideia?

— Não sei... Havemos de ver...

— E se ele quiser casar-te à força com teu primo?

— Oh! isso não consinto.

— Pois fica sabendo que é essa a sua intenção!

— Não creio!

— E, se for, estás disposta a reagir?

— Estou.

— E sabes qual é o único meio que há para isso?

— Qual é?

— Fugindo.

Branca teve um sobressalto e repetiu quase que mentalmente:

— Fugindo?...

— Sim, e desde já preciso saber se devo ou não contar contigo; nestes casos não há meias medidas a tomar: se estás disposta a ser minha esposa, arrostaremos tudo; se não estás, desaparecerei para sempre de teus olhos. Decide!

— Sim, mas tu hás de falar primeiro a papai!...

— Está claro e só me servirei do rapto no caso que ele me recuse a tua mão.

— Talvez não recuse...

— E se recusar?

Ela abaixou os olhos.

— Responde! — disse ele.

— Irei para onde me levares...

— Bem. Estamos entendidos.

E Teobaldo afastou-se disfarçadamente.

Quando tornou à casa, foi direito ao Coruja, a quem por último confiava as suas esperanças de casamento, e disse-lhe sem mais preâmbulos:

— Sabes?! O Aguiar está me fazendo uma guerra terrível! Intrigou-me com o comendador! Creio que vou ter muito vento contrário pela proa! Ah! Mas comigo aquele miserável perde o seu tempo porque estou resolvido a raptar a menina!

— Não sei se farás bem com isso... — observou o outro — esses meios violentos provam quase sempre muito mal... Eu, no teu caso, me entenderia com o pai...

— Ah! está bem visto que lhe farei o pedido! faço, que dúvida! mas já sei que vou levar um formidável "não" pelas ventas! O bruto nega-ma com certeza!

— Quem sabe lá, homem! Experimenta...

— Pois se o demônio do Aguiar não faz senão desmoralizar-me aos olhos do velho!...

— Pois desmente-o, provando com a tua conduta o contrário do que ele disser. Olha! Queres ver o meio de chegar mais depressa a esse resultado? Procura trabalho. Emprega-te!

— Mas onde?

— Em casa do próprio pai da menina...

— Em casa do comendador? Tem graça!

— Não sei por quê...

— Pois eu sirvo lá para o comércio!...

— Procura servir...

— Ele não tomaria a sério o meu pedido...

— Nesse caso a culpa já não seria tua; e o bom cumprimento do teu dever, procurando trabalho, seria já argumento que ficava de pé contra as intrigas do Aguiar.

— Tens razão. Amanhã mesmo vou falar ao velho; talvez consiga alguma coisa...

— Hás de conseguir, pelo menos, provar que desejas ganhar a vida.

Teobaldo ficou pasmado quando, no dia seguinte, às suas primeiras palavras com o pai de Branca, este lhe disse sem o menor constrangimento:

— Ó meu caro senhor, por que não me falou há mais tempo?... Tenho muito prazer em ser-lhe útil; diga quais são as suas habilitações e pode ser que entremos em algum acordo.

Teobaldo viu-se deveras embaraçado para responder a semelhante pergunta. Ele, coitado, não tinha habilitações; tinha dotes, sentia-se com jeito para tudo em geral, mas imperfeito e inepto para qualquer especialidade.

O comendador foi em auxílio dele, perguntando-lhe se sabia o francês e o inglês.

— Perfeitamente — apressou-se a responder o interrogado. — Falo e escrevo com muita facilidade qualquer dessas línguas...

— Pois então trabalhará na correspondência. Tem boa letra?

— Sofrível; quer ver?

E, tomando a pena que o negociante havia deposto em cima da carteira, escreveu primorosamente sobre uma folha de papel as seguintes palavras:

Convencido de que a ociosidade é a mãe de todos os vícios e de todos os males, desejo evitá-la, dedicando-me a um trabalho honesto e proveitoso.

— Muito bem! — disse o comendador, olhando por cima dos óculos para o que estava escrito. — Pode amanhã mesmo apresentar-se aqui; meu guarda-livros se entenderá com o senhor.

— Devo vir a que horas?

— Aí pelas sete da manhã.

Teobaldo correu a contar ao amigo o resultado da sua conferência com o pai de Branca.

— Então? Que te dizia eu?... — exclamou Coruja, nadando em júbilo. — Vês?! Tudo se pode arranjar por bons meios! Não dou muito tempo para que o comendador morra de amores por ti e esteja disposto a proteger-te mais do que protegeria a um próprio filho! Assim tenhas tu cabeça e saibas te aguentar no emprego!

— Vamos a ver.

— Olha, meu caro, ali tens um futuro, sabes? Talvez não ganhes muito ao princípio, mas pouco a pouco o comendador te aumentará o ordenado e, quando deres por ti, estarás com a tua vida independente e garantida. Então, sim, pede a menina e casa-te, antes disso — é asneira!

20

O Aguiar, ao lhe constar a entrada de Teobaldo para o escritório do tio, esteve a perder os sentidos, tal foi o abalo que lhe produziu a notícia; mas, ordenando as suas ideias e meditando o fato, tocou logo para a casa de Leonília, disposto a pôr mão em todos os meios que lhe servissem de arma contra o rival.

— Aposto que não adivinhas o que aqui me traz!... — principiou ele, assim que a cortesã lhe apareceu no patamar da escada.

— Saberei se mo disseres...

— É uma revelação de amigo...

— Uma revelação? Entra.

— Com licença.

E, assentando-se defronte dela:

— Ainda gostas muito de Teobaldo?

— Loucamente, por quê?

— Sentirias muito se ele te abandonasse?

— Se me abandonasse? Mas que queres dizer? Há alguma novidade? Ele tenciona sair do Rio? Anda! fala por uma vez!

— Não, não é isso...

— Então que é? Desembucha!

Aguiar estendeu as mãos uma contra a outra, em sinal de casamento, e fez um trejeito com os olhos.

— Casar. Ele? — exclamou Leonília empalidecendo repentinamente. — Ele vai casar?!

— Está tratando disso e é natural que o consiga se lhe não cortarem os planos... Só uma pessoa o poderia fazer e essa pessoa és tu.

— Eu?! — disse ela, afetando indiferença. — Ora, que me importa a mim! Que se case quantas vezes quiser!

Mas puxou logo o lenço da algibeira, escondeu os olhos e atirou-se depois sobre o divã, soluçando aflita.

— Bom, bom! — pensou o rapaz — com esta posso contar!...

E foi assentar-se ao lado da cortesã, para lhe expor o caso minuciosamente. Soprou-lhe em voz baixa o nome da noiva, o número da casa do tio, falou sobre este e sobre Mme. de Nangis e terminou dando parte do novo emprego de Teobaldo.

— Se aquele patife continuar mais algum tempo no escritório — segredou ele, — estará tudo perdido! É preciso antes de mais nada arrancá-lo dali. Conheço-lhe as manhas, é capaz de enfiar um camelo pelo ouvido de uma agulha!... Trata de evitar o casamento e podes, além do resto, contar com uma boa recompensa de minha parte. Adeus.

Leonília deixou-o sair, sem lhe voltar o rosto, nem lhe dar uma palavra. Só alguns minutos depois, ergueu-se, passou as mãos pelos cabelos das fontes, suspirou prolongadamente, mirou-se no espelho que lhe ficava mais perto e apoiou-se a um móvel, com o olhar cravado em um ponto da sala.

— Miserável! — balbuciou ela depois de longa concentração. — Miserável! E ele que nunca me falou nisto!... Iludir-me por tanto tempo!... Tinha um casamento ajustado, tinha um namoro, e eu supondo que era amada!... Ah! quando me lembro que ainda ontem lhe disse que seria capaz de tudo por causa dele, que tudo suportaria para não me privar dos seus carinhos!... Oh! mas hei de vingar-me, hei de fazê-lo sofrer o quanto for possível, hei de persegui-lo enquanto durar o meu amor! Ou este casamento será desmanchado ou Teobaldo não terá mais um momento de repouso em sua vida!

E desde então principiou Leonília a fazer planos de vingança, a imaginar maldades e represálias contra o amante, disposta a não lhe deixar transparecer o menor indício das suas intenções; mas, na primeira ocasião em que Teobaldo esteve ao seu lado, ela não se pôde conter e, entre soluços, deixou rolar contra ele a formidável tempestade de ciúmes que a tanto custo reprimia.

— É exato — respondeu o moço sem se alterar. — Já que sabes de tudo, confesso-te que vou casar.

— Hipócrita!

— Hipócrita, por quê? Então não posso dispor de mim?

— Não, decerto! a não ser que tenciones me dar o mesmo destino que teve a pobre Ernestina!

Teobaldo fez um gesto de contrariedade e Leonília acrescentou:

— Não, decerto, porque, quando uma mulher ama como eu te amo, não pode consentir que o seu amado se case com outra!

— Mas, filha, é preciso ser razoável!... Querias então que eu fosse eternamente o teu *amant de coeur*?... querias que eu não tivesse outras aspirações, outros ideais, senão representar a indigna e falsa posição que represento aqui nesta casa, que não é paga só por mim?...

— Oh! Já tive ocasião de provar-te que não ligo importância a tudo isto!...

— Sim, mas não compreendes que tenho aspirações e prezo o meu futuro? não vês que seria loucura de tua parte contar comigo para toda a vida?... Oh! às vezes nem me pareces uma mulher de espírito!

— E amas tua noiva?

— Se não a amasse, não desejaria casar com ela.

— Dize antes que lhe cobiças o dote; serias, ao menos, mais delicado para comigo.

— Bem sabes que eu não minto...

— Quando não te faz conta!...

— Desafio-te a citares uma mentira minha!

— Ora! não tens feito outra coisa até agora, escondendo de mim os teus projetos de casamento...

— Não! Isso seria falta de franqueza, mas nunca mentira.

— É mentir fazer acreditar em um amor que não existe.

— Eu nunca fiz semelhante coisa! Não fui eu quem te iludiu, foste tu própria!

— Confessas então que nunca me amaste, não é assim?

— A que vem esta pergunta?... Amar! amar! Oh! como tal palavrão me enjoa e apoquenta!

— É porque és um cínico!

— Não, é porque "amor" nada exprime, é um palavrão sem sentido; fala-me em simpatia, em gostar de ver alguém e senti-lo ao seu lado; fala-me na estima e no apreço em que temos os bons e os generosos, e eu te compreenderei e eu te direi que te aprecio e te quero!

— Vais me oferecer a tua amizade. Aposto.

— Não te posso oferecer uma coisa de que dispões há muito tempo... O que eu desejo é apelar justamente para essa amizade e pedir-te em nome dela que não sejas um obstáculo ao meu futuro e à minha tranquilidade.

— Não te compreendo.

— Meu futuro baseia-se todo neste casamento.

— E vens pedir que eu te auxilie?...

— Sim.

— Pois desiste de tal ideia!

— Não queres me proteger?

— Quero guerrear-te.

— Ah!...

— Hei de fazer o possível para que o teu casamento nunca se realize!

— É assim que és minha amiga?...

— É assim que sou rival de tua noiva! Hei de fazer o que puder contra ela! És meu! amo-te! hei de defender-te de toda e qualquer mulher, seja uma das minhas ou seja uma donzela de quinze anos!

— Queres então que eu me arrependa de haver consentido em ser teu amante?

— Não sei! Quero é que não me deixes! Sou muito mais velha do que tu; espera que eu morra e casarás depois com uma das que aí ficaram.

— És má!

— Sou mulher.

— Adeus.

E fez alguns passos na direção da porta; ela atirou-se-lhe ao pescoço e começou a soluçar, beijando-o todo, sofregamente, como quem se despede do cadáver de um ente querido a quem vão sepultar.

Teobaldo, entretanto, conseguiu desviar-se-lhe dos braços e saiu, disposto a nunca mais tornar ao lado dela.

Mas, no dia seguinte, às duas da tarde, trabalhava no escritório do patrão, quando viu parar à porta o carro de Leonília e logo, em seguida, entrar esta pela casa, à procura do Sr. Comendador Rodrigues de Aguiar.

— O comendador não está — disse-lhe um caixeiro.

Leonília perguntou a que horas o encontraria; o caixeiro respondeu, e ela saiu com o mesmo desembaraço com que entrara.

Teobaldo, mal ouviu bater a portinhola do carro, atirou para o lado a correspondência, pôs o chapéu, abandonou o escritório, tomou um tílburi e seguiu na pista da cortesã. Quando esta se apeava à porta de casa, ele surgiu ao lado dela.

— Que deseja de mim? — perguntou Leonília parando à entrada.

— Pedir-te um favor.

— Agora não lhe posso prestar atenção. Adeus.

— Olha! Ouve!

Ela não respondeu, arrepanhou as saias, galgou a escada e Teobaldo ouviu bater em cima uma porta fechada com arremesso.

Tornou à rua estalando de cólera.

— Maldita mulher! — pensou ele. — Maldita mulher, que tanto mal me faz!

E, quanto mais reconsiderava as vantagens do seu casamento, mais furioso ficava contra Leonília e mais apaixonado se supunha pela graciosa filha do comendador.

Meteu-se de novo no tílburi e mandou tocar a toda força para o colégio onde trabalhava o Coruja. Era uma ideia que lhe aparecera de repente.

E assim que viu o amigo:

— Arranja uma saída já! — disse-lhe, sacudindo a mão dele entre as suas. — Preciso de ti no mesmo instante. É um caso urgente. Vem daí!

O Coruja, meio contrariado por interromper a sua obrigação, mas ao mesmo tempo já em sobressalto com as palavras do amigo, não se fez esperar muito.

— Então, que temos? — perguntou, logo que se viu a sós com Teobaldo na rua.

— André, preciso que me prestes um serviço, um verdadeiro serviço de amigo: Leonília quer desmanchar o meu casamento; é necessário convencê-la do contrário. Só tu me podes fazer isso; és o único homem sério de que disponho! Vai ter com ela e chama-a à razão! Fala-lhe com franqueza, promete-lhe o que entenderes, contanto que a convenças!

— Ela ameaçou-te de fazer qualquer coisa?

— Nem só ameaçou, como até já foi ao escritório do comendador procurá-lo!...

— Falou-lhe?

— Não porque felizmente ele não estava em casa, mas volta amanhã sem dúvida ou talvez ainda hoje mesmo, e tu bem sabes que, se ela fala ao comendador, estou perdido; e adeus casamento, adeus futuro, adeus tudo!

— E preciso então ir já?

— Sim, imediatamente! Olha! mete-te no tílburi e vai, anda!

Coruja fez ainda algumas perguntas, tomou certas informações e afinal seguiu para a casa de Leonília.

Veio ela própria recebê-lo, fê-lo entrar para a sala e assentou-se-lhe ao lado.

Só então o pobre André avaliou o alcance do seu compromisso; achou a comissão mais difícil do que julgara e a si próprio mais fraco do que supunha; mas vencendo o acanhamento, principiou sem transição:

— Sabe, moça, eu venho aqui para lhe pedir um favor...

— O senhor é o amigo de Teobaldo, não é verdade?

— Sou eu mesmo.

— O Coruja, não?

— Justamente.

— Que favor deseja pedir?

— Que a senhora não faça a desgraça do nosso amigo.

— Como?

— Desmanchando-lhe o casamento.

— Ele então já lhe falou nisso?

— Já, e eu vim pedir à senhora que tenha pena do pobre rapaz.

— E ele teve pena de mim, porventura? Ele não calculou que com esse casamento fazia a minha desgraça? Não se lembrou de que há já um bom par de anos que nos amamos e eu não poderia de braços cruzados vê-lo atirar-se nos de outra mulher?... Ele não calculou tudo isso?

— Mas é necessário — replicou André.

— Para quem? — perguntou a rapariga.

— Para ele.

— Pois também é necessário para mim que ele não case.

— Não tanto...

— Não tanto? Ora essa! Por quê?

— Porque a senhora já tem, boa ou má, a sua vida constituída, e ele precisa fazer um futuro, precisa arranjar uma posição.

— Ora!

— É que talvez a senhora não esteja bem informada; as coisas nunca se acharam para ele tão ruins! Teobaldo está em uma situação crítica, muito crítica; se não consegue realizar este casamento, fica perdido, perdido para sempre, e, como lhe conheço bem o gênio, receio pela vida dele!...

— Outro tanto não faz ele a meu respeito.

— Ah! mas a senhora não se vê nos mesmos apuros...

— Engana-se, meu amigo, estou até em muito piores condições. Todo este luxo que o senhor tem defronte dos olhos não significa opulência, significa miséria!... Sou mais infeliz do que qualquer das minhas companheiras, porque tenho coração, porque sinto e conheço o terreno em que piso, e sei avaliar cada passo que dou neste tristíssimo caminho de minha vida! Ah! veem-me rir; veem-me zombar de tudo e de todos, e no entanto só eu sei o que vai cá por dentro! Sofro e sofro mais do que ninguém! Cada beijo que tiro dos meus lábios para vender, é mais uma fibra que me estala n'alma! Oh! daria todo o meu sangue para não ser quem sou!

O Coruja principiava a comover-se.

— Mas... — prosseguiu Leonília — o senhor no fim de contas tem toda a razão: meu amor não é como o amor das outras pessoas, o meu amor, em vez de elevar, humilha e rebaixa! Quanto mais delicada, quanto mais escrava e amiga me fizer de Teobaldo, tanto mais o prejudico! Tem toda a razão! É indispensável que eu me afaste dele por uma vez! É preciso que eu acorde deste sonho para cair de novo na triste realidade do meu destino! Que importa que isso agrave os meus sofrimentos; que os torne perigosos; que os torne fatais?... Que importa, se nada lucram os outros com a minha vida ou perdem com a minha morte?... Ele quer abandonar-me? Pois não! faz o seu dever, obrará como um "rapaz de juízo"! Todos os homens sérios e refletidos aplaudirão esse ato! Ele quer casar? Nada mais justo! O casamento é a moral, é a ordem, é a dignidade no amor! Pois alguém lhe perdoaria abandonar um casamento vantajoso só para impedir que sucumba uma desgraçada, uma mulher perdida? Ninguém, decerto! Ah! tudo tem seu tempo! Amou-me enquanto podia e precisava amar-me; depois nada mais tem que fazer a meu lado e vai buscar o que lhe convém, o que serve para o seu futuro! Aqui não se trata de mim; trata-se dele apenas; eu que não fosse tola! Quem me mandou tomar a sério o que não devia passar de uma brincadeira, de um capricho? Quem me mandou a mim sonhar com felicidades que me não pertencem?... Pois não devia eu calcular logo que as desgraçadas de minha espécie só têm direito à libertinagem, ao vício e à eterna degradação?...

E Leonília rompeu em soluços.

— Não se mortifique... — aconselhou o Coruja, sem achar o que dizer.

— Ah! Sou muito, muito desgraçada! Ninguém poderá calcular o quanto sofre uma mulher nas minhas condições, quando ela não sabe ser quem é e quer se dar à fantasia de revoltar-se contra o seu próprio meio! Por todos os lados sempre a mesma lama: o que se come, o que se veste, o que se gasta, é tudo prostituição; nada que não tenha a mancha de podre! E no entanto uma coisa boa e pura me restava ainda no meio de tanta imundícia: era o meu amor por Teobaldo; esse não tinha sido contaminado pelo resto... Quando eu me sentia aviltada por tudo e por todos, refugiava-me nele, lembrava-me de que o amo sem interesses mesquinhos, sem hipocrisias, nem baixezas; e esta ideia me fazia por instantes esquecer de mim mesma, esta ideia como que me transformava aos meus próprios olhos, e eu me supunha menos só no mundo e menos prostituta! Agora, querem arrebatá-lo; querem tomar-me o único pretexto que eu tinha para viver... pois levem-no! Mas, oh! por quem são! deixem-me morrer primeiro! Não há de custar tanto!

— Não pense nisso!

— E do que me serve a vida sem Teobaldo?... É que o senhor não conhece, não pode imaginar o que é a existência de nós outras, mulheres perdidas! É simplesmente horrível! Hoje ainda encontro quem me ampare, porque não estou de todo acabada; mas amanhã os homens principiarão a desertar e as suas vagas representarão mil necessidades — depois a moléstia, a fome completa e afinal — "Uma esmola por amor de Deus!" Eis aí o que me espera, como espera a todas as minhas iguais! Atravessamos uma existência de vergonhas para acabar num hospício de idiotas ou num hospital de mendigos! Pois bem! com a ideia em Teobaldo, eu me esquecia desse futuro implacável; bem sei que ele nunca me recolheria de todo à sua guarda... Quem sou eu para merecer tanto?... mas dizia comigo "Ele, coitado, tem-me amor, nada me pode fazer por ora; mais tarde, porém, quando me vir totalmente desamparada, virá em meu socorro e não consentirá que eu morra como um cão sem dono!"

— E quem lhe disse que ele não olhará pela senhora?... Por que o há de supor tão mau?

— Ah! Mas uma vez casado, a coisa muda logo de figura... Não há homem que se não modifique deixando o estado de solteiro! Quando eles até então só amam a mulher com que se casam, mal a possuem esquecem-na por outra; e, se antes do casamento já se dedicavam a qualquer amante, será esta sacrificada à legítima esposa. Esta é a lei geral; esta há de ser a lei de Teobaldo!

— Mas, segundo me parece, isso não impede que ele seja eternamente grato aos desvelos que a senhora lhe dedicou.

— Sim, creio, e é justamente por esse motivo que eu nada esperarei dele depois do casamento. Uma mulher aceita a compaixão seja de quem for e pelo que for, menos do seu amado, em substituição da ternura.

— Pois se lhe repugna aceitá-la das mãos dele, pode recebê-la das minhas; comprometo-me a olhar pela senhora.

Leonília, ao ouvir isto, voltou-se de todo para o Coruja e mediu-o em silêncio com os olhos ainda congestionados pelo choro. "Que significaria aquela proposição?..."

— O senhor tenciona tomar-me à sua conta?... — perguntou ela surpresa. — Tenciona fazer-se meu amante?

André tornou-se vermelho e balbuciou:

— Está louca?

— Mas não é essa a proposta que acaba de fazer?

— Eu lhe ofereci apenas o meu auxílio pecuniário...

— Quer ser então o meu protetor?

— Quero opor-me à desgraça de Teobaldo.

— Quanto o senhor é amigo daquele ingrato!

— Se a senhora se acha disposta a sair do Rio de Janeiro, arranja-se-lhe o necessário para a viagem. Concorda?

— Sim; creia, porém, que é mais pelo senhor do que por ele.

— Obrigado. Amanhã mesmo lhe chegará o dinheiro às mãos. Adeus.

Leonília foi acompanhá-lo até à porta e o Coruja saiu para ir ter com Teobaldo.

— Bonito! — exclamou este, quando o amigo lhe prestou contas da sua comissão — Fizeste-la bonita!

— Como assim?

— Pois tu foste prometer dinheiro à mulher? Não sabes que não tenho onde ir buscá-lo?

— Dividiremos a despesa... eu posso arranjar a metade. Creio que, se lhe mandarmos uns duzentos mil-réis...

— Duzentos mil-réis! Isso nem dobrado vale nada para ela! Não conheces esta gente! Foi o diabo!

— E quanto entendes tu que é necessário dar-lhe?

— Sei cá! Nunca menos de cem libras esterlinas!

— Um conto de réis!

— Com menos disso, duvido que ela se vá embora!

— Há de se lhe dar um jeito! Não te aflijas.

— É que eu estou sem vintém!

— Arranja-se...

— Não admito que te sacrifiques tão estupidamente! Ora essa!

— Descansa que não me sacrificarei...

Mas, ao tirar-se daí, André foi direitinho à sua secretária, sacou de uma das gavetas um pequeno pacote de notas de cem mil-réis, meteu-o no bolso e saiu.

Quando tornou ao lado de Teobaldo, disse-lhe:

— Sabes? Está tudo arranjado.

— Hein? Como? Ela parte?

— Sim. Levei-lhe em teu nome oitocentos mil-réis. Seguirá no primeiro paquete para Buenos Aires e não tornará tão cedo ao Brasil.

— Ó desgraçado! Querem ver que lhe deste as tuas economias!

— Não; apenas o que fiz foi adiantar-te o dinheiro; depois de casado me pagarás.

— Nesse caso vou passar-te uma letra.

— Para quê? Não precisa.

21

E no entanto, à noite desse mesmo dia, travava-se entre o Coruja, D. Margarida e a filha desta o seguinte torneio de palavras:

— Então, *seu* Miranda; o senhor decide ou não decide o diabo deste casamento?

— Agora, agora Sra. D. Margarida, é que as coisas vão endireitando e, se Deus não mandar o contrário, pode bem ser que tudo se realize até mais cedo do que esperamos.

— Ora! já não é de hoje que o senhor diz isso mesmo!

E note-se que, depois que Teobaldo melhorara de circunstâncias, D. Margarida havia abrandado muito a aspereza de suas palavras para com o futuro genro; isto quer dizer que ultimamente podia André, como no princípio de seu namoro, levar alguns presentes à noiva e mais à velha. Mas, nem por isso, deixava esta de falar às vizinhas, desde pela manhã até à noite, a respeito do célebre casamento da filha, que, segundo a sua expressão, parecia encantado.

— Pois se tu também não te mexes! — gritava ela às vezes, ralhando com a rapariga. A ti tanto se te dá que as coisas corram bem como que não corram. Nunca vi tamanho descanso, credo! Ninguém dirá que és a mais interessada no negócio!

— Ora, mamãe, mais vale a nossa saúde!... — respondia Inês, invariavelmente. O que tem de ser traz força!

— Oh! que raiva me metes tu quando dizes isso, criatura!

— Mas se é...

— Qual é o quê! Cada um que não trate de si para ver como elas lhe saem! Não me tiram da cabeça que, se apertasses um pouco o rapaz, ele talvez até já tivesse aviado por uma vez com isto! Já com a tal história do ensino foi a mesma coisa; tu, tanto remancheaste, tanto te descuidaste, que afinal lá se foi tudo por água abaixo!

— Ora, eu ensino em casa da mesma forma...

— A quatro pintos pelados, que levam aí todo o santo dia a me atenazarem os ouvidos com o "b-a faz bá, b-e faz bé!" Ora, Deus me livre!

— Rendem quase tanto como uma cadeira...

— Mas não são certos. De um momento para o outro podes ficar sem nenhum... Ao passo que a cadeira...

— Mais vale a quem Deus ajuda...

— Sim, mas Cristo disse: "Faze por ti que eu te ajudarei." E é justamente do que não te importas — é de fazer por ti!

Estas conversas acabavam quase sempre arreliando a velha, que por fim lançava à conta do Coruja toda a responsabilidade do seu azedume. Porém o que mais a mortificava era o falatório da vizinhança, era o comentário dos conhecidos da casa, que principiavam já a zombar abertamente do "tal casório".

— A Inesinha está só esperando idade para casar!... — diziam eles em ar de chacota, para mexer com o gênio da velha.

E conseguiam, porque D. Margarida ficava furiosa; mas não contra aqueles e sim contra o pobre André.

Este, todavia, com a regularidade de um cronômetro, não faltava à casa da noiva, às horas do costume. Apresentava-se lá com a mesmíssima cara do primeiro dia, sempre muito sério, muito respeitoso e muito dedicado; Inês, também inalterável, vinha assentar-se ao lado dele, enquanto a velha se postava defronte dos dois. E assim conversavam das sete às dez horas todos os domingos e das sete às nove nas terças, quintas e sábados.

E lá se iam cinco anos em que isto se verificava com a mesma pontualidade. André era já conhecido no quarteirão e, quando ele surgia na esquina da rua, resmungavam os vizinhos de D. Margarida:

— Ali vem o noivo empedrado!

Houve espanto geral em vê-lo passar uma sexta-feira fora das horas costumeiras e muito mais apressado e mais preocupado que das outras vezes.

Ia pedir à velha um obséquio bastante melindroso: é que nesse dia, pela volta das onze, Teobaldo lhe surdira no colégio, com um ar levado dos diabos, o chapéu à ré, o rosto em fogo, para lhe dizer:

— Sabes? Fiz o pedido ao velho!

— Já? Acho que foste precipitado!

— Pois se ele quer enterrar a filha em Paquetá, até que ela se resolva a casar com o primo!

— Mas então?

— Negou-ma!

— Negou-ta?

— Abertamente! Chegou até a contar-me uma porção de histórias, que me fizeram subir o sangue à cabeça!

— Que disse ele?

— Ora! Que eu não estava no caso de fazer a felicidade da filha; que eu era um estroina, um doido; que eu tinha mais amantes do que dentes na boca (foi a sua frase) e que eu, para prova de que não gostava do trabalho, nunca tomara a sério o emprego que ele me dera em sua casa; e que eu entrava sempre mais tarde que os outros; que eu era isto e que era aquilo, e que, ainda mesmo que eu não fosse quem sou, ele não podia me dar a filha, porque já estava comprometido com outro...

— O Aguiar...

— Já se vê!

— E tu, que lhe respondeste?

— Eu? Eu olhei muito sério para ele e disse-lhe: Você sempre é um ginja muito idiota! O velho ficou mais vermelho que o lacre, tremeu da cabeça aos pés, cresceu meio palmo e não pôde dar uma palavra, porque estava completamente gago. Então agarrei no chapéu, enterrei-o na cabeça e bati para Botafogo!

— Para a casa dele? Ah! isto se passou aqui embaixo...

— Sim. Entrei na chácara e fui enfiando até à escadaria do fundo. O acaso protegeu-me; Branca bispou-me da janela e veio logo ter comigo a um sinal que lhe fiz. "Sabes? disse-lhe, pedi-te ao comendador; ele declarou que por coisa alguma consentirá que eu seja teu marido e jurou que hás de casar com o Aguiar!" Ela pôs-se a chorar. "Tu me amas?" perguntei-lhe. Ela respondeu que me adorava e que estava disposta a tudo afrontar por minha causa. "Pois então, repliquei, se queres ser minha esposa, só há um meio, é fugirmos! Estás disposta a isso?" Ela disse que sim, e ficou decidido que hoje mesmo às dez horas da noite eu a iria buscar. Por conseguinte, tem paciência, preciso de ti, pede licença ao diretor e saiamos, que não há tempo a perder.

— Estou às tuas ordens...

— Tens dinheiro?

— Um pouquinho, mas em casa.

— Ora!

— Podemos dar um pulo até lá! Espera um instante por mim; não me demoro.

Durante o caminho, Teobaldo contou mais minuciosamente a sua conversa com Branca e pintou com exagero de cores a opressão que lhe fazia o pai, para a constranger a casar com o bisbórria do primo.

Chegados à casa, mal Teobaldo embolsou o que havia em dinheiro, disse ao amigo:

— Bem! Então, antes de mais nada, enquanto eu vou falar ao cônego Evaristo e depois ver se arranjo mais algum cobre, vai ter à casa de tua noiva e pede à velha que consinta depositarmos lá a menina. Creio que ela não se oporá a isto; que achas?

— Não sei, vou ver...

— Pois então vai quanto antes e volta aqui imediatamente. É quase meio-dia, às duas horas podemos estar juntos; iremos então tratar do carro e do resto; depois jantaremos no hotel e às nove partiremos para Botafogo. A ocasião não pode ser mais favorável ao rapto; a noite há de ser escura; a francesa está doente e de cama e, quando chegarmos, é natural que o comendador já se ache no segundo sono e os criados no terceiro!

— Eu serei o cocheiro do carro — disse Coruja — sabes que tenho boa mão de rédea.

— Bem lembrado! Escusa de metermos estranhos no negócio. E, olha, para melhor disfarce, porás a libré do Caetano e levarás o seu chapéu de feltro.

— A libré do Caetano há de chegar-me até aos pés...

— Melhor, ninguém te reconhecerá.

— Isso é verdade...

— Sabino?

— Meu senhor.

— Preciso hoje de você. Às quatro e meia no hotel. Ouviu?

— Já ouvi, sim senhor.

— Olha! Traze-me uma garrafa daquelas que estão no guarda-louça.

Era um presente de Moscatel d'Asti espumoso, que lhe fizera Leonília no dia dos anos dele.

— Vais beber agora? — perguntou o Coruja.

— Vou; sinto-me sufocado! Preciso de um estimulante. Conserva tu em perfeito juízo a tua cabeça e deixa-me beber à vontade.

Encheu duas taças e, erguendo uma delas, disse ao amigo:

— Ao novo horizonte que se rasga defronte de nossos olhos! Ao amor e à fortuna!

Coruja levou a sua taça aos lábios, bebericou uma gota de vinho e afastou-se logo para ir à casa de D. Margarida; enquanto o outro, esticando-se melhor na cadeira em que estava e soprando com volúpia o fumo do seu charuto, murmurava de si para si:

—Amanhã a estas horas tenho à minha disposição uma mulher encantadora e um dote de cem contos de réis! Ah! geração de imbecis, agora é que vais saber quem é Teobaldo Henrique de Albuquerque!

22

Às nove horas da noite Teobaldo partira para Botafogo dentro de um *coupé*, em cuja boleia o Coruja e mais o Sabino empertigavam-se denodadamente como se foram legítimos cocheiros.

Era para ver o grave professor enfronhado naquela libré já ruça, de botões enverdecidos de azinhavre, e todo austero, inalterável, possuído da mesma gravidade com que se assentava ao lado da noiva ou recolhia na aula as lições dos seus rapazes.

Não se lhe desfranzira o sobrolho, nem lhe fugira dos lábios a triste rispidez favorita, como também os seus pequeninos olhos mal abertos conservavam aquela dura expressão antipática e sem graça, que a todos desagradava e repelia.

Pelas aproximações da casa do comendador o carro seguiu mais lentamente e abordou-a pelos fundos, sem se lhe ouvir o rodar, porque a rua era de areia.

A certa altura, Teobaldo segredou uma palavra ao amigo, saltou em terra e dirigiu-se para o portão traseiro da chácara; aí escondeu-se atrás de uma árvore que havia e assoviou três vezes. Só no fim de alguns minutos um leve rumor de saias fê-lo compreender que alguém se aproximava.

— Teobaldo... — disse uma voz medrosa e tímida.

— Estás pronta?

E ele viu desenhar-se na escadaria de pedra, frouxamente iluminado pelas estrelas, o gracioso vulto de Branca.

Ela desceu trêmula e confusa, apoiando-se ao corrimão engrinaldado de verdura, a olhar espavorida para todos os lados, até chegar embaixo.

— Vem — disse Teobaldo a meia voz.

— Tenho medo... — balbuciou a menina, encostando-se ao pilar da escada, sem ânimo de dar um passo em frente.

O rapaz abriu cautelosamente o portão e foi ter com ela.

— Não tenhas receio, minha Branca — segredou-lhe, passando-lhe um braço na cintura. — Lembra-te de que, se não aproveitarmos esta ocasião, nunca mais seremos um do outro. Dei já todas as providências: uma família espera por ti e ao raiar do dia estaremos casados. Vem! Nada de hesitações, vem, antes que nos surpreendam aqui.

— Vê como estou gelada... — balbuciou ela, pousando a sua mãozinha fria sobre o rosto do namorado. — O coração parece que me quer saltar de dentro do peito... Oh! não pensei que me custaria tanto a dar este passo...

Teobaldo puxou-a brandamente até à rua e, com um sinal, fez aproximar-se o carro, para onde ele a levou nos braços.

— Deus me proteja!... — suspirou Branca, deixando-se cair sobre as almofadas, como se perdera os sentidos.

— Toca! — ordenou o raptor ao Coruja.

O carro disparou. Então a menina deixou pender a cabeça sobre o colo do amante e abriu a soluçar.

* * *

D. Margarida e a filha esperavam por eles.

Não foi, porém, sem dificuldade que o Coruja logrou capacitar a velha de que não devia fugir a semelhante obséquio, e é de crer que ela cedesse mais por espírito de curiosidade do que pelo simples gosto de servir ao futuro genro: aquilo, afinal, era um escândalo, e a mãe de Inês dava o cavaquinho pelos escândalos.

Branca chegou lá às dez e meia da noite, e D. Margarida, ao dar com o Coruja muito sério e disfarçado em cocheiro, exclamou benzendo-se:

— Credo, *seu* Miranda! Que trajos são esses, homem de Deus?

Teobaldo despediu o carro, fez servir uma ceia que mandara trazer do hotel e ordenou ao Sabino que tornasse a Botafogo e ficasse até pela madrugada a rondar a casa do comendador, para ver se haveria alguma novidade.

Puseram-se todos à mesa e, a despeito da crescente aflição da foragida, riram e conversaram, sem cuidar nas horas que fugiam, porque estavam mais que dispostos a passar a noite inteira na palestra e na bisca de sete.

— Vê!... — disse Margarida, dirigindo-se a André e apontando para Branca e Teobaldo, que alheados conversavam juntos, quando a gente quer as coisas deveras faz como aqueles...

O Coruja remexeu-se ao lado de Inês, e a velha acrescentou: — E note-se que eles para casar topavam outras dificuldades que já o senhor não encontra para casar com minha filha!...

— O meu caso é muito diferente... — resmungou por fim o Coruja — mas muito diferente... Quanto a mim, não se trata de vencer oposições de família; trata-se é de obter os meios necessários para que a senhora e sua filha não venham a sofrer dificuldades depois do meu casamento...

— Ora! Quem tudo quer, tudo perde!

Teobaldo interveio a favor da velha, aconselhando ao amigo que acabasse por uma vez com aquela história, que se casasse logo com a moça, e, depois de apresentar em linguagem colorida as vantagens do matrimônio, fechou o discurso oferecendo a sua casa e a sua mesa ao amigo, apesar de não saber ainda onde havia de se refugiar com Branca depois que a igreja os tivesse legalmente unido.

André abanou as orelhas a tais palavras.

— E por que não? — insistiu o outro — não temos porventura conseguido viver juntos até hoje e em perfeita harmonia?... Para que havemos, pois, de separar-nos daqui em diante?...

— Para não termos o desgosto, contraveio André, de vermos nossas famílias em guerra constante. Dois rapazes viverão eternamente em boa paz debaixo do mesmo teto; com duas senhoras a coisa é mais difícil e com mais de duas é impossível.

— Agora, isto é exato... — confirmou a velha.

— É! arriscou Inês — Quem casa, quer casa!...

Mas declarou logo que, apesar disso, estaria por tudo que deliberassem.

— Pois eu — replicou Teobaldo — afianço desde já que não estou disposto, seja pelo que for, a dispensar a companhia do Coruja, ache-se ele casado, solteiro ou viúvo!

— Se sua mulher ou a dele estiverem por isso!... — observou a velha, já em tom de contenda e disposta a armar questão.

— Ora! D. Inês não me parece das mais difíceis de contentar... — disse Teobaldo sorrindo.

— Ah! eu estou sempre por tudo... — confirmou Inês.

— E quanto a Branca... — prosseguiu aquele.

— Desde que me case — atalhou a filha do comendador. — Serei sempre da opinião de meu marido. Só a ele compete decidir.

D. Margarida, pela cara, mostrou não gostar de semelhante teoria; mas a filha em compensação, por uma risonha careta que fez ao Coruja, deu a entender que subscrevia as palavras de Branca.

E por este caminho, a conversa deu ainda algumas voltas, até cair de novo no principal assunto: — o rapto, e, às cinco da manhã, quando se dispunham a levantar o voo para a igreja, ouviram bater à porta da rua.

Teobaldo foi logo abrir.

Era o Sabino. Vinha a botar os bofes pela boca, e com muito custo declarou que estivera por um triz a cair nas unhas da polícia.

— Mas fala por uma vez! — disse-lhe o senhor impacientando-se. — Houve alguma novidade?

— Já se sabe de tudo na casa do homem! — explicou o moleque.

— Ó diabo!

— Ali pela volta das três horas — prosseguiu aquele — ouvi rumor dentro da casa, e, com poucas, era gente a passar com luz para uma banda e para outra, assim como coisa que caçassem alguém; eu me escondi na rua, atrás de uma árvore; eles desceram à chácara, deram com o portão aberto e, pelo jeito, toparam um lenço ou coisa que o valha, porque tudo ficou assanhado!

— E depois?

— Depois vieram à rua, não me bisparam e, tudo seguiu outra vez pra riba, e aí foi um berreiro de todos os diabos, que nem se tivesse morrido alguém.

— Mas que teria sucedido, não sabes?

— Não sei não senhor, porque vim me embora...

Embalde procurou Teobaldo esconder de Branca o que acabava de ouvir: foi preciso dizer-lhe tudo, e ela desde então pôs-se a chorar, dominada por terríveis apreensões.

Daí a algumas horas boquejava-se em toda a cidade que a filha do comendador Rodrigues de Aguiar fugira de casa com um vadio de marca maior chamado Teobaldo, o qual a desposara clandestinamente às cinco e meia da madrugada na igreja de Santana; e que o pai da moça, assim que deu por falta desta e quando soube quem era o raptor, caíra fulminado por uma congestão cerebral, morrendo logo em seguida, sem dar uma palavra.

Bem dizia o Aguiar que o homem, se lhe chegassem um charuto aceso à ponta do nariz — estourava.

E, com efeito, estourou.

Terceira Parte

1

Rolou um ano sobre o casamento de Teobaldo com Branca, e moram estes agora em Botafogo, naquela mesma casa em que o comendador perecera estrangulado pelo seu amor paternal.

A casa é a mesma, mas ninguém dirá que o é, pois desde a entrada notam-se em toda ela consideráveis transformações. O bom gosto de Teobaldo, aquele gosto aristocrata, herdado com o sangue de seu avô, fez do velho casarão, tristonho e assombrado, um confortável ninho afestoado e tépido.

Já se lhe não viam espetar do alto do frontispício as caducas telhas, negras e esborcinadas, por entre cujas fendas se extravasavam longos fios de lama barrenta, choradas sobre o pano da parede, que nem baba por velha boca desdentada. Agora, sente-se ali a mão de quem entra na vida disposto a viver; desde o portão da chácara vão os olhos descobrindo em que se regalar; caminhos de murta, canteiros de finas flores, repuxos, cascatas e estatuetas, globos de mil cores, caramanchões e pequenos bosques artificiais: tudo nos diz que ali reside agora gente feliz e moça.

As escadas, até aquela mesma por onde Branca fugira ao pai, são hoje mais claras, mais enfeitadas de verdura e, só com vê-las, já se adivinha, já se sente o luxo que vai pelo interior da casa.

Pelo esvazamento da porta principal vê-se perpassar de quando em quando um vulto alto e magro, muito silencioso, vestido de libré cor de Havana com botões de ouro, a cabeça toda branca e o queixo trêmulo: é o velho Caetano. E nas salas, que se seguem a essa de espera onde ele espaceia, encontram-se, restaurados e em novas molduras, aqueles célebres retratos de damas e cavaleiros da corte de D. José e D. Maria I, com os quais o defunto Barão do Palmar ilustrara outrora as paredes de sua fazenda em Minas.

Mas onde foste tu, belo boêmio excêntrico e aborrecido, descobrir todas essas tafularias do gosto; donde houveste o desenho de teus tapetes, a esquisitice da tua mobília, das tuas cortinas e de todo esse luxo em que se atufam os teus aposentos? É tudo obra do dinheiro?

Segundo, porém, dizem todos, não foi tão grande o legado do pobre comendador e o dote de Branca não justifica semelhante opulência. Gastas como um milionário! E, posto te apoderasses da vaga que o desgraçado velho abriu no comércio com a sua morte, a vida que estadeias é um mistério!

Ora queira Deus, Teobaldo! que não tenhas feito entrada de leão, sem saber ainda com a saída de que bicho hajam de comparar a tua retirada!...

Isto dizia a boca do mundo, todas as vezes que ele e mais a mulher atravessavam a praia de Botafogo ou as ruas da cidade, no seu magnífico landau, tirado por duas éguas de raça.

Estes passeios faziam sempre os dois sozinhos porque Mme. de Nangis, depois de fechar os olhos do defunto protetor e depois de tirar dos próprios as lágrimas que pôde, recolheu o que lhe tocava de herança, chamou do Banco as suas economias, emalou tudo e bateu para França, naturalmente com a piedosa intenção de tornar ao lado do marido.

A discípula despediu-se dela em seco, com a egoística frieza dos que amam por aqueles que não são o objeto do seu amor.

Branca era então feliz como seria qualquer moça nas suas circunstâncias, quer dizer, estava na lua de mel e não tinha perdido ainda para o esposo o encanto da novidade; Teobaldo cercava-a de carinhos e desvelos, procurava afinar os seus gostos pelos dela, fazia-se bom, cordato, muito amigo de sua casa, muito escrupuloso na escolha das pessoas que atraía às suas reuniões de cada semana.

E toda ela se embelezara de um modo admirável; toda ela se fez mais formosa, mais mulher; carnearam-se-lhe os braços e o colo; a garganta refez-se em doçuras de curva e torneamento de linhas; os olhos volveram-se mais rasgados, mais ternos e mais doces; a boca abriu as suas pétalas cor-de-rosa ao calor dos primeiros beijos do esposo, como a flor que desabotoa ao fecundo sopro das brisas fecundas.

Entretanto, um ligeiro véu de tristeza, talvez devido à morte do pai, talvez devido à sua própria ventura que, de tão completa não podia durar muito, lhe anuviava a beleza, fazendo-a todavia realçar ainda mais, à semelhança dessas formosas paisagens que mais lindas se tornam quando o crepúsculo derrama sobre elas a melancolia de suas primeiras sombras.

Não se conseguiria imaginar dois seres mais aparentemente afinados, mais completos entre si e mais adequados um ao outro! Se os contemplaram juntos, na intimidade do amor, diriam talhados no mesmo bloco de mármore pela mão inspirada de um só artista.

— Mete gosto — consideravam os amigos — vê-los em meio dos seus convidados, tão amáveis, tão espirituosos e tão fidalgos.

E em breve as reuniões de Teobaldo tornaram-se disputadas; velhos ódios se extinguiram e novas simpatias se formaram em torno dele.

Um dos mais acérrimos frequentadores da casa era o Aguiar. Depois do casamento da prima, fora ao encontro do amigo, declarou que estava disposto a esquecer tudo e caiu-lhe nos braços, muito comovido.

E continuou a ser aquele mesmo "bom rapaz", insuportavelmente bonito, sempre risonho e sempre feliz de sua vida e com aquele eterno ar de quem faz da roupa uma das suas melhores preocupações.

Achá-lo-iam talvez um pouco mais magro e mais descorado; chegariam talvez a dizer que ele, depois que a prima casou, envelheceu uns cinco anos pelo menos; mas ninguém em consciência afirmaria que o vira um só momento mais triste do que dantes ou menos expansivo. Ao contrário, nunca pareceu tão bem-disposto de gênio.

É verdade que muita vez o surpreendiam com os olhos pregados em Branca, a fitá-la, como se a vira pela primeira vez; mas que podia haver de extraordinário em semelhante coisa, se a formosa senhora prendia a atenção de quantos se aproximavam dela?

Outra pessoa com quem não contara Teobaldo e que lá ia constantemente, era o velho Hipólito, marido de D. Geminiana.

Todo o seu azedume contra o sobrinho desaparecera, desde que o bom homem se convenceu de que não seria jamais incomodado por ele. Quando lhe chegou aos ouvidos a notícia do casamento, dissera:

— Ora, sim, senhor, até que o demônio do rapaz fez uma coisa com jeito! Perdoo-lhe tudo e hei de visitá-lo sempre que for à corte.

E, como já então as estradas de ferro facilitavam essas viagens, Hipólito consentia em levar a mulher a visitar o sobrinho.

Outro, que também brigara com Teobaldo e que agora o frequentava, era o Sampaio, o seu ex-correspondente. Esquecera-se da antiga rixa com o vadio estudante e decidira-se a reatar a consideração que dantes lhe dedicara.

Teobaldo encarava tudo isso com verdadeiro orgulho, sem que aliás ninguém de tal desconfiasse. Sentia-se vitorioso, não pelo dinheiro, que esse muito pouco lhe podia lisonjear o amor-próprio, mas pelo bom resultado dos planos que ele concebera para chegar a seus fins.

Consistia o seu sistema no seguinte: desde que a inesperada morte do comendador lhe fez ver quão magra era a fortuna de Branca, o seu primeiro cuidado foi esconder de todos a verdade e manter a ilusão em que se achavam a respeito dos bens do morto; o que não podia ser muito difícil nas circunstâncias especiais em que falecera o velho. Então, para melhor cegar ao público, Teobaldo tomou da metade do que lhe trouxe a mulher e dedicou-a exclusivamente ao luxo, reservando a outra metade para o comércio.

— As aparências são tudo! — considerava ele, ainda dominado pelas teorias paternas. — Julguem-me rico e hão de ver se em breve o não serei de fato!

E, durante todo o seu primeiro ano de casado, fez prodígios de especulação comercial só com a parte do dinheiro que escapara à ostentação e mais a pequena prática adquirida ao lado do comendador.

Apenas Branca e o Coruja sabiam destes particulares, porque até aos próprios sócios sobreviventes ao velho Aguiar conseguiu o mágico iludir, fazendo-lhes supor que, além do capital com que jogava na praça, dispunha ele ainda, como fundo de reserva, de um dote imaginário que pertencia à mulher.

O caso é que o pouco parecia muito e, como no comércio o crédito é dinheiro, não eram de todo infundadas as esperanças que ele depositava no seu sistema de vida.

2

Teobaldo, ao instalar-se mais a esposa em Botafogo, convidou logo o Coruja a ir morar com eles.

— Ora!... — opôs vacilante o amigo.

— Ora, quê?

— Receio incomodá-los; vocês têm lá os seus hábitos de grandeza... estão acostumados a certo modo de vida, a certo luxo, entre o qual o meu tipo esquisito havia de ser uma nota dissonante...

— Não admito que te separes de mim! foi a única resposta de Teobaldo.

Mas, como o outro ainda recalcitrasse, ele acrescentou:

— Também era só o que faltava: era que tu me abandonasses pelo simples fato de me haver eu casado. Tinha graça! Enquanto me vi atrapalhado e sem meios de viver, éramos companheiros de casa e mesa; agora — queres desertar. Não deixo!

— Mas...

— Não aceito razões. Hás de ir morar comigo!

Coruja cedeu um tanto contrariado, porque previa não se ajeitar àqueles requintes de luxo. O que para Teobaldo representava o encanto e a delícia de uma bela existência, para ele seria nada menos do que um martírio de todos os instantes.

Cedeu, mas com a condição de que iria ocupar um sótão que havia nos fundos da casa.

— O sótão?! — exclamou Teobaldo. — Ora essa! Pois eu consentiria lá que fosses para o pior lugar da casa, havendo aí outras acomodações tão boas e que de nada me servem?

— Não sei; a ter de ir, só irei para o sótão, e desde já te previno de que não me separo dos meus cacaréus.

— Pois faze o que entenderes, contanto que fiques em minha companhia.

Não era sem razão que o Coruja opunha aquela resistência ao convite do seu querido Teobaldo. Desejava estar junto deste, oh! se desejava! Desejava vê-lo e falar-lhe todos os dias, porque o idolatrava, porque no seu espírito inalterável e escravo dos hábitos Teobaldo se constituíra em ídolo; Teobaldo fora a sua primeira afeição, o seu primeiro amigo, o seu primeiro protetor; André habituara-se a vê-lo crescer no seu reconhecimento e dentro da sua estima, como o único e legítimo senhor; mas também não queria abrir, sem mais nem menos, com o programa de vida que ele próprio traçara, jurando a si mesmo cumpri-lo rigorosamente, porque assim entendia o cumprimento do dever.

Havia coisa de dois anos resolvera o Coruja ir pondo de parte as economias que pudesse, para ver se lograva realizar afinal o seu casamento, cuja transferência de ano para ano já o apoquentava deveras.

E com efeito, depois da morte de Ernestina, conseguiu ajuntar aqueles oitocentos mil-réis que serviram para abrandar as iras de Leonília; Teobaldo, em casando, pagou-os logo; mas ainda não foi desta vez que o pobre Coruja viu efetuado o seu *desideratum*, porque uma nova contrariedade se lhes pôs de permeio.

Foi a seguinte:

Uma noite entrava às horas do costume em casa da noiva, quando esta lhe apareceu muito triste, dizendo entre suspiros que a mãe, desde pela manhã, se queixara de dores na cabeça e fora piorando com o correr do dia, a ponto de ter de largar o serviço e meter-se na cama, já ardendo em febre.

André passou logo ao quarto da velha e encontrou-a em uma grande sonolência e quase sem dar acordo de si. Observou-a em silêncio por alguns segundos, depois tomou de novo o chapéu e foi buscar um médico seu conhecido.

O doutor declarou que a velha tinha varíola de muito mau caráter e que precisava de um bom tratamento.

Daí a pouco toda a vizinhança de Margarida sabia já do fato e começava a alvoroçar-se. Só Inês não se preocupou com ele.

— Para que estar com medos?... — disse entre dois muxoxos. — Se eu tiver de pegar as bexigas, hei de pegar mesmo, ainda que fuja para o inferno!

E com a sua filosofia de fatalista, afrontou impavidamente a moléstia da mãe.

No dia seguinte Coruja alugou um enfermeiro, e o médico principiou a visitar a doente com toda a regularidade.

As bexigas foram das piores, pele de lixa, o tratamento muito dispendioso e demorado. Durante a moléstia nada faltou à velha; mas, quando esta se pôs em convalescença e foi para a Tijuca à procura de novos ares em casa de uma amiga, André não tinha mais um só vintém das suas economias.

— Sim — disse ele, para se consolar — gastei tudo é verdade; mas também agora estou desembaraçado de certas despesas e posso mais facilmente ajuntar algum pecúlio.

E, nos quatro meses que se seguiram à enfermidade da velha, entregou-se ele ao trabalho com tal fúria, que, ao entrar no quinto, sua saúde começou de alterar-se consideravelmente.

Apareceram-lhe então terríveis dores na espinha e na caixa do peito; veio-lhe uma tosse seca e constante; e à noite, quando o tempo ia refrescando, sentia ameaços de febre e uma prostração aborrecida que lhe tirava o gosto para tudo.

— Ó Coruja! — dizia-lhe o amigo — tu precisas descansar! Dessa forma dás cabo de ti, homem! Olha! Pede uma licença ao colégio e deixa-te ficar aí em casa por algum tempo. Que diabo, não te faltará nada!

Bastava, porém, ao desgraçado lembrar-se do seu compromisso com Inês para não lhe ser possível ficar tranquilo. Além disso, D. Margarida, cuja força de gênio aumentara com a moléstia, cercava-o já com frases desta ordem:

— Também você não ata, nem desata, *seu* Miranda! No fim de contas vejo que não tratei com um homem sério! Ora pois!

A própria Inês, até aí tão passiva, tinha agora de vez em quando as suas rabugens e acompanhava já o serrazinar da velha.

Coruja enfraqueceu afinal; principiou a trabalhar menos e a faltar constantemente às aulas.

— Recolhe-te por uma vez! — gritava-lhe Teobaldo.

Mas o teimoso fazia ouvidos de mercador e lá ia para a frente, ganhando os magros vencimentos de professor e procurando sempre pôr de parte alguma coisa para o casamento.

— Querem ver que ele agora dá para morrer?... — grunhia a velha cada vez mais enfurecida. — Se em bom não conseguiu casar, quanto mais doente! Ah! este homem foi uma verdadeira praga que nos caiu em casa!

— E foi mesmo!... — confirmava já a moleirona da filha, que sentia ir-se encaminhando para a velhice a passos de granadeiro: foi mesmo uma praga!

E, quando ele lhes aparecia muito pálido, a tossicar dentro do *cache-nez,* saltavam-lhe ambas em cima:

— Então, então, *seu* Miranda! Acha que ainda é pouco o debique?

— Tenham um pouco de paciência! um pouquito mais de paciência. Agora estou fraco; juro, porém, que em breve levantarei a cabeça e tudo se arranjará. Descansem!

— Ora! Quem se fiar no que você diz não tem o que fazer! Diabo do empulhador!

Para as tranquilizar um pouco, enviava-lhes presentes e dava-lhes o dinheiro que podia.

E sempre bom, escondendo de todos as suas privações e os seus desgostos, procurando ocupar no mundo o menor espaço que podia, e sempre superior aos outros, sempre além da esfera de seus semelhantes, atravessava a existência, caminhava por entre os homens sem se misturar com eles, que nem um pássaro que vai voando pelo céu e apenas percorre a terra com a sua sombra.

3

Fazia dolorosa impressão ver sair todas as manhãs, pelos fundos da chácara de Teobaldo, aquele vulto sombrio todo envolvido em um velho sobretudo, a tossir esfalfado de trabalho e sem querer incomodar com a sua tosse os criados que ainda dormiam.

A nova existência do amigo como que o fizera ainda mais triste e mais só. Dantes tinham os dois sobeja ocasião para estar juntos, para se falarem, para trocarem entre si as suas confidências; e agora mal se viam uma vez ou outra, casualmente, porque André insistia no escrúpulo de desfear o radiante aspecto daquelas salas, carregando para lá com o seu vulto desalinhado e feio. À noite, quando apareciam visitas, o que era muito frequente, não havia meio de arrancá-lo do sótão.

De mais, para que iludir-se? Teobaldo não fazia grande empenho em apresentá-lo aos seus amigos, chegava até em presença destes a tratá-lo com uma certa frieza. Aquele interesse em obrigá-lo a aceitar um canto de sua casa, não passava de um dos muitos rompantes de generosidade, que ele às vezes tinha quase que inconscientemente, e dos quais se arrependia logo sem nunca se queixar de si, mas do seu obsequiado.

Isto não quer dizer que Teobaldo agora estimava menos o Coruja; ao contrário — jamais intimamente o colocou tão alto no seu conceito; apenas, como homem fraco e vaidoso, não queria incorrer no desagrado de seus sequazes impondo-lhes um tipão daquela ordem.

A borboleta, desde que lhe saem as asas, não gosta de ir ter com as antigas companheiras que se arrastam no chão.

— Não é dele a culpa... — considerava André, sempre disposto a perdoar. — A borboleta precisa de sol, precisa de flores... Quem tem asas — voa; quem as não tem fica por terra e deve julgar-se muito feliz em não ser logo esmagado por algum pé.

E, a contragosto, fazia-se mais e mais retirado e macambúzio.

Ao lado de Branca então chegava o seu acanhamento a causar dó; quando a formosa senhora lhe dirigia a palavra, ele parecia ficar ainda mais selvagem, mais desajeitado, atarantava-se, fazia-se estúpido, não encontrava posição defronte daquele primor de beleza, e conseguia apenas uivar algumas vozes confusas e quase sem nexo.

E no entanto sentia por ela um afeto extremamente respeitoso, uma espécie de adoração humilde e tácita; quando Branca passava por junto dele, Coruja reprimia a respiração, contraía-se todo, como se receasse macular o ambiente que ela respirava; e só se animava a encará-la enquanto a tinha distraída ou de costas, e isso com um profundo olhar de terna veneração.

— Achas-la bonita, hein? — perguntou-lhe uma vez Teobaldo, batendo-lhe no ombro.

— É uma imagem... — respondeu André.

— Entretanto, ela se queixa de ti...

— De mim?

— É verdade, desconfia de que não te caiu em graça.

— Ora essa!...

— Supõe que antipatizas com ela...

— Eu?...

— Sim e, vamos lá, coitada, não deixa de ter o seu bocado de razão: quase nunca lhe dás uma palavra e, quando acontece te achares ao lado dela, ficas por tal modo impaciente, que a pobrezinha receia ser importuna e foge.

— Bem sabes que infelizmente esse é o meu feitio; sou assim com todo o mundo, à exceção de ti.

— Sim, mas o que eu não admito justamente é que, para ti, minha mulher faça parte de todo o mundo! Quero que ela participe da exceção aberta para mim, que a trates pelo modo por que me tratas.

— Não é por falta de vontade, crê; mas não está em minhas mãos! — Procuro ser amável, ser comunicativo, e as palavras gelam-se-me na garganta, o pensamento estaca e uma cadeia de chumbo enleia-me todo, tirando-me até os movimentos; então sinto-me ridículo, arrependo-me de me haver mostrado; suo, lateja-me o coração e em tais momentos daria o resto de minha vida para sair de semelhante apuro. Outras vezes quero aproximar-me dela, dizer-lhe alguma coisa que lhe faça compreender o quanto a estimo, mas de tal modo me falece a coragem, que não consigo fazer um passo, nem encontro uma palavra para lhe dar.

— És um tipo!

— Sou um asno! Ah! que se eu tivesse a tua presença de espírito, as tuas maneiras, os teus recursos...

— Com esse gênio, serias ainda mais infeliz!

— Não, seria ao menos compreendido; porque não sei que diabo tenho eu comigo, que ninguém além de ti percebe as minhas intenções ou acredita nos meus atos. Às vezes, quero ser meigo, quero mostrar que não estou contrariado, quero manifestar a minha simpatia ou o meu entusiasmo por alguém ou por alguma coisa e, em vez disso, consigo apenas convencer a todos de que estou aborrecido e que só desejo que ninguém se aproxime de mim, que não me fale, que não me incomode! E, todavia, não sou mau e todo o meu empenho é ser melhor do que sou.

— Ser melhor do que és?... Oh! então é que serias deveras um tipo insuportável! Acredita, meu bom Coruja, que o teu defeito capital é a tua extrema bondade. A maior parte dos homens não te pode tomar a sério, porque não te compreende e porque te supõe um louco. Tens atravessado a existência a espalhar pelo chão, à toa, sem contar as sementes, punhados e punhados de boas ações. Pois bem! Qual foi de todas essas sementes a que vingou? — Nem uma única! Não porque não fossem perfeitas e sãs, mas porque não encontraram terra em que pudessem medrar! És um excêntrico, um aleijado, um monstro, tens o coração defeituoso, porque ele não é como o coração típico dos mais. E como, em semelhantes condições, queres ter amigos; queres ser ao menos suportado entre os homens? Já viste porventura uma pomba atravessar impunemente por entre um bando de corvos?... Se queres ser bem recebido no meio dos homens, sê homem como eles ou pior; desculpa-lhes os vícios — imitando-os; afaga-lhes o amor-próprio, fingindo que os admiras; e dessa forma, se fores um forte, hás de desfrutá-los, e se fores um vulgar hás de viver com eles lado a lado, na mais doce harmonia e na mais deliciosa felicidade. Isso é a vida!

— Oh! não me pareces o mesmo; nem acredito que abraces tão cínicas teorias; são falsas, nunca te pertenceram!

— Enganas-te, meu visionário, essas teorias foram sempre as minhas e nunca me conheceste outras, desde que caminhamos juntos por entre a enorme corja de nossos semelhantes; a diferença única é que dantes elas se manifestavam por outro modo, visto que eu me achava ainda no período da vida em que todo o homem, por pior que seja, tem no coração uma grande dose de altruísmo e belas aspirações... Eram efeitos dos vinte anos! Acredita, porém, que todas as aparentes generosidades que me viste praticar, todo o meu desprendimento por umas tantas coisas, todas as minhas abnegações, todas as minhas boas obras, todos os meus atos de heroísmo, e tudo que fiz e faço de nobre, de superior e digno, tudo foi e é feito para que eu melhor viva entre os meus semelhantes, a quem detesto, à exceção de ti e de Branca. Detesto-os, mas faço-me amar por eles; sei que me humilhando serei pisado; então, nem só não me humilho, como ainda os rebaixo quanto posso! E contigo sucede justamente o contrário: amas todo o mundo e não consegues te fazer amar por ninguém. — Humilhas-te por bondade; e eles respondem a isso — desprezando-te. A humanidade, meu amigo, em geral é baixa e vil, logo que encontra alguém que a respeita, julga esse alguém ainda mais baixo e mais vil do que ela; para lhe merecer alguma consideração é indispensável fazer o que eu faço e o contrário do que tu fazes — é necessário desprezá-la e só aceitar das mãos dela aquilo que serve para nos elevar e engrandecer-nos, rebaixando-a. O homem tudo perdoa aos seus semelhantes, menos o bem que estes lhe façam, porque — dever um obséquio é dever gratidão, e a gratidão jamais vem de cima para baixo, mas sempre vai de baixo para cima! Aceitá-la é aceitar uma atitude inferior. A grande filosofia da vida consiste, pois, em saber aproveitar todo o bem que nos queiram fazer, fingindo sempre que tão pouca importância lhe ligamos, que nem dele nos apercebemos, e fechar o coração a todos, para não obrigar quem quer que seja a nos ser grato!

Coruja ficou a refletir por alguns instantes, e depois disse:

— Estava bem longe de esperar de tua boca tais ideias, e confesso que te fazia na conta de meu amigo...

— E sou efetivamente; mas tu, repito, não és um homem e nem eu te falaria com toda esta franqueza se tivesses alguma coisa de comum com eles. Não me arrependo de haver aceitado os muitos obséquios que recebi de tuas mãos; juro-te, porém, que jamais terias ocasião de os praticar se eu em qualquer tempo chegasse a descobrir em ti a intenção de me fazeres grato ou reconhecido. Aceitava-os, confesso, porque tu, pela tua excepcional bondade, entendias que eu, só com recebê-los, prestava-te um grande serviço.

— E era.

— Não, em verdade não era; mas era como se assim fosse, porque tu assim o entendias.

— E o que não serei eu capaz de fazer para continuar a ser teu amigo?... Só a ideia de que não me repeles e não me condenas como todos os outros, todos, até mesmo a minha noiva; só essa ideia é já uma grande consolação para mim. Não imaginas, meu Teobaldo, quanto me dói cada vez mais esta terrível antipatia que inspiro a toda a gente. Ainda há pouco, enquanto me falavas de tua mulher, dizia eu comigo: "Para que me hei de aproximar, para que me hei de chegar para ela, se tenho plena certeza de que minha presença lhe é fatalmente penosa, e aborrecida?"

— Exageras! — respondeu Teobaldo. — E para o que, vais ver!

E correu a tocar o tímpano.

— Que fazes? — perguntou o Coruja, aflito.

— Verás — disse o outro, e acrescentou para um criado que entrava:

— Pergunte à senhora se pode chegar até aqui.

— Não faças semelhante coisa!... — exclamou André, entre suplicante e repreensivo, e muito sobressaltado: — Que não irá supor D. Branca!

— Suporá que endoideceste se continuas a fazer esses trejeitos e esses gatimanhos.

— Mas eu agora não posso me demorar... voltarei daqui a pouco...

— Não seja criança! Espera.

Nessa ocasião, Branca assomava à porta do gabinete em que conversavam os dois amigos. Vinha deslumbrante de simplicidade e de beleza; não se lhe via uma joia no corpo, nem uma só fita no vestido inteiriço, de cambraia; mas a sua pequena cabeça altiva e dominadora estava a pedir um diadema e as suas belas espáduas um manto de rainha.

Coruja, ao vê-la, abaixou os olhos e começou a respirar convulsivamente, como um criminoso que vai ouvir a sentença.

— Vem cá, minha flor! — disse Teobaldo, fazendo um gesto à mulher, senta-te aqui perto de mim.

Branca obedeceu e ele acrescentou:

— Muito bem. Agora tu, Coruja, senta-te deste outro lado.

Coruja adiantou-se, muito vermelho procurando sorrir.

— Ora muito bem! — repetiu aquele dirigindo-se à esposa — sabes para que te chamei? Para acabarmos por uma vez com uma tolice que observo entre vocês dois. Tu supões que o Coruja, o meu único amigo, não gosta de ti, e ele, o idiota! pensa que tu embirras com ele. Expliquem-se!

— Ora! sempre tens umas brincadeiras!... — resmungou André, muito atrapalhado — isto é coisa que se faça?...

— Pois eu — atalhou Branca sorrindo — não desgostei da brincadeira, porque receava, com efeito, que o Sr. Miranda...

— Chama-lhe Coruja — interrompeu o marido.

— Que o Sr. Miranda — continuou Branca — houvesse antipatizado comigo.

— Oh! minha senhora... Por amor de Deus!... Longe de mim semelhante ideia! ... Ao contrário, eu... sim... quero dizer...

— Então! fez Teobaldo.

— Eu gosto muito da senhora...

— E creia que é pago na mesma moeda — respondeu Branca.

— Ora até que afinal! E agora, vamos! um abraço! — exigiu Teobaldo.

A esposa ergueu-se imediatamente, e o Coruja, cada vez mais vermelho e comovido, caminhou contra ela com os braços moles, ofegante e sem encontrar uma palavra para dizer.

Foi necessário que a formosa senhora se resolvesse a ir em socorro dele e lhe cingisse os braços em volta das costelas.

— Bom! — concluiu o dono da casa — creio que agora estão feitas as pazes, e espero que de hoje em diante não terei de aturar as queixas de nenhum dos dois!

4

Depois desta cena, Branca fazia o possível por familiarizar-se com o Coruja. Procurava pô-lo à vontade, convertê-lo em uma espécie de parente velho, rompia com ele sem-cerimônias que não usava para com mais ninguém, e para as quais, força é confessar, não lhe sobrava jeito, pois que ela já por temperamento, como por educação, era uma dessas criaturas frias e reservadas, cujos sentimentos nunca se deixam trair na fisionomia ou nas palavras.

Mme. de Nangis, como toda a mãe adotiva, transmitira-lhe as suas maneiras, o seu gosto, o seu estilo, mas não lhe tocara na alma, porque esta só a própria mãe sabe educar.

Felizmente a alma de Branca era boa por natureza, e, se não se aperfeiçoou por falta de educação, também não se corrompeu com a moral da professora.

André ficou extremamente surpreso quando notou que a encantadora senhora era para com ele muito mais dada e expansiva do que com qualquer dos outros amigos do esposo. E foi aos poucos se habituando a vê-la e a falar-lhe sem ficar constrangido, até sentindo já por fim um certo gosto quando a tinha a seu lado, tão tranquila, tão feliz e tão distinta.

Ela, muita vez, ao vê-lo triste e apoquentado da vida, chamava-o para junto de si e procurava animá-lo com boas palavras de interesse. Dizia-lhe por exemplo:

— Então, meu amigo, que ar terrível tem hoje o senhor... Veja se consegue enxotar os seus diabinhos azuis e leia-me alguma coisa. Olhe! dê-me notícias de sua obra, diga-me como vai a sua querida história do Brasil... Terminou afinal aquele episódio dos Guararapes, que tanto o preocupava? Vamos! converse!

Coruja sorria, muito lisonjeado por debaixo da sua crosta de elefante, mas remanchava para não mostrar o que escrevera.

— Ora... aquilo era um trabalho tão frio, tão desengraçado, que não podia interessar o espírito de uma senhora.

Contudo, se Branca insistia, ele acabava por ir buscar os seus caderninhos de apontamentos históricos e lia-lhe em voz alta aquilo que dentre eles se lhe afigurava menos insuportável.

Eram fatos colhidos por aqui e por ali, em serões de Biblioteca Nacional, escritos num estilo compacto, muito puro, mas sem belezas de colorido nem cintilações de talento.

O que lhe falecia em arte e gosto literário sobrava-lhe não obstante em fidelidade e exatidão; as suas crônicas eram de uma frieza de estatística, mas sumamente desapaixonadas, simples e conscienciosas. Entre aquela infinidade de páginas, abarrotadas de letrinha miúda e muito igual, não havia um só adjetivo de luxo ou uma frase que não fosse de primeira necessidade.

Teobaldo gostava de fazer pilhéria com os alfarrábios do amigo; mas, passando a falar sério, citava-os com respeito, se bem que deles não conhecesse uma linha ao menos.

— Obra de fôlego! — dizia, engrossando a voz; e afirmava que no meio de toda aquela papelada havia coisas magníficas.

Quando Branca estava aborrecida, durante pequenas viagens comerciais do marido, André, em lugar da enfadonha história, lia-lhe alguns dos seus poetas mais prezados, clássicos na maior parte, entre os quais se destacavam Camões e Garrett, por quem ele sentia verdadeiro fanatismo. Outras vezes tomava da flauta e punha-se a tocar para a distrair; quase nunca, porém, o conseguia, porque o desgraçado tocava mal e sem inspiração.

Para ser agradável a Branca, para a entreter, ele estava sempre disposto a tudo, menos a apresentar-se na sala de Teobaldo em noites de recepção ou acompanhá-los ao lírico. Adorava a boa música, mas não podia ajeitar-se com o frenético burburinho das plateias e a nervosa vivacidade dos saraus. Quando lhe dava na cabeça para ver uma ópera, o que era raríssimo, comprava um bilhete de torrinha e metia-se lá em cima, muito só, muito escondido de todos e pedindo a Deus que ninguém o notasse.

Entretanto o que Branca sentia por ele era menos estima do que uma certa espécie de condolência, que todo o coração feliz e farto costuma votar aos desfalecidos da fortuna. E, se por vezes brilhava nas suas palavras ou nos seus gestos qualquer centelha de afeição, seria talvez alguma gota escapada do grande transbordamento do seu amor pelo marido; Coruja, por muito ligado a este, participava do luminoso eflúvio.

Tanto assim que, entre todas as relações de Teobaldo, antigas ou recentes, era essa a única que merecia da formosa criatura semelhante distinção; as outras, nem isso tinham.

O velho Hipólito e mais a mulher causavam-lhe tédio; ele com a sua eterna mania de criticar a Deus e a todo o mundo, com a sua avareza mal disfarçada e com a sua proa de ricaço; ela com aquele gênio de querer governar sempre e dirigir a vida das pessoas com quem se dava e querer impor a sua opinião a propósito de tudo.

Quanto ao Sampaio, esse felizmente poucas vezes aparecia e outro rastro não deixava de sua passagem além de meia dúzia de banalidades e algumas pontas de cigarro lançadas fora do cinzeiro. Era porco.

Depois do Coruja, o mais frequentador da casa era o Afonso de Aguiar. Apresentava-se regularmente nos dias de recepção e surdia uma vez por outra à hora de jantar, sem ser esperado. A sua atitude ao lado da mulher do amigo era, na aparência, a melhor e mais correta que se poderia desejar: chegava com o seu passinho miúdo, um sorriso de bom rapaz à superfície dos lábios, e ia logo apertar-lhe a mão com todo o respeito, perguntando-lhe cheio de doçura "como passava a sua querida prima" e em seguida ia ter com Teobaldo e punha-se, até à ocasião de sair, a conversar com este sobre negócios e um pouco sobre política.

Estas conversas tanto e tanto se repetiram e foram por tal forma tomando um caráter expansivo e íntimo, que Teobaldo, contra todo o seu sistema de retração, já de último lhe confiava algumas particularidades da sua vida comercial. O outro, cuja posição na praça era bastante próspera e segura, animava-o com palavras de amigo e prometia estar sempre ao lado dele e ao seu dispor, quando por acaso Teobaldo encontrasse alguma séria dificuldade na sua carreira. Independente disso parecia admirar-lhe por tal modo o tino e o talento, que ao lado dele se fora aos poucos convertendo em um desses louvaminheiros constantes, que em geral acompanham os homens excepcionais, e para os quais reservam estes uma certa proteção amistosa, cheia de apreço e reconhecimento, mas com quem, no fundo, são de uma indiferença à toda a prova.

Como todo homem egoísta e vaidoso, Teobaldo gostava de ouvir elogios, viessem estes de quem quer que fosse, e o finório do Aguiar, compreendendo isso mesmo, não perdia ocasião de lhe queimar incenso defronte do nariz.

Tudo, por mais simples, que fazia o marido de Branca, representava para o velhaco novos pretextos de entusiasmo. Um discurso à sobremesa ou em alguma outra reunião, um parecer em qualquer questão comercial, um artigo na imprensa, tudo era motivo de louvor e pasmo.

— Não há outro! — exclamava o primo de Branca. — Não há um segundo Teobaldo! O ladrão reúne em si todas as qualidades que se podem desejar em um homem! Maneiras, talento, caráter, figura, tudo o que há de bom, de belo e de grandioso! E de mais um verdadeiro fidalgo: ninguém como ele para saber cativar a quem quer que seja; para cada pessoa tem sempre um assunto especial que a interessa particularmente, que a prende. Se está defronte de um ministro, só conversa em política e, ouvindo-o, ninguém acreditaria que ele, durante toda a sua vida, tivesse outra preocupação além da política; se fala a um homem de ciência, faz logo pasmar a todos com a sua despretensiosa erudição; se a pessoa com quem ele conversa é um artista, um músico, um poeta, um pintor ou um ator, então a sua palavra privilegiada chega a causar delírios de entusiasmo: as ideias, as frases, as belas imagens literárias, saem-lhe da boca em borbotão. E note-se que tão facilmente discorre pela arte moderna, como remonta à de três séculos atrás; tão à vontade se acha falando sobre os pintores da renascença, como falando da escultura pagã, como do teatro grego ou da poesia hebraica. Seu milagroso talento, sem fazer especialidade de coisa alguma, abrangeu tudo e de tudo se apoderou. Nada do que existe no orbe intelectual escapou à sua grande faculdade de apanhar de um salto aquilo que os outros levam muitos anos para conquistar.

Com a mesma facilidade com que compõe uma valsa, escreve um poema, desenha uma paisagem, faz um discurso, escreve um artigo político, engendra um folhetim de crítica, canta uma parte de barítono, sustenta a conversação de uma sala, dirige um *cotillon*, inventa um feitio de chapéu para senhora, um prato esquisito para o jantar e tão pronto está para fazer uma lista dos melhores vinhos do mundo, como para fazer a classificação de todos os sistemas filosóficos até hoje conhecidos.

Teobaldo, com efeito, era um desses espíritos que tanto têm de inconstantes e fracos para aprofundar e conservar qualquer coisa, como de prontos e fortes para assimilar o que passa defronte deles com a carreira mais vertiginosa. Tudo conseguia apanhar em um lapso instantâneo, mas não conseguia estudar seriamente qualquer coisa; conhecia tudo e nada conhecia ao mesmo tempo, porque tudo percorrera de passagem; era enfim um homem superficial, um habilidoso, incapaz de qualquer trabalho de fôlego ou de qualquer concepção verdadeiramente individual, mas como ninguém apto para imitar em um relance tudo aquilo que os outros, os especialistas, conceberam e aperfeiçoaram durante uma existência inteira.

Por várias vezes representara em teatrinhos particulares e tão bem copiava o ator que ele escolhia para modelo, que chegaram a julgá-lo um gênio na arte dramática; quando pela primeira vez apareceu na corte o introdutor da copofonia, Teobaldo arranjou logo uma dúzia de copos de cristal, afinou-os e, tanto fez que, no fim de alguns dias já tocava, não com a perfeição do outro, mas enfim tocava, e isso era o bastante para satisfazer a sua fantasia. Depois de ver o Hermann, entregou-se durante três meses à mania da prestidigitação e conseguiu fazer maravilhas nessa especialidade; vendo um célebre jogador de bilhar, que em certa época andava se mostrando ao público do Rio de Janeiro, quis competir com ele e conseguiu fazer trezentas carambolas de uma tacada.

Para estas passageiras manifestações de habilidade, incontestavelmente era como ninguém. Entendia um pouco de tudo; sabia tirar retratos fotográficos, jogar todos os jogos de cartas e mais os de exercício, contando a esgrima, o tiro ao alvo, a pela, a bengala, o bilboquê; e cada novidade que surgia, fazendo impressão no público, encontrava nele o maior e também o menos constante dos entusiastas.

Assim, durante algum tempo, só o ouviram falar em magnetismo, e parecia resolvido a não pensar em outra coisa, daí em diante; depois veio o espiritismo, e Teobaldo durante outro período foi o mais fervoroso discípulo de Allan Kardec; depois passou a dedicar-se à astronomia; depois à maçonaria e, entre os vinte e os trinta anos, pertenceu sucessivamente àquilo que mais estivesse em moda. Foi materialista com Buckner; foi ateu com Renan; socialista com Saint-Beuve; evolucionista com Spencer; psicólogo com Bain; positivista com Littré e Augusto Comte; mas nenhum deles conseguiu estudar a sério; entusiasmava-se momentaneamente e de cada filósofo conhecia apenas os livros mais espetaculosos, mais vulgares, sem nunca entrar pela obra profunda dos sábios. De Buckner, por exemplo, conhecia tão somente *Força e Matéria*, de Renan a *Vida de Jesus*, de Jacolliot a *Bíblia na Índia*, e assim por diante; notando-se que de muitas obras conseguia ler apenas uma pequena parte, ou alguma notícia crítica, ou qualquer citação, ou um simples a propósito.

No entanto falava de todas elas, nomeando autores modernos e antigos, discutindo-os, atribuindo-lhes até pensamentos e frases que jamais lhes pertenceram, chegando a sua temeridade ao ponto de citar em falso ou de orelha as mais respeitáveis autoridades, para justificar o que ele na ocasião negava ou afirmava.

Esta prodigiosa faculdade de tudo assimilar sem nada digerir era tamanha em Teobaldo que muita vez, discutindo com o Coruja, ele apanhava no ar os argumentos deste e apresentava-lhos em defesa própria, já transformados e desenvolvidos. E o mais curioso é que, posto André estivesse senhor da matéria em discussão e arrazoasse-la conscienciosamente, citando autores que o outro desconhecia, era sempre levado à parede e tinha de render-se, porque o contendor com a sua afoita verbosidade lhe arrebatava todas as armas.

Seu espírito, de uma agilidade acrobática, saltava de um ponto a outro, fazendo as mais difíceis cabriolas; tão depressa Teobaldo se sentia mal seguro em um terreno, puxava logo a conversa para o lado oposto, sem que aliás ninguém desse por isso, tão presos ficavam todos à sonora corrente de suas palavras. E, sempre irrequieto, sempre em constante fermentação, aquele sutil e maleável espírito a tudo se amoldava, em tudo se informava, torcendo, singrando e penetrando por caminhos da ciência inteiramente desconhecidos para ele. E às vezes, sem conhecer de certos autores mais do que o nome, citava-os de todas as nacionalidades, de todas as classes e de todas as épocas.

Os ignorantes, ouvindo-o, comiam-no por sábio; um sábio, se o ouvisse, havia de julgá-lo um louco.

Afonso de Aguiar não o considerava nenhuma dessas coisas; mas bem lhe conhecia a parte vulnerável do caráter — a vaidade, e por aí contava invadir-lhe o coração e apoderar-se dele.

E, no empenho de conquistar a confiança de Teobaldo, já por fim tanto lhe glorificava os dotes intelectuais e as simpáticas exterioridades de sua pessoa, como ainda lhe gabava as qualidades morais.

— Que coração! — segredava ele a todo aquele que pudesse levar suas palavras ao marido de Branca. — Que coração de ouro! É capaz de despir a camisa para socorrer a um pobre! Dá esmolas, sem contar o dinheiro e, dantes, quando não tinha para dar, sofria mais do que o próprio necessitado. Em solteiro, muita vez empenhou o relógio só para servir a algum amigo; muita vez teve de pedir emprestado dinheiro, que não era para ele; muita vez pagou dívidas, que não eram suas!

E o Aguiar, abaixando a voz, acrescentava quase sempre:

— E sem precisar ir muito longe, aí está o fato do Coruja...

— Que Coruja? — perguntavam.

— Ora! aquele rapaz que ele tem em casa, um pobre-diabo, sem eira nem beira, um tipo esquisitório, que teria levado o diabo, se não fosse ele!

Então passava a contar uma história a respeito do Coruja, e, sempre engrandecendo as qualidades do outro, resumia:

— Pois é como digo! E note-se que ele faz tudo isso somente porque o tal sujeito foi seu companheiro de colégio!

Esta calculada e constante glorificação de Teobaldo, feita pelo suposto amigo, foi afinal encontrando eco nos grupos em que ela caía, e o festejado esposo de Branca viu surdir aos poucos em torno de seu nome uma grande reputação de homem ilustrado, de homem de talento e de homem generoso.

Isto, ligado à sua fama de rico, era tudo quanto ele desejava.

E mais: todas as vezes em que Teobaldo ouvia elogiar o seu procedimento para com o Coruja e tentava provar que o não merecia, tanto mais se assanhavam os propagadores de sua fama e tanto mais o fato era engrandecido e apregoado.

Um deles exclamou cheio de entusiasmo:

— Além de tudo é modesto! Que homem! Nega a pé junto a esmola que faz como qualquer negaria um obséquio recebido que o humilhasse!

Branca, porém, revoltava-se com tamanha injustiça feita ao melhor amigo do seu Teobaldo. Este, pensava ela, tem de sobra com que merecer elogios e não precisa enfeitar-se com as penas que lhe não pertencem!

Sofreu, pois, uma enorme decepção, quando, falando a esse respeito ao esposo e dizendo que achava indispensável esclarecer bem aquele ponto aos olhos de todos, lhe ouviu declarar frouxamente:

— Não sei, minha flor, não acho muito prudente agitar essa questão mais do que já está... Com semelhante resolução talvez apenas conseguíssemos chamar sobre mim algum ridículo... e bem sabes que um homem na posição em que me acho deve temer o ridículo sobre todas as coisas!...

Branca não opôs uma palavra às do marido, mas intimamente sentiu estremecer, posto que de leve, o entusiasmo pelo seu ídolo, pelo seu amado, pelo seu esposo, pelo seu deus: entusiasmo que ela até aí mantinha sereno e inalterável como uma estátua de ouro.

Foi o primeiro ponto escuro que descobriu no astro, e procurou logo enganar a vista, fazendo por convencer-se de que "aquilo" não passava de "uma venial fraqueza".

Ah! mas a primeira mancha nunca vem só, e Branca tinha de sofrer ainda outras decepções mais amargas e mais difíceis de esquecer!

Todavia, uma vez ao lado do Coruja, não se pôde dominar e falou-lhe abertamente sobre o fato.

— Ah!... — respondeu o professor sem se alterar — eu já sabia... fui até já por várias vezes interrogado sobre isso...

— Como? Pois já chegaram a lhe falar?...

— Sim, alguns amigos de Teobaldo.

— E o senhor explicou tudo, não é verdade?

— Não, não valia a pena... Que mal pode haver em que suponham semelhante coisa? Muito mais quando isso tem o seu fundo de verdade!...

— De verdade? Pois o senhor quer me convencer também a mim de que Teobaldo é quem lhe fornece os meios de subsistência?

— Ora, se os não fornece agora, já o fez por muito tempo, e quem sabe se não virei ainda a precisar disso?...

Branca, defronte destas palavras, ficou ainda mais surpresa de que quando ouviu as próprias do marido. Ela sabia já que o Coruja era um singular exemplo de abnegação e de boa-fé, mas nunca o julgou capaz de tanto.

E seu espírito, ainda puro, religioso e casto, principiou instintivamente a voltar-se mais e mais para aquela figura feia, resignada e melancólica, aquele pobre--diabo carcomido pelo trabalho e pelo sacrifício, que todos repeliam, e para o qual ninguém sabia ter uma única palavra de amor e consolação.

5

A segunda decepção destinada a Branca consistiu no seguinte: Teobaldo, no fim de dois anos de casamento, já não tinha pela esposa o primitivo desvelo, se bem que ela, longe de perder alguma coisa dos seus encantos, ia-se fazendo cada vez mais sedutora.

Não deixou todavia a pobre senhora transparecer o seu ressentimento e, convencida de que havia de reconquistar o marido à força de carinhos, refinou na ternura e na meiguice. Mas em breve compreendeu que de nada aproveitariam tais esforços, porque no espírito egoísta daquele homem a inconstância era talvez a face mais desenvolvida. Foi terrível a sua desilusão, quando deveras se convenceu de que o vaidoso pensava muito mais em si do que nela.

Agora, dir-se-ia até que ele apenas a estimava como a um precioso objeto de luxo que ao amor-próprio de qualquer desvanecera. Já não era o afeto, nem dedicação, nem respeito, mas simples orgulho de possuir inteira aquela mulher maravilhosa, que todos lhe invejavam, sem ânimo de cobiçá-la. Teobaldo gozava muito mais com vê-la resplandecer em meio dos salões, crivada de olhares deslumbrados, do que com tê-la a sós, na intimidade do lar, palpitante de amor nos braços dele.

Branca percebeu tudo isso e começou a sofrer em silêncio; ao passo que o marido, de tão preocupado consigo mesmo e com as suas ambições, não dava sequer pelo estado lastimável em que ela se abismava. Às vezes, durante o almoço, enquanto Teobaldo comia, sem despregar os olhos e a faca do jornal em que vinha alguma coisa a respeito dele, a mísera esposa o fitava longamente, com a cabeça apoiada em uma das mãos, e toda ela enlanguescida e triste, como a planta mimosa que vai fenecendo à míngua de cuidados.

E suspirava.

Ah! mas Teobaldo já não sabia ouvir estes suspiros e, ao erguer-se da mesa, distraído e apressado pelos seus interesses exteriores, também não sabia adivinhar nos olhos de Branca as lágrimas que tinham de rebentar daí a pouco, logo que ele transpusesse a porta da rua.

Uma ocasião, por volta de um baile em que ela mais do que nunca fez sobressair os seus encantos e as suas graças, o marido a tomou frouxamente nos braços e pousou-lhe na fronte um beijo, em que já não havia a febre dos outros tempos.

Esse beijo desnaturado e frio foi o bastante para fazer transbordar a grande tempestade interior que Branca há tanto e com tamanho custo reprimia. Ela deixou pender a cabeça sobre o colo do marido e abriu em uma explosão de soluços.

Teobaldo surpreendeu-se, sem compreender aquele súbito transbordamento de lágrimas.

— Por que choras, filhinha? — perguntou ele, procurando ameigá-la.

A esposa não respondeu, porque o pranto não lho permitia.

— Vamos! Não chores desse modo!... Se alguma coisa te aflige, dize-me com franqueza o que é...

Ela, sem poder falar, meneava a cabeça negativamente, a esconder o rosto como que envergonhada por se deixar trair pelos seus soluços.

— Perdoa... — disse afinal — não me pude conter. Perdoa.

— Mas qual é o motivo dessas lágrimas?

— Tu bem sabes por que choro...

— Eu?... Juro-te que não sei...

— Oh! tu me fazes sofrer, Teobaldo!

— Eu?!

— Sim! Já não és o mesmo para mim...

— Ora essa! Acaso terei, sem saber, cometido alguma coisa que te desgostasse?... Já deixei qualquer dia porventura de tratar-te com a mesma delicadeza e com a mesma dedicação que sempre me mereceste?...

— Oh, não! não me queixo disso! És cada vez mais delicado e mais atencioso para comigo...

— Então?

— Mas é que já não me amas como dantes! Acho-te frio, indiferente aos meus carinhos; posso dizer que me suportas com dificuldade quando insisto em ficar perto de ti.

— Ilusão tua!

— Não, não me iludo! Já não és o mesmo! Dantes querias ter-me ao teu lado, quando trabalhavas horas esquecidas no gabinete; fazias-me ir buscar na estante um livro ou outro de que precisavas para consultá-lo; fazias-me procurar no dicionário o termo que te faltava na ocasião; lias-me sempre o que escrevias, consultavas a minha opinião, discutias comigo, prendias-me enquanto durasse o teu serviço, pagando-me depois a beijos todo o prazer que eu punha em estar contigo. Dantes não tinhas fora de casa uma conversa, um encontro menos comum, uma impressão qualquer, que não me viesses logo transmiti-los; tudo me contavas; dizias-me todos os passos de tua vida, e eu podia, hora por hora, instante por instante, afinar meu coração pelo teu; e agora já nada me contas do que fazes; já não me reclamas quando vais para a tua mesa de trabalho; já não me passas o braço na cintura e não me levas contigo; já não encontras o que me dizer; já não achas graça em coisa alguma que eu faça; posso ir para o piano, posso cantar os mesmos romances que dantes estimavas tanto; e nada te comove, e nada te prende, e nada te chama a atenção! Teu pensamento, tua alma, está tudo lá fora; aqui só vens para preparar novos elementos de popularidade! Agora — ligas mais importância à opinião do primeiro que se te apresenta do que ligas à minha opinião e às minhas palavras!

— Sim, porque tua opinião é suspeita...

— Oh! não há opinião menos suspeita e mais valiosa do que a da pessoa que amamos sinceramente; pelo menos comigo é assim: nada do que os outros me possam dizer, por mais lisonjeiro que seja, vale o mais insignificante gesto de aprovação que de ti venha. O maior elogio dos estranhos não vale o menor dos teus sorrisos...

— Ah! decerto, porque o caso muda muito de figura: tu és mulher e és minha esposa; vives pura e exclusivamente para o nosso lar, vives para mim; teu público sou eu, e mais ninguém! A minha opinião deve esconder aos teus olhos todo e qualquer juízo dos estranhos. Desde que eu decida dos teus atos, nada mais tens que ver com o que pensam os outros a respeito deles. Se eu os aprovar ou se eu os reprovar, seja com justiça ou não seja, estão definitivamente aprovados ou reprovados, ninguém mais tem nada que dizer!

— Pois é justamente por isso; justamente porque tu para mim representas o mundo inteiro; justamente porque eu só a ti possuo; porque só com o teu julgamento devo contar, e porque não tenho outro estímulo, e porque não tenho outro amor, senão o teu, é que com tanto empenho te disputo e tanto me arreceio de perder-te!

Ao terminar estas palavras, Branca deixou de novo transbordar, desfeito em lágrimas, o seu ressentimento; mas Teobaldo, por melhores esforços que empregasse, já não conseguia arrancar de si uma única centelha do extinto amor, que dantes lhe inspirava a esposa.

Todo o seu entusiasmo consumia-se no pedestal da sua própria imagem, gastava-se a seus pés, naquela eterna adoração de si mesmo.

E no entanto, os suspiros de Branca, que ele já não sabia ouvir, e as lágrimas, que ele não sabia evitar, foram pressentidas e abençoadas de longe por alguém.

6

Uma noite, Afonso de Aguiar assistia à representação dos *Huguenotes* ao lado de sua prima; Teobaldo muito pouco se mostrara no camarote e parecia extremamente preocupado com a ausência de alguém. Tratava-se de um conselheiro, a quem ele devia ser apresentado durante o espetáculo e de quem esperava a realização de uma ideia que nesse momento o possuía todo.

Essa ideia era nada menos do que a criação de um jornal político, jornal de luta, com que ele pudesse fazer pressão sobre o partido dominante no país e determinar sua individualidade perante o público; ao lado, porém, deste interesse, todo moral e decisivo, tinha vagas esperanças de obter do governo algum vantajoso privilégio ou algum bom lugar em qualquer legação ou, se as coisas tomassem outro caminho, preparar terreno para uma provável candidatura de deputado geral.

Inconstante e leviano como sempre, não firmava em um só ponto as suas pretensões e aspirava em grosso, abrangendo com a sua desnorteada e vacilante ambição tudo aquilo que se podia articular de qualquer modo ao objeto do seu desejo.

Assim, logo que lhe veio a ideia de fazer-se jornalista, pensou em ser concessionário, pensou em ser diplomata e pensou em ser deputado, sem se decidir por nenhuma das três carreiras, aliás tão diversas e tão opostas.

E tanto teve de entusiasmo pelo comércio, ao fazer-se negociante, quanto agora o detestava e maldizia a cada momento.

— Se eu conseguir criar a folha — planeava ele, espaceando no corredor do teatro — conservo-me ainda por algum tempo no comércio, apenas na qualidade de sócio comanditário, e dedico-me de corpo e alma ao jornalismo. Com o meu talento e com a minha vivacidade, não dou um ano à minha folha para ser a primeira do Império.

E já se via aclamado e aplaudido pelo público, já se via influindo sobre os destinos da pátria e determinando com uma penada as mais graves questões políticas.

Uma enorme sede de luzir, de parecer grande, de dominar, o assoberbava ultimamente, fazendo-o esquecer-se de tudo e de todos, para só cuidar do seu nome. Apoderava-se dele a febre do voo, a paixão da altura; queria subir até onde chegava sua ambição. Não havia nisso a menor sombra de amor pelo trabalho, nem desejo de ser útil à pátria ou aos seus semelhantes, mas só vaidade, essa mesma vaidade que fora sempre a sua única soberana, e pela qual ele seria capaz dos maiores heroísmos e também das maiores perversidades.

E, enquanto Teobaldo devaneava e passeava no corredor, entusiasmando-se com o alto conceito que fazia de si mesmo, o outro, o Aguiar, quedava-se no camarote, acompanhando em silêncio todos os gestos da prima.

Estavam já no penúltimo ato, em meio do grande dueto de Raul de Nangis e Valentina; Branca não despregava o binóculo da cena e parecia arrebatar-se com a magia daquela música suprema e apaixonada; os seus desgostos, as suas profundas mágoas de amor, acordavam todas, uma por uma, no fundo de sua alma; e, quando o tenor soltou a última frase do dueto, uma lágrima brilhou nos olhos dela e um longo suspiro desdobrou-se-lhe nos lábios.

Só então, despertando do seu enlevo, atentou para Afonso, que a devorava com a vista.

— Como sofre... — disse ele entredentes — não tão baixo, porém, que a prima não o ouvisse.

Ela balbuciou ainda uma frase de desculpa, mas o rapaz acrescentou em segredo:

— Para que há de esconder de mim os seus sofrimentos? Julgará que é de hoje que os observo e acompanho?... Melhor faria, minha prima, em derramá-los no meu coração, porque só os que também sofrem poderão compreendê-los e...

— Eu é que não o compreendo... — respondeu Branca, fazendo-se muito séria.

— As palavras de um bom amigo só não as compreende quem de todo não quer...

— Nesse caso repita-as a Teobaldo, que ele as compreenderá melhor do que eu.

— Duvido.

— Não acredita então na amizade de meu marido?...

— Não.

— Como assim?

— Teobaldo não estima a ninguém. Ele só cuida de si, só pensa na sua própria pessoa, só de si se preocupa.

— Não é isso o que meu primo costuma dizer a respeito dele.

— Ah! certamente, porque desejo engrandecê-lo aos olhos de todos.

— Mas então com que fim?

— Com o fim de ser — para ele — útil e para a prima — agradável.

— Pretende então agradar-me?

— Decerto, visto que sou seu amigo.

— E como, se é meu amigo, procura convencer-me de que Teobaldo não estima a ninguém?... Esquece-se, meu primo, porventura de que, se eu chegasse a acreditar em semelhante falsidade, seria a mais infeliz das mulheres, porque adoro meu marido e suponho ser amada por ele?

— Se a prima acreditasse no amor de Teobaldo, não sofreria como sofre...

— Quem lhe disse que eu sofro?

— Diz-me tudo: dizem-me as suas lágrimas mal disfarçadas, a sua melancolia, os seus suspiros; dizem-me esses pobres olhos entristecidos e queixosos!...

Branca abaixou as pálpebras instintivamente, e o rapaz, aproveitando o efeito daquelas palavras, acrescentou:

— Quando uma mulher é correspondida no seu amor, toda ela ressumbra contentamento e felicidade; de cada beijo que dá ou recebe da pessoa amada, fica-lhe na alma o germe de um sorriso e não da lágrima, que ainda há pouco lhe vi saltar dos olhos.

— Mas, quando assim fosse — retorquiu a senhora — dada a hipótese de que com efeito tenho qualquer motivo para sofrer, que lucraria eu em confessá-lo?

— Que lucraria? Oh! lucraria muito! Lucraria em desabafar, lucraria em dividir com alguém a sua mágoa!

— Não! Isso só se pode fazer com um ente, um único, quando o possuímos, e eu o possuí tão pouco!...

— Quer falar de sua mãe?

— É verdade.

— E não se lembra de que eu, por bem dizer, sou seu irmão, que a vi pequenina e que me habituei a estimá-la e a respeitá-la, como se tivéssemos bebido o mesmo leite materno?...

— Mas que lhe podem interessar meus desgostos? São tão íntimos... tão meus!...

— Por isso mesmo me interessam, porque eles são muito seus. Oh! era preciso não ser seu amigo, seu companheiro de infância, seu irmão, para não me interessar por eles, como me interesso por tudo que lhe diz respeito!

E chegando-se ainda mais para junto dela:

— Juro-lhe, minha prima, que, apesar da tremenda decepção que sofri com o seu casamento, apesar de a ter desejado ardentemente para minha esposa, só a ideia de que Teobaldo faria a sua felicidade levou-me a esquecer tudo! Nunca mais a possuiria, é exato; nunca mais a vida seria para mim outra coisa mais do que a morte sem as regalias da morte, sem o descanso, sem o esquecimento e sem a dor; consolava-me, porém, a ideia de ter contribuído para a ventura daquela que eu idolatrava, daquela que foi a única mulher que amei, que amarei sempre! E contava, pois, que, em a vendo satisfeita e alegre, eu teria também, do fundo da minha desgraça, o meu quinhão de alegria! Vendo-a gozar, eu gozaria também! Ah! mas quando dei pelo procedimento de seu marido; quando descobri que ele covardemente a enganara, fazendo-lhe acreditar que a amaria por toda a vida; quando cheguei a compreender qual fora a verdadeira intenção daquele miserável, arrancando-a brutalmente da casa paterna; ah! então, confesso-lhe, minha prima, transformei-me todo; confesso-lhe que senti indignação tão grande como seria a indignação de seu pai, se ainda vivesse!

— Meu pai! Oh! não me fale nele, por amor de Deus!

— Sim, seu pai, que juntou a vida ao dote cobiçado pelo seu raptor.

— Meu primo!

— Perdoe-me! Deixe-me desabafar por uma vez, que estou cansado de reprimir a minha indignação! Juro-lhe que, se Teobaldo fosse um bom marido, teria em mim um amigo para a vida e para a morte; mas, fazendo-a sofrer, desprezando-a como a despreza, desdenhando de todas essas virtudes e de todos esses encantos que a prima possui como nenhuma outra mulher no mundo, preferia vê-lo atravessado por uma bala!

— Cale-se por amor de Deus!

— Não tem que se revoltar com o que estou dizendo! é na qualidade de amigo e de irmão que lhe falo! Ninguém terá maior empenho do que eu em protegê-la!

— Não posso aceitar uma proteção que acusa e ofende meu marido...

— Em sua defesa, eu acusaria o próprio Deus, se ele a desgostasse!...

— Pois se assim é, proteja-me estimando Teobaldo, perdoando-lhe as faltas e defendendo aos olhos dele a minha causa. Só por essa forma provaria o primo que me estima deveras.

Mas, justamente nessa ocasião, Teobaldo, em um camarote defronte do da esposa, fazia a corte à mulher do tal conselheiro de quem dependia a criação do seu jornal.

Experiente e vivo como era, sabia que as mulheres são o melhor conduto para se chegar aos maridos. — Porque, considerava ele — das duas uma: ou a sujeita é boa e por bondade cederá ao meu pedido; ou não é, e neste caso eu a farei solidária nos meus interesses, desde que a converta em minha amante.

A senhora do conselheiro, posto não fosse de todo desengraçada e despida de seduções, era já uma gordachuda quarentona que em ninguém acenderia delírios de amor, e muito menos em Teobaldo que, a respeito de mulheres, só tinha tido até aí boas fortunas. Não se tratava, porém, de satisfazer ao gosto e sim de arranjar proteção, e como ele, logo ao primeiro ataque, descobriu que a esposa do conselheiro pertencia à segunda daquelas duas ordens, tratou de dar toda força aos seus recursos de insinuação e aos seus artifícios de conquistador.

Foi tiro e queda! No fim de pouco tempo de conversa a senhora do conselheiro se interessava visivelmente pelo marido de Branca. Ouvia-o com toda a atenção, abanando-se indolentemente, a sorrir e a contemplá-lo em silêncio.

Ele falava de tudo, promiscuamente, tocando apenas com a ponta da asa do seu espírito no assunto que se oferecia; não esteve calado um instante; depois ergueu-se de súbito e, o claque em punho, o ar todo restrito, pediu as ordens da excelentíssima senhora, lamentando ainda uma vez a ausência do conselheiro, a quem fazia empenho de ser apresentado.

— Pois então apareça-nos sexta-feira. Está convidado. Eu prevenirei meu marido de que o senhor não faltará. Vai?

Teobaldo vergou-se todo defronte destas palavras, disse que sim com um gracioso sorriso e, requintando a sua cortesia, beijou a mão que a senhora do conselheiro lhe havia estendido.

— É interessante este rapaz! anotou ela consigo, depois de sair a visita.

— Estou garantido! — pensou ele, quando se viu em liberdade.

Entretanto, o Aguiar, que não perdera um só dos movimentos do marido de sua prima, chamou a atenção desta sobre o modo pelo qual ele se despedia da outra.

— Não há de ser por mal... — considerou Branca, afetando tranquilidade, mas no íntimo ressentida.

É que acabava de cair por terra mais uma das pedras do pobre castelo das suas ilusões.

7

Por esse tempo o Coruja, sempre lutando com o seu coração, com a sua natural antipatia, com o seu trabalho excessivo e com as exigências da velha Margarida e mais da filha, achava-se em uma situação especial.

O diretor do colégio, em que ele trabalhava havia tantos anos, um viuvão preso ultimamente à cama pelo reumatismo, acabava de sucumbir pedindo-lhe, antes de morrer, que ficasse com o estabelecimento e fizesse o possível para mantê-lo, sem quebra dos créditos até aí conquistados.

André prometeu; mas, feito o inventário do colégio, verificou-se que este devia dez contos de réis, ficando por conseguinte quem tomasse conta dele obrigado a fazer frente a esse débito.

Ora, o Coruja não tinha dez contos de réis, nem donde os haver, pois que Teobaldo, único a quem ele poderia recorrer, já não se achava em circunstâncias de servi-lo.

Entretanto, mesmo com algum sacrifício pagava a pena de ficar com o colégio, porque, em primeiro lugar, o que havia dentro deste valia bem a metade daquela quantia, e, em segundo lugar, o estabelecimento era um dos mais acreditados da corte e contava um bonito número de alunos. Notando-se ainda que a ninguém convinha como ao Coruja ficar com ele a dirigi-lo, visto que de há muito fazia as vezes do diretor, e, valha a verdade, com vantagem sobre o verdadeiro, já por introduzir no estabelecimento muitas das reformas do ensino primário, já por desenvolver várias aulas que encontrou quase que em estado de abandono.

Ora, se o Banco do Brasil, que era o principal credor, cedesse dois anos de moratória, o Coruja, empregando todo o seu esforço, bem podia dar conta do recado.

Tratou-se do negócio. O Banco, mediante a hipoteca do colégio, dava um ano para a entrada da metade da dívida e outro ano para a entrada do resto. André teria, pois, se fechasse o acordo, de apresentar seis contos de réis daí a um ano e outros seis daí a dois, submetido, já se vê, aos juros da lei.

Verificou o que conseguira economizar depois da moléstia de D. Margarida, calculou ao certo o produto líquido do colégio e, tomando a resolução de reduzir ainda mais as suas despesas e largar de mão por algum tempo a sua história do Brasil, resolveu afinal assinar o contrato.

Tudo isso fez ele sem o menor entusiasmo, com uma inalterável confiança nos seus esforços.

E desde então com efeito não descansou um segundo; dispensou alguns professores, cujo serviço tomou a seu cargo, e começou a lecionar por dia nada menos do que oito aulas, inclusive a de música.

Pois, ainda assim, descobria tempo para fazer a escrituração da casa e, lá uma vez por outra, para adiantar uma página à sua querida história do Brasil.

Embalde protestava-lhe o corpo contra tanto excesso de trabalho. Coruja não se deixava vencer e reagia energicamente; é verdade que, ao chegar a noite, já se não podia ter nas pernas e só com muito sacrifício aguentava-se acordado até às onze horas, trabalhando ainda; mas em compensação trazia agora o espírito mais tranquilo a respeito do seu compromisso com Inês, a quem desposaria, mal visse o colégio desembaraçado.

A nova situação de André por qualquer forma animou a velha Margarida, que ultimamente se havia convertido para ele em um verdadeiro tormento.

— Ora, Deus queira que desta vez você desembuche, criatura! — disse-lhe ela, quando o rapaz lhe levou a notícia. — Já não vem sem tempo!

— Ah! desta vez creio que ficará tudo realizado!... — considerou André — É que as coisas, Sra. D. Margarida, nem sempre caminham à medida dos nossos desejos...

— Ora, *seu* Miranda, se você quisesse, há muito tempo que já teria dado um jeito ao negócio!...

— Mas para que fazer as coisas no ar? É muito melhor ir pelo seguro! Olhe, logo que eu liquide o meu débito com o Banco, posso casar sem receio, porque já terei certo o necessário para sustentar mulher e os filhos que vierem. O colégio, uma vez desembaraçado, dará perfeitamente para isso e talvez até para se pôr de parte alguma coisinha... Não acha a senhora, D. Margarida, que sempre é melhor assim, do que casar-se a gente em um dia e já no outro estar arrependida?

A velha, em vez de responder às considerações de André, limitou-se a exclamar:

— Hei de ver este casamento pelas costas e ainda me parecerá um sonho!

— Agora há de vê-lo realizado!

— Com um ano de espera pelo menos... arriscou Inês. — Em um ano o mundo dá tantas voltas!...

E sua cara era tão feia e tão apoquentada com semelhantes palavras, que fazia desconfiar que as tais voltas do mundo haviam de ser por cima dela.

— O que não sei é se ele ainda deitará um ano!... — considerou a velha, quando o Coruja a deixou com a filha. — Acho-o agora tão não sei como!... O diabo do homem parece que fica mais feio de dia para dia!

— A mim, o que lhe acho — acrescentou a outra — é mais bodega do que nunca: já não se sabe de que cor é o paletó que ele trás no corpo, e o chapéu parece que está a se acabar aos nacos!

Tais considerações sobre o mal trajar do Coruja não eram privilégio exclusivo das duas senhoras; em casa de Teobaldo já todos haviam também notado a mesma coisa, sem que ninguém aliás se animasse a censurá-lo, porque bem sabiam a que ponto levava ele a economia depois de tomar o colégio à sua conta.

Mas se aí lhe perdoavam a penúria de roupa, o mesmo não sucedia nas outras partes, e o pobre Coruja ia ganhando fama de sumítico e miserável.

Comentavam amargamente aquela extrema restrição de despesas; acusavam-no de nunca ter sido visto a gastar um só vintém com pessoa alguma, e muita gente garantia que ele aferrolhava dinheiro.

Em verdade, não podia ser mais rigorosa a abstinência do Coruja, nem podia o seu tipo ser mais farandolesco e miserável do que era ultimamente; mas, também, quem o surpreendera à noite no seu cubículo, depois de recolhido, vê-lo-ia tirar de uma gaveta diversos títulos do Banco e diversos maços de cem mil-réis em papel, que ele contava e recontava com uma voluptuosidade de avarento; como, se à força de conferir o dinheiro, pretendesse engrossá-lo.

O Aguiar embirrava com ele progressivamente. Ao topá-lo em casa do amigo, tão maltrapilho e tão esquerdo de maneiras, torcia sempre o nariz e às vezes chegava a exprobrar à prima aquela relação.

— Também não sei — dizia — como Teobaldo, que é aquele mesmo, conserva este tipo dentro de sua casa...

— São muito amigos — respondia Branca secamente.

— De acordo, mas, que diabo! semelhante figura é o bastante para desmoralizar uma casa... Parece um mendigo! um verdadeiro mendigo!

— É um homem honesto, afianço-lhe.

— Oh! nem podia deixar de ser! com tal aspecto ser honesto não é favor: ele tinha obrigação de ser, pelo menos, santo.

— E talvez meu primo acertasse. O Coruja tem coisas de um verdadeiro santo.

— Menos a figura, que essa é marca de Judas.

— Com efeito, é antipático, mas também não é tanto assim... Repare bem e verá.

— Não. Tenho medo. Aquela cara seria capaz de me pôr doente se eu a fitasse.

A atitude do Aguiar ao lado da prima continuava a ser a de um seu parente chegado e amigo da casa; Branca, todavia, ao conversar com ele, sentiu por várias vezes orçar-lhe pelo pudor as antenas de uma estranha intenção, que ela procurava não compreender e contra a qual se retraía toda. Mas o sedutor nem por isso perdia as esperanças, e, sempre com o seu sistema artificioso, ia empregando todos os meios de insinuar-se-lhe no ânimo, até que chegasse uma boa ocasião para a empolgar.

A ocasião, porém, não queria apresentar-se, e ele teria talvez precipitado os acontecimentos, se o acaso não fosse ao seu encontro, avivando-lhe a coragem e fazendo-lhe antever um desfecho ainda mais rápido do que esperava para a sua campanha.

Aguiar estava muito ao corrente das pretensões jornalísticas de Teobaldo e, melhor ainda, sabia em que pé caminhavam as intimidades deste com a senhora do conselheiro; de sorte que, um belo dia, ouvindo Branca a teimar que o marido tinha de passar a noite em importante conferência comercial com alguns amigos, ele sorriu e disse:

— E o que perderia a prima se eu lhe provasse o contrário?

— Perderia mais uma ilusão a respeito de meu marido — respondeu ela. — Até aqui ainda não o apanhei mentindo, e confesso que o julgo incapaz de tamanha baixeza.

— E se eu provasse que ele, em vez de passar a noite nessa fantástica conferência, estará por esse tempo aos pés da mulher do conselheiro?...

— Creio que ainda assim eu não acreditaria.

— E se as provas fossem irrecusáveis?

— Nunca perdoaria a ele semelhante infâmia.

— E jura que não fará o mesmo a meu respeito, se eu provar o que disse?

— Pode estar tranquilo por esse lado, porque nós, as mulheres, só condenamos os atos maus e as faltas da pessoa que amamos. Em nós o ódio é sempre o avesso do amor e só aparece quando este se esconde; o nosso coração é uma capa de duas vistas, cujos lados não podemos usar ao mesmo tempo: ou bem que amamos, ou bem que odiamos.

— Quem me dera então ser odiado pela prima...

Branca sentiu o roçar das tais antenas e tratou logo de cortar a conversa, retirando-se para o seu quarto, a pretexto de sentir-se indisposta.

Aguiar ficou na sala, mas a denúncia dele acompanhou-a, grudando-se-lhe ao coração com tanta insistência, que afinal já o oprimia.

— Um mentiroso! — pensava ela, deixando-se cair sobre o divã.

E vieram os soluços.

— Mentir, enganar-me, trair-me como o mais baixo dos homens não faria com sua mulher!... Oh! isso não! Isso já é demais! Isso já não é uma fraqueza, é uma vilania e uma perversidade! Se ele está farto de mim, se já não me pode suportar, por que então não fala com franqueza? por que não confessa tudo dignamente? por que me traz nesta dúvida ridícula e mais dolorosa do que a pior das evidências?...

E ainda chorava sobre estes raciocínios quando Teobaldo chegou à tarde. Ela disfarçou as suas lágrimas, acompanhou-o ao jantar, depois conversaram juntos, como de costume, debaixo de um caramanchão que havia na chácara e, só à noite, ao vê-lo já pronto para sair, perguntou-lhe com os braços em volta do pescoço dele:

— Vais sempre à tal reunião?

— Vou, e creio que me demorarei alguma coisa; mas fica descansada, que não irei muito além da meia-noite.

E beijou-a na testa e teria desaparecido logo, se a mulher não o prendesse com mais força.

Ele estranhou:

— Então! — disse. Creio que não vou empreender alguma viagem aos polos!

A esposa tomou coragem e interrogou-o abertamente:

— Quero que me digas uma coisa, mas não mintas! Fala com franqueza.

— Não te compreendo, filha.

— Dize-me: onde vais tu agora?

— Oh! estou farto de repetir! — E estalando as sílabas: — Vou a uma reunião comercial, que tem hoje de deliberar sobre um sindicato, apresentado ao governo, pedindo privilégio para o fornecimento de certos materiais de guerra que tencionamos mandar ao Paraguai. Oh!

— Jura! Dá a tua palavra de honra!

— Ora essa!

— Então não acredito.

— Paciência!

— E vejo que as minhas desconfianças têm razão de ser...

— Desconfianças?

— Sim. Não acredito na tua reunião.

— E com que direito?

— Com o direito de quem tem ciúmes!

— Ciúmes, tu?

— Eu mesma.

— E duvidas de mim?

— Só não duvidarei se renunciares a essa tal reunião.

— Não posso.

— Fica. Peço-te.

— É impossível! Teria um grande prejuízo!

— Fica, Teobaldo.

— Não. Seria uma tolice, que eu a mim mesmo nunca perdoaria! Bem sabes que os meus negócios não vão bem, atravesso uma crise muito séria, extraordinariamente séria! A guerra tem-me feito um mal diabólico! Se me descuidar, estará tudo perdido, tudo! Nesta reunião de hoje vou tratar do nosso futuro; é o interesse que me conduz e não devo faltar!

— Bem, vai!

— Adeus.

— Adeus.

Ele tornou a beijá-la na fronte e depois saiu.

Branca ficou imóvel, junto à porta, a segui-lo com os olhos. Viu-o descer muito lépido a escadaria de pedra, atravessar a chácara e ouviu depois rodar o carro lá fora.

— Qual dos dois será o mentiroso? este ou o outro?... — balbuciou ela, deixando pender a cabeça para o peito e entregando-se a uma cisma atormentadora e ensombrecida pela dúvida: Qual dos dois será o infame? Talvez ambos! ...

Despertou com a voz do primo.

— Então? Ele sempre foi? — perguntou este com um sorriso.

Branca respondeu sem falar, procurando esconder a sua preocupação. Deu uma pequena volta pela sala, afinal foi colocar-se ao lado do primo:

— Onde é a entrevista, sabe?

— No Catete.

— Em casa de quem?

— Na minha.

— Na sua casa?

— Ele pediu-ma e eu não podia negar. Não acha?

— Fez bem.

E ela acrescentou, depois de uma pausa aflita, aproximando-se mais de Aguiar:

— Meu primo, o senhor disse que é meu amigo, não é verdade?

— E sustento.

— Pois bem, prove-o, não dando uma palavra a respeito do que eu vou fazer.

— Juro que não darei, mas peço em troca uma promessa do mesmo gênero.

— Fale.

— A prima não dirá a Teobaldo quem foi que o denunciou.

— Pode ficar descansado.

Dito isto, Branca foi ao tímpano e vibrou-o.

Apareceu um criado.

— O Caetano que se apronte para sair e venha imediatamente aqui; você vá chamar um carro. Depressa!

— Vai certificar-se? — perguntou Aguiar à prima, feliz com aquela intimidade que o aproximava mais dela e como que o fazia seu cúmplice, estabelecendo entre eles um segredo, um pacto e um juramento.

Branca respondeu que sim, queria certificar-se com os seus próprios olhos.

— E que meios tenciona empregar para isso?

— Espiá-los.

— Mas, de que modo?

— Postando-me defronte da casa.

— E se eles já tiverem entrado e se fechado por dentro?

— Espero que saiam.

— Mas é que dessa forma a prima será descoberta e terá de passar longas horas a esperar na rua, metida em um carro de aluguel, talvez arriscando a sua reputação...

— Que então hei de fazer?

— Seguir os meus conselhos. Eu me comprometerei a levá-la a um lugar, donde a prima poderá observá-los à vontade e sem ser vista.

— Ir em sua companhia?...

— Parece-me que sempre é mais prudente do que ir em companhia do Caetano... Lembre-se de que esse velho a ninguém preza neste mundo como a Teobaldo e que não resistirá por conseguinte ao desejo de contar-lhe tudo!

— Pouco me importaria eu com isso!...

— Sim, mas importo-me eu. Se Teobaldo chegasse a descobrir a armadilha, descobriria também quem a armou. Ao passo que, indo a prima só comigo, eu a faria entrar misteriosamente pelos fundos da casa e leva-la-ia a um lugar seguro donde, já disse, os poderia ver, sem que ninguém desconfiasse da sua presença.

O velho Caetano acabava de aparecer à porta da sala, todo paramentado com a sua libré nova, a cabecinha já muito branca e vergada ao peso dos seus setenta anos.

— Espere, Caetano — disse-lhe Branca, encostando-se a um móvel, como para melhor resistir às ideias que a acabrunhavam.

É que ao seu espírito altivo e leal repugnava tudo aquilo, sentia-se mal, como se estivesse premeditando uma infâmia.

— Você já não é necessário — declarou Aguiar ao criado, enquanto ela pensava.

O velho Caetano fez uma respeitável continência e apartou-se sem dar palavra, arrastando os seus cansados pés e afagando lentamente com a mão a nuca encanecida.

Branca teve afinal um gesto resoluto de cabeça, foi ter com o primo e perguntou-lhe com a voz tão firme quanto era firme o seu olhar:

— Dá-me a sua palavra de honra em como não deixará de ser cavalheiro um só instante enquanto estiver ao meu lado?

— Dou-lhe a minha palavra de honra em como a respeitaria como minha irmã ou minha mãe!

— Bem. Aceito a sua companhia.

E retirou-se por alguns segundos para ir pôr uma capa.

— Podemos ir, disse ao reaparecer na sala.

O primo deu-lhe o braço e os dois saíram juntos.

8

Chegaram sem o menor incidente ao destino que levavam.

Aguiar fez conduzir o carro pela rua dos fundos da casa e apeou-se defronte de um portão, dizendo à prima:

— Entre sem receio.

— Mas...

— Calculando a sua vinda, dei todas as providências para que nada nos estorvasse.

— Como?

— A sala, onde seu marido há de estar com a sujeita, tem uma janela que despeja para aqueles lados.

— Ah!

— Essa janela parece dar simplesmente para a montanha, mas tanto dá para a tal montanha como para um pequeno terraço que existe perto dela, meio oculto pela folhagem de algumas árvores.

— Um terraço?

— Sim. E é daí que os vamos observar.

— E se a janela estiver fechada?

— Tão tolo não era eu que consentisse em tal...

— Como assim?

— Ora, preguei muito de propósito as folhas da janela contra a parede. Além disso, eles não terão empenho em fechá-la, não só porque nem sequer desconfiam de que possam ser espreitados, como também abafariam de calor. Só por essa janela entra o ar no quarto.

Branca deixou-se conduzir até ao terraço; o primo a seguiu, afetando o maior acatamento e o mais solícito respeito.

— Eis a janela — segredou ele ao ouvido da prima.

E apontou para uma janela que de fato estava aberta, deixando devassar parte de uma boa sala bem guarnecida e bem iluminada. Sobre a mesa do centro via-se um grande véu preto, de mulher, ao lado de uma bolsa e mais um chapéu de homem e uma bengala.

Branca reconheceu estes dois últimos objetos, mas não disse uma palavra.

— Venha agora para esta outra banda... — segredou-lhe de novo o rapaz, tomando-a delicadamente pela mão e conduzindo-a à extremidade oposta do terraço.

Ao chegar aí, ela sentiu um choque mais violento e amparou-se contra o ombro do primo, escondendo o rosto nas mãos e chorando.

É que vira o marido, de pé, tendo nos braços a senhora do conselheiro.

Agora, Branca já não podia ficar iludida; vira perfeitamente: Ele estava todo de preto, vergando-se para alcançar com os lábios o beijo que a sua cúmplice lhe oferecia. E viu que os dois se estreitavam nos braços um do outro, dizendo entre si alguma coisa em segredo: palavras de amor sem dúvida.

Branca enxugou as lágrimas, puxou de novo sobre o rosto a sua capa, que ela havia afastado para melhor ver, e com um gesto pediu ao primo que a acompanhasse.

— Agora está convencida?... — perguntou este meigamente.

— Estou. Obrigada.

E ela tomou a direção da saída do terraço.

Aguiar acompanhou-a, sem arriscar uma palavra ou um gesto a favor das suas pretensões amorosas. Percebia que era ainda cedo demais para isso, e que poderia comprometer todo o seu jogo, se naquele momento lhe faltasse a calma.

Ah! ele conhecia perfeitamente o caráter orgulhoso da prima; tinha plena certeza de que a comoveria muito mais resistindo ao desejo de aproveitar aquela ocasião do que lhe caindo aos pés com uma declaração de amor.

— Nada de precipitar os acontecimentos!... — considerou, resolvido a esperar que o dia da sua felicidade chegasse por si.

Foi, pois, com todo o respeito que ele seguiu a prima, dando-lhe a mão quando era preciso descer algum degrau, afastando solicitamente os galhos das roseiras, quando atravessaram o jardim, e afinal conduzindo-a até à carruagem e perguntando-lhe, com a cabeça descoberta, o ar muito sério, se ela queria que ele a acompanhasse à casa.

— Não, obrigada; não há necessidade disso. Adeus.

E Branca, estendendo-lhe a mão, que Aguiar beijou com toda a cortesia:

— Olhe, ouça, ia a dizer o rapaz; mas, nessa ocasião, um vulto de mulher, que saíra da sombra da rua, assomara pelo lado oposto da carruagem e, metendo a cabeça na portinhola, dissera claro:

— Bom! É quanto me basta ver! Estou satisfeita!

Branca retraiu-se no fundo do carro, soltando um pequeno grito assustado, enquanto Aguiar, que havia reconhecido a outra, ordenou ao cocheiro que seguisse, e foi ter com ela.

— Ora, Leonília, que imprudência a tua!...

— Não! deves dizer antes "Que felicidade!" Não imaginas quanto estou satisfeita!

9

Leonília, logo em seguida àquela célebre visita que lhe fez o Coruja, isto é, logo que embolsou o dinheiro que ele lhe levou, fez vir o Aguiar à presença dela e lhe disse:

— Sabes? Resolvi largar de mão o casamento de Teobaldo e parto no primeiro paquete que daqui sair.

— Pois tu vais deixar o Rio de Janeiro em semelhante ocasião? perguntou o rapaz, sinceramente espantado; vais partir sofrendo em silêncio o que acaba de te fazer aquele miserável?

— É verdade.

— Pois nem ao menos procuras vingar-te?

— Oh! quanto a isso, mais devagar, meu amigo!

— Ah!...

— Era preciso que eu não o tivesse amado apaixonadamente e não me tivesse abaixado até à última humilhação a que conduz o amor, para não guardar contra ele um ódio terrível e uma terrível necessidade de fazer-lhe mal.

— Bom.

— Mas, por enquanto, não quero. Seria tolice. Ele que se case, que siga o seu destino; mais tarde hei de estar ao seu lado.

Aguiar tentou ainda convencê-la de que a melhor coisa a fazer contra Teobaldo era desmanchar-lhe o casamento; nada, porém, conseguiu e pôs à disposição dela o seu auxílio.

Leonília partiu com efeito no primeiro paquete que encontrou a sair do Rio de Janeiro; foi em busca do seu incorrigível banqueiro e, durante quatro anos, ajudou-o a liquidar o resto de dinheiro que ainda lhe encontrou.

Quando o viu reduzido à espinha, bateu de novo a bela plumagem, completando o bilhete que lhe deixara da outra vez com esta frase: "Até nunca". E tornou então para o Rio de Janeiro, não com os mesmos encantos e as mesmas pedrarias que trouxera da primeira viagem, porque ia já se enterrando muito em idade e fazendo-se demasiadamente gorda, mas voltou com a mesmíssima preocupação que levara a respeito de Teobaldo.

Um dos seus primeiros cuidados, chegando à corte, foi pedir notícias dele.

É inútil dizer que as obteve, ainda mais completas do que procurava, porque no Rio de Janeiro essas coisas se conseguem com extrema facilidade, principalmente quando é uma Leonília quem as busca. Mas de tudo o que lhe constou a respeito do pérfido amante, só uma circunstância lhe encheu deveras as medidas: — a inesperada intimidade de Aguiar em casa de Branca.

Conhecendo o caráter "daquele tipo"; sabendo quais foram os esforços que ele empregou para casar com a prima e quão grande a sua decepção por não o conseguir, calculou logo que espécie de intenções o levaram a se fazer de novo amigo do homem que lhe roubara a mulher amada. Entretanto, por conhecer também de que força era o Aguiar em manha e disfarce, receava que o hipócrita realizasse os seus intentos contra a esposa de Teobaldo, mas, com tamanho jeito e habilidade, que ninguém viesse a descobri-los. E isto, que para ele representaria sem dúvida o complemento da vingança, para Leonília não era mais do que um fato do qual podia-se tirar o melhor partido, metendo-o em circulação.

Interrogou o Aguiar sobre esse ponto, e o Aguiar respondeu jurando que a prima era um modelo de honestidade conjugal.

— Bom — disse Leonília — é o que vamos ver...

E esperou.

Esperou e de olhos bem abertos. Nos passeios de carro que ela costumava fazer à tarde ou à noite, preferia em geral as bandas de Botafogo, circunstância em que nada havia de extraordinário, porque este bairro era então o mais próprio e usado para isso.

Mas, chegando em certa altura da praia, mandava sempre abaixar a cúpula do carro e afrouxar o passo dos animais; às vezes, chegava até a estacionar por alguns minutos debaixo de alguma árvore, como quem espera por alguém ou pretende descobrir alguma coisa; outras vezes saltava em terra e entretinha-se a dar uma pequena volta pelo cais.

Foi assim que ela, na tal noite da entrevista da mulher do conselheiro, viu o Aguiar surdir na porta de Teobaldo com a mulher deste pelo braço.

— Olé! — disse consigo e, auxiliada pela escuridão, pôde observá-los à vontade, sem ser pressentida.

Viu-os trocarem em segredo algumas palavras, depois meterem-se resolutamente no carro que os esperava na rua e que tomou logo a direção da cidade. Leonília acompanhou-os, recomendando ao seu cocheiro de guardá-los a certa distância e não os perder de vista.

Durante todo o tempo que Branca levou no terraço a espreitar o marido, ela rondou a porta da casa; casa aliás já sua conhecida, pois que até pernoitara aí uma noite com Teobaldo, depois de uma grande ceia, que o Aguiar oferecera aos amigos num dia de seus anos.

O primo de Branca estava longe de se supor espiado, e não procurou esconder a sua contrariedade defronte de Leonília.

— Mas com que diabólica intenção fizeste semelhante coisa? perguntou ele, depois de ouvir da cortesã a confissão de que ela o seguira desde Botafogo.

— Ora essa! — respondeu Leonília, sem dominar o seu contentamento — para vingar-me, está claro! Quero que repitas agora o que disseste da inquebrantável honestidade de tua prima!

— Pois olha, juro-te que não mentiria sustentando o que afirmei a respeito dela.

— Tem graça!

— Não posso te explicar as circunstâncias muito especiais, que determinaram o que acabas de ver, mas afianço-te que Branca tem sido até hoje uma esposa verdadeiramente casta...

— Ora deixa-te disso, e fala com franqueza.

— Mas, filha juro-te que estou dizendo a verdade. As aparências muitas vezes enganam.

— Bem! Não queres falar, tanto pior para ti... Outros descobrirão aquilo que não me queres confessar.

— Mas se não há nada!

— Não tratemos mais disto; acabou-se!

— Não! Mas é que tu me podes comprometer muito seriamente!...

— Pois se tens medo de mim, fala com franqueza e eu farei as coisas de modo a não ficares comprometido. Não admito é que me queiras convencer, a mim, de que levas a estas horas uma mulher à tua casa de rapaz solteiro, talvez para discutirem algum ponto de moral doméstica!... Isso, hás de ter paciência, mas não passa... E, por conseguinte, dize lá o que entenderes, mas desde já te previno de que tenho sobre o fato o meu juízo formado.

— Se tens já o teu juízo formado, para que diabo queres então que eu fale?

— Porque com isso não fico sabendo menos do que já sei.

— E se eu não quiser falar?

— Nesse caso darei parte desta entrevista a Teobaldo, e ele que proceda como entender.

— E como conseguirias provar?

— Ora! Isso seria o menos! Bastava-me o cocheiro, que é meu conhecido antigo; e demais não sabes se eu estou só; posso ter testemunhas.

— Mas que diabo lucras tu com a minha confissão?

— Não é disso que se trata! Quero saber é se confessas ou não confessas que és o amante de tua prima?

— Desde que afianças que, se eu não confessar, vais perdê-la para sempre... Confesso!

— Confessas então que és o amante da mulher de Teobaldo?

— Que remédio!

— E há quanto tempo?

— Desde que a conheço. Bem sabes que ela é a única mulher que amei até hoje...

— Não! Pergunto desde quando ela é a tua amante de fato, desde quando a possuis!

— Não sei, já não me lembro.

— E que tencionas fazer?

— A que respeito?

— A respeito dela. Pergunto se tencionas continuar como até agora, ou, visto que a amas, se tens a intenção de tirá-la do marido.

— Isso não é coisa que dependa só de mim. Era preciso que ela consentisse.

— Ela não quer?

— Creio que não.

— Nunca lhe perguntaste?

— Nunca.

— Não creio.

Ele sacudiu os ombros.

— Bem... — murmurou Leonília, depois de uma pausa. — Adeus.

— Posso então confiar em ti, não é verdade? — perguntou Aguiar, apertando-lhe a mão.

— Podes confiar abertamente. Adeus.

Até outra vez.

Leonília afastou-se, tomou o seu carro e desapareceu. Aguiar, muito contrariado com o que acabava de suceder, foi-se deixando ir pelas ruas, procurando consolar-se com a ideia que ainda havia de possuir como amante aquela que o rejeitou para marido.

E, já sentado à mesa do hotel, onde ele costumava cear, dizia de si para si enquanto esperava o chá:

— No fim de contas fui muito feliz em não me ter casado com ela!

10

Enquanto isso se dava, Branca, aflita e estrangulada de indignação, chegava à casa.

Enfiou logo para seu quarto e, atirando a capa à criada, disse-lhe com a voz trêmula:

— Chama o João ou o Caetano, aquele que se aprontar mais depressa. É preciso entregar quanto antes uma carta, que vou escrever.

E, depois de esgotar de um trago um copo d'água, assentou-se à secretária e escreveu o seguinte com a mesma precipitação com que bebera:

Conselheiro. — Se V. Exa. preza a sua honra de homem casado, vá imediatamente à rua do Catete nº 15 e aí encontrará sua mulher nos braços do marido de quem lhe faz esta denúncia.

E declarou a hora e o dia em que era escrito o bilhete, sem contudo expor a sua assinatura. Depois, meteu a folha de papel em um envelope e sobrescritou-a.

— Leve imediatamente esta carta ao seu destino. É muito perto daqui. Não se demore.

O criado saiu e ela se atirou à cama soluçando. No fim de alguns minutos ergueu-se de novo; teve um instante de arrependimento, mas sacudiu logo os ombros, chamou pela criada já com a voz firme, despiu-se, recomendou que dissessem ao marido, no caso que este perguntasse por ela, que se achava indisposta e não queria falar a ninguém. Em seguida fechou por dentro a porta do seu quarto e recolheu-se ao leito, aguardando a explosão que julgava ter provocado com a carta dirigida ao conselheiro.

Criança! pensava ter lançado uma faísca na pólvora, e a faísca tinha apenas se cravado na lama.

A carta, segundo a declaração do criado que a levara, foi entregue em mão própria. S. Exa. abriu-a, leu-a imperturbavelmente, rasgou-a depois e disse ao portador:

— Está entregue.

Só no dia imediato foi que Branca se encontrou com o esposo; estranhou muito não lhe descobrir na fisionomia a mais ligeira sombra de contrariedade e procurou não deixar igualmente transparecer na sua o menor vestígio das amarguras que desde a véspera sofria.

Baldado esforço! O marido, logo às primeiras palavras que trocou com ela, perscrutou que alguma coisa a constrangia e empregou os meios de descobrir o que era.

— Nada! Nervoso! — respondia a pobre senhora, disfarçando as lágrimas.

— Não, não; tens seja lá o que for. É que não queres dizer.

— Ilusão, pura ilusão tua! De que posso eu me queixar? Sou a mais feliz das criaturas! Nada me falta: tenho o teu amor, tenho a estima de meus amigos, vejo-te prosperar, crescer! Que mais desejo?

Teobaldo aproximou-se dela para lhe dar um beijo; Branca fugiu com o rosto.

— Que significa esta recusa? — perguntou ele.

— Não sei, mas não posso agora suportar as tuas carícias.

— E por quê?

— Caprichos dos nervos, naturalmente...

— Tu então repeles os meus beijos, Branca?

— Sim, e peço-te que não insistas em querer saber a razão por quê.

— E até quando durará o tal capricho de teus nervos?

— Não sei; é natural que durem enquanto eu viver.

— Confesso que te estranho. Tu, que eras tão meiga, tão amorosa para comigo...

— É exato. Vê como a gente se transforma de um momento para outro.

— Mas é indispensável que haja uma causa para semelhante transformação.

— Não sei; apenas te afianço que não contribuí absolutamente para ela.

— Se tens alguma razão de queixa contra mim, melhor será que fales logo com franqueza. Ao menos dar-me-ás o direito da defesa.

— Razão de queixa? Mas, valha-me Deus! seria uma injustiça, uma tremenda injustiça à tua bondade, ao teu caráter e a todos os teus princípios de moral. Queixar-me? Que ideia! Pois se jamais fui tão lealmente amada e tão dignamente respeitada por ti!...

— Não te compreendo, nem te reconheço. Estás irônica.

— Não; estou simplesmente orgulhosa de ser tua esposa. Pressinto que caminhas para um futuro brilhante; as tuas relações não podem ser melhores: o conselheiro adora-te, o conselheiro! um homem de bem às direitas, um velho respeitável por todos os motivos!

— E é a verdade o que dizes...

— Oh! a verdade pura. Estou convencida de que o teu comparecimento à sessão de ontem, há de ainda mais engrandecer-te aos olhos dele. Não há dúvida que vais em uma carreira por todos os motivos invejável!

— Branca — disse Teobaldo, com o ar muito sério — se tens algum ressentimento contra mim, peço-te de novo que fales abertamente. Não sei em que possa eu ter incorrido no teu desagrado; a minha consciência está tranquila, mas desejo apagar de teu espírito toda e qualquer sombra de suspeita, de que me julgues merecedor.

— Já disse que não tenho acusação nenhuma a fazer.

— Mas então por que te mostras tão diferente do que és; por que estás desse modo?

— De que modo? Eu nunca me vi de tão bom humor!

— És cruel, filha!

— Eu? Pois então o meu bom humor já é uma crueldade?... Ora! tem paciência; mas não sei que fizeste da tua lógica, chegas a ser incoerente! Até aqui tu me lançavas em rosto todos os dias as minhas tristezas, os meus ciúmes, as minhas repetidas queixas de amor; e agora exprobras-me, porque me sinto bem disposta e com vontade de rir. Hás de confessar que isto não é lógico!

— Pois é justamente a tua rápida transformação o que me impressiona e do que desejo saber o motivo.

— Oh! não tem que saber! É que caí em mim...

— Caíste em ti? Como assim?

— É que ontem eu via as coisas por um certo prisma e hoje as encaro por outro.

— Explica-te.

— Desfizeram-se as ilusões, dissolveram-se-me as fantasias; vejo o mundo e vejo as criaturas por um prisma talvez menos consolador, com certeza, porém, mais justo, mais razoável e muito mais lúcido.

— Não compreendo onde queres chegar com isso!...

— Não me compreendes? oh!

— Juro-te que não!

— Então ainda menos me compreendeste até hoje. Imagine o senhor meu esposo que eu, até agora, via a sociedade e os homens de um ponto de vista ideal, cheia de confiança e de boa-fé; mas que era só meu, individual, próprio, escolhido a meu capricho, sem mescla do que nos ensina a experiência e a dura realidade dos fatos.

— Bem...

— Pois calcula que, de um momento para outro, senti rasgarem-se-me defronte dos olhos os véus da minha ignorância, e desde então vejo tudo às claras, vejo certo, posso julgar com justeza, dando a cada figura, a cada grupo, a cada ação e a cada fato o valor que lhe compete, a sua capacidade, a sua grandeza ou a sua pequenez, determinando os seus fins e calculando as suas intenções boas ou más.

— E a que deves tu essa milagrosa lucidez inesperada?

— Não sei, talvez a um sonho, que tive esta noite.

— Um sonho?

— É verdade. Adormeci ainda no meu ridículo estado de credulidade e sonhei que me achava entre todos os meus amigos e conhecidos; via-os a todos, como te estou vendo a ti, tão bons, tão afáveis e tão meigos! Mas, de súbito, senti uma grande agitação em torno de mim, olho espantada; então um singular espetáculo se apresenta: a máscara de cada um havia caído por terra e um grande montão de fisionomias misturava-se a meus pés, imóveis e frias como rostos de defunto. E todas aquelas figuras humanas, que acabavam de despir a máscara, começaram a rir e a escarnecer umas das outras, descaradamente, sem rebuços de delicadeza. E as mais vergonhosas confissões saíram de cada boca. Um gritava: "Eu finjo que te amo, mas no fundo eu te aborreço!" Outro dizia: "Afeto respeito à moral, mas a minha paixão verdadeira é a crápula e o aviltamento!" Este afiançava que lhe era indiferente o mundo inteiro e que só a sua própria pessoa o interessava; aquele outro declarava que o seu fim único era enganar o próximo em proveito de si mesmo; mais adiante ouvia-se dizer: "Eu, se não cometo certas baixezas, é só porque com isso atraso a minha vida"; outro protestava em como, se exercia algumas vezes o bem, era para que o glorificassem e acatassem; uma mulher gritava que se fingia virtuosa, porque era mais cômodo e vantajoso ser honesta do que dissoluta; ao lado dela um sujeito confirmava essas palavras, dizendo que a virtude na mulher é como a honra no homem — um passaporte para a consideração pública. E então vi deslizar por defronte de mim o mais estranho batalhão de monstros! Velhos sérios a fazerem momices de criança; crianças com os vícios e os achaques da velhice; vi homens feios e bons, outros maus e encantadores; vi o amor ao lado da ingratidão e do abandono; o ódio e a indiferença de braço dado à dedicação e ao sacrifício; vi a força ao lado da covardia; vi a fraqueza e a incompetência ao lado da valentia e do atrevimento; vi o generoso perseguido; vi o egoísta aclamado; vi o preguiçoso triunfante; vi o trabalhador estendido no meio do caminho; vi a franqueza e a lealdade cobertas de ridículo e de vergonha e vi a hipocrisia, a mentira, a falsidade, recebendo o aplauso, a confiança e a veneração de todos. E, quando passei a mão pelo meu rosto, notei que este também já não era o mesmo, e vi aos meus pés a máscara da minha inocência, da minha boa-fé e da minha credulidade! Acordando, circunvaguei o olhar em torno de mim, evoquei a memória das pessoas conhecidas, examinei-as, uma por uma, e verifiquei que todas elas traziam cada qual a sua cara postiça.

— Até eu?

— Sim, até tu, hipócrita!

— E qual era a minha máscara?

— Essa que tens agora.

— E a feição verdadeira?

— A de um homem vulgar, sem coração, sem talento e sem dignidade!

— Um homem vulgar, eu?

— Tão vulgar como o teu grande amigo, o conselheiro!

Teobaldo empalideceu ouvindo estas últimas palavras da mulher e abaixou os olhos defronte da enérgica serenidade que notou na fisionomia dela.

Depois quis tomá-la pela cintura; Branca desviou-se, lançando-lhe um gesto de desprezo:

— Mas ouve! — disse ele — deixa ao menos que eu me explique!

— Não é preciso! Nada mais há de comum entre nós dois...

11

Principiou então a formar-se entre Branca e o marido uma inalterável frieza. Viam-se todos os dias, falavam-se, às vezes chegavam mesmo a conversar algumas horas assentados um defronte do outro na sala de jantar, mas despediam-se depois com um aperto de mão, e cada qual se recolhia ao competente quarto.

Teobaldo, longe de se incomodar com isto, parecia até rejubilar-se, pois que mais em liberdade se podia dar às suas preocupações exteriores.

A princípio, entretanto, quando via a esposa mais triste e mais indiferente, mostrava por ela certo interesse e chegava a indagar o motivo de tamanha transformação; Branca respondia-lhe em geral com um gesto de tédio, e, se lhe dava alguma palavra, era para pedir que não a estivesse importunando com a sua mal fingida solicitude.

E, quanto mais Teobaldo se preocupava com armar ao efeito lá fora para os estranhos, mais a pobre senhora se retraía em casa, amparando-se unicamente ao seu orgulho de mulher honesta.

E com as suas ilusões de amor foram também fenecendo as graças do seu espírito e as galhardias do seu corpo; a pouco e pouco ia-se fazendo estátua, ia perdendo a originalidade do querer; já não tinha caprichos, já não tinha desejos: aceitava a vida como a vida se apresentava, sem de leve opor a sombra de uma queixa.

No seu entristecido olhar de rola abandonada pelo esposo, não transparecia o mais leve indício da tremenda revolta que mantinha sua alma contra aquela sociedade de mentirosos em que ela vivia; homens como mulheres, todos se lhe afiguravam os mesmos; todos ruins; todos ordinários.

No entanto, afetava em público a mais completa harmonia com seu marido, a quem no íntimo ela execrava com asco, e, sempre por amor e respeito de si mesma, não arredava um ponto da linha dos seus deveres de mulher casada, se bem que o Aguiar lhe rondasse os passos com insistência digna de melhor intuito.

Ele a porfiar e Branca a fingir que não o compreendia, desviando-se das garras do sedutor com a imperturbável calma de quem tem toda a confiança em si. Mas o demônio não desanimava, e, com quanta mais força a prima o repelia, tanto mais prontamente ele voltava aos pés dela, como o trapézio que o acrobata arremessa e logo torna na proporção do impulso recebido.

E aquela constante repressão dos desejos o atormentava dia e noite; aquele amor enjaulado dentro dele, como uma fera, indo e vindo incessantemente, sem encontrar descanso, nem repousar um instante, deixava-o prostrado e cada vez mais sôfrego.

Contudo, não desanimava: Ah! ele tanto havia de lançar aos pés daquela estátua o fogo de sua paixão que o bronze acabaria derretendo-se.

E Aguiar, seguro de que não a venceria só com a força do seu amor, começou a fingir-se desinteressado e generoso; com tal ciência, que Branca foi aos poucos abrindo para ele uma exceção no terrível juízo que fazia dos homens, chegando até a arrepender-se de o ter julgado tão mal e transformando-o insensivelmente em amigo íntimo, a quem por último já confiava os segredos das suas mágoas e as queixas que tinha contra o marido.

E o velhaco aproveitava com muito jeito tais regalias para denunciar as culpas e as fraquezas de Teobaldo, que por este próprio lhe eram reveladas.

Branca o ouvia sempre com a mesma calma, imperturbável e altiva, os olhos meio cerrados, os lábios contraídos numa dura expressão de asco.

— Ah! Mas não devemos condená-lo por isso!... — dizia o traiçoeiro. — Nele, aquilo é uma questão de gênio!... Teobaldo nunca poderia dar um bom marido; nunca seria capaz de dedicar-se durante a vida inteira por qualquer pessoa, fosse esta a mais adorável das criaturas. Todo ele é pouco para pensar em si mesmo; tudo que não for *ele*; tudo que não for a sua querida e respeitável individualidade, nenhum valor tem a seus olhos; tudo que não for *ele*, é público e faz parte do resto da humanidade, a quem, na sua louca pretensão, ele considera um simples complemento de sua pessoa. Então, na eterna febre de armar ao efeito e não desgostar seja lá a quem for, jamais tem franqueza para ninguém: se lhe pedem qualquer obséquio, ele nunca diz que não, promete sempre, ainda que um instante depois já nem se lembre de semelhante coisa; se uma mulher lhe lança um sorriso de provocação, ele responde com outro, ainda que a deteste; não tem amigos — tem auditório; não tem amor — tem amantes. É uma simples questão de vaidade, no sentido positivista da palavra. Ele, enquanto fala, não se dirige à pessoa com quem conversa, mas sim às que o observam de parte, só preocupado com o efeito que está produzindo sobre elas. E, como é na conversa, é em todos os atos de sua vida.

Branca ficou muito surpreendida e perdeu por instantes a sua calma habitual, uma vez em que o primo lhe declarou que Teobaldo, antes da mulher do conselheiro, já tivera tido muitas outras amantes de igual espécie.

— E depois dessa? — perguntou ela.

— Ora! — respondeu Aguiar, com um sorriso de quem perdoa. — Hoje, em certas rodas aristocráticas, ser amante de Teobaldo é um indispensável atestado de bom gosto; as senhoras da moda o adoram e cuidam dele como de um objeto de sua propriedade. O desgraçado não se pertence; não pode dar um passo sem ter de voltar-se para a direita e para a esquerda, sempre a fingir que ama, sempre a enganar. Para o que, diga-me, quais são as noites que ele passa aqui? Depois que a prima se retraiu e desertou das festas, quase nunca o vê, não é verdade? Entretanto, no Rio de Janeiro não há função de certa ordem em que ele não seja ouvido e consultado previamente. Se há concerto na festa, foi ele quem organizou o programa; se há dança, é ele quem tem de dirigir o *cotillon*; se é preciso um discurso qualquer, uma poesia, aí está o Teobaldo recitando! Em todas as salas, quer esteja ou não esteja presente, só se ouve o nome dele; velhos e rapazes procuram imitá-lo em tudo; ele é sempre quem dá a nota do tom, quem decreta a moda; qualquer modificação no seu penteado ou no feitio de sua barba levanta um formidável escândalo entre os seus imbecis admiradores, a sua presença é mais indispensável para o sucesso das festas do que mesmo a presença do Imperador, de quem ele aliás já conseguiu as simpatias, graças à habilidade com que o seduziu.

Quando aquele demônio chega a qualquer parte, ouve-se logo de todos os lados: "Aí está o Teobaldo! O Teobaldo! O Teobaldo!" Os que ainda não o conhecem, correm logo a vê-lo; os outros apressam-se a mostrar que têm a honra de se dar com ele, e todos se mexem e tudo se agita para lhe dar passagem. Chega e daí a pouco está cercado de gente, sem que ninguém saiba explicar lucidamente por que razão lhe fazem tamanha roda. Ele descerra os lábios? diz qualquer coisa? é um sucesso infalível, e a sua frase, ainda que seja a mais banal, a mais piegas, corre logo de boca em boca, é repetida e logo aclamada como o verbo da sabedoria divina. Opinião boa, que apareça por aí a respeito de qualquer fato, ou de qualquer produção artística, ou de qualquer homem notável, não se pergunta de quem é, atribui-se logo a ele!

Branca, todas as vezes em que o primo lhe falava dessa maneira, sentia, malgrado a energia do seu caráter, ir crescendo e subindo em torno de seu coração a irresistível torrente daquelas verdades, como se ela estivera em meio de um dilúvio. Não era que fizesse empenho em reconquistar o esposo, mas sim como que uma espécie de revolta contra o destino, que entendera não lhe dar a felicidade a que ela se julgava com direito, sendo tão amorosa, tão leal e tão digna.

E a onda implacável, que o primo lhe despejava intencionalmente contra a delicadeza de suas mágoas, depois de afogar-lhe o coração, transbordava-lhe pelos olhos e pela garganta desfeita em lágrimas e soluços.

Era isso o que ela com tanto empenho queria evitar; era isso justamente o que ele queria que sucedesse, para a tomar de surpresa, e segurar-lhe as mãos, e dizer-lhe, como se falasse delirando:

— Mas não se aflija, não se aflija por amor de Deus! Repare que os seus soluços me enlouquecem! Creio que aquele ingrato não lhe merece essas lágrimas tão puras e tão sentidas!

— Não é por ele que eu choro — respondia Branca, sem descobrir o rosto — choro por mim própria, pela minha desgraça, pelo muito que padeço!

Aguiar então, com extrema delicadeza, aproximava-se da prima e principiava a afagá-la que nem a uma criança.

— Então! então!... — dizia-lhe meio repreensivo. — Vamos, não se aflija! Veja se consegue tranquilizar-se!...

Ela, muito envergonhada por deixar a descoberto os seus desgostos, acabava queixando-se com franqueza.

— É que — dizia — já não tenho ânimo de sair de casa ao menos; de ir a qualquer divertimento, a qualquer parte; porque a presença de toda a gente me faz um mal horroroso! Quando saio com meu marido e me acho no meio das salas ao lado dele, sinto-me ainda mais só do que se fico entre as quatro paredes do meu quarto; sinto-me ridícula, desamparada, submissa a um homem que pertence a todo o mundo, menos a mim. Oh! Esta posição é degradante!

— Mas, porventura não estou eu ao seu lado? porventura não pode minha prima contar ainda com um irmão, um amigo dedicado, que tudo daria para a ver tranquila e venturosa?

— Obrigada; não me conformo, porém, com esta viuvez a que me condenou injustamente o homem a quem confiei a minha felicidade, o homem a quem entreguei todos os meus sonhos e todo o meu amor!

— E ainda o ama talvez!...

— Não, já não o amo, e é isso justamente o que não lhe perdoarei nunca! é ter-me obrigado a desprezá-lo, é ter feito de mim uma esposa sem amor, uma mulher casada que não ama ao seu marido e que por conseguinte há de fatalmente ser mártir, quer submetendo-se à sua desgraça, quer tentando disfarçá-la com outra ainda pior!

— Pior?! Pior do que o eterno suplício de aturar junto de si uma pessoa que abominamos?... Pior do que sacrificar tudo, a mocidade, o futuro e todos os gozos a que temos direito?...

— Sim, pior, porque no outro caso o sacrifício que se tem a fazer é o sacrifício da honra! Bem ou mal sou mulher casada e como tal hei de proceder enquanto durar meu marido!

Aguiar, que não esperava por estas palavras, estacou defronte delas, mas sem se dar ainda por vencido.

12

A singularíssima posição de Teobaldo, entre a chamada melhor sociedade do seu tempo, vinha pura e simplesmente das graças dele, do seu espírito e de seu talento de saber, como ninguém, dar a cada um indivíduo aquilo que lhe era mais lisonjeiro ou agradável; vinha de conseguir agradar ao gosto de todos, desde o Imperador até ao último dos copeiros, sem aliás desgostar a ninguém, o que é muito difícil. A sua invejável atitude de homem raro e desejado por todos procedia em linha reta da sua excepcional habilidade de transformar-se sem o menor esforço, sem que ninguém desse por isso, e amoldando-se ao gosto da pessoa que tinha defronte de si, como a nuvem que percorre uma cordilheira e vai tomando o feitio de cada montanha que atravessa.

Pândego para os pândegos, homem sério para os homens sérios, ele a todos agradava e com todos se afinava, sem aliás perder uma linha da originalidade do seu tipo e da esquisitice do seu gênero, assim como um pintor de talento conserva o seu estilo próprio em mil diversas fisionomias que lhe saem da palheta.

Além dessas, havia uma outra razão, talvez não menos poderosa, e com certeza menos legítima.

Era a paternidade que lhe davam (e contra a qual ele protestava muito frouxamente) de uma famosa série de artigos, então publicados em várias revistas científicas e várias folhas diárias.

A história desses artigos é a seguinte: Coruja, havia muito, entregara-se por gosto e por necessidade de sua índole ao estudo sério e acurado de umas tantas matérias, a que em geral chamam áridas, e com as quais Teobaldo não seria capaz de entestar.

Sem imaginação, nem talento inventivo e nem arte, André só assim encontrou meio de usar da sua grande atividade intelectual e foi aos poucos se familiarizando com os estudos econômicos e sociológicos.

Pode ser que esse apetite fosse ainda uma consequência da sua ideia fixa e dominante — a história do Brasil, obra esta a que ele se escravizara desde os seus vinte anos e da qual nunca se distraíra, investigando sempre, inalteravelmente, com a calma e a paciência de um sábio velho que se dedica ao trabalho só pelo prazer de trabalhar, sem a menor preocupação de elogio ou glória. Essa obra ainda estava longe de seu termo, mas representava já uma soma enorme de serviço: compilações de todo o gênero e apontamentos de toda a espécie.

— Se eu não conseguir levá-la ao cabo — dizia ele — aí fica bom material para quem o souber aproveitar, dando-lhe a forma literária, que é só o que lhe falta.

E isto que ele dizia a respeito da carcaça da sua obra capital, verificou-se logo com os seus apontamentos sobre questões sociais: um dia Teobaldo fez-lhe algumas perguntas a respeito de elemento servil, locação de serviços e colonização. Coruja satisfez as perguntas do amigo e declarou que tinha consigo algumas notas tomadas nesse sentido.

Os dois subiram ao cubículo de André, e este sacou de uma gaveta de sua velha secretária um grosso pacote, composto de pequenos maços de tiras escritas, sobre cada uma das quais via-se metodicamente lançado um título diverso.

Teobaldo começou a manusear os maços.

Leu o primeiro: "Indústrias", no segundo: "Manufaturas", leu em outro: "Escravidão" e em outro: "Instrução pública".

E continuando a percorrê-los, foi encontrando:

"Pequena lavoura — Nacionalização do comércio a retalho — Nunes Machado e seu tempo — Economia rural, decadência do açúcar, nota sobre o inquérito do governo — Exploração do gado lanígero — Administração dos correios — Legislação territorial — Cultura do bicho da seda — Plantação da vinha — Colonização, reflexões sobre as cartas do marquês de Abrantes — Discursos sobre o elemento servil por Bernardo de Vasconcelos, Euzébio de Queiroz e João Maurício Vanderley — Guerra do Rosas."

E assim por diante.

— Que diabo tencionas tu fazer disto? — perguntou Teobaldo.

— Nada — respondeu André — são notas e considerações, que às vezes acodem e que a gente vai colecionando, para, se algum dia precisar...

— Mas é um tesouro isto que aqui tens!... Deves fazer publicar estas notas!

— Qual! Não despertariam interesse em ninguém; falta-lhes forma literária, não passam de apontamentos; datas, nomes, citações, discursos políticos e nada mais.

— Ora! a forma literária é o menos. Isso arranja-se brincando.

— Pois se quiseres arranjá-la...

— Homem! Está dito! Publicam-se com um pseudônimo. Vais ver o barulhão que isto faz aí!

— Não creio.

— E eu tenho certeza; só com uma vista d'olhos já percebi que tomaste nota de todos os fatos mais curiosos de nossa administração pública nestes últimos tempos.

— Ah! Isso é exato; estas notas foram escritas à proporção que se sucediam os fatos, e cada uma tem ao lado as considerações que a respeito dela fez a imprensa.

— São minhas! — resumiu Teobaldo, guardando na algibeira as notas do Coruja.

Daí a dias surgia em público o primeiro artigo dos de uma longa série que então se publicaram e que estavam destinados a dar ao marido de Branca uma nova reputação, uma reputação que ele ainda não tinha: — a de homem de bom senso prático e econômico.

As conscienciosas notas de André, floreadas pelas lantejoulas da retórica do outro, converteram-se no objeto da curiosidade pública.

Foi um verdadeiro sucesso; o jornal que as publicou viu a sua tiragem aumentada e os artigos, uma vez colecionados em volume, deram várias edições.

Daí nasceu o prestígio de Teobaldo entre os homens públicos do seu tempo, que desde então começaram a respeitá-lo, se bem que o habilidoso jamais declarasse positivamente ser o autor dos célebres artigos.

Branca, porém, sabia ao certo a quem eles pertenciam de direito e ficou muito seriamente indignada contra o marido uma vez em que este, depois de negar a pé junto que não era o autor dos tais artigos, respondera a um tipo que exigia nesse caso que ele desse a sua palavra de honra.

— Não! isso não! afianço que os artigos não são meus, mas, quanto a dar palavra de honra, não dou!

O fato é que ele ficou sendo desde então considerado uma das primeiras ilustrações do Brasil, tendo ao seu dispor o jornalismo em peso e ao seu serviço a proteção dos homens mais influentes na política.

Podia enfim alargar os seus horizontes e desejar mais largos apesar do seu espírito ser tão inconstante e a sua ambição tão desnorteada.

Agora já não pensava mais em se fazer dono e redator de um jornal; vivia só para uma ideia: entrar na câmara dos deputados.

Um terrível contratempo veio, porém, alterar-lhe a vida.

Nessa ocasião, em vista dos efeitos da guerra, esperava-se que o preço das libras esterlinas subisse extraordinariamente, e Teobaldo, fiado nisso, empregou a melhor parte do que lhe restava em comprar uma boa porção delas para as revender com lucro fabuloso; eis, porém, que a subida inesperada do partido conservador, firmando o crédito do estado, elevou o papel-moeda, deixando o câmbio quase ao par, depois de verificado o empréstimo do Visconde de Itaboraí, do qual se conservou a popular denominação de "bonde em ouro".

Por conseguinte, o dinheiro arriscado nessa especulação de cambiais não foi recuperado; as libras, que aliás haviam chegado excepcionalmente ao valor de 15$ cada uma, desceram de repente e foram vendidas por muito menos do custo.

Teobaldo viu-se perdido. Além de ficar completamente despido de dinheiro, ainda tinha de apresentar seis contos de réis ao seu fornecedor de café em certo dia convencionado, sob pena de perder também o crédito, que era a coisa única com que podia ainda contar para a sua reabilitação.

No entanto só o Coruja, o Aguiar e Branca sabiam da verdade inteira a respeito disso; de todos os mais Teobaldo escondeu a sua crítica situação, convencido de que tudo perdoam aos homens, menos a infelicidade.

Este fato de ter de esconder o seu desespero ainda mais o fazia sofrer, enchendo-lhe as horas de amargura e sobressalto.

Foi então que o Aguiar se chegou para ele e disse, batendo-lhe no ombro:

— Ora, se a questão é de seis contos de réis, não tens que te afligir, eu tos empresto; teu crédito não ficará abalado!

Teobaldo abraçou-o, declarando que o Aguiar acabava de lhe salvar a honra.

— És um verdadeiro amigo! disse-lhe. Se não foras tu, era natural que eu metesse uma bala nos miolos!

Quando Branca se achou a sós com o primo, apertou-lhe a mão muito comovida e repetiu pouco mais ou menos as palavras do esposo.

— Engana-se — respondeu o Aguiar — não foi por ele que fiz aquilo, foi simplesmente em honra da senhora.

— Não é então amigo de Teobaldo?

— Eu o detesto.

— Foi nesse caso só por mim que o socorreu?

— Bem sabe que sim.

E chegando-se para ela, acrescentou em voz baixa:

— E que não faria eu por sua causa? Terei porventura alguma outra preocupação que não seja tornar-me aos seus olhos cada vez mais digno? terei maior ambição do que vê-la satisfeita comigo e perdoando-me o estimá-la mais do que me é permitido?... E tanto assim que nada mais lhe peço além de declarar com franqueza o que quer que eu faça; ordene e ver-me-á submisso e escravo a seus pés cumprindo as suas leis.

— Não tenho ordens a lhe dar, nem direito para isso, apenas desejo que meu primo continue a ser meu amigo, e, visto que não está nas mesmas circunstâncias em que eu estou para com Teobaldo, perdoe-lhe as fraquezas e as maldades.

— Não! Eu só perdoaria àquele vaidoso se ele a deixasse em paz!

— Não o compreendo e peço licença para retirar-me, sinto-me indisposta; meu marido não tarda aí e far-lhe-á companhia.

Branca afastou-se tranquilamente, sem se mostrar nem de leve receosa das seduções do primo; ao passo que este, sufocando a sua impaciência, deixou-se ficar imóvel no lugar em que estava, a fitá-la pelas costas com o seu comprido olhar de homem teimoso e vingativo.

Que pensará de mim esta mulher? interrogou ele intimamente, cruzando os braços em meio da sala. — Que ideia fará da minha vontade e do meu querer? Pois não perceberá ela que eu, odiando o marido, não faria por este o menor sacrifício, se não fora a esperança de saciar o amor que me põe louco? É impossível que Branca, tão inteligente e tão lúcida, não me compreenda e não perceba as minhas intenções! É impossível que ela me suponha tão fácil de contentar que eu só exija de sua pessoa um casto e fraternal reconhecimento! Ah! mas agora, agora que os tenho seguros por uma dívida de meia dúzia de contos de réis, hei de chegar aos fins a que desejo ou muito terão eles de amargar!

Fazia tais reflexões, quando Teobaldo entrou da rua.

Vinha extremamente pálido e, pelos modos, bastante contrariado.

— Oh! que tens tu? — perguntou-lhe o outro, indo ao encontro dele. — Estás com uma cara! Alguma coisa te contraria ainda?

— Nada!

— Desconheço-te, homem!

— Nada! não tenho nada! necessidade de repouso.

— Nesse caso, retiro-me...

— Não. Fica à vontade.

— Julgas que é muito agradável suportar-te neste estado?...

— É exato. Confesso que estou preocupado. Mais tarde saberás por quê.

— Bem; não falemos mais nisso e conversemos sobre outra coisa.

Mas, daí a meia hora, dizia o Aguiar:

— Não! Tem paciência! Hoje não posso contigo. Adeus. Voltarei quando estiveres mais admissível.

Teobaldo, mal viu sair o amigo, meteu-se no seu gabinete de trabalho, acendeu o gás, fechou-se por dentro e pôs-se a reler uma carta, que tirara da algibeira.

Era uma carta anônima e dizia o seguinte:

Meu adorável Teobaldo.

O feitiço vira-se às vezes contra o feiticeiro: tu, que tens destelhado a valer a honra de vários maridos, estás agora com a tua exposta à chuva e aos ventos... Olha que lhe fazem cada rombo, que até da rua a gente os vê!...

E a graça, adorável Teobaldo, é que deves esse obséquio ao teu melhor amigo, ao teu íntimo, ao teu unha com carne! Coitado do meu Teobaldo!

Se exiges provas do que dizemos, estamos dispostos a dar-tas quando quiseres.

Assinava — *Uma das vítimas dos teus encantos.*

13

Depois da nova leitura da carta anônima, Teobaldo mergulhou mais profundamente na sua preocupação.

— O meu melhor amigo... o meu íntimo!... — repetia ele, como um sonâmbulo. — Trata-se por conseguinte do Coruja ou do Aguiar! O Aguiar!... não! não é possível!... e contra o outro não me animo sequer a levantar a ponta de uma suspeita!

Mas o seu espírito, como se pactuasse com o autor da covarde denúncia, escapava-se das convicções dele a favor daqueles dois amigos e punha-se na pista das probabilidades do que afirmava a carta.

— Oh! — dizia por dentro da sua experiência. — As mulheres são tão dissimuladas, tão vingativas e tão traiçoeiras, que às vezes aquela, que supomos mais anjo e mais virtuosa, é justamente a mais capaz de matar-nos a alfinetadas, se lhe ofendermos o amor-próprio e a vaidade!

E, porque ele julgava de todas as mulheres pelas que até aí tivera por amantes, isto é, pelas fracas, pelas vulgares e gafadas de velho romantismo, seu pensamento ia ainda mais longe e dizia-lhe:

— Ah! são todas as mesmas! Perdoam-nos tudo, as maiores baixezas e as maiores maldades; só o que cada uma de per si não nos perdoa nunca, é não lhe darmos a primazia da nossa ternura e da nossa dedicação! Cada qual quer sempre ser a melhor e a mais digna de amor, e ai daquele que não obedece ou não finge obedecer a esse capricho, quando ligou o seu nome a qualquer dessas egoístas!

E, depois de agarrar-se a este princípio, Teobaldo perguntou a si mesmo:

— Qual dos dois, o Coruja ou o Aguiar, teria Branca preferido para cúmplice da sua vingança contra mim?

— O Aguiar, sem dúvida, porque o outro nada tem de amável...

— Que importa, porém, a ferrenha antipatia do Coruja, se não é de amor que se trata, mas simplesmente de uma vingança? E a vingança com o Coruja seria muito e muito mais completa e mais cruel!

E então, como para explicar esta terrível hipótese, o espírito de Teobaldo começou a fazer desfilar defronte de si todas as esquisitices que se notavam em Branca ultimamente; vieram os caprichos, as transformações de gênio, as excentricidades, que ela, a despeito do seu reconhecido bom senso, apresentava de tempos a essa parte.

— Sim, sim — insistia o pensamento de Teobaldo. Desde aquela célebre noite da entrevista da mulher do conselheiro, Branca já não é a mesma senhora ajuizada e boa dona de casa!... Está completamente transformada, ao ponto de não dar ideia do que fora... Agora tem extravagâncias que parecem de louca; dá para fechar-se no quarto dias inteiros, a ler ou a escrever, sem se importar com o que vai pelo resto do mundo; agora toma-se de simpatias por criaturas, que até aí não podia suportar; agora veste-se mal, um pouco disparatadamente, desleixa-se em questões de asseio, não capricha em trazer a cabeça penteada; falta à mesa nas horas consagradas à refeição e levanta-se à noite, fora de horas, para cear em companhia do velho Caetano...

Este nome como que o despertou.

— Ah! disse, e correu a vibrar o tímpano.

Surgiu logo um criado.

— O Caetano que venha aqui, imediatamente! — ordenou.

E já passeava a passos medidos em toda a extensão do gabinete, quando o velho criado lhe apareceu, arrastando os pés, a cabecinha toda branca e vergada para a terra, como se andasse à procura dos oito palmos que esta lhe destinava no seu seio.

— Velho amigo! — disse-lhe o amo, passando-lhe o braço pelo ombro. — Sabes para que te chamei? Foi para que me relates minuciosamente tudo o que tens visto fazer minha mulher nestes últimos tempos.

— Nunca a espreitei... respondeu Caetano, franzindo as sobrancelhas.

Bem sei, replicou o amo, e não te perdoaria se o fizeras; quero, porém, que me contes minuciosamente como Branca tem vivido, quais são agora os seus hábitos, os seus gostos e as suas propensões.

— Ah! muito mudada de gênio, coitadinha! principiou o criado; não lembra quem era! Está triste, frenética e caprichosa, que mete dó! Já não cuida das suas flores; mandou retirar da sala os passarinhos que ela tanto estimava dantes e parece disposta a não conservar nenhum dos hábitos antigos; já não se deita, nem se levanta dois dias seguidos à mesma hora; nega-se às visitas que recebia com mais prazer e só se mostra deveras entretida quando ouve a leitura do Sr. André.

— Do Coruja! Ah! explica-me isso!

— O Sr. André, quase todas as noites e aos domingos durante algumas horas do dia, desce à sala de jantar, assenta-se ao lado dela e põe-se a ler. A senhora o ouve com toda a atenção e parece tomar nisso grande interesse, porque às vezes, quando ele termina a leitura, ela tem os olhos cheios d'água e suspira.

— E o que mais tens observado entre os dois?

— Mais nada. O Sr. André, terminada a leitura, conversa ainda um pouco com a Sra. D. Branca e retira-se depois para o seu quarto.

— E ela?

— Ela nunca faz o que fez na véspera e sim o que lhe vem à fantasia.

— Sim, mas explica o que é!

— Oh! mas são tantas as coisas... Uma vez, por exemplo, quando toda a casa já estava recolhida, ela mandou-me chamar, fez preparar o carro e saímos a passeio.

— Onde foram?

— À toa. A Sra. D. Branca disse ao cocheiro que desse algumas voltas até o Catete.

— E foi só essa vez que passeou?

— Não, senhor: fez o mesmo várias vezes...

— E sempre em tua companhia?

— Creio que sim, senhor.

— E o Coruja nunca os acompanhou?

— Não, senhor; se bem que a Sra. D. Branca o convidasse mais de uma vez.

— Ah!

— O Sr. André apenas a acompanhou uma ocasião em que a Sra. D. Branca foi à missa à igreja de São João Batista.

— Há muito tempo?

— Há coisa de dois meses.

— E o outro, o Aguiar, tem vindo aqui muitas vezes?

— Tem sim, senhor; mas a Sra. D. Branca parece não estimar tanto a companhia do Sr. Aguiar como estima a do Sr. André, visto que às vezes deixa-se ficar no quarto e não lhe aparece, e de outras retira-se da sala antes que ele se tenha ido embora.

— E o Aguiar trata-a com muita amabilidade?

— Muita; e parece respeitá-la extraordinariamente.

— Bem. E quem mais aparece?

— Nestes últimos tempos, quase que ninguém a não ser o Sr. Aguiar, porque há muito que a Sra. D. Branca não se quer mostrar a pessoa alguma. Quem muita vez passa o dia aqui e parece distrair muito a Sra. D. Branca é o filhinho da costureira, um pequeno de uns cinco anos. A Sra. D. Branca mostra certa estima por ele, faz-lhe roupas, leva-o consigo dentro do carro, compra-lhe brinquedos, sapatos, chapéus e às vezes passa horas esquecidas ao lado do menino.

Teobaldo fez ainda várias perguntas ao velho Caetano, intimamente envergonhado por não saber o que ia por sua própria casa e mais ou menos aturdido pela dúvida e pela desconfiança em que se achava contra a esposa e os dois únicos homens a quem tinha por amigos verdadeiros.

Disse ao criado que se retirasse. Depois foi à gaveta da secretária buscar um revólver que lá estava.

— Hei de descobrir — pensou ele — o que há de verdade em tudo isto, e juro que meterei uma bala na cabeça do miserável que me atraiçoa!

14

A carta anônima era obra de Leonília. Esta só se decidira a lançar mão de semelhante meio de vingança depois de bem convencida da inutilidade dos esforços empregados por ela para surpreender de novo a mulher de Teobaldo em outra entrevista com o Aguiar.

Como toda a infeliz que em tempo não se abrigou a uma afeição legítima e duradoura, a cortesã sentia a sua má vontade contra os homens azedar-se à proporção que seus encantos desapareciam.

Ela estava na dolorosa transição dos quarenta anos; época em que toda a mulher só pode ser sublime ou ridícula. Sublime se a fizeram casta e principalmente se a natureza lhe permitiu ser mãe; e ridícula, se a desgraçada perdeu a flor da sua mocidade ao reflexo das orgias e ao grosseiro embate da prostituição.

Ah! não se pode esperar de uma criatura nestas últimas circunstâncias senão o ódio contra tudo e contra todos. Durante a vida inteira deram-se de corpo e alma ao prazer, e, desde que este lhes volta as costas, sentem-se totalmente desamparadas.

E nem ao menos resta-lhes a consolação de desabafar o muito que sofrem, porque, amarradas aos próprios destroços, precisam esconder com o mesmo cuidado tanto os sintomas da velhice como as manifestações da desgraça; não se animam a rir por medo de mostrar os dentes que já lhes faltam; não se animam a chorar receosas de que as lágrimas lhes despintem os olhos.

Leonília, porém, ainda não estava de todo abandonada; sentia ainda atrás de si o tossicar decrépito de seus velhos amantes e ouvia-lhes o som dos passos trôpegos e mal seguros. Ao seu lado só ficaram aqueles que, já idosos, ainda a pilharam moça e formosa; só esses não desertaram, que lhes faltavam as forças para isso e outrossim não lhe notavam os estragos do tempo e os sulcos da velhice, porque a vista lhes fora faltando a eles à proporção que a ela fora faltando a beleza.

Mas, ah! justamente quando esta vai fugindo, é que a mulher mais a exige nos seus amantes; à moça, bonita e cheia de vida, pouco importa que o homem a quem se dá seja tão novo e tão lindo como ela; para o seu completo deleite chegam-lhe os próprios encantos e, vaidosa, contenta-se com ser admirada e não precisa admirar ninguém. Só às feias ou às que já perderam as frescuras da mocidade interessam os encantos do homem a quem se dão; querem que ele tenha aquilo que já lhes falta a elas. Chegada certa idade, trocam-se os papéis, por isso que os velhos morrem de amor pelas mocinhas e as matronas tanto apetecem aos magros estudantes de preparatório.

À Leonília, por conseguinte, já não bastava o séquito de seus amantes mais velhos do que ela, e era, pois, com profundo desgosto que acompanhava os passos de Teobaldo, vendo-o luzir por toda a parte, belo, sempre desejado, resplandecendo em meio de dois oceanos, um de inveja e outro de amor. A desgraçada não podia habituar-se à ideia de que aquele ingrato, pouco mais moço do que ela, estadeasse agora no apogeu da força e da fortuna, sem se lembrar ao menos da existência de uma pobre mulher, que o amara tão apaixonadamente.

E por isso tratou de remeter-lhe uma nova carta anônima, e logo depois outra e mais outra; certa de que com elas havia de lhe amargurar a existência.

Com efeito, aquelas cartas anônimas, lançadas da sombra, traziam Teobaldo ultimamente bastante apoquentado e aborrecido, tanto mais que ele não podia fixar a sua desconfiança contra nenhum dos seus dois amigos. Ora sondava a mulher, ora sondava o Aguiar, ora o Coruja; e o resultado de suas observações eram sempre as mesmas sombras e as mesmas incertezas.

André, todavia, estava bem longe de desconfiar que era alvo de tais suspeitas; a sua existência agora, agora mais que nunca trabalhosa e cheia de responsabilidade, gastava-se em esforços de todo gênero. Oito meses haviam decorrido depois do seu compromisso com o Banco e, segundo os seus planos, a primeira entrada de dinheiro seria feita no dia convencionado.

Não perdera um instante e não distraíra um vintém das suas economias; todas as aspirações necessárias para chegar aos seus fins, ele as afrontara heroicamente; e D. Margarida e mais a filha, aguardando em sôfrego silêncio o termo dessa campanha, contavam as horas e os segundos, apenas reanimadas, de quando em quando, pelas palavras do professor, que parecia cada vez mais seguro do cumprimento da sua promessa.

Agora um novo tipo frequentava a casa de D. Margarida. Era o Costa, um alferes de polícia, conhecido pela alcunha de "Picuinha".

Homenzito esperto, despejado de maneiras e muito metido a taralhão com todo o mundo. Tinha o nariz comprido, laminoso e de papagaio, os olhos fundos, o queixo muito metido para dentro, com uma boquinha de coelho. Quando soltava uma das suas escandalosas gargalhadas, viam-se-lhe as presas, solitárias como as presas de um cão, porque ele já não possuía os dentes da frente. Era imberbe e macilento, o pescoço fino, as mãos nodosas e feias; todo ele raquítico e pobre de sangue, a jogar com o corpo da direita para a esquerda, principalmente quando aparecia depois do jantar, com a farda desabotoada sobre o estômago, o *bonet* à nuca, uma ponta de cigarro presa ao canto dos lábios e uma chibata na mão, a fustigar com ela de vez em quando o brim engomado das suas calças brancas.

D. Margarida o suportava por simples conveniência: o alferes era seu freguês de roupa e gostava de aparecer-lhe à tarde, para cavaquear à janela; um cotovelo sobre o peitoril, as pernas cruzadas, a cuspilhar consecutivamente pedacinhos de fumo que ele mascava do cigarro.

O que ela não podia lhe perdoar era o costume da bebida. O alferes em dias de folga metia-se no gole e escandalizava a rua inteira.

— É todo o seu mal! — dizia a velha. — Tirando daí, não há melhor criatura!

Ele gostava de brincar com todos; não tinha graça, mas estava sempre disposto a rir; o casamento de André era assunto obrigado das suas pilhérias, quando queria mexer com Inês.

— Ele, a modos que não tem lá essas pressas de casar!... Chacoteava a respeito do Coruja, apresentando na sua boca de roedor as duas presas isoladas.

Mas, quando a velha tomava a defesa do futuro genro, o Picuinha fazia-se sério e elogiava-o.

— Bom moço... — resmungava. — Não é dos mais simpáticos, mas muito sisudo, e dizem que sabe por uma academia!

A velha entrava então a falar sobre o colégio, sobre os altos compromissos de André e no casamento da filha, o qual seria efetuado, impreterivelmente, daí a quatro meses!

— E eu cá estou para entrar no bródio! — exclamava o alferes, chibateando as calças. — Quero só ver como aquele tipo se sai nesse dia! Consta-me que vai ser coisa de arromba!

Ali pela vizinhança da velha com efeito já se boquejava a propósito do casório, e diziam até que o noivo estava muito bem e que o seu colégio era o melhor do Rio de Janeiro.

— Ah! mas também apertado como ele só! afirmava uma amiga de Inês, muito cheirona da vida alheia. Aquilo é criaturinha que traz por conta os cordões do bolso! Não há meio de lhe apanhar uma de X! E depois — que cara de homem, credo! Parece que está sempre arreliado!

O Coruja, em verdade, tornava-se cada vez mais esquisitório e mais e mais farroupilha; não havia meio de obrigá-lo a comprar um fato novo e a resignada Inês, posto não desse demonstrações, tinha já certo vexame quando o via surgir no canto da rua, com a grande cabeça enterrada nos ombros, a jogar o corpo no seu pesado andar de urso.

Em casa de Teobaldo, os criados o olhavam por cima do ombro e o Aguiar chegava muita vez a virar-lhe o rosto.

Dantes o primo de Branca ainda procurava disfarçar a sua repugnância pelo professor, mas agora nem se dava ao trabalho de fazer isso, e, sempre que a dona da casa lhe falava nele, não perdia a ocasião para ridicularizá-lo.

Em geral o pretexto destas zombarias era a famosa história do Brasil.

Branca procurava defender o trabalho do Coruja, chegando até a impacientar-se com aquela grosseira perseguição do primo.

15

Aguiar, depois que emprestara os seis contos de réis a Teobaldo, deixava transparecer muito mais claramente aos olhos da prima as suas intenções a respeito desta; Branca fingia não dar por isso, mas, de si para si, tomava as suas cautelas contra o sedutor.

Não lhe convinha entretanto denunciá-lo ao marido, não só porque bem poucas vezes entrava em conversa íntima com este, como porque, conhecendo o gênio irrefletido de Teobaldo, temia, em dizendo-lhe tudo, armar algum escândalo mais perigoso e lamentável do que o próprio objeto que o promovia.

Uma ocasião, porém, o primo chegou-lhe a falar com tamanha insistência e com tamanha clareza, que ela instintivamente ergueu-se da cadeira em que estava e mediu-o de alto a baixo.

— Por que me trata desse modo?... — perguntou o Aguiar, abaixando os olhos e afetando tristeza.

— Porque o senhor assim o merece — respondeu ela imperturbavelmente.

— E terei eu culpa de amá-la tanto?...

— Proíbo-o de repetir semelhante frase, ou ver-me-ei obrigada a tomar medidas mais sérias a este respeito. E, por enquanto, não lhe posso prestar atenção. Com licença.

— Branca! ouça, peço-lhe que me ouça!

— Enquanto não estiver disposto a se portar dignamente para comigo, far-me-á o obséquio de não pôr os pés nesta casa.

Dito isto, Branca se afastou tranquilamente, como se viera de dar qualquer ordem a algum dos seus criados, e saiu da sala sem o menor gesto que traísse a sua indignação.

Apesar disso, no entanto, ele não desistiu da sua empresa e, sem se dar por achado com as palavras da prima, continuou a frequentar a casa, como se nada houvesse sucedido de extraordinário e apenas tratando de disfarçar o seu projeto de novos ataques.

Um belo dia, três meses depois daquela cena, surpreendendo Branca no fundo de um caramanchão que havia na chácara, a ler distraída, tomou-a de improviso pela cintura e caiu-lhe aos pés, exclamando:

— Perdoa, perdoa, se de tudo me esqueço e não resisto a este amor insensato que me consome.

E ia ferrar-lhe um beijo na face, quando Branca, escapando-lhe das mãos, ligeira como um pássaro, lançou-lhe contra o rosto uma bofetada.

Ele ergueu-se rubro de cólera e encarou-a de frente.

— Rua! — fez ela, apontando-lhe a saída. — Já!

Ele não se mexeu.

— Já! não ouviu?! Não quero que fique aqui nem mais um instante! Rua!

— Enxota-me?!

— E, se não me quiser obedecer, juro-lhe que Teobaldo a isso o constrangerá!

Aguiar sorriu, e respondeu afinal, torcendo o bigode entre os dedos:

— Não tenho medo de caretas, minha prima! Sairei daqui se eu bem quiser. Pode ir fazer queixa de mim a seu marido, vá! diga-lhe o que entender, não me assusto com isso... Agora, sempre lhe previno de que a honra dele está nas minhas mãos e que, de um momento para outro, posso reduzi-lo a trapos! Vá! Pode ir! lembre-se, porém, de que eu tenho em meu poder títulos assinados por seu marido; títulos já vencidos e que são o bastante para lançá-los, a ele e a senhora, na ruína e na vergonha! Prefere lutar? Pois cá estou às suas ordens, e há de ver que, se fui fraco e imbecil no meu amor, saberei ser forte e cruel no meu ressentimento!

E o Aguiar saiu da chácara, deixando a prima inteiramente dominada pela impressão do que ouvira.

Quando tornou a si ela correu ao quarto, assustada e trêmula, como a corça que pressente a próxima tempestade, e lançou-se no leito, aflita e estrangulada por um desespero nervoso, um desespero que respirava de todo o seu ser, uma agonia que vinha de sua alma e também de sua carne; mas que ela de forma alguma podia explicar se era raiva, se era vergonha, se era ressentimento ou pura necessidade de amor.

E, oprimindo os olhos com os punhos cerrados e mordendo as articulações dos dedos, soluçava, soluçava tanto, e tão rápidos e seguidos eram os seus soluços que pareciam uma interminável gargalhada de quem enlouquece à força de sofrer.

À noite tinha febre, sentiu a cabeça andar à roda, mas ergueu-se e foi ter ao quarto do marido.

Ela! que havia tanto tempo não mostrava a menor curiosidade em saber a que horas ele entrava da rua ou saía de casa.

Teobaldo a recebeu tão surpreso quanto ela já estava calma e completamente senhora de si.

Era sem dúvida para impressionar aquela pálida figura de mulher, toda vestida de luto, que outro trajo não usara depois da sua viuvez moral, aquela figura altiva e sofredora, cuja expressão geral da fisionomia punha em colisão qualquer espírito, para decidir qual seria maior e mais forte: se a energia do seu caráter ou se a violência dos desgostos que a perseguiam.

Tão grande foi a surpresa de Teobaldo, que ele não encontrou para receber a mulher senão o gesto e a exclamação inconscientes do seu pasmo.

— Venho pedir-lhe um favor, disse ela.

— Um favor?

— Sim. É que liquide quanto antes as suas contas com meu primo.

— E por quê?

— Porque assim é preciso.

— Mas a razão por que é preciso?

— Não posso dizer, mas afianço que é preciso liquidar as suas contas com aquele homem.

— Tem a senhora alguma razão de queixa contra ele?

— Nenhuma.

— Por acaso ter-lhe-ia seu primo falado a respeito da minha dívida?

— Não; asseguro-lhe, porém, que é de todo interesse para nós livrarmo-nos dele.

— Sim, mas a senhora há de confessar que eu tenho o direito ao menos de querer saber o motivo desta sua exigência.

— E eu não lhe posso dizer qual é o motivo.

— Então por que veio me falar nisto?

— Porque era meu dever. O senhor, no fim de contas, é meu marido e eu tenho obrigação de zelar pelos seus interesses.

— Obrigado, confesso-lhe, porém, que os obséquios dessa ordem não trazem a menor vantagem!

— Não faço um obséquio; cumpro com o meu dever, já disse.

— Mas, se a senhora me vem dizer isto, é que alguma coisa de extraordinário se passou aqui! Ou eu já não tenho também o direito de saber o que vai pela minha casa?

— Oh! tem todo o direito; entendo, porém, que não é de minha obrigação dar-lhe contas do que vejo e observo. Se o senhor quer estar ao par do que se passa em sua casa, faça por isso, que não fará mais do que o seu dever.

— Engana-se; daquela porta para dentro é à senhora que compete zelar pelo que se passa nesta casa.

— E por isso venho-lhe prevenir de que é de toda a conveniência liquidar quanto antes os seus negócios com meu primo.

— Sem apresentar a razão por quê...

Ela não respondeu dessa vez e fez menção de sair.

O marido deteve-a.

— E a senhora pensou um instante nas consequências que pode ter esta sua meia denúncia?

— Já pensei tanto quanto devia.

— E não calculou até que ponto elas poderiam chegar?

— Calculei.

— E não saberá porventura que nas condições apertadíssimas em que me acho, as suas palavras só me podem servir para mais atrapalhar a minha vida e aumentar o desespero em que ando?

— Sei apenas que é preciso fazer o que lhe disse.

— Pois aponte-me os meios para isso! Diga-me onde devo ir buscar dinheiro para fazer face a uma dívida em que eu não pensava agora!...

— Os negócios que se tratam daquela porta para fora pertencem-lhe, como de portas para dentro pertence-me a mim zelar por esta casa.

E, tendo dito isto, retirou-se do gabinete do esposo, ainda mais fria e sobranceira do que se apresentara.

Foram inúteis todos os esforços que Teobaldo empregou para detê-la ainda.

16

No dia seguinte, ela procurou de novo o marido para saber se ele estava ou não disposto a tomar qualquer deliberação a respeito dos negócios do Aguiar.

Teobaldo respondeu já meio impacientado:

Que o deixassem em paz e não o estivessem apoquentando com tolices! Já bastante tinha com que se aborrecer e não era pouco! A mulher, se queria ser atendida, que diabo! dissesse a razão que a levava a semelhante exigência e, se não estava resolvida a desembuchar, que não lhe desse mais uma palavra sobre tal assunto!

Branca, todavia, hesitou ainda. Seu espírito, aliás tão forte para entestar com outras provações, seu espírito orgulhoso e sempre vencedor, quando abria luta contra a bestialidade da carne, acobardava-se agora defronte da hipótese de um escândalo social.

— Um escândalo! Que horror!

Não podia conformar-se com a ideia de que seu nome fosse correr as ruas, de boca em boca, despertando em uns a curiosidade e o direito de desejá-la também e em outros a simples vontade de rir; não podia aceitar enfim que um fato de sua vida caísse no domínio público e servisse de divertimento à multidão, igualando-a com qualquer artista *tapageuse* ou com qualquer meretriz de espavento, que precisa do escândalo para não ser esquecida.

Via-se entalada por um dilema, cuja saída havia de ser fatalmente escandalosa, porque das duas uma: ou tudo confessava ao marido e a questão daria um escândalo doméstico; ou deixava que a vingança do Aguiar corresse à revelia e neste caso o escândalo teria um caráter todo comercial.

Preferia o último. Mas desde então um terrível sobressalto apoderou-se dela e começou a crescer à proporção que os dias se passavam; afinal era já um martírio dc todo o instante, uma agonia sem tréguas, que lhe não deixava um momento de repouso.

Nesta conjuntura lembrou-se de André e resolveu contar-lhe tudo.

E tal ideia lhe chamou logo aos lábios um suspiro, como se ela, só por si, fora já uma consolação completa. Entretanto, não podia a pobre senhora explicar qual era o estranho motivo dessa confiança que lhe inspirava o Coruja.

— Que mais podia esperar dele, além de conselho ou algumas palavras de animação? O fato, porém, é que Branca só com a ideia de lhe confiar aquilo que ela não quis confiar ao marido, sentiu-se menos oprimida e mais sobranceira ao perigo.

Uma inexplicável esperança, uma espécie de fé a arrastava para junto daquele homem honrado, daquele anjo de bondade que sempre encontrava meios de proteger todo o infeliz que ia procurar abrigo à sombra das suas asas.

Havia um quer que seja de religioso naquela confiança de Branca por André; ela esperava dele a proteção como os crentes quando se dirigem a Deus, sem mesmo indagar quais os meios que este empregará para isso.

E, nesta ilusão, tinha de si para si que chegaria ao Coruja tão facilmente como uma devota supõe chegar ao objeto de sua crença; mas, uma vez ao lado dele, sentiu-se vazia, sem encontrar o que dizer, sem uma palavra para principiar.

André estranhou-a e quedou-se igualmente mudo.

Houve um silêncio, durante o qual Branca, de olhos baixos, torcia e destorcia o debrum de seu casaquinho de musselina preta, ao passo que ele, sem se animar a encará-la, olhava para os lados, meneando o corpo da direita para a esquerda.

— A senhora, se não me engano — balbuciou afinal o pobre André — creio que disse ter alguma coisa a comunicar-me. Não é exato?

— É exato... — fez Branca, tornando-se ainda mais pálida.

— Pois então...

— Mas é que...

— Tenha a bondade de falar com franqueza...

— Sim, eu, ouça-me... eu...

E ela não achava ânimo.

— Então!

— Vai ouvir tudo. O Aguiar, sabe?...

— Seu primo?

— Sim; o Aguiar tem procurado todos os meios de me seduzir.

André sorriu lividamente. Ela acrescentou:

— Não me deixa há muito tempo, e, se bem que nenhum perigo houvesse nisso até agora, porque sou bastante honesta e virtuosa para não temê-lo... receio todavia que...

— Que...?

— Que ele, aproveitando-se das nossas circunstâncias atuais, se lembre de fazer-nos alguma maldade...

— Mas como?

— Ora! ele é credor de Teobaldo.

— Oh! é impossível, porém, que aquele rapaz leve a esse ponto semelhante perseguição. Não creio que haja no mundo um homem capaz disso!

— É porque supõe os outros por si...

— E Teobaldo? Que diz ele a respeito disto?

— Nada, porque de nada sabe.

— Pois a senhora não lhe contou tudo?

— Não.

— Por quê?

— Receando um escândalo.

— Ah! E o que tenciona fazer agora?

— Não sei, e é isso justamente que eu desejo ouvir de sua boca. O senhor, como o modelo dos homens honestos, deve saber aconselhar-me, dirigir os meus passos. Quero evitar um escândalo e quero conservar-me imaculada; diga-me: o que me compete fazer?

— Mas...

— Oh! não hesite por amor de Deus! É impossível que o senhor não tenha uma boa resposta para me dar. É impossível que o senhor, tão bom, tão amigo dos outros, não encontre meio de me valer, quando eu venho pedir o seu auxílio.

Coruja não respondeu e pôs-se a coçar a cabeça.

— Então? — disse ela. — Vamos, fale. Diga-me alguma coisa!

E Branca sacudia-lhe o braço.

Ele ia responder afinal, quando foram interrompidos por um criado, que vinha anunciar o Aguiar.

— Ainda?! — exclamou Branca, deveras surpreendida. Pois meu primo tem ainda o atrevimento de voltar?

— Receba-o — disse o Coruja enfim.

E acrescentou, encaminhando-se para uma porta que havia na sala:

— Eu fico aqui escondido por detrás desta cortina. Receba-o sem o menor escrúpulo, porque a senhora não está só.

— Faça entrar meu primo — ordenou Branca ao criado.

Daí a pouco Aguiar estava defronte dela.

— Que deseja? — perguntou a senhora, vendo que a visita não se resolvia a falar.

— Venho receber a confirmação do que há dias a senhora me disse.

— Ora essa! De que espécie de confirmação fala o senhor?

— Da confirmação das suas últimas palavras. Não quero que me pese na consciência a menor sombra de remorso pelo que vou fazer...

— Contra quem?

— Contra a senhora e contra seu marido.

Branca, por única resposta, apontou-lhe a porta, como da primeira vez.

— Pense um instante! — disse ele ainda. — Veja bem o que faz!...

— Rua!

— Branca!

— Saia! Já lhe disse!

— Mas repare que a senhora me obriga a ser pior do que sou!

— Se não sair, mando-o despejar lá fora pelo criado!

— Sim?! Pois não sairei!

— Hein?!

— Não saio, porque não quero!

E, pondo o chapéu na cabeça:

— Já não se trata aqui de pedir amor em troca de amor; agora trato apenas de exigir o que me compete de direito! Quero para aqui o que me devem!

— Miserável!

— Oh! pois não! a senhora entende que me deve humilhar a seu gosto e eu devo ficar de cabeça baixa! Engana-se! Por bem sou capaz de todos os sacrifícios; por mal sou capaz de todas as crueldades. Já não é a recusa do seu amor o que me revolta; farte-se com ele quem quiser; mas o seu atrevimento, a sua insolência, o seu orgulho mal entendido!

Branca, lívida e trêmula, mas sem dar uma palavra, encaminhou-se para a mesa onde estava o tímpano, com a intenção de chamar um criado.

— É inútil! — observou Aguiar, cortando-lhe o passo — é inútil fazer vir alguém, porque eu não sairei. Já não é com a senhora que tenho de me entender e sim com seu marido!

E, sacando do bolso algumas letras:

— Exijo o pagamento destas letras ou elas serão protestadas!

Nisto, porém, afastou-se o reposteiro do quarto, onde estava escondido o Coruja, e Aguiar viu com espanto surgir o vulto maltrapilho do professor e encaminhar-se tranquilamente para ele com um terrível sorriso nos lábios.

A sua primeira menção foi de sair, mas o outro o deteve com um gesto cheio de delicadeza.

— Espere — disse — o senhor vai imediatamente ser embolsado do que lhe deve o marido desta senhora. Fui encarregado por ele de tratar disto.

O Aguiar mediu-o de alto a baixo com um olhar em que transparecia mais decepção do que altivez. André, sem se alterar, afastou-se e voltou pouco depois com um grosso maço de dinheiro.

— Faça o favor de verificar se está certo — acrescentou.

E, como o outro hesitasse ainda:

— Então, vamos, confira!

E, para o animar, principiou ele próprio a contar o dinheiro, nota por nota.

— Bem! — fez, logo que estava a soma conferida — creio que agora já ninguém lhe deve nada nesta casa. Pode retirar-se.

Aguiar, muito pálido e constrangido, tomou o chapéu com a mão a tremer e encaminhou-se para a saída, sem ânimo de levantar os olhos sobre nenhum dos dois outros.

Entretanto Branca presenciara isto imóvel e com a vista presa ao Coruja, como se contemplara um Deus.

André foi acompanhar o outro até à porta da rua e disse-lhe, empurrando-o brandamente para fora de casa:

— Agora, muito cuidadinho com a língua, porque não é só com Teobaldo que terás de te haver! A respeito do que se passou aqui, nem uma palavra! compreendes? Anda. Vai-te embora, desgraçado!

Feito isto, voltou tranquilamente ao seu sótão, fechou a gaveta da sua secretária, que ele deixara aberta com a precipitação de buscar o dinheiro, e desceu ao gabinete de Teobaldo.

Branca, porém, foi ter ao encontro dele e, passando-lhe os braços em volta do pescoço, deu-lhe um beijo em pleno rosto e desatou a soluçar.

Mas a porta do gabinete acabava de abrir-se, e Teobaldo aparecia defronte dos dois com um flamejante olhar de leão cioso.

17

Com a chegada de Teobaldo, Branca e o Coruja separaram-se instintivamente, enquanto aquele, tirando da algibeira o seu revólver, precipitou-se sobre o amigo.

A mulher lançou-se entre eles, tentando desviar o tiro, mas a bala partiu e foi cravar-se no calcanhar esquerdo de André, que caiu, amparando-se à parede.

— Fizeste mal... — disse a vítima com um gemido.

E Branca, soltando um grito, exclamou para o outro:

— Desgraçado! Acaba de ferir o salvador da sua e da minha honra!

— Expliquem-se!

Branca apresentou-lhe as letras do Aguiar e acrescentou:

— Já que o senhor assim o quer, saberá tudo. Fiz o possível para não lhe falar em semelhante coisa; vejo, porém, que era muito mal empregado o meu escrúpulo.

— Deixemo-nos de palavras e venham os fatos! Quero a explicação do que acaba de se passar aqui e quero saber a razão por que essas letras se acham em seu poder!

— Estas letras se acham em meu poder, porque aquele pobre homem, a quem o senhor pretendeu matar, resgatou-as ainda há pouco.

— Resgatou-as? E por quê?

— Porque assim era preciso, como aliás já o senhor sabia.

— Mas, afinal, porque era necessário resgatá-las?

— Pelo simples motivo de que o seu amigo Aguiar queria se prevalecer dessa dívida para me obrigar a esquecer os meus deveres de mulher casada.

— Será possível? — interrogou Teobaldo, vencido agora pelo implacável olhar da esposa e pelo sereno gesto de perdão que transparecia já no rosto do Coruja.

Houve um silêncio.

— Oh! maldito seja eu! — exclamou Teobaldo por fim, correndo a erguer nos braços o ferido.

— Não és culpado! — disse este. — Foi um instante de loucura! Não te incomodes comigo! Isto nada vale!

À detonação do tiro os criados haviam acudido; Coruja foi carregado para uma cama; descalçaram-no e banharam-lhe o pé com arnica, enquanto não chegava o médico, que se fora chamar a toda pressa.

Teobaldo parecia louco, estava atarantado, ia e vinha do gabinete ao quarto, esmurrando a cabeça, torcendo os punhos, sem encontrar palavras bastantes para se maldizer.

É que duas ideias o atormentavam: a de haver ferido o amigo e a de vingar-se do outro.

— Ah! — resmungava de vez em quando — aquele miserável há de cair-me nas mãos! e há de pagar-me bem caro a sua infâmia!

Logo que o médico declarou que a ferida não apresentava maior perigo, Teobaldo enterrou o chapéu na cabeça e teria ganho a rua se gente de casa, por ordem de Branca, não lhe impedisse a saída.

Foi, porém, necessária a intervenção do Coruja para que ele consentisse em ficar.

— Não saias ainda — pediu-lhe aquele — o médico acaba de dizer que a extração da bala há de ser um tanto dolorosa; fica para me animares com a tua companhia.

Teobaldo compreendeu a intenção de tais palavras e assentou-se resignado junto à cama de André.

Entretanto fez-se a operação logo que a ferida esfriou. Branca, enquanto não viu o Coruja com o pé aparelhado, não se desprendeu do lado dele, cercando-o de desvelos, ameigando-o e servindo de ajudante ao médico.

Este, apesar das repetidas perguntas que ela lhe fazia a respeito do ferido, não quis logo falar abertamente e só ao despedir-se confessou que o Coruja havia de ficar aleijado, visto que a bala lhe cortara vários tendões do pé; mas que não tinham a recear amputação, se se não descuidassem de lhe dar o tratamento necessário.

Com efeito, durante os dias que a isto se seguiram, era André a maior preocupação dos que moravam naquela casa. Todos os cuidados de Branca lhe pertenciam.

Teobaldo, porém, achava-se em terrível estado de inquietação, já porque lhe chegara aos ouvidos a notícia de que o Aguiar havia arribado para a Europa, e já porque as suas circunstâncias não lhe permitiam naquela ocasião restituir ao amigo o dinheiro de que este se privara por causa dele.

— Todavia — disse-lhe o Coruja — acho que, para evitares um escândalo à tua esposa, deves fazer acreditar a todos que o pagamento das letras do Aguiar foi feito por ti e não por mim; e, então, quando puderes, me restituirás a quantia, sem ser necessário que mais ninguém além de nós saiba de tais particularidades.

Teobaldo jurou que, desse momento em diante, não descansaria enquanto não tivesse obtido o dinheiro necessário para evitar que o amigo ficasse em falta com o Banco. Mas o dia destinado à primeira prestação do Coruja chegou, sem que o outro tivesse obtido coisa alguma. E, para maior desgraça, André ainda não podia andar, senão de muletas.

O colégio foi posto de novo em arrecadação e vendido em proveito do Banco.

18

Ah! que terrível efeito produziu sobre D. Margarida e mais a filha a notícia de que o colégio já não pertencia ao Coruja.

Ficaram indignadas, como se fossem vítimas de um grande roubo. Dir-se-ia que aqueles seis contos lhe saíam das algibeiras.

— Mas, onde diabo meteu este homem tanto dinheiro?... — bradava a velha no auge da fúria. — Ora pois! que ele consigo não se arruinou decerto! E ninguém me tira da cabeça que em tudo isto anda grande maroteira, se é que aquele cara de boi morto não enterrou tudo no jogo!

A história do tiro no pé muito intrigou igualmente a D. Margarida. Sendo uma das versões, o tiro fora disparado por Teobaldo em um exercício de atirar ao alvo e, segundo outra, o Coruja fora o próprio a ferir-se, metendo-se a carregar uma arma, que ele não conhecia. Havia ainda uma outra versão, e era que, entrando Teobaldo em casa e encontrando André, fizera fogo sobre ele, na persuasão de que surpreendia um vagabundo dentro de seu quarto.

Esta última versão fora levantada pelo alferes Picuinha, que agora não perdia ocasião de meter a ridículo o pretendente de Inês.

D. Margarida, ou fosse por cortesia ou por mera curiosidade, apresentou-se, acompanhada pela filha, em casa de Teobaldo, dizendo que iam fazer uma visita ao Sr. Miranda.

Este, mal foi interrogado pelas duas senhoras, confirmou o boato de haver ele próprio se ferido; depois do que teve de tratar a respeito do seu casamento, assunto para o qual estivera até aí D. Margarida a empurrar a conversa.

— Não sei, minha senhora, não sei que lhe diga — murmurou o Coruja com um suspiro.

— Como não sabe o que me diga?!...

— É que as coisas me correram muito ao contrário do que eu esperava...

— Mas o senhor não tinha dito que o casamento seria agora sem falta?...

— Disse, é exato, mas esperava também estar com a minha vida segura e confesso que nunca a tive tão mal amparada!

— Isso quer dizer que ainda não é desta vez que se faz o casamento?

— É verdade, ainda não pode ser desta vez.

A velha, ao ouvir isto, ficou mais vermelha do que o xale de Alcobaça que ela trazia ao ombro e, erguendo-se de repente, exclamou possessa:

— Olhe! você quer saber de uma coisa?! Vá plantar batatas, você e mais quem lhe der ouvidos! Eu é que já não estou disposta a aturá-lo, sabe? E passe muito bem!

E, agarrando a filha pelo braço: — Vem daí tu também, ó pequena! Larga o diabo desse impostor, que, digam o que disserem, não é outro quem nos tem encaiporado a vida!

E saiu, muito furiosa, a clamar desde então contra "aquele cara do inferno".

— Pena é não lhe haver acertado deveras o tiro! — praguejava ela, se o maldito prestasse para alguma coisa teria morrido! E é sempre assim. Deus me perdoe, credo!

Os vizinhos de D. Margarida viram-na esse dia atravessar a rua como um foguete. O demônio da velha ia com o diabo no corpo.

— Ora! Pois também se o tal noivo das dúzias estava há tanto tempo a mangar!

— Não! Que uma coisa assim até parecia escândalo!

— E a pobre Inês, coitada! é que havia de amargar, porque perdera o seu tempo à espera do homem!

— Não fossem tolas! Pois não viam logo que daquela mata não podia sair coelho?...

O caso do Coruja ganhou imediata circulação entre os amigos e conhecidos das duas senhoras, que principiaram logo a ver no inofensivo professor um terrível monstro, tão feio de alma quanto de corpo.

Quem não se mostrou desgostoso com o fato foi o Picuinha, que até já havia dito por mais de uma vez:

— Pois se o homem não quer a rapariga, é despachar, que há mais quem a queira.

D. Margarida, justiça se lhe faça, não desejava trocar o professor pelo alferes de polícia, mas à vista do "indigno procedimento" daquele, e à vista do empenho que fazia o outro em casar com Inês, alterou a sua opinião a respeito de ambos e, como a filha era "aquela mesma" que "tanto se lhe dava, como se lhe desse", acabou declarando que o melhor seria mesmo agarrar o Picuinha e mandar o Coruja pentear monos!

— Homem! querem saber? Mais vale um pássaro na mão do que dois a voar!

De sorte que, ainda bem o Coruja não conseguia se ter de pé, já a sua noiva era ligada ao alferes por todos os vínculos ao alcance dos dois, inclusive o conjugal.

— Ora... — resmungou aquele ao saber disto — não me posso queixar!... Foi melhor mesmo que a rapariga se desenganasse pelo meu lado e tratasse de se arranjar por outro! Ao menos tiro um peso da consciência!

Não obstante, seu coração carpia em segredo o desaparecimento de mais essa ilusão que, à semelhança de quase todas as da sua triste existência, o abandonava para sempre.

Depois que Inês casara, todo o empenho e toda a esperança de André voltaram-se para a sua querida história do Brasil. Enquanto esteve de cama muito trabalhara nessa obra, mas o seu esforço recrudesceu com aquele fato e era provável que agora a levasse ao termo.

O pior estava em que a implacável velha e mais a sua gente não perdiam ocasião de desmoralizá-lo perante o público, dizendo horrores a respeito dele.

Estas maledicências, ligadas ao descrédito comercial que lhe provinha do mau desempenho dos seus negócios com o Banco, foram por tal forma o prejudicando moralmente, que em breve o desgraçado se viu tido por homem mau, sem dignidade própria, nem respeito pela alheia.

A continuarem as coisas desse modo acabaria por não poder ganhar o seu pão. Ninguém mais lhe queria confiar trabalho; ninguém já o queria para nada. As famílias fechavam-lhe as portas; os seus ex-discípulos puxavam-lhe o paletó no meio da rua; um dos antigos credores do colégio chegou a chamar-lhe "tratante", cara a cara, e o Coruja não repontou ao insulto, porque no fim de contas essa era a verdade.

Com Teobaldo não contava absolutamente, porque ninguém melhor do que ele sabia da triste situação em que se achava agora o amigo.

E, desgraçadamente para ambos, a posição de Teobaldo não podia ser mais falsa.

Depois do seu formidável desastre com as cambiais, nunca mais conseguiu levantar deveras a cabeça e, posto ele afirmasse o contrário, seus negócios corriam de mal a pior. Tanto que, para manter ainda a sua casa particular com uma certa decência, era-lhe já preciso contrair dívidas tais, que só os juros delas lhe levavam o que ele ganhava na praça.

É impossível imaginar a ginástica que aquele demônio punha em jogo para disfarçar o seu verdadeiro estado de pobreza. Sentia-se perdido a cada instante, mas ninguém o diria pelas aparências.

Não despediu nenhum dos seus criados, nem deixou fugir nenhuma das suas boas relações.

É que ele esperava que a fortuna, aquela fortuna que nunca o desamparou, chegasse de um momento para outro em seu socorro e transformasse tudo.

Como sempre esperava, sem saber donde e sem saber por quê, mas esperava; não confiava em si absolutamente, mas confiava muito do acaso.

Agora a sua grande ambição era a política. Teobaldo voltou-se abertamente para ela, como se voltaria para qualquer outro lado; voltou-se unicamente, porque o seu espírito, de tão inconstante, não podia estar por muito tempo sem mudar de posição.

Mas, apesar disso, compreendia que, sem dinheiro, nem influência de família e só com um pouco de prestígio de um talento que ele fingia ter, era preciso arranjar bons amigos e pôr de parte uns tantos escrúpulos.

E principiou a falar muito de política por toda a parte, começou a intrometer-se nas intriguinhas dos partidos e a escrever nos *a pedidos* das folhas; fez-se um conservador originalíssimo, um conservador capaz de dar a última gota do seu sangue pelo monarca e também pela constituição do Império, mas disposto a devorá-los a ambos no dia em que semelhante coisa fosse necessária para a felicidade do povo.

— Sim, porque — disse ele ao próprio Imperador em uma das muitas vezes em que o foi visitar — se eu amo Vossa Majestade com tanta dedicação, procuro servir a vossa causa, é porque entendo que Vossa Majestade é, foi e será sempre o maior, o mais sincero amigo de todo o brasileiro!

19

Nada disso, porém, teria produzido efeito, se um acaso feliz, um desses acasos com que Teobaldo contava sempre, não viesse em auxílio das suas aspirações políticas.

Foi o caso que um dos seus bons amigos, homem de vistas grossas, mas influência real em certa circunscrição eleitoral, depois de preparar a candidatura de um rapaz protegido seu, descobriu que este lhe pagava esse obséquio tentando corromper-lhe a esposa, e então o bom homem, sem querer saber de mais nada, pôs o seu afilhado de parte e resolveu despejar sobre a cabeça do primeiro que se apresentasse tudo o que para aquele havia destinado.

Ora, o primeiro que se apresentou foi Teobaldo, e eis aí como este, quando ninguém esperava, surgiu deputado geral por um círculo, que ele mal conhecia.

Todos pasmaram defronte deste fato, menos Branca, que era afinal a única pessoa que tinha sobre aquele pantomimeiro um juízo havia muito determinado e certo.

E a cada palavra que lhe diziam em honra do marido, ela sorria, sem deixar transparecer no seu gesto coisa alguma que se pudesse tomar por orgulho, por contentamento, nem por desprezo ou indiferença. Sorria para não falar.

E o fato é que o marido, sempre tão jactancioso e parlapatão para com os mais espertos e atrevidos, retraía-se defronte daquele sorriso frio e desafetado, sem conseguir dominar a sua perturbação. E, quanto mais Teobaldo se sentia crescer aos olhos do público, tanto menor e mais mesquinho julgava-se aos olhos da mulher.

Todavia, com a sua nova posição, voltou-lhe de novo a coragem e redobrou a confiança que ele depositava na sua boa estrela.

Como sempre, não tinha agora uma ideia segura sobre o que ia fazer; não tinha orientação política; não tinha intenções patrióticas; entrava para a câmara com uma única ideia: — ser deputado e produzir sobre o público o mais brilhante efeito que lhe fosse possível. Entrava para a câmara como até aí entrara em toda a parte, dominado por um único entusiasmo: o entusiasmo de si mesmo. O interesse que o levava era o interesse próprio e nenhum outro.

Mas, quem o visse à noite, em meio de sua sala, falando e gesticulando defronte dos amigos, havia de jurar que ali estava o mais intrépido defensor da nação e o mais desinteressado dos políticos da terra.

E com que habilidade, nas belas reuniões que ele agora fazia em casa, não sabia o grande artista chamar para derredor de si as vistas mais distraídas dos homens que lhe eram necessários?... Com que sutileza não fingia discutir todas as questões de interesse geral, quando aliás ele não estava a discutir senão a sua própria pessoa?

Nunca o seu privilegiado talento de informar-se em cada um, a quem ele queria agradar, teve tanta ocasião de fazer valer a sua força: a todos comunicava o insinuante mestiço uma faísca do seu espírito sedutor; a tudo um reflexo do seu diletantismo aristocrata.

E tão depressa o viam cercado por um grupo de colegas, a convencê-los sobre qualquer ponto de política, como ao lado das damas, a conversar sobre as mais deliciosas futilidades.

E, assim como não se podia adivinhar os sacrifícios e os milagres inventados por Teobaldo para manter aquela aparência de grandeza, ninguém seria capaz de desconfiar que, durante essas reuniões, um desgraçado perdia as noites lá em cima, no sótão, entregue a um trabalho sem tréguas, a compulsar livros, a mergulhar em alfarrábios, a passar horas e horas estático defronte de uma página, só com a esperança de esclarecer algum ponto mais obscuro da história do seu país.

Ah! se jamais a vida de Teobaldo foi tão brilhante, a de Coruja nunca foi tão obscura, tão despercebida e tão difícil. Agora precisava o pobre-diabo empregar todos os esforços para fazer algum dinheiro; o círculo dos seus recursos apertava-se vertiginosamente. Incapaz de mentir, incapaz do menor charlatanismo, ele tinha em si mesmo o seu maior inimigo.

Em tais apertos lembrou-se de entrar em concurso para uma cadeira de professor; mas, apesar da sua incontestável competência sobre matéria, fez uma figura tristíssima. Até lhe faltaram as palavras na ocasião do exame; viu-se sem ideias; sentiu-se estúpido e ridículo, sem ânimo de afrontar o riso que se levantava em torno da sua desengraçada perturbação.

Definitivamente nada arranjaria por meio de concurso. Era tirar daí a ideia.

E, contudo, urgia descobrir algum meio de ganhar dinheiro para viver, porque ele, coitado, bem percebia que o seu maldito tipo ia-se tornando de todo incompatível com a casa de Teobaldo.

Sim, o Coruja compreendia perfeitamente que a sua grotesca pessoa era uma nota desafinada entre aquelas salas de bom gosto e aquela gente tão distinta; compreendia que, se não o haviam já enxotado como se enxota um cão leproso, era simplesmente porque se julgavam empenhados para com ele em dívidas de gratidão; ou talvez porque receassem que o infeliz não tivesse onde cair morto.

A certeza de que a sua presença era por toda e qualquer forma penosa ao amigo o constrangia e mortificava muito mais pela ideia de separar-se dele do que pelas dificuldades de arranjar um canto onde se metesse.

Oh! quanto não sofria o infeliz quando era surpreendido nas salas de Teobaldo por algum amigo deste! Quanto não lhe custava a sofrer o exame das pessoas que o pilhavam às vezes de improviso, sem que ele tivesse tempo de fugir para o seu sótão.

Teobaldo não ficava menos contrariado com isso, e via-se em sérios embaraços para justificar aos olhos das suas visitas aquela amizade tão estranha.

Então, como recurso de aperto, apresentava o Coruja na qualidade de um desses tipos excêntricos que, à força de extravagâncias, são, nem só previamente desculpados por todas as suas esquisitices, como até suportados por gosto.

E passava a pintá-lo exageradamente.

— Um verdadeiro tipo! — dizia — o maior esquisitão, que eu até hoje tenho conhecido! Ah! não imaginam! É magnífico! É uma raridade! Inalterável como uma torre! Deem-lhe alguns alfarrábios, deixem-no a sós, e ele estará como quer! Se não lhe puxarem pela língua, será capaz de ficar mudo durante um século! Podem cortar-lhe uma das orelhas, que ele não dá por isso, e, se der, também perdoa logo a quem a cortou!

— É um louco! — afirmavam os que ouviam isto. — É um alienado! É um bicho!

E o senhor Teobaldo, que conhecia perfeitamente o amigo; o senhor Teobaldo, que tivera mil ocasiões para saber quem era e quanto valia o Coruja, não tinha entretanto a coragem de defendê-lo, e chegava até a confirmar tacitamente o triste juízo que a respeito dele formava meia dúzia de sujeitos a quem no íntimo desprezava.

Quando, porém, Teobaldo caía nessa fraqueza, voltava instintivamente os olhos para a esposa. E lá estava nos lábios de Branca o tal sorrisozinho que o desconcertava.

Então, sem se dirigir a ela, mas falando só para ela, acrescentava com a sua ênfase predileta:

— Pois não! No fim de contas aquela invariável bondade; aquele eterno altruísmo; aquele monótono desinteresse, até a um santo acabaria por enfastiar! Oh! é que tudo cansa neste mundo! Qualquer coisa, por melhor que ela seja, se no-la derem sempre e sempre, se converterá em um martírio! Além disso, a virtude em demasia é um defeito como outro qualquer! Um homem afinal deve ser um homem! E quem não souber castigar o mal que lhe fazem, dificilmente reconhecerá o bem que lhe dedicam! Não compreendo um bom amigo que não saiba ser um melhor inimigo, e cada vez estou mais convencido de que descuidar-se a gente da sua própria pessoa é cometer a maior maldade que se pode fazer contra uma criatura humana, a não ser que essa pessoa pretenda abdicar dos seus foros de homem.

E o penetrante sorriso de Branca não se alterava.

20

Se em casa de Teobaldo corriam as coisas deste modo, em casa de D. Margarida elas não iam melhor. Inês tinha agora um filhinho, e o alferes, depois do casamento, piorara de gênio e de costume.

Se ele até aí era já despejado de maneiras, era agora nada menos do que brutal, e, se dantes costumava beber nos dias de folga, agora se emborrachava toda a vez em que se lhe oferecia ocasião.

E o demônio do homem, quando se punha no gole, ficava que ninguém podia com ele: muito grosseiro, muito exigente, tanto com a mulher como com a sogra, e por tal forma ameaçador que fazia tremer as duas míseras criaturas.

Nos sábados à noite era certo o chinfrim em casa de D. Margarida e, como por experiência já sabiam que o Picuinha, quando entrava bêbado, reduzia a cacos quanta louça lhe caía nas mãos, mal o pressentiam de longe, tratavam de esconder às pressas nos armários tudo o que fosse de quebrar.

Ele chegava resmungando e pedia logo alguma coisa para beber; elas negavam, e principiava então a grande luta, cujo desfecho era muita bordoada e uma berraria dos diabos, porque tanto a velha praguejava, como chorava Inês e berrava o pequeno.

E o alferes, cada vez mais furioso, ia distribuindo pontapés e murros para a direita e para a esquerda, danado por não encontrar nem um pires ao seu alcance.

Oh! aquela mania de quebrar a louça era o que mais enraivecia a velha.

— Mas o grande causador de tudo isto — exclamava ela — é aquela peste daquele Coruja! Se não fosse ele, eu não teria agora de aturar este bêbado! Se não fosse ele, Inês não teria casado com semelhante homem e não estaria com um filho às costas e outro no bucho!

E naquela casa o Coruja ficou sendo o termo de comparação para tudo o que havia de mau ou feio ou repugnante.

"Ruim como o Coruja! Mais torto que o Coruja! Velhaco que nem o Coruja! Mentiroso nem como o Coruja!"

E, quando Inês fazia recriminações ao marido, este lhe atirava logo em rosto com o nome do outro:

— E — dizia ele, com a sua voz cavernosa de ébrio — você nunca devia ter-se casado senão com aquele coxo! Estavam mesmo talhados um para o outro! Asno fui eu em meter-me neste inferno e ligar-me a semelhante gentinha! Não solto um espirro, que logo não me queiram tomar contas porque espirrei — é o que se pode chamar "não ser senhor do seu nariz!" Aqui todos querem mandar sobre mim — é mulher, é sogra, é o diabo! Ah! mas um dia cismo deveras e vai tudo raso, faço uma tal estralada que vai tudo de pernas para o ar! Mexam muito comigo e verão!

E, depois de sacudir os braços e repelir do pulmão o ar alcoolizado: — Caramba! Quero saber se tenho de dar contas de meus atos a safardana algum desta vida!

— Pois então não se casasse!... — arriscava Inês.

— Ah! Se eu pudesse adivinhar, decerto! antes de tudo a minha liberdade! Agora já nem com o que eu ganho posso contar!

— Quem o ouvisse havia de supor que lhe custamos muita coisa! Olha a graça! Depois do tal casamento é preciso puxar aqui muito mais pela agulha e pelo ferro de engomar!

— Ó raio de uma fúria! berrava afinal o Picuinha, se não calas essa boca do diabo, racho-te de meio a meio!

— Também é só para que você presta, casta de um bêbado!

— É! O Coruja havia de prestar para muito mais!

— E talvez que sim!

— Bem, mas basta! Estou farto! Arre!

D. Margarida em geral só se metia nestas polêmicas de Inês e Picuinha, quando a contenda chegava ao auge, e então é que era barulho!

Quase sempre terminava o banzé com a intervenção dos vizinhos, muita vez com a da polícia.

O alferes, porém, longe de tomar caminho, ficava pior de dia para dia.

As duas senhoras já não conseguiam apanhar-lhe dinheiro, senão tirando-lho à força das algibeiras, e isso mesmo quando sobrava algum da pândega.

E que não lhe apresentassem na manhã seguinte a calça engomada e a camisa limpa, que haviam de ver o bom e o bonito!

— Ah! — dizia a velha — aquele malvado, cortado em pedacinhos e posto em salmoura, ainda não pagava a metade do mal que nos tem feito!

Este malvado, a quem ela se referia, não era o alferes, era o Coruja.

Uma ocasião, entretanto, depois de uma tremenda carraspana, o alferes foi acometido por um violento ataque de nervos e viu-se obrigado a guardar a cama durante uma semana inteira; apareceram-lhe perturbações cardíacas e ligeiros sintomas de amolecimento cerebral.

O médico declarou que isso tudo eram efeitos do álcool, e proibiu ao doente que bebesse, que fumasse, e recomendou-lhe que tivesse toda a regularidade na comida, sem o que se arriscava a ficar perdido para sempre.

Picuinha ficou muito impressionado com o que ouviu do médico, e parecia seriamente resolvido a mudar de vida.

Principiou arranjando mês e meio de licença e durante este tempo submeteu-se ao mais rigoroso tratamento; logo, porém, que se achou com a saúde mais garantida, foi aos poucos recaindo nos seus antigos hábitos; e então, de cada bebedeira que apanhava, era-lhe preciso ficar em casa dois, três dias, prostrado, muito irascível, muito nervoso, a beber caldos, sem poder suportar no estômago um bocado de pão.

Por estas crises tornava-se tão insuportável à mulher e à sogra, que as duas já pediam a Deus que o levasse por uma vez.

E as bebedeiras repetiam-se. Então no dia do recebimento do ordenado a coisa era feia; nesse dia escondia-se a louça e preparava-se a casa para o infalível chinfrim.

Mas agora o borracho, receoso já de que as duas mulheres lhe dessem busca às algibeiras, como costumavam fazer, escondia o dinheiro em lugares os mais extravagantes que se podem imaginar; escondia-o dentro da meia, escondia-o no forro da farda e às vezes debaixo dos sovacos.

E, logo que a mulher ou a sogra, depois de uma terrível luta com o alferes, conseguiam descobrir e arrancar-lhe o dinheiro, o homem ficava possesso.

— Ladras! — berrava ele, quase sem abrir os olhos. — Ladras! Não posso ter um vintém que não mo roubem!

O Picuinha afinal caiu nesse estado mórbido das pessoas inutilizadas pela bebida e do qual, como os trabalhadores das minas de mercúrio, só conseguem fugir por instantes refugiando-se no próprio veneno que os corrompe e mata.

Acordava muito mole, com um pigarro convulso, que só o deixava depois que ele vomitasse a sua pituíta dos ébrios; e pela manhã tinha sempre o corpo dorido, a salivação grossa e amarga, os intestinos em brasa, os olhos ardendo e lacrimejando; mas, era só beber um trago de parati, e ficava logo esperto.

Também, agora não precisava de mais para aprontar-se; uma dose pela manhã, antes de entrar no serviço; outra à tarde, ao deixá-lo, e ninguém o via senão ébrio.

Os superiores começaram, pois, a repreendê-lo com mais frequência e já o ameaçavam com uma queixa ao chefe; na repartição diziam todos que, se ele há muito não estava na rua, era simplesmente porque o comandante tinha pena de deixar aos paus um pobre-diabo com mulher e filhos.

Não obstante, depois de mais algumas crises como a que o tomou pela primeira vez, o Picuinha ficou irremediavelmente perdido e incapaz de todo e qualquer serviço. Estava até meio idiota e o corpo tremia-lhe todo como o de um velho de cem anos.

21

— Uma desgraça nunca vem só! — considerou D. Margarida, pois que justamente quando o genro se inutilizava para ganhar o pouco que até aí ganhava, era ela acometida por uma carga de reumatismo, e tão forte, que não lhe permitia servir-se dos braços, nem das pernas.

O Coruja, sabendo disto, foi visitá-la incontinente.

— Ah! É você?... — resmungou a velha, ao ver entrar no quarto a entristecedora figura de André.

Inês escondeu-se para não lhe aparecer.

Ele estava muito acabado e abatido; parecia mais velho, ainda no seu andar de coxo.

— Então! Você foi quem se lembrou de vir visitar-me, hein? Grande caiporismo, o meu!

E a voz da velha era repreensiva e dura.

— É exato... — respondeu Coruja, indo assentar-se ao lado da cama em que ela estava estendida. — É exato; ouvi dizer que a senhora e os seus têm curtido ultimamente bem maus pedaços...

— Por sua causa — atalhou Margarida, gemendo pelo esforço de mexer com um dos braços — só ao senhor devemos tudo isto!

— Pois acredite, minha senhora, que nunca pensei em fazer-lhe mal de espécie alguma... respondeu o acusado, sentindo-se já comovido em meio de toda aquela desgraça.

— Ora! — rosnou a outra — se o senhor não tivesse procedido pelo modo imperdoável com que procedeu conosco, minha filha não teria caído nas mãos daquele homem e ambas nós não estaríamos neste bonito estado!... Até digo-lhe mais: o senhor, se tivesse um bocado de consciência, nem poria mais os pés nesta casa!

— Engana-se, D. Margarida, justamente por não me faltar consciência é que vim procurá-la; quero ser útil à senhora e à sua filha, naquilo que estiver ao meu alcance.

— E com isso nada mais faz do que o seu dever!

— Bem sei; bem sei que o dever de nós todos neste mundo é auxiliar-nos uns aos outros e tanto assim que aqui estou. Olhe! não lhe poderei dar muita coisa, porque desgraçadamente de muito pouco disponho na presente ocasião, mas com o pouco também se ajuda. Por enquanto cá estão vinte mil-réis, desculpe; logo mais virá o médico e eu me encarregarei de mandar aviar as receitas que ele fizer. Adeus.

— Passe bem — respondeu a velha.

E o Coruja, arrastando a sua perna coxa, saiu, prometendo aparecer de vez em quando.

Na segunda visita, Inês não se escondeu e foi apertar-lhe a mão, em agradecimento pela parte que lhe tocava, a ela, na "esmola" feita por ele à velha.

— Não foi esmola... — disse Coruja, abaixando os olhos envergonhado — pelo menos juro que não foi com essa intenção que fiz aquele pequeno serviço. Hoje por mim, amanhã por ti! Ora essa!

E, assim falando, ele considerava intimamente a grande transformação física que se havia operado em Inês durante os últimos tempos.

Estava uma velha, e feia.

Não parecia mulher de trinta e cinco anos, mas de cinquenta. Faltavam-lhe dentes; o cabelo lhe encanecera e a pele do rosto lhe estalara em rugas; as mamas, rechupadas, caíam-lhe até a cinta e os braços pareciam, quando se fechavam, espetar com a ponta do cotovelo aquilo que encontrassem.

Além disto, muito emporcalhada pelas duas crianças (a segunda nascera), muito cheia de desmazelo e de privações; o pé sujo e sem meia, o cós do vestido despregado e roto; sempre descansada e indiferente, sempre "Tanto se me dá, como se me dê", sempre a repetir o seu velho provérbio "Homem, mais vale a nossa saúde!"

Coruja perguntou-lhe como ia o marido.

— Foi para o hospital — respondeu ela.

— Para o hospital?

— Decerto, pois se lhe deu a fúria!...

— Como a fúria?

— Ora; deu para doido furioso. Quebrou aí uma porção de coisas, rasgou toda a roupa e afinal fugiu para a rua, a dar berros e quase nu. A polícia agarrou-o e meteu-o no hospício. Nós o deixamos lá, porque ele aqui não podia ficar; já bastam as consumições que temos, e não são poucas! Se eu lhe disser que seu Costa não nos deixou sequer uma xícara inteira!... Quebrou tudo, tudo que era louça!

— Coitado! — lamentou André.

— Ora! a culpa foi só dele; para que bebia daquele modo? Ah! o senhor não imagina, às vezes enxugava três garrafas de parati durante o dia! Nunca vi assim! Credo!

— Coitado!

— Não apanhava um vintém, que não fosse para o demônio do vício! Ultimamente estava até descarado; pedia dinheiro a todo o mundo — para beber!

— É uma desgraça!

— Ora! o médico bem que o preveniu. Importou-se esta mesa com o que disse o médico? Assim fez ele! Até parece que ao depois que lhe proibiram os espíritos, bebia ainda mais!

— Uma verdadeira desgraça, coitado!

— Coitado! coitado! Coitada, mas é de mim, que me casei só para ficar com duas crianças às costas e agora de mais a mais com minha mãe doente, que era a única pessoa que me ajudava! Coitada de mim e de meus filhos!

— Descanse que a senhora e seus filhos não hão de morrer de fome! Enquanto Deus me der um pouco de forças, hei de olhar por todos.

Inês agradeceu suspirando tristemente, como quem se submete a um vergonhoso sacrifício.

E, desde esse dia, o Coruja ficou sendo o esteio daquela desgraçada família.

Então, todas as tardes, levava-lhes o que podia, pagava-lhes a botica, o padeiro, o açougue e finalmente o aluguel da casa.

Mas só ele sabia os sacrifícios que isso lhe custava; só ele sabia quanto esforço era necessário pôr em prática para que não faltasse o pão de cada dia àquela gente a quem o monstro, na loucura da sua extrema bondade, entendia dever proteção e apoio.

E quem o visse tão maltrapilho, tão miserável, a bater a cidade de um ponto a outro à procura de fazer dinheiro; quem o visse tão reles, tão ordinário e tão chato, não seria capaz de acreditar que à sombra das asas daquele corvo se abrigava inteira uma família de pardais.

— Por que o senhor não vem morar conosco? — perguntou-lhe Inês, um dia em que o Coruja deixou involuntariamente transparecer o embaraço que lhe causava morar em casa de Teobaldo.

E ela acrescentou para justificar a sua proposta:

— Acho que o senhor faria bem; em primeiro lugar, porque teria aqui quem cuidasse do que é seu, de sua roupa, de seus papéis; segundo, escusava de comer em outra parte, porque comeria aqui conosco e assim a comida sai mais em conta, e finalmente para deixar por uma vez aquela casa, que digam o que disserem, é a principal causa dessa tristeza em que o senhor vive.

O Coruja, apesar do desgosto que lhe trazia a ideia de separar-se do amigo, reconhecia razão de sobra nas palavras de Inês. Sim, não havia dúvida que ele precisava mudar-se da casa de Teobaldo e, se havia de ir para outra parte, era melhor que fosse para ali, onde todas as despesas já corriam por sua conta. Ao menos seria isso o mais lógico.

— Queres então deixar-nos? — interrogou Teobaldo na ocasião em que ele lhe deu parte da mudança.

— É melhor — respondeu André — ali fico mais à minha vontade; sinto muito separar-me de ti, mas reconheço que a minha presença muitas vezes te constrange...

E, porque Teobaldo fizera um gesto negativo:

— Ah! não é por tua causa, decerto! mas pelos que te cercam... Conheço perfeitamente o que são estas coisas... A política e a sociedade têm exigências muito especiais. Não te perdoariam a minha amizade, se soubessem até que ponto de intimidade ela chega. Assim, pois, é melhor mesmo que eu vá e que apenas te apareça de vez em quando, para te ver.

— Bem... — disse Teobaldo — faze lá o que quiseres; não te contrario, mas bem sabes que a minha casa estará sempre às tuas ordens.

— Ah! quando de todo me faltar um canto para me meter...

— Certamente, certamente. Já sabes que aqui não serás nunca um estranho.

— Eu hei de aparecer sempre.

Mas Teobaldo já não lhe podia prestar atenção, porque era todo de um discurso que pretendia apresentar na câmara no dia seguinte.

Branca mostrou-se em extremo sentida com a mudança do Coruja; foi com os olhos cheios d'água que ela se despediu dele.

— Seja sempre meu amigo, disse, e, quando não tiver o que fazer, venha ler-me algumas páginas dos seus poetas favoritos.

— Deixo-os todos com a senhora — respondeu André, — era essa a minha intenção desde que pensei na mudança. É para não se esquecer de mim.

— Obrigada; creia que não era preciso isso; o senhor nunca será esquecido nesta casa.

Depois disto, ele foi abraçar o velho Caetano, despediu-se de todos os outros criados, e saiu logo para não perder de vista a sua bagagem, que já havia partido adiante.

Uma coisa o mortificava agora, era que Teobaldo não tinha mais para com ele aquelas expansões primitivas; já se lhe não abria nos seus momentos penosos; já não lhe expunha, como dantes, as suas preocupações, e já igualmente não lhe pedia conselhos.

Agora dir-se-ia até que ele o tratava com um certo ar de proteção; que o ouvia distraído e apressado, sem conversar e dando-lhe muito menos atenção do que qualquer dos seus amigos dos mais modernos.

— É que ele vive lá preocupado com os seus negócios... pensou o Coruja, para se consolar. Mas sentiu perfeitamente que no fundo azul do seu coração um princípio de sombra se formava, como a nuvem negra que surge no horizonte, ameaçando logo estender-se pelo céu inteiro e transformar-se em medonha tempestade.

Perder a amizade de Teobaldo! Oh! de todas as suas desilusões seria essa com certeza a mais cruel e dolorosa!

— Não! não era possível!

E André nem pensar queria em semelhante coisa. Defronte de tal hipótese o seu pensamento recuava aterrado, fugindo de todo e qualquer raciocínio.

E no entanto, logo à primeira visita que ele fez ao amigo depois da mudança, ainda o encontrou mais frio e distraído.

André ia pedir-lhe algum dinheiro e Teobaldo deixou muito claramente perceber a sua impaciência.

— Sabes, filho, estou, que não imaginas, atrapalhado com uma infinidade de coisas! Agora não posso tratar disso. Aparece logo! Adeus.

22

Meses depois, quando as câmaras já se achavam fechadas e o ministério em crise, a rua do Ouvidor regurgitava de povo que vinha de todos os pontos da cidade saber as novidades políticas. Falava-se muito em dissolução das câmaras; falava-se em subir de novo o partido liberal; citavam-se conselheiros que Sua Majestade o Imperador mandara chamar a S. Cristóvão.

Mas, de repente, tudo serenou; porque um grande letreiro acabava de ser afixado à porta de um jornal: "Organização do novo gabinete conservador".

E entre os sete nomes que aí se liam, achava-se também o de Teobaldo Henrique de Albuquerque.

O organizador do novo ministério chamara-o na véspera para lhe dar a pasta da Agricultura, Comércio e Obras Públicas.

Estava ministro.

O Coruja, logo ao saber da grande nova, não se pôde conter e atirou-se para a casa do amigo.

— Teobaldo ministro! Oh! que belo! que belo! ia ele a pensar pelo caminho. Quem o havia de supor? Deputado apenas nesta última candidatura e já hoje no poder! Isto é o que se chama andar aos pulos!

E foi com imensa dificuldade que o Coruja conseguiu chegar até à porta de S. Exa., tal era a multidão que aí se reunia, para saudar o novo ministro. A rua, a chácara, tudo estava cheio de gente, uma banda de música tocava o hino nacional em frente da casa, e dentre o povo partiam repetidos vivas ao herói daquela festa e ao partido conservador.

André deteve-se um pouco entre a multidão, empenhado em escutar os originais e desencontrados comentários que se faziam a respeito do amigo.

— Não há dúvida que ele é uma grande cabeça! dizia um sujeito em meio de uns quatro ou cinco.

— Ora qual! — opunha um destes — não passa de um felizardo! Entrou na câmara dos deputados por um acaso e ainda por outro acaso conseguiu pilhar uma pasta.

— Como por acaso?

— Pois então há quem ignore que este tipo foi chamado às pressas para substituir o Rosas, que não aceitava o programa do Paranhos? Entrou para fazer número e, uma vez passada a lei, mandam-no passear de novo.

Em outro grupo se afirmava que Teobaldo era no Brasil o homem talvez de maior ilustração e com certeza o de ideias mais adiantadas.

— Hão de ver o que vai sair dali!

— É um portento, não há dúvida!

Um desses dera a sua palavra de honra em como o partido conservador jamais tivera um ministro tão teso, tão ativo e tão reto. E jurava que as repartições públicas sujeitas à alçada dele iam agora ver o bom e o bonito.

— Ah! Já foi contando com isso que o chamaram para o poder, acrescentou outro. E afianço que certos empregadinhos vão pedir demissão de seus lugares, antes que Teobaldo lha dê.

— É um farofa! — dizia entretanto um tipo de outro magote, — um retórico! não enxerga um palmo adiante do nariz, nada sabe, nada! Um verdadeiro pulha!

Mais adiante se dizia que a principal qualidade de Teobaldo era a pureza de caráter e, logo ao pé, proclamavam-no um velhaco de marca maior.

— Hipócrita só como ele! — segredava-se aqui.

— Homem sincero! — considerava-se ali.

— Ele o que é — dizia alguém — é um grande pândego! Foi eleito deputado pelo escrutínio secreto das damas e chegou até ao poder subindo por uma trança de cabelos louros.

Mas a opinião geral e mais corrente a respeito do marido de Branca era-lhe de todo ponto favorável. Davam-lhe grande talento, vasta erudição, caráter firme e sentimentos patrióticos; quer dizer: quase todos atribuíam-lhe justamente aquilo que lhe faltava, e ninguém, menos a esposa, as duas únicas qualidades intelectuais que ele tinha deveras desenvolvidas: — habilidade e bom gosto.

E foi só com a sua habilidade e com o seu bom gosto que o pândego chegara àquela altura.

Todavia, o Coruja, meio atordoado pela confusão do povo e pelo desacordo das opiniões que ouvira a respeito do amigo, atravessou a chácara e subiu a escada que ia dar à sala.

— Ainda não pode entrar! gritou-lhe asperamente um ordenança que aí se achava.

— Oh, senhor! mas não era preciso dizer isso deste modo.

O ordenança mediu-o de alto a baixo com um gesto de superioridade e virou-lhe as costas desdenhosamente.

— Olha que impostor! — disse consigo o Coruja, e perguntou quando seria possível falar a Teobaldo.

— A quem?!

— Ao ministro.

— Ah! Logo mais! Daqui a pouco franqueia-se a casa ao povo.

— Está bom; eu espero.

— Lá embaixo! Espere lá embaixo!

Ouvia-se vir de dentro da casa um rumor alegre e quente de vozes de homens e risos de senhoras; alguma coisa que dava logo a ideia de uma existência aristocraticamente feliz. Pelo rumor daquelas vozes, pelo tilintar daquela alegria bem educada, pelo aspecto exterior da casa, com as suas cortinas muito claras, com a sua chácara e as suas escadas de pedra branca imaginava-se logo uma boa mesa servida com porcelana e cristais de primeira ordem; imaginava-se a confortável mobília, as largas cadeiras estofadas, a voluptuosa cama de molas de aço, o banho perfumado, as roupas de linho puro.

E o Coruja, sem que aliás a menor sombra de inveja lhe entrasse no coração com a ideia de tudo isso, nunca se sentiu tão desamparado, tão só no mundo, como naquele momento.

Uma agonia surda e duvidosa apoderou-se dele.

E foi com a garganta cerrada por um punho de ferro que o mísero desceu lentamente a escada, arrastando de degrau em degrau o seu pé aleijado pelo tiro.

Ao chegar embaixo reparou que um grito de aclamação partia de todos os lados; voltou-se e notou que Teobaldo acabava de assomar ao balcão da janela seguido pela esposa.

E o Coruja notou igualmente que o amigo não parecia um simples ministro, mas um príncipe. Estava belo com o seu porte altivo e dominador; com o seu grande ar de fidalgo que exerce a delicadeza, não em honra da pessoa a quem se dirige, mas em sua própria honra. Iam-lhe muito bem os fios de cabelo branco que agora lhe prateavam a cabeça e a barba, dando-lhe à fisionomia uma expressão ainda mais distinta e mais nobre.

Abriram-se as portas da casa ao povo que ia cumprimentá-lo, e as salas foram invadidas, enquanto a banda de música continuava a tocar.

Havia um grande número de senhoras lá dentro e Branca, ao lado de D. Geminiana e mais do velho Hipólito, que se tinham apresentado de véspera, fazia as honras da festa, sem alterar, no meio daquela tempestade de louvor e adulação que cercava o marido, o seu frio riso de estátua.

Só ela parecia não tomar parte moral no grande entusiasmo de toda aquela gente.

Coruja ouviu de fora os hurras dos brindes e os vivas levantados a Teobaldo, ao partido conservador e ao monarca; não se sentiu, porém, com ânimo de entrar e resolveu ir-se embora.

Saiu triste, profundamente triste, sem contudo saber a razão dessa tristeza. Um vago desgosto pela vida o acabrunhava e consumia; um tédio enorme, uma espécie de cansaço de ser bom, levava-o sombriamente a pensar na morte.

É que em torno de seus passos havia encontrado sempre e sempre a mesma ingratidão ou a mesma antipatia por parte de todos, ou a mesma maldade por parte de cada um.

Agora daria tudo para poder cometer uma ação má, como se por essa forma o seu coração pretendesse repousar um instante.

E, por todo o caminho, notou pela primeira vez os encontrões que lhe davam, as caras más que lhe faziam os transeuntes, a falta de consideração que todos lhe patenteavam.

Observou que ninguém lhe cedia a passagem na calçada. Um homem em mangas de camisa dera-lhe um empurrão e, ainda por cima, lhe gritara: — "Que diabo! Está bêbado?!" Um padre, querendo passar ao mesmo tempo que ele, dissera-lhe: "Arrede-se!" E um menino de jaquetinha e calça curta chegara a obrigá-lo a ceder-lhe o passo. Ao atravessar a rua, quando ia chegar à casa, uma carruagem, que passava a todo trote, levantou com as rodas um jato de lama, que se foi estampar na cara dele.

Era o Afonso de Aguiar quem ia dentro desse carro. Voltara, afinal, ao Brasil.

E, só aquele fato de ver o Aguiar, sempre feliz, rico, rejuvenescido com o passeio à Europa, ainda mais o fez entristecer.

Coruja recolheu-se, finalmente, foi para o seu quarto, que era o pior da casa de D. Margarida, fechou-se por dentro e deixou-se cair em uma cadeira, a soluçar como uma criança que não tem pai nem mãe.

23

E de então em diante ia ficando cada vez mais triste, mais concentrado e mais esquivo de tudo e de todos.

Não tinha afinal um canto seguro, no qual, fugindo aos desgostos da rua, pudesse refugiar-se com o seu tédio, porque na própria casa onde morava é que a má vontade mais se assanhava contra ele; o infeliz em troca de toda a sua dedicação pelas duas desgraçadas senhoras que tomara à sua conta, só recebia constantes e inequívocas provas de ressentimento e até de ódio.

Ah! o Coruja estava bem convencido de que aquela gente, se não precisasse dele para não morrer de fome, também o enxotaria de junto de si, como se enxota um cão impertinente.

E, pois, sem carinhos de espécie alguma, sem o menor consolo, lá ia vegetando entre aquela família, que não era sua senão no peso, e entre aquela mesquinha e perversa humanidade, que o apupava, que o insultava e que nunca lhe estendera a mão com outro fim que não fora pedir uma esmola ou dar uma bofetada.

Isto, além de o tornar mais sóbrio, afrouxava-lhe a coragem, enfraquecia-lhe o caráter, a ponto de lhe trazer um mal, que ele até aí não conhecia: a revolta contra a própria sorte e o desamor à vida.

Dera para resmungão: falava só, gesticulando zangado; afetava contra seus semelhantes uma grande raiva toda de palavras, desesperando-se ainda mais por não poder deixar de ser bom, por não poder dominar o seu irresistível vício de socorrer os desgraçados e despir-se de tudo para suavizar as necessidades alheias; sofrendo por não conseguir ser mau como qualquer homem e procurando esconder da vista de todos as boas ações que praticava, como se procurasse esconder uma falta vergonhosa e humilhante.

E tal era agora o seu empenho em disfarçar a bondade que, um dia, depois de muito discutir com um taverneiro, a quem ele não pagara no prazo marcado uma velha conta de vinho, feita pelo marido de Inês, viram-no pôr-se a rir, estranhamente satisfeito, porque o credor lhe gritara em tom de descompostura:

— Mas eu não devia esperar outra coisa de quem aproveita a moléstia de um desgraçado para se meter com a mulher dele!

Este modo de explicar a residência de André na casa da velha Margarida não pertencia exclusivamente ao taverneiro, mas à rua inteira, e ninguém perdoava àquele a suposta concubinagem.

Mas também se ele, em vez de defender-se de tais acusações, rejubilava-se com elas, mostrando-se pelos homens e seus juízos de uma indiferença de cínico!...

Agora, só um nome tinha o poder de o despertar ainda: o nome de Teobaldo.

Era, porém, tão difícil chegar até Sua Excelência!... havia sempre durante o dia na antecâmara do Sr. Ministro tanta gente à espera de chegar a sua ocasião de falar com este!... E durante a noite a casa de Teobaldo tinha um tal aspecto de festa, um tal movimento de casacas e vestidos de seda, que o Coruja muito poucas vezes se animou a procurar o amigo depois da mudança.

— Mas para que iludir-se? Teobaldo não podia gostar de semelhantes visitas! E, com efeito, a presença de André o constrangia bastante.

Não que já não o estimasse de todo, ao contrário sentia prazer em vê-lo, de vez em quando, apertar-lhe a mão e trocar com ele ideias que não trocaria com ninguém; gostava ainda de arrepiar os arminhos do seu espírito roçando a lixa daquele caráter de ferro; gostava de ouvir-lhe aquelas meias palavras, sinceras e ásperas; preferia ainda um gesto de aprovação feito pelo Coruja a quantos elogios lhe fizessem os outros; gostava muito de tudo isso, mas não ali, em presença de tantas testemunhas e exposto ao ridículo.

Estimava-o, não havia dúvida que o estimava, porém sentia-se mal à vontade e aborrecido, quando o pressentia chegar pelo barulho da sua grossa bengala de coxo.

Tanto que uma ocasião, vencendo todos os escrúpulos, disse-lhe abertamente:

— Queres saber de uma coisa, André? Desconfio que estas visitas que me fazes são para ti um verdadeiro sacrifício! Acho que o melhor é procurar-te eu em tua casa, de vez em quando, hein? Que achas?!

— É! — resmungou o Coruja, abaixando a cabeça.

— Não te parece melhor?... Bem sabes que sou o mesmo; sou teu amigo e no meu conceito estás acima de todos, mas é que aqui não conseguimos nunca ficar à vontade; não podemos conversar livremente, e deves concordar que isto para mim é nada menos que um martírio! Que diabo! Prefiro não te ver senão quando estivermos a sós, completamente a nosso gosto! Não és da mesma opinião?

Coruja mastigou algumas palavras em resposta, sem levantar os olhos, muito vermelho, e depois retirou-se, todo atrapalhado à procura do chapéu, que ele aliás conservara debaixo do braço durante a visita.

E foi quase a correr que atravessou a chácara e ganhou a rua, como um criminoso que foge do lugar do delito.

Notaram em casa que ele esse dia falou e gesticulou sozinho mais do que era de costume, com a diferença que desta vez os seus solilóquios acabavam sempre em lágrimas.

Dois meses depois, em um domingo, Teobaldo fora surpreendê-lo em casa às nove horas da manhã.

Ia de chapéu baixo, fato leve e bengalinha de junco. Em vez do *coupé*, que costumava usar com duas ordenanças, vinha de tílburi.

Entrou gritando desde a porta da rua pelo Coruja:

— Onde estava aquele malandro! Talvez ainda metido na cama!? Pois que não fosse tão epicurista e viesse cá para fora receber os amigos!

André, que trabalhava fechado no quarto, largou de mão o serviço e correu ao encontro dele; ao passo que Inês fugia para junto da mãe, muito sobressaltada por aquela voz argentina e cheia de vida, que espantava a miserável tristeza da casa com a sua risonha expressão de estroinice fidalga.

— Ora venha de lá esse abraço, mestre Coruja!

E assentando-se com desembaraço em uma cadeira da sala de jantar:

— Sabes! Vim disposto a almoçar contigo. Hoje estou perfeitamente livre; minha própria mulher supõe-me fora da cidade. Ninguém desconfia de que eu estou aqui. Ah! eu precisava passar algumas horas completamente despreocupado, precisava descansar e então lembrei-me de fazer-te esta surpresa; cá estou!

Ergueu-se, foi até ao parapeito do quintal; esteve a olhar por algum tempo para um tanque cheio de roupa que lhe ficava defronte dos olhos, e disse depois suspirando:

— Como tudo isto é bom e consolador! É como se eu voltasse ao meu passado; estou vendo o momento em que entra por aquela porta, com a sua lata na cabeça, aquele velho que nos levava todos os dias o almoço e o jantar. Como se chamava, lembras-te?

— Sebastião.

— Era isso mesmo. Sebastião. Muito fiz eu sofrer o pobre-diabo! Recordas-te de uma vez em que o obriguei a improvisar um bestialógico encarapitado sobre a mesa e com uma garrafa equilibrada na cabeça? Bom tempo!

Coruja erguera-se para ir à cozinha ver o que havia para almoçar, mas o outro, percebendo-lhe a intenção, gritara:

— Olha! Vão chegar aí umas coisas que mandei vir do hotel.

— Bom — disse André, risonho como havia muito tempo não o viam — porque o nosso almoço, força é confessar, não vale dois caracóis!

— Com certeza já tivemos outros piores! — replicou Teobaldo, encaminhando-se também para a cozinha. — Deixa estar que ainda havemos de fazer aqui um jantar. Nós dois!

— Quando quiseres!

— Nós dois é um modo de dizer! Tu não entendes patavina a respeito de cozinha!

— Mas posso servir de teu ajudante.

Pouco depois chegou a encomenda do hotel. Teobaldo foi por suas próprias mãos abrir a caixa da comida e, para cada prato que tirava de dentro dela, tinha uma exclamação de afetado entusiasmo:

— Bravo! bravo! Bolinhos de bacalhau! Costeletas de porco! *Mayonaise* de camarões! Peixe recheado! Pato assado!

E, tão à vontade se mostrava na pobre casa de D. Margarida, que ninguém diria estar ali o ministro mais amigo da etiqueta, mais apaixonado pela sua farda e pelas suas bordaduras de ouro, como por tudo aquilo que fosse brilhante, luxuoso e ofuscador.

— Como vai a velha? — perguntou ele.

— Assim — respondeu Coruja. — Pouco melhor.

— Ah! está doente?...

— Ora! Pois então não sabes? Eu já te falei nisso por mais de uma vez.

— É exato, agora me lembro.

— E a filha?

— Essa está boa. Vou chamá-la.

— Não, deixa-a lá por ora. Virá depois. Olha. Recomenda-lhe que nos arranje o almoço, enquanto conversamos no teu quarto. Onde é?

— Aqui. Entra.

No quarto, o ministro, sem se mostrar nem de leve impressionado pelo aspecto de miséria que o cercava, tirou fora o paletó e pôs-se a examinar o que havia sobre a mesa do Coruja.

O grande maço de anotações históricas, já suas conhecidas, era a coisa mais saliente entre todo aquele oceano de papéis e alfarrábios.

— Está muito adiantado? — perguntou, batendo com o dedo sobre as notas.

— Pouco mais. Ultimamente não tenho podido fazer quase nada. Ainda me falta muito para concluir a obra.

— Pois é tratares de a concluir, que eu te arranjarei a publicação dela à custa do governo.

— Prometes!

— Ora!

— Ah! só assim tenho esperanças de não perder o meu trabalho, porque juro-te que já ia-me fugindo o gosto...

— Podes ficar certo que a tua história será impressa.

— Não calculas o alegrão que me dás com essas palavras!

— E então digo-te mais: a obra será adotada na Instrução Pública e transformar-se-á para ti em uma mina de ouro!

— Que felicidade!

— Hás de ver!

E na sua febre de fazer promessas agradáveis, Teobaldo perguntou a razão por que o amigo não se metia aí em qualquer repartição do Estado.

— Ora, que pergunta! Bem sabes que não é por falta de esforços da minha parte...

— Pois digo-te que agora também serás empregado. É verdade que a época não é das melhores para isso: os bons lugares estão todos preenchidos, mas...

— Não! qualquer coisa me serve... — declarou André. — Tu bem me conheces; desde que não haja necessidade de concurso...

— Que diabo! Se eu pensasse nisto há mais tempo, já podias até estar com o teu emprego.

— Olha! Vê se me arranjas alguma coisa na biblioteca. Isso é que seria magnífico!

— Homem! e é bem lembrado. Havemos de ver.

Assim conversaram até a ocasião de irem para a mesa.

O almoço foi alegre e comido com bastante apetite. Inesinha preparou-se antes de aparecer ao senhor ministro, mas, apesar das insistências deste, não tomou lugar à mesa, para ficar servindo.

Dona Margarida, lá mesmo da cama onde continuava amarrada pelo reumatismo, dirigia o serviço, lembrando de quando em quando à filha tudo aquilo que podia ser esquecido.

— Areaste o paliteiro? — perguntava ela do quarto. — Se não areaste é melhor pôr o outro de louça, que está na gaveta do armário.

— Já pus, sim senhora.

— Não te esqueças dos guardanapos. Os melhores são os de debrum encarnado.

— Eu sei, mamãe.

— Olha que o café esteja pronto quando eles acabarem! Mas o Sr. Teobaldo talvez prefira o chá. Pergunta-lhe.

— Café! café! — respondeu o próprio Teobaldo, de modo a ser ouvido pela velha.

E então uma conversa de gritos se entabulou entre os dois.

— S. Exa. nos desculpe — pedia a dona da casa — bem sabe quais são as nossas circunstâncias!

— Ora, por amor de Deus, D. Margarida! Acredite que há muito tempo eu não almoço tão bem ou pelo menos com tamanho prazer.

— Que diria se eu não estivesse presa a esta cama! Não acredito que Inês tenha dado conta do recado!

— É uma injustiça que faz à sua filha. Está tudo muito bom.

E dirigindo-se a Inês: — Tenha a bondade de levar este cálice de vinho à senhora sua mãe, que eu vou beber à saúde dela.

— Não sei se não me fará mal! — gritou logo a velha.

— Este só lhe pode fazer bem — respondeu Teobaldo — é uva pura!

Depois do café, Teobaldo esteve alguns instantes no quarto da velha, pediu-lhe licença para lhe deixar sobre a cômoda uma nota de cinquenta mil-réis, dinheiro que ele depositou ao pé de um velho oratório, dizendo:

— É para a cera dos seus santos.

A velha agradeceu muito comovida e teria contado pelo miúdo a sua história, se a visita não arranjasse meios de afastar-se, declarando que ia para o quarto do Coruja encostar um pouco a cabeça.

E Teobaldo, tendo ainda conversado com o amigo enquanto dava cabo de um charuto, estirou-se melhor no trôpego canapé em que estava e adormeceu profundamente.

Coruja veio na ponta dos pés até à sala de jantar e, concheando a mão contra a boca, disse em voz baixa:

— Agora, nada de barulho, que Teobaldo está dormindo!

24

Teobaldo, durante o pouco tempo em que esteve no ministério, granjeou as simpatias de toda a nação.

Parecia ser querido e apreciado desde pelo seu monarca, até pelo último dos serventes de secretaria; os empregados das repartições sujeitas ao seu mando adoravam-no.

A todos conquistara ele com aquela proverbial afabilidade e com aquela sua irresistível sedução de maneiras; os velhos chamavam-lhe colega na prudência e na reflexão; os moços no entusiasmo e no modernismo das ideias; a uns e outros cegara o seu inestimável talento de adoção, que era toda a sua força e a sua principal arma de conquista.

Sem fazer nada, parecia fazer tudo, porque nas câmaras a sua palavra era sempre a mais destacável entre os colegas.

Além de que, afetava uma grande atividade espetaculosa: não havia inauguração de estrada de ferro, ou de qualquer fábrica industrial ou coisa deste gênero, que ele não acompanhasse de corpo presente, fingindo ligar a isso grande atenção e derramando-se em longos discursos talhados ao sabor do auditório que encontrava.

E ainda uma circunstância, independente de sua vontade, veio completar o prestígio dele e solidificar a simpatia que o público lhe dedicava, acrescentando-lhe à fama, já não pequena, uma glória que lhe faltava ainda e que, pela raridade, seria talvez a melhor e mais desejada — a glória de ser um ministro notoriamente honrado.

Até aí era aclamado como bom patriota, ministro de talento progressista e ativo; de então em diante ficou tendo, além de tudo isso, o prestígio de homem de bem.

Foi o caso que um inglês, representante de certa companhia, desejava obter do governo concessão para uma empresa, da qual Teobaldo fruiria lucros de sócio, ou, quando não, uma recompensa de trezentos contos de réis.

Depois de várias negaças de parte a parte, o ministro convidou o inglês e mais outros interessados no negócio para um pequeno jantar em sua casa.

Antes da sobremesa quase ou nada se conversou a respeito do único assunto que os reuniu ali; apenas alguma frase destacada fazia desconfiar que entre eles havia qualquer intenção escondida; mas, quando Branca, que presidia ao jantar, erguera-se da sua cadeira, pedindo licença para deixá-los em liberdade, o inglês entrou abertamente na questão e declarou que estava disposto a não se separar de Teobaldo sem levar consigo uma resposta definitiva.

— O Sr. ministro — concluiu ele na sua meia língua — se proteger o negócio só pode com isso fazer bem, tanto a si como aos outros.

Teobaldo lembrou que ia expor o seu nome; talvez desmoralizar-se para sempre.

— Sim, talvez — volveu o inglês — mas com certeza V. Exa. fica com a vida segura e garantida. Além de que, semelhante particularidade jamais cairá no domínio público! Oh! a política do Brasil está cheia de exemplos muito mais escandalosos, e não me consta que nenhum dos seus autores ficasse desmoralizado; ao contrário criam novo e maior prestígio quando enriquecem!

Afinal, Teobaldo prometeu dar no dia seguinte uma decisão. O inglês que o procurasse na secretaria à hora da audiência.

E, ao despedir-se, acrescentou no ouvido do pretendente:

— Vá descansado, que tudo se há de arranjar pelo modo mais conveniente a todos nós...

Logo, porém, que as visitas saíram, Branca apareceu na porta do seu quarto.

— Ouvi — disse ela, toda a conversa que tiveram depois que eu me levantei da mesa.

— Ah! ouviu?

— Ou, melhor, escutei; escutei por detrás daquela cortina.

— E então?

— Então, é que amanhã o senhor dirá a esse especulador que não se acha disposto a mercadejar com a sua posição. Dir-lhe-á que não é ministro para proteger velhacadas, mediante uma gratificação de dinheiro, e que, se ele insistir nos seus planos, o senhor o denunciará perante a nação...

Teobaldo, posto estivesse já habituado ao gênio seco e orgulhoso da mulher, estranhou-a mais ainda desta vez e tentou justificar-se aos olhos dela.

— Convença-se — disse-lhe ele — de que a senhora ouviu mal ou não compreendeu o que ouviu.

— Mal ou bem ouvido, juro que, se o senhor não fizer o que acabo de ordenar, terá em mim o mais terrível de seus inimigos.

— Mas não posso compreender esta solicitude por mim, à última hora...

— Engana-se: não é de sua pessoa que se trata, mas de seu nome, que desgraçadamente também é o meu. Não quero ser a esposa de um traficante!

— Faz muito bem.

— Isto quanto ao lado moral, porque pelo lado prático acho que o senhor faz um mau negócio. Que poderá aproveitar uma soma tão desonestamente adquirida? Do que lhe servirão esses miseráveis contos de réis senão para fazer a mortalha com que o senhor cairá na vala comum dos patoteiros? O senhor, que já é um ministro nulo, quer ser agora um político desmoralizado? Ou quem sabe, se o senhor teve a pretensão de acreditar um instante que com o seu suposto talento havia de escapar ao anátema dos homens de bem?... Se o senhor não arranjar prestígio pelo lado do caráter, por que lado então conta arranjá-lo? Acaso fez o senhor alguma coisa tão grande, tão útil, tão genial, que com ela possa esconder as falhas da sua honra? Esquece-se porventura, de que neste fato casual da sua entrada para o ministério foi o senhor o único afortunado? Esquece-se de que o chamaram, não porque o senhor fora singularmente necessário, mas sim porque era o mais à mão entre todos aqueles de quem podiam dispor?

— Pois bem! E daí? — perguntou Teobaldo, ardendo de impaciência.

— Daí — continuou Branca, sem se alterar — é que o senhor faria mau negócio cedendo a troco de dinheiro esta boa ocasião, boa e única, que a fortuna lhe proporciona para se distinguir de qualquer modo entre seus colegas.

— Distinguir-me?

— Sim, na qualidade de homem verdadeiramente honrado. Acho que o senhor, mesmo por interesse prático, não deve inutilizar os meios de que dispõe agora como ministro para pôr em relevo as suas qualidades morais; qualidades que ficariam eternamente ignoradas, se o senhor não estivesse no poder.

Teobaldo pôs-se a meditar.

A esposa disse ainda:

— E é semelhante homem, que se julga ambicioso; um homem capaz de vender-se a um especulador vulgar! Um homem que não percebe que seu nome amanhã seria muito maior e respeitado, quando dissessem que um ministro preferiu continuar pobre a ter de transigir com os princípios da sua honra!

Teobaldo ergueu a cabeça, olhou por algum tempo a esposa e, estendendo-lhe a mão, disse:

— Obrigado.

— Não tem que me agradecer — respondeu ela — já lhe expliquei que não é pelo senhor que levanto esta luta, é por mim mesma; não quero, repito, ser esposa de um traficante! E, agora, é despachar o cavalheiro de indústria, e ter de hoje em diante um pouco mais de escrúpulo nos seus atos e em suas palavras!

Teobaldo não se contentou com repelir energicamente a proposta do inglês, mas explorou o fato quanto pôde, metendo-o logo em circulação pela imprensa e transformando-o no melhor ornamento das suas glórias políticas.

Daí há poucos meses, não tinha já a seu cargo a pasta da Agricultura, mas seu nome era apontado na lista tríplice para a primeira eleição de senador.

25

Que mais podia desejar?

Aos quarenta e tantos anos havia já percorrido a enorme gama das classes sociais e experimentado, uma por uma, toda a impressão capaz de fazer vibrar o coração humano. Desde os seus primeiros tempos de colégio até aquela elevada posição a que chegara, sua vida fora uma série de conquistas fáceis, uma interminável cadeia de bons acasos.

Mas agora justamente que mais nada lhe faltava a conquistar; agora que ele, dispondo ainda de uns restos de mocidade para ser amado como homem, era já celebrizado como medalhão; agora que ele possuía tudo; agora que todas as classes do seu país haviam já lhe tributado a melhor parte do seu entusiasmo; agora é que ele se sentia menos satisfeito, porque, à medida que se alargavam os horizontes da sua ambição, tanto mais a consciência da sua mediocridade o estreitava em um terrível círculo de inconsoláveis desgostos.

Pouco a pouco foi-se tornando invejoso. Afinal já não podia ouvir falar dos homens verdadeiramente grandes, sem ficar com o coração apertado por um punho de ferro que o estrangulava. As grandes e legítimas reputações, os nomes universais, fossem de artistas, de poetas, de descobridores, de filósofos ou de guerreiros, o irritavam acerbamente e enchiam-no de um ódio surdo, inconfessável e assassino.

Principalmente ao voltar dos seus relativos triunfos, quando no círculo mesquinho das suas glórias ouvia o próprio nome aclamado e coberto de ovações, é que mais desabridas lhe roncavam por dentro a dor da inveja e a consciência da sua incapacidade.

— Oh! antes nunca chegasse a ser nada, nem tivesse pensado em ser alguma coisa!

Ser tão pouco, quando tanto se ambiciona; ambicionar tanto e ter certeza de nunca ir além da própria pequenez, é muito mais doloroso, é muito mais cruel do que ficar eternamente sucumbido ao peso da primeira desilusão!

Era isto o que agora o fazia mau de todo; era isto o que agora o tornava infeliz, desconsolado e triste.

Nunca houvera penetrado dentro de si mesmo e, quando, graças à franqueza da esposa, o fizera pela primeira vez, achou-se tão vazio e tão ridículo aos próprios olhos, achou-se tão de gesso, que sentiu ímpetos de reduzir-se a pó.

E, com o correr de mais algum tempo e com a percepção da sua inferioridade, veio-lhe o tédio, o desprezo próprio, a grande moléstia dos que sobem sem convicção e sem causa; veio-lhe o desfalecimento dos que vencem sem ter lutado, dos que olham para trás e não encontram no passado sequer uma boa recordação, à sombra da qual repousem o espírito fatigado e o coração desiludido; veio-lhe o fastio e o cansaço dos que nunca amaram, dos que nunca sofreram nem se sacrificaram por ninguém; veio-lhe enfim o desespero dos egoístas, o desespero dos que se veem isolados no meio do público que os aclama vitoriosos, mas que está pronto a virar-lhes as costas logo que o menor interesse particular chama a sua atenção para outro lado.

E, da mesma forma que o Coruja sentia-se cansado de ser tão bom, tão dos outros e precisava cometer uma ação má para repousar, assim Teobaldo, reconhecendo o seu egoísmo e a sua indiferença pelos que o amaram, desejou pela primeira vez em sua vida praticar o bem.

Mas, se àquele era impossível cometer uma ação má, a este não seria mais fácil praticar um rasgo de abnegação e de heroísmo.

Os extremos encontravam-se de novo; as duas criaturas, que o isolamento unira no colégio, fugiam agora dos homens, homens tão caprichosos, tão ruins e tão pequenos como os seus condiscípulos de outrora.

E, ainda como o Coruja, Teobaldo pensou na morte, não como ele por não conseguir abominar seus semelhantes, mas por não conseguir amá-los.

E fez-se cada vez mais sombrio, mais concentrado e mais doente.

Agora passava horas e horas esquecidas no seu gabinete, sozinho, fechado por dentro, a cismar; ou enterrado sombriamente no fundo de uma poltrona, ou passeando de um lado para outro, com as mãos nas algibeiras e os olhos postos no chão.

E sua figura, ainda elegante e altiva, mas prematuramente envelhecida e gasta, havia de impressionar a quem o surpreendera pelas horas silenciosas da madrugada nessas profundas meditações.

— Afinal que fiz eu?... — interrogava ele a si mesmo em um desses momentos — sim, qual foi a minha obra?... Qualquer homem, por mais pequeno, por mais obscuro, tem sempre um ideal na sua vida: uns dedicam-se à família, e cada filho é um poema, bom ou mau, que eles deixam à pátria; outros trabalham para enriquecer, e depois da morte, ainda são lembrados pelos seus herdeiros; outros nos legam um livro de suas memórias, ou uma casa comercial, ou uma empresa que criaram, ou uma ideia a que se sacrificaram por toda a vida! Todos deixam alguma coisa atrás de si: um nome ou uma recordação; só eu não deixarei nada, porque todo o meu ideal durante a minha vida inteira — fui eu próprio! Nunca fiz nada pelos outros; nunca amei pessoa alguma que não fosse eu mesmo. E, de tudo que apresentei durante a vida como produto do meu esforço, e de tudo que me engendrou este nome transitório que possuo, nada foi obra minha! Eu nada fiz!

Depois pensou nos entes que mais o estremeceram e, defronte da memória de cada um, seu coração sentiu-se envergonhado e arrependido.

E, daí em diante, quem o visse, apesar de tão profundamente abatido pelos seus padecimentos morais, ainda assim não poderia calcular os desgostos que iam por aquela pobre alma.

A sua larga fronte, já despojada de cabelos até ao meio do crânio, raiara-se de longas rugas paralelas, como um horizonte no crepúsculo que se enfaixa de nuvens sombrias; seus grandes olhos, dantes tão insinuativos e lisonjeiros, amorteciam agora em uma profunda expressão de mágoa sem esperanças de consolo; seus lábios pareciam cansados de tanto sorrir para todo o mundo e, como já não tinham forças para fingir, quedavam-se em uma imobilidade cheia de tédio e desdém; e todo o seu aspecto, ao contrário do que fora, servia agora muito mais para fazer pena do que para seduzir.

E daí principiaram todos a notar a sua ausência nos lugares em que ele era dantes mais frequente; afinal já nunca o encontravam em parte alguma, onde houvesse um pouco de alegria ou um pouco de prazer; agora o riso lhe fazia mal; ao passo que ao cair da tarde viam-no sempre nos arrabaldes mais solitários, passeando a pé, vagarosamente; as mãos cruzadas atrás, a cabeça baixa, o ar todo preocupado como de um mísero pai de família que vai sentindo faltar-lhe a vida e treme defronte da morte, não por si, mas pelos entes que lhe são caros e que aí ficam no mundo abandonados.

Todavia era justamente o inverso o que se dava com Teobaldo; sucumbia à falta de família; sucumbia à falta de afeições sinceras e à falta de carinhos legítimos. E quanto mais, com o correr do tempo, a falta de tudo isto lhe apertava o coração e lhe ensombrava os dias, tanto mais insuportáveis se lhe faziam as tredas amizades da rua, as falsas relações políticas, os frívolos protestos dos seus admiradores e o palavreado venal daqueles que mendigavam a sua proteção.

26

Foi em tal estado que ele, atravessando certa noite uma das ruas menos frequentadas da cidade velha, sentiu, da rótula de uma casinha de porta e janela, baterem-lhe no ombro.

— Abrigue-se da chuva — disse uma voz de mulher.

Teobaldo afastou-se, mas não tão depressa que não chegasse a reconhecer quem o provocara.

Era Leonília.

Uma rápida nuvem de desgosto tingiu-lhe logo o coração.

Parou. Ela não o tinha reconhecido, graças à circunstância de que Teobaldo levava o sobretudo com a gola levantada e o guarda-chuva aberto. Sua primeira intenção foi dar-lhe dinheiro e seguir caminho sem lhe falar; mas tomado de súbito por uma outra ideia, olhou em torno de si, fechou o guarda-chuva e transpôs a porta que Leonília havia já aberto.

Ah! Que terrível impressão experimentou S. Exa. ao achar-se em meio daquela pequena sala, sistematicamente preparada para o vício barato!

Que doloroso efeito lhe causaram aquelas pobres cortinas de renda, aquelas cadeiras encapotadas de musselina branca, para fingir mobília de luxo; aqueles dois consolos cobertos de *crochet* e guarnecidos por um par de bonecos de gesso colorido; aquela mesinha de centro, onde havia um candeeiro de querosene e ao lado deste um maço de cigarros *Birds's eye*!

Teobaldo, sem tirar o chapéu, considerava entristecido tudo isto, enquanto que a dona da casa passava para uma alcova que havia ao lado da sala, deixando correr atrás de si uma cortina de lã vermelha.

— Que transformação — pensava ele. — Que transformação!

E, a despeito de tudo, sua memória o transpunha ao passado, reconstruindo os extintos aposentos da cortesã, outrora tão luxuosos, e nos quais ele tantas vezes viu palpitar de amor nos seus braços aquela mesma mulher, quando era moça.

Então, a beleza de Leonília, a mocidade de ambos, o luxo que os cercava, punham-lhe no amor um lânguido reflexo de romantismo, um picante sabor orgíaco, um quer que seja, que agradava à vaidade dele e satisfazia em segredo ao temperamento dos dois.

Então, atiravam-se um contra o outro, sem se envergonharem da sua loucura; bebiam pela mesma taça o vinho de sua mocidade, e os beijos estalavam entre seus lábios como o estribilho de uma canção de amor.

Oh! Mas a prostituição é contristadora, ainda mais quando precisa trocar a túnica de seda pelos andrajos da miséria; a prostituição é pavorosa quando não gira sobre diamantes e não tem a seu serviço a beleza e a mocidade.

— E quanto ela era bela dantes! Que partido não sabia tirar de todos os seus tesouros! Com que graça não se embriagava, mostrando o colo e deixando-se cair em gargalhadas nos braços dos seus amantes!

E agora?... Uma velhusca, muito gorda, o rosto coberto de rugas mal disfarçadas pelo alvaiade, os olhos cansados, os lábios descaídos, os dentes sem brilho, o cabelo reles, o hálito mau. Que diferença!

Quando Leonília tornou da alcova e viu Teobaldo já com a cabeça desafrontada, soltou um grito e voltou-se para o lado contrário, escondendo o rosto.

— Entrei, porque a reconheci... — disse ele, tirando dinheiro do bolso. — Tome, e se quiser deixar esta vida, eu lhe darei o necessário para não morrer de fome.

Ela soluçava, sem descobrir os olhos.

— Então? — perguntou o ministro ao fim de algum silêncio — eu não vim aqui para a fazer chorar! Vamos, recolha esse dinheiro e creia que não me esquecerei de sua pessoa. Adeus.

— Não, não! — disse afinal a cortesã — não preciso; prefiro nunca mais ter notícias suas! O senhor fez mal em entrar aqui! Devia fazer que não me reconhecia e ir seguindo o seu caminho! Vá, vá-se embora e nunca mais se lembre de mim!

— Se entrei, foi porque a minha consciência me obrigou a entrar. Cumpro um dever.

— Não! É muito tarde para isso. Vá-se embora! Deixe-me!

— Desejo ser-lhe útil naquilo que puder.

— Fez mal em entrar; eu não lhe merecia ainda mais esta maldade! Basta o muito que já sofri por sua causa, quando este corpo valia alguma coisa! O que o senhor acaba de fazer é uma profanação! Para que mexer nas sepulturas? Por que não me deixou apodrecer sossegada neste meu aviltamento, nesta antecâmara do hospital? O senhor foi o homem que eu mais amei e também o que eu mais odiei; agora já não lhe tenho nenhuma dessas coisas; estamos quites; já não lhe devo nada, nem o senhor a mim; contudo preferia nunca mais lhe pôr a vista em cima! Vá embora! Vá.

— Mas, recolha ao menos esse dinheiro.

— Não, não quero; protestei que de suas mãos nunca mais aceitaria o menor obséquio!

— Lembre-se de que precisa.

— Deixe-me em paz! Não vê que a sua presença me faz mal? Não vê que fico neste estado?

E Leonília soluçava, não com a mesma graça dos outros tempos, mas com uma sinceridade que seria capaz de comover ao diabo.

— Mas, filha, aceite, é um favor que me faz! — insistia o conselheiro.

— De suas mãos — nada! O senhor é um homem mau! É um egoísta, é um fátuo! Prefiro morrer de fome, prefiro ir acabar em um hospital, mas deixe-me, deixe-me por amor de Deus!

27

Teobaldo abandonou a casa de Leonília e, depois de vagar ainda pelas ruas, recolheu-se mais aborrecido do que nunca.

Uma indomável necessidade de companhia, mas de companhia amiga e consoladora, o assoberbava a ponto de irritá-lo.

Foi com o coração desconfortado e o espírito oprimido que ele atravessou as salas desertas de sua casa. Dir-se-ia que ali não morava viva alma; um silêncio quase completo parecia imobilizar o próprio ar que se respirava; os quadros, as estatuetas e as faianças nunca para ele haviam sido tão mudos, tão frios e tão imperturbáveis.

Meteu-se no gabinete, disposto a trabalhar qualquer coisa, para ver se conseguia distrair-se; mas aquela solidão tirava-lhe o gosto para tudo; aquela solidão o aterrava, porque o desgraçado já não podia, como dantes, fazer companhia a si mesmo; já não podia entreter-se a pensar em si horas e horas esquecidas, e também já não tinha ilusões, porque o principal objeto de suas ilusões era ele próprio, e ele estava desiludido a seu respeito.

Seu ideal era como um espelho, onde só a sua imagem se refletia; quebrado esse espelho, ele não tinha coragem de encarar os pedaços, porque em cada um via ainda, e só, a sua figura, mas tão reduzida e tão mesquinha que, em vez de lhe causar orgulho como outrora, causava-lhe agora terríveis dissabores.

— Como a vida é horrível! — pensou ele — como tudo que ambicionamos nada vale, uma vez alcançado! Como eu me sinto farto e desprendido de tudo aquilo que até hoje me interessava e me comprazia! Afinal, do que serve existir? Para que viver? Que lucramos em atravessar estes longos anos que atravessei? Onde estão os meus gozos? as minhas regalias? Que espero fazer amanhã melhor do que fiz hoje? Que há em torno de mim que possa me dar um instante de ventura? Ah! Se eu não tivera sido tão mau! Tão mau para mim, pensando que o era para os outros!...

E ouviu bater três horas.

— Três horas da madrugada! E não trabalhei, nem li, nem fiz coisa alguma, e não posso dormir, e tenho de suportar a mim mesmo, sabe Deus até quando! E sinto-me doente! A febre escalda-me o sangue!

Levantou-se do lugar onde estava e, cambaleando, fez algumas voltas pelo quarto.

— Oh! Este isolamento me aterra!

Pensou então na mulher: — Ela nessa ocasião dormia, com certeza... Naquele momento daria tudo para a ter junto de si.

Mas ele a queria, não como ela era ultimamente, porém, como dantes, quando o amava, quando vinha recebê-lo à porta da rua e não o abandonava senão quando ele tornava a sair de casa.

Assim é que a queria — companheira, amiga, unida e inseparável.

— Ah! Se eu não tivesse me incompatibilizado com ela!... Se pudesse ir buscá-la, trazê-la aqui para o meu gabinete, desfrutar a sua companhia, gozar o seu coração!... Oh! mas tudo isto já não pode ser! Está tudo perdido! Ela continua a ver em mim um vaidoso, um fátuo, um homem ainda menor que o mais vulgar! Nunca mais poderei ser para Branca o que fui, o que ela me julgou na cegueira do seu primeiro amor!

E Teobaldo deixou-se cair de novo na cadeira, com o rosto escondido entre as mãos, a respiração convulsa, os olhos ardendo como se fossem duas chagas.

— Se eu não tivesse sido para ela o que fui, talvez, quem sabe? tivéssemos agora um filhinho?

Esta ideia lhe trouxe uma golfada de soluços.

E, no seu desespero, ele via esse filho imaginário; esse ente que nunca existira e de quem ele tinha saudades, porque entre os vivos não encontrava um coração que o recebesse.

Chorou muito ainda, depois ergueu-se e saiu do gabinete.

Atravessou como um sonâmbulo os aposentos da casa, até chegar ao corredor por onde se ia ao quarto de Branca.

A porta estava fechada.

— Se ela soubesse quanto eu sofro!... Ela, que é tão boa, tão compassiva e tão casta, talvez, tivesse compaixão de mim!...

Mas não se animou a bater.

Havia tanto tempo que não se falavam senão em público!... Ele tantas vezes desdenhara dos seus carinhos; tantas vezes fingira não compreender as lágrimas dela!...

Abandonou de novo o corredor, na intenção firme de recolher-se à cama.

Chamou o criado, pediu *cognac*, bebeu, despiu-se e deitou-se.

Não conseguiu dormir.

Tocou de novo a campainha.

— Meu amo chamou?

— Sim. Vê roupa. Torno a sair.

— Mas V. Exa. parece incomodado; creio que faria melhor em...

— Vê roupa! Não ouves?!

E, quando o criado ia de novo a sair, depois de cumprida aquela ordem:

— Olha!

— Senhor!

— Chama o Caetano.

Era uma ideia que lhe acudira com vislumbres de inspiração.

— O Caetano?... — repetiu o criado — saiba V. Exa. que o Caetano está de cama.

— De cama?... Que tem ele?

— Amanheceu há quatro dias com muita febre e ainda não melhorou.

— Achava-se nesse estado, e nada me diziam! Canalha!

— Peço perdão, mas devo notar que o senhor conselheiro há muito tempo não aparece a ninguém.

— Cala-te. Sou capaz de apostar que deixaram sozinho o pobre velho!...

— Saiba V. Exa. que a Sra. D. Branca, que o tem ido ver muitas vezes todos os dias, deu ordem ao Sabino para não sair do lado dele.

— Bem. Previne ao Sabino que eu quero ir ver o Caetano.

O criado, surpreso com estas palavras, mas sem o dar a perceber, afastou-se imediatamente; ao passo que o amo, vestindo-se às pressas e, contra o seu costume, em desalinho, abandonou ainda uma vez o gabinete e ganhou em direitura ao quarto do enfermo.

Não era, como ele próprio supunha na sua necessidade de fazer bem, o interesse pelo velho servo de seu avô e companheiro de seu pai o que o impelia àquele ato de piedade, mas simplesmente a urgência de falar com alguém que ainda o estimasse; alguém que lhe arrancasse o coração do lastimável estado em que se achava naquele instante.

Recebeu um logro. O pobre velho não dava mais acordo de si e só dizia palavras desnorteadas pelo delírio da febre.

— Não me reconheces, amigo velho? — perguntou-lhe o conselheiro, amparando-se-lhe das mãos hirtas e nodosas.

— Sim, Nhô Miló? Meta a espora no cavalo, que os Saquaremas, embicando por este lado, hão de encontrar homem pela proa!

E os olhos do velho torciam-se nas órbitas com um acesso de cólera senil.

— Sonha com meu pai e com as revoluções de Minas!... — pensou Teobaldo entristecido. — Ah! o Barão do Palmar foi ao menos um homem! É justo que este desgraçado lhe dedique os seus últimos pensamentos em vez de os dedicar a mim, que nem isto mereço. É justo! É justo!

E saiu dali para esconder o seu desespero contra aquele maldito velho, que, no delírio da morte, não achava uma palavra de consolação para lhe dar.

Atravessou a chácara sem levantar a cabeça, o ar muito sombrio e pesado, os olhos fundos e cheios de sangue.

Quando chegou à rua, estacou e pôs-se a olhar para as águas da baía que se douravam aos primeiros raios do sol.

Pôs-se a andar pela praia, vagarosamente, quase que sem consciência do que fazia.

E o dia, que apontava, um dia triste e cheio de névoas, um dia sem horizonte, como o próprio espírito de Teobaldo, ainda mais lhe agravava o mal-estar.

Ele sentia frio e dores por todo o corpo.

Caminhou assim durante uma hora; cabeça baixa, mãos nas algibeiras do sobretudo e uma secura enorme a lhe escaldar a garganta.

Três vezes tentou fumar e de todas lançou fora o charuto, porque não podia suportar o cheiro do fumo.

Afinal viu um carro de praça, chamou-o, meteu-se dentro dele e mandou tocar para a casa do Coruja.

Todavia, depois mesmo de estar em caminho, hesitava em lá ir. O seu procedimento para com o pobre amigo não podia ser pior e mais ingrato do que fora, ultimamente.

Nada fizera do que lhe prometera; não lhe dera o tal emprego, nem mandara publicar a célebre história do Brasil.

— E havia tanto tempo que já não se viam!... Em que disposição estaria André a respeito dele?... Qual teria sido nessa ausência a sua vida, com uma família às costas e sem meios de ganhar dinheiro?... Quem sabe até se ele não tivera estado doente?... Quem sabe se já não teria morrido?...

Davam sete horas quando Teobaldo entrava em casa do Coruja.

O aspecto do corredor, o silêncio que aí reinava, entristeceram-no, pondo-lhe no coração um vago sentimento de remorso.

— Com um bocadinho de esforço — pensou a sua consciência — ter-se-ia restituído a esta pobre gente a primitiva felicidade!...

Foi Inês que veio recebê-lo, e, posto que surpresa com a visita, ela deixava transparecer no semblante as contrariedades de sua vida.

— Como está a senhora sua mãe? — perguntou Teobaldo.

— Mal, Sr. conselheiro; há mais de um mês que ela não faz outra coisa senão gemer. Está cada vez pior. Agora tudo lhe dói: são as pernas, os braços, a caixa do peito, as costas, o pescoço e a cabeça! Coitada, chega a fazer dó!

— E o André? Como vai?

— Não sei, não senhor, mas também não anda bom! Ultimamente quase que não dá uma palavra a pessoa alguma; entra da rua e sai de casa, sem tugir nem mugir; às vezes mete-se no quarto às seis da tarde e só dá sinal de si no dia seguinte.

— E como vão os negócios dele? Sabe?

— Sei cá! Se ele não fala com pessoa alguma! Não dá uma palavra!

— Tem trabalhado muito?

— Trabalhado?

— Pergunto se tem escrito.

— É natural; pelo menos leva um tempo infinito metido no quarto.

— Ele está aí?

— Está, sim, senhor; faz favor de entrar.

Teobaldo foi bater à porta do Coruja e ficou gelado defronte do ar frio que este o recebeu.

— Como vais tu? — disse.

André sacudiu os ombros e resmungou alguns sons que não lhe passaram da garganta.

— Que diabo tens hoje? Acho-te mudado.

— Nada.

— Não! Tens alguma coisa que te aflige!

— Aborrecimento. Entra. Já tomaste café?

— Ainda não, e quero, porque não me sinto bem.

— Estás doente? Nunca te vi tão amarelo e tão abatido.

— É! Efetivamente não tenho passado bem! Apoquentações!... Agora mesmo creio que sinto febre! Não imaginas a vida que levo! Um martírio!

Coruja afastou-se para ir buscar café e o outro então o considerou melhor. O desgraçado estava muito mais acabado e mais feio: caía-lhe agora todo o cabelo sobre os olhos, que se sumiam debaixo das pálpebras; a boca envergava-se para baixo em uma expressão constante de desgosto e ressentimento; as costas arqueavam-se-lhe cavernosamente, tornando-o mais encolhido, mais mesquinho e mais reles.

— Pois, meu amigo, confesso-te — disse Teobaldo — quando ele voltou com as xícaras, que te procurei, porque preciso de ti, como de pão para a boca. Preciso da tua companhia. Aqui onde me vês, sou uma vítima do isolamento e do tédio!

André não respondeu e foi assentar-se a um canto do quarto, sobre um caixão vazio.

— Ah! meu bom Coruja — prosseguiu S. Exa. — não calculas como ando! Um inferno! Sinto-me farto, inteiramente farto da vida! Sinto-me devastado! Preciso de ti! Quero-te ao meu lado! Venho buscar-te, e não volto para casa sem te levar comigo!

— Impossível! — respondeu o outro secamente.

— Impossível?! — repetiu o ministro, fulminado por esta palavra. Como impossível?! Pois tu não queres vir comigo?

— Não posso.

— E por quê?

— Porque me sinto inutilizado! Já não presto para nada! Já não posso suportar a companhia de ninguém!

— Ora essa! Então tu também estás desgostoso?

— Mais do que podes supor. E peço-te que mudemos de assunto.

Fez-se um grande silêncio entre os dois; cada um fitava o seu ponto, sem ânimo de trocarem um olhar entre si.

Teobaldo perguntou afinal, erguendo-se:

— Não devo então contar contigo?

— Não, não posso ir. Desculpa-me.

— Está bom! Paciência!

E, depois de dar em silêncio uma volta pelo quarto, disse meio hesitante:

— É verdade! E a tua história do Brasil? Terminaste-a?

O Coruja, sem desviar os olhos do lugar em que estavam presos, apontou para um grande montão de papéis rotos, acumulados ao fundo do quarto.

— Que é isto? — interrogou o conselheiro.

— Desisti.

— Como assim?

— Abandonei por uma vez!

— Não concluíste o trabalho?

— Não.

— Mas foi uma loucura de tua parte.

Coruja sacudiu os ombros, indiferentemente, e pousou os cotovelos sobre os joelhos, ficando com as duas mãos abertas contra o queixo, sem dar mais uma palavra.

Causava estranha e viva impressão aquela figura tétrica e sofredora, que parecia agora mergulhada nesse estado comatoso que às vezes acomete os loucos.

Embalde tentou o outro puxar por ele e, vendo o egoísta que, em vez de consolações, encontrara ali ainda maior desânimo que o seu, despediu-se e saiu arrastando até à casa a negra túnica das suas aflições.

— Até este! — pensava ele já na rua, até o Coruja me vira as costas! — Só o público, essa besta insuportável e estúpida, só o público me abre os braços! E do que me serve o público, se não tenho a quem amar? Do que me serve o público, se vivo neste isolamento pior que tudo? Do que me servem admiradores, se não tenho amigos?

Durante o caminho, Teobaldo, justamente ao contrário do que sucedia com André, encontrou mil pessoas que corriam a saudá-lo, apertar-lhe a mão, que o abraçavam, que o felicitavam "mais uma vez" por tais e tais gloriosos feitos.

Mas em todas essas fisionomias só viu e percebeu: — em umas, a adulação; em outras o fingimento; em outras a má vontade invejosa e sem ânimo para se patentear; e em nenhuma encontrou o que ele procurava com tamanho empenho, aquilo que ele dantes descobria em quantos o amavam e a quem afastou de si, para sempre; isto é, a dedicação, o desinteresse, a verdadeira amizade.

— Ah! não valia a pena sacrificar àquela besta esse inestimável tesouro, que agora lhe fazia tanta falta!

E era tarde! O egoísta já não podia encontrar em torno de si senão a sombra de si mesmo. E todos que o idolatravam com tanto desinteresse e aos quais ele só respondeu com a ingratidão, perpassavam agora em torno de seu espírito como espectros de remorso que se erguiam para o fazer mais infeliz, mais inconsolável e mais revoltado contra o seu isolamento.

Ainda como o Coruja, ele desejava fugir do público e ao mesmo tempo sentia medo de meter-se em casa. A rua e o lar eram para ambos um tormento de gênero diverso, mas de iguais efeitos.

Foi, pois, completamente aniquilado, que ele chegou ao portão da sua chácara.

Um criado veio dizer-lhe logo, que o velho Caetano estava agonizante.

Teobaldo apressou-se a ir ter com ele, apesar da prostração, em que se achava.

O quarto do moribundo parecia agora ainda mais sombrio do que à noite.

Um quarto estreito, enterrado no porão da casa, mas dignamente arranjado e limpo.

Era tudo de uma simplicidade austera e pobre. Na parede via-se um retrato do Barão do Palmar, sobre o qual dependurava-se uma grinalda de rosas murchas, contrastando com uma espada enferrujada e um jogo de pistolas antigas, que guarneciam a parte inferior do quadro; por cima deste, em um intervalo talvez de dois palmos, havia ainda um pequeno crucifixo de metal branco.

Dir-se-ia que aquilo era a célula de algum fidalgo vitimado pela revolução.

Ao fundo do quarto, sobre uma cama estreita e sem cortinas, destacava-se a longa figura de Caetano.

Parecia agora muito mais comprido e mais magro; sentiam-se-lhe os ângulos do corpo por detrás do lençol.

O amo, se se demora um instante mais, já não o encontrava com vida.

Assentou-se ao lado da cama e ajudou o moribundo a segurar uma vela de cera, que lhe haviam posto entre as mãos extensas e descarnadas.

Entretanto, o velho agonizava, quase sem o menor movimento de corpo ou a menor contração de rosto.

Era uma figura imóvel, hirta, com os membros duros, os olhos cravados no ar, fixos e já turvados pela morte.

O conselheiro debruçou-se sobre ele, disse-lhe em voz baixa algumas palavras de consolação, que não foram ouvidas, e afinal quando a morte chegou de todo, retirou-se para o seu gabinete, sem conseguir resolver em lágrimas o peso enorme que se lhe fora acumulando por dentro.

28

Dadas as providências para o enterro do velho Caetano, Teobaldo tomou algumas colheres de caldo e meteu-se na cama, recomendando que não o chamassem.

Passou o dia inteiro na modorra da febre e à noite foi necessário buscar o médico, porque o seu incômodo recrudescia.

O médico examinou-o e declarou que havia uma congestão de fígado. Era, pois, indispensável para o doente evitar todo e qualquer abalo moral e submeter-se a um rigoroso tratamento, sem o que podia sobrevir a hemoptise, e a coisa tornar-se então muito mais séria.

Acudiu logo muita gente com a notícia da moléstia de S. Exa.; como, porém, o doutor havia proibido ao enfermo falar a alguém, contentavam-se todos com deixar o cartão de visita; só o Coruja não levou lá o seu nome, porque nunca passava do portão do jardim e entendia-se com os criados inferiores.

Hipólito e D. Geminiana achavam-se então na fazenda e por isso não deram sinal de si.

Todavia, e apesar dos afetados desvelos de tanta gente, a hepatite do senhor conselheiro progredia, agravada agora por uma lesão pulmonar, cujos sintomas já se denunciavam.

Ele, muito abatido, o rosto cor-de-oca, a barba de quatro dias, os olhos fundos e tingidos de amarelo, mostrava-se muito desanimado e com um grande medo de morrer.

O médico ia vê-lo três vezes ao dia e de todas lhe recomendava a mais completa tranquilidade de espírito.

O doente sorria ao ouvir estas palavras.

Uma noite mandou chamar a mulher.

Ela não se fez esperar e correu ao quarto do marido. A enorme transformação, que lhe notara logo ao primeiro golpe de vista, impressionou-a vivamente; contudo quedou-se fria e contrafeita à porta da alcova, como se estivesse defronte de um estranho.

— Branca!... — murmurou ele, volvendo para a esposa os olhos já despidos do primitivo encanto.

— O médico recomendou que lhe não deixassem falar... respondeu ela, sem sair do ponto em que se achava.

— Venha para junto de mim — pediu o infeliz — preciso do seu perdão.

Branca aproximou-se dele, recomendando de novo que se calasse.

Teobaldo, quando a sentiu ao alcance de suas mãos, quis abraçá-la. Branca retraiu-se com um movimento espontâneo, no qual só transparecia repugnância.

Ele fechou os olhos e deixou cair a cabeça sobre os travesseiros.

Ela então adiantou-se, arrependida talvez de o haver contrariado, mas soltou logo um grito, porque o marido, sentindo congestionar-se-lhe o sangue no pulmão, erguera-se de súbito, sufocado por uma golfada de sangue.

Era a hemoptise.

O quarto encheu-se de estranhos; uma balbúrdia formou-se em torno de Teobaldo; todos queriam socorrê-lo, mas ninguém o conseguia; o sangue lhe golpejava pelas ventas e pela boca.

O médico, quando entrou daí a nada, declarou-o morto.

29

O fato, mal caiu em circulação, abalou deveras o público.

Desde as nove horas da manhã notou-se na cidade um movimento anormal de ordenanças a cavalo e de tílburis, que subiam e desciam a todo o trote a praia de Botafogo.

No dia subsequente cada folha, das diárias, trouxe na sua parte editorial um artigo de fundo a propósito do ilustre morto. Tudo que se pode dizer sobre um político e sobre um homem de talento publicou-se a respeito de Teobaldo; publicou-se em tipo grande, entrelinhado e guarnecido das melhores flores de retórica de que dispunham as redações; mas, no que pareciam ajustadas, era em glorificar o falecido como um peregrino exemplo de honestidade e retidão.

"Ainda há bem pouco tempo, dizia um dos jornais mais acreditados, tinha o insubstituível cidadão que a morte acaba de arrebatar-nos, a seu cargo uma das pastas mais rendosas, do ministério, e talvez, afora a da Fazenda, a que melhor se presta a certos manejos de especulação e, no entanto bem ao contrário do que é de costume entre nós, ele morreu pobre, paupérrimo, a ponto de se lhe encontrar em casa apenas um pouco de dinheiro em papel e quase nenhum objeto de valor. Só este fato, pela sua raridade, é mais que o bastante para dar ideia de quem foi Teobaldo Henrique de Albuquerque e colocar o seu nome entre o daqueles que figuram no Panteão da História, cercado de glória, abençoado pela sua geração e eternamente benquisto pela humanidade."

Toda a imprensa se mostrou empenhada em que o governo estabelecesse imediatamente uma pensão à viúva de festejado defunto, e tal foi o entusiasmo que semelhante morte encontrou no público e até entre os colegas do morto que na câmara chegaram a falar em erigir-lhe uma estátua.

Em uma subscrição para este fim aberta, figurava em primeiro lugar a assinatura de Afonso de Aguiar com a quantia de quinhentos mil-réis.

Poucos, muito poucos dos enterros que têm havido no Brasil, poderiam rivalizar com o que ele teve.

Parecia que se tratava da morte de um príncipe, tal era o acerto do gosto, a boa disposição artística; tal era a distinção, o luxo aristocrático daquelas cerimônias, que a gente tinha vontade de acreditar, que por ali andava o dedo do próprio Teobaldo e que tudo aquilo era obra dele.

Dir-se-ia que de dentro do seu rico caixão, coberto de crepe e engenhosamente entretecido de fúnebres coroas, Teobaldo dirigia o solene préstito que o acompanhava à sepultura. Esperava-se ver a cada momento surgir entre as abas do caixão a cabeça do grande homem de gosto, exclamando para algum soldado que saíra da fileira:

— Mais para a direita! Pra direita! Em linha!

E, todo aquele reluzir de dragonas e comendas, e todo aquele deslumbramento de fardas bordadas, aquele cintilar de armas em funeral, e mais aquela marcha cadenciada da tropa; tudo se casava admiravelmente com a impressão gloriosa que Teobaldo deixava gravada na alma do povo, desse mesmo povo que ele dominou com a sua encantadora figura de fidalgo revolucionário e com o seu fino espírito de diplomata apaixonado pelas multidões.

* * *

Coruja estava na rua, quando lhe deram notícia da morte do amigo.

Ao contrário do que esperavam todos, ele a ouviu sem soltar uma palavra de dor ou derramar uma lágrima; apenas lhe notaram certa contração no rosto e um quase imperceptível sorriso de desdém.

Contudo, atirou-se logo para Botafogo e, quando deu por si, estava defronte da casa do falecido, sem aliás sentir ânimo de levar àquelas magníficas salas em luto o seu pobre tipo farandolesco e miserável.

Acompanhou o enterro de longe, a pé, coxeando como um cão ferido que segue a carruagem do dono.

Ao chegar ao cemitério já as formalidades do estilo estavam cumpridas.

Um coveiro em mangas de camisa socava a sepultura de Teobaldo, e a multidão, que o acompanhara até aí, punha-se em retirada, com pressa, como quem volta de fazer uma obrigação e quer ainda aproveitar o resto do tempo.

Coruja parou cansado e encostou-se numa sepultura, a olhar estranhamente para tudo aquilo.

O cemitério recaía aos poucos na sua pesada sonolência, enquanto os últimos clarões do dia descambavam no horizonte em um rico transbordamento de cores siderais. Já as montanhas ao fundo se cobriam de azul escuro e os ciprestes rumorejavam as primeiras vozes da noite.

Ouviam-se rolar ao longo da rua as derradeiras carruagens que se retiravam e, de espaço a espaço, uma pancada surda e desdobrada pelo eco. Era a maceta do coveiro que socava a terra.

Coruja seguiu, coxeando, a direção dessas pancadas e, chegando à sepultura do amigo, ficou a contemplá-la em silêncio.

— Quer alguma coisa? — perguntou-lhe o coveiro.

— Nada, não senhor — respondeu André.

— Pois então é andar, meu caro, que são horas de fechar o cemitério!

Com efeito, quando os dois chegaram ao portão, já o guarda os esperava sacudindo as suas chaves.

Coruja, logo que se viu só, encostou-se ao muro do cemitério e começou a soluçar.

Chorou muito, até que um fundo cansaço se apoderou dele voluptuosamente. Sentia-se como que arrebatado por um sono delicioso; mas caiu logo em si, lembrando-se de que já se fazia tarde e naquele dia, distraído com a morte do amigo, descuidara-se da gente que tinha à sua conta.

E manquejando, a limpar os olhos com a manga do casaco, lá se foi, rua abaixo, perguntando a si mesmo "Onde diabo iria, àquelas horas, arranjar dinheiro para dar de comer ao seu povo?...".

O Cortiço

Periculum dicendi non recuso
[Cícero]

La verité, toute la verité, rien que la vérité
[Droit Criminel]

Os meus honrados colegas do jornalismo, e de todos esses grandes publicistas que fatigam o céu e a terra para provar que esta em que estamos é a verdadeira época de transição, esses nos dirão se a Providência andaria bem ou mal se hoje suscitasse um novo Timon na verdadeira raça de fúrias, que com as pontas viperinas do azorrague vingador lacerasse sem piedade os crimes e os vícios que a desonram.
[João Francisco Lisboa, *Jornal de Timon, Prospecto. Obras Completas*, 1º. vol. ,p. 12]

Un oyseau qui se nomme cigale estoit en un figuier, et François tendit sa main et appella celluy oyseau, et tantost il obeyt et vint sur sa main. Et il lui deist: chante, ma seur, et loue nostre Seigneur. Et adoncques chanta incontinent, et ne sen alla devant quelle eust congé.
[Jacques de Voragine, *La Légende Dorée*, traduction française]

1

João Romão foi, dos treze aos vinte e cinco anos, empregado de um vendeiro que enriqueceu entre as quatro paredes de uma suja e obscura taverna nos refolhos do bairro do Botafogo; e tanto economizou do pouco que ganhara nessa dúzia de anos, que, ao retirar-se o patrão para a terra, lhe deixou, em pagamento de ordenados vencidos, nem só a venda com o que estava dentro, como ainda um conto e quinhentos em dinheiro.

Proprietário e estabelecido por sua conta, o rapaz atirou-se à labutação ainda com mais ardor, possuindo-se de tal delírio de enriquecer, que afrontava resignado as mais duras privações. Dormia sobre o balcão da própria venda, em cima de uma esteira, fazendo travesseiro de um saco de estopa cheio de palha. A comida arranjava-lhe, mediante quatrocentos réis por dia, uma quitandeira sua vizinha, a Bertoleza, crioula trintona, escrava de um velho cego residente em Juiz de Fora e amigada com um português que tinha uma carroça de mão e fazia fretes na cidade.

Bertoleza também trabalhava forte; a sua quitanda era a mais bem afreguesada do bairro. De manhã vendia angu, e à noite peixe frito e iscas de fígado; pagava de jornal a seu dono vinte mil-réis por mês, e, apesar disso, tinha de parte quase que o necessário para a alforria. Um dia, porém, o seu homem, depois de correr meia légua, puxando uma carga superior às suas forças, caiu morto na rua, ao lado da carroça, estrompado como uma besta.

João Romão mostrou grande interesse por esta desgraça, fez-se até participante direto dos sofrimentos da vizinha, e com tamanho empenho a lamentou, que a boa mulher o escolheu para confidente das suas desventuras. Abriu-se com ele, contou-lhe a sua vida de amofinações e dificuldades.

"Seu senhor comia-lhe a pele do corpo! Não era brinquedo para uma pobre mulher ter de escarrar pr'ali, todos os meses, vinte mil-réis em dinheiro!" E segredou-lhe então o que tinha juntado para a sua liberdade e acabou pedindo ao vendeiro que lhe guardasse as economias, porque já de certa vez fora roubada por gatunos que lhe entraram na quitanda pelos fundos.

Daí em diante, João Romão tornou-se o caixa, o procurador e o conselheiro da crioula. No fim de pouco tempo era ele quem tomava conta de tudo que ela produzia e era também quem punha e dispunha dos seus pecúlios, e quem se encarregava de remeter ao senhor os vinte mil-réis mensais. Abriu-lhe logo uma conta corrente, e a quitandeira, quando precisava de dinheiro para qualquer coisa, dava um pulo até a venda e recebia-o das mãos do vendeiro, de "Seu João", como ela dizia. Seu João debitava metodicamente essas pequenas quantias num caderninho, em cuja capa de papel pardo lia-se, mal escrito e em letras cortadas de jornal: "Ativo e passivo de Bertoleza".

E por tal forma foi o taverneiro ganhando confiança no espírito da mulher, que esta afinal nada mais resolvia só por si, e aceitava dele cegamente todo e qualquer arbítrio. Por último, se alguém precisava tratar com ela qualquer negócio, nem mais se dava ao trabalho de procurá-la, ia logo direito a João Romão.

Quando deram fé estavam amigados.

Ele propôs-lhe morarem juntos, e ela concordou de braços abertos, feliz em meter-se de novo com um português, porque, como toda a cafuza, Bertoleza não queria sujeitar-se a negros e procurava instintivamente o homem numa raça superior à sua.

João Romão comprou então, com as economias da amiga, alguns palmos de terreno ao lado esquerdo da venda, e levantou uma casinha de duas portas, dividida ao meio paralelamente à rua, sendo a parte da frente destinada à quitanda e a do fundo para um dormitório que se arranjou com os cacarecos de Bertoleza. Havia, além da cama, uma cômoda de jacarandá muito velha com maçanetas de metal amarelo já mareadas, um oratório cheio de santos e forrado de papel de cor, um baú grande de couro cru tacheado, dois banquinhos de pau feitos de uma só peça e um formidável cabide de pregar na parede, com a sua competente coberta de retalhos de chita.

O vendeiro nunca tivera tanta mobília.

— Agora — disse ele à crioula — as coisas vão correr melhor para você. Você vai ficar forra; eu entro com o que falta.

Nesse dia ele saiu muito à rua, e uma semana depois apareceu com uma folha de papel toda escrita, que leu em voz alta à companheira.

— Você agora não tem mais senhor! — declarou em seguida à leitura, que ela ouviu entre lágrimas agradecidas. — Agora está livre. Doravante o que você fizer é só seu e mais de seus filhos, se os tiver. Acabou-se o cativeiro de pagar os vinte mil-réis à peste do cego!

— Coitado! A gente se queixa é da sorte! Ele, como meu senhor, exigia o jornal, exigia o que era seu!

— Seu ou não seu, acabou-se! E vida nova!

Contra todo o costume, abriu-se nesse dia uma garrafa de vinho do Porto, e os dois beberam-na em honra ao grande acontecimento. Entretanto, a tal carta de liberdade era obra do próprio João Romão, e nem mesmo o selo, que ele entendeu de pespegar-lhe em cima, para dar à burla maior formalidade, representava despesa porque o esperto aproveitara uma estampilha já servida. O senhor de Bertoleza não teve sequer conhecimento do fato; o que lhe constou, sim, foi que a sua escrava lhe havia fugido para a Bahia depois da morte do amigo.

— O cego que venha buscá-la aqui, se for capaz... — desafiou o vendeiro de si para si. — Ele que caia nessa e verá se tem ou não pra peras!

Não obstante, só ficou tranquilo de todo daí a três meses, quando lhe constou a morte do velho. A escrava passara naturalmente em herança a qualquer dos filhos do morto; mas, por estes, nada havia que recear: dois pândegos de marca maior que, empolgada a legítima, cuidaram de tudo, menos de atirar-se na pista de uma crioula a quem não viam de muitos anos àquela parte. "Ora! Bastava já, e não era pouco, o que lhe tinham sugado durante tanto tempo!"

Bertoleza representava agora ao lado de João Romão o papel tríplice de caixeiro, de criada e de amante. Mourejava a valer, mas de cara alegre; às quatro da madrugada estava já na faina de todos os dias, aviando o café para os fregueses e depois preparando o almoço para os trabalhadores de uma pedreira que havia para além de um grande capinzal aos fundos da venda. Varria a casa, cozinhava, vendia ao balcão na taverna, quando o amigo andava ocupado lá por fora; fazia a sua quitanda durante o dia no intervalo de outros serviços, e à noite passava-se para a porta da venda, e, defronte de um fogareiro de barro, fritava fígado e frigia sardinhas, que Romão ia pela manhã, em mangas de camisa, de tamancos e sem meias, comprar à praia do Peixe. E o demônio da mulher ainda encontrava tempo para lavar e consertar, além da sua, a roupa do seu homem, que esta, valha a verdade, não era tanta e nunca passava em todo o mês de alguns pares de calças de zuarte e outras tantas camisas de riscado.

João Romão não saía nunca a passeio, nem ia à missa aos domingos; tudo que rendia a sua venda e mais a quitanda seguia direitinho para a caixa econômica e daí então para o banco. Tanto assim que, um ano depois da aquisição da crioula, indo em hasta pública algumas braças de terra situadas ao fundo da taverna, arrematou-as logo e tratou, sem perda de tempo, de construir três casinhas de porta e janela.

Que milagres de esperteza e de economia não realizou ele nessa construção! Servia de pedreiro, amassava e carregava barro, quebrava pedra; pedra, que o velhaco, fora de horas, junto com a amiga, furtavam à pedreira do fundo, da mesma forma que subtraíam o material das casas em obra que havia por ali perto.

Estes furtos eram feitos com todas as cautelas e sempre coroados do melhor sucesso, graças à circunstância de que nesse tempo a polícia não se mostrava muito por aquelas alturas. João Romão observava durante o dia quais as obras em que ficava material para o dia seguinte, e à noite lá estava ele rente, mais a Bertoleza, a removerem tábuas, tijolos, telhas, sacos de cal, para o meio da rua, com tamanha habilidade que se não ouvia vislumbre de rumor. Depois, um tomava uma carga e partia para casa, enquanto o outro ficava de alcateia ao lado do resto, pronto a dar sinal, em caso de perigo; e, quando o que tinha ido voltava, seguia então o companheiro, carregado por sua vez.

Nada lhes escapava, nem mesmo as escadas dos pedreiros, os cavalos de pau, o banco ou a ferramenta dos marceneiros.

E o fato é que aquelas três casinhas, tão engenhosamente construídas, foram o ponto de partida do grande cortiço de São Romão.

Hoje quatro braças de terra, amanhã seis, depois mais outras, ia o vendeiro conquistando todo o terreno que se estendia pelos fundos da sua bodega; e, à proporção que o conquistava, reproduziam-se os quartos e o número de moradores.

Sempre em mangas de camisa, sem domingo nem dia santo, não perdendo nunca a ocasião de assenhorear-se do alheio, deixando de pagar todas as vezes que podia e nunca deixando de receber, enganando os fregueses, roubando nos pesos e nas medidas, comprando por dez réis de mel coado o que os escravos furtavam da casa dos seus senhores, apertando cada vez mais as próprias despesas, empilhando privações sobre privações, trabalhando e mais a amiga como uma junta de bois, João Romão veio afinal a comprar uma boa parte da bela pedreira, que ele, todos os dias, ao cair da tarde, assentado um instante à porta da venda, contemplava de longe com um resignado olhar de cobiça.

Pôs lá seis homens a quebrarem pedra e outros seis a fazerem lajedos e paralelepípedos, e então principiou a ganhar em grosso, tão em grosso que, dentro de ano e meio, arrematava já todo o espaço compreendido entre as suas casinhas e a pedreira, isto é, umas oitenta braças de fundo sobre vinte de frente em plano enxuto e magnífico para construir.

Justamente por essa ocasião vendeu-se também um sobrado que ficava à direita da venda, separado desta apenas por aquelas vinte braças; de sorte que todo o flanco esquerdo do prédio, coisa de uns vinte e tantos metros, despejava para o terreno do vendeiro as suas nove janelas de peitoril. Comprou-o um tal Miranda, negociante português, estabelecido na rua do Hospício com uma loja de fazendas por atacado. Corrida uma limpeza geral no casarão, mudar-se-ia ele para lá com a família, pois que a mulher, Dona Estela, senhora pretensiosa e com fumaças de nobreza, já não podia suportar a residência no centro da cidade, como também sua menina, a Zulmirinha, crescia muito pálida e precisava de largueza para enrijar e tomar corpo.

Isto foi o que disse o Miranda aos colegas, porém a verdadeira causa da mudança estava na necessidade, que ele reconhecia urgente, de afastar Dona Estela do alcance dos seus caixeiros. Dona Estela era uma mulherzinha levada da breca: achava-se casada havia treze anos e durante esse tempo dera ao marido toda sorte de desgostos. Ainda antes de terminar o segundo ano de matrimônio, o Miranda pilhou-a em flagrante delito de adultério; ficou furioso e o seu primeiro impulso foi de mandá-la para o diabo junto com o cúmplice; mas a sua casa comercial garantia-se com o dote que ela trouxera, uns oitenta contos em prédios e ações da dívida pública, de que se utilizava o desgraçado tanto quanto lhe permitia o regime dotal. Além de que, um rompimento brusco seria obra para escândalo, e, segundo a sua opinião, qualquer escândalo doméstico ficava muito mal a um negociante de certa ordem. Prezava, acima de tudo, a sua posição social e tremia só com a ideia de ver-se novamente pobre, sem recursos e sem coragem para recomeçar a vida, depois de se haver habituado a umas tantas regalias e afeito à hombridade de português rico que já não tem pátria na Europa.

Acovardado defronte destes raciocínios, contentou-se com uma simples separação de leitos, e os dois passaram a dormir em quartos separados. Não comiam juntos, e mal trocavam entre si uma ou outra palavra constrangida, quando qualquer inesperado acaso os reunia a contragosto.

Odiavam-se. Cada qual sentia pelo outro um profundo desprezo, que pouco a pouco se foi transformando em repugnância completa. O nascimento de Zulmira veio agravar ainda mais a situação; a pobre criança, em vez de servir de elo aos dois infelizes, foi antes um novo isolador que se estabeleceu entre eles. Estela amava-a menos do que lhe pedia o instinto materno por supô-la filha do marido, e este a detestava porque tinha convicção de não ser seu pai.

Uma bela noite, porém, o Miranda, que era homem de sangue esperto e orçava então pelos seus trinta e cinco anos, sentiu-se em insuportável estado de lubricidade. Era tarde já e não havia em casa alguma criada que lhe pudesse valer. Lembrou-se da mulher, mas repeliu logo esta ideia com escrupulosa repugnância. Continuava a odiá-la. Entretanto este mesmo fato de obrigação em que ele se colocou de não servir-se dela, a responsabilidade de desprezá-la, como que ainda mais lhe assanhava o desejo da carne, fazendo da esposa infiel um fruto proibido. Afinal, coisa singular, posto que moralmente nada diminuísse a sua repugnância pela perjura, foi ter ao quarto dela.

A mulher dormia a sono solto. Miranda entrou pé ante pé e aproximou-se da cama. "Devia voltar!... pensou. Não lhe ficava bem aquilo!..." Mas o sangue latejava-lhe, reclamando-a. Ainda hesitou um instante, imóvel, a contemplá-la no seu desejo.

Estela, como se o olhar do marido lhe apalpasse o corpo, torceu-se sobre o quadril da esquerda, repuxando com as coxas o lençol para a frente e patenteando uma nesga de nudez estofada e branca. O Miranda não pôde resistir, atirou-se contra ela, que, num pequeno sobressalto, mais de surpresa que de revolta, desviou-se, tornando logo e enfrentando com o marido. E deixou-se empolgar pelos rins, de olhos fechados, fingindo que continuava a dormir, sem a menor consciência de tudo aquilo.

Ah! Ela contava como certo que o esposo, desde que não teve coragem de separar-se de casa, havia, mais cedo ou mais tarde, de procurá-la de novo. Conhecia-lhe o temperamento, forte para desejar e fraco para resistir ao desejo.

Consumado o delito, o honrado negociante sentiu-se tolhido de vergonha e arrependimento. Não teve ânimo de dar palavra, e retirou-se tristonho e murcho para o seu quarto de desquitado.

Oh! Como lhe doía agora o que acabava de praticar na cegueira da sua sensualidade.

— Que cabeçada!... — dizia ele agitado. — Que formidável cabeçada!...

No dia seguinte, os dois viram-se e evitaram-se em silêncio, como se nada de extraordinário houvera entre eles acontecido na véspera. Dir-se-ia até que, depois daquela ocorrência, o Miranda sentia crescer o seu ódio contra a esposa. E, à noite desse mesmo dia, quando se achou sozinho na sua cama estreita, jurou mil vezes aos seus brios nunca mais, nunca mais, praticar semelhante loucura.

Mas, daí a um mês, o pobre homem, acometido de um novo acesso de luxúria, voltou ao quarto da mulher.

Estela recebeu-o desta vez como da primeira, fingindo que não acordava; na ocasião, porém, em que ele se apoderava dela febrilmente, a leviana, sem se poder conter, soltou-lhe em cheio contra o rosto uma gargalhada que a custo sopeava. O pobre-diabo desnorteou, deveras escandalizado, soerguendo-se, brusco, num estremunhamento de sonâmbulo acordado com violência.

A mulher percebeu a situação e não lhe deu tempo para fugir; passou-lhe rápido as pernas por cima e, grudando-se-lhe ao corpo, cegou-o com uma metralhada de beijos.

Não se falaram.

Miranda nunca a tivera, nem nunca a vira, assim tão violenta no prazer. Estranhou-a. Afigurou-se-lhe estar nos braços de uma amante apaixonada: descobriu nela o capitoso encanto com que nos embebedam as cortesãs amestradas na ciência do gozo venéreo. Descobriu-lhe no cheiro da pele e no cheiro dos cabelos perfumes que nunca lhe sentira; notou-lhe outro hálito, outro som nos gemidos e nos suspiros. E gozou-a, gozou-a loucamente, com delírio, com verdadeira satisfação de animal no cio.

E ela também, ela também gozou, estimulada por aquela circunstância picante do ressentimento que os desunia; gozou a desonestidade daquele ato que a ambos acanalhava aos olhos um do outro; estorceu-se toda, rangendo os dentes, grunhindo, debaixo daquele seu inimigo odiado, achando-o também agora, como homem, melhor que nunca, sufocando-o nos seus abraços nus, metendo-lhe pela boca a língua úmida e em brasa. Depois, um arranco de corpo inteiro, com um soluço gutural e estrangulado, arquejante e convulsa, estatelou-se num abandono de pernas e braços abertos, a cabeça para o lado, os olhos moribundos e chorosos, toda ela agonizante, como se a tivessem crucificado na cama.

A partir dessa noite, da qual só pela manhã o Miranda se retirou do quarto da mulher, estabeleceu-se entre eles o hábito de uma felicidade sexual, tão completa como ainda não a tinham desfrutado, posto que no íntimo de cada um persistisse contra o outro a mesma repugnância moral em nada enfraquecida.

Durante dez anos viveram muito bem casados; agora, porém, tanto tempo depois da primeira infidelidade conjugal, e agora que o negociante já não era acometido tão frequentemente por aquelas crises que o arrojavam fora de horas ao dormitório de Dona Estela; agora, eis que a leviana parecia disposta a reincidir na culpa, dando corda aos caixeiros do marido, na ocasião em que estes subiam para almoçar ou jantar.

Foi por isso que o Miranda comprou o prédio vizinho a João Romão.

A casa era boa; seu único defeito estava na escassez do quintal; mas para isso havia remédio: com muito pouco compravam-se umas dez braças daquele terreno do fundo que ia até à pedreira, e mais uns dez ou quinze palmos do lado em que ficava a venda.

Miranda foi logo entender-se com o Romão e propôs-lhe negócio. O taverneiro recusou formalmente.

Miranda insistiu.

— O senhor perde seu tempo e seu latim! — retrucou o amigo de Bertoleza. — Nem só não cedo uma polegada do meu terreno, como ainda lhe compro, se mo quiser vender, aquele pedaço que lhe fica ao fundo da casa!

— O quintal?

— É exato.

— Pois você quer que eu fique sem chácara, sem jardim, sem nada?

— Para mim era de vantagem...

— Ora, deixe-se disso, homem, e diga lá quanto quer pelo que lhe propus.

— Já disse o que tinha a dizer.

— Ceda-me então ao menos as dez braças do fundo.

— Nem meio palmo!

— Isso é maldade de sua parte, sabe? Eu, se faço tamanho empenho, é pela minha pequena, que precisa, coitada, de um pouco de espaço para alargar-se.

— Eu não cedo, porque preciso do meu terreno!

— Ora qual! Que diabo pode lá você fazer ali? Uma porcaria de um pedaço de terreno quase grudado ao morro e aos fundos de minha casa! quando você, aliás, dispõe de tanto espaço ainda!

— Hei de lhe mostrar se tenho ou não o que fazer ali!

— É que você é teimoso! Olhe, se me cedesse as dez braças do fundo, a sua parte ficaria cortada em linha reta até à pedreira, e escusava eu de ficar com uma aba de terreno alheio a meter-se pelo meu. Quer saber? Não amuro o quintal sem você decidir-se!

— Então ficará com o quintal para sempre sem muro, porque o que tinha a dizer já disse!

— Mas, homem de Deus, que diabo! — pense um pouco! — Você ali não pode construir nada! Ou pensará que lhe deixarei abrir janelas sobre o meu quintal!...

— Não preciso abrir janelas sobre o quintal de ninguém!

— Nem tampouco lhe deixarei levantar parede, tapando-me as janelas da esquerda!

— Não preciso levantar parede desse lado...

— Então que diabo vai você fazer de todo este terreno?...

— Ah! Isso agora é cá comigo!... O que for soará!

— Pois creia que se arrepende de não me ceder o terreno!...

— Se me arrepender, paciência! Só lhe digo é que muito mal se sairá quem quiser meter-se cá com a minha vida!

— Passe bem!

— Adeus!

Travou-se então uma luta renhida e surda entre o português negociante de fazendas por atacado e o português negociante de secos e molhados. Aquele não se resolvia a fazer o muro do quintal, sem ter alcançado o pedaço de terreno que o separava do morro; e o outro, por seu lado, não perdia a esperança de apanhar-lhe ainda, pelo menos, duas ou três braças aos fundos da casa; parte esta que, conforme os seus cálculos, valeria ouro, uma vez realizado o grande projeto que ultimamente o trazia preocupado: a criação de uma estalagem em ponto enorme, uma estalagem monstro, sem exemplo, destinada a matar toda aquela miuçalha de cortiços que alastravam por Botafogo.

Era este o seu ideal. Havia muito que João Romão vivia exclusivamente para essa ideia; sonhava com ela todas as noites; comparecia a todos os leilões de materiais de construção; arrematava madeiramentos já servidos; comprava telha em segunda mão; fazia pechinchas de cal e tijolos; o que era tudo depositado no seu extenso chão vazio, cujo aspecto tomava em breve o caráter estranho de uma enorme barricada, tal era a variedade dos objetos que ali se apinhavam acumulados: tábuas e sarrafos, troncos de árvore, mastros de navio, caibros, restos de carroças, chaminés de barro e de ferro, fogões desmantelados, pilhas e pilhas de tijolos de todos os feitios, barricas de cimento, montes de areia e terra vermelha, aglomerações de telhas velhas, escadas partidas, depósitos de cal, o diabo enfim; ao que ele, que sabia perfeitamente como essas coisas se furtavam, resguardava, soltando à noite um formidável cão de fila.

Este cão era pretexto de eternas rezingas com a gente do Miranda, a cujo quintal ninguém de casa podia descer, depois das dez horas da noite, sem correr o risco de ser assaltado pela fera.

— É fazer o muro! — dizia João Romão, sacudindo os ombros.

— Não faço! — replicava o outro. — Se ele é questão de capricho, eu também tenho capricho!

Em compensação, não caía no quintal do Miranda galinha ou frango, fugidos do cercado do vendeiro, que não levasse imediato sumiço. João Romão protestava contra o roubo em termos violentos, jurando vinganças terríveis, falando em dar tiros.

— Pois é fazer um muro no galinheiro! — repontava o marido de Estela.

Daí a alguns meses, João Romão, depois de tentar um derradeiro esforço para conseguir algumas braças do quintal do vizinho, resolveu principiar as obras da estalagem.

— Deixa estar, — conversava ele na cama com a Bertoleza — deixa estar que ainda lhe hei de entrar pelos fundos da casa, se é que não lhe entre pela frente! Mais cedo ou mais tarde como-lhe, não duas braças, mas seis, oito, todo o quintal e até o próprio sobrado talvez!

E dizia isto com uma convicção de quem tudo pode e tudo espera da sua perseverança, do seu esforço inquebrantável e da fecundidade prodigiosa do seu dinheiro, dinheiro que só lhe saía das unhas para voltar multiplicado.

Desde que a febre de possuir se apoderou dele totalmente, todos os seus atos, todos, fosse o mais simples, visavam a um interesse pecuniário. Só tinha uma preocupação: aumentar os bens. Das suas hortas recolhia para si e para a companheira os piores legumes, aqueles que, por maus, ninguém compraria; as suas galinhas produziam muito, e ele não comia um ovo, do que no entanto gostava imenso; vendia-os todos e contentava-se com os restos da comida dos trabalhadores. Aquilo já não era ambição, era uma moléstia nervosa, uma loucura, um desespero de acumular, de reduzir tudo a moeda. E seu tipo baixote, socado, de cabelos à escovinha, a barba sempre por fazer, ia e vinha da pedreira para a venda, da venda às hortas e ao capinzal, sempre em mangas de camisa, de tamancos, sem meias, olhando para todos os lados, com o seu eterno ar de cobiça, apoderando-se, com os olhos, de tudo aquilo de que ele não podia apoderar-se logo com as unhas.

Entretanto, a rua lá fora povoava-se de um modo admirável. Construía-se mal, porém muito; surgiam chalés e casinhas da noite para o dia; subiam os aluguéis; as propriedades dobravam de valor. Montara-se uma fábrica de massas italianas e outra de velas, e os trabalhadores passavam de manhã e às Ave-Marias, e a maior parte deles ia comer à casa de pasto que João Romão arranjara aos fundos da sua varanda. Abriram-se novas tavernas; nenhuma, porém, conseguia ser tão afreguesada como a dele. Nunca o seu negócio fora tão bem, nunca o finório vendera tanto; vendia mais agora, muito mais, que nos anos anteriores. Teve até de admitir caixeiros. As mercadorias não lhe paravam nas prateleiras; o balcão estava cada vez mais lustroso, mais gasto. E o dinheiro a pingar, vintém por vintém, dentro da gaveta, e a escorrer da gaveta para a burra, aos cinquenta e aos cem mil-réis, e da burra para o banco, aos contos e aos contos.

Afinal, já lhe não bastava sortir o seu estabelecimento nos armazéns fornecedores; começou a receber alguns gêneros diretamente da Europa: o vinho, por exemplo, que ele dantes comprava aos quintos nas casas de atacado, vinha-lhe agora de Portugal às pipas, e de cada uma fazia três com água e cachaça; e despachava faturas de barris de manteiga, de caixas de conserva, caixões de fósforos, azeite, queijos, louça e muitas outras mercadorias.

Criou armazéns para depósito, aboliu a quitanda e transferiu o dormitório, aproveitando o espaço para ampliar a venda, que dobrou de tamanho e ganhou mais duas portas.

Já não era uma simples taverna, era um bazar em que se encontrava de tudo, objetos de armarinho, ferragens, porcelanas, utensílios de escritório, roupa de riscado para os trabalhadores, fazenda para roupa de mulher, chapéus de palha próprios para o serviço ao sol, perfumarias baratas, pentes de chifre, lenços com versos de amor, e anéis e brincos de metal ordinário.

E toda a gentalha daquelas redondezas ia cair lá, ou então ali ao lado, na casa de pasto, onde os operários das fábricas e os trabalhadores da pedreira se reuniam depois do serviço, e ficavam bebendo e conversando até às dez horas da noite, entre o espesso fumo dos cachimbos, do peixe frito em azeite e dos lampiões de querosene.

Era João Romão quem lhes fornecia tudo, tudo, até dinheiro adiantado, quando algum precisava. Por ali não se encontrava jornaleiro, cujo ordenado não fosse inteirinho parar às mãos do velhaco. E sobre este cobre, quase sempre emprestado aos tostões, cobrava juros de oito por cento ao mês, um pouco mais do que levava aos que garantiam a dívida com penhores de ouro ou prata.

Não obstante, as casinhas do cortiço, à proporção que se atamancavam, enchiam-se logo, sem mesmo dar tempo a que as tintas secassem. Havia grande avidez em alugá-las; aquele era o melhor ponto do bairro para a gente do trabalho. Os empregados da pedreira preferiam todos morar lá, porque ficavam a dois passos da obrigação.

O Miranda rebentava de raiva.

— Um cortiço! — exclamava ele, possesso. — Um cortiço! Maldito seja aquele vendeiro de todos os diabos! Fazer-me um cortiço debaixo das janelas!... Estragou-me a casa, o malvado!

E vomitava pragas, jurando que havia de vingar-se, e protestando aos berros contra o pó que lhe invadia em ondas as salas, e contra o infernal barulho dos pedreiros e carpinteiros que levavam a martelar de sol a sol.

O que aliás não impediu que as casinhas continuassem a surgir, uma após outra, e fossem logo se enchendo, a estenderem-se unidas por ali afora, desde a venda até quase ao morro, e depois dobrassem para o lado do Miranda e avançassem sobre o quintal deste, que parecia ameaçado por aquela serpente de pedra e cal.

O Miranda mandou logo levantar o muro.

Nada! Aquele demônio era capaz de invadir-lhe a casa até a sala de visitas!

E os quartos do cortiço pararam enfim de encontro ao muro do negociante, formando com a continuação da casa deste um grande quadrilongo, espécie de pátio de quartel, onde podia formar um batalhão.

Noventa e cinco casinhas comportou a imensa estalagem.

Prontas, João Romão mandou levantar na frente, nas vinte braças que separavam a venda do sobrado do Miranda, um grosso muro de dez palmos de altura, coroado de cacos de vidro e fundos de garrafa, e com um grande portão no centro, onde se dependurou uma lanterna de vidraças vermelhas, por cima de uma tabuleta amarela, em que se lia o seguinte, escrito a tinta encarnada e sem ortografia: "Estalagem de São Romão. Alugam-se casinhas e tinas para lavadeiras."

As casinhas eram alugadas por mês e as tinas por dia; tudo pago adiantado. O preço de cada tina, metendo a água, quinhentos réis; sabão à parte. As moradoras do cortiço tinham preferência e não pagavam nada para lavar.

Graças à abundância da água que lá havia, como em nenhuma outra parte, e graças ao muito espaço de que se dispunha no cortiço para estender a roupa, a concorrência às tinas não se fez esperar; acudiram lavadeiras de todos os pontos da cidade, entre elas algumas vindas de bem longe. E, mal vagava uma das casinhas, ou um quarto, um canto onde coubesse um colchão, surgia uma nuvem de pretendentes a disputá-los.

E aquilo se foi constituindo numa grande lavanderia, agitada e barulhenta, com as suas cercas de varas, as suas hortaliças verdejantes e os seus jardinzinhos de três e quatro palmos, que apareciam como manchas alegres por entre a negrura das limosas tinas transbordantes e o revérbero das claras barracas de algodão cru, armadas sobre os lustrosos bancos de lavar. E os gotejantes jiraus, cobertos de roupa molhada, cintilavam ao sol, que nem lagos de metal branco.

E naquela terra encharcada e fumegante, naquela umidade quente e lodosa, começou a minhocar, a esfervilhar, a crescer, um mundo, uma coisa viva, uma geração, que parecia brotar espontânea, ali mesmo, daquele lameiro, e multiplicar-se como larvas no esterco.

2

Durante dois anos o cortiço prosperou de dia para dia, ganhando forças, socando-se de gente. E ao lado o Miranda assustava-se, inquieto com aquela exuberância brutal de vida, aterrado defronte daquela floresta implacável que lhe crescia junto da casa, por debaixo das janelas, e cujas raízes piores e mais grossas do que serpentes, minavam por toda a parte, ameaçando rebentar o chão em torno dela, rachando o solo e abalando tudo.

Posto que lá na rua do Hospício os seus negócios não corressem mal, custava-lhe a sofrer a escandalosa fortuna do vendeiro "aquele tipo! um miserável, um sujo, que não pusera nunca um paletó, e que vivia de cama e mesa com uma negra!"

À noite e aos domingos ainda mais recrudescia o seu azedume, quando ele, recolhendo-se fatigado do serviço, deixava-se ficar estendido numa preguiçosa, junto à mesa da sala de jantar, e ouvia, a contragosto, o grosseiro rumor que vinha da estalagem numa exalação forte de animais cansados. Não podia chegar à janela sem receber no rosto aquele bafo, quente e sensual, que o embebedava com o seu fartum de bestas no coito.

E depois, fechado no quarto de dormir, indiferente e habituado às torpezas carnais da mulher, isento já dos primitivos sobressaltos que lhe faziam, a ele, ferver o sangue e perder a tramontana, era ainda a prosperidade do vizinho o que lhe obsedava o espírito, enegrecendo-lhe a alma com um feio ressentimento de despeito.

Tinha inveja do outro, daquele outro português que fizera fortuna, sem precisar roer nenhum chifre; daquele outro que, para ser mais rico três vezes do que ele, não teve de casar com a filha do patrão ou com a bastarda de algum fazendeiro freguês da casa!

Mas então, ele Miranda, que se supunha a última expressão da ladinagem e da esperteza; ele, que, logo depois do seu casamento, respondendo para Portugal a um ex-colega que o felicitava, dissera que o Brasil era uma cavalgadura carregada de dinheiro, cujas rédeas um homem fino empolgava facilmente; ele, que se tinha na conta de invencível matreiro, não passava afinal de um pedaço de asno comparado com o seu vizinho! Pensara fazer-se senhor do Brasil e fizera-se escravo de uma brasileira mal-educada e sem escrúpulos de virtude! Imaginara-se talhado para grandes conquistas, e não passava de uma vítima ridícula e sofredora!... Sim! No fim de contas qual fora a sua África?... Enriquecera um pouco, é verdade, mas como? A que preço? Hipotecando-se a um diabo, que lhe trouxera oitenta contos de réis, mas incalculáveis milhões de desgostos e vergonhas! Arranjara a vida, sim, mas teve de aturar eternamente uma mulher que ele odiava! E do que afinal lhe aproveitara tudo isso? Qual era afinal a sua grande existência? Do inferno da casa para o purgatório do trabalho e vice-versa! Invejável sorte, não havia dúvida!

Na dolorosa incerteza de que Zulmira fosse sua filha, o desgraçado nem sequer gozava o prazer de ser pai. Se ela, em vez de nascer de Estela, fora uma enjeitadinha recolhida por ele, é natural que a amasse, e então a vida lhe correria de outro modo; mas, naquelas condições, a pobre criança nada mais representava que o documento vivo do ludíbrio materno, e o Miranda estendia até à inocentezinha o ódio que sustentava contra a esposa.

Uma espiga a tal da sua vida!

— Fui uma besta! — resumiu ele, em voz alta, apeando-se da cama, onde se havia recolhido inutilmente.

E pôs-se a passear no quarto sem vontade de dormir, sentindo que a febre daquela inveja lhe estorricava os miolos.

Feliz e esperto era o João Romão! Esse, sim, senhor! Para esse é que havia de ser a vida!... Filho da mãe, que estava hoje tão livre e desembaraçado como no dia em que chegou da terra sem um vintém de seu! Esse, sim, que era moço e podia ainda gozar muito, porque quando mesmo viesse a casar, e a mulher lhe saísse uma outra Estela, era só mandá-la para o diabo com um pontapé! Podia fazê-lo! Para esse é que era o Brasil!

— Fui uma besta! — repisava ele sem conseguir conformar-se com a felicidade do vendeiro. — Uma grandíssima! No fim de contas que diabo possuo eu?... Uma casa de negócio, da qual não posso separar-me sem comprometer o que lá está enterrado! Um capital metido numa rede de transações que não se liquidam nunca, e cada vez mais se complicam e mais me grudam ao estupor desta terra, onde deixarei a casca! Que tenho de meu, se a alma do meu crédito é o dote, que me trouxe aquela sem-vergonha, e que a ela me prende como a peste da casa comercial me prende a esta Costa d'África?

Foi da supuração fétida destas ideias que se formou no coração vazio do Miranda um novo ideal: o título. Faltando-lhe temperamento próprio para os vícios fortes que enchem a vida de um homem; sem família a quem amar e sem imaginação para poder gozar com as prostitutas, o náufrago agarrou-se àquela tábua, como um agonizante, consciente da morte, que se apega à esperança de uma vida futura. A vaidade de Estela, que a princípio lhe tirava dos lábios incrédulos sorrisos de mofa, agora lhe comprazia à farta. Procurou capacitar-se de que ela com efeito herdara sangue nobre, que ele, por sua vez, se não o tinha herdado, trouxera-o por natureza própria, o que devia valer mais ainda; e desde então principiou a sonhar com um baronato, fazendo disso o objeto querido da sua existência, muito satisfeito no íntimo por ter afinal descoberto uma coisa em que podia empregar dinheiro, sem ter, nunca mais, de restituí-lo à mulher, nem ter de deixá-lo a pessoa alguma.

Semelhante preocupação modificou-o em extremo. Deu logo para fingir-se escravo das conveniências, afetando escrúpulos sociais, empertigando-se quanto podia e disfarçando a sua inveja pelo vizinho com um desdenhoso ar de superioridade condescendente. Ao passar-lhe todos os dias pela venda, cumprimentava-o com proteção, sorrindo sem rir e fechando logo a cara em seguida, muito sério.

Dados os primeiros passos para a compra do título, abriu a casa e deu festas. A mulher, posto que lhe apontassem já os cabelos brancos, rejubilou com isso.

Zulmira tinha então doze para treze anos e era o tipo acabado da fluminense; pálida, magrinha, com pequeninas manchas roxas nas mucosas do nariz, das pálpebras e dos lábios, faces levemente pintalgadas de sardas. Respirava o tom úmido das flores noturnas, uma brancura fria de magnólia; cabelos castanho-claros, mãos quase transparentes, unhas moles e curtas, como as da mãe, dentes pouco mais claros do que a cútis do rosto, pés pequenos, quadril estreito, mas os olhos grandes e negros, vivos e maliciosos.

Por essa época, justamente, chegava de Minas, recomendado ao pai dela, o filho de um fazendeiro importantíssimo que dava belos lucros à casa comercial de Miranda e que era talvez o melhor freguês que este possuía no interior.

O rapaz chamava-se Henrique, tinha quinze anos e vinha terminar na corte alguns preparatórios que lhe faltavam para entrar na Academia de Medicina. Miranda hospedou-o no seu sobrado da rua do Hospício, mas o estudante queixou-se no fim de alguns dias, de que aí ficava mal acomodado, e o negociante, a quem não convinha desagradar-lhe, carregou com ele para a sua residência particular de Botafogo.

Henrique era bonitinho, cheio de acanhamentos, com umas delicadezas de menina. Parecia muito cuidadoso dos seus estudos e tão pouco extravagante e gastador, que não despendia um vintém fora das necessidades de primeira urgência. De resto, a não ser de manhã para as aulas, que ia sempre com o Miranda, não arredava pé de casa senão em companhia da família deste. Dona Estela, no cabo de pouco tempo, mostrou por ele estima quase maternal e encarregou-se de tomar conta da sua mesada, mesada posta pelo negociante, visto que o Henriquinho tinha ordem franca do pai.

Nunca pedia dinheiro; quando precisava de qualquer coisa, reclamava-a de Dona Estela, que por sua vez encarregava o marido de comprá-la, sendo o objeto lançado na conta do fazendeiro com uma comissão de usurário. Sua hospedagem custava duzentos e cinquenta mil-réis por mês, do que ele, todavia, não tinha conhecimento, nem queria ter. Nada lhe faltava, e os criados da casa o respeitavam como a um filho do próprio senhor.

À noite, às vezes, quando o tempo estava bom, Dona Estela saía com ele, a filha e um moleque, o Valentim, a darem uma volta até a praia, e, em tendo convite para qualquer festa em casa das amigas, levava-o em sua companhia.

A criadagem da família do Miranda compunha-se de Isaura, mulata ainda moça, moleirona e tola, que gastava todo o vintenzinho que pilhava em comprar capilé na venda de João Romão; uma negrinha virgem, chamada Leonor, muito ligeira e viva, lisa e seca como um moleque, conhecendo de orelha, sem lhe faltar um termo, a vasta tecnologia da obscenidade, e dizendo, sempre que os caixeiros ou os fregueses da taverna, só para mexer com ela, lhe davam atracações: "Oia, que eu me queixo ao juiz de orfe!"; e finalmente o tal Valentim, filho de uma escrava que foi de Dona Estela e a quem esta havia alforriado.

A mulher do Miranda tinha por este moleque uma afeição sem limites: dava-lhe toda a liberdade, dinheiro, presentes, levava-o consigo a passeio, trazia-o bem vestido e muita vez chegou a fazer ciúmes à filha, de tão solícita que se mostrava com ele. Pois se a caprichosa senhora ralhava com Zulmira por causa do negrinho! Pois, se quando se queixavam os dois, um contra o outro, ela nunca dava razão à filha! Pois, se o que havia de melhor na casa era para o Valentim! Pois, se quando foi este atacado de bexigas e o Miranda, apesar das súplicas e dos protestos da esposa, mandou-o para um hospital, Dona Estela chorava todos os dias e durante a ausência dele não tocou piano, nem cantou, nem mostrou os dentes a ninguém? E o pobre Miranda, se não queria sofrer impertinências da mulher e ouvir sensaborias defronte dos criados, tinha de dar ao moleque toda a consideração e fazer-lhe humildemente todas as vontades.

Havia ainda, sob as telhas do negociante, um outro hóspede além do Henrique, o velho Botelho. Este, porém, na qualidade de parasita.

Era um pobre-diabo caminhando para os setenta anos, antipático, cabelo branco, curto e duro como escova, barba e bigode do mesmo teor; muito macilento, com uns óculos redondos que lhe aumentavam o tamanho da pupila e davam-lhe à cara uma expressão de abutre, perfeitamente de acordo com o seu nariz adunco e com a sua boca sem lábios: viam-se-lhe ainda todos os dentes, mas, tão gastos, que pareciam limados até ao meio. Andava sempre de preto, com um guarda-chuva debaixo do braço e um chapéu de Braga enterrado nas orelhas. Fora em seu tempo empregado do comércio, depois corretor de escravos; contava mesmo que estivera mais de uma vez na Africa, negociando negros por sua conta. Atirou-se muito às especulações; durante a guerra do Paraguai ainda ganhara forte, chegando a ser bem rico; mas a roda desandou e, de malogro em malogro, foi-lhe escapando tudo por entre as suas garras de ave de rapina. E agora, coitado, já velho, comido de desilusões, cheio de hemorróidas, via-se totalmente sem recursos e vegetava à sombra do Miranda, com quem por muitos anos trabalhou em rapaz, sob as ordens do mesmo patrão, e de quem se conservara amigo, a princípio por acaso e mais tarde por necessidade.

Devorava-o, noite e dia, uma implacável amargura, uma surda tristeza de vencido, um desespero impotente, contra tudo e contra todos, por não lhe ter sido possível empolgar o mundo com as suas mãos hoje inúteis e trêmulas. E, como o seu atual estado de miséria não lhe permitia abrir contra ninguém o bico, desabafava vituperando as ideias da época.

Assim, eram às vezes muito quentes as sobremesas do Miranda, quando, entre outros assuntos palpitantes, vinha à discussão o movimento abolicionista que principiava a formar-se em torno da lei Rio Branco. Então o Botelho ficava possesso e vomitava frases terríveis, para a direita e para a esquerda, como quem dispara tiros sem fazer alvo, e vociferava imprecações, aproveitando aquela válvula para desafogar o velho ódio acumulado dentro dele.

— Bandidos! — berrava apoplético. — Cáfila de salteadores!

E o seu rancor irradiava-lhe dos olhos em setas envenenadas, procurando cravar-se em todas as brancuras e em todas as claridades. A virtude, a beleza, o talento, a mocidade, a força, a saúde, e principalmente a fortuna, eis o que ele não perdoava a ninguém, amaldiçoando todo aquele que conseguia o que ele não obtivera; que gozava o que ele não desfrutara; que sabia o que ele não aprendera. E, para individualizar o objeto do seu ódio, voltava-se contra o Brasil, essa terra que, na sua opinião, só tinha uma serventia: enriquecer os portugueses, e que no entanto, o deixara, a ele, na penúria.

Seus dias eram consumidos do seguinte modo: acordava às oito da manhã, lavava-se mesmo no quarto com uma toalha molhada em espírito de vinho; depois ia ler os jornais para a sala de jantar, à espera do almoço; almoçava e saía, tomava o bonde e ia direitinho para uma charutaria da rua do Ouvidor, onde costumava ficar assentado até às horas do jantar, entretido a dizer mal das pessoas que passavam lá fora, defronte dele. Tinha a pretensão de conhecer todo o Rio de Janeiro e os podres de cada um em particular. Às vezes, poucas, Dona Estela encarregava-o de fazer pequenas compras de armarinho, o que o Botelho desempenhava melhor que ninguém. Mas a sua grande paixão, o seu fraco, era a farda, adorava tudo que dissesse respeito a militarismo, posto que tivera sempre invencível medo às armas de qualquer espécie, mormente às de fogo. Não podia ouvir disparar perto de si uma espingarda, entusiasmava-se porém com tudo que cheirasse à guerra; a presença de um oficial em grande uniforme tirava-lhe lágrimas de comoção; conhecia na ponta da língua o que se referia à vida de quartel; distinguia ao primeiro lance de olhos o posto e o corpo a que pertencia qualquer soldado e apesar dos seus achaques, era ouvir tocar na rua a corneta ou o tambor conduzindo o batalhão, ficava logo no ar, e, muita vez, quando dava por si, fazia parte dos que acompanhavam a tropa. Então, não tornava para casa enquanto os militares não se recolhessem. Quase sempre voltava dessa loucura às seis da tarde, moído a fazer dó, sem poder ter-se nas pernas, estrompado de marchar horas e horas ao som da música de pancadaria. E o mais interessante é que ele, ao vir-lhe a reação, revoltava-se furioso contra o maldito comandante que o obrigava àquela estopada, levando o batalhão por uma infinidade de ruas e fazendo de propósito o caminho mais longo.

— Só parece — lamentava-se ele — que a intenção daquele malvado era dar-me cabo da pele! Ora vejam! Três horas de marche-marche por uma soalheira de todos os diabos!

Uma das birras mais cômicas do Botelho era o seu ódio pelo Valentim. O moleque causava-lhe febre com as suas petulâncias de mimalho, e, velhaco, percebendo quanto elas o irritavam, ainda mais abusava, seguro na proteção de Dona Estela. O parasita de muito que o teria estrangulado, se não fora a necessidade de agradar à dona da casa.

Botelho conhecia as faltas de Estela como as palmas da própria mão. O Miranda mesmo, que o via em conta de amigo fiel, muitas e muitas vezes lhas confiara em ocasiões desesperadas de desabafo, declarando francamente o quanto no íntimo a desprezava e a razão por que não a punha na rua aos pontapés. E o Botelho dava-lhe toda a razão; entendia também que os sérios interesses comerciais estavam acima de tudo.

— Uma mulher naquelas condições — dizia ele convicto — representa nada menos que o capital, e um capital em caso nenhum a gente despreza! Agora, você o que devia era nunca chegar-se para ela...

— Ora! — explicava o marido. — Eu me sirvo dela como quem se serve de uma escarradeira!

O parasita, feliz por ver quanto o amigo aviltava a mulher, concordava em tudo plenamente, dando-lhe um carinhoso abraço de admiração. Mas por outro lado, quando ouvia Estela falar do marido, com infinito desdém e até com asco, ainda mais resplandecia de contente.

— Você quer saber? — afirmava ela — eu bem percebo quanto aquele traste do senhor meu marido me detesta, mas isso tanto se me dá como a primeira camisa que vesti! Desgraçadamente para nós, mulheres de sociedade, não podemos viver sem esposo, quando somos casadas; de forma que tenho de aturar o que me caiu em sorte, quer goste dele quer não goste! Juro-lhe, porém, que, se consinto que o Miranda se chegue às vezes para mim, é porque entendo que paga mais a pena ceder do que puxar discussão com uma besta daquela ordem!

O Botelho, com a sua encanecida experiência do mundo, nunca transmitia a nenhum dos dois o que cada qual lhe dizia contra o outro; tanto assim que, certa ocasião, recolhendo-se à casa incomodado, em hora que não era do seu costume, ouviu, ao passar pelo quintal, sussurros de vozes abafadas que pareciam vir de um canto afogado de verdura, aonde em geral não ia ninguém.

Encaminhou-se para lá em bicos de pés e, sem ser percebido, descobriu Estela entalada entre o muro e o Henrique. Deixou-se ficar espiando, sem tugir nem mugir, e, só quando os dois se separaram, foi que ele se mostrou.

A senhora soltou um pequeno grito, e o rapaz, de vermelho que estava, fez-se cor de cera; mas o Botelho procurou tranquilizá-los, dizendo em voz amiga e misteriosa:

— Isso é uma imprudência o que vocês estão fazendo!... Estas coisas não é deste modo que se arranjam! Assim como fui eu, podia ser outra pessoa... Pois numa casa em que há tantos quartos, é lá preciso vir meterem-se neste canto do quintal?...

— Nós não estávamos fazendo nada! — disse Estela, recuperando o sangue-frio.

— Ah! — tornou o velho, aparentando sumo respeito — então desculpe, pensei que estivessem... E olhe que, se assim fosse, para mim seria o mesmo, porque acho isso a coisa mais natural do mundo e entendo que desta vida a gente só leva o que come!... Se vi, creia, foi como se nada visse, porque nada tenho a cheirar com a vida de cada um!... A senhora está moça, está na força dos anos; seu marido não a satisfaz, é justo que o substitua por outro! Ah! Isto é o mundo, e, se é torto, não fomos nós que o fizemos torto!... Até certa idade todos temos dentro um bichinho-carpinteiro, que é preciso matar, antes que ele nos mate! Não lhes doam as mãos!... Apenas acho que, para outra vez, devem ter um pouquinho mais de cuidado e...

— Está bom! basta! — ordenou Estela.

— Perdão! Eu, se digo isto, é para deixá-los bem tranquilos a meu respeito. Não quero, nem por sombra, que se persuadam de que...

O Henrique atalhou, com a voz ainda comovida:

— Mas, acredite, seu Botelho, que...

O velho interrompeu-o também por sua vez, passando-lhe a mão no ombro e afastando-o consigo:

— Não tenha receio, que não o comprometerei, menino!

E, como já estivessem distantes de Estela, segredou-lhe em tom protetor:

— Não torne a fazer isto assim, que você se estraga... Olhe como lhe tremem as pernas!

Dona Estela acompanhou-os a distância, vagarosamente, afetando preocupação em compor um ramalhete, cujas flores ela ia colhendo com muita graça, ora toda vergada sobre as plantas rasteiras, ora pondo-se na pontinha dos pés para alcançar os heliotrópios e os manacás.

Henrique seguiu o Botelho até ao quarto deste, conversando sem mudar de assunto.

— Você então não fala nisto, hein? Jura? — perguntou-lhe.

O velho tinha já declarado, a rir, que os pilhara em flagrante e que ficara bom tempo à espreita.

— Falar o que, seu tolo?... Pois então quem pensa você que eu sou?... Só abrirei o bico se você me der motivo para isso, mas estou convencido que não dará... Quer saber? Eu até simpatizo muito com você, Henrique! Acho que você é um excelente menino, uma flor! E digo-lhe mais: hei de proteger os seus negócios com Dona Estela...

Falando assim, tinha-lhe tomado as mãos e afagava-as.

— Olhe, — continuou, acariciando-o sempre — não se meta com donzelas, entende?... São o diabo! Por dá cá aquela palha fica um homem em apuros! Agora quanto às outras, papo com elas! Não mande nenhuma ao vigário, nem lhe doa a cabeça, porque, no fim de contas, nas circunstâncias de Dona Estela, é até um grande serviço que você lhe faz! Meu rico amiguinho, quando uma mulher já passou dos trinta e pilha a jeito um rapazito da sua idade, é como se descobrisse ouro em pó! Sabe-lhe a gaitas! Fique então sabendo de que não é só a ela que você faz o obséquio, mas também ao marido: quanto mais escovar-lhe você a mulher, melhor ela ficará de gênio, e por conseguinte melhor será para o pobre homem, coitado! Que tem já bastante com que se aborrecer lá por baixo, com os seus negócios, e precisa de um pouco de descanso quando volta do serviço e mete-se em casa! Escove-a, escove-a! Que a porá macia que nem veludo! O que é preciso é muito juizinho, percebe? Não faça outra criançada como a de hoje e continue para diante, não só com ela, mas com todas as que lhe caírem debaixo da asa! Vá passando! Menos as de casa aberta, que isso é perigoso por causa das moléstias; nem tampouco donzelas! Não se meta com a Zulmira! E creia que lhe falo assim, porque sou seu amigo, porque o acho simpático, porque o acho bonito!

E acarinhou-o tão vivamente desta vez, que o estudante, fugindo-lhe das mãos, afastou-se com um gesto de repugnância e desprezo, enquanto o velho lhe dizia em voz comprimida:

— Olha! Espera! Vem cá! Você é desconfiado!...

3

Eram cinco horas da manhã, e o cortiço acordava, abrindo, não os olhos, mas a sua infinidade de portas e janelas alinhadas.

Um acordar alegre e farto de quem dormiu de uma assentada sete horas de chumbo. Como que se sentiam ainda na indolência de neblina as derradeiras notas da última guitarra da noite antecedente, dissolvendo-se à luz loura e tenra da aurora, que nem um suspiro de saudade perdido em terra alheia.

A roupa lavada, que ficara de véspera nos coradouros, umedecia o ar e punha-lhe um farto acre de sabão ordinário. As pedras do chão, esbranquiçadas no lugar da lavagem e em alguns pontos azuladas pelo anil, mostravam uma palidez grisalha e triste, feita de acumulações de espumas secas.

Entretanto, das portas surgiam cabeças congestionadas de sono; ouviam-se amplos bocejos, fortes como o marulhar das ondas; pigarreava-se grosso por toda a parte; começavam as xícaras a tilintar; o cheiro quente do café aquecia, suplantando todos os outros; trocavam-se de janela para janela as primeiras palavras, os bons-dias; reatavam-se conversas interrompidas à noite; a pequenada cá fora traquinava já, e lá dentro das casas vinham choros abafados de crianças que ainda não andam. No confuso rumor que se formava, destacavam-se risos, sons de vozes que altercavam, sem se saber onde, grasnar de marrecos, cantar de galos, cacarejar de galinhas. De alguns quartos saíam mulheres que vinham dependurar cá fora, na parede, a gaiola do papagaio, e os louros, à semelhança dos donos, cumprimentavam-se ruidosamente, espanejando-se à luz nova do dia.

Daí a pouco, em volta das bicas era um zum-zum crescente; uma aglomeração tumultuosa de machos e fêmeas. Uns, após outros, lavavam a cara, incomodamente, debaixo do fio de água que escorria da altura de uns cinco palmos. O chão inundava-se. As mulheres precisavam já prender as saias entre as coxas para não as molhar; via-se-lhes a tostada nudez dos braços e do pescoço, que elas despiam, suspendendo o cabelo todo para o alto do casco; os homens, esses não se preocupavam em não molhar o pelo, ao contrário metiam a cabeça bem debaixo da água e esfregavam com força as ventas e as barbas, fossando e fungando contra as palmas da mão. As portas das latrinas não descansavam, era um abrir e fechar de cada instante, um entrar e sair sem tréguas. Não se demoravam lá dentro e vinham ainda amarrando as calças ou as saias; as crianças não se davam ao trabalho de lá ir, despachavam-se ali mesmo, no capinzal dos fundos, por detrás da estalagem ou no recanto das hortas.

O rumor crescia, condensando-se; o zum-zum de todos os dias acentuava-se; já se não destacavam vozes dispersas, mas um só ruído compacto que enchia todo o cortiço. Começavam a fazer compras na venda; ensarilhavam-se discussões e rezingas; ouviam-se gargalhadas e pragas; já se não falava, gritava-se. Sentia-se naquela fermentação sanguínea, naquela gula viçosa de plantas rasteiras que mergulham os pés vigorosos na lama preta e nutriente da vida, o prazer animal de existir, a triunfante satisfação de respirar sobre a terra.

Da porta da venda que dava para o cortiço iam e vinham como formigas, fazendo compras.

Duas janelas do Miranda abriram-se. Apareceu numa a Isaura, que se dispunha a começar a limpeza da casa.

— Nhá Dunga! — gritou ela para baixo, a sacudir um pano de mesa — se você tem cuscuz de milho hoje, bata na porta, ouviu?

A Leonor surgiu logo também, enfiando curiosa a carapinha por entre o pescoço e o ombro da mulata.

O padeiro entrou na estalagem, com a sua grande cesta à cabeça e o seu banco de pau fechado debaixo do braço, e foi estacionar em meio do pátio, à espera dos fregueses, pousando a canastra sobre o cavalete que ele armou prontamente. Em breve estava cercado por uma nuvem de gente. As crianças adulavam-no, e, à proporção que cada mulher ou cada homem recebia o pão, disparava para casa com este abraçado contra o peito. Uma vaca, seguida por um bezerro amordaçado, ia tilintando tristemente o seu chocalho, de porta em porta, guiada por um homem carregado de vasilhame de folha.

O zum-zum chegava ao seu apogeu. A fábrica de massas italianas, ali mesmo da vizinhança, começou a trabalhar, engrossando o barulho com o seu arfar monótono de máquina a vapor. As corridas até a venda reproduziam-se, transformando-se num verminar constante de formigueiro assanhado. Agora, no lugar das bicas apinhavam-se latas de todos os feitios, sobressaindo as de querosene com um braço de madeira em cima; sentia-se o trapejar da água caindo na folha. Algumas lavadeiras enchiam já as suas tinas; outras estendiam nos coradouros a roupa que ficara de molho. Principiava o trabalho. Rompiam das gargantas os fados portugueses e as modinhas brasileiras. Um carroção de lixo entrou com grande barulho de rodas na pedra, seguido de uma algazarra medonha algaraviada pelo carroceiro contra o burro.

E, durante muito tempo, fez-se um vaivém de mercadores. Apareceram os tabuleiros de carne fresca e outros de tripas e fatos de boi; só não vinham hortaliças, porque havia muitas hortas no cortiço. Vieram os ruidosos mascates, com as suas latas de quinquilharia, com as suas caixas de candeeiros e objetos de vidro e com o seu fornecimento de caçarolas e chocolateiras, de folha de flandres. Cada vendedor tinha o seu modo especial de apregoar, destacando-se o homem das sardinhas, com as cestas do peixe dependuradas, à moda de balança, de um pau que ele trazia ao ombro. Nada mais foi preciso do que o seu primeiro guincho estridente e gutural para surgir logo, como por encanto, uma enorme variedade de gatos, que vieram correndo acercar-se dele com grande familiaridade, roçando-se-lhe nas pernas arregaçadas e miando suplicantemente. O sardinheiro os afastava com o pé, enquanto vendia o seu peixe à porta das casinhas, mas os bichanos não desistiam e continuavam a implorar, arranhando os cestos que o homem cuidadosamente tapava, mal servia ao freguês. Para ver-se livre por um instante dos importunos era necessário atirar para bem longe um punhado de sardinhas, sobre o qual se precipitava logo, aos pulos, o grupo dos pedinchões.

A primeira que se pôs a lavar foi a Leandra, por alcunha a "Machona", portuguesa feroz, berradora, pulsos cabeludos e grossos, anca de animal do campo. Tinha duas filhas, uma casada e separada do marido, Ana das Dores, a quem só chamavam a "das Dores" e outra donzela ainda, a Neném, e mais um filho, o Agostinho, menino levado dos diabos, que gritava tanto ou melhor que a mãe. A das Dores morava em sua casinha à parte, mas toda a família habitava no cortiço.

Ninguém ali sabia ao certo se a Machona era viúva ou desquitada; os filhos não se pareciam uns com os outros. A das Dores, sim, afirmavam que fora casada e que largara o marido para meter-se com um homem do comércio; e que este, retirando-se para a terra e não querendo soltá-la ao desamparo, deixara o sócio em seu lugar. Teria vinte e cinco anos.

Neném dezessete. Espigada, franzina e forte, com uma proazinha de orgulho da sua virgindade, escapando como enguia por entre os dedos dos rapazes que a queriam sem ser para casar. Engomava bem e sabia fazer roupa branca de homem com muita perfeição.

Ao lado da Leandra foi colocar-se à sua tina a Augusta Carne-Mole, brasileira, branca, mulher de Alexandre, um mulato de quarenta anos, soldado de polícia, pernóstico, de grande bigode preto, queixo sempre escanhoado e um luxo de calças brancas engomadas e botões limpos na farda, quando estava de serviço. Também tinham filhos, mas ainda pequenos, um dos quais, a Juju, vivia na cidade com a madrinha que se encarregava dela. Esta madrinha era uma cocote de trinta mil-réis para cima, a Léonie, com sobrado na cidade. Procedência francesa.

Alexandre, em casa, à hora de descanso, nos seus chinelos e na sua camisa desabotoada, era muito chão com os companheiros de estalagem, conversava, ria e brincava, mas envergando o uniforme, encerando o bigode e empunhando a sua chibata, com que tinha o costume de fustigar as calças de brim, ninguém mais lhe via os dentes e então a todos falava teso e por cima do ombro. A mulher, a quem ele só dava "tu" quando não estava fardado, era de uma honestidade proverbial no cortiço, honestidade sem mérito, porque vinha da indolência do seu temperamento e não do arbítrio do seu caráter.

Junto dela pôs-se a trabalhar a Leocádia, mulher de um ferreiro chamado Bruno, portuguesa pequena e socada, de carnes duras, com uma fama terrível de leviana entre as suas vizinhas.

Seguia-se a Paula, uma cabocla velha, meio idiota, a quem respeitavam todos pelas virtudes de que só ela dispunha para benzer erisipelas e cortar febres por meio de rezas e feitiçarias. Era extremamente feia, grossa, triste, com olhos desvairados, dentes cortados à navalha, formando ponta, como dentes de cão, cabelos lisos, escorridos e ainda retintos apesar da idade. Chamavam-lhe "Bruxa".

Depois seguiam-se a Marciana e mais a sua filha Florinda. A primeira, mulata antiga, muito séria e asseada em exagero: a sua casa estava sempre úmida das consecutivas lavagens. Em lhe apanhando o mau humor punha-se logo a espanar, a varrer febrilmente, e, quando a raiva era grande, corria a buscar um balde de água e descarregava-o com fúria pelo chão da sala. A filha tinha quinze anos, a pele de um moreno quente, beiços sensuais, bonitos dentes, olhos luxuriosos de macaca. Toda ela estava a pedir homem, mas sustentava ainda a sua virgindade e não cedia, nem à mão de Deus Padre, aos rogos de João Romão, que a desejava apanhar a troco de pequenas concessões na medida e no peso das compras que Florinda fazia diariamente à venda.

Depois via-se a velha Isabel, isto é, Dona Isabel, porque ali na estalagem lhe dispensavam todos certa consideração, privilegiada pelas suas maneiras graves de pessoa que já teve tratamento: uma pobre mulher comida de desgostos. Fora casada com o dono de uma casa de chapéus, que quebrou e suicidou-se, deixando-lhe uma filha muito doentinha e fraca, a quem Isabel sacrificou tudo para educar, dando-lhe mestre até de francês. Tinha uma cara macilenta de velha portuguesa devota, que já foi gorda, bochechas moles de pelancas rechupadas, que lhe pendiam dos cantos da boca como saquinhos vazios; fios negros no queixo, olhos castanhos, sempre chorosos engolidos pelas pálpebras. Puxava em bandós sobre as fontes o escasso cabelo grisalho untado de óleo de amêndoas doces. Quando saía à rua punha um eterno vestido de seda preta, achamalotada, cuja saia não fazia rugas, e um xale encarnado que lhe dava a todo o corpo um feitio piramidal. Da sua passada grandeza só lhe ficara uma caixa de rapé de ouro, na qual a inconsolável senhora pitadeava agora, suspirando a cada pitada.

A filha era a flor do cortiço. Chamavam-lhe Pombinha. Bonita, posto que enfermiça e nervosa ao último ponto; loura, muito pálida, com uns modos de menina de boa família. A mãe não lhe permitia lavar, nem engomar, mesmo porque o médico a proibira expressamente.

Tinha o seu noivo, o João da Costa, moço do comércio, estimado do patrão e dos colegas, com muito futuro, e que a adorava e conhecia desde pequenita; mas Dona Isabel não queria que o casamento se fizesse já. É que Pombinha, orçando aliás pelos dezoito anos, não tinha ainda pago à natureza o cruento tributo da puberdade, apesar do zelo da velha e dos sacrifícios que esta fazia para cumprir à risca as prescrições do médico e não faltar à filha o menor desvelo. No entanto, coitadas! daquele casamento dependia a felicidade de ambas, porque o Costa, bem empregado como se achava em casa de um tio seu, de quem mais tarde havia de ser sócio, tencionava, logo que mudasse de estado, restituí-las ao seu primitivo círculo social. A pobre velha desesperava-se com o fato e pedia a Deus, todas as noites, antes de dormir, que as protegesse e conferisse à filha uma graça tão simples que ele fazia, sem distinção de merecimento, a quantas raparigas havia pelo mundo; mas, a despeito de tamanho empenho, por coisa nenhuma desta vida consentiria que a sua pequena casasse antes de "ser mulher", como dizia ela. E "que deixassem lá falar o doutor, entendia que não era decente, nem tinha jeito, dar homem a uma moça que ainda não fora visitada pelas regras! Não! Antes vê-la solteira toda a vida e ficarem ambas curtindo para sempre aquele inferno da estalagem!"

Lá no cortiço estavam todos a par desta história: não era segredo para ninguém. E não se passava um dia que não interrogassem duas ou três vezes a velha com estas frases:

— Então? Já veio?

— Por que não tenta os banhos de mar?

— Por que não chama outro médico?

— Eu, se fosse a senhora, casava-os assim mesmo!

A velha respondia dizendo que a felicidade não se fizera para ela. E suspirava resignada.

Quando o Costa aparecia depois da sua obrigação para visitar a noiva, os moradores da estalagem cumprimentavam-no em silêncio com um respeitoso ar de lástima e piedade, empenhados tacitamente por aquele caiporismo, contra o qual não valiam nem mesmo as virtudes da Bruxa.

Pombinha era muito querida por toda aquela gente. Era quem lhe escrevia as cartas; quem em geral fazia o rol para as lavadeiras; quem tirava as contas; quem lia o jornal para os que quisessem ouvir. Prezavam-na com muito respeito e davam-lhe presentes, o que lhe permitia certo luxo relativo. Andava sempre de botinas ou sapatinhos com meias de cor, seu vestido de chita engomado; tinha as suas joiazinhas para sair à rua, e, aos domingos, quem a encontrasse à missa na igreja de São João Batista, não seria capaz de desconfiar que ela morava em cortiço.

Fechava a fila das primeiras lavadeiras, o Albino, um sujeito afeminado, fraco, cor de espargo cozido e com um cabelinho castanho, deslavado e pobre, que lhe caía, numa só linha, até ao pescocinho mole e fino. Era lavadeiro e vivia sempre entre as mulheres, com quem já estava tão familiarizado que elas o tratavam como a uma pessoa do mesmo sexo; em presença dele falavam de coisas que não exporiam em presença de outro homem; faziam-no até confidente dos seus amores e das suas infidelidades, com uma franqueza que o não revoltava, nem comovia. Quando um casal brigava ou duas amigas se disputavam, era sempre Albino quem tratava de reconciliá-los, exortando as mulheres à concórdia. Dantes encarregava-se de cobrar o rol das colegas, por amabilidade; mas uma vez, indo a uma república de estudantes, deram-lhe lá, ninguém sabia por quê, uma dúzia de bolos, e o pobre-diabo jurou então, entre lágrimas e soluços, que nunca mais se incumbiria de receber os róis.

E daí em diante, com efeito, não arredava os pezinhos do cortiço, a não ser nos dias de carnaval, em que ia, vestido de dançarina, a passear à tarde pelas ruas e à noite dançar nos bailes dos teatros. Tinha verdadeira paixão por esse divertimento; ajuntava dinheiro durante o ano para gastar todo com a mascarada. E ninguém o encontrava, domingo ou dia de semana, lavando ou descansando, que não estivesse com a sua calça branca engomada, a sua camisa limpa, um lenço ao pescoço, e, amarrado à cinta, um avental que lhe caía sobre as pernas como uma saia. Não fumava, não bebia espíritos e trazia sempre as mãos geladas e úmidas.

Naquela manhã levantara-se ainda um pouco mais lânguido que do costume, porque passara mal a noite. A velha Isabel, quc lhe ficava ao lado esquerdo, ouvindo-o suspirar com insistência, perguntou-lhe o que tinha.

Ah! muita moleza de corpo e uma pontada do vazio que o não deixava!

A velha receitou diversos remédios, e ficaram os dois no meio de toda aquela vida, a falar tristemente sobre moléstias.

E, enquanto, no resto da fileira, a Machona, a Augusta, a Leocádia, a Bruxa, a Marciana e sua filha conversavam de tina a tina, berrando e quase sem se ouvirem, a voz um tanto cansada já pelo serviço, defronte delas, separado pelos jiraus, formava-se um novo renque de lavadeiras, que acudiam de fora, carregadas de trouxas, e iam ruidosamente tomando lugar ao lado umas das outras, entre uma agitação sem tréguas, onde se não distinguia o que era galhofa e o que era briga. Uma a uma ocupavam-se todas as tinas. E de todos os casulos do cortiço saíam homens para as suas obrigações. Por uma porta que havia no fundo da estalagem desapareciam os trabalhadores da pedreira, donde vinha agora o retinir dos alviões e das picaretas. O Miranda, de calças de brim, chapéu alto e sobrecasaca preta, passou lá fora, em caminho para o armazém, acompanhado pelo Henrique que ia para as aulas. O Alexandre, que estivera de serviço essa madrugada, entrou solene, atravessou o pátio, sem falar a ninguém, nem mesmo à mulher, e recolheu-se à casa, para dormir. Um grupo de mascates, o Delporto, o Pompeo, o Francesco e o Andréa, armado cada qual com a sua grande caixa de bugigangas, saiu para a peregrinação de todos os dias, altercando e praguejando em italiano.

Um rapazito de paletó entrou da rua e foi perguntar à Machona pela Nhá Rita.

— A Rita Baiana? Sei cá! Faz amanhã oito dias que ela arribou!

A Leocádia explicou logo que a mulata estava com certeza de pândega com o Firmo.

— Que Firmo? — interrogou Augusta.

— Aquele cabravasco que se metia às vezes aí com ela. Diz que é torneiro.

— Ela mudou-se? — perguntou o pequeno.

— Não, — disse a Machona — o quarto está fechado, mas a mulata tem coisas lá. Você o que queria?

— Vinha buscar uma roupa que está com ela.

— Não sei, filho, pergunta na venda ao João Romão, que talvez te possa dizer alguma coisa.

— Ali?

— Sim, pequeno, naquela porta, onde a preta do tabuleiro está vendendo! Ó diabo! Olha que pisas a boneca de anil! Lá se viu que sorte? Parece que não vê onde pisa este raio de criança!

E notando que o filho, o Agostinho, se aproximava para tomar o lugar do outro que já se ia:

— Sai daí, tu também, peste! Já principias na reinação de todos os dias? Vem para cá, que levas! Mas, é verdade, que fazes tu que não vais regar a horta do Comendador?

— Ele disse ontem que eu agora fosse à tarde, que era melhor.

— Ah! E amanhã, não te esqueças, recebe os dois mil-réis, que é fim de mês. Olha! Vai lá dentro e diz a Neném que te entregue a roupa que veio ontem à noite.

O pequeno afastou-se de carreira, e ela lhe gritou na pista:

— E que não ponha o refogado no fogo sem eu ter lá ido!

Uma conversa cerrada travara-se no resto da fila de lavadeiras a respeito da Rita Baiana.

— É doida mesmo!... — censurava Augusta. — Meter-se na pândega sem dar conta da roupa que lhe entregaram... Assim há de ficar sem um freguês...

— Aquela não endireita mais!... Cada vez fica até mais assanhada!... Parece que tem fogo no rabo! Pode haver o serviço que houver, aparecendo pagode, vai tudo pro lado! Olhe o que saiu o ano passado com a festa da Penha!...

— Então agora, com este mulato, o Firmo, é uma pouca-vergonha! Est'ro dia, pois você não viu? levaram aí numa bebedeira, a dançar e cantar à viola, que nem sei o que parecia! Deus te livre!

— Para tudo há horas e há dias!...

— Para a Rita todos os dias são dias santos! A questão é aparecer quem puxe por ela!

— Ainda assim não é má criatura... Tirando o defeito da vadiagem...

— Bom coração tem ela, até demais, que não guarda um vintém pro dia de amanhã. Parece que o dinheiro lhe faz comichão no corpo!

— Depois é que são elas!... O João Romão já lhe não fia!

— Pois olhe que a Rita lhe tem enchido bem as mãos; quando ela tem dinheiro é porque o gasta mesmo!

E as lavadeiras não se calavam, sempre a esfregar, e a bater, e a torcer camisas e ceroulas, esfogueadas já pelo exercício. Ao passo que, em torno da sua tagarelice, o cortiço se embandeirava todo de roupa molhada, de onde o sol tirava cintilações de prata.

Estavam em dezembro, e o dia era ardente. A grama dos coradouros tinha reflexos esmeraldinos; as paredes que davam frente ao Nascente, caiadinhas de novo, reverberavam iluminadas, ofuscando a vista. Em uma das janelas da sala de jantar do Miranda, Dona Estela e Zulmira, ambas vestidas de claro e ambas a limarem as unhas, conversavam em voz surda, indiferentes à agitação que ia lá embaixo, muito esquecidas na sua tranquilidade de entes felizes.

Entretanto, agora o maior movimento era na venda à entrada da estalagem. Davam nove horas, e os operários das fábricas chegavam-se para o almoço. Ao balcão o Domingos e o Manuel não tinham mãos a medir com a criadagem da vizinhança; os embrulhos de papel amarelo sucediam-se, e o dinheiro pingava sem intermitência dentro da gaveta.

— Meio quilo de arroz!

— Um tostão de açúcar!

— Uma garrafa de vinagre!

— Dois martelos de vinho!

— Dois vinténs de fumo!

— Quatro de sabão!

E os gritos confundiam-se numa mistura de vozes de todos os tons.

Ouviam-se protestos entre os compradores:

— Mc avie, seu Domingos! Eu deixei a comida no fogo!

— Ó peste! Dá cá as batatas, que eu tenho mais o que fazer!

— Seu Manuel, não me demore essa manteiga!

Ao lado, na casinha de pasto, a Bertoleza, de saias arrepanhadas no quadril, o cachaço grosso e negro, reluzindo de suor, ia e vinha de uma panela à outra, fazendo pratos, que João Romão levava de carreira aos trabalhadores assentados num compartimento junto. Admitira-se um novo caixeiro, só para o frege, e o rapaz, a cada comensal que ia chegando, recitava, em tom cantado e estridente, a sua interminável lista das comidas que havia. Um cheiro forte de azeite frito predominava. O parati circulava por todas as mesas, e cada caneca de café, de louça espessa, erguia um vulcão de fumo tresandando a milho queimado. Uma algazarra medonha, em que ninguém se entendia! Cruzavam-se conversas em todas as direções, discutia-se a berros, com valentes punhadas sobre as mesas. E sempre a sair, e sempre a entrar gente, e os que saíam, depois daquela comezaina grossa, iam radiantes de contentamento, com a barriga bem cheia, a arrotar.

Num banco de pau tosco, que existia do lado de fora, junto à parede e perto da venda, um homem, de calça e camisa de zuarte, chinelos de couro cru, esperava, havia já uma boa hora, para falar com o vendeiro.

Era um português de seus trinta e cinco a quarenta anos, alto, espadaúdo, barbas ásperas, cabelos pretos e maltratados caindo-lhe sobre a testa, por debaixo de um chapéu de feltro ordinário; pescoço de touro e cara de Hércules, na qual os olhos, todavia, humildes como os olhos de um boi de canga, exprimiam tranquila bondade.

— Então ainda não se pode falar ao homem? — perguntou ele, indo ao balcão entender-se com o Domingos.

— O patrão está agora muito ocupado. Espere!

— Mas são quase dez horas, e estou com um gole de café no estômago!

— Volte logo!

— Moro na cidade nova. É um estirão daqui!

O caixeiro gritou então para a cozinha, sem interromper o que fazia:

— O homem que aí está, seu João, diz que se vai embora!

— Ele que espere um pouco, que já lhe falo! — respondeu o vendeiro no meio de uma carreira. Diga-lhe que não vá!

— Mas é que ainda não almocei e estou aqui a tinir!... — observou o Hércules com a sua voz grossa e sonora.

— Ó filho, almoce aí mesmo! Aqui o que não falta é de comer. Já podia estar aviado!

— Pois vá lá! — resolveu o homenzarrão, saindo da venda para entrar na casa de pasto, onde os que lá se achavam o receberam com ar curioso, medindo-o da cabeça aos pés, como faziam sempre com todos os que aí se apresentavam pela primeira vez.

E assentou-se a uma das mesinhas, vindo logo o caixeiro cantar-lhe a lista dos pratos.

— Traga lá o pescado com batatas e venha um martelo de vinho.

— Quer verde ou virgem?

— Venha o verde; mas anda com isso, filho, que já não vem sem tempo!

4

Meia hora depois, quando João Romão se viu menos ocupado, foi ter com o sujeito que o procurava e assentou-se defronte dele, caindo de fadiga, mas sem se queixar, nem se lhe trair a fisionomia o menor sintoma de cansaço.

— Você vem da parte do Machucas? — perguntou-lhe. Ele falou-me de um homem que sabe calçar pedra, lascar fogo e fazer lajedo.

— Sou eu.

— Estava empregado em outra pedreira?

— Estava e estou. Na de São Diogo, mas desgostei-me dela e quero passar adiante.

— Quanto lhe dão lá?

— Setenta mil-réis.

— Oh! Isso é um disparate!

— Não trabalho por menos...

— Eu, o maior ordenado que faço é de cinquenta.

— Cinquenta ganha um macaqueiro...

— Ora! tenho aí muitos trabalhadores de lajedo por esse preço!

— Duvido que prestem! Aposto a mão direita em como o senhor não encontra por cinquenta mil-réis quem dirija a broca, pese a pólvora e lasque fogo, sem lhe estragar a pedra e sem fazer desastres!

— Sim, mas setenta mil-réis é um ordenado impossível!

— Nesse caso vou como vim... Fica o dito por não dito!

— Setenta mil-réis é muito dinheiro!...

— Cá por mim, entendo que vale a pena pagar mais um pouco a um trabalhador bom, do que estar a sofrer desastres, como o que sofreu sua pedreira a semana passada! Não falando na vida do pobre de Cristo que ficou debaixo da pedra!

— Ah! O Machucas falou-lhe no desastre?

— Contou-mo, sim senhor, e o desastre não aconteceria se o homem soubesse fazer o serviço!

— Mas setenta mil-réis é impossível. Desça um pouco!

— Por menos não me serve... E escusamos de gastar palavras!

— Você conhece a pedreira?

— Nunca a vi de perto, mas quis me parecer que é boa. De longe cheirou-me a granito.

— Espere um instante.

João Romão deu um pulo à venda, deixou algumas ordens, enterrou um chapéu na cabeça e voltou a ter com o outro.

— Ande a ver! — gritou-lhe da porta do frege, que a pouco e pouco se esvaziara de todo.

O cavouqueiro pagou doze vinténs pelo seu almoço e acompanhou-o em silêncio.

Atravessaram o cortiço.

A labutação continuava. As lavadeiras tinham já ido almoçar e tinham voltado de novo para o trabalho. Agora estavam todas de chapéu de palha, apesar das toldas que se armaram. Um calor de cáustico mordia-lhes os toutiços em brasa e cintilantes de suor. Um estado febril apoderava-se delas naquele rescaldo; aquela digestão feita ao sol fermentava-lhes o sangue. A Machona altercava com uma preta que fora reclamar um par de meias e destrocar uma camisa; a Augusta, muito mole sobre a sua tábua de lavar, parecia derreter-se como sebo; a Leocádia largava de vez em quando a roupa e o sabão para coçar as comichões do quadril e das virilhas, assanhadas pelo mormaço; a Bruxa monologava, resmungando numa insistência de idiota, ao lado da Marciana que, com o seu tipo de mulata velha, um cachimbo ao canto da boca, cantava toadas monótonas do sertão:

Maricas tá marimbando,
Maricas tá marimbando.
Na passage do riacho
Maricas tá marimbando.

A Florinda, alegre, perfeitamente bem com o rigor do sol, a rebolar sem fadigas, assoviava os chorados e lundus que se tocavam na estalagem, e junto dela, a melancólica senhora Dona Isabel suspirava, esfregando a sua roupa dentro da tina, automaticamente, como um condenado a trabalhar no presídio; ao passo que o Albino, saracoteando os seus quadris pobres de homem linfático, batia na tábua um par de calças, no ritmo cadenciado e miúdo de um cozinheiro a bater bifes. O corpo tremia-lhe todo, e ele, de vez em quando, suspendia o lenço do pescoço para enxugar a fronte, e então um gemido suspirado subia-lhe aos lábios.

Da casinha número 8 vinha um falsete agudo, mas afinado. Era a das Dores que principiava o seu serviço; não sabia engomar sem cantar. No número 7 Neném cantarolava em tom muito mais baixo; e de um dos quartos do fundo da estalagem saía de espaço a espaço uma nota áspera de trombone.

O vendeiro, ao passar por detrás de Florinda, que no momento apanhava roupa do chão, ferrou-lhe uma palmada na parte do corpo então mais em evidência.

— Não bula, hein?!... — gritou ela, rápido, erguendo-se tesa.

E, dando com João Romão:

— Eu logo vi. Leva implicando aqui com a gente e depois, vai-se comprar na venda, o safado rouba no peso! Diabo do galego! Eu não te quero, sabe?

O vendeiro soltou-lhe nova palmada com mais força e fugiu, porque ela se armara com um regador cheio de água.

— Vem pra cá, se és capaz! Diabo da peste!

João Romão já se havia afastado com o cavouqueiro.

— O senhor tem aqui muita gente!... — observou-lhe este.

— Oh! — fez o outro, sacudindo os ombros, e disse depois com empáfia: — Houvesse mais cem quartos que estariam cheios! Mas é tudo gente séria! Não há chinfrins nesta estalagem; se aparece uma rusga, eu chego, e tudo acaba logo! Nunca nos entrou cá a polícia, nem nunca a deixaremos entrar! E olhe que se divertem bem com as suas violas! Tudo gente muito boa!

Tinham chegado ao fim do pátio do cortiço e, depois de transporem uma porta que se fechava com um peso amarrado a uma corda, acharam-se no capinzal que havia antes da pedreira.

— Vamos por aqui mesmo que é mais perto, — aconselhou o vendeiro.

E os dois, em vez de procurarem a estrada atravessaram o capim quente e trescalante.

Meio-dia em ponto. O sol estava a pino; tudo reverberava à luz irreconciliável de dezembro, num dia sem nuvens. A pedreira, em que ela batia de chapa em cima, cegava olhada de frente. Era preciso martirizar a vista para descobrir as nuanças da pedra; nada mais que uma grande mancha branca e luminosa, terminando pela parte de baixo no chão coberto de cascalho miúdo, que ao longe produzia o efeito de um betume cinzento, e pela parte de cima na espessura compacta do arvoredo, onde se não distinguiam outros tons mais do que nódoas negras, bem negras, sobre o verde-escuro.

À proporção que os dois se aproximavam da imponente pedreira, o terreno ia-se tornando mais e mais cascalhudo; os sapatos enfarinhavam-se de uma poeira clara. Mais adiante, por aqui e por ali, havia muitas carroças, algumas em movimento, puxadas a burro e cheias de calhaus partidos; outras já prontas para seguir, à espera do animal, e outras enfim com os braços para o ar, como se acabassem de ser despejadas naquele instante. Homens labutavam.

À esquerda, por cima de um vestígio de rio, que parecia ter sido bebido de um trago por aquele sol sedento, havia uma ponte de tábuas, onde três pequenos, quase nus, conversavam assentados, sem fazer sombra, iluminados a prumo pelo sol do meio-dia. Para adiante, na mesma direção, corria um vasto telheiro, velho e sujo, firmado sobre colunas de pedra tosca; aí muitos portugueses trabalhavam de canteiro, ao barulho metálico do picão que feria o granito. Logo em seguida, surgia uma oficina de ferreiro, toda atravancada de destroços e objetos quebrados, entre os quais avultavam rodas de carro; em volta da bigorna dois homens, de corpo nu, banhados de suor e alumiados de vermelho como dois diabos, martelavam cadenciosamente sobre um pedaço de ferro em brasa; e ali mesmo, perto deles, a forja escancarava uma goela infernal, de onde saíam pequenas línguas de fogo, irrequietas e gulosas.

João Romão parou à entrada da oficina e gritou para um dos ferreiros:

— Ó Bruno! Não se esqueça do varal da lanterna do portão!

Os dois homens suspenderam por um instante o trabalho.

— Já lá fui ver, — respondeu o Bruno. Não vale a pena consertá-lo; está todo comido de ferrugem! Faz-se-lhe um novo, que é melhor!

— Pois veja lá isso, que a lanterna está a cair!

E o vendeiro seguiu adiante com o outro, enquanto atrás recomeçava o martelar sobre a bigorna.

Em seguida via-se uma miserável estrebaria, cheia de capim seco e excremento de bestas, com lugar para meia dúzia de animais. Estava deserta, mas no vivo fartum exalado de lá, sentia-se que fora habitada ainda aquela noite. Havia depois um depósito de madeiras, servindo ao mesmo tempo de oficina de carpinteiro, tendo à porta troncos de árvore, alguns já serrados, muitas tábuas empilhadas, restos de cavernas e mastros de navio.

Daí à pedreira restavam apenas uns cinquenta passos e o chão era já todo coberto por uma farinha de pedra moída que sujava como a cal.

Aqui, ali, por toda a parte, encontravam-se trabalhadores, uns ao sol, outros debaixo de pequenas barracas feitas de lona ou de folhas de palmeira. De um lado cunhavam pedra cantando; de outro a quebravam a picareta; de outro afeiçoavam lajedos a ponta de picão; mais adiante faziam paralelepípedos a escopro e macete. E todo aquele retintim de ferramentas, e o martelar da forja, e o coro dos que lá em cima brocavam a rocha para lançar-lhe fogo, e a surda zoada ao longe, que vinha do cortiço, como de uma aldeia alarmada; tudo dava a ideia de uma atividade feroz, de uma luta de vingança e de ódio. Aqueles homens gotejantes de suor, bêbedos de calor, desvairados de insolação, a quebrarem, a espicaçarem, a torturarem a pedra, pareciam um punhado de demônios revoltados na sua impotência contra o impassível gigante que os contemplava com desprezo, imperturbável a todos os golpes e a todos os tiros que lhe desfechavam no dorso, deixando sem um gemido que lhe abrissem as entranhas de granito. O membrudo cavouqueiro havia chegado à fralda do orgulhoso monstro de pedra; tinha-o cara a cara, mediu-o de alto a baixo, arrogante, num desafio surdo.

A pedreira mostrava nesse ponto de vista o seu lado mais imponente. Descomposta, com o escalavrado flanco exposto ao sol, erguia-se altaneira e desassombrada, afrontando o céu, muito íngreme, lisa, escaldante e cheia de cordas que mesquinhamente lhe escorriam pela ciclópica nudez com um efeito de teias de aranha. Em certos lugares, muito alto do chão, lhe haviam espetado alfinetes de ferro, amparando, sobre um precipício, miseráveis tábuas que, vistas cá de baixo, pareciam palitos, mas em cima das quais uns atrevidos pigmeus de forma humana equilibravam-se, desfechando golpes de picareta contra o gigante.

O cavouqueiro meneou a cabeça com ar de lástima. O seu gesto desaprovava todo aquele serviço.

— Veja lá! — disse ele, apontando para certo ponto da rocha. — Olhe para aquilo! Sua gente tem ido às cegas no trabalho desta pedreira. Deviam atacá-la justamente por aquele outro lado, para não contrariar os veios da pedra. Esta parte aqui é toda granito, é a melhor! Pois olhe só o que eles têm tirado de lá: umas lascas, uns calhaus que não servem para nada! É uma dor de coração ver estragar assim uma peça tão boa! Agora o que hão de fazer dessa cascalhada que aí está se não macacos? E brada aos céus, creia! ter pedra desta ordem para empregá-la em macacos!

O vendeiro escutava-o em silêncio, apertando os beiços, aborrecido com a ideia daquele prejuízo.

— Uma porcaria de serviço! — continuou o outro. — Ali onde está aquele homem é que deviam ter feito a broca, porque a explosão punha abaixo toda esta aba que é separada por um veio. Mas quem tem aí o senhor capaz de fazer isso? Ninguém; porque é preciso um empregado que saiba o que faz; que, se a pólvora não for muito bem medida, nem só não se abre o veio, como ainda sucede ao trabalhador o mesmo que sucedeu ao outro! É preciso conhecer muito bem o trabalho para se poder tirar partido vantajoso desta pedreira! Boa é ela, mas não nas mãos em que está! É muito perigosa nas explosões; é muito em pé! Quem lhe lascar fogo não pode fugir senão para cima pela corda, e se o sujeito não for fino leva-o o demo! Sou eu quem o diz.

E depois de uma pausa, acrescentou, tomando na sua mão, grossa como o próprio cascalho, um paralelepípedo que estava no chão:

— Que digo eu?! Cá está! Macacos de granito! Isto até é uma coisa que estes burros deviam esconder por vergonha!

Acompanhando a pedreira pelo lado direito e seguindo-a na volta que ela dava depois, formando um ângulo obtuso, é que se via quanto era grande. Suava-se bem antes de chegar ao seu limite com a mata.

— Que mina de dinheiro!... — dizia o homenzarrão, parando entusiasmado defronte do novo pano de rocha viva que se desdobrava na presença dele.

— Toda esta parte que se segue agora — declarou João Romão — ainda não é minha.

E continuaram a andar para diante.

Deste lado multiplicavam-se as barraquinhas; os macaqueiros trabalhavam à sombra delas, indiferentes àqueles dois. Viam-se panelas ao fogo, sobre quatro pedras, ao ar livre, e rapazitos tratando do jantar dos pais. De mulher nem sinal. De vez em quando, na penumbra de um ensombro de lona, dava-se com um grupo de homens, comendo de cócoras defronte uns dos outros, uma sardinha na mão esquerda, um pão na direita, ao lado de uma garrafa de água.

— Sempre o mesmo serviço malfeito e mal dirigido!... — resmungou o cavouqueiro.

Entretanto, a mesma atividade parecia reinar por toda a parte. Mas, lá no fim, debaixo dos bambus que marcavam o limite da pedreira, alguns trabalhadores dormiam à sombra, de papo para o ar, a barba espetando para o alto, o pescoço intumescido de cordoveias grossas como enxárcias de navio, a boca aberta, a respiração forte e tranquila de animal sadio, num feliz e pletórico resfolgar de besta cansada.

— Que relaxamento! — resmungou de novo o cavouqueiro. — Tudo isto está a reclamar um homem teso que olhe a sério para o serviço!

— Eu nada tenho que ver com este lado! — observou Romão.

— Mas lá da sua banda hão de fazer o mesmo ! Olará!

— Abusam, porque tenho de olhar pelo negócio lá fora...

— Comigo aqui é que eles não fariam cera. Isso juro eu! Entendo que o empregado deve ser bem pago, ter para a sua comida à farta, o seu gole de vinho, mas que deve fazer serviço que se veja, ou, então, rua! Rua, que não falta por aí quem queira ganhar dinheiro! Autorize-me a olhar por eles e verá!

— O diabo é que você quer setenta mil-réis... — suspirou João Romão.

— Ah! Nem menos um real!... Mas comigo aqui há de ver o que lhe faço entrar para algibeira! Temos cá muita gente que não precisa estar. Para que tanto macaqueiro, por exemplo? Aquilo é serviço para descanso; é serviço de criança! Em vez de todas aquelas lesmas, pagas talvez a trinta mil-réis...

— É justamente quanto lhes dou.

— ... melhor seria tomar dois bons trabalhadores de cinquenta, que fazem o dobro do que fazem aqueles monos e que podem servir para outras coisas! Parece que nunca trabalharam! Olhe, é já a terceira vez que aquele que ali está deixa cair o escopro! Com efeito!

João Romão ficou calado, a cismar, enquanto voltavam. Vinham ambos pensativos.

— E você, se eu o tomar — disse depois o vendeiro — muda-se cá para a estalagem?

— Naturalmente! Não hei de ficar lá na cidade nova, tendo o serviço aqui!...

— E a comida, forneço-a eu?...

— Isso é que a mulher é quem a faz; mas as compras saem-lhe da venda...

— Pois está fechado o negócio! — deliberou João Romão, convencido de que não podia, por economia, dispensar um homem daqueles. E pensou lá de si para si: "Os meus setenta mil-réis voltar-me-ão à gaveta. Tudo me fica em casa!"

— Então estamos entendidos?...

— Estamos entendidos!

— Posso amanhã fazer a mudança?

— Hoje mesmo, se quiser; tenho um cômodo que lhe há de calhar. É o número 35. Vou mostrar-lho.

E aligeirando o passo, penetraram na estrada do capinzal com direção ao fundo do cortiço.

— Ah! é verdade! Como você se chama?

— Jerônimo, para o servir.

— Servir a Deus. Sua mulher lava?

— É lavadeira, sim, senhor.

— Bem, precisamos ver-lhe uma tina.

E o vendeiro empurrou a porta do fundo da estalagem, de onde escapou, como de uma panela fervendo que se destapa, uma baforada quente, vozeria tresandante à fermentação de suores e roupa ensaboada secando ao sol.

5

No dia seguinte, com efeito, ali pelas sete da manhã, quando o cortiço fervia já na costumada labutação, Jerônimo apresentou-se junto com a mulher, para tomarem conta da casinha alugada na véspera.

A mulher chamava-se Piedade de Jesus; teria trinta anos, boa estatura, carne ampla e rija, cabelos fortes de um castanho fulvo, dentes pouco alvos, mas sólidos e perfeitos, cara cheia, fisionomia aberta; um todo de bonomia toleirona, desabotoando-lhe pelos olhos e pela boca numa simpática expressão de honestidade simples e natural.

Vieram ambos à boleia da andorinha que lhes carregou os trens. Ela trazia uma saia de sarja roxa, cabeção branco de paninho de algodão e na cabeça um lenço vermelho de alcobaça; o marido a mesma roupa do dia anterior.

E os dois apearam-se muito atrapalhados com os objetos que não confiaram aos homens da carroça; Jerônimo abraçado a duas formidáveis mangas de vidro, das primitivas, dessas em que se podia à vontade enfiar uma perna; e a Piedade atracada com um velho relógio de parede e com uma grande trouxa de santos e palmas bentas. E assim atravessaram o pátio da estalagem, entre os comentários e os olhares curiosos dos antigos moradores, que nunca viam sem uma pontinha de desconfiança os inquilinos novos que surgiam.

— O que será este pedaço de homem? — indagou a Machona da sua vizinha de tina, a Augusta Carne-Mole.

— A modos — respondeu esta — que vem para trabalhar na pedreira. Ele ontem andou por lá um ror de tempo com o João Romão.

— Aquela mulher que entrou junto será casada com ele?

— É de crer.

— Ela me parece gente das ilhas.

— Eles o que têm é muito bons trastes de seu! — interveio a Leocádia. — Uma cama que deve ser um regalo e um toucador com um espelho maior do que aquela peneira!

— E a cômoda, você viu, Nhá Leocádia? — perguntou Florinda, gritando para ser ouvida, porque entre ela e a outra estavam a Bruxa e a velha Marciana.

— Vi. Rico traste!

— E o oratório, então? Muito bonito!...

— Vi também. É obra de capricho. Não! Eles, sejam lá quem for, são gente arranjada... Isso não se lhes pode negar!

— Se são bons ou maus só com o tempo se saberá!... — arriscou Dona Isabel.

— Quem vê cara não vê corações... — sentenciou o triste Albino, suspirando.

— Mas o número 35 não estava ocupado por aquele homem muito amarelo que fazia charutos?... — inquiriu Augusta.

— Estava — confirmou a mulher do ferreiro, a Leocádia — porém creio que arribou, devendo não sei quanto, e o João Romão então esvaziou-lhe ontem a casa e tomou conta do que era dele.

— É! — acudiu a Machona — ontem, pelo cair das duas da tarde, o Romão andava aí às voltas com os cacarecos do charuteiro. Quem sabe, se o pobre homem não levou a breca, como sucedeu àquele outro que trabalhava de ourives?

— Não! Este creio que está vivo...

— O que lhe digo é que aquele número 35 tem mau agouro! Eu cá por mim não o queria nem de graça! Foi lá que morreu a Maricas do Farjão!

Três horas depois, Jerônimo e Piedade achavam-se instalados e dispunham-se a comer o almoço, que a mulher preparara o melhor e o mais depressa que pôde. Ele contava aviar até a noite uma infinidade de coisas, para poder começar a trabalhar logo no dia seguinte.

Era tão metódico e tão bom como trabalhador quanto o era como homem.

Jerônimo viera da terra, com a mulher e uma filhinha ainda pequena, tentar a vida no Brasil, na qualidade de colono de um fazendeiro, em cuja fazenda mourejou durante dois anos, sem nunca levantar a cabeça, e de onde afinal se retirou de mãos vazias e uma grande birra pela lavoura brasileira. Para continuar a servir na roça tinha que sujeitar-se a emparelhar com os negros escravos e viver com eles no mesmo meio degradante, encurralado como uma besta, sem aspirações, nem futuro, trabalhando eternamente para outro.

Não quis. Resolveu abandonar de vez semelhante estupor de vida e atirar-se para a corte, onde, diziam-lhe patrícios, todo o homem bem disposto encontrava furo. E, com efeito, mal chegou, devorado de necessidade e privações, meteu-se a quebrar pedra em uma pedreira, mediante um miserável salário. A sua existência continuava dura e precária; a mulher já então lavava e engomava, mas com pequena freguesia e mal paga. O que os dois faziam chegava-lhes apenas para não morrer de fome e pagar o quarto da estalagem.

Jerônimo, porém, era perseverante, observador e dotado de certa habilidade. Em poucos meses se apoderava do seu novo ofício e, de quebrador de pedra, passou logo a fazer paralelepípedos; e depois foi-se ajeitando com o prumo e com a esquadria e meteu-se a fazer lajedos; e finalmente, à força de dedicação pelo serviço, tornou-se tão bom como os melhores trabalhadores de pedreira e a ter salário igual ao deles. Dentro de dois anos, distinguia-se tanto entre os companheiros, que o patrão o converteu numa espécie de contramestre e elevou-lhe o ordenado a setenta mil-réis.

Mas não foram só o seu zelo e a sua habilidade o que o pôs assim para a frente; duas outras coisas contribuíram muito para isso: a força de touro que o tornava respeitado e temido por todo o pessoal dos trabalhadores, como ainda, e, talvez, principalmente, a grande seriedade do seu caráter e a pureza austera dos seus costumes. Era homem de uma honestidade a toda a prova e de uma primitiva simplicidade no seu modo de viver. Saía de casa para o serviço e do serviço para a casa, onde nunca ninguém o vira com a mulher senão em boa paz; traziam a filhinha sempre limpa e bem alimentada, e, tanto um como o outro, eram sempre os primeiros à hora do trabalho. Aos domingos iam às vezes à missa ou, à tarde, ao Passeio Público; nessas ocasiões, ele punha uma camisa engomada, calçava sapatos e enfiava um paletó; ela o seu vestido de ver a Deus, os seus ouros trazidos da terra, que nunca tinham ido ao monte de socorro, malgrado as dificuldades com que os dois lutaram a princípio no Brasil.

Piedade merecia bem o seu homem, muito diligente, sadia, honesta, forte, bem acomodada com tudo e com todos, trabalhando de sol a sol e dando sempre tão boas contas da obrigação, que os seus fregueses de roupa, apesar daquela mudança para Botafogo, não a deixaram quase todos.

Jerônimo, ainda na cidade nova, logo que principiara a ganhar melhor, fizera-se irmão de uma ordem terceira e tratara de ir pondo alguma coisinha de parte. Meteu a filha em um colégio, "que a queria com outro saber que não ele, a que os pais não mandaram ensinar nada". Por último, no cortiço em que então moravam, a sua casinha era a mais decente, a mais respeitada e a mais confortável; porém, com a morte do seu patrão e com uma reforma estúpida que os sucessores dele realizaram em todo o serviço da pedreira, o colono desgostou-se dela e resolveu passar para outra.

Foi então que lhe indicaram a do João Romão, que, depois do desastre do seu melhor empregado, andava justamente à procura de um homem nas condições de Jerônimo.

Tomou conta da direção de todo o serviço, e em boa hora o fez, porque dia a dia a sua influência se foi sentindo no progresso do trabalho. Com o seu exemplo os companheiros tornavam-se igualmente sérios e zelosos. Ele não admitia relaxamentos, nem podia consentir que um preguiçoso se demorasse ali tomando o lugar de quem precisava ganhar o pão. E alterou o pessoal da pedreira, despediu alguns trabalhadores, admitiu novos, aumentou o ordenado dos que ficaram, estabelecendo-lhes novas obrigações e reformando tudo para melhor. No fim de dois meses já o vendeiro esfregava as mãos de contente e via, radiante, quanto lucrara com a aquisição de Jerônimo; tanto assim que estava disposto a aumentar-lhe o ordenado para conservá-lo em sua companhia. "Valia a pena! Aquele homem era um achado precioso! Abençoado fosse o Machucas que lho enviara!" E começou a distingui-lo e respeitá-lo como não fazia a ninguém.

O prestígio e a consideração de que Jerônimo gozava entre os moradores da outra estalagem donde vinha, foram a pouco e pouco se reproduzindo entre os seus novos companheiros de cortiço. Ao cabo de algum tempo era consultado e ouvido, quando qualquer questão difícil os preocupava. Descobriam-se defronte dele, como defronte de um superior, até o próprio Alexandre abria uma exceção nos seus hábitos e fazia-lhe uma ligeira continência com a mão no boné, ao atravessar o pátio, todo fardado, por ocasião de vir ou ir para o serviço. Os dois caixeiros da venda, o Domingos e o Manuel, tinham entusiasmo por ele. "Aquele é que devia ser o patrão, diziam. É um homem sério e destemido! Com aquele ninguém brinca!" E, sempre que a Piedade de Jesus ia lá à taverna fazer as suas compras, a fazenda que lhe davam era bem escolhida, bem medida ou bem pesada. Muitas lavadeiras tomavam inveja dela, mas Piedade era de natural tão bom e benfazejo que não dava por isso, e a maledicência murchava antes de amadurecer.

Jerônimo acordava todos os dias às quatro horas da manhã, fazia antes dos outros a sua lavagem à bica do pátio, socava-se depois com uma boa palangana de caldo de unto, acompanhada de um pão de quatro; e, em mangas de camisa de riscado, a cabeça ao vento, os grossos pés sem meias metidos em um formidável par de chinelos de couro cru, seguia para a pedreira.

A sua picareta era para os companheiros o toque de reunir. Aquela ferramenta movida por um pulso de Hércules valia bem os clarins de um regimento tocando alvorada. Ao seu retinir vibrante surgiam do caos opalino das neblinas vultos cor de cinza, que lá iam, como sombras, galgando a montanha, para cavar na pedra o pão nosso de cada dia. E, quando o sol desfechava sobre o píncaro da rocha os seus primeiros raios, já encontrava de pé, a bater-se contra o gigante de granito, aquele mísero grupo de obscuros batalhadores.

Jerônimo só voltava à casa ao descair da tarde, morto de fome e de fadiga. A mulher preparava-lhe sempre para o jantar alguma das comidas da terra deles. E ali, naquela estreita salinha, sossegada e humilde, gozavam os dois, ao lado um do outro, a paz feliz dos simples, o voluptuoso prazer do descanso após um dia inteiro de canseiras ao sol. E, defronte do candeeiro de querosene, conversavam sobre a sua vida e sobre a sua Marianita, a filhinha que estava no colégio e que só os visitava aos domingos e dias santos.

Depois, até às horas de dormir, que nunca passavam das nove, ele tomava a sua guitarra e ia para defronte da porta, junto com a mulher, dedilhar os fados da sua terra. Era nesses momentos que dava plena expansão às saudades da pátria, com aquelas cantigas melancólicas em que a sua alma de desterrado voava das zonas abrasadas da América para as aldeias tristes da sua infância.

E o canto daquela guitarra estrangeira era um lamento choroso e dolorido, eram vozes magoadas, mais tristes do que uma oração em alto mar, quando a tempestade agita as negras asas homicidas, e as gaivotas doudejam assanhadas, cortando a treva com os seus gemidos pressagos, tontas como se estivessem fechadas dentro de uma abóbada de chumbo.

6

Amanhecera um domingo alegre no cortiço, um bom dia de abril. Muita luz e pouco calor.

As tinas estavam abandonadas; os coradouros despidos. Tabuleiros e tabuleiros de roupa engomada saíam das casinhas, carregados na maior parte pelos filhos das próprias lavadeiras que se mostravam agora quase todas de fato limpo; os casaquinhos brancos avultavam por cima das saias de chita de cor. Desprezavam-se os grandes chapéus de palha e os aventais de aniagem; agora as portuguesas tinham na cabeça um lenço novo de ramagens vistosas, e as brasileiras haviam penteado o cabelo e pregado nos cachos negros um ramalhete de dois vinténs; aquelas trançavam no ombro xales de lã vermelha, e estas de crochê, de um amarelo desbotado. Viam-se homens de corpo nu, jogando a placa, com grande algazarra. Um grupo de italianos, assentado debaixo de uma árvore, conversava ruidosamente, fumando cachimbo. Mulheres ensaboavam os filhos pequenos debaixo da bica, muito zangadas, a darem-lhes murros, a praguejar, e as crianças berravam, de olhos fechados, esperneando. A casa da Machona estava num rebuliço, porque a família ia sair a passeio; a velha gritava, gritava Neném, gritava o Agostinho. De muitas outras saíam cantos ou sons de instrumentos; ouviam-se harmônicas e ouviam-se guitarras, cuja discreta melodia era de vez em quando interrompida por um ronco forte de trombone.

Os papagaios pareciam também mais alegres com o domingo e lançavam das gaiolas frases inteiras, entre gargalhadas e assobios. À porta de diversos cômodos, trabalhadores descansavam, de calça limpa e camisa de meia lavada, assentados em cadeira, lendo e soletrando jornais ou livros; um declamava em voz alta versos de *Os Lusíadas*, com um empenho feroz, que o punha rouco. Transparecia neles o prazer da roupa mudada depois de uma semana no corpo. As casinhas fumegavam um cheiro bom de refogados de carne fresca, fervendo ao fogo. Do sobrado do Miranda só as duas últimas janelas já estavam abertas e, pela escada que descia para o quintal, passava uma criada carregando baldes de águas servidas. Sentia-se naquela quietação de dia inútil a falta do resfolegar aflito das máquinas da vizinhança, com que todos estavam habituados. Para além do solitário capinzal do fundo a pedreira parecia dormir em paz o seu sono de pedra; mas, em compensação, o movimento era agora extraordinário à frente da estalagem e à entrada da venda. Muitas lavadeiras tinham ido para o portão, olhar quem passava; ao lado delas o Albino, vestido de branco, com o seu lenço engomado ao pescoço, entretinha-se a chupar balas de açúcar, que comprara ali mesmo ao tabuleiro de um baleiro freguês do cortiço.

Dentro da taverna, os martelos de vinho branco, os copos de cerveja nacional e os dois vinténs de parati ou laranjinha sucediam-se por cima do balcão, passando das mãos do Domingos e do Manuel para as mãos ávidas dos operários e dos trabalhadores, que os recebiam com estrondosas exclamações de pândega. A Isaura, que fora num pulo tomar o seu primeiro capilé, via-se tonta com os apalpões que lhe davam. Leonor não tinha um instante de sossego, saltando de um lado para outro, com uma agilidade de mono, a fugir dos punhos calosos dos cavouqueiros que, entre risadas, tentavam agarrá-la; e insistia na sua ameaça do costume: "que se queixava ao juiz de orfe!", mas não se ia embora, porque defronte da venda viera estacionar um homem que tocava cinco instrumentos ao mesmo tempo, com um acompanhamento desafinado de bombo, pratos e guizos.

Eram apenas oito horas e já muita gente comia e palavreava na casa de pasto ao lado da venda. João Romão, de roupa mudada como os outros, mas sempre em mangas de camisa, aparecia de espaço em espaço, servindo os comensais; e a Bertoleza, sempre suja e tisnada, sempre sem domingo nem dia santo, lá estava ao fogão, mexendo as panelas e enchendo os pratos.

Um acontecimento, porém, veio revolucionar alegremente toda aquela confederação da estalagem. Foi a chegada da Rita Baiana, que voltava depois de uma ausência de meses, durante a qual só dera notícias suas nas ocasiões de pagar o aluguel do cômodo.

Vinha acompanhada por um moleque, que trazia na cabeça um enorme samburá carregado de compras feitas no mercado; um grande peixe espiava por entre folhas de alface com o seu olhar embaciado e triste, contrastando com as risonhas cores dos rabanetes, das cenouras e das talhadas de abóbora vermelha.

— Põe isso tudo aí nessa porta. Aí no número 9, pequeno! — gritou ela ao moleque, indicando-lhe a sua casa, e depois pagou-lhe o carreto. — Podes ir embora, carapeta!

Desde que do portão a bisparam na rua, levantou-se logo um coro de saudações.

— Olha, quem aí vem!

— Olé! Bravo! É a Rita Baiana!

— Já te fazíamos morta e enterrada!

— E não é que o demo da mulata está cada vez mais sacudida?...

— Então, coisa-ruim! Por onde andaste atirando esses quartos?

— Desta vez a coisa foi de esticar, hein?!

Rita havia parado em meio do pátio.

Cercavam-na homens, mulheres e crianças; todos queriam novas dela. Não vinha em trajo de domingo; trazia casaquinho branco, uma saia que lhe deixava ver o pé sem meia num chinelo de polimento com enfeites de marroquim de diversas cores. No seu farto cabelo, crespo e reluzente, puxado sobre a nuca, havia um molho de manjericão e um pedaço de baunilha espetado por um gancho. E toda ela respirava o asseio das brasileiras e um odor sensual de trevos e plantas aromáticas. Irrequieta, saracoteando o atrevido e rijo quadril baiano, respondia para a direita e para a esquerda, pondo à mostra um fio de dentes claros e brilhantes que enriqueciam a sua fisionomia com um realce fascinador.

Acudiu quase todo o cortiço para recebê-la. Choveram abraços e as chufas do bom acolhimento.

Por onde andara aquele diabo, que não aparecia para mais de três meses?

— Ora, nem me fales, coração! Sabe? Pagode de roça! Que hei de fazer? É a minha cachaça velha!...

— Mas onde estiveste tu enterrada tanto tempo, criatura?

— Em Jacarepaguá.

— Com quem?

— Com o Firmo.......

— Oh! Ainda dura isso?

— Cala a boca! A coisa agora é séria!

— Qual! Quem mesmo? Tu? Passa fora!

— Paixões da Rita! — exclamou o Bruno com uma risada. — Uma por ano! Não contando as miúdas!

— Não! Isso é que não! Quando estou com um homem não olho pra outro!

Leocádia, que era perdida pela mulata, saltara-lhe ao pescoço ao primeiro encontro, e agora, defronte dela, com as mãos nas cadeiras, os olhos úmidos de comoção, rindo, sem se fartar de vê-la, fazia-lhe perguntas sobre perguntas:

— Mas por que não te metes tu logo por uma vez com o Firmo? Por que não te casas com ele?

— Casar? — protestou a Rita. — Nessa não cai a filha de meu pai! Casar? Livra! Para quê? Para arranjar cativeiro? Um marido é pior que o diabo; pensa logo que a gente é escrava! Nada! Qual! Deus te livre! Não há como viver cada um senhor e dono do que é seu!

E sacudiu todo o corpo num movimento de desdém que lhe era peculiar.

— Olha só que peste! — considerou Augusta, rindo, muito mole, na sua honestidade preguiçosa.

Esta também achava infinita graça na Rita Baiana e seria capaz de levar um dia inteiro a vê-la dançar o chorado.

Florinda ajudava a mãe a preparar o almoço, quando lhe cheirou que chegara a mulata, e veio logo correndo, a rir-se desde longe, cair-lhe nos braços. A própria Marciana, de seu natural sempre triste e metida consigo, apareceu à janela, para saudá-la. A das Dores, com as saias arrepanhadas no quadril e uma toalha por cima amarrada pela parte de trás e servindo de avental, o cabelo ainda por pentear, mas entrouxado no alto da cabeça, abandonou a limpeza que fazia em casa e veio ter com a Rita, para dar-lhe uma palmada e gritar-lhe no nariz:

— Desta vez tomaste um fartão, hein, mulata assanhada?...

E, ambas a caírem de riso, abraçaram-se em intimidade de amigas, que não têm segredos de amor uma para a outra.

A Bruxa veio em silêncio apertar a mão de Rita e retirou-se logo.

— Olha a feiticeira! — bradou esta última, batendo no ombro da idiota. — Que diabo você tanto reza, tia Paula? Eu quero que você me dê um feitiço para prender meu homem!

E tinha uma frase para cada um que se aproximasse. Ao ver Dona Isabel, que apareceu toda cerimoniosa na sua saia da missa e com o seu velho xale de Macau, abraçou-a e pediu-lhe uma pitada, que a senhora recusou, resmungando:

— Sai daí, diabo!

— Cadê Pombinha? — perguntou a mulata.

Mas, nessa ocasião, Pombinha acabava justamente de sair de casa, muito bonita e asseada com um vestido novo de cetineta. As mãos ocupadas com o livro de rezas, o lenço e a sombrinha.

— Ah! Como está chique! — exclamou a Rita, meneando a cabeça. — É mesmo uma flor! — e logo que Pombinha se pôs ao seu alcance, abraçou-lhe a cintura e deu-lhe um beijo. — O João Costa se não te fizer feliz como os anjos sou capaz de abrir-lhe o casco com o salto do chinelo! Juro pelos cabelos do meu homem! — E depois, tornando-se séria, perguntou muito em voz baixa a Dona Isabel: — Já veio?... ao que a velha respondeu negativamente com um desconsolado e mudo abanar de orelhas.

O circunspecto Alexandre, sem querer declinar da sua gravidade, pois que estava fardado e pronto para sair, contentou-se em fazer com a mão um cumprimento à mulata, ao qual retrucou esta com uma continência militar e uma gargalhada que o desconcertaram.

Iam fazer comentários sobre o caso, mas a Rita, voltando-se para o outro lado, gritou:

— Olha o velho Libório! Como está cada vez mais duro!... Não se entrega por nada o demônio do judeu!

E correu para o lugar, onde estava aquecendo-se ao belo sol de abril, um octogenário, seco, que parecia mumificado pela idade, a fumar num resto de cachimbo, cujo pipo desaparecia na sua boca já sem lábios.

— Eh! eh! — fez ele — quando a mulata se aproximou.

— Então? — perguntou Rita, abaixando-se para tocar-lhe no ombro. — Quando é o nosso negócio?... Mas você há de deixar-me primeiro abrir o bauzinho de folha!...

Libório riu-se com as gengivas, tentando apalpar as coxas da Baiana, por caçoada, afetando luxúria.

Todos acharam graça nesta pantomimice do velhinho, e então, a mulata, para completar a brincadeira, deu uma volta entufando as saias e sacudiu-as depois sobre a cabeça dele, que se fingiu indignado, a fungar exageradamente.

E entre a alegria levantada pela sua reaparição no cortiço, a Rita deu conta de que pintara na sua ausência; disse o muito que festou em Jacarepaguá; o entrudo que fizera pelo carnaval. Três meses de folia! E, afinal abaixando a voz, segredou às companheiras que à noite teriam um pagodinho de violão. Podiam contar como certo!

Esta última notícia causou verdadeiro júbilo no auditório. As patuscadas da Rita Baiana eram sempre as melhores da estalagem. Ninguém como o diabo da mulata para armar uma função que ia pelas tantas da madrugada sem saber a gente como foi que a noite se passou tão depressa. Além de que "era aquela franqueza! enquanto houvesse dinheiro ou crédito, ninguém morria com a tripa murcha ou com a goela seca!"

— Diz-me cá, ó Leocadinha! Quem são aqueles jururus que estão agora no 35? — indagou ela, vendo o Jerônimo à porta da casa com a mulher.

— Ah! — explicou a interrogada — é o Jerônimo e mais a Piedade, um casal que inda não conheces. Entrou ao depois que arribaste. Boa gente, coitados!

Rita carregou para dentro do seu cômodo as provisões que trouxera; abriu logo a janela e pôs-se a cantar. Sua presença enchia de alegria a estalagem toda.

O Firmo, o mulato com quem ela agora vivia metida, o demônio que a desencabeçara para aquela maluqueira, de Jacarepaguá, ia lá jantar esse dia com um amigo. Rita declarava isto às companheiras, amolando uma faquinha no tijolo da sua porta, para escamar o peixe; enquanto os gatos, aqueles mesmos que perseguiam o sardinheiro, vinham, um a um, chegando-se todos só com o ruído da afiação do ferro.

Ao lado direito da casinha da mulata, no número 8, a das Dores preparava-se também para receber nesse dia o seu amigo e dispunha-se a fazer uma limpeza geral nas paredes, nos tetos, no chão e nos móveis, antes de meter-se na cozinha. Descalça, com a saia levantada até ao joelho, uma toalha na cabeça, os braços arregaçados, viam-na passar de carreira, de casa para a bica e da bica outra vez para casa, carregando pesados baldes cheios de água. E daí a pouco apareciam ajudantes gratuitos para os arranjos do jantar, tanto do lado da das Dores, como do lado da Rita Baiana. O Albino encarregou-se de varrer e arrumar a casa desta, entretanto que a mulata ia para o fogão preparar os seus quitutes do Norte. E veio a Florinda, e veio a Leocádia, e veio a Augusta, impacientes todas elas pelo pagode que havia de sair à noite, depois do jantar. Pombinha não apareceu durante o dia, porque estava muito ocupada, aviando a correspondência dos trabalhadores e das lavadeiras: serviço este que ela deixava para os domingos.

Numa pequena mesa, coberta por um pedaço de chita, com o tinteiro ao lado da caixinha de papel, a menina escrevia, enquanto o dono ou dona da carta ditava em voz alta o que queria mandar dizer à família ou algum mau devedor de roupa lavada. E ia lançando tudo no papel, apenas com algumas ligeiras modificações, para melhor, no modo de exprimir a ideia. Pronta uma carta, sobrescritava-a, entregava-a ao dono e chamava por outro, ficando a sós com um de cada vez, pois que nenhum deles queria dar o seu recado em presença de mais ninguém senão de Pombinha. De sorte que a pobre rapariga ia acumulando no seu coração de donzela toda a súmula daquelas paixões e daqueles ressentimentos, às vezes mais fétidos do que a evaporação de um lameiro em dias de grande calor.

— Escreva lá, Nhã Pombinha! — disse junto dela um cavouqueiro, coçando a cabeça — mas faça letra grande, que é pra mulher entender! Diga-lhe que não lhe mando desta feita o dinheiro que me pediu, porque agora não o tenho e estou muito acossado de apertos; mas que lho prometo pro mês. Ela que se vá arranjando por lá, que eu cá sabe Deus como me coço; e que, se o Luís, o irmão, resolver de vir, que mo mande dizer com tempo, para ver se se lhe dá furo à vida por aqui; que isto de vir sem inda ter p'ronde, é fraco negócio, porque as coisas por cá não correm lá para que digamos!

E depois que a Pombinha escreveu, acrescentou:

— Que eu tenho sentido muito a sua falta dela; mas também sou o mesmo e não me meto em porcarias e relaxamentos; e que tenciono mandar buscá-la, logo que Deus me ajude, e a Virgem! Que ela não tem de que se arreliar por mor do dinheiro não ir desta; que, como lá diz o outro: quando não há el-rei o perde! Ah! (ia esquecendo!) quanto à Libânia, é tirar daí o juízo! Que a Libânia se atirou aos cães e faz hoje má vida na rua de São Jorge; que se esqueça dela por vez e perca o amor às duas coroas que lhe emprestou!

E a menina escrevia tudo, tudo, apenas interrompendo o seu trabalho para fitar, com a mão no queixo, o cavouqueiro, à espera de nova frase.

7

E assim ia correndo o domingo no cortiço até as três da tarde, horas em que chegou mestre Firmo, acompanhado pelo seu amigo Porfiro, trazendo aquele o violão e o outro o cavaquinho.

Firmo, o atual amante de Rita Baiana, era um mulato pachola, delgado de corpo e ágil como um cabrito; capadócio de marca, pernóstico, só de maçadas, e todo ele se quebrando nos seus movimentos de capoeira. Teria seus trinta e tantos anos, mas não parecia ter mais de vinte e poucos. Pernas e braços finos, pescoço estreito, porém forte; não tinha músculos, tinha nervos. A respeito de barba, nada mais que um bigodinho crespo, petulante, onde reluzia cheirosa a brilhantina do barbeiro; grande cabeleira encaracolada, negra, e bem negra, dividida ao meio da cabeça, escondendo parte da testa e estufando em grande gaforina por debaixo da aba do chapéu de palha, que ele punha de banda, derreado sobre a orelha esquerda.

Vestia, como de costume, um paletó de lustrina preta já bastante usado, calças apertadas nos joelhos, mas tão largas na bainha que lhe engoliam os pezinhos secos e ligeiros. Não trazia gravata, nem colete, sim uma camisa de chita nova e ao pescoço, resguardando o colarinho, um lenço alvo e perfumado; à boca um enorme charuto de dois vinténs e na mão um grosso porrete de Petrópolis, que nunca sossegava, tantas voltas lhe dava ele a um tempo por entre os dedos magros e nervosos.

Era oficial de torneiro, oficial perito e vadio; ganhava uma semana para gastar num dia; às vezes, porém, os dados ou a roleta multiplicavam-lhe o dinheiro, e então, ele fazia como naqueles últimos três meses: afogava-se numa boa pândega com a Rita Baiana. A Rita ou outra. "O que não faltava por aí eram saias para ajudar um homem a cuspir o cobre na boca do diabo!" Nascera no Rio de Janeiro, na corte; militara dos doze aos vinte anos em diversas maltas de capoeiras; chegara a decidir eleições nos tempos do voto indireto. Deixou nome em várias freguesias e mereceu abraços, presentes e palavras de gratidão de alguns importantes chefes de partido. Chamava a isso a sua época de paixão política; mas depois desgostou-se com o sistema de governo e renunciou às lutas eleitorais, pois não conseguira nunca o lugar de contínuo numa repartição pública — o seu ideal! — Setenta mil-réis mensais: trabalho das nove às três.

Aquela amigação com a Rita Baiana era uma coisa muito complicada e vinha de longe; vinha do tempo em que ela ainda estava chegadinha de fresco da Bahia, em companhia da mãe, uma cafuza dura, capaz de arrancar as tripas ao Manduca da Praia. A cafuza morreu, e o Firmo tomou conta da mulata; mas pouco depois se separaram por ciúmes, o que aliás não impediu que se tornassem a unir mais tarde, e que de novo brigassem e de novo se procurassem. Ele tinha "paixa" pela Rita, e ela, apesar de volúvel como toda mestiça, não podia esquecê-lo por uma vez; metia-se com outros, é certo, de quando em quando, e o Firmo então pintava o caneco, dava por paus e por pedras, enchia-a de bofetadas, mas, afinal, ia procurá-la, ou ela a ele, e ferravam-se de novo, cada vez mais ardentes, como se aquelas turras constantes reforçassem o combustível dos seus amores.

O amigo que Firmo trazia aquele domingo em sua companhia, o Porfiro, era mais velho do que ele e mais escuro. Tinha o cabelo encarapinhado. Tipógrafo. Afinavam-se muito os dois tipos com as suas calças de boca larga e com os seus chapéus ao lado; mas o Porfiro tinha outra linha: não dispensava a sua gravata de cor saltando em laço frouxo sobre o peito da camisa; fazia questão da sua bengalinha com cabeça de prata e da sua piteira de âmbar e espuma, em que ele equilibrava um cigarro de palha.

Desde a entrada dos dois, a casa de Rita esquentou. Ambos tiraram os paletós e mandaram vir parati, "a abrideira para muqueca Baiana". E não tardou que se ouvisse gemer o cavaquinho e o violão.

Ao lado chegava também o homem da das Dores, com um companheiro, do comércio; vinham vestidos de fraque e chapéu alto. A Machona, Neném e o Agostinho, já de volta do seu passeio à cidade, lá estavam ajudando. Ficariam para o rega-bofe.

Um rumor quente, de dia de festa, ia-se formando naquele ponto da estalagem.

Tanto numa casa, como na outra, o jantar seria às cinco horas. Rita "botou" vestido branco, de cambraia, encanudado a ferro. Leocádia, Augusta, o Bruno, o Alexandre e o Albino jantariam com ela no número 9; e no número 8, com a das Dores, ficariam, além dos parentes desta, Dona Isabel, Pombinha, Marciana e Florinda.

Jerônimo e sua mulher foram convidados para ambas as mesas, mas não aceitaram o convite para nenhuma, dispostos a passar a tarde ao lado um do outro, tranquilamente, como sempre, comendo em boa paz o seu cozido à moda da terra e bebendo o seu quartilho de verde pela mesma infusa.

Entretanto, os dois jantares vizinhos principiaram ruidosos logo desde a sopa e assanharam-se progressivamente.

Meia hora depois vinha das duas casas uma algazarra infernal. Falavam e riam todos ao mesmo tempo; tilintavam os talheres e os copos. Cá de fora sentia-se perfeitamente o prazer que aquela gente punha em comer e beber à farta, com a boca cheia, os beiços envernizados de molho gordo. Alguns cães rosnavam à porta, roendo os ossos que traziam lá de dentro. De vez em quando, da janela de uma das casas aparecia uma das moradoras, chamando a vizinha, para entregar um prato cheio, permutando as duas entre si os quitutes e as petisqueiras em que eram mais peritas.

— Olha! — gritava a das Dores para o número 9, — diz à Rita que prove deste zorô, pra ver que tal o acha, e que o vatapá estava muito gostoso! Se ela tem pimentas, que me mande algumas!

Do meio para o fim do jantar o barulho em ambas as casas era medonho. No número 8 berravam-se brindes e cantos desafinados. O português amigo da das Dores, já desengravatado e com os braços à mostra, vermelho, lustroso de suor, intumescido de vinho virgem e leitão de forno, repotreava-se na sua cadeira, a rir forte, sem calar a boca, com a camisa a espipar-lhe pela braguilha aberta. O sujeito que a acompanhara fazia fosquinhas a Neném, protegido no seu namoro por toda a roda, desde a respeitável Machona até o endemoninhado Agostinho, que não ficava quieto um instante, nem deixava sossegar a mãe, gritando um contra o outro como dois possessos. Florinda, sempre muito risonha e esperta, divertia-se a valer e, de vez em quando, levantava-se da mesa, para ir de carreira levar lá fora ao número 12 um prato de comida à sua velha que, à ultima hora, vindo-lhe o aborrecimento, resolvera não ir ao jantar. À sobremesa o esfogueado amigo da dona da casa exigiu que a amante se lhe assentasse nas coxas e dava-lhe beijos em presença de toda a companhia, o que fez com que Dona Isabel, impaciente por afastar a filha daquele inferno, declarasse que sentia muito calor e que ia lá para a porta esperar mais à fresca o café.

Em casa de Rita Baiana a animação era inda maior. Firmo e Porfiro faziam o diabo, cantando, tocando bestialógicos, arremedando a fala dos pretos cassanges. Aquele não largava a cintura da mulata e só bebia no mesmo copo com ela; o outro divertia-se a perseguir o Albino, galanteando-o afetadamente, para fazer rir à sociedade. O lavadeiro indignava-se, dava o cavaco. Leocádia, a quem o vinho produzira delírios de hilaridade, torcia-se em gargalhadas, tão fortes e sacudidas que desconjuntavam a cadeira em que ela estava; e, muito lubrificada pela bebedeira, punha os pesados pés sobre os de Porfiro, roçando as pernas contra as dele e deixando-se apalpar pelo capadócio. O Bruno, defronte dela, rubro e suado como se estivesse a trabalhar na forja, falava e gesticulava sem se levantar, praguejando ninguém sabia contra quem. O Alexandre, à paisana, assentado ao lado da mulher, conservava quase toda a sua seriedade e pedia que não fizessem tanto barulho porque podiam ouvir da rua. E notou, em voz misteriosa, que o Miranda tinha vindo já espiar por várias vezes da janela do sobrado.

— Que espie as vezes que quiser! — bradou a Rita. — Pois então a gente não é senhora de estar um domingo em casa a seu gosto e com os amigos que entender?... Que vá pro diabo que o lixe! Eu não como nem bebo do que é dele!

Os dois mulatos e o Bruno também eram da mesma opinião. “Pois então! Desde que se não ofendia, nem prejudicava a safardana nenhum com aquele divertimento, não havia de que falar!”

— E que não entiquem muito — ameaçou o Firmo — que comigo é nove! E o trunfo é paus!

O Porfiro exclamou:

— Se se incomodam com a gente... Os incomodados são os que se mudam! Ora pistolas!

— O domingo fez-se pra gozar!... — resmungou o Bruno, deixando cair a cabeça nos braços cruzados sobre a mesa.

Mas ergueu-se logo, cambaleando, e acrescentou, despindo o braço direito até o ombro:

— Eles que se façam finos, que os racho!

O Alexandre procurou acalmá-lo, dando-lhe um charuto.

Em uma outra casinha do cortiço acabava de estalar uma nova sobremesa, engrossando o barulho geral: era o jantar de um grupo de italianos mascates, onde o Delporto, o Pompeo, o Francesco e o Andréa representavam as principais figuras. Todos eles cantavam em coro, mais afinados que nas outras duas casas; quase, porém, que se lhes não podia ouvir as vozes, tantas e tão estrondosas eram as pragas que soltavam ao mesmo tempo. De quando em quando, de entre o grosso e macho vozear dos homens, esguichava um falsete feminino, tão estridente que provocava réplica aos papagaios e aos perus da vizinhança. E, daqui e dali, iam rebentando novas algazarras em grupos formados cá e lá pela estalagem. Havia nos operários e nos trabalhadores decidida disposição para pandegar, para aproveitar bem, até ao fim, aquele dia de folga. A casa de pasto fermentava revolucionada, como um estômago de bêbedo depois de grande bródio, e arrotava sobre o pátio uma baforada quente e ruidosa que entontecia.

O Miranda apareceu furioso à janela, com o seu tipo de comendador, a barriga empinada para a frente, de paletó branco, um guardanapo ao pescoço e um trinchante empunhado na destra, como uma espada.

— Vão gritar pra o inferno, com um milhão de raios! — berrou ele, ameaçando para baixo. — Isto também já é demais! Se não se calam, vou daqui direito chamar a polícia! Súcia de brutos!

Com os berros do Miranda muita gente chegou à porta de casa, e o coro de gargalhadas, que ninguém podia conter naquele momento de alegria, ainda mais o pôs fora de si.

— Ah, canalhas! O que eu devia fazer era atirar-lhes daqui, como a cães danados!

Uma vaia uníssona ecoou em todo o pátio da estalagem, enquanto em volta do negociante surgiam várias pessoas, puxando-o para dentro de casa.

— Que é isso, Miranda! Então! Estás agora a dar palha?...

— O que eles querem é que encordoes!...

— Saia daí, papai!

— Olhe alguma pedrada, esta gente é capaz de tudo!

E via-se de relance Dona Estela, com a sua palidez de flor meia fanada, e Zulmira, lívida, um ar de fastio a fazê-la feia, e o Henriquinho, cada vez mais bonito, e o velho Botelho, indiferente, a olhar para toda esta porcaria do mundo com o profundo desprezo dos que já não esperam nada dos outros, nem de si próprios.

— Canalhas! — repisava o Miranda.

O Alexandre, que fora de carreira enfiar a sua farda, apresentou-se então e disse ao negociante que não era prudente atirar insultos cá pra baixo. Ninguém o tinha provocado! Se os moradores da estalagem jantavam em companhia de amigos, lá em cima o Miranda também estava comendo com os seus convidados! Era mau insultar, porque palavra puxa palavra, e, em caso de ter de depor na polícia, ele Alexandre, deporia a favor de quem tivesse razão!...

— Fomente-se! — respondeu o negociante, voltando-lhe as costas.

— Já se viu chumbregas mais atrevido?! — exclamou Firmo, que até aí estivera calado, à porta da Rita, com as mãos nas cadeiras, a fitar provocadoramente o Miranda.

E gritando mais alto, para ser bem ouvido:

— Facilita muito, meu boi manso, que te escorvo os galhos na primeira ocasião!

O Miranda foi arrancado com violência da janela, e esta fechada logo em seguida com estrondo.

— Deixa lá esse labrego! — resmungou Porfiro, tomando o amigo pelo braço e fazendo-o recolher-se à casa da mulata. — Vamos ao café, é o que é, antes que esfrie!

Defronte da porta de Rita tinham vindo postar-se diversos moradores do cortiço, jornaleiros de baixo salário, pobre gente miserável, que mal podia matar a fome com o que ganhava. Ainda assim não havia entre eles um só triste. A mulata convidou-os logo a comer um bocado e beber um trago. A proposta foi aceita alegremente.

E a casa dela nunca se esvaziava.

Anoitecia já.

O velho Libório, que jamais ninguém sabia ao certo onde almoçava ou jantava, surgiu do seu buraco, que nem jabuti quando vê chuva.

Um tipão, o velho Libório! Ocupava o pior canto do cortiço e andava sempre a fariscar os sobejos alheios, filando aqui, filando ali, pedindo a um e a outro, como um mendigo, chorando misérias eternamente, apanhando pontas de cigarro para fumar no cachimbo, cachimbo que o sumítico roubara de um pobre cego decrépito. Na estalagem diziam todavia que Libório tinha dinheiro aferrolhado, contra o que ele protestava ressentido, jurando a sua extrema penúria. E era tão feroz o demônio naquela fome de cão sem dono, que as mães recomendavam às suas crianças todo o cuidado com ele, porque o diabo do velho, quando via algum pequeno desacompanhado, punha-se logo a rondá-lo, a cercá-lo de festas e a fazer-lhe ratices para o engabelar, até conseguir furtar-lhe o doce ou o vintenzinho que o pobrezito trazia fechado na mão.

Rita fê-lo entrar e deu-lhe de comer e de beber; mas sob condição de que o esfomeado não se socasse demais, para não rebentar ali mesmo.

Se queria estourar, fosse estourar para longe!

Ele pôs-se logo a devorar, sofregamente, olhando inquieto para os lados, como se temesse que alguém lhe roubasse a comida da boca. Engolia sem mastigar, empurrando os bocados com os dedos, agarrando-se ao prato e escondendo nas algibeiras o que não podia de uma só vez meter para dentro do corpo.

Causava terror aquela sua implacável mandíbula, assanhada e devoradora; aquele enorme queixo, ávido, ossudo e sem um dente, que parecia ir engolir tudo, tudo, principiando pela própria cara, desde a imensa batata vermelha e grelada, que ameaçava já entrar-lhe na boca, até as duas bochechinhas engelhadas, os olhos, as orelhas, a cabeça inteira, inclusive a sua grande calva, lisa como um queijo e guarnecida em redor por uns pelos puídos e ralos como farripas de coco.

Firmo propôs embebedá-lo, só para ver a sorte que ele daria. O Alexandre e a mulher opuseram-se, mas rindo muito; nem se podia deixar de rir, apesar do espanto, vendo aquele resto de gente, aquele esqueleto velho, coberto por uma pele seca, a devorar, a devorar sem tréguas, como se quisesse fazer provisão para uma outra vida.

De repente, um pedaço de carne, grande demais para ser ingerido de uma vez, engasgou-o seriamente. Libório começou a tossir, aflito, com os olhos sumidos, a cara tingida de uma vermelhidão apoplética. A Leocádia, que era quem lhe ficava mais perto, soltou-lhe um murro nas costas.

O glutão arremessou sobre a toalha da mesa o bocado de carne já meio triturado.

Foi um nojo geral.

— Porco! — gritou Rita, arredando-se.

— Pois se o bruto quer socar tudo ao mesmo tempo! — disse Porfiro. — Parece que nunca viu comida, este animal!

E notando que ele continuava ainda mais sôfrego por ter perdido um instante:

— Espera um pouco, lobo! Que diabo! A comida não foge! Há muito aí com que te fartares por uma vez! Com efeito!

— Beba água, tio Libório! — aconselhou Augusta.

E, boa, foi buscar um copo d'água e levou-lho à boca.

O velho bebeu, sem despregar os olhos do prato.

— Arre diabo! — resmungou Porfiro, cuspindo para o lado. — Este é mesmo capaz de comer-nos a todos nós, sem achar espinhas!

Albino, esse, coitado! é que não comia quase nada, e o pouco que conseguia meter no estômago fazia-lhe mal. Rita, para bolir com ele, disse que semelhante fastio era gravidez com certeza.

— Você já começa, hein?... — balbuciou o pobre moço, esgueirando-se com a sua xícara de café.

— Olha, cuidado! — gritou-lhe a mulata. — Pouco café, que faz mal ao leite, e a criança pode sair trigueira!

O Albino voltou-se para dizer muito sério à Rita que não gostava dessas brincadeiras.

Alexandre, que havia acendido um charuto, depois de oferecer outros, galantemente, aos companheiros, arriscou, para também fazer a sua pilhéria, que o sonso do Albino fora pilhado às voltas com a Bruxa no capinzal dos fundos da estalagem, debaixo das mangueiras.

Só a Leocádia achou graça nisto e riu a bandeiras despregadas. Albino declarou, quase chorando, que ele não mexia com pessoa alguma, e que ninguém, por conseguinte, devia mexer com ele.

— Mas afinal — perguntou Porfiro — é mesmo exato que este pamonha não conhece mulher?...

— Ele é quem pode responder! — acudiu a mulata. — E esta história vai ficar hoje liquidada! Vamos lá, ó Albino! Confessa-nos tudo, ou mal te terás de haver com a gente!

— Se soubesse que era para isto que me chamaram não tinha vindo cá, sabe? — gaguejou o lavadeiro, amuado. — Eu não sirvo de palito!

E ter-se-ia retirado chorando, se a Rita não lhe cortasse a saída, dizendo como se falasse a uma criatura do seu sexo, mais fraca do que ela:

— Ora, não sejas tolo! Deixa-te ficar aí! Se deres o cavaco é pior!

Albino limpou as lágrimas e foi sentar-se de novo.

Entretanto, a noite fechava-se, refrescando a tarde com o sudoeste. Bruno roncava no lugar em que tinha jantado. A Leocádia passara livremente a perna para cima da de Porfiro, que a abraçava, bebendo parati aos cálices.

Mas o Firmo lembrou que seria melhor irem lá para fora; e todos, menos o Bruno, dispuseram-se a deixar a sala, enquanto o velho Libório pedia a Alexandre um cigarro para despejar no cachimbo. Servido, o filante desapareceu logo, correndo ao faro de outros jantares. Rita, Augusta e Albino ficaram lavando a louça e arrumando a casa.

Lá fora o coro dos italianos se prolongava numa cadência monótona e arrastada, em que havia muito peso de embriaguez. Junto à porta de várias casas faziam-se grupos de pessoas assentadas em cadeiras ou no chão; mas a roda da Rita Baiana era a maior; porque fora engrossada pelos convivas da das Dores. O fumo dos cachimbos e dos charutos elevava-se de toda a parte. Decrescera o ruído geral; fazia-se a digestão; já ninguém discutia e todos conversavam.

Acendeu-se o lampião do pátio. Iluminaram-se diversas janelas das casinhas.

Agora, no sobrado do Miranda é que era o maior barulho. Saía de lá uma terrível gritaria de hipes e hurras, virgulada pelo desarrolhar de garrafas de champanha.

— Como eles atacam!... — observou Alexandre, já de novo sem farda.

— E, no entanto, reprovam que a gente coma o que é seu com um pouco mais de alegria! — comentou a Rita. — Uma súcia!

Falou-se então largamente a respeito da família do Miranda, principalmente de Dona Estela e do Henrique. A Leocádia afiançou que numa ocasião, espiando por cima do muro, trepada num montão de garrafas vazias que havia no pátio do cortiço, vira a sirigaita com a cara agarrada à do estudante, aos beijos e aos abraços, que era obra; e assim que os dois deram fé que ela os espreitava, deitaram a fugir que nem cães apedrejados.

A Augusta Carne-Mole benzeu-se, com uma invocação à Virgem Santíssima, e o companheiro do amigo da das Dores, que insistia no seu namoro com a Neném, mostrou-se muito admirado com a notícia, "supunha Dona Estela um modelo de seriedade".

— Qual! — negou Alexandre. — Isso por aí é tudo uma pouca-vergonha, que faz descrer um homem de si mesmo. Eu também já vi de uma feita bem boas coisas pela sombra dela na parede; mas não era com o estudante, era com um sujeito que lá ia às vezes, um barbado, careca e comido de bexigas. E a pequena vai pelo mesmo conseguinte...

Esta novidade produziu grande surpresa no grupo inteiro. Quiseram os pormenores, e o Alexandre não se fez de rogado: o namoro da Zulmira era com um rapazola magro, de lunetas, bigode louro, bem vestido, que lhe rondava a casa à noite e às vezes de madrugada. Parecia estudante!

— O que eles têm feito? — inquiriu a das Dores.

— Por enquanto a coisa não passa de namorico da janela para a rua. Conversam sempre naquela última do lado de lá de fora. Já os tenho apreciado quando estou de serviço. Ele fala muito em casamento, e a pequena o quer; mas, pelo jeito, o velho é que lhe corta as asas.

— Ele não tem entrada na casa?

— Não! Pois isso é que eu acho feio...! Se ele quer casar com a menina, devia entender-se com a família e não estar agora daqui debaixo a fazer-lhe fosquinhas!

— Sim! — intrometeu-se o Firmo — mas não vê que aquele mesmo, o Miranda, vai dar a filha a um estudante! Guarda-a para um dos seus... Quem sabe até se o bruto não tem já de olho por aí algum cafezista pé-de-boi!... Eu sei o que é essa gente!

— Por isso é que se vê tanta porcaria por esse mundo de Cristo! — disse a Augusta. — Filha minha só se casará com quem ela bem quiser; que isto de casamentos empurrados à força acabam sempre desgraçando tanto a mulher como o homem! Meu marido é pobre e é de cor, mas eu sou feliz, porque casei por meu gosto!

— Ora! Mais vale um gosto que quatro vinténs!

Nisto começou a gemer à porta do 35 uma guitarra; era de Jerônimo. Depois da ruidosa alegria e do bom humor, em que palpitara aquela tarde toda a república do cortiço, ela parecia ainda mais triste e mais saudosa do que nunca:

Minha vida tem desgostos,
Que só eu sei compreender...
Quando me lembro da terra
Parece que vou morrer...

E, com o exemplo da primeira, novas guitarras foram acordando. E, por fim, a monótona cantiga dos portugueses enchia de uma alma desconsolada o vasto arraial da estalagem, contrastando com a barulhenta alacridade que vinha lá de cima, do sobrado do Miranda.

Terra minha, que te adoro,
Quando é que eu te torno a ver?
Leva-me deste desterro;
Basta já de padecer.

Abatidos pelo fadinho harmonioso e nostálgico dos desterrados, iam todos, até mesmo os brasileiros, se concentrando e caindo em tristeza; mas, de repente, o cavaquinho do Porfiro, acompanhado pelo violão do Firmo, rompeu vibrantemente com um chorado baiano. Nada mais que os primeiros acordes da música crioula para que o sangue de toda aquela gente despertasse logo, como se alguém lhe fustigasse o corpo com urtigas bravas. E seguiram-se outras notas, e outras, cada vez mais ardentes e mais delirantes. Já não eram dois instrumentos que soavam, eram lúbricos gemidos e suspiros soltos em torrente, a correrem serpenteando, como cobras numa floresta incendiada; eram ais convulsos, chorados em frenesi de amor; música feita de beijos e soluços gostosos; carícia de fera, carícia de doer, fazendo estalar de gozo.

E aquela música de fogo doudejava no ar como um aroma quente de plantas brasileiras, em torno das quais se nutrem, girando, moscardos sensuais e besouros venenosos, freneticamente, bêbedos do delicioso perfume que os mata de volúpia.

E à viva crepitação da música baiana calaram-se as melancólicas toadas dos de além-mar. Assim à refulgente luz dos trópicos amortece a fresca e doce claridade dos céus da Europa, como se o próprio sol americano, vermelho e esbraseado, viesse, na sua luxúria de sultão, beber a lágrima medrosa da decaída rainha dos mares velhos.

Jerônimo alheou-se de sua guitarra e ficou com as mãos esquecidas sobre as cordas, todo atento para aquela música estranha, que vinha dentro dele continuar uma revolução começada desde a primeira vez em que lhe bateu em cheio no rosto, como uma bofetada de desafio, a luz deste sol orgulhoso e selvagem, e lhe cantou no ouvido o estribilho da primeira cigarra, e lhe acidulou a garganta o suco da primeira fruta provada nestas terras de brasa, e lhe entonteceu a alma o aroma do primeiro bogari, e lhe transtornou o sangue o cheiro animal da primeira mulher, da primeira mestiça, que junto dele sacudiu as saias e os cabelos.

— Que tens tu, Jeromo?... — perguntou-lhe a companheira, estranhando-o.

— Espera — respondeu ele, em voz baixa — deixa ouvir!

Firmo principiava a cantar o chorado, seguido por um acompanhamento de palmas.

Jerônimo levantou-se, quase que maquinalmente, e seguido por Piedade, aproximou-se da grande roda que se formara em torno dos dois mulatos. Aí, de queixo grudado às costas das mãos contra uma cerca de jardim, permaneceu, sem tugir nem mugir, entregue de corpo e alma àquela cantiga sedutora e voluptuosa que o enleava e tolhia, como à robusta gameleira brava o cipó flexível, carinhoso e traiçoeiro.

E viu a Rita Baiana, que fora trocar o vestido por uma saia, surgir de ombros e braços nus, para dançar. A lua destoldara-se nesse momento, envolvendo-a na sua coma de prata, a cujo refulgir os meneios da mestiça melhor se acentuavam, cheios de uma graça irresistível, simples, primitiva, feita toda de pecado, toda de paraíso, com muito de serpente e muito de mulher.

Ela saltou em meio da roda, com os braços na cintura, rebolando as ilhargas e bamboleando a cabeça, ora para a esquerda, ora para a direita, como numa sofreguidão de gozo carnal num requebrado luxurioso que a punha ofegante; já correndo de barriga empinada; já recuando de braços estendidos, a tremer toda, como se se fosse afundando num prazer grosso que nem azeite em que se não toma pé e nunca se encontra fundo. Depois, como se voltasse à vida, soltava um gemido prolongado, estalando os dedos no ar e vergando as pernas, descendo, subindo, sem nunca parar com os quadris, e em seguida sapateava, miúdo e cerrado freneticamente, erguendo e abaixando os braços, que dobrava, ora um, ora outro, sobre a nuca, enquanto a carne lhe fervia toda, fibra por fibra titilando.

Em torno o entusiasmo tocava ao delírio; um grito de aplausos explodia de vez em quando rubro e quente como deve ser um grito saído do sangue. E as palmas insistiam cadentes, certas, num ritmo nervoso, numa persistência de loucura. E, arrastado por ela, pulou à arena o Firmo, ágil, de borracha, a fazer coisas fantásticas com as pernas, a derreter-se todo, a sumir-se no chão, a ressurgir inteiro com um pulo, os pés no espaço batendo os calcanhares, os braços a querer fugirem-lhe dos ombros, a cabeça a querer saltar-lhe. E depois, surgiu também a Florinda, e logo o Albino e até, quem diria, o grave e circunspecto Alexandre.

O chorado arrastava-os a todos, despoticamente, desesperando aos que não sabiam dançar. Mas, ninguém como a Rita; só ela, só aquele demônio, tinha o mágico segredo daqueles movimentos de cobra amaldiçoada; aqueles requebros que não podiam ser sem o cheiro que a mulata soltava de si e sem aquela voz doce, quebrada, harmoniosa, arrogante, meiga e suplicante.

E Jerônimo via e escutava, sentindo ir-se-lhe toda a alma pelos olhos enamorados.

Naquela mulata estava o grande mistério, a síntese das impressões que ele recebeu chegando aqui: ela era a luz ardente do meio-dia; ela era o calor vermelho das sestas da fazenda; era o aroma quente dos trevos e das baunilhas, que o atordoara nas matas brasileiras; era a palmeira virginal e esquiva que se não torce a nenhuma outra planta; era o veneno e era o açúcar gostoso; era o sapoti mais doce que o mel e era a castanha do caju, que abre feridas com o seu azeite de fogo; ela era a cobra verde e traiçoeira, a lagarta viscosa, a muriçoca doida, que esvoaçava havia muito tempo em torno do corpo dele, assanhando-lhe os desejos, acordando-lhe as fibras embambecidas pela saudade da terra, picando-lhe as artérias, para lhe cuspir dentro do sangue uma centelha daquele amor setentrional, uma nota daquela música feita de gemidos de prazer, uma larva daquela nuvem de cantáridas que zumbiam em torno da Rita Baiana e espalhavam-se pelo ar numa fosforescência afrodisíaca.

Isto era o que Jerônimo sentia, mas o que o tonto não podia conceber. De todas as impressões daquele resto de domingo só lhe ficou no espírito o entorpecimento de uma desconhecida embriaguez, não de vinho, mas de mel chuchurreado no cálice de flores americanas, dessas muito alvas, cheirosas e úmidas, que ele na fazenda via debruçadas confidencialmente sobre os limosos pântanos sombrios, onde as oiticicas trescalam um aroma que entristece de saudade.

E deixava-se ficar, olhando. Outras raparigas dançaram, mas o português só via a mulata, mesmo quando, prostrada, fora cair nos braços do amigo. Piedade, a cabecear de sono, chamara-o várias vezes para se recolherem; ele respondeu com um resmungo e não deu pela retirada da mulher.

Passaram-se horas, e ele também não deu pelas horas que fugiram.

O círculo do pagode aumentou: vieram de lá defronte a Isaura e a Leonor, o João Romão e a Bertoleza, desembaraçados da sua faina, quiseram dar fé da patuscada um instante antes de caírem na cama; a família do Miranda pusera-se à janela, divertindo-se com a gentalha da estalagem; reunira povo lá fora na rua; mas Jerônimo nada vira de tudo isso; nada vira senão uma coisa, que lhe persistia no espírito: a mulata ofegante a resvalar voluptuosamente nos braços do Firmo.

Só deu por si, quando, já pela madrugada, se calaram de todo os instrumentos e cada um dos folgadores se recolheu à casa.

E viu a Rita levada para o quarto pelo seu homem, que a arrastava pela cintura.

Jerônimo ficou sozinho no meio da estalagem. A lua, agora inteiramente livre das nuvens que a perseguiam, lá ia caminhando em silêncio na sua viagem misteriosa. As janelas do Miranda fecharam-se. A pedreira, ao longe, por detrás da última parede do cortiço, erguia-se como um monstro iluminado na sua paz. Uma quietação densa pairava já sobre tudo; só se distinguiam o bruxulear dos pirilampos na sombra das hortas e dos jardins, e os murmúrios das árvores que sonhavam.

Mas Jerônimo nada mais sentia, nem ouvia, do que aquela música embalsamada de baunilha, que lhe entontecera a alma; e compreendeu perfeitamente que dentro dele aqueles cabelos crespos, brilhantes e cheirosos, da mulata, principiavam a formar um ninho de cobras negras e venenosas, que lhe iam devorar o coração.

E, erguendo a cabeça, notou no mesmo céu, que ele nunca vira senão depois de sete horas de sono, que era já quase ocasião de entrar para o seu serviço, e resolveu não dormir, porque valia a pena esperar de pé.

8

No dia seguinte, Jerônimo largou o trabalho à hora de almoçar e, em vez de comer lá mesmo na pedreira com os companheiros, foi para casa. Mal tocou no que a mulher lhe apresentou à mesa e meteu-se logo depois na cama, ordenando-lhe que fosse ter com João Romão e lhe dissesse que ele estava incomodado e ficava de descanso aquele dia.

— Que tens tu, Jeromo?...

— Morrinhento, filha... Vai, anda!

— Mas sentes-te mal?...

— Ó mulher! Vai fazer o que te disse e ao depois então darás à língua!

— Valha-me a Virgem! Não sei se haverá chá preto na venda!

E ela saiu, aflita. Qualquer novidade no marido, por menor que fosse, punha-a doida. "Pois um homem rijo, que nunca caía doente? Seria a febre amarela?... Jesus, Santo Filho de Maria, que nem pensar nisso era bom! Credo!"

A notícia espalhou-se logo ali entre as lavadeiras.

— Foi da friage da noite — afirmou a Bruxa, e deu um pulo à casa do trabalhador para receitar.

O doente repeliu-a, pedindo-lhe que o deixasse em paz; que ele do que precisava era de dormir. Mas não o conseguiu: atrás da Bruxa correu a segunda mulher, e a terceira, e a quarta; e, afinal, fez-se durante muito tempo em sua casa um entrar e sair de saias. Jerônimo perdeu a paciência e ia protestar brutalmente contra semelhante invasão, quando, pelo cheiro, sentiu que a Rita se aproximava também.

— Ah!

E desfranziu-se-lhe o rosto.

— Bons dias! Então que é isso, vizinho? Você caiu doente com a minha chegada? Se tal soubera não vinha!

Ele riu-se. E era a primeira vez que ria desde a véspera.

A mulata aproximou-se da cama.

Como principiara a trabalhar esse dia, tinha as saias apanhadas na cintura e os braços completamente nus e frios da lavagem. O seu casaquinho branco abria-lhe no pescoço, mostrando parte do peito cor de canela.

Jerônimo apertou-lhe a mão.

— Gostei de vê-la ontem dançar! — disse, muito mais animado.

— Já tomou algum remédio?...

— A mulher falou aí em chá preto...

— Chá! Que asneira! Chá é água morna! Isso que você tem é uma resfriagem. Vou-lhe fazer uma xícara de café bem forte para você beber com um gole de parati, e me dirá se sua ou não, e fica depois fino e pronto para outra! Espere aí!

E saiu logo, deixando todo quarto impregnado dela.

Jerônimo, só com respirar aquele almíscar, parecia melhor. Quando Piedade tornou, pesada, triste, resmungando consigo mesma, ele sentiu que principiava a enfará-lo; e, quando a infeliz se aproximou do marido, este, fora do costume, notou-lhe o cheiro azedo do corpo. Voltou-lhe então o mal-estar e desapareceu o último vestígio do sorriso que ele tivera havia pouco.

— Mas que sentes tu, Jeromo?... Fala homem! Não me dizes nada! Assim m'assustas... Que tens, diz'-lo!

— Não cozas o chá. Vou tomar outra coisa...

— Não queres o chá? Mas é o remédio, filhinho de Deus!

— Já te disse que tomo outra mezinha. Oh!

Piedade não insistiu.

— Queres tu um escalda-pés?...

— Toma-lo tu!

Ela calou-se. Ia a dizer que nunca o vira assim tão áspero e seco, mas receou importuná-lo. "Era naturalmente a moléstia que o punha rezinguento."

Jerônimo fechara os olhos, para a não ver, e ter-se-ia, se pudesse, fechado por dentro, para a não sentir. Ela, porém, coitada! fora assentar-se à beira da cama, humilde e solícita, a suspirar, vivendo naquele instante, pura e exclusivamente, para o seu homem, fazendo-se muito escrava dele, sem vontade própria, acompanhando-lhe os menores gestos com o olhar, inquieta, que nem um cão que, ao lado do dono, procura adivinhar-lhe as intenções.

— 'Stá bem, filha, não vais tratar do teu serviço?...

— Não te dê isso cuidado! Não parou o trabalho! Pedi à Leocádia que me esfregasse a roupa. Ela hoje tinha pouco que fazer e....

— Andaste mal...

— Ora! Não há três dias que fiz outro tanto por ela... E demais, não foi que tivesse o homem doente, era a calaçaria do capinzal!

— Bom, bom, filha! Não digas mal da vida alheia! Melhor seria que estivesses à tua tina em vez de ficar aí a murmurar do próximo... Anda! Vai tomar conta das tuas obrigações.

— Mas estou-te a dizer que não há transtorno!...

— Transtorno já é estar eu parado; e o pior será pararem os dois!

— Eu queria ficar a teu lado, Jeromo!

— E eu acho que isso é tolice! Vai! Anda!

Ela ia-se retirar, como um animal enxotado, quando deu com a Rita, que entrava muito ligeira e sacudida, trazendo na mão a fumegante palangana de café com parati e no ombro um cobertor grosso para dar um suadouro ao doente.

— Ah! — fez Piedade, sem encontrar uma palavra para a mulata.

E deixou-se ficar.

Rita, despreocupadamente, alegre e benfazeja como sempre, pousou a vasilha sobre a cômoda do oratório e abriu o cobertor.

— Isso é que o vai pôr fino! — disse. Vocês também, seus portugueses, por qualquer coisinha ficam logo pra morrer, com uma cara da última hora! E ai, ai, Jesus, meu Deus! Ora esperte-se! Não me seja maricas!

Ele riu-se assentando-se na cama.

— Pois não é assim mesmo? — perguntou ela à Piedade, apontando para o carão barbado de Jerônimo. Olhe só pr'aquela cara e diga-me se não está a pedir que o enterrem!

A portuguesa não dizia nada, sorria contrafeita, no íntimo, ressentida contra aquela invasão de uma estranha nos cuidados pelo seu homem. Não era a inteligência nem a razão o que lhe apontava o perigo, mas o instinto, o faro sutil e desconfiado de toda a fêmea pelas outras, quando sente o seu ninho exposto.

— Está-me a parecer que agora te achas melhor, hein?... — desembuchou afinal, procurando o olhar do marido, sem conseguir disfarçar de todo o seu descontentamento.

— Só com o cheiro! — reforçou a mulata, apresentando o café ao doente. — Beba, ande! Beba tudo e abafe-se! Quero, quando voltar logo, encontrá-lo pronto, ouviu? — E acrescentou, falando à Piedade, em tom mais baixo e pousando-lhe a mão no ombro carnudo: — Ele daqui a nada deve estar ensopado de suor; mude-lhe toda a roupa e dê-lhe dois dedos de parati, logo que peça água. Cuidado com o vento!

E saiu expedita, agitando as saias, de onde se evolavam eflúvios de manjerona.

Piedade chegou-se então para o cavouqueiro, que já tinha sobre as pernas o cobertor oferecido pela Rita, e, ajudando-o a levar a tigela à boca, resmungou:

— Deus queira que isto não te vá fazer mal em vez de bem!... Nunca tomas café, nem gostas!...

— Isto não é por gosto, filha, é remédio!

Ele com efeito nunca entrara com o café e ainda menos com a cachaça; mas engoliu de uma assentada o conteúdo da tigela, puxando em seguida o cobertor até às ventas.

A mulher tratou de abafar-lhe bem os pés e foi buscar um xale para lhe cobrir a cabeça.

— Trata de sossegar! Não te mexas!

E dispôs-se a ficar junto da cama, a vigiá-lo, só andando na ponta dos pés, abafando a respiração, correndo a cada instante à porta de casa para pedir que não fizessem tanta bulha lá fora; toda ela desassossegada, numa aflição quase supersticiosa por aquele incômodo de seu homem. Mas Jerônimo não levou muito que a não chamasse para lhe mudar a roupa. O suor inundava-o.

— Ainda bem! — exclamou ela, radiante.

E, depois de fechar hermeticamente a porta do quarto e meter um punhado de roupa suja numa fresta que havia numa das paredes, sacou-lhe fora a camisa molhada, enfiando-lhe logo outra pela cabeça; em seguida tirou-lhe as ceroulas e começou, munida de uma toalha, a enxugar-lhe todo o corpo, principiando pelas costas, passando depois ao peito e aos sovacos, descendo logo às nádegas, ao ventre e às pernas, e esfregando sempre com tamanho vigor de pulso, que era antes uma massagem que lhe dava; e tanto assim que o sangue do cavouqueiro se revolucionou.

E a mulher, a rir-se, lisonjeada, ralhava:

— Tem juízo! Acomoda-te! Não vês que estás doente?...

Ele não insistiu. Agasalhou-se de novo e pediu água. Piedade foi buscar o parati.

— Bebe isto, não bebas a água agora.

— Isto é cachaça!

— Foi a Rita que disse para te dar...

Jerônimo não precisou de mais nada para beber de um trago os dois dedos de restilo que havia no copo.

Sóbrio como era, e depois daquele dispêndio de suor, o álcool produziu-lhe logo de pronto o efeito voluptuoso e agradável da embriaguez nos que não são bêbados: um delicioso desfalecer de todo o corpo; alguma coisa do longo espreguiçamento que antecede à satisfação dos sexos, quando a mulher, tendo feito esperar por ela algum tempo, aproxima-se afinal de nós, numa avidez gulosa de beijos. Agora, no conforto da sua cama, na doce penumbra do quarto, com a roupa fresca sobre a pele, Jerônimo sentia-se bem, feliz por ver-se longe da pedreira ardente e do sol cáustico; ouvindo, de olhos fechados, o rom-rom monótono da máquina de massas, arfando ao longe, e o zum-zum das lavadeiras a trabalharem, e, mais distante, um interminável cantar de galos à porfia, enquanto um dobre de sinos rolava no ar, tristemente, anunciando um defunto da paróquia.

Quando Piedade chegou lá fora, dando parte do bom resultado do remédio, a Rita correu de novo ao quarto do doente.

— Então, que me diz agora? Sente-se ou não melhorzinho?

Ele voltou para a rapariga o seu olhar de animal prostrado e, por única resposta, passou-lhe o braço esquerdo na cintura e procurou com a mão direita segurar a dela. Queria com isto traduzir o seu reconhecimento, e a mulata assim o entendeu, tanto que consentiu: mal, porém, a sua carne lhe tocou na carne, um desejo ardente apossou-se dele; uma vontade desensofrida de senhorear-se no mesmo instante daquela mulher e possuí-la inteira, devorá-la num só hausto de luxúria, trincá-la como um caju.

Rita, ao sentir-se empolgar pelo cavouqueiro, escapou-lhe das garras com um pulo.

— Olhe que peste! Faça-se de tolo, que digo à sua mulher, hein? Ora vamos lá!

Mas, como a Piedade entrava na salinha ao lado, disfarçou logo, acrescentando noutro tom:

— Agora é tratar de dormir e mudar de roupa, se suar outra vez. Até logo!

E saiu.

Jerônimo ouviu as suas últimas palavras já de olhos fechados e, quando Piedade entrou no quarto, parecia sucumbido de fraqueza. A lavadeira aproximou-se da cama do marido em ponta de pés, puxou-lhe o lençol mais para cima do peito e afastou-se de novo, abafando os passos. À porta da entrada a Augusta, que fora fazer uma visita ao enfermo, perguntou-lhe por este com um gesto interrogativo; Piedade respondeu sem falar, pondo a mão no rosto e vergando desse lado a cabeça, para exprimir que ele agora estava dormindo.

As duas saíram para falar à vontade; mas, nessa ocasião, lá fora no pátio da estalagem, acabava de armar-se um escândalo medonho. Era o caso que o Henriquinho da casa do Miranda ficava às vezes à janela do sobrado, nas horas de preguiça, entre o almoço e o jantar, entretido a ver Leocádia lavar, seguindo-lhe os movimentos uniformes do grosso quadril e o tremular das redondas tetas à larga dentro do cabeção de chita. E, quando a pilhava sozinha, fazia-lhe sinais brejeiros, piscava-lhe o olho, batendo com a mão direita aberta sobre a mão esquerda fechada. Ela respondia, indicando com o polegar o interior do sobrado, como se dissesse que fosse procurar a mulher do dono da casa.

Naquele dia, porém, o estudante apareceu à janela, trazendo nos braços um coelhinho todo branco, que ele na véspera arrematara num leilão de festa. Leocádia cobiçou o bichinho e, correndo para o depósito de garrafas vazias, que ficava por debaixo do sobrado, pediu com muito empenho ao Henrique que lho desse. Este, sempre com seu sistema de conversar por mímica, declarou com um gesto qual era a condição da dádiva.

Ela meneou a cabeça afirmativamente, e ele fez-lhe sinal de que o esperasse por detrás do cortiço, no capinzal dos fundos.

A família do Miranda havia saído. Henrique, mesmo com a roupa de andar em casa e sem chapéu, desceu à rua, ganhou um terreno que existia à esquerda do sobrado e, com o seu coelho debaixo do braço, atirou-se para o capinzal. Leocádia esperava por ele debaixo das mangueiras.

— Aqui não! — disse ela, logo que o viu chegar. — Aqui agora podem dar com a gente!...

— Então onde?

— Vem cá!

E tomou à sua direita, andando ligeira e meio vergada por entre as plantas. Henrique seguiu-a no mesmo passo, sempre com o coelho sobraçado. O calor fazia-o suar e esfogueava-lhe as faces. Ouvia-se o martelar dos ferreiros e dos trabalhadores da pedreira.

Depois de alguns minutos, ela parou num lugar plantado de bambus e bananeiras, onde havia o resto de um telheiro em ruínas.

— Aqui!

E Leocádia olhou para os lados, assegurando-se de que estavam a sós. Henrique, sem largar o coelho, atirou-se sobre ela, que o conteve:

— Espera! Preciso tirar a saia; está encharcada!

— Não faz mal! — segredou ele, impaciente no seu desejo.

— Pode-me vir um corrimento!

E sacou fora a saia de lã grossa, deixando ver duas pernas, que a camisa a custo só cobria até o joelho, grossas, maciças, de uma brancura levemente rósea e toda marcada de mordeduras de pulgas e mosquitos.

— Avia-te! Anda! — apressou ela, lançando-se de costas ao chão e arregaçando a fralda até a cintura, as coxas abertas.

O estudante atirou-se, sôfrego, sentindo-lhe a frescura da sua carne de lavadeira, mas sem largar as pernas do coelho.

Passou-se um instante de silêncio entre os dois, em que as folhas secas do chão rangeram e farfalharam.

— Olha! — pediu ela — faz-me um filho, que eu preciso alugar-me de ama-de-leite... Agora estão pagando muito bem as amas! A Augusta Carne-Mole, nesta última barriga, tomou conta de um pequeno aí na casa de uma família de tratamento, que lhe dava setenta mil-réis por mês!... E muito bom passadio!... Sua garrafa de vinho todos os dias!... Se me arranjares um filho dou-te outra vez o coelho!

E o pobre brutinho, cujas pernas o estudante não largava, começou a queixar-se dos repelões que recebia cada vez mais acelerados.

— Olha que matas o bichinho! — reclamou a lavadeira. — Não batas assim com ele! Mas não o soltes, hein!

Ia dizer ainda alguma coisa, mas acudiu-lhe o espasmo, e ela fechou os olhos e pôs-se a dar com a cabeça de um lado para o outro, rilhando os dentes.

Nisto, passos rápidos fizeram-se sentir galgando as plantas, na direção em que os dois estavam; e Henrique, antes de ser visto, lobrigou a certa distância a insociável figura do Bruno.

Não lhe deu tempo a que se aproximasse; de um galgo saltou por detrás das bananeiras e desapareceu por entre o matagal de bambus, tão rápido como o coelho que, vendo-se livre, ganhara pela outra banda o caminho do capinzal.

Quando o ferreiro, logo em seguida, chegou perto da mulher, esta ainda não tinha acabado de vestir a saia molhada.

— Com quem te esfregavas tu, sua vaca?! — bradou ele, a botar os bofes pela boca.

E, antes que ela respondesse, já uma formidável punhada a fazia rolar por terra.

Leocádia abriu num berreiro. E foi debaixo de uma chuva de bofetadas e pontapés que acabou de amarrar a roupa.

— Agora eu vi! Sabes! Nega se fores capaz!

— Vá à pata que o pôs! — exclamou ela, com a cara que era um tomate. — Já lhe disse que não quero saber de você pra nada, seu bêbedo!

E, vendo que ele ia recomeçar a dança, abaixou-se depressa, segurou com ambas as mãos um matacão de granito que encontrou a seus pés, e gritou, erguendo-o sobre a cabeça:

— Chega-te pra cá e verás se te abro aqui mesmo ou não o casco!

O ferreiro compreendeu que ela era capaz de fazer o que dizia e estacou lívido e ofegante.

— Arme a trouxa e rua! Sabe?

— Olha a desgraça! Tinha de muito assentado de ir! Queria era uma ocasião! Nem preciso de você pra nada, fique sabendo!

E, para meter-lhe mais raiva, acrescentou, empinando a barriga:

— Já cá está dentro com que hei de ganhar a vida! Alugo-me de ama! Ou pensará que todos são como você, que nem para fazer um filho serve, diabo do sem-préstimo?

— Mas não me hás de levar nada de casa! Isso te juro eu, biraia!

— Ah, descanse! Que não levarei nada do que é seu, nem preciso!

— Põe essa pedra no chão!

— Um corno! Eu arrumo-ta na cabeça se te chegas pra cá!

— Sim, sim, sim, contanto que te musques por uma vez!

— Pois então despache o beco!

Ele virou-lhe as costas e tornou lentamente por onde viera, de cabeça pendida, as mãos nas algibeiras das calças, aparentando agora um soberano desprezo pelo que se passava.

Só então foi que ela se lembrou do coelho.

— Ora gaitas! — disse, endireitando-se e tomando direção contrária à do marido.

Este fora aí direito ao cortiço narrar, a quem quisesse ouvir, o que se acabava de dar. O escândalo assanhou a estalagem inteira, como um jato de água quente sobre um formigueiro. "Ora, aquilo tinha de acontecer mais hoje mais amanhã! — Um belo dia a casa vinha abaixo! — A Leocádia parecia não desejar senão isso mesmo!" Mas ninguém atinava com quem diabo pilhara o Bruno a mulher no capinzal. Fizeram-se mil hipóteses; lembrando-se nomes e nomes, sem se chegar a nenhum resultado satisfatório. O Albino tentou logo arranjar a reconciliação do casal, jurando que o Bruno estava enganado com certeza e que vira mal. "Leocádia era uma excelente rapariga, incapaz de tamanha safadagem!" O ferreiro tapou-lhe a boca com uma bolacha, e ninguém mais se meteu a congraçá-los.

Entretanto o Bruno entrara em casa e lançava para a janela cá para fora tudo o que ia encontrando pertencente à mulher. Uma cadeira fez-se pedaços contra as pedras, depois veio um candeeiro de querosene, uma trouxa de roupas, saias e casaquinhos de chita, caixas de chapéus cheias de trapos, uma gaiola de pássaro, uma chaleira; e tudo era arremessado com fúria ao meio da área, entre o silêncio comovido dos que assistiam ao despejo. Um chim, que entrara para vender camarões e parara distraído perto da janela do ferreiro, levou na cabeça com uma bilha da Bahia e berrava como criança que acaba de ser esbordoada. A Machona, que não podia ouvir ninguém gritar mais alto do que ela, caiu-lhe em cima aos murros e o pôs fora do portão com tremenda descompostura. "Era o que faltava que viesse também aquele salamaleque do inferno para azoinar uma criatura mais do que já estava!" Dona Isabel, com as mãos cruzadas sobre o ventre, tinha para aquela destruição um profundo olhar de lástima. Augusta meneava a cabeça tristemente, sem conceber como havia mulheres que procuravam homem, tendo um que lhes pertencia. A Bruxa, indiferente, não interrompera sequer o seu trabalho; ao passo que a das Dores, de mãos nas cadeiras, a saia pelo meio das canelas, um cigarro no canto da boca, encarava desdenhosa a sanha daquele marido tão brutal como o dela o fora.

— Sempre os mesmos pedaços d'asno!... — comentava franzindo o nariz. — Se a tola da mulher só lhes procura agradar e fazer-lhes o gosto, ficam enjoados, e, se ela não toma a sério a borracheira do casamento, dão por paus e por pedras, como esta besta! Uma súcia, todos eles!

Florinda ria, como de tudo, e a velha Marciana queixava-se de que lhe respingaram querosene na roupa estendida ao sol. Nessa ocasião, justamente, um saco de café, cheio de borra, deu duas voltas no ar e espalhou o seu conteúdo, pintalgando de pontos negros os coradouros. Fez-se logo um alarido entre as lavadeiras. "Aquilo não tinha jeito, que diabo! Armavam lá as suas turras, e os outros é que haviam de aturar?!... Sebo! Que os mais não estavam dispostos a suportar as fúrias de cada um! Quem parira Mateus que o embalasse! Se agora, todas as vezes que a Leocádia se fosse espojar no capinzal, o bruto do marido tinha de sujar daquele modo o trabalho da gente, ninguém mais poderia ganhar ali a sua vida! Que espiga!" Pombinha chegara à porta do número 15, dando fé no barulho, com uma costura na mão, e Neném, toda afogueada do ferro de engomar, perguntava, com um frouxo riso, se o Bruno ia reformar a mobília da casa. A Rita fingia não ligar importância ao fato e continuava a lavar à sua tina. "Não faziam tanta festa ao tal casamento? Pois que aguentassem!

Ela estava bem livre de sofrer uma daquelas!" O velho Libório chegara-se para ver se, no meio da confusão, apanhava alguma coisa do despejo, e a Machona, notando que o Agostinho fazia o mesmo, berrou-lhe do lugar em que se achava:

— Sai daí, safado! Toca lá no quer que seja, que te arranco a pele do rabo!

Um irmão do santíssimo entrara na estalagem, com a sua capa encarnada, a sua vara de prata em uma das mãos, na outra a salva do dinheiro, e parara em meio do pátio, suplicando muito fanhoso: "Uma esmola para a cera do Sacramento!" As mulheres abandonaram por um instante as tinas e foram beijar devotamente a columbina imagem do Espírito Santo. Pingaram na salva moedinhas de vintém.

Todavia, o Bruno acabava de despejar o que era da mulher e saía de novo de casa, dando uma volta feroz à fechadura. Atravessou por entre o murmurante grupo dos curiosos que permanecia defronte da sua porta, mudo, com a cara fechada, jogando os braços, como quem, apesar de ter feito muito, não satisfizera ainda completamente a sua cólera.

Leocádia apareceu pouco depois e, vendo por terra tudo que era seu, partido e inutilizado, apoderou-se de fúria e avançou sobre a porta, que o marido acabava de fechar, arremetendo com as nádegas contra as duas folhas, que cederam logo, indo ela cair lá dentro de barriga para cima.

Mas ergueu-se, sem fazer caso das risadas que rebentaram cá fora e, escancarando a janela com arremesso, começou por sua vez a arrasar e a destruir tudo que ainda encontrara em casa.

Então principiou a verdadeira devastação. E a cada objeto que ela varria para o pátio, gritava sempre: "Upa! Toma, diabo!"

— Aí vai o relógio! Upa! Toma, diabo!

E o relógio espatifou-se na calçada.

— Aí vai o alguidar!

— Aí vai o jarro!

— Aí vão os copos!

— O cabide!

— O garrafão!

— O bacio!

Um riso geral, comunicativo, absoluto, abafava o barulho da louça quebrando-se contra as pedras. E Leocádia já não precisava acompanhar os objetos com a sua frase de imprecação, porque cada um deles era recebido cá fora com um coro que berrava:

— Upa! Toma, diabo!

E a limpeza prosseguia. João Romão acudiu de carreira, mas ninguém se incomodou com a presença dele. Já defronte da porta do Bruno havia uma montanha de cacos acumulados; e o destroço continuava ainda, quando o ferreiro reapareceu, vermelho como malagueta, e foi galgando a casa, com um raio de roda de carro na mão direita.

Os circunstantes o seguiram, atropeladamente, num clamor.

— Não dá!

— Não pode!

— Prende!

— Não deixa bater!

— Larga o pau!

— Segura!

— Aguenta!

— Cerca!

— Toma o porrete!

E Leocádia escapou afinal das pauladas do marido, a quem o povaréu desarmara num fecha-fecha.

— Ordem! Ordem! Vá de rumor! — exclamava o vendeiro, a quem, aproveitando a confusão, haviam já ferrado um pontapé por detrás.

O Alexandre, que vinha chegando do serviço nesse momento, apressou-se a correr para o lugar do conflito e cheio de autoridade intimou o Bruno a que se contivesse e deixasse a mulher em paz, sob pena de seguir para a estação no mesmo instante.

— Pois você não vê esta galinha, que apanhei hoje com a boca na botija, não me vem ainda por cima dar cabo de tudo?!... — interrogou o Bruno, espumando de raiva e quase sem fôlego para falar.

— Porque você pôs em cacos o que é meu! — gritou Leocádia.

— Está bom ! Está bom! — disse o polícia, procurando dar à voz inflexões autoritárias e reconciliadoras. — Fale cada um por sua vez! Seu marido... — acrescentou ele, voltando-se para a acusada — diz que a senhora...

— É mentira! — interrompeu ela.

— Mentira?! É boa! Tinhas a saia despida, e um homem por cima!

— Quem era? — Quem foi? — Quem era o homem? — interrogaram todos a um só tempo.

— Quem era ele, no fim de contas? — inquiriu também Alexandre.

— Não lhe pude ver as fuças!... — respondeu o ferreiro — mas, se o apanho, arrancava-lhe o sangue pelas costas!

Houve um coro de gargalhadas.

— É mentira! — repetiu Leocádia, agora sucumbida por uma reação de lágrimas. — Há muito tempo que este malvado anda caçando pretexto para romper comigo e, como eu não lho dou...

Uma explosão de soluços a interrompeu.

Desta vez não riram, mas um bichanar de cochichos formou-se em torno do seu pranto.

— Agora... — continuou ela, enxugando os olhos na costa da mão — não sei o que será de mim, porque este homem, além de tudo, escangalhou-me até o que eu trouxe quando me casei com ele!...

— Não disseste que já tinhas aí dentro com que ganhar a vida?... É andar!

— É falso! — soluçou Leocádia.

— Bem — interveio Alexandre, embainhando o seu refle — está tudo terminado! Seu marido vai recebê-la em boa paz...

— Eu? — esfuziou o ferreiro. — Você não me conhece!

— Nem eu queria! — retorquiu a mulher. — Prefiro meter-me com um cavalo de tílburi a ter de aturar este bruto!

E, catando em casa alguma coisa sua que ainda havia, e recolhendo do montão dos cacos o que lhe pareceu aproveitável, fez de tudo uma grande trouxa e foi chamar um carregador.

A Rita saiu-lhe ao encontro.

— Para onde vais tu?... — perguntou-lhe em voz baixa.

— Não sei, filha, por aí!... Hei de encontrar um furo!... Os cães não vivem?...

— Espere um instante... — disse a mulata. — Olha, empurra a trouxa aí para dentro do meu cômodo. — E correndo ao Albino, que lavava: — Passa-me no sabão aquela roupa, ouviste? E, quando Firmo acordar, diz-lhe que precisei ir à rua.

Depois, deu um pulo ao quarto, mudou a saia molhada, atirou nos ombros o seu xale de crochê e, batendo nas costas da companheira, segredou-lhe:

— Anda cá comigo! Não ficarás à toa!

E as duas saíram, ambas sacudidas, deixando atrás de si suspensa a curiosidade do cortiço inteiro.

9

Passaram-se semanas. Jerônimo tomava agora, todas as manhãs, uma xícara de café bem grosso, à moda da Ritinha e tragava dois dedos de parati "pra cortar a friagem".

Uma transformação, lenta e profunda, operava-se nele, dia a dia, hora a hora, reviscerando-lhe o corpo e alando-lhe os sentidos, num trabalho misterioso e surdo de crisálida. A sua energia afrouxava lentamente: fazia-se contemplativo e amoroso. A vida americana e a natureza do Brasil patenteavam-lhe agora aspectos imprevistos e sedutores que o comoviam; esquecia-se dos seus primitivos sonhos de ambição, para idealizar felicidades novas, picantes e violentas; tornava-se liberal, imprevidente e franco, mais amigo de gastar que de guardar; adquiria desejos, tomava gosto aos prazeres, e volvia-se preguiçoso resignando-se, vencido, às imposições do sol e do calor, muralha de fogo com que o espírito eternamente revoltado do último tamoio entrincheirou a pátria contra os conquistadores aventureiros.

E assim, pouco a pouco, se foram reformando todos os seus hábitos singelos de aldeão português: e Jerônimo abrasileirou-se. A sua casa perdeu aquele ar sombrio e concentrado que a entristecia; já apareciam por lá alguns companheiros de estalagem, para dar dois dedos de palestra nas horas de descanso, e aos domingos reunia-se gente para o jantar. A revolução afinal foi completa: a aguardente de cana substituiu o vinho; a farinha de mandioca sucedeu à broa; a carne-seca e o feijão-preto ao bacalhau com batatas e cebolas cozidas; a pimenta-malagueta e a pimenta-de-cheiro invadiram vitoriosamente a sua mesa; o caldo verde, a açorda e o caldo de unto foram repelidos pelos ruivos e gostosos quitutes baianos, pela muqueca, pelo vatapá e pelo caruru; a couve à mineira destronou a couve à portuguesa; o pirão de fubá ao pão de rala, e, desde que o café encheu a casa com o seu aroma quente, Jerônimo principiou a achar graça no cheiro do fumo e não tardou a fumar também com os amigos.

E o curioso é que, quanto mais ia ele caindo nos usos e costumes brasileiros, tanto mais os seus sentidos se apuravam, posto que em detrimento das suas forças físicas. Tinha agora o ouvido menos grosseiro para a música, compreendia até as intenções poéticas dos sertanejos, quando cantam à viola os seus amores infelizes; seus olhos, dantes só voltados para a esperança de tornar à terra, agora, como os olhos de um marujo, que se habituaram aos largos horizontes de céu e mar, já se não revoltavam com a turbulenta luz, selvagem e alegre, do Brasil, e abriam-se amplamente defronte dos maravilhosos despenhadeiros ilimitados e das cordilheiras sem fim, donde, de espaço a espaço, surge um monarca gigante, que o sol veste de ouro e ricas pedrarias refulgentes, e as nuvens tocam de alvos turbantes de cambraia, num luxo oriental de arábicos príncipes voluptuosos.

Ao passo que com a mulher, a S'ora Piedade de Jesus, o caso mudava muito de figura. Essa, feita de um só bloco, compacta, inteiriça e tapada, recebia a influência do meio só por fora, na maneira de viver, conservando-se inalterável quanto ao moral, sem conseguir, à semelhança do esposo, afinar a sua alma pela alma da nova pátria que adotaram. Cedia passivamente nos hábitos de existência, mas no íntimo continuava a ser a mesma colona saudosa e desconsolada, tão fiel às suas tradições como a seu marido. Agora estava até mais triste; triste porque o Jerônimo fazia-se outro; triste porque não se passava um dia que lhe não notasse uma nova transformação; triste, porque chegava a estranhá-lo, a desconhecê-lo, afigurando-se-lhe até que cometia um adultério, quando à noite acordava assustada ao lado daquele homem que não parecia o dela, aquele homem que se lavava todos os dias, aquele homem que aos domingos punha perfumes na barba e nos cabelos e tinha a boca cheirando a fumo. Que pesado desgosto não lhe apertou o coração a primeira vez em que o cavouqueiro, repelindo o caldo que ela lhe apresentava ao jantar, disse-lhe:

— Ó filha! Por que não experimentas tu fazer uns pitéus à moda de cá?...

— Mas é que não sei... — balbuciou a pobre mulher.

— Pede então à Rita que to ensine... Aquilo não terá muito que aprender! Vê se me fazes por arranjar uns camarões, como ela preparou aqueles doutro dia. Souberam-me tão bem!

Este resvalamento do Jerônimo para as coisas do Brasil penalizava profundamente a infeliz criatura. Era ainda o instinto feminil que lhe fazia prever que o marido, quando estivesse de todo brasileiro, não a queria para mais nada e havia de reformar a cama, assim como reformou a mesa.

Jerônimo, com efeito, pertencia-lhe muito menos agora do que dantes. Mal se chegava para ela; os seus carinhos eram frios e distraídos, dados como por condescendência; já lhe não afagava os rins, quando os dois ficavam a sós, malucando na sua vida comum; agora nunca era ele que a procurava para o matrimônio, nunca; se ela sentia necessidade do marido, tinha de provocá-lo. E, uma noite, Piedade ficou com o coração ainda mais apertado, porque ele, a pretexto de que no quarto fazia muito calor, abandonou a cama e foi deitar-se no sofá da salinha. Desde esse dia não dormiram mais ao lado um do outro. O cavouqueiro arranjou uma rede e armou-a defronte da porta de entrada, tal qual como havia em casa da Rita.

Uma outra noite a coisa ainda foi pior. Piedade, certa de que o marido não se chegava, foi ter com ele; Jerônimo fingiu-se indisposto, negou-se, e terminou por dizer-lhe, repelindo-a brandamente:

— Não te queria falar, mas... sabes? Deves tomar banho todos os dias e... mudar de roupa... Isto aqui não é como lá! Isto aqui sua-se muito! É preciso trazer o corpo sempre lavado, que ao senão, cheira-se mal!... Tem paciência!

Ela desatou a soluçar. Foi uma explosão de ressentimentos e desgostos que se tinham acumulado no seu coração. Todas as suas mágoas rebentaram naquele momento.

— Agora estás tu a chorar! Ora, filha, deixa-te disso!

Ela continuou a soluçar, sem fôlego, dando arfadas com todo o corpo.

O cavouqueiro acrescentou no fim de um intervalo:

— Então que é isto, mulher? Pões-te agora a fazer tamanho escarcéu, nem que se cuidasse de coisa séria!

Piedade desabafou:

— É que já não me queres! Já não és o mesmo homem para mim! Dantes não me achavas que pôr, e agora até já te cheiro mal!

E os soluços recrudesciam.

— Não digas asnices, filha!

— Ah! eu bem sei o que isto é!...

— É bobagem tua, é o que é!

— Maldita hora em que viemos dar ao raio desta estalagem! Antes me tivera caído um calhau na cabeça!

— Estás a queixar-te da sorte sem razão! Que Deus te não castigue.

Esta rezinga chamou outras que, com o correr do tempo, se foram amiudando. Ah! já não havia dúvida que mestre Jerônimo andava meio caído para o lado da Rita Baiana; não passava pelo número 9, sempre que vinha à estalagem durante o dia, que não parasse à porta um instante, para perguntar-lhe pela "saudinha". O fato de haver a mulata lhe oferecido o remédio, quando ele esteve incomodado, foi pretexto para lhe fazer presentes amáveis; pôr os seus préstimos à disposição dela e obsequiá-la em extremo todas as vezes que a visitava. Tinha sempre qualquer coisa para saber da sua boca, a respeito da Leocádia, por exemplo; pois, desde que a Rita se arvorara em protetora da mulher do ferreiro, Jerônimo afetava grande interesse pela "pobrezinha de Cristo".

— Fez bem, nhá Rita, fez bem!... A se'ora mostrou com isso que tem bom coração...

— Ah, meu amigo, neste mundo hoje por mim, amanhã por ti!...

Rita havia aboletado a amiga, a princípio em casa de umas engomadeiras do Catete, muito suas camaradas, depois passou-a para uma família, a quem Leocádia se alugou como ama-seca; e agora sabia que ela acabava de descobrir um bom arranjo num colégio de meninas.

— Muito bem! Muito bem! — aplaudia Jerônimo.

— Ora, o quê! O mundo é largo! — sentenciou a Baiana. — Há lugar pro gordo e há lugar pro magro! Bem tolo é quem se mata!

Em uma das vezes em que o cavouqueiro perguntou-lhe, como de costume, pela pobrezinha de Cristo, a mulata disse que Leocádia estava grávida.

— Grávida? Mas então não é do marido!...

— Pode bem ser que sim. Barriga de quatro meses...

— Ah! Mas ela não foi há mais tempo do que isso?...

— Não. Vai fazer agora pelo São João quatro meses justamente.

Jerônimo já nunca pegava na guitarra senão para procurar acertar com as modinhas que a Rita cantava. Em noites de samba era o primeiro a chegar-se e o último a ir embora; e durante o pagode ficava de queixo bambo, a ver dançar a mulata, abstrato, pateta, esquecido de tudo; babão. E ela, consciente do feitiço que lhe punha, ainda mais se requebrava e remexia, dando-lhe embigadas ou fingindo que lhe limpava a baba no queixo com a barra da saia.

E riam-se.

Não! Definitivamente estava caído!

Piedade agarrou-se com a Bruxa para lhe arranjar um remédio que lhe restituísse o seu homem. A cabocla velha fechou-se com ela no quarto, acendeu velas de cera, queimou ervas aromáticas e tirou sorte nas cartas.

E depois de um jogo complicado de reis, valetes e damas, que ela dispunha sobre a mesa caprichosamente, a resmungar a cada figura que saía do baralho uma frase cabalística, declarou convicta, muito calma, sem tirar os olhos das suas cartas:

— Ele tem a cabeça virada por uma mulher trigueira.

— É o diacho da Rita Baiana! — exclamou a outra. — Bem cá me palpitava por dentro! Ai, o meu rico homem!

E a chorar, limpando, aflita, as lágrimas no avental de cânhamo, suplicou à Bruxa, pelas alminhas do purgatório, que lhe remediasse tamanha desgraça.

— Ai, se perco aquela criatura, S'ora Paula — lamuriou a infeliz entre soluços — nem sei que virá a ser de mim neste mundo de Cristo!... Ensine-me alguma coisa que me puxe o Jeromo!

A cabocla disse-lhe que se banhasse todos os dias e desse a beber ao seu homem, no café pela manhã, algumas gotas das águas da lavagem; e, se no fim de algum tempo, este regime não produzisse o desejado efeito, então cortasse um pouco dos cabelos do corpo, torrasse-os até os reduzir a pó e lhos ministrasse depois na comida.

Piedade ouviu a receita com um silêncio respeitoso e atento, o ar compungido de quem recebe do médico uma sentença dolorosa para um doente que estimamos. Em seguida, meteu na mão da feiticeira uma moeda de prata, prometendo dar-lhe coisa melhor se o remédio tivesse bons resultados.

Mas não era só a portuguesa quem se mordia com o descaimento do Jerônimo para a mulata, era também o Firmo. Havia muito já que este andava com a pulga atrás da orelha e, quando passava perto do cavouqueiro, olhava-o atravessado.

O capadócio ia dormir todas as noites com a Rita, mas não morava na estalagem; tinha o seu cômodo na oficina em que trabalhava. Só pelos domingos é que ficavam juntos durante o dia e então não relaxavam o seu jantar de pândega. Uma vez em que ele gazeara o serviço, o que não era raro, foi vê-la fora das horas do costume e encontrou-a a conversar junto à tina com o português. Passou sem dizer palavra e recolheu-se ao número 9, onde ela foi logo ter de carreira. Firmo não lhe disse nada a respeito das suas apreensões, mas também não escondeu o seu mau humor; esteve impertinente e rezingueiro toda a tarde. Jantou de cara amarrada e durante o parati, depois do café, só falou em rolos, em dar cabeçadas e navalhadas, pintando-se terrível, recordando façanhas de capoeiragem, nas quais sangrara tais e tais tipos de fama; "não contando dois galegos que mandara pras minhocas, porque isso para ele não era gente! — Com um par de cocadas boas ficavam de pés unidos para sempre!" Rita percebeu os ciúmes do amigo e fez que não dera por coisa alguma.

No dia seguinte, às seis horas da manhã, quando ele saía da casa dela, encontrou-se com o português, que ia para o trabalho, e o olhar que os dois trocaram entre si era já um cartel de desafio. Entretanto, cada qual seguiu em silêncio para o seu lado.

Rita deliberou prevenir Jerônimo de que se acautelasse. Conhecia bem o amante e sabia de quanto era ele capaz sob a influência dos ciúmes; mas, na ocasião em que o cavouqueiro desceu para almoçar, um novo escândalo acabava de explodir, agora no número 12, entre a velha Marciana e sua filha Florinda.

Marciana andava já desconfiada com a pequena, porque o fluxo mensal desta se desregrara havia três meses, quando, nesse dia, não tendo as duas acabado ainda o almoço, Florinda se levantou da mesa e foi de carreira para o quarto. A velha seguiu-a. A rapariga fora vomitar ao bacio.

— Que é isto?... — perguntou-lhe a mãe, apalpando-a toda com um olhar inquiridor.

— Não sei, mamãe...

— Que sentes tu?...

— Nada...

— Nada, e estás lançando?... hein?!

— Não sinto nada, não, senhora!...

A mulata velha aproximou-se, desatou-lhe violentamente o vestido, levantou-lhe as saias e examinou-lhe todo o corpo, tateando-lhe o ventre, já zangada. Sem obter nenhum resultado das suas diligências, correu a chamar a Bruxa, que era mais que entendida no assunto. A cabocla, sem se alterar, largou o serviço, enxugou os braços no avental, e foi ao número 12; tenteou de novo a mulatinha, fez-lhe várias perguntas e mais à mãe, e depois disse friamente:

— Está de barriga.

E afastou-se, sem um gesto de surpresa, nem de censura.

Marciana, trêmula de raiva, fechou a porta da casa, guardou a chave no seio e, furiosa, caiu aos murros em cima da filha. Esta, embalde tentando escapar-lhe, berrava como uma louca.

Abandonaram-se logo todas as tinas do pátio e algumas das mesas do frege, e o populacho, curioso e alvoroçado, precipitou-se para o número 12, batendo na porta e ameaçando entrar pela janela.

Lá dentro, a velha escarranchada sobre a rapariga que se debatia no chão, perguntava-lhe gritando e repetindo:

— Quem foi?! Quem foi?!

E de cada vez desfechava-lhe um sopapo pelas ventas.

— Quem foi?!

A pequena berrava, mas não respondia.

— Ah! Não queres dizer por bem? Ora espera!

E a velha ergueu-se para apanhar a vassoura no canto da sala.

Florinda, vendo iminente o cacete, levantou-se de um pulo, ganhou a janela e caiu de um salto lá fora, entre o povo amotinado. Coisa de uns nove palmos de altura.

As lavadeiras a apanharam, cuidando em defendê-la da mãe, que surgiu logo à porta, ameaçando para o grupo, terrível e armada de pau.

Todos procuraram chamá-la à razão:

— Então que é isso, tia Marciana?! Então que é isso?!

— Que é isto?! É que esta assanhada está de barriga! Está aí o que é! Para tanto não lhe faltou jeito nem foi preciso que a gente andasse atrás dela se matando, como sucede sempre que há um pouco mais de serviço e é necessário puxar pelo corpo! Ora está aí o que é!

— Bem — disse a Augusta — mas não lhe bata agora, coitada! Assim você lhe dá cabo da pele!

— Não! Eu quero saber quem lhe encheu o bandulho! E ela há de dizer quem foi ou quebro-lhe os ossos!

— Então, Florinda, diz logo quem foi... É melhor! — aconselhou a das Dores.

Fez-se em torno da rapariga um silêncio ávido, cheio de curiosidade.

— Estão vendo?... — exclamou a mãe. — Não responde, este diabo! Mas esperem, que eu lhes mostro se ela fala, ou não!

E as lavadeiras tiveram de agarrar-lhe os braços e tirar-lhe o cacete, porque a velha queria crescer de novo para a filha.

Ao redor desta a curiosidade assanhava-se cada vez mais. Estalavam todos por saber quem a tinha emprenhado. "Quem foi?! Quem foi?!" esta frase apertava-a num torniquete. Afinal, não houve outro remédio:

— Foi seu Domingos... — disse ela, chorando e cobrindo o rosto com a fralda do vestido, rasgado na luta.

— O Domingos!...

— O caixeiro da venda!...

— Ah! Foi aquele cara de nabo? — gritou Marciana. — Vem cá!

E, agarrando a filha pela mão, arrastou-a até a venda.

Os circunstantes acompanharam-na ruidosamente e de carreira.

A taverna, como a casa de pasto, ferviam de concorrência.

Ao balcão daquela, o Domingos e o Manuel aviavam os fregueses, numa roda--viva. Havia muitos negros e negras. O barulho era enorme. A Leonor lá estava, sempre aos pulos, mexendo com um, mexendo com outro, mostrando a dupla fila de dentes brancos e grandes, e levando apalpões rudes de mãos de couro nas suas magras e escorridas nádegas de negrinha virgem. Três marujos ingleses bebiam gengibirra, cantando, ébrios, na sua língua e mascando tabaco.

Marciana na frente do grande grupo e sem largar o braço da filha, que a seguia como um animal puxado pela coleira, ao chegar à porta lateral da venda, berrou:

— Ó seu João Romão!

— Que temos lá? — perguntou de dentro o vendeiro, atrapalhado de serviço.

Bertoleza, com uma grande colher de zinco gotejante de gordura, apareceu à porta, muito ensebada e suja de tisna; e, ao ver tanta gente reunida, gritou para seu homem:

— Corre aqui, seu João, que não sei o que houve!

Ele veio afinal.

Que diabo era aquilo?

— Venho entregar-lhe esta perdida! Seu caixeiro a cobriu, deve tomar conta dela!

João Romão ficou perplexo.

— Hein! Que é lá isso?!

— Foi o Domingos! — disseram muitas vozes.

— Ó seu Domingos!

O caixeiro respondeu: "Senhor..." com uma voz de delinquente.

— Chegue cá!

E o criminoso apresentou-se, lívido de morte.

— Que fez você com esta pequena?

— Não fiz nada, não senhor!...

— Foi ele, sim! — desmentiu-o a Florinda. O caixeiro desviou os olhos, para a não encarar. — Um dia de manhãzinha, às quatro horas, no capinzal, debaixo das mangueiras...

O mulherio em massa recebeu estas palavras com um coro de gargalhadas.

— Então o senhor anda-me aqui a fazer conquistas, hein?!... — disse o patrão, meneando a cabeça. — Muito bem! Pois agora é tomar conta da fazenda e, como não gosto de caixeiros amigados, pode procurar arranjo noutra parte!...

Domingos não respondeu patavina; abaixou o rosto e retirou-se lentamente.

O grupo das lavadeiras e dos curiosos derramou-se então pela venda, pelo portão da estalagem, pelo frege, por todos os lados, repartindo-se em pequenos magotes que discutiam o fato. Principiaram os comentários, os juízos pró e contra o caixeiro; fizeram-se profecias.

Entretanto, Marciana, sem largar a filha, invadira a casa de João Romão e perseguia o Domingos que preparava já a sua trouxa.

— Então? — perguntou-lhe. — Que tenciona fazer?

Ele não deu resposta.

— Vamos! Vamos! Fale! Desembuche!

— Ora lixe-se! — resmungou o caixeiro, agora muito vermelho de cólera.

— Lixe-se, não!... Mais devagar com o andor! Você há de casar: ela é menor!

Domingos soltou uma palavrada, que enfureceu a velha.

— Ah, sim?! — bradou esta. — Pois veremos!

E despejou da venda, gritando para todos:

— Sabe? O cara de nabo diz que não casa!

Esta frase produziu o efeito de um grito de guerra entre as lavadeiras, que se reuniram de novo, agitadas por uma grande indignação.

— Como, não casa?!...

— Era só o que faltava!

— Tinha graça!

— Então mais ninguém pode contar com a honra de sua filha?

— Se não queria casar pra que fez mal?

— Quem não pode com o tempo não inventa modas!

— Ou ele casa ou sai daqui com os ossos em sopa!

— Quem não quer ser lobo não lhe vista a pele!

A mais empenhada naquela reparação era a Machona, e a mais indignada com o fato era a Dona Isabel. A primeira correra à frente da venda, disposta a segurar o culpado, se este tentasse fugir. Com o seu exemplo não tardou que em cada porta, onde era possível uma escapula, se postassem as outras de sentinela, formando grupos de três e quatro. E, no meio de crescente algazarra, ouviam-se pragas ferozes e ameaças:

— Das Dores! Toma cuidado, que o patife não espirre por aí!

— Ó seu João Romão, se o homem não casa, mande-no-lo pra cá! Temos ainda algumas pequenas que lhe convêm!

— Mas onde está esse ordinário?!

— Saia o canalha!

— Está fazendo a trouxa!

— Quer escapar!

— Não deixe sair!

— Chame a polícia!

— Onde está o Alexandre?

E ninguém mais se entendia. À vista daquela agitação, o vendeiro foi ter com o Domingos.

— Não saia agora — ordenou-lhe. — Deixe-se ficar por enquanto. Logo mais lhe direi o que deve fazer.

E chegando a uma das portas que davam para a estalagem, gritou:

— Vá de rumor! Não quero isto aqui! É safar!

— Pois então o homem que case! — responderam.

— Ou dê-nos pra cá o patife!

— Fugir é que não!

— Não foge! Não deixa fugir!

— Ninguém se arrede!

E, como a Marciana lhe lançasse uma injúria mais forte, ameaçando-o com o punho fechado, o taverneiro jurou que, se ela insistisse com desaforos, a mandaria jogar lá fora, junto com a filha, por um urbano.

— Vamos! Vamos! Volte cada uma para a sua obrigação, que eu não posso perder tempo!

— Ponha-nos então pra cá o homem! — exigiu a mulata velha.

— Venha o homem! — acompanhou o coro.

— É preciso dar-lhe uma lição!

— O rapaz casa! — disse o vendeiro com ar sisudo. — Já lhe falei... Está perfeitamente disposto! E, se não casar, a pequena terá o seu dote! Vão descansados; respondo por ele ou pelo dinheiro.

Estas palavras apaziguaram os ânimos; o grupo das lavadeiras afrouxou; João Romão recolheu-se: chamou de parte o Domingos e disse-lhe que não arredasse pé de casa antes de noite fechada.

— No mais... — acrescentou — pode tratar de vida nova! Nada o prende aqui. Estamos quites.

— Como? Se o senhor ainda não me fez as contas?!...

— Contas? Que contas? O seu saldo não chega para pagar o dote da rapariga!...

— Então eu tenho de pagar um dote?!...

— Ou casar... Ah, meu amigo, este negócio de três vinténs é assim! Custa dinheiro! Agora, se você quiser, vá queixar-se à polícia... Está no seu direito! Eu me explicarei em juízo!...

— Com quê, não recebo nada?...

— E não principie com muita coisa, que lhe fecho a porta e deixo-o ficar às turras lá fora com esses danados! Você bem viu como estão todos a seu respeito! E, se há pouco não lhe arrancaram os fígados, agradeça-o a mim! Foi preciso prometer dinheiro e tenho de cair com ele, decerto! Mas não é justo, nem eu admito, que saia da minha algibeira porque não estou disposto a pagar os caprichos de ninguém, e muito menos dos meus caixeiros!

— Mas...

— Basta! Se quiser, por muito favor, ficar aqui até à noite, há de ficar calado; ao contrário, rua!

E afastou-se.

Marciana resolveu não ir ao subdelegado, sem saber que providências tomaria o vendeiro. Esperaria até o dia seguinte "para ver só!" O que nesse ela fez foi dar uma boa lavagem na casa e arrumá-la muitas vezes, como costumava, sempre que tinha lá as suas zangas.

O escândalo não deixou de ser, durante o dia, discutido um só instante. Não se falava noutra coisa; tanto que, quando, já à noite, Augusta e Alexandre receberam uma visita da comadre, a Léonie, era ainda esse o principal assunto das conversas.

Léonie, com as suas roupas exageradas e barulhentas de cocote à francesa, levantava rumor quando lá ia e punha expressões de assombro em todas as caras. O seu vestido de seda cor de aço, enfeitado de encarnado sangue de boi, curto, petulante, mostrando uns sapatinhos à moda com um salto de quatro dedos de altura; as suas luvas de vinte botões que lhe chegavam até aos sovacos; a sua sombrinha vermelha, sumida numa nuvem de rendas cor-de-rosa e com grande cabo cheio de arabescos extravagantes; o seu pantafaçudo chapéu de imensas abas forradas de veludo escarlate, com um pássaro inteiro grudado à copa; as suas joias caprichosas, cintilantes de pedras finas: os seus lábios pintados de carmim; suas pálpebras tingidas de violeta; o seu cabelo artificialmente louro; tudo isto contrastava tanto com as vestimentas, os costumes e as maneiras daquela pobre gente, que de todos os lados surgiam olhos curiosos a espreitá-la pela porta da casinha do Alexandre; Augusta, ao ver a sua pequena, a Juju, como vinha tão embonecada e catita, ficou com os dela arrasados d'água.

Léonie trazia sempre muito bem calçada e vestida a afilhada, levando o capricho ao ponto de lhe mandar talhar a roupa da mesma fazenda com que fazia as suas e pela mesma costureira; arranjava-lhe chapéus escandalosos como os dela e dava-lhe joias. Mas, naquele dia, a grande novidade que Juju apresentava era estar de cabelos louros, quando os tinha castanhos por natureza. Foi caso para uma revolução na estalagem; a notícia correu logo de número a número, e muitos moradores se abalaram do cômodo para ver a filhita da Augusta "com cabelos de francesa".

Tal sucesso pôs Léonie radiante de alegria. Aquela afilhada era o seu luxo, a sua originalidade, a coisa boa da sua vida de cansaços depravados; era o que aos seus próprios olhos a resgatava das abjeções do ofício. Prostituta de casa aberta, prezava todavia com admiração e respeito a honestidade vulgar da comadre; sentia-se honrada com a sua estima; cobria-a de obséquios de toda a espécie. Nos instantes que estava ali, entre aqueles seus amigos simplórios, que a matariam de ridículo em qualquer outro lugar, nem ela parecia a mesma, pois até os olhos lhe mudavam de expressão. E não queria preferências: assentava-se no primeiro banco, bebia água pela caneca de folha, tomava ao colo o pequenito da comadre e, às vezes, descalçava os sapatos para enfiar os chinelos velhos que encontrasse debaixo da cama.

Não obstante, o acatamento que lhe votavam Alexandre e a mulher não tinha limites; pareciam capazes dos maiores sacrifícios por ela. Adoravam-na. Achavam-na boa de coração como um anjo, e muito linda nas suas roupas de espavento, com o seu rostinho redondo, malicioso e petulante, onde reluziam dentes mais alvos que um marfim.

Juju, com um embrulho de balas em cada mão, era carregada de casa em casa, passando de braço a braço e levada de boca em boca, como um ídolo milagroso, que todos queriam beijar.

E os elogios não cessavam:

— Rica pequena!...

— É um enlevo olhar a gente pro demoninho!

— É mesmo uma lindeza de criança!

— Uma criaturinha dos anjos!

— Uma boneca francesa!

— Uma menina Jesus!

O pai acompanhava-a comovido, mas solene sempre, parando a todo momento, como em procissão, à espera que cada qual desafogasse por sua vez o entusiasmo pela criança. Silenciosamente risonho, com os olhos úmidos, patenteava em todo o seu carão mulato, de bigode que parecia postiço, um ar condolente e estúpido de um profundo reconhecimento por aquela fortuna, que Deus lhe dera à filha, enviando-lhe dos céus o ideal das madrinhas.

E, enquanto Juju percorria a estalagem, conduzida em triunfo, Léonie na casa da comadre, cercada por uma roda de lavadeiras e crianças, discreteava sobre assuntos sérios, falando compassadamente, cheia de inflexões de pessoa prática e ajuizada, condenando maus atos e desvarios, aplaudindo a moral e a virtude. E aquelas mulheres, aliás tão alegres e vivazes, não se animavam, defronte dela, a rir nem levantar a voz, e conversavam a medo cochichando, a tapar a boca com a mão, tolhidas de respeito pela cocote, que as dominava na sua sobranceria de mulher loura vestida de seda e coberta de brilhantes. A das Dores sentiu-se orgulhosa, quando Léonie lhe pousou no ombro a mãozinha enluvada e recendente, para lhe perguntar pelo seu homem. E não se fartavam de olhar para ela, de admirá-la; chegavam a examinar-lhe a roupa, revistar-lhe as saias, apalpar-lhe as meias, levantando-lhe o vestido, com exclamações de assombro à vista de tanto luxo de rendas e bordados. A visita sorria, por sua vez comovida. Piedade declarou que a roupa branca da madama era rica nem como a da Nossa Senhora da Penha. E Neném, no seu entusiasmo, disse que a invejava do fundo do coração, ao que a mãe lhe observou que não fosse besta. O Albino contemplava-a em êxtase, de mão no queixo, o cotovelo no ar. A Rita Baiana levara-lhe um ramalhete de rosas. Esta não se iludia com a posição da loureira, mas dava-lhe apreço talvez por isso mesmo e, em parte, porque a achava deveras bonita. "Ora! era preciso ser bem esperta e valer muito para arrancar assim da pele dos homens ricos aquela porção de joias e todo aquele luxo de roupa por dentro e por fora!"

— Não sei, filha! — pregava depois a mulata, no pátio, a uma companheira; — seja assim ou assado, a verdade é que ela passa muito bem de boca e nada lhe falta: sua boa casa; seu bom carro para passear à tarde; teatro toda a noite; bailes quando quer e, aos domingos, corridas, regatas, pagodes fora da cidade e dinheirama grossa para gastar à farta! Enfim, só o que afianço é que esta não está sujeita, como a Leocádia e outras, a pontapés e cachações de um bruto de marido! É dona das suas ações! Livre como o lindo amor! Senhora do seu corpinho, que ela só entrega a quem muito bem lhe der na veneta!

— E Pombinha?... — perguntou a visita. — Não me apareceu ainda!...

— Ah! — esclareceu Augusta. — Não está aí, foi à sociedade de dança com a mãe.

E, como a outra mostrasse na cara não ter compreendido, explicou que a filha de Dona Isabel ia todas as terças, quintas e sábados, mediante dois mil-réis por noite, servir de dama numa sociedade em que os caixeiros do comércio aprendiam a dançar.

— Foi lá que ela conheceu o Costa... — acrescentou.

— Que Costa?

— O noivo! Então a Pombinha já não foi pedida?

— Ah! sei...

E a cocote perguntou depois, abafando a voz:

— E aquilo?... Já veio afinal?...

— Qual! Não é por falta de boa vontade da parte delas, coitadas! Agora mesmo a velha fez uma nova promessa a Nossa Senhora da Anunciação... mas não há meio!

Daí a pouco, Augusta apresentou-lhe uma xícara de café, que Léonie recusou por não poder beber. "Estava em uso de remédios..." Não disse, porém, quais eram estes, nem para que moléstia os tomava.

— Prefiro um copo de cerveja — declarou ela.

E, sem dar tempo a que se opusessem, tirou da carteira uma nota de dez mil-réis, que deu a Agostinho para ir buscar três garrafas de Carls Berg.

À vista dos copos, liberalmente cheios, formou-se um silêncio enternecido. A cocote distribuiu-os por sua própria mão aos circunstantes, reservando um para si. Não chegavam. Quis mandar buscar mais; não lho permitiram, objetando que duas e três pessoas podiam beber juntas.

— Para que gastar tanto?... Que alma grande!

O troco ficou esquecido, de propósito, sobre a cômoda, entre uma infinita quinquilharia de coisas velhas e bem tratadas.

— Quando você, comadre, agora me aparece por lá?... — quis saber Léonie.

— Pra semana, sem falta; levo-lhe toda a roupa. Agora, se a comadre tem precisão de alguma... pode-se aprontar com mais pressa...

— Então é bom mandar-me toalhas e lençóis... Camisas de dormir, é verdade! Também tenho poucas.

— Depois d'amanhã está tudo lá.

E a noite ia-se passando. Deram dez horas. Léonie, impaciente já pelo rapaz que ficara de ir buscá-la, mandou ver se ele por acaso estaria no portão, à espera.

— É aquele mesmo que veio da outra vez com a comadre?...

— Não. É um mais alto. De cartola branca.

Correu muita gente até a rua. O rapaz não tinha chegado ainda. Léonie ficou contrariada.

— Imprestável!... — resmungou. — Faz-me ir sozinha por aí ou incomodar alguém que me acompanhe!

— Por que a comadre não dorme aqui?... — lembrou Augusta. — Se quiser, arranja-se tudo! Não passará bem como em sua casa, mas uma noite corre depressa!...

Não! Não era possível! Precisava estar em casa essa noite: no dia seguinte pela manhã iriam procurá-la muito cedo.

Nisto chegou Pombinha com Dona Isabel. Disseram-lhes logo à entrada que Léonie estava em casa do Alexandre, e a menina deixou a mãe um instante no número 15 e seguiu sozinha para ali, radiante de alegria. Gostavam-se muito uma da outra. A cocote recebeu-a com exclamações de agrado e beijou-a nos dentes e nos olhos repetidas vezes.

— Então, minha flor, como está essa lindeza! — perguntou-lhe, mirando-a toda.

— Saudades suas... — respondeu a moça, rindo bonito na sua boca ainda pura.

E uma conversa amiga, cheia de interesse para ambas, estabeleceu-se, isolando-as de todas as outras. Léonie entregou à Pombinha uma medalha de prata que lhe trouxera; uma teteia que valia só pela esquisitice, representando uma fatia de queijo com um camundongo em cima. Correu logo de mão em mão, levantando espantos e gargalhadas.

— Por um pouco que não me apanhas... — continuou a cocote na sua conversa com a menina. — Se a pessoa que me vem buscar tivesse chegado já, eu estaria longe. — E mudando de tom, a acarinhar-lhe os cabelos: — Por que não me apareces!... Não tens que recear: minha casa é muito sossegada... Já lá têm ido famílias!...

— Nunca vou à cidade... É raro! — suspirou Pombinha.

— Vai amanhã com tua mãe; jantam as duas comigo...

— Se mamãe deixar... Olha! ela aí vem. Peça.

Dona Isabel prometeu ir, não no dia seguinte, mas no outro imediato, que era domingo. E a palestra durou animada até que chegou, daí a um quarto de hora, o rapaz por quem esperava Léonie. Era um moço de vinte e poucos anos, sem emprego e sem fortuna, mas vestido com esmero e muito bem-apessoado. A cocote, logo que o viu aproximar-se, disse baixinho à menina:

— Não é preciso que ele saiba que vais lá domingo, ouviste?

Juju dormia. Resolveram não acordá-la; iria no dia seguinte.

Na ocasião em que Léonie partia pelo braço do amante, acompanhada até o portão por um séquito de lavadeiras, a Rita, no pátio, beliscou a coxa do Jerônimo e soprou-lhe à meia voz:

— Não lhe caia o queixo!...

O cavouqueiro teve um desdenhoso sacudir d'ombros.

— Aquela pra cá, nem pintada!

E, para deixar bem patente as suas preferências, virou o pé do lado e bateu com o tamanco na canela da mulata.

— Olha o bruto!... — queixou-se esta, levando a mão ao lugar da pancada. — Sempre há de mostrar que é galego!

10

No outro dia a casa do Miranda estava em preparos de festa. Lia-se no *Jornal do Comércio* que S. Exa. fora agraciado pelo governo português com o título de Barão do Freixal; e como os seus amigos se achassem prevenidos para ir cumprimentá-lo no domingo, o negociante dispunha-se a recebê-los condignamente.

Do cortiço, onde esta novidade causou sensação, viam-se nas janelas do sobrado, abertas de par em par, surgir de vez em quando Leonor ou Isaura, a sacudirem tapetes e capachos, batendo-lhes em cima com um pau, os olhos fechados, a cabeça torcida para dentro por causa da poeira que a cada pancada se levantava, como fumaça de um tiro de peça. Chamaram-se novos criados para aqueles dias. No salão da frente, pretos lavavam o soalho, e na cozinha havia rebuliço. Dona Estela, de penteador de cambraia enfeitado de laços cor-de-rosa, era lobrigada de relance, ora de um lado, ora de outro, a dar as suas ordens, abanando-se com um grande leque; ou aparecia no patamar da escada do fundo, preocupada em soerguer as saias contra as águas sujas da lavagem, que escorriam para o quintal. Zulmira também ia e vinha, com a sua palidez fria e úmida de menina sem sangue. Henrique, de paletó branco, ajudava o Botelho nos arranjos da casa e, de instante a instante, chegava à janela, para namoriscar Pombinha, que fingia não dar por isso, toda embebida na sua costura, à porta do número 15, numa cadeira de vime, uma perna dobrada sobre a outra, mostrando a meia de seda azul e um sapatinho preto de entrada baixa; só de longo em longo espaço, ela desviava os olhos do serviço e erguia-os para o sobrado. Entretanto, a figura gorda e encanecida do novo Barão, sobrecasacado, com o chapéu alto derreado para trás na cabeça e sem largar o guarda-chuva, entrava da rua e atravessava a sala de jantar, seguia até a despensa, diligente esbaforido, indagando se já tinha vindo isto e mais aquilo, provando dos vinhos que chegavam em garrafões, examinando tudo, voltando-se para a direita e para a esquerda, dando ordens, ralhando, exigindo atividade, e depois tornava a sair, sempre apressado, e metia-se no carro que o esperava à porta da rua.

— Toca! Toca! Vamos ver se o fogueteiro aprontou os fogos!

E viam-se chegar, quase sem intermitência, homens carregados de gigos de champanha, caixas de porto e bordéus, barricas de cerveja, cestos e cestos de mantimentos, latas e latas de conserva; e outros traziam perus e leitões, canastras d'ovos, quartos de carneiro e de porco. E as janelas do sobrado iam-se enchendo de compoteiras de doce ainda quente, saído do fogo, e travessões, de barro e de ferro, com grandes peças de carne em vinha d'alhos, prontos para entrar no forno. À porta da cozinha penduraram pelo pescoço um cabrito esfolado, que tinha as pernas abertas, lembrando sinistramente uma criança a quem enforcassem depois de tirar-lhe a pele.

Todavia, cá embaixo, um caso palpitante agitava a estalagem: Domingos, o sedutor da Florinda, desaparecera durante a noite e um novo caixeiro o substituía ao balcão.

O vendeiro retorquia atravessado a quem lhe perguntava pelo evadido:

— Sei cá! Creio que não podia trazê-lo pendurado ao pescoço!...

— Mas você disse que respondia por ele! — repontou Marciana, que parecia ter envelhecido dez anos naquelas últimas vinte e quatro horas.

— De acordo, mas o tratante cegou-me! Que havemos de fazer?... É ter paciência!

— Pois então ande com o dote!

— Que dote? Você está bêbeda?

— Bêbeda, hein? Ah, corja! Tão bom é um como o outro! Mas eu hei de mostrar!

— Ora, não me amole!

E João Romão virou-lhe as costas, para falar à Bertoleza que se chegara.

— Deixa estar, malvado, que Deus é quem há de punir por mim e por minha filha! — exclamou a desgraçada.

Mas o vendeiro afastou-se, indiferente às frases que uma ou outra lavadeira imprecava contra ele. Elas, porém, já se não mostravam tão indignadas como na véspera; uma só noite rolada por cima do escândalo bastara para tirar-lhe o mérito de novidade.

Marciana foi com a pequena à procura do subdelegado e voltou aborrecida, porque lhe disseram que nada se poderia fazer enquanto não aparecesse o delinquente. Mãe e filha passaram todo esse sábado na rua, numa roda-viva, da secretaria e das estações de polícia para o escritório de advogados que, um por um, lhes perguntavam de quanto dispunham para gastar com o processo, despachando-as, sem mais considerações, logo que se inteiravam da escassez de recursos de ambas as partes.

Quando as duas, prostradas de cansaço, esbraseadas de calor, tornaram à tarde para a estalagem, na hora em que os homens do mercado, que ali moravam, recolhiam-se já com os balaios vazios ou com o resto da fruta que não conseguiram vender na cidade, Marciana vinha tão furiosa que, sem dar palavra à filha e com os braços moídos de esbordoá-la, abriu toda a casa e correu a buscar água para baldear o chão. Estava possessa.

— Vê a vassoura! Anda! Lava! Lava, que está isto numa porcaria! Parece que nunca se limpa o diabo desta casa! É deixá-la fechada uma hora e morre-se de fedor! Apre! Isto faz peste!

E notando que a pequena chorava:

— Agora deste para chorar, hein? Mas na ocasião do relaxamento havias de estar bem disposta!

A filha soluçou.

— Cala-te, coisa-ruim! Não ouviste?

Florinda soluçou mais forte.

— Ah! Choras sem motivo?... Espera, que te faço chorar com razão.

E precipitou-se sobre ela com uma acha de lenha.

Mas a mulatinha, de um salto, pinchou pela porta e atravessou de uma só carreira o pátio da estalagem, fugindo em desfilada pela rua.

Ninguém teve tempo de apanhá-la, e um clamor de galinheiro assustado levantou-se entre as lavadeiras.

Marciana foi até o portão, como uma doida e, compreendendo que a filha a abandonava, desatou por sua vez a soluçar, de braços abertos, olhando para o espaço. As lágrimas saltavam-lhe pelas rugas da cara. E logo, sem transição, disparou da cólera, que a convulsionava desde a manhã da véspera, para cair numa dor humilde e enternecida de mãe que perdeu o filho.

— Para onde iria ela, meu pai do céu?

— Pois você desd'ontem que bate na rapariga!... — disse-lhe a Rita. — Fugiu-lhe, é bem feito! Que diabo! Ela é de carne, não é de ferro!

— Minha filha!

— É bem feito! Agora chore na cama que é lugar quente!

— Minha filha! Minha filha! Minha filha!

Ninguém quis tomar o partido da infeliz, à exceção da cabocla velha, que foi colocar-se perto dela, fitando-a imóvel, com o seu desvairado olhar de bruxa feiticeira.

Marciana arrancou-se da abstração plangente em que caíra, para arvorar-se terrível defronte da venda, apostrofando com a mão no ar e a carapinha desgrenhada:

— Este galego é que teve a culpa de tudo! Maldito sejas tu, ladrão! Se não me deres conta de minha filha, malvado, pego-te fogo na casa.

A Bruxa sorriu sinistramente ao ouvir estas últimas palavras.

O vendeiro chegou à porta e ordenou em tom seco à Marciana que despejasse o número 12.

— É andar! É andar! Não quero esta berraria aqui! Bico, ou chamo um urbano! Dou-lhe uma noite! Amanhã pela manhã, rua!

Ah! ele esse dia estava intolerante com tudo e com todos; por mais de uma vez mandara Bertoleza à coisa mais imunda, apenas porque esta lhe fizera algumas perguntas concernentes ao serviço. Nunca o tinha visto assim, tão fora de si, tão cheio de repelões; nem parecia aquele mesmo homem inalterável, sempre calmo e metódico.

E ninguém seria capaz de acreditar que a causa de tudo isso era o fato de ter sido o Miranda agraciado com o título de Barão.

Sim, senhor! Aquele taverneiro, na aparência tão humilde e tão miserável; aquele sovina que nunca saíra dos seus tamancos e da sua camisa de riscadinho de Angola; aquele animal que se alimentava pior que os cães, para pôr de parte tudo, tudo, que ganhava ou extorquia; aquele ente atrofiado pela cobiça e que parecia ter abdicado dos seus privilégios e sentimentos de homem; aquele desgraçado, que nunca jamais amara senão o dinheiro, invejava agora o Miranda, invejava-o deveras, com dobrada amargura do que sofrera o marido de Dona Estela, quando, por sua vez, o invejara a ele. Acompanhara-o desde que o Miranda viera habitar o sobrado com a família; vira-o nas felizes ocasiões da vida, cheio de importância, cercado de amigos e rodeado de aduladores; vira-o dar festas e receber em sua casa as figuras mais salientes da praça e da política; vira-o luzir, como um grosso pião de ouro, girando por entre damas da melhor e mais fina sociedade fluminense; vira-o meter-se em altas especulações comerciais e sair-se bem; vira seu nome figurar em várias corporações de gente escolhida e em subscrições, assinando belas quantias; vira-o fazer parte de festas de caridade e festas de regozijo nacional; vira-o elogiado pela imprensa e aclamado como homem de vistas largas e grande talento financeiro; vira-o enfim em todas as suas prosperidades, e nunca lhe tivera inveja. Mas agora, estranho deslumbramento! quando o vendeiro leu no *Jornal do Comércio* que o vizinho estava barão — Barão! — sentiu tamanho calafrio em todo o corpo, que a vista por um instante se lhe apagou dos olhos.

— Barão!

E durante todo o santo dia não pensou noutra coisa. "Barão!... Com esta é que ele não contava!..." E, defronte da sua preocupação, tudo se convertia em comendas e crachás; até os modestos dois vinténs de manteiga, que media sobre um pedaço de papel de embrulho para dar ao freguês, transformavam-se, de simples mancha amarela, em opulenta insígnia de ouro cravejada de brilhantes.

À noite, quando se estirou na cama, ao lado da Bertoleza, para dormir, não pôde conciliar o sono. Por toda a miséria daquele quarto sórdido; pelas paredes imundas, pelo chão enlameado de poeira e sebo, nos tetos funebremente velados pelas teias de aranha, estrelavam pontos luminosos que se iam transformando em grã-cruzes, em hábitos e veneras de toda a ordem e espécie. E em volta do seu espírito, pela primeira vez alucinado, um turbilhão de grandezas que ele mal conhecia e mal podia imaginar, perpassou vertiginosamente, em ondas de seda e rendas, veludo e pérolas, colos e braços de mulheres seminuas, num fremir de risos e espumar aljofrado de vinhos cor de ouro. E nuvens de caudas de vestidos e abas de casaca lá iam, rodando deliciosamente, ao som de langorosas valsas e à luz de candelabros de mil velas de todas as cores. E carruagens desfilavam reluzentes, com uma coroa à portinhola, o cocheiro teso, de libré, sopeando parelhas de cavalos grandes. E intermináveis mesas estendiam-se, serpenteando a perder de vista, acumuladas de iguarias, numa encantadora confusão de flores, luzes, baixelas e cristais, cercadas de um e de outro lado por luxuoso renque de convivas, de taça em punho, brindando o anfitrião.

E, porque nada disso o vendeiro conhecia de perto, mas apenas pelo ruído namorador e fátuo, ficava deslumbrado com o seu próprio sonho. Tudo aquilo, que agora lhe deparava o delírio, até aí só lhe passara pelos olhos ou lhe chegara aos ouvidos como o eco e reflexo de um mundo inatingível e longínquo; um mundo habitado por seres superiores; um paraíso de gozos excelentes e delicados, que os seus grosseiros sentidos repeliam; um conjunto harmonioso e discreto de sons e cores mal definidas e vaporosas; um quadro de manchas pálidas, sussurrantes, sem firmezas de tintas, nem contornos, em que se não determinava o que era pétala de rosa ou asa de borboleta, murmúrio de brisa ou ciciar de beijos.

Não obstante, ao lado dele a crioula roncava, de papo para o ar, gorda, estrompada de serviço, tresandando a uma mistura de suor com cebola crua e gordura podre.

Mas João Romão nem dava por ela; só o que ele via e sentia era todo aquele voluptuoso mundo inacessível vir descendo para a terra, chegando-se para o seu alcance, lentamente, acentuando-se. E as dúbias sombras tomavam forma, e as vozes duvidosas e confusas transformavam-se em falas distintas, e as linhas desenhavam-se nítidas, e tudo se ia esclarecendo e tudo se aclarava, num reviver de natureza ao raiar do sol. Os tênues murmúrios suspirosos desdobravam-se em orquestra de baile, onde se distinguiam instrumentos, e os surdos rumores indefinidos eram já animadas conversas, em que damas e cavalheiros discutiam política, artes, literatura e ciência. E uma vida inteira, completa, real, descortinou-se amplamente defronte dos seus olhos fascinados; uma vida fidalga, de muito luxo, de muito dinheiro; uma vida em palácio, entre mobílias preciosas e objetos esplêndidos, onde ele se via cercado de titulares milionários, e homens de farda bordada, a quem tratava por tu, de igual para igual, pondo-lhes a mão no ombro. E ali ele não era, nunca fora, o dono de um cortiço, de tamancos e em mangas de camisa; ali era o Sr. Barão! O Barão do ouro! o Barão das grandezas! o Barão dos milhões! Vendeiro? Qual! era o famoso, o enorme capitalista! o proprietário sem igual! o incomparável banqueiro, em cujos capitais se equilibrava a terra, como imenso globo em cima de colunas feitas de moedas de ouro. E viu-se logo montado a cavaleiras sobre o mundo, pretendendo abarcá-lo com as suas pernas curtas; na cabeça uma coroa de rei e na mão um cetro. E logo, de todos os cantos do quarto, começaram a jorrar cascatas de libras esterlinas; e a seus pés principiou a formar-se um formigueiro de pigmeus em grande movimento comercial; e navios descarregavam pilhas e pilhas de fardos e caixões marcados com as iniciais do seu nome; e telegramas faiscavam eletricamente em volta da sua cabeça; e paquetes de todas as nacionalidades giravam vertiginosamente em torno do seu corpo de colosso, arfando e apitando sem trégua; e rápidos comboios a vapor atravessam-no todo, de um lado a outro, como se o cosessem com uma cadeia de vagões.

Mas, de repente, tudo desapareceu com a seguinte frase:

— Acorda, seu João, para ir à praia. São horas!

Bertoleza chamava-o aquele domingo, como todas as manhãs, para ir buscar o peixe, que ela tinha de preparar para os seus fregueses. João Romão, com medo de ser iludido, não confiava nunca aos empregados a menor compra a dinheiro; nesse dia, porém, não se achou com ânimo de deixar a cama e disse à amiga que mandasse o Manuel.

Seriam quatro da madrugada. Ele conseguiu então passar pelo sono.

Às seis estava de pé. Defronte, a casa do Miranda resplandecia já. Içaram-se bandeiras nas janelas da frente; mudaram-se as cortinas, armaram-se florões de murta à entrada e recamaram-se de folhas de mangueira o corredor e a calçada. Dona Estela mandou soltar foguetes e queimar bombas ao romper da alvorada. Uma banda de música, em frente à porta do sobrado, tocava desde essa hora. O Barão madrugara com a família; todo de branco, com uma gravata de rendas, brilhantes no peito da camisa, chegava de vez em quando a uma das janelas, ao lado da mulher ou da filha, agradecendo para a rua; e limpava a testa com o lenço; acendia charutos, risonho, feliz, resplandecente.

João Romão via tudo isto com o coração moído. Certas dúvidas aborrecidas entravam-lhe agora a roer por dentro: "Qual seria o melhor e o mais acertado: ter vivido como ele vivera até ali, curtindo privações, em tamancos e mangas de camisa; ou ter feito como o Miranda, comendo boas coisas e gozando à farta?... Estaria ele, João Romão, habilitado a possuir e desfrutar tratamento igual ao do vizinho?... Dinheiro não lhe faltava para isso... Sim, de acordo! Mas teria ânimo de gastá-lo assim, sem mais nem menos?... Sacrificar uma boa porção de contos de réis, tão penosamente acumulados, em troca de uma teteia para o peito?... Teria ânimo de dividir o que era seu, tomando esposa, fazendo família e cercando-se de amigos?... Teria ânimo de encher de finas iguarias e vinhos preciosos a barriga dos outros, quando até ali fora tão pouco condescendente para com a própria?... E, caso resolvesse mudar de vida radicalmente, unir-se a uma senhora bem-educada e distinta de maneiras, montar um sobrado como o do Miranda e volver-se titular, estaria apto para o fazer?... Poderia dar conta do recado?... Dependeria tudo isso somente da sua vontade?"... "Sem nunca ter vestido um paletó, como vestiria uma casaca?... Com aqueles pés, deformados pelo diabo dos tamancos, criados à solta, sem meias, como calçaria sapatos de baile?... E suas mãos, calosas e maltratadas, duras como as de um cavouqueiro, como se ajeitariam com a luva?... E isso ainda não era tudo! O mais difícil seria o que tivesse de dizer aos seus convidados!... Como deveria tratar as damas e cavalheiros, em meio de um grande salão cheio de espelhos e cadeiras douradas?... Como se arranjaria para conversar, sem dizer barbaridades?..."

E um desgosto negro e profundo assoberbou-lhe o coração, um desejo forte de querer saltar e um medo invencível de cair e quebrar as pernas. Afinal, a dolorosa desconfiança de si mesmo e a terrível convicção da sua impotência para pretender outra coisa que não fosse ajuntar dinheiro, e mais dinheiro, e mais ainda, sem saber para quê e com que fim, acabaram azedando-lhe de todo a alma e tingindo de fel a sua ambição e despolindo o seu ouro.

"Fora uma besta!... pensou de si próprio, amargurado: uma grande besta!... Pois não! Por que em tempo não tratara de habituar-se logo a certo modo de viver, como faziam tantos outros seus patrícios e colegas de profissão?... Por que, como eles, não aprendera a dançar? E não frequentara sociedades carnavalescas? E não fora de vez em quando à rua do Ouvidor e aos teatros, e a bailes, e corridas e a passeios?... Por que se não habituara com as roupas finas, e com o calçado justo, e com a bengala, e com o lenço, e com o charuto, e com o chapéu, e com a cerveja, e com tudo que os outros usavam naturalmente, sem precisar de privilégio para isso?... Maldita economia!"

— Teria gasto mais, é verdade!... Não estaria tão bem!... Mas, ora adeus! Estaria habilitado a fazer do meu dinheiro o que bem quisesse!... Seria um homem civilizado!...

— Você deu hoje para conversar com as almas, seu João?... — perguntou-lhe Bertoleza, notando que ele falava sozinho, distraído do serviço.

— Deixe! Não me amole você também. Não estou bom hoje!

— Ó gentes! não falei por mal!... Credo!

— 'Stá bem! Basta!

E o seu mau humor agravou-se pelo correr do dia. Começou a implicar com tudo. Arranjou logo uma pega, à entrada da venda, com o fiscal da rua: "Pois ele era lá algum parvo, que tivesse medo de ameaças de multas?... Se o bolas do fiscal esperava comê-lo por uma perna, como costumava fazer com os outros, que experimentasse, para ver só quanto lhe custaria a festa!... E que lhe não rosnasse muito, que ele não gostava de cães à porta!... Era andar!" Pegou-se depois com a Machona, por causa de um gato desta, que, a semana passada, lhe fora ao tabuleiro do peixe frito. Parava defronte das tinas vazias, encolerizado, procurando pretextos para ralhar. Mandava, com um berro, saírem as crianças de seu caminho: "Que praga de piolhos! Arre, demônio! Nunca vira gente tão danada para parir! Pareciam ratas!" Deu um encontrão no velho Libório.

— Sai tu também do caminho, fona de uma figa! Não sei que diabo fica fazendo cá no mundo um caco velho como este, que já não presta para nada!

Protestou contra os galos de um alfaiate, que se divertia a fazê-los brigar, no meio de grande roda entusiasmada e barulhenta. Vituperou os italianos, porque estes, na alegre independência do domingo, tinham à porta da casa uma esterqueira de cascas de melancia e laranja, que eles comiam tagarelando, assentados sobre a janela e a calçada.

— Quero isto limpo! — bramava furioso. — Está pior que um chiqueiro de porcos! Apre! Tomara que a febre amarela os lamba a todos! Maldita raça de carcamanos! Hão de trazer-me isto asseado ou vai tudo para o olho da rua! Aqui mando eu!

Com a pobre velha Marciana, que não tratara de despejar o número 12, conforme a intimação da véspera, a sua fúria tocou ao delírio. A infeliz, desde que Florinda lhe fugira, levava a choramingar e maldizer-se, monologando com persistência maníaca. Não pregou olho durante toda a noite; saíra e entrara na estalagem mais de vinte vezes, irrequieta, ululando, como uma cadela a quem roubaram o cachorrinho.

Estava apatetada; não respondia às perguntas que lhe dirigiam. João Romão falou-lhe; ela nem sequer se voltou para ouvir. E o vendeiro, cada vez mais excitado, foi buscar dois homens e ordenou que esvaziassem o numero 12.

— Os tarecos fora! E já! Aqui mando eu! Aqui sou eu o monarca!

E tinha gestos inflexíveis de déspota.

Principiou o despejo.

— Não! Aqui dentro não! Tudo lá fora! Na rua! — gritou ele, quando os carregadores quiseram depor no pátio os trens de Marciana. Lá fora do portão! Lá fora do portão!

E a mísera, sem opor uma palavra, assistia ao despejo acocorada na rua, com os joelhos juntos, as mãos cruzadas sobre as canelas, resmungando. Transeuntes paravam, a olhá-la. Formava-se já um grupo de curiosos. Mas ninguém entendia o que ela rosnava; era um rabujar confuso, interminável, acompanhado de um único gesto de cabeça, triste e automático. Ali perto, o colchão velho, já roto e destripado, os móveis desconjuntados e sem verniz, as trouxas de molambos úteis, as louças ordinárias e sujas do uso, tinham, tudo amontoado e sem ordem, um ar indecoroso de interior de quarto de dormir, devassado em flagrante intimidade. E veio o homem dos cinco instrumentos, que, aos domingos, aparecia sempre; e fez-se o entra-e-sai dos mercadores; e lavadeiras ganharam a rua em trajos de passeio, e os tabuleiros de roupa engomada, que saíam, cruzaram-se com os sacos de roupa suja, que entravam; e Marciana não se movia do seu lugar, monologando. João Romão percorreu o número 12, escancarando as portas, a dar arres e empurrando para fora, com o pé, algum trapo ou algum frasco vazio que lá ficara abandonado; e a enxotada, indiferente a tudo, continuava a sussurrar funebremente. Já não chorava, mas os olhos tinha-os ainda relentados na sua muda fixidez. Algumas mulheres da estalagem iam ter com ela de vez em quando, agora de novo compungidas, e faziam-lhe oferecimentos; Marciana não respondia. Quiseram obrigá-la a comer; não houve meio. A desgraçada não prestava atenção a coisa alguma, parecia não dar pela presença de ninguém. Chamaram-na pelo nome repetidas vezes; ela persistia no seu ininteligível monólogo, sem tirar a vista de um ponto.

— Cruzes! — parece que lhe deu alguma!

A Augusta chegara-se também.

— Teria ensandecido?... — perguntou à Rita, que a seu lado olhava para a infeliz, com um prato de comida na mão. — Coitada!

— Tia Marciana! — dizia a mulata. — Não fique assim!! Levante-se! Meta os seus trens pra dentro! Vá lá pra casa até encontrar arrumação!...

Nada! O monólogo continuava.

— Olhe que vai chover! Não tarda a cair água! Já senti dois pingos na cara. Qual!

A Bruxa, a certa distância, fitava-a com estranheza, igualmente imóvel, como por um efeito de sugestão.

Rita afastou-se, porque acabava de chegar o Firmo, acompanhado pelo Porfiro, trazendo ambos embrulhos para o jantar. O amigo da das Dores também veio. Deram três horas da tarde. A casa do Miranda continuava em festa animada, cada vez mais cheia de visitas; lá dentro a música quase que não tomava fôlego, enfiando quadrilhas e valsas; moças e meninas dançavam na sala da frente, com muito riso; desarrolhavam-se garrafas a todo instante; os criados iam e vinham, de carreira, da sala de jantar à despensa e à cozinha, carregados de copos em salvas; Henrique, suado e vermelho, aparecia de quando em quando à janela, impaciente por não ver Pombinha, que estava esse dia de passeio com a mãe em casa de Léonie.

João Romão, depois de serrazinar na venda com os caixeiros e com a Bertoleza, tornou ao pátio da estalagem queixando-se de que tudo ali ia muito mal. Censurou os trabalhadores da pedreira, nomeando o próprio Jerônimo, cuja força física aliás o intimidara sempre. "Era um relaxamento aquela porcaria de serviço! Havia três semanas que estavam com uma broca à-toa, sem atar, nem desatar; afinal aí chegara o domingo e não se havia ainda lascado fogo! Uma verdadeira calaçaria! O tal seu Jerônimo, dantes tão apurado, era agora o primeiro a dar o mau exemplo! Perdia noites no samba! Não largava os rastros da Rita Baiana e parecia embeiçado por ela! Não tinha jeito!" Piedade, ouvindo o vendeiro dizer mal do seu homem, saltou em defesa deste com duas pedras na mão, e uma contenda travou-se, assanhando todos os ânimos. Felizmente, a chuva, caindo em cheio, veio dispersar o ajuntamento que se tornava sério. Cada um correu para o seu buraco, num alvoroço exagerado; as crianças despiram-se e vieram cá fora tomar banho debaixo das goteiras, por pagode, gritando, rindo, saltando e atirando-se ao chão, a espernearem; fingindo que nadavam. E lá defronte, no sobrado, ferviam brindes, enquanto a água jorrava copiosamente, alagando o pátio.

Quando João Romão entrou na venda, recolhendo-se da chuva, um caixeiro entregou-lhe um cartão do Miranda. Era um convite para lá ir à noite tomar uma chávena de chá.

O vendeiro, a princípio, ficou lisonjeado com o obséquio, primeiro desse gênero que em sua vida recebia; mas logo depois voltou-lhe a cólera com mais ímpeto ainda. Aquele convite irritava-o como um ultraje, uma provocação. "Por que o pulha o convidara, devendo saber que ele decerto lá não ia?... Para que, se não para o enfrenesiar ainda mais do que já estava?!... Seu Miranda que fosse à tábua com a sua festa e com os seus títulos!"

— Não preciso dele para nada!... — exclamou o vendeiro. — Não preciso, nem dependo de nenhum safardana! Se gostasse de festas, dava-as eu!

No entanto, começou a imaginar como seria, no caso que estivesse prevenido de roupa e aceitasse o convite: figurou-se bem vestido, de pano fino, com uma boa cadeia de relógio, uma gravata com alfinete de brilhante; e viu-se lá em cima, no meio da sala, a sorrir para os lados, prestando atenção a um, prestando atenção a outro, discretamente silencioso e afável, sentindo que o citavam dos lados em voz mortiça e respeitosa como um homem rico, cheio de independência. E adivinhava os olhares aprobativos das pessoas sérias; os óculos curiosos das velhas assestados sobre ele, procurando ver se estaria ali um bom arranjo para uma das filhas de menor cotação.

Nesse dia serviu mal e porcamente aos fregueses; tratou aos repelões a Bertoleza e, quando, já às cinco horas, deu com a Marciana, que, uns negros por compaixão haviam arrastado para dentro da venda, disparatou:

— Ora bolas! Pra que diabo me metem em casa este estupor?! Gosto de ver tais caridades com o que é dos outros! Isto aqui não é acoito de vagabundos!...

E, como um polícia, todo encharcado de chuva, entrasse para beber um gole de parati, João Romão voltou-se para ele e disse-lhe:

— Camarada, esta mulher é gira! Não tem domicílio, e eu não hei de, quando fechar a porta, ficar com ela aqui dentro da venda!

O soldado saiu e, daí a coisa de uma hora, Marciana era carregada para o xadrez, sem o menor protesto e sem interromper o seu monólogo de demente. Os cacaréus foram recolhidos ao depósito público por ordem do inspetor do quarteirão. E a Bruxa era a única que parecia deveras impressionada com tudo aquilo.

Entretanto, a chuva cessou completamente, o sol reapareceu, como para despedir-se; andorinhas esgaivotaram no ar; e o cortiço palpitou inteiro na trêfega alegria do domingo. Nas salas do Barão a festa engrossava, cada vez mais estrepitosa; de vez em quando vinha de lá uma taça quebrar-se no pátio da estalagem, levantando protestos e surriadas.

A noite chegou muito bonita, com um belo luar de lua cheia, que começou ainda com o crepúsculo; e o samba rompeu mais forte e mais cedo que de costume, incitado pela grande animação que havia em casa do Miranda.

Foi um forrobodó valente. A Rita Baiana essa noite estava de veia para a coisa; estava inspirada; divina! Nunca dançara com tanta graça e tamanha lubricidade!

Também cantou. E cada verso que vinha da sua boca de mulata era um arrulhar choroso de pomba no cio. E o Firmo, bêbedo de volúpia, enroscava-se todo ao violão; e o violão e ele gemiam com o mesmo gosto, grunhindo, ganindo, miando, com todas as vozes de bichos sensuais, num desespero de luxúria que penetrava até o tutano com línguas finíssimas de cobra.

Jerônimo não pôde conter-se: no momento em que a baiana, ofegante de cansaço, caiu exausta, assentando-se ao lado dele, o português segredou-lhe com a voz estrangulada de paixão:

— Meu bem! Se você quiser estar comigo, dou uma perna ao demo!

O mulato não ouviu, mas notou o cochicho e ficou, de má cara, a rondar disfarçadamente o rival.

O canto e a dança continuavam todavia, sem afrouxar. Entrou a das Dores. Neném, mais uma amiga sua, que fora passar o dia com ela, rodavam de mãos nas cadeiras, rebolando em meio de uma volta de palmas cadenciadas, no acompanhamento do ritmo requebrado da música.

Quando o marido de Piedade disse um segundo cochicho à Rita, Firmo precisou empregar grande esforço para não ir logo às do cabo.

Mas, lá pelo meio do pagode, a baiana caíra na imprudência de derrear-se toda sobre o português e soprar-lhe um segredo, requebrando os olhos. Firmo, de um salto, aprumou-se então defronte dele, medindo-o de alto a baixo com um olhar provocador e atrevido. Jerônimo, também posto de pé, respondeu altivo com um gesto igual. Os instrumentos calaram-se logo. Fez-se um profundo silêncio. Ninguém se mexeu do lugar em que estava. E, no meio da grande roda, iluminados amplamente pelo capitoso luar de abril, os dois homens, perfilados defronte um do outro, olhavam-se em desafio.

Jerônimo era alto, espadaúdo, construção de touro, pescoço de Hércules, punho de quebrar um coco com um murro: era a força tranquila, o pulso de chumbo. O outro, franzino, um palmo mais baixo que o português, pernas e braços secos, agilidade de maracajá: era a força nervosa; era o arrebatamento que tudo desbarata no sobressalto do primeiro instante. Um, sólido e resistente; o outro, ligeiro e destemido, mas ambos corajosos.

— Senta! Senta!

— Nada de rolo!

— Segue a dança — gritaram em volta.

Piedade erguera-se para arredar o seu homem dali.

O cavouqueiro afastou-a com um empurrão, sem tirar a vista de cima do mulato.

— Deixa-me ver o que quer de mim este cabra!... — rosnou ele.

— Dar-te um banho de fumaça, galego ordinário! — respondeu Firmo, frente a frente; agora avançando e recuando, sempre com um dos pés no ar, e bamboleando todo o corpo e meneando os braços, como preparado para agarrá-lo.

Jerônimo, esbravecido pelo insulto, cresceu para o adversário com um soco armado; o cabra, porém, deixou-se cair de costas, rapidamente, firmando-se nas mãos o corpo suspenso, a perna direita levantada; e o soco passou por cima, varando o espaço, enquanto o português apanhava no ventre um pontapé inesperado.

— Canalha! — berrou possesso; e ia precipitar-se em cheio sobre o mulato, quando uma cabeçada o atirou no chão.

— Levanta-se, que não dou em defuntos! — exclamou o Firmo, de pé, repetindo a sua dança de todo o corpo.

O outro erguera-se logo e, mal se tinha equilibrado, já uma rasteira o tombava para a direita, enquanto da esquerda ele recebia uma tapona na orelha. Furioso, desferiu novo soco, mas o capoeira deu para trás um salto de gato, e o português sentiu um pontapé nos queixos.

Espirrou-lhe sangue da boca e das ventas. Então fez-se um clamor medonho. As mulheres quiseram meter-se de permeio, porém o cabra as emborcava com rasteiras rápidas, cujo movimento de pernas apenas se percebia. Um horrível sarilho se formava. João Romão fechou às pressas as portas da venda e trancou o portão da estalagem, correndo depois para o lugar da briga. O Bruno, os mascates, os trabalhadores da pedreira, e todos os outros que tentaram segurar o mulato, tinham rolado em torno dele, formando-se uma roda limpa, no meio da qual o terrível capoeira, fora de si, doido, reinava, saltando a um tempo para todos os lados, sem consentir que ninguém se aproximasse. O terror arrancava gritos agudos. Estavam já todos assustados, menos a Rita que, a certa distância, via, de braços cruzados, aqueles dois homens a se baterem por causa dela; um ligeiro sorriso encrespava-lhe os lábios. A lua escondera-se: mudara o tempo; o céu, de limpo que estava, fizera-se cor de lousa; sentia-se um vento úmido de chuva. Piedade berrava reclamando polícia; tinha levado um troca-queixos do marido, porque insistia em tirá-lo da luta. As janelas do Miranda acumulavam-se de gente. Ouviam-se apitos, soprados com desespero.

Nisto, ecoou na estalagem um bramido de fera enraivecida: Firmo acabava de receber, sem esperar, uma formidável cacetada na cabeça. É que Jerônimo havia corrido à casa e armara-se com o seu varapau minhoto. E então o mulato, com o rosto banhado de sangue, refilando as presas e espumando de cólera, erguera o braço direito, onde se viu cintilar a lâmina de uma navalha.

Fez-se uma debandada em volta dos dois adversários, estrepitosa, cheia de pavor. Mulheres e homens atropelavam-se, caindo uns por cima dos outros. Albino perdera os sentidos; Piedade clamava, estarrecida e em soluços, que lhe iam matar o homem; a das Dores soltava censuras e maldições contra aquela estupidez de se destriparem por causa de entrepernas de mulher; a Machona, armada com um ferro de engomar, jurava abrir as fuças a quem lhe desse um segundo coice como acabava ela de receber um nas ancas; Augusta enfiara pela porta do fundo da estalagem, para atravessar o capinzal e ir à rua ver se descobria o marido, que talvez estivesse de serviço no quarteirão. Por esse lado acudiam curiosos, e o pátio enchia-se de gente de fora. Dona Isabel e Pombinha, de volta da casa de Léonie, tiveram dificuldade em chegar ao número 15, onde mal entraram, fecharam-se por dentro, praguejando a velha contra a desordem e lamentando-se da sorte que as lançou naquele inferno. Entanto, no meio de uma nova roda, encintada pelo povo, o português e o brasileiro batiam-se.

Agora a luta era regular: havia igualdade de partidos, porque o cavouqueiro jogava o pau admiravelmente; jogava-o tão bem quanto o outro jogava a sua capoeiragem. Embalde Firmo tentava alcançá-lo; Jerônimo, sopesando ao meio a grossa vara na mão direita, girava-a com tal perícia e ligeireza em torno do corpo, que parecia embastilhado por uma teia impenetrável e sibilante. Não se lhe via a arma, só se ouvia um zunido do ar simultaneamente cortado em todas as direções.

E, ao mesmo tempo que se defendia, atacava. O brasileiro tinha já recebido pauladas na testa, no pescoço, nos ombros, nos braços, no peito, nos rins e nas pernas. O sangue inundava-o inteiro; ele rugia e arfava, iroso e cansado, investindo ora com os pés, ora com a cabeça, e livrando-se daqui, livrando-se dali, aos pulos e às cambalhotas.

A vitória pendia para o lado do português. Os espectadores aclamavam-no já com entusiasmo; mas, de súbito, o capoeira mergulhou, num relance, até as canelas do adversário e surgiu-lhe rente dos pés, grudado nele, rasgando-lhe o ventre com uma navalhada.

Jerônimo soltou um mugido e caiu de borco, segurando os intestinos.

— Matou! Matou! Matou! — exclamaram todos com assombro.

Os apitos esfuziaram mais assanhados.

Firmo varou pelos fundos do cortiço e desapareceu no capinzal.

— Pega! Pega!

— Ai, o meu rico homem! — ululou Piedade, atirando-se de joelhos sobre o corpo ensanguentado do marido. Rita viera também de carreira lançar-se ao chão junto dele, para lhe afagar as barbas e os cabelos.

— É preciso o doutor! — suplicou aquela, olhando para os lados à procura de uma alma caridosa que lhe valesse.

Mas nisto um estardalhaço de formidáveis pranchadas estrugiu no portão da estalagem. O portão abalou com estrondo e gemeu.

— Abre! Abre! — reclamavam de fora.

João Romão atravessou o pátio, como um general em perigo, gritando a todos:

— Não entra a polícia! Não deixa entrar! Aguenta! Aguenta!

— Não entra! Não entra! — repercutiu a multidão em coro.

E todo o cortiço ferveu que nem uma panela ao fogo.

— Aguenta! Aguenta!

Jerônimo foi carregado para o quarto, a gemer, nos braços da mulher e da mulata.

— Aguenta! Aguenta!

De cada casulo espipavam homens armados de pau, achas de lenha, varais de ferro. Um empenho coletivo os agitava agora, a todos, numa solidariedade briosa, como se ficassem desonrados para sempre se a polícia entrasse ali pela primeira vez. Enquanto se tratava de uma simples luta entre dois rivais, estava direito! "Jogassem lá as cristas, que o mais homem ficaria com a mulher!" mas agora tratava-se de defender a estalagem, a comuna, onde cada um tinha a zelar por alguém ou alguma coisa querida.

— Não entra! Não entra!

E berros atroadores respondiam às pranchadas, que lá fora se repetiam ferozes.

A polícia era o grande terror daquela gente, porque, sempre que penetrava em qualquer estalagem, havia grande estropício; à capa de evitar e punir o jogo e a bebedeira, os urbanos invadiam os quartos, quebravam o que lá estava, punham tudo em polvorosa. Era uma questão de ódio velho.

E, enquanto os homens guardavam a entrada do capinzal e sustentavam de costas o portão da frente, as mulheres, em desordem, rolavam as tinas, arrancavam jiraus, arrastavam carroças, restos de colchões e sacos de cal, formando às pressas uma barricada.

As pranchadas multiplicavam-se. O portão rangia, estalava, começava a abrir-se; ia ceder. Mas a barricada estava feita e todos entrincheirados atrás dela. Os que entravam de fora por curiosidade não puderam sair e viam-se metidos no surumbamba. As cercas das hortas voaram. A Machona terrível fungara as saias e empunhava na mão o seu ferro de engomar. A das Dores, que ninguém dava nada por ela, era uma das mais duras e que parecia mais empenhada na defesa.

Afinal o portão lascou; um grande rombo abriu-se logo; caíram tábuas; e os quatro primeiros urbanos que se precipitaram dentro foram recebidos a pedradas e garrafas vazias. Seguiram-se outros. Havia uns vinte. Um saco de cal, despejado sobre eles, desnorteou-os.

Principiou então o sarilho grosso. Os sabres não podiam alcançar ninguém por entre a trincheira; ao passo que os projetis, arremessados lá de dentro, desbaratavam o inimigo. Já o sargento tinha a cabeça partida e duas praças abandonavam o campo, à falta de ar.

Era impossível invadir aquele baluarte com tão poucos elementos, mas a polícia teimava, não mais por obrigação que por necessidade pessoal de desforço. Semelhante resistência os humilhava. Se tivessem espingardas fariam fogo. O único deles que conseguiu trepar à barricada rolou de lá abaixo sob uma carga de pau que teve de ser carregado para a rua pelos companheiros. O Bruno, todo sujo de sangue, estava agora armado de um refle, e o Porfiro, mestre na capoeiragem, tinha na cabeça uma barretina de urbano.

— Fora os morcegos!

— Fora! Fora!

E, a cada exclamação: tome pedra! tome lenha! tome cal! tome fundo de garrafa!

Os apitos estridulavam mais e mais fortes.

Nessa ocasião, porém, Neném gritou, correndo na direção da barricada.

— Acudam aqui! Acudam aqui! Há fogo no número 12. Está saindo fumaça!

— Fogo!

A esse grito um pânico geral apoderou-se dos moradores do cortiço. Um incêndio lamberia aquelas cem casinhas enquanto o diabo esfrega um olho!

Fez-se logo medonha confusão. Cada qual pensou em salvar o que era seu. E os polícias, aproveitando o terror dos adversários, avançaram com ímpeto, levando na frente o que encontravam e penetrando enfim no infernal reduto, a dar espadeiradas para a direita e para a esquerda, como quem destroça uma boiada. A multidão atropelava-se, desembestando num alarido. Uns fugiam à prisão; outros cuidavam em defender a casa. Mas as praças, loucas de cólera, metiam dentro as portas e iam invadindo e quebrando tudo, sequiosas de vingança.

Nisto, roncou no espaço a trovoada. O vento do norte zuniu mais estridente e um grande pé-d'água desabou cerrado.

11

A Bruxa, por influência sugestiva da loucura de Marciana, piorou do juízo e tentou incendiar o cortiço.

Enquanto os companheiros o defendiam a unhas e dentes, ela, com todo o disfarce, carregava palha e sarrafos para o número 12 e preparava uma fogueira. Felizmente acudiram a tempo; mas as consequências foram do mesmo modo desastrosas, porque muitas outras casinhas, escapando como aquela ao fogo, não escaparam à devastação da polícia. Algumas ficaram completamente assoladas. E a coisa seria ainda mais feia, se não viera o providencial aguaceiro apagar também o outro incêndio ainda pior, que, de parte a parte, lavrara nos ânimos. A polícia retirou-se sem levar nenhum preso. "A ir um, iriam todos à estação! Deus te livre! Demais, para quê? O que ela queria fazer, fez! Estava satisfeita!"

Apesar do empenho do João Romão, ninguém conseguiu descobrir o autor da sinistra tentativa, e só muito tarde cada qual cuidou de pregar olho, depois de reacomodar, entre plangentes lamentações, o que se salvou do destroço. O tempo levantou de novo à meia-noite. Ao romper da aurora já muita gente estava de pé, e o vendeiro passava uma revista minuciosa no pátio, avaliando e carpindo, inconsolável e furioso, o seu prejuízo. De vez em quando soltava uma praga. Além do que escangalharam os urbanos dentro das casas, havia muita tina partida, muito jirau quebrado, lampiões em fanicos, hortas e cercas arrasadas; o portão da frente e a tabuleta foram reduzidos a lenha. João Romão meditava, para cobrir o dano, carregar um imposto sobre os moradores da estalagem, aumentando-lhes o aluguel dos cômodos e o preço dos gêneros. Viu-se numa dobadoura durante o dia inteiro; desde pela manhã dera logo as providências para que tudo voltasse aos seus eixos o mais depressa possível: mandou buscar novas tinas; fabricar novos jiraus e consertar os quebrados; pôs gente a remendar o portão e a tabuleta. Ao meio-dia teve de comparecer à presença do subdelegado na secretaria da polícia. Foi mesmo em mangas de camisa e sem meias; muitos do cortiço o acompanharam, quer por espírito de camaradagem, quer por simples curiosidade.

Uma verdadeira patuscada esse passeio à cidade! Parecia uma romaria; algumas mulheres levaram os seus pequenitos ao colo; um magote de italianos ia à frente, macarroneando, a fumar cachimbo; alguns cantavam. Ninguém tomou bonde; e por toda a viagem discutiram e altercaram em grande troça, comentando com gargalhadas e chalaças gordas o que iam encontrando, a chamar a atenção das ruas por onde desfilava a ruidosa farândola.

A sala da polícia encheu-se.

O interrogatório, exclusivamente dirigido a João Romão, era respondido por todos a um só tempo, a despeito dos protestos e das ameaças da autoridade, que se viu tonta. Nenhum deles nada esclarecia e todos se queixavam da polícia, exagerando as perdas recebidas na véspera.

A respeito de como se travara o conflito e quem o provocara, o taverneiro declarou que nada podia saber ao certo, porque na ocasião se achava ausente da estalagem. Do que tinha certeza era de que as praças lhe invadiram a propriedade e puseram em cacos tudo o que encontraram, como se aquilo lá fosse roupa de francês!

— Bem feito! — bradou o subdelegado. — Não resistissem!

Um coro de respostas assanhadas levantou-se para justificar a resistência. "Ah! Estavam mais que fartos de ver o que pintavam os morcegos, quando lhes não saía alguém pela frente! Esbodegavam até à última, só pelo gostinho de fazer mal! Pois então uma criatura, porque estava a divertir-se um bocado com os amigos, havia de ser aperreada que nem boi ladrão?... Tinha lá jeito?... Os rolos era sempre a polícia quem os levantava com as suas fúrias! Não se metesse ela na vida de quem vivia sossegado no seu canto, e não sairia tanto barulho!..." Como de costume, o espírito de coletividade, que unia aquela gente em círculo de ferro, impediu que transpirasse o menor vislumbre de denúncia. O subdelegado, depois de dirigir-se inutilmente a um por um, despachou o bando, que fez logo a sua retirada, no meio de uma alacridade mais quente ainda que a da ida.

Lá no cortiço, de portas adentro, podiam esfaquear-se à vontade, que nenhum deles, e muito menos a vítima, seria capaz de apontar o criminoso; tanto que o médico, que, logo depois da invasão da polícia, desceu da casa do Miranda à estalagem, para socorrer Jerônimo, não conseguiu arrancar deste o menor esclarecimento sobre o motivo da navalhada. "Não fora nada!... Não fora de propósito!... Estavam a brincar e sucedera aquilo!... Ninguém tivera a menor intenção de fazer-lhe mossa!..."

Rita mostrou-se de uma incansável solicitude para com o ferido. Foi ela quem correu a buscar os remédios, quem serviu de ajudante ao médico e quem serviu de enfermeira ao doente. Muitos lá iam, demorando-se um instante, para dar fé; ela, porém, desde que Jerônimo se achou operado, não lhe abandonou a cabeceira; ao passo que Piedade, aflita e atarantada, não fazia senão chorar e arreliar-se.

A mulata, essa não chorava; mas a sua fisionomia tinha uma profunda expressão de mágoa enternecida. Agora toda ela se sentia apegar-se àquele homem bom e forte; àquele gigante inofensivo, àquele Hércules tranquilo que mataria o Firmo com uma punhada, mas que, na sua boa-fé, se deixara navalhar pelo facínora. "E tudo por causa dela! só por ela!" Seu coração de mulher rendia-se cativo a semelhante dedicação ensanguentada e dolorosa. E ele, o mísero, interrompia as contrações do rosto para sorrir defronte dos olhos enamorados da baiana, feliz naquela desgraça que lhe permitia gozar dos seus carinhos. E tomava-lhe as mãos, e cingia-lhe a cintura, resignado e comovido, sem uma palavra, sem um gesto, mas a dizer bem claro, na sua dor silenciosa e quieta de animal ferido, que a amava muito, que a amava loucamente.

Rita afagava-o, já sem a menor sombra de escrúpulo, tratando-o por tu, ameigando-lhe os cabelos sujos de sangue com a polpa macia da sua mão feminil. E ali mesmo em presença da mulher dele, só faltava beijá-lo com a boca, que com os olhos o devorava de beijos ardentes e sequiosos.

Depois da meia-noite dada, ela e Piedade ficaram sozinhas velando o enfermo. Deliberou-se que este iria pela manhã para a Ordem de Santo Antônio, de que era irmão. E, com efeito, no dia imediato, enquanto o vendeiro e seu bando andavam lá às voltas com a polícia, e o resto do cortiço formigava, tagarelando em volta do conserto das tinas e jiraus, Jerônimo, ao lado da mulher e da Rita, seguia dentro de um carro para o hospital.

As duas só voltaram de lá à noite, caindo de fadiga. De resto, toda a estalagem estava igualmente prostrada e morrendo pela cama, se bem que nesse dia as lavadeiras em geral gazeassem o trabalho; as que tinham roupa com mais pressa foram lavar fora ou arrastaram bacias de banho para debaixo das bicas, à falta de melhor vasilha para o serviço. Discutiu-se a campanha da véspera sem variar de assunto. Aqui era um que lembrava as suas proezas com os urbanos, descrevendo entusiasmado os pormenores da luta; ali, outro repetia, cheio de empáfia, os desaforos que dissera depois nas bochechas da autoridade; mais adiante trocavam-se queixas e recriminações; cada qual, mulheres e homens, sofrera o seu prejuízo ou a sua arranhadura, e mostravam entre si, numa febre de indignação, os objetos partidos ou a parte do corpo escoriada.

Mas às nove da noite já não havia viva alma no pátio da estalagem. A venda fechou-se um pouco mais cedo que de costume. Bertoleza atirou-se ao colchão, estrompada; João Romão recolheu-se junto dela, porém não conseguiu dormir: sentia calafrios e pontadas na cabeça. Chamou pela amiga, a gemer, e pediu-lhe que lhe desse alguma coisa para suar. Supunha estar com febre.

A crioula só descansou quando, muitas horas adiante, depois de mudar-lhe a roupa, o viu pegar no sono; e daí a pouco, às quatro da madrugada, erguia-se ela, com estalos de juntas, a bocejar, fungando no seu estremunhamento pesadão, e pigarreando forte. Acordou o caixeiro para ir ao mercado; gargarejou um pouco d'água à torneira da cozinha e foi fazer fogo para o café dos trabalhadores, riscando fósforos e acendendo cavacos num fogareiro, donde começaram a borbotar grossos novelos de fumo espesso.

Lá fora clareava já, e a vida renascia no cortiço. A luta de todos os dias continuava, como se não houvera interrupção. Principiava o burburinho. Aquela noite bem dormida punha-os a todos de bom humor.

Pombinha, entretanto, nessa manhã acordara abatida e nervosa, sem ânimo de sair dos lençóis. Pediu café à mãe, bebeu, e tornou a abraçar-se nos travesseiros, escondendo o rosto.

— Não te sentes melhor hoje, minha filha?... — perguntou-lhe Dona Isabel, apalpando-lhe a testa. Febre não tens.

— Ainda sinto o corpo mole... mas não é nada... Isto passa!...

— Foi de tanto gelo, que tomaste em casa de madama!... Não te dizia?... Agora, o melhor é dar-te um escalda-pés!...

— Não, não, por amor de Deus! Daqui a pouco estou em pé!

Às oito horas, com efeito, levantava-se e fazia, indolentemente, o alinho da cabeça, defronte do seu modesto lavatório de ferro. Dir-se-ia sem forças para a menor coisa; toda ela transpirava uma contemplativa melancolia de convalescente; havia uma doce expressão dolorosa na limpidez cristalina de seus olhos de moça enferma; um pobre sorriso pálido a entreabrir-lhe as pétalas da boca, sem lhe alegrar os lábios, que pareciam ressequidos à míngua de beijos de amor; assim a delicada planta murcha, languesce e morre, se carinhosa borboleta não vai sacudir sobre ela as asas prenhes de fecundo e dourado pólen.

O passeio à casa de Léonie fizera-lhe muito mal. Trouxe de lá impressões de íntimos vexames, que nunca mais se apagariam por toda a sua vida.

A cocote recebeu-a de braços abertos, radiante com apanhá-la junto de si, naqueles divãs fofos e traidores, entre todo aquele luxo extravagante e requintado próprio para os vícios grandes. Ordenou à criada que não deixasse entrar ninguém, ninguém, nem mesmo o Bebê, e assentou-se ao lado da menina, bem juntinho uma da outra, tomando-lhe as mãos, fazendo-lhe uma infinidade de perguntas, e pedindo-lhe beijos, que saboreava gemendo, de olhos fechados.

Dona Isabel suspirava também, mas d'outro modo; na sua parva compreensão do conforto, aqueles impertinentes espelhos, aqueles móveis casquilhos e aquelas cortinas escandalosas arrancavam-lhe saudosas recordações do bom tempo e avivavam a sua impaciência por melhor futuro.

Ai! assim Deus quisesse ajudá-la!...

Às duas da tarde, Léonie, por sua própria mão serviu às visitas um pequeno *lunch* de *foie-gras*, presunto e queijo, acompanhado de champanha, gelo e água de Seltz; e, sem se descuidar um instante da rapariga, tinha para ela extremas solicitudes de namorado; levava-lhe a comida à boca, bebia do seu copo, apertava-lhe os dedos por debaixo da mesa.

Depois da refeição, Dona Isabel, que não estava habituada a tomar vinho, sentiu vontade de descansar o corpo; Léonie franqueou-lhe um bom quarto, com boa cama, e, mal percebeu que a velha dormia, fechou a porta pelo lado de fora, para melhor ficar em liberdade com a pequena.

Bem! Agora estavam perfeitamente a sós!

— Vem cá, minha flor!... — disse-lhe, puxando-a contra si e deixando-se cair sobre um divã. — Sabes? Eu te quero cada vez mais!... Estou louca por ti!

E devorava-a de beijos violentos, repetidos, quentes, que sufocavam a menina, enchendo-a de espanto e de um instintivo temor, cuja origem a pobrezinha, na sua simplicidade, não podia saber qual era.

A cocote percebeu o seu enleio e ergueu-se, sem largar-lhe a mão.

— Descansemos nós também um pouco... propôs, arrastando-a para a alcova.

Pombinha assentou-se, constrangida, no rebordo da cama e, toda perplexa, com vontade de afastar-se, mas sem ânimo de protestar, por acanhamento, tentou reatar o fio da conversa, que elas sustentavam um pouco antes, à mesa, em presença de Dona Isabel. Léonie fingia prestar-lhe atenção e nada mais fazia do que afagar-lhe a cintura, as coxas e o colo. Depois, como que distraidamente, começou a desabotoar--lhe o corpinho do vestido.

— Não! Para quê?... Não quero despir-me...

— Mas faz tanto calor... Põe-te a gosto...

— Estou bem assim. Não quero!

— Que tolice a tua...! Não vês que sou mulher, tolinha?... De que tens medo?... Olha! Vou dar exemplo!

E, num relance, desfez-se da roupa, e prosseguiu na campanha.

A menina, vendo-se descomposta, cruzou os braços sobre o seio, vermelha de pudor.

— Deixa! — segredou-lhe a outra, com os olhos envesgados, a pupila trêmula.

E, apesar dos protestos, das súplicas e até das lágrimas da infeliz, arrancou--lhe a última vestimenta, e precipitou-se contra ela, a beijar-lhe todo o corpo, a empolgar-lhe com os lábios o róseo bico do peito.

— Oh! Oh! Deixa disso! Deixa disso! — reclamava Pombinha, estorcendo-se em cócegas, e deixando ver preciosidades de nudez fresca e virginal, que enlouqueciam a prostituta.

— Que mal faz?... Estamos brincando...

— Não! Não! — balbuciou a vítima, repelindo-a.

— Sim! Sim! — insistiu Léonie, fechando-a entre os braços, como entre duas colunas; e pondo em contato com o dela todo o seu corpo nu.

Pombinha arfava, relutando; mas o atrito daquelas duas grossas pomas irrequietas sobre seu mesquinho peito de donzela impúbere, e o roçar vertiginoso daqueles cabelos ásperos e crespos nas estações mais sensitivas da sua feminilidade, acabaram por foguear-lhe a pólvora do sangue, desertando-lhe a razão ao rebate dos sentidos.

Agora, espolinhava-se toda, cerrando os dentes, fremindo-lhe a carne em crispações de espasmo; ao passo que a outra, por cima, doida de luxúria, irracional, feroz, revoluteava, em corcovos de égua, bufando e relinchando.

E metia-lhe a língua tesa pela boca e pelas orelhas, e esmagava-lhe os olhos debaixo dos seus beijos lubrificados de espuma, e mordia-lhe o lóbulo dos ombros, e agarrava-lhe convulsivamente o cabelo, como se quisesse arrancá-lo aos punhados. Até que, com um assomo mais forte, devorou-a num abraço de todo o corpo, ganindo ligeiros gritos, secos, curtos, muito agudos, e afinal desabou para o lado, exânime, inerte, os membros atirados num abandono de bêbedo, soltando de instante a instante um soluço estrangulado.

A menina voltara a si e torcera-se logo em sentido contrário à adversária, cingindo-se rente aos travesseiros e abafando o seu pranto, envergonhada e corrida.

A impudica, mal orientada ainda e sem conseguir abrir os olhos, procurou animá-la, ameigando-lhe a nuca e as espáduas. Mas Pombinha parecia inconsolável, e a outra teve de erguer-se a meio e puxá-la como uma criança para o seu colo, onde ela foi ocultando o rosto, a soluçar baixinho.

— Não chores assim, meu amor!...

Pombinha continuou a soluçar.

— Vamos! Não quero ver-te deste modo!... Estás zangada comigo?...

— Não volto mais aqui! Nunca mais! — exclamou por fim a donzela, desgalgando o leito para vestir-se.

— Vem cá! Não sejas ruim! Ficarei muito triste se estiveres mal com a tua negrinha!... Anda! Não me feches a cara!...

— Deixe-me!

— Vem cá, Pombinha!

— Não vou! Já disse!

E vestia-se com movimentos de raiva. Léonie saltara para junto dela e pôs-se a beijar-lhe, à força, os ouvidos e o pescoço, fazendo-se muito humilde, adulando-a, comprometendo-se a ser sua escrava, e obedecer-lhe como um cachorrinho, contanto que aquela tirana não se fosse assim zangada.

— Faço tudo! tudo! mas não fiques mal comigo! Ah! se soubesse como eu te adoro!...

— Não sei! Largue-me!...

— Espera!

— Que amolação! Oh!

— Deixa de tolice!... Escuta, por amor de Deus!

Pombinha acabava de encasar o último botão do corpinho, e repuxava o pescoço e sacudia os braços, ajustando bem a sua roupa ao corpo. Mas Léonie caíra-lhe aos pés, enleando-a pelas pernas e beijando-lhe as saias.

— Olha!... Ouve!...

— Deixa-me sair!

— Não! Não hás de ir zangada, ou faço aqui um escândalo dos diabos!

— É que mamãe já acordou com certeza!...

— Que acordasse!

Agora a meretriz defendia a porta da alcova.

— Oh! meu Deus! Deixe-me sair!

— Não deixo, sem fazermos as pazes...

— Que aborrecimento!

— Dá-me um beijo!

— Não dou!

— Pois então não sais!

— Eu grito!

— Pois grita! Que me importa?

— Arrede-se daí, por favor!...

— Faz as pazes...

— Não estou zangada, creia! Estou é indisposta... Não me sinto boa!

— Mas eu faço questão do beijo!

— Pois bem! Está aí!

E beijou-a.

— Não quero assim! Foi dado de má vontade!...

Pombinha deu-lhe outro.

— Ah! Agora bem! Espera um nada! Deixa arranjar-me! É um instante!

Em três tempos, lavou-se ligeiramente no bidê, endireitou o penteado defronte do espelho, num movimento rápido de dedos, e empoou-se, e perfumou-se, e enfiou camisa, anágua e penteador, tudo com uma expedição de quem está habituada a vestir-se muitas vezes por dia. E, pronta, correu uma vista de olhos pela menina, desenrugou-lhe a saia, consertou-lhe melhor os cabelos e, readquirindo o seu ar tranquilo de mulher ajuizada, tomou-a pela cintura e levou-a vagarosamente até a sala de jantar, para tomarem vermute com gasosa.

O jantar foi às seis e meia. Correu frio, não tanto por parte de Pombinha, que aliás se mostrava bem incomodada, como porque Dona Isabel, dormindo até o momento de a chamarem para mesa, sentia-se aziada com *o foie-gras*. A dona da casa, todavia, não se forrou a desvelos e fez por alegrá-las rindo e contando anedotas burlescas. Ao café apareceu Juju, que a criada levara a passear desde logo depois do almoço, e uma afetação de agrados levantou-se em torno da pequerrucha. Léonie pôs-se a conversar com ela, falando como criança, dizendo-lhe que mostrasse a Dona Isabel "o seu papatinho novo!"

Mais tarde, no terraço, enquanto fumava um cigarro, tomou a mão de Pombinha e meteu-lhe no dedo um anel com um diamante cercado de pérolas. A menina recusou o mimo, formalmente. Foi preciso a intervenção da velha para que ela consentisse em aceitá-lo.

Às oito horas retiraram-se as visitas, seguindo direitinho para a estalagem. Durante toda a viagem Pombinha parecia preocupada e triste.

— Que tens tu?... — perguntou-lhe a mãe duas vezes.

E de ambas a filha respondeu:

— Nada! Aborrecimento...

No pouco que dormiu essa noite, que foi a do baralho com a polícia, teve sonhos agitados e passou mal todo o dia seguinte, com molezas de febre e dores no útero. Não arredou pé de casa, nem para ver os destroços do conflito. A notícia do defloramento e da fuga de Florinda, como a da loucura da velha Marciana, produziu-lhe grande abalo nos nervos.

Na manhã imediata, a despeito de fazer-se forte, torceu o nariz ao pobre almoço que Dona Isabel lhe apresentou carinhosa. Persistiam-lhe as dores uterinas, não vivas, mas constantes. Não teve ânimo de pegar na costura, e um livro que ela tentou ler, foi por várias vezes repelido.

Às onze para o meio-dia era tal o seu constrangimento e era tal o seu desassossego entre as apertadas paredes do número 15, que, malgrado os protestos da velha, saiu a dar uma volta por detrás do cortiço, à sombra dos bambus e das mangueiras.

Uma irresistível necessidade de estar só, completamente só, uma aflição de conversar consigo mesma, a apartavam no seu estreito quarto sufocante, tão tristonho e tão pouco amigo. Pungia-lhe na brancura da alma virgem um arrependimento incisivo e negro das torpezas da antevéspera; mas, lubrificada por essa recordação, toda a sua carne ria e rejubilava-se, pressentindo delícias que lhe pareciam reservadas para mais tarde, junto de um homem amado; dentro dela balbuciavam desejos, até aí mudos e adormecidos; e mistérios desvendavam-se no segredo do seu corpo, enchendo-a de surpresa e mergulhando-a em fundas concentrações de êxtase. Um inefável quebranto afrouxava-lhe a energia e distendia-lhe os músculos com uma embriaguez de flores traiçoeiras.

Não pôde resistir: assentou-se debaixo das árvores, um cotovelo em terra, a cabeça reclinada contra a palma da mão.

Na doce tranquilidade daquela sombra morna, ouvia-se retinir distante a picareta dos homens da pedreira e o martelo dos ferreiros na forja. E o canto dos trabalhadores ora mais claro, ora mais duvidoso, acompanhando o marulhar dos ventos, ondeava no espaço, melancólico e sentido, como um coro religioso de penitentes.

O calor tirava do capim um cheiro sensual.

A moça fechou as pálpebras, vencida pelo seu delicioso entorpecimento, e estendeu-se de todo no chão, de barriga para o ar, braços e pernas abertas.

Adormeceu.

Começou logo a sonhar que em redor ia tudo se fazendo de um cor-de-rosa, a princípio muito leve e transparente, depois mais carregado, e mais, e mais, até formar-se em torno dela uma floresta vermelha, cor de sangue, onde largos tinhorões rubros se agitavam lentamente.

E viu-se nua, toda nua, exposta ao céu, sob a tépida luz de um sol embriagador, que lhe batia de chapa sobre os seios.

Mas, pouco a pouco, seus olhos, posto que bem abertos, nada mais enxergavam do que uma grande claridade palpitante, onde o sol, feito de uma só mancha reluzente, oscilava como um pêndulo fantástico.

Entretanto, notava que, em volta da sua nudez alourada pela luz, iam-se formando ondulantes camadas sanguíneas, que se agitavam, desprendendo aromas de flor. E, rodando o olhar, percebeu, cheia de encantos, que se achava deitada entre pétalas gigantescas, no regaço de uma rosa interminável, em que seu corpo se atufava como em ninho de veludo carmesim, bordado de ouro, fofo, macio, trescalante e morno.

E suspirando, espreguiçou-se toda num enleio de volúpia ascética.

Lá do alto o sol a fitava obstinadamente, enamorado das suas mimosas formas de menina.

Ela sorriu para ele, requebrando os olhos, e então o fogoso astro tremeu e agitou-se, e, desdobrando-se, abriu-se de par em par em duas asas e principiou a fremir, atraído e perplexo. Mas de repente, nem que se de improviso lhe inflamassem os desejos, precipitou-se lá de cima agitando as asas, e veio, enorme borboleta de fogo, adejar luxuriosamente em torno da imensa rosa, em cujo regaço a virgem permanecia com os peitos franqueados.

E a donzela, sempre que a borboleta se aproximava da rosa, sentia-se penetrar de um calor estranho, que lhe acendia, gota a gota, todo o seu sangue de moça.

E a borboleta, sem parar nunca, doidejava em todas as direções, ora fugindo rápida, ora se chegando lentamente, medrosa de tocar com as suas antenas de brasa a pele delicada e pura da menina.

Esta, delirante de desejos, ardia por ser alcançada e empinava o colo. Mas a borboleta fugia.

Uma sofreguidão lúbrica, desensofrida, apoderou-se da moça; queria a todo custo que a borboleta pousasse nela, ao menos um instante, um só instante, e a fechasse num rápido abraço dentro das suas asas ardentes. Mas a borboleta, sempre doida, não conseguia deter-se; mal se adiantava, fugia logo, irrequieta, desvairada de volúpia.

— Vem! Vem! — suplicava a donzela, apresentando o corpo. — Pousa um instante em mim! Queima-me a carne no calor das tuas asas!

E a rosa, que tinha ao colo, é que parecia falar e não ela. De cada vez que a borboleta se avizinhava com as suas negaças, a flor arregaçava-se toda, dilatando as pétalas, abrindo o seu pistilo vermelho e ávido daquele contato com a luz.

— Não fujas! Não fujas! Pousa um instante!

A borboleta não pousou; mas, num delírio, convulsa de amor, sacudiu as asas com mais ímpeto e uma nuvem de poeira dourada desprendeu-se sobre a rosa, fazendo a donzela soltar gemidos e suspiros, tonta de gosto sob aquele eflúvio luminoso e fecundante.

Nisto, Pombinha soltou um ai formidável e despertou sobressaltada, levando logo ambas as mãos ao meio do corpo. E feliz, e cheia de susto ao mesmo tempo, a rir e a chorar, sentiu o grito da puberdade sair-lhe afinal das entranhas, em uma onda vermelha e quente.

A natureza sorriu-se comovida. Um sino, ao longe, batia alegre as doze badaladas do meio-dia. O sol, vitorioso, estava a pino e, por entre a copagem negra da mangueira, um dos seus raios descia em fio de ouro sobre o ventre da rapariga, abençoando a nova mulher que se formava para o mundo.

12

Pombinha ergueu-se de um pulo e abriu de carreira para casa. No lugar em que estivera deitada o capim verde ficou matizado de pontos vermelhos. A mãe lavava à tina, ela chamou-a com instância, enfiando cheia de alvoroço pelo número 15. E aí, sem uma palavra, ergueu as saias do vestido e expôs a Dona Isabel as suas fraldas ensanguentadas.

— Veio?! — perguntou a velha com um grito arrancado do fundo d'alma.

A rapariga meneou a cabeça afirmativamente, sorrindo feliz e enrubescida.

As lágrimas saltaram dos olhos da lavadeira.

— Bendito e louvado seja Nosso Senhor Jesus Cristo! — exclamou ela, caindo de joelhos defronte da menina e erguendo para Deus o rosto e as mãos trêmulas.

Depois abraçou-se às pernas da filha e, no arrebatamento de sua comoção, beijou-lhe repetidas vezes a barriga e parecia querer beijar também aquele sangue abençoado, que lhes abria os horizontes da vida, que lhes garantia o futuro; aquele sangue bom, que descia do céu, como a chuva benfazeja sobre uma pobre terra esterilizada pela seca.

Não se pôde conter: enquanto Pombinha mudava de roupa, saiu ela ao pátio, apregoando aos quatro ventos a linda notícia. E, se não fora a formal oposição da menina, teria passeado em triunfo a camisa ensanguentada, para que todos a vissem bem e para que todos a adorassem, entre hinos de amor, que nem a uma verônica sagrada de um Cristo.

— Minha filha é mulher! Minha filha é mulher!

O fato abalou o coração do cortiço: as duas receberam parabéns e felicitações. Dona Isabel acendeu velas de cera à frente do seu oratório, e nesse dia não pegou mais no trabalho, ficou estonteada, sem saber o que fazia, a entrar e a sair de casa, radiante de ventura. De cada vez que passava junto da filha dava-lhe um beijo na cabeça e em segredo recomendava-lhe todo o cuidado. "Que não apanhasse umidade! que não bebesse coisas frias! que se agasalhasse o melhor possível e, no caso de sentir o corpo mole, que se metesse logo na cama! Qualquer imprudência poderia ser fatal!..." O seu empenho era pôr o João da Costa, no mesmo instante, ao corrente da grande novidade e pedir-lhe que marcasse logo o dia do casamento; a menina entendia que não, que era feio, mas a mãe arranjou um portador e mandou chamar o rapaz com urgência. Ele apareceu à tarde. A velha convidara gente para jantar; matou duas galinhas, comprou garrafas de vinho, e, à noite, serviu, às nove horas, um chá com biscoitos. Neném e a das Dores apresentaram-se em trajos de festa; fez-se muita cerimônia; conversou-se em voz baixa, formando todos em volta de Pombinha uma solícita cadeia de agrados, uma respeitosa preocupação de bons desejos, a que ela respondia sorrindo comovida, como que exalando da frescura da sua virgindade um vitorioso aroma de flor que desabrocha.

E a partir desse dia Dona Isabel mudou completamente. As suas rugas alegraram-se; ouviam-na cantarolar pela manhã, enquanto varria a casa e espanava os móveis.

Não obstante, depois do tremendo conflito que acabou em navalhada, uma tristeza ia minando uma grande parte da estalagem. Já se não faziam as quentes noitadas de violão e dança ao relento. A Rita andava aborrecida e concentrada, desde que Jerônimo partiu para a Ordem; Firmo fora intimado pelo vendeiro a que lhe não pusesse, nunca mais, os pés em casa, sob pena de ser entregue à polícia; Piedade, que vivia a dar ais, carpindo a ausência do marido, ainda ficou mais consumida com a primeira visita que lhe fez ao hospital: encontrou-o frio e sem uma palavra de ternura para ela, deixando até perceber a sua impaciência por ouvir falar da outra, daquela maldita mulata dos diabos, que, no fim de contas, era a única culpada de tudo aquilo e havia de ser a sua perdição e mais do seu homem! Quando voltou de lá atirou-se à cama, a soluçar sem alívio, e nessa noite não pôde pregar olho, senão já pela madrugada. Um negro desgosto comia-a por dentro, como tubérculos de tísica, e tirava-lhe a vontade para tudo que não fosse chorar.

Outro que também (coitado) arrastava a vida muito triste, era o Bruno. A mulher, que a princípio não lhe fizera grande falta, agora o torturava com a sua distância; um mês depois da separação, o desgraçado já não podia esconder o seu sofrimento e ralava-se de saudades. A Bruxa, a pedido dele, tirou a sorte nas cartas e disse-lhe misteriosamente que Leocádia ainda o amava.

Só Dona Isabel e a filha andavam deveras satisfeitas. Essas sim! Nunca tinham tido uma época tão boa e tão esperançosa. Pombinha abandonara o curso de dança; o noivo ia agora visitá-la, invariavelmente, todas as noites; chegava sempre às sete horas e demorava-se até às dez; davam-lhe café numa xícara especial, de porcelana; às vezes jogavam a bisca, e ele mandava buscar, de sua algibeira, uma garrafa de cerveja alemã, e ficavam a conversar os três, cada qual defronte do seu copo, a respeito dos projetos de felicidade comum; outras vezes o Costa, sempre muito respeitador, muito bom rapaz, acendia o seu charuto da Bahia e deixava-se cair numa pasmaceira, a olhar para a moça, todo embebido nela. Pombinha punha alegrias naqueles serões com as suas garrulices de pomba que prepara o ninho. Depois do seu idílio com o sol fazia-se muito amiga da existência, sorvendo a vida em haustos largos, como quem acaba de sair de uma prisão e saboreia o ar livre. Volvia-se carnuda e cheia, sazonava que nem uma fruta que nos provoca o apetite de morder. Dona Isabel, ao lado deles, toscanejava do meio para o fim da visita, traçando cruzes na boca e afugentando os bocejos com voluptuosas pitadas da sua insigne tabaqueira.

Fixado o dia do casamento, o assunto inalterável da conversa era o enxoval da noiva e a casinha que o Costa preparava para a lua-de-mel. Iriam todos três morar juntos; teriam cozinheiro e uma criada que lavasse e engomasse. O rapaz trouxera peças de linho e de algodão, e ali, à luz amarela do velho candeeiro de querosene, enquanto a mãe talhava camisas e lençóis, a filha cosia valentemente numa máquina que lhe oferecera o noivo.

Uma vez, eram duas da tarde, ela pregava rendas numa fronha de almofada, quando o Bruno, cheio de hesitações, a coçar os cabelos da nuca, pálido e mal asseado, disse-lhe, encostando-se à ombreira da porta:

— Ora, Nhã Pombinha... tinha-lhe um servicinho a pedir... mas vosmecezinha anda agora tão tomada com o seu enxoval e não há de querer dar-se a maços...

— Que queres tu, Bruno?

— N'é nada, é que precisava que vosmecezinha me fizesse uma carta p'raquele diabo... mas já se vê que não tem cabimento... Fica pr'ao depois!

— Uma carta para tua mulher, não é?

— Coitada! É mais doida do que ruim! Pois se a gente até dos brutos tem pena!...

— Pois estás servido. Queres para já?

— Não vale estorvar! Continue seu servicinho! Eu volto pr'outra vez!...

— Não! anda cá, entra! O que se tem de fazer, faz-se logo!

— Deus lhe pague! Vosmecezinha é mesmo um anjo! Não sei a quem se chegue a gente ao depois que já lhe não tivermos cá!...

E continuou a louvar a bondade da rapariga, enquanto esta, toda serviçal, preparava numa mesinha redonda os seus apetrechos de escrita.

— Vamos lá, Bruno! Que queres tu mandar dizer à Leocádia?

— Diga-lhe, antes de mais nada, que aquilo que quebrei dela, que dou outro! Que ela fez mal em quebrar também o que era meu, mas que fecho os olhos! Águas passadas não movem moinho! Que sei que ela agora está desempregada e aos paus; que está a dever para mais de mês na estalagem; mas que não precisa dar cabeçadas: que me mande cá o senhorio, que me entendo com ele. Que acho bom que ela deixe a casa da crioula onde come, porque a mulher já se queixou e já disse, a quem quis ouvir, que aquilo lá não era ponto de vadios e mulheres de má vida! Que ela, se tivesse um pouco de tino nem precisava estar às migalhas dos outros, que eu na forja fazia para a trazer de barriga cheia e mais aos filhos que Deus mandasse... — Principiava a tomar calor. — Que a culpada de tudo isto é só ela e mais ninguém! Tivesse um bocado de juízo e não precisava envergonhar a cara por aí...

— Isso já está dito, Bruno!

— Pois arrume-lhe outra vez a ver se ela toma brio!

— E que mais?

— Que lhe não quero mal, nem lhe rogo pragas, mas que é bem feito que ela amargue um pouco do pão do diabo, pra ficar sabendo que uma mulher direita não deve olhar se não pra seu marido; e que, se ela não fosse tão maluca...

— Já aí vai você repetir inda uma vez a mesma cantiga!...

— Mas diga-lhe sempre, tenha paciência, nhã Pombinha!... Que ainda estaria aqui, comigo, como dantes, sem aguentar repelões de estranhos!...

— Adiante, Bruno!

— Diga-lhe...

E interrompeu-se.

Ora, que mais ele tinha a dizer?...

Coçou a cabeça.

— Veja, Bruno, você é quem sabe o que precisa escrever a sua mulher...

— Diga-lhe...

Não se animava.

— Que...

— Diga-lhe... Não! não lhe diga mais nada!...

— Posso então fechar a carta?...

— Está bom... resmungou o ferreiro, decidindo-se. Vá-lá! Diga-lhe que...

— Que...

Houve um silêncio, no qual o desgraçado parecia arrancar de dentro uma frase que, no entanto, era a única ideia que o levava a dirigir-se à mulher. Afinal, depois de coçar mais vivamente a cabeça, gaguejou com a voz estrangulada de soluços:

— Diga-lhe que... se ela quiser tornar pra minha companhia... que pode vir... Eu esqueço tudo!

Pombinha, impressionada pela transformação da voz dele, levantou o rosto e viu que as lágrimas lhe desfilavam duas a duas, três a três, pela cara, indo afogar-se-lhe na moita cerdosa das barbas. E, coisa estranha, ela, que escrevera tantas cartas naquelas mesmas condições; que tantas vezes presenciara o choro rude de outros muitos trabalhadores do cortiço, sobressaltava-se agora com os desalentados soluços do ferreiro.

Porque, só depois que o sol lhe abençoou o ventre; depois que nas suas entranhas ela sentiu o primeiro grito de sangue de mulher, teve olhos para essas violentas misérias dolorosas, a que os poetas davam o bonito nome de amor. A sua intelectualidade, tal como seu corpo, desabrochara inesperadamente, atingindo de súbito, em pleno desenvolvimento, uma lucidez que a deliciava e surpreendia. Não a comovera tanto a revolução física. Como que naquele instante o mundo inteiro se despia à sua vista, de improviso esclarecida, patenteando-lhe todos os segredos das suas paixões. Agora, encarando as lágrimas do Bruno, ela compreendeu e avaliou a fraqueza dos homens, a fragilidade desses animais fortes, de músculos valentes, de patas esmagadoras, mas que se deixavam encabrestar e conduzir humildes pela soberana e delicada mão da fêmea.

Aquela pobre flor de cortiço, escapando à estupidez do meio em que desabotoou, tinha de ser fatalmente vítima da própria inteligência. À míngua de educação, seu espírito trabalhou à revelia, e atraiçoou-a, obrigando-a a tirar da substância caprichosa da sua fantasia de moça ignorante e viva, a explicação de tudo que lhe não ensinaram a ver e sentir.

Bruno retirou-se com a carta. Pombinha pousou os cotovelos na mesa e tulipou as mãos contra o rosto, a cismar nos homens.

Que estranho poder era esse, que a mulher exercia sobre eles, a tal ponto, que os infelizes, carregados de desonra e de ludíbrio, ainda vinham covardes e suplicantes mendigar-lhe o perdão pelo mal que ela lhes fizera?...

E surgiu-lhe então uma ideia bem clara da sua própria força e do seu próprio valor.

Sorriu.

E no seu sorriso já havia garras.

Uma aluvião de cenas, que ela jamais tentara explicar e que até aí jaziam esquecidas nos meandros do seu passado, apresentavam-se agora nítidas e transparentes. Compreendeu como era que certos velhos respeitáveis, cuja fotografia Léonie lhe mostrara no dia que passaram juntas, deixavam-se vilmente cavalgar pela loureira, cativos e submissos, pagando a escravidão com a honra, os bens, e até com a própria vida, se a prostituta, depois de os ter esgotado, fechava-lhes o corpo. E continuou a sorrir, desvanecida na sua superioridade sobre esse outro sexo, vaidoso e fanfarrão, que se julgava senhor e que, no entanto fora posto no mundo simplesmente para servir ao feminino; escravo ridículo que, para gozar um pouco, precisava tirar da sua mesma ilusão a substância do seu gozo; ao passo que a mulher, a senhora, a dona dele, ia tranquilamente desfrutando o seu império, endeusada e querida, prodigalizando martírios, que os miseráveis aceitavam contritos, a beijar os pés que os deprimiam e as implacáveis mãos que os estrangulavam.

— Ah! homens! homens!... — sussurrou ela de envolta com um suspiro.

E pegou de novo na costura, deixando que o pensamento vadiasse à solta, enquanto os dedos iam maquinalmente pregando as rendas naquela almofada, em que a sua cabeça teria de repousar para receber o primeiro beijo genital.

Num só lance de vista, como quem apanha uma esfera entre as pontas de um compasso, mediu com as antenas da sua perspicácia mulheril toda aquela estalagem, onde ela, depois de se arrastar por muito tempo como larva, um belo dia acordou borboleta à luz do sol. E sentiu diante dos olhos aquela massa informe de machos e fêmeas, a comichar, a fremir concupiscente, sufocando-se uns aos outros. E viu o Firmo e o Jerônimo atassalharem-se, como dois cães que disputam uma cadela da rua; e viu o Miranda, lá defronte, subalterno ao lado da esposa infiel, que se divertia a fazê-lo dançar a seus pés seguro pelos chifres; e viu o Domingos, que fora da venda, furtando horas ao sono, depois de um trabalho de burro, e perdendo o seu emprego e as economias ajuntadas com sacrifício, só para ter um instante de luxúria entre as pernas de uma desgraçadinha irresponsável e tola; e tornou a ver o Bruno a soluçar pela mulher; e outros ferreiros e hortelões, e cavouqueiros, e trabalhadores de toda a espécie, um exército de bestas sensuais, cujos segredos ela possuía, cujas íntimas correspondências escrevera dia a dia, cujos corações conhecia como as palmas das mãos, porque a sua escrivaninha era um pequeno confessionário, onde toda a salsugem e todas as fezes daquela praia de despejo foram arremessadas espumantes de dor e aljofradas de lágrimas.

E na sua alma enfermiça e aleijada, no seu espírito rebelde de flor mimosa e peregrina criada num monturo, violeta infeliz, que um estrume forte demais para ela atrofiara, a moça pressentiu bem claro que nunca daria de si ao marido que ia ter uma companheira amiga, leal e dedicada; pressentiu que nunca o respeitaria sinceramente como a um ser superior por quem damos a vida; que nunca lhe votaria entusiasmo, e por conseguinte nunca lhe teria amor; desse de que ela se sentia capaz de amar alguém, se na terra houvera homens dignos disso. Ah! não o amaria decerto, porque o Costa era como os outros, passivo e resignado, aceitando a existência que lhe impunham as circunstâncias, sem ideais próprios, sem temeridades de revolta, sem atrevimentos de ambição, sem vícios trágicos, sem capacidade para grandes crimes; era mais um animal que viera ao mundo para propagar a espécie; um pobre--diabo enfim que já a adorava cegamente e que mais tarde, com ou sem razão, derramaria aquelas mesmas lágrimas, ridículas e vergonhosas, que ela vira decorrendo em quentes camarinhas pelas ásperas e maltratadas barbas do marido de Leocádia.

E não obstante, até então, aquele matrimônio era o seu sonho dourado. Pois agora, nas vésperas de obtê-lo, sentia repugnância em dar-se ao noivo, e, se não fora a mãe, seria muito capaz de dissolver o ajuste.

Mas, daí a uma semana, a estalagem era toda em rebuliço desde logo pela manhã. Só se falava em casamento; havia em cada olhar um sanguíneo reflexo de noites nupciais. Desfolharam-se rosas à porta da Pombinha. Às onze horas parou um carro à entrada do cortiço com uma senhora gorda, vestida de seda cor de pérola. Era a madrinha que vinha buscar a noiva para a igreja de São João Batista. A cerimônia estava marcada para o meio-dia. Toda esta formalidade embatucava os circunstantes, que se alinhavam imóveis defronte do número 15, com as mãos cruzadas atrás, o rosto paralisado por uma comoção respeitosa; alguns sorriam enternecidos; quase todos tinham os olhos ressumbrados d'água.

Pombinha surgiu à porta de casa, já pronta para desferir o grande voo; de véu e grinalda, toda de branco, vaporosa, linda. Parecia comovida; despedia-se dos companheiros atirando-lhes beijos com o seu ramalhete de flores artificiais. Dona Isabel chorava como criança, abraçando as amigas, uma por uma.

— Deus lhe ponha virtude! — exclamou a Machona. — E que lhe dê um bom parto, quando vier a primeira barriga.

A noiva sorria, de olhos baixos. Uma fímbria de desdém toldava-lhe a rosada candura de seus lábios. Encaminhou-se para o portão, cercada pela bênção de toda aquela gente, cujas lágrimas rebentaram afinal, feliz cada um por vê-la feliz e em caminho da posição que lhe competia na sociedade.

— Não! Aquela não nascera para isto!... — sentenciou o Alexandre, retorcendo o reluzente bigode. — Seria lástima se a deixassem ficar aqui!

O velho Libório, cascalhando uma risada decrépita, queixou-se de que o maganão do Costa lhe passara a perna roubando-lhe a namorada.

Ingrata! Ele que estava disposto a fazer uma asneira!

Neném deu uma corrida até a noiva, na ocasião em que esta chegava à carruagem e, estalando-lhe um beijo na boca, pediu-lhe com empenho que se não esquecesse de mandar-lhe um botão da sua grinalda de flores de laranjeira.

— Diz que é muito bom para quem deseja casar!... E eu tenho tanto medo de ficar solteira!... É todo o meu susto!

13

À proporção que alguns locatários abandonavam a estalagem, muitos pretendentes surgiram disputando os cômodos desalugados. Delporto e Pompeo foram varridos pela febre amarela e três outros italianos estiveram em risco de vida. O número dos hóspedes crescia, os casulos subdividiam-se em cubiculos do tamanho de sepulturas, e as mulheres iam despejando crianças com uma regularidade de gado procriador. Uma família composta de mãe viúva e cinco filhas solteiras, das quais destas a mais velha tinha trinta anos e a mais moça quinze, veio ocupar a casa que Dona Isabel esvaziou poucos dias depois do casamento de Pombinha.

Agora, na mesma rua, germinava outro cortiço ali perto, o "Cabeça-de-Gato". Figurava como seu dono um português que também tinha venda, mas o legítimo proprietário era um abastado conselheiro, homem de gravata lavada, a quem não convinha, por decoro social, aparecer em semelhante gênero de especulações. E João Romão, estalando de raiva, viu que aquela nova república da miséria prometia ir adiante e ameaçava fazer-lhe à sua perigosa concorrência. Pôs-se logo em campo, disposto à luta, e começou a perseguir o rival por todos os modos, peitando os fiscais e guardas municipais, para que o não deixassem respirar um instante com multas e exigências vexatórias; enquanto pela sorrelfa plantava no espírito dos seus inquilinos um verdadeiro ódio de partido, que os incompatibilizava com a gente do "Cabeça-de-Gato". Aquele que não estivesse disposto a isso ia direitinho para a rua, "que ali sc não admitiam meias medidas a tal respeito! Ali ou bem peixe ou bem carne! Nada de embrulho!" É inútil dizer que a parte contrária lançou mão igualmente de todos os meios para guerrear o inimigo, não tardando que entre os moradores das duas estalagens rebentasse uma tremenda rivalidade, dia a dia agravada por pequenas brigas e rezingas, em que as lavadeiras se destacavam sempre com questões de freguesias de roupa. No fim de pouco tempo os dois partidos estavam já perfeitamente determinados; os habitantes do "Cabeça-de-Gato" tomaram por alcunha o título do seu cortiço, e os de "São Romão", tirando o nome do peixe que a Bertoleza mais vendia à porta da taverna, foram batizados por "carapicus". Quem se desse com um carapicu não podia entreter a mais ligeira amizade com um cabeça-de-gato; mudar-se alguém de uma estalagem para outra era renegar ideias e princípios e ficava apontado a dedo; denunciar a um contrário o que se passava, fosse o que fosse, dentro do círculo oposto, era cometer traição tamanha, que os companheiros a puniam a pau. Um vendedor de peixe, que caiu na asneira de falar a um cabeça-de-gato a respeito de uma briga entre a Machona e sua filha, a das Dores, foi encontrado quase morto perto do cemitério de São João Batista. Alexandre, esse então não cochilava com os adversários: nas suas partes policiais figurava sempre o nome de um deles pelo menos, mas entre os próprios polícias havia adeptos de um e de outro partido; o urbano que entrava na venda do João Romão tinha escrúpulo de tomar qualquer coisa ao balcão da outra venda. Em meio do pátio do "Cabeça-de-Gato" arvorara-se uma bandeira amarela; os carapicus responderam logo levantando um pavilhão vermelho. E as duas cores olhavam-se no ar como um desafio de guerra.

A batalha era inevitável. Questão de tempo.

Firmo, assim que se instaurara a nova estalagem, abandonou o quarto na oficina e meteu-se lá de súcia com o Porfiro, apesar da oposição de Rita, que mais depressa o deixaria a ele do que aos seus velhos camaradas de cortiço. Daí nasceu certa ponta de discórdia entre os dois amantes; as suas entrevistas tornavam-se agora mais raras e mais difíceis. A baiana, por coisa alguma desta vida, poria os pés no "Cabeça-de-Gato", e o Firmo achava-se, como nunca, incompatibilizado com os carapicus. Para estarem juntos tinham encontros misteriosos num caloji de uma velha miserável da rua de São João Batista, que lhe cedia a cama mediante esmolas. O capoeira fazia questão de ficar no "Cabeça-de-Gato", porque aí se sentia resguardado contra qualquer perseguição que o seu delito motivasse; de resto, Jerônimo não estava morto e, uma vez bem curado, podia vir sobre ele com gana. No "Cabeça--de-Gato", o Firmo conquistara rápidas simpatias e constituíra-se chefe de malta. Era querido e venerado, os companheiros tinham entusiasmo pela sua destreza e pela sua coragem; sabiam-lhe de cor a legenda rica de façanhas e vitórias. O Porfiro secundava-o sem lhe disputar a primazia, e estes dois, só por si, impunham respeito aos carapicus, entre os quais, não obstante, havia muito boa gente para o que desse e viesse.

Mas ao cabo de três meses, João Romão, notando que os seus interesses nada sofriam com a existência da nova estalagem e, até pelo contrário, lucravam com o progressivo movimento de povo que se ia fazendo no bairro, retornou à sua primitiva preocupação com o Miranda, única rivalidade que verdadeiramente o estimulava.

Desde que o vizinho surgiu com o baronato, o vendeiro transformava-se por dentro e por fora a causar pasmo. Mandou fazer boas roupas e aos domingos refestelava-se de casaco branco e de meias, assentado defronte da venda, a ler jornais. Depois deu para sair a passeio, vestido de casimira, calçado e de gravata. Deixou de tosquiar o cabelo à escovinha; pôs a barba abaixo, conservando apenas o bigode, que ele agora tratava com brilhantina todas as vezes que ia ao barbeiro. Já não era o mesmo lambuzão! E não parou aí: fez-se sócio de um clube de dança e, duas noites por semana, ia aprender a dançar; começou a usar relógio e cadeia de ouro; correu uma limpeza no seu quarto de dormir, mandou soalhá-lo, forrou-o e pintou-o; comprou alguns móveis em segunda mão; arranjou um chuveiro ao lado da retrete; principiou a comer com guardanapo e a ter toalha e copos sobre a mesa; entrou a tomar vinho, não do ordinário que vendia aos trabalhadores, mas de um especial que guardava para seu gasto. Nos dias de folga atirava-se para o Passeio Público depois do jantar ou ia ao teatro São Pedro de Alcântara assistir aos espetáculos da tarde; do *Jornal do Comércio*, que era o único que ele assinava havia já três anos e tanto, passou a receber mais dois outros e a tomar fascículos de romances franceses traduzidos, que o ambicioso lia de cabo a rabo, com uma paciência de santo, na doce convicção de que se instruía.

Admitiu mais três caixeiros; já não se prestava muito a servir pessoalmente à negralhada da vizinhança, agora até mal chegava ao balcão. E em breve o seu tipo começou a ser visto com frequência na rua Direita, na praça do comércio e nos bancos, o chapéu alto derreado para a nuca e o guarda-chuva debaixo do braço. Principiava a meter-se em altas especulações, aceitava ações de companhias de títulos ingleses e só emprestava dinheiro com garantias de boas hipotecas.

O Miranda tratava-o já de outro modo, tirava-lhe o chapéu, parava risonho para lhe falar quando se encontravam na rua, e às vezes trocava com ele dois dedos de palestra à porta da venda. Acabou por oferecer-lhe a casa e convidá-lo para o dia de anos da mulher, que era daí a pouco tempo. João Romão agradeceu o obséquio, desfazendo-se em demonstrações de reconhecimento, mas não foi lá.

Bertoleza é que continuava na cepa torta, sempre a mesma crioula suja, sempre atrapalhada de serviço, sem domingo nem dia santo; essa, em nada, em nada absolutamente, participava das novas regalias do amigo; pelo contrário, à medida que ele galgava posição social, a desgraçada fazia-se mais e mais escrava e rasteira. João Romão subia e ela ficava cá embaixo, abandonada como uma cavalgadura de que já não precisamos para continuar a viagem. Começou a cair em tristeza.

O velho Botelho chegava-se também para o vendeiro, e ainda mais do que o próprio Miranda. O parasita não saía agora depois do almoço para a sua prosa na charutaria, nem voltava à tarde para o jantar, sem deter-se um instante à porta do vizinho ou, pelo menos, sem lhe gritar lá de dentro: "Então, seu João, isso vai ou não vai?..." E tinha sempre uma frase amigável para lhe atirar cá de fora. Em geral o taverneiro acudia a apertar-lhe a mão, de cara alegre, e propunha-lhe que bebesse alguma coisa.

Sim, João Romão já convidava para beber alguma coisa. Mas não era à toa que o fazia, que aquele mesmo não metia prego sem estopa! Tanto assim que uma vez, em que os dois saíram à tardinha para dar um giro até à praia, Botelho, depois de falar com o costumado entusiasmo do seu belo amigo Barão e da virtuosíssima família deste, acrescentou com o olhar fito:

— Aquela pequena é que lhe estava a calhar, seu João!...

— Como? Que pequena?

— Ora morda aqui! Pensa que já não dei pelo namoro?... Maganão!

O vendeiro quis negar, mas o outro atalhou:

— É um bom partido, é! Excelente menina... tem um gênio de pomba... uma educação de princesa: até o francês sabe! Toca piano como você tem ouvido... canta o seu bocado... aprendeu desenho... muito boa mão de agulha!... e...

Abaixou a voz e segredou grosso no ouvido do interlocutor:

— Ali, tudo aquilo é sólido!... Prédios e ações do banco!...

— Você tem certeza disso? Já viu?

— Já! Palavra d'honra!

Calaram-se um instante.

Botelho continuou depois:

— O Miranda é bom homem, coitado! tem lá as suas fumaças de grandeza, mas não o podemos criminar... são coisas pegadas da mulher; no entanto acho-o com boas disposições a seu respeito... e, se você souber levá-lo, apanha-lhe a filha...

— Ela talvez não queira...

— Qual o quê! Pois uma menina daquelas, criada a obedecer aos pais, sabe lá o que é não querer? Tenha você uma pessoa, de intimidade com a família, que de dentro empurre o negócio e verá se consegue ou não! Eu, por exemplo!

— Ah! se você se metesse nisso, que dúvida! Dizem que o Miranda só faz o que você quer...

— Dizem com razão.

— E você está resolvido a... ?

— A protegê-lo?... Sim, decerto: neste mundo estamos nós para servir uns aos outros!... apenas, como não sou rico...

— Ah! Isso é dos livros! Arranje-me você o negócio e não se arrependerá...

— Conforme, conforme...

— Creio que não me supõe um velhaco!...

— Por amor de Deus! Sou incapaz de semelhante sacrilégio!

— Então!...

— Sim, sim... em todo o caso falaremos depois, com mais vagar... Não é sangria desatada!

E desde então, com efeito, sempre que os dois se pilhavam a sós discutiam o seu plano de ataque à filha do Miranda. Botelho queria vinte contos de réis, e com papel passado a prazo de casamento; o outro oferecia dez.

— Bom! então não temos nada feito... resumiu o velho. Trate você do negócio só por si; mas já lhe vou prevenindo de que não conte comigo absolutamente... Compreende?

— Quer dizer que me fará guerra...

— Valha-nos Deus, criatura! Não faço guerra a ninguém! Guerra está você a fazer-me, que não me quer deixar comer uma migalha da bela fatia que lhe vou meter no papo!... O Miranda hoje tem para mais de mil contos de réis! Agora, fique sabendo que a coisa não é assim também tão fácil, como lhe parece talvez...

— Paciência!

— O barão há de sonhar com um genro de certa ordem!... Aí algum deputado... algum homem que faça figura na política aqui da terra!

— Não! Melhor seria um príncipe!...

— E mesmo a pequena tem um doutorzinho de boa família, que lhe ronda muito a porta... E ela, ao que parece, não lhe faz má cara...

— Ah! Nesse caso é deixá-los lá arranjar a vida!

— É melhor, é! Creio até que com ele será mais fácil qualquer transação...

— Então não falemos mais nisso! Está acabado!

— Pois não falemos!

Mas no dia seguinte voltaram à questão:

— Homem! — disse o vendeiro — para decidir, dou-lhe quinze!

— Vinte!

— Vinte, não!

— Por menos não me serve!

— E eu vinte não dou!

— Nem ninguém o obriga... Adeuzinho!

— Até mais ver.

Quando se encontraram de novo, João Romão riu-se para o outro, sem dizer palavra. O Botelho, em resposta, fez um gesto de quem não quer intrometer-se com o que não é da sua conta.

— Você é o diabo!... — faceteou aquele, dando-lhe no ombro uma palmada amigável. — Então não há meio de chegarmos a um acordo?...

— Vinte!

— E, caso esteja eu pelos vinte, posso contar que...?

— Caso o meu nobre amigo se decida pelos vinte, receberá do barão um chamado para lá ir jantar ao primeiro domingo; aceita o convite, vai, e encontrará o terreno preparado.

— Pois seja lá como você quer! Mais vale um gosto do que quatro vinténs!

O Botelho não faltou ao prometido: dias depois do contrato selado e assinado, João Romão recebeu uma carta do vizinho, solicitando-lhe a fineza de ir jantar com ele mais a família.

Ah! Que revolução não se feriu no espírito do vendeiro! Passou dias a estudar aquela visita; ensaiou o que tinha que dizer, conversando sozinho defronte do espelho do seu lavatório; afinal, no dia marcado, banhou-se em várias águas, areou os dentes até fazê-los bem limpos, perfumou-se todo dos pés à cabeça, escanhoou-se com esmero, aparou e bruniu as unhas, vestiu-se de roupa nova em folha, e às quatro e meia da tarde apresentou-se, risonho e cheio de timidez, no espelhado e pretensioso salão de Sua Excelência.

Aos primeiros passos que dera sobre o tapete, onde seus grandes pés, afeitos por toda vida à independência do chinelo e do tamanco, se destacavam como um par de tartarugas, sentiu logo o suor dos grandes apuros inundar-lhe o corpo e correr-lhe em bagada pela fronte e pelo pescoço, nem que se o desgraçado acabasse de vencer naquele instante uma légua de carreira ao sol. As suas mãos, vermelhas e redondas, gotejavam, e ele não sabia o que fazer delas, depois que o Barão, muito solícito, lhe tomou o chapéu e o guarda-chuva.

Arrependia-se já de ter lá ido.

— Fique a gosto, homem! — bradou-lhe o dono da casa. — Se tem calor venha antes aqui para a janela. Não faça cerimônia! Ó Leonor! traz o vermute! Ou o amigo prefere tomar um copinho de cerveja?

João Romão aceitava tudo, com sorrisos de acanhamento, sem ânimo de arriscar palavra. A cerveja fê-lo suar ainda mais e, quando apareceram na sala Dona Estela e a filha, o pobre-diabo chegava a causar dó de tão atrapalhado que se via. Por duas vezes escorregou, e numa delas foi apoiar-se a uma cadeira que tinha rodízios; a cadeira afastou-se e ele quase vai ao chão.

Zulmira riu-se, mas disfarçou logo a sua hilaridade pondo-se a conversar com a mãe em voz baixa. Agora, refeita nos seus dezessete anos, não parecia tão anêmica e deslavada; vieram-lhe os seios e engrossara-lhe o quadril. Estava melhor assim. Dona Estela, coitada! é que se precipitava, a passos de granadeiro, para a velhice, a despeito da resistência com que se rendia; tinha já dois dentes postiços, pintava o cabelo, e dos cantos da boca duas rugas serpenteavam-lhe pelo queixo abaixo, desfazendo-lhe a primitiva graça maliciosa dos lábios; ainda assim, porém, conservava o pescoço branco, liso e grosso, e os seus braços não desmereciam dos antigos créditos.

À mesa, a visita comeu tão pouco e tão pouco bebeu, que os donos da casa a censuraram jovialmente, fingindo aceitar o fato como prova segura de que o jantar não prestava; o obsequiado pedia por amor de Deus que não acreditassem em tal e jurava sob palavra de honra que se sentia satisfeito e que nunca outra comida lhe soubera tão bem. Botelho lá estava, ao lado de um velhote fazendeiro, que por essa ocasião hospedava-se com o Miranda. Henrique, aprovado no seu primeiro ano de

Medicina, fora visitar a família em Minas. Isaura e Leonor serviam aos comensais, rindo ambas à socapa por verem ali o João da venda engravatado e com piegas de visita.

Depois do jantar apareceu uma família conhecida, trazendo um rancho de moças; vieram também alguns rapazes; formaram-se jogos de prendas, e João Romão, pela primeira vez em sua vida, viu-se metido em tais funduras. Não se saiu mal todavia.

O chá das dez e meia correu sem novidade; e, quando enfim o neófito se pilhou na rua, respirou com independência, remexendo o pescoço dentro do colarinho engomado e soprando com alívio. Uma alegria de vitória transbordava-lhe do coração e fazia-o feliz nesse momento. Bebeu o ar fresco da noite com uma volúpia nova para ele e, muito satisfeito consigo mesmo, entrou em casa e recolheu-se, rejubilando com a ideia de que ia descalçar aquelas botas, desfazer-se de toda aquela roupa e atirar-se à cama, para pensar mais à vontade no seu futuro, cujos horizontes se rasgavam agora iluminados de esperança.

Mas a bolha do seu desvanecimento engelhou logo à vista de Bertoleza que, estendida na cama, roncava, de papo para o ar, com a boca aberta, a camisa soerguida sobre o ventre, deixando ver o negrume das pernas gordas e lustrosas.

E tinha de estirar-se ali, ao lado daquela preta fedorenta a cozinha e bodum de peixe! Pois, tão cheiroso e radiante como se sentia, havia de pôr a cabeça naquele mesmo travesseiro sujo em que se enterrava a hedionda carapinha da crioula?...

— Ai! ai! — gemeu o vendeiro, resignando-se.

E despiu-se.

Uma vez deitado, sem ânimo de afastar-se da beira da cama, para não se encostar com a amiga, surgiu-lhe nítida ao espírito a compreensão do estorvo que o diabo daquela negra seria para o seu casamento.

E ele que até aí não pensara nisso!... Ora o demo!

Não pôde dormir; pôs-se a malucar.

Ainda bem que não tinham filhos! Abençoadas drogas que a Bruxa dera à Bertoleza nas duas vezes em que esta se sentiu grávida! Mas, afinal, de que modo se veria livre daquele trambolho? E não se ter lembrado disso há mais tempo!... parecia incrível!

João Romão, com efeito, tão ligado vivera com a crioula e tanto se habituara a vê-la a seu lado, que nos seus devaneios de ambição, pensou em tudo, menos nela.

E agora?

E malucou no caso até às duas da madrugada, sem achar furo. Só no dia seguinte, a contemplá-la de cócoras à porta da venda, abrindo e destripando peixe, foi que, por associação de ideias, lhe acudiu esta hipótese:

— E se ela morresse?...

14

Iam-se assim os dias, e assim mais de três meses se passaram depois da noite da navalhada. Firmo continuava a encontrar-se com a baiana na rua de São João Batista, mas a mulata já não era a mesma para ele: apresentava-se fria, distraída, às vezes impertinente, puxando questão por dá cá aquela palha.

— Hum! hum! Temos mouro na costa! — rosnava o capadócio com ciúmes. — Ora queira Deus que eu me engane!

Nas entrevistas apresentava-se ela agora sempre um pouco depois da hora marcada, e sua primeira frase era para dizer que tinha pressa e não podia demorar-se.

— Estou muito apertada de serviço! — acrescentava à réplica do amante. — Uma roupa de uma família que embarca amanhã para o Norte! Tem de ficar pronta esta noite! Já ontem fiz serão!

— Agora estás sempre apertada de serviço!... — resmungava o Firmo.

— É que é preciso puxar por ele, filho! Ponha-me eu a dormir e quero ver do que como e com que pago a casa! Não há de ser com o que levo daqui!

— Or'essa! Tens coragem de dizer que não te dou nada? E quem foi que te deu esse vestido que tens no corpo?!

— Não disse que nunca me desse nada, mas com o que você me dá não pago a casa e não ponho a panela no fogo! Também não lhe estou pedindo coisa alguma! Oh!

Azedavam-se deste modo as suas entrevistas, esfriando as poucas horas que os dois tinham para o amor. Um domingo, Firmo esperou bastante tempo, e Rita não apareceu. O quarto era acanhado e sombrio, sem janelas, com um cheiro mau de bafio e umidade. Ele havia levado um embrulho de peixe frito, pão e vinho, para almoçarem juntos. Deu meio-dia, e Firmo esperou ainda, passeando na estreiteza da miserável alcova, como uma onça enjaulada, rosnando pragas obscenas; o sobrolho intumescido, os dentes cerrados. "Se aquela safada lhe aparecesse naquele momento, ele seria capaz de torcê-la nas mãos!"

À vista do embrulho da comida estourou-lhe a raiva. Deu um pontapé numa bacia de louça que havia no chão, perto da cama, e soltou um murro na cabeça.

— Diabo!

Depois assentou-se no leito, esperou ainda algum tempo, fungando forte, sacudindo as pernas cruzadas, e afinal saiu, atirando para dentro do quarto uma palavra porca.

Pela rua, durante o caminho, jurava que "aquela caro pagaria a mulata!" Um sôfrego desejo de castigá-la, no mesmo instante, o atraía ao cortiço de São Romão, mas não se sentiu com ânimo de lá ir, e contentou-se em rondar a estalagem. Não conseguiu vê-la; resolveu esperar até a noite para lhe mandar um recado. E vagou aborrecido pelo bairro, arrastando o seu desgosto por aquele domingo sem pagode. Às duas horas da tarde entrou no botequim do Garnisé, uma espelunca, perto da praia, onde ele costumava beber de súcia com o Porfiro. O amigo não estava lá. Firmo atirou-se numa cadeira, pediu um martelo de parati e acendeu um charuto, a pensar. Um mulatinho, morador no "Cabeça-de-Gato", veio assentar-se na mesma mesa e, sem rodeios, deu-lhe a notícia de que na véspera o Jerônimo tivera alta do hospital.

Firmo acordou com um sobressalto.

— O Jerônimo?!

— Apresentou-se hoje pela manhã na estalagem.

— Como soubeste?

— Disse-me o Pataca.

— Ora aí está o que é! — exclamou o capoeira, soltando um murro na mesa.

— Que é o quê? — interrogou o outro.

— Nada! É cá comigo. Toma alguma coisa?

Veio novo copo, e Firmo resmungou no fim de uma pausa:

— É, não há dúvida! Por isto é que a perua ultimamente me anda de vento mudado!...

E um ciúme doido, um desespero feroz rebentou-lhe por dentro e cresceu logo como a sede de um ferido. "Oh! precisava vingar-se dela! dela e dele! O amaldiçoado resistiu à primeira, mas não lhe escaparia da segunda!"

— Veja mais um martelo de parati! — gritou para o portuguesinho da espelunca. E acrescentou, batendo com toda a força o seu petrópolis no chão:

— E não passa de hoje mesmo!

Com o chapéu à ré, a gaforinha mais assanhada que de costume, os olhos vermelhos, a boca espumando pelos cantos, todo ele respirava uma febre de vingança e de ódio.

— Olha! — disse ao companheiro de mesa. — Disto, nem pio lá com os carapicus! Se abrires o bico dou-te cabo da pele! Já me conheces!

— Tenho nada que falar! Pra quê?

— Bom!

E ficaram ainda a beber.

Jerônimo, com efeito, tivera alta e tornara aquele domingo ao cortiço, pela primeira vez depois da doença. Vinha magro, pálido, desfigurado, apoiando-se a um pedaço de bambu. Crescera-lhe a barba e o cabelo, que ele não queria cortar sem ter cumprido certo juramento feito aos seus brios. A mulher fora buscá-lo ao hospital e caminhava ao seu lado, igualmente abatida com a moléstia do marido e com as causas que a determinaram. Os companheiros receberam-no compungidos, tomados de uma tristeza respeitosa; um silêncio fez-se em torno do convalescente, ninguém falava senão a meia voz; a Rita Baiana tinha os olhos arrasados d'água.

Piedade levou o seu homem para o quarto.

— Queres tomar um caldinho? — perguntou-lhe. — Creio que ainda não estás de todo pronto...

— Estou! — contrapôs ele. — Diz o doutor que preciso é de andar, para ir chamando força às pernas. Também estive tanto tempo preso à cama! Só de uma semana pra cá é que encostei os pés no chão!

Deu alguns passos na sua pequena sala e disse depois, tornando junto da mulher:

— O que me saberia bem agora era uma xicrinha de café, mas queria-o bom como o faz a Rita... Olha! Pede-lhe que o arranje.

Piedade soltou um suspiro e saiu vagarosamente, para ir pedir o obséquio à mulata. Aquela preferência pelo café da outra doía-lhe duro que nem uma infidelidade.

— Lá o meu homem quer do seu café e torceu nariz ao de casa... Manda pedir-lhe que lhe faça uma xícara. Pode ser? — perguntou a portuguesa à baiana.

— Não custa nada! — respondeu esta. — Com poucas está lá!

Mas não foi preciso que o levasse, porque daí a um instante, Jerônimo, com o seu ar tranquilo e passivo de quem ainda se não refez de todo depois de uma longa moléstia, surgiu-lhe à porta.

— Não vale a pena estorvar-se em lá ir... Se me dá licença, bebo o cafezinho aqui mesmo...

— Entra, seu Jerônimo.

— Aqui ele sabe melhor...

— Você pega já com partes! Olha, sua mulher anda de pé atrás comigo! E eu não quero histórias!...

Jerônimo sacudiu os ombros com desdém.

— Coitada!... — resmungou depois. — Muito boa criatura, mas...

— Cala a boca, diabo! Toma o café e deixa de maldizência! É mesmo vício de Portugal: comendo e dizendo mal!

O português sorveu com delícia um gole de café.

— Não digo mal, mas confesso que não encontro nela umas tantas coisas que desejava...

E chupou os bigodes.

— Vocês são tudo a mesma súcia! Bem tola é quem vai atrás de lábia de homem! Eu cá não quero mais saber disso... Ao outro despachei já!

O cavouqueiro teve um tremor de todo o corpo.

— Outro quem?! O Firmo?

Rita arrependeu-se do que dissera, e gaguejou:

— É um coisa-ruim! Não quero saber mais dele!... Um traste!

— Ele ainda vem cá? — perguntou o cavouqueiro.

— Aqui? Qual! Nessa não caio! E se vier não lhe abro a porta! Ah! quando embirro com uma pessoa é que embirro mesmo!

— Isso é verdade, Rita?

— Quê? Que não quero saber mais dele? Esta que aqui está nunca mais fará vida com semelhante cábula! Juro por esta luz!

— Ele fez-lhe alguma?

— Não sei! Não quero! Acabou se!

— É que então você tem outro agora...

— Que esperança! Não tenho, nem quero mais ter homem!

— Por que, Rita?

— Ora! Não paga a pena!

— E... se você encontrasse um... que a quisesse deveras... para sempre?...

— Não é com essas!...

— Pois sei de um que a quer como Deus aos seus!...

— Pois diga-lhe que siga outro ofício!

Ela se chegou para recolher a xícara, e ele apalpou-lhe a cintura.

— Olha! Escuta!

Rita fugiu com uma rabanada, e disse rápido, muito a sério:

— Deixa disso. Pode tua mulher ver!

— Vem cá!

— Logo.

— Quando?

— Logo mais.

— Onde?

— Não sei.

— Preciso muito te falar...

— Pois sim, mas aqui fica feio.

— Onde nos encontramos então?

— Sei cá!

E, vendo que Piedade entrava, ela disfarçou, dizendo sem transição:

— Os banhos frios é que são bons para isso. Põem duro o corpo!

A outra, embesourada, atravessou em silêncio a pequena sala, foi ter com o marido e comunicou-lhe que o Zé Carlos queria falar-lhe, junto com o Pataca.

— Ah! — fez Jerônimo. — Já sei o que é. Até logo, nhá Rita. Obrigado. Quando quiser qualquer coisa de nós, lá estamos.

Ao sair no pátio, aqueles dois vieram ao seu encontro. O cavouqueiro levou-os para casa, onde a mulher havia posto já a mesa do almoço, e com um sinal preveniu-os de que não falassem por enquanto sobre o assunto que os trouxera ali. Jerônimo comeu às pressas e convidou as visitas a darem um giro lá fora.

Na rua, perguntou-lhes em tom misterioso:

— Onde poderemos falar à vontade?

O Pataca lembrou a venda do Manuel Pepé, defronte do cemitério.

— Bem achado! — confirmou Zé Carlos. — Há lá bons fundos para se conversar.

E os três puseram-se a caminho, sem trocar mais palavras até a esquina.

— Então está de pé o que dissemos?... — indagou afinal aquele último.

— De pedra e cal! — respondeu o cavouqueiro.

— E o que é que se faz?

— Ainda não sei... Preciso antes de tudo saber onde o cabra é encontrado à noite.

— No Garnisé — afirmou o Pataca.

— Garnisé?

— Aquele botequim ali ao entrar da rua da Passagem, onde está um galo à tabuleta.

— Ah! Defronte da farmácia nova...

— Justo! Ele vai lá agora todas as noites, e lá esteve ontem, que o vi, por sinal que num gole...

— Muito bêbado, hein?

— Como um gambá! Aquilo foi alguma, que a Rita Baiana lhe pregou de fresco!

Tinham chegado à venda. Entraram pelos fundos e assentaram-se sobre caixas de sabão vazias, em volta de uma mesa de pinho. Pediram parati com açúcar.

— Onde é que eles se encontravam?... — informou-se Jerônimo, afetando que fazia esta pergunta sem interesse especial. Lá mesmo no São Romão?...

— Quem? A Rita mais ele? Ora o quê! Pois se ele agora é todo "Cabeça-de-gato"!...

— Ela ia lá?

— Duvido! Então logo aquela! Aquela é carapicu até o sabugo das unhas!

— Nem sei como ainda não romperam! — interveio Zé Carlos, que continuou a falar a respeito da mulata, enquanto Jerônimo o escutava abstrato, sem tirar os olhos de um ponto.

O Pataca, como se acompanhasse o pensamento do cavouqueiro, disse-lhe emborcando o resto do copo:

— Talvez o melhor fosse liquidar a coisa hoje mesmo!...

— Ainda estou muito fraco... — observou lastimoso o convalescente.

— Mas o teu pau está forte! E além disso cá estamos nós dois. Tu podes até ficar em casa, se quiseres...

— Isso é que não! — atalhou aquele. — Não dou o meu quinhão pelos dentes da boca!

— Eu cá também vou que o melhor seria pespegar-lhe hoje mesmo a sova... — declarou o outro. — Pão de um dia para outro fica duro!

— E eu estou-lhe com uma gana!... — acrescentou o Pataca.

— Pois seja hoje mesmo! — resolveu Jerônimo. E o dinheiro lá está em casa, quarenta pra cada um! Em seguida à mela corre logo o cobre! E ao depois vai a gente tomar uma fartadela de vinho fino!

— A que horas nos juntamos? — perguntou Zé Carlos.

— Logo ao cair da noite, aqui mesmo. Está dito?

— E será feito, se Deus quiser!

O Pataca acendeu o cachimbo, e os três puseram-se a cavaquear animadamente sobre o efeito que aquela sova havia de produzir; a cara que o cabra faria entre três bons cacetes. "Então é que queriam ver até onde ia a impostura da navalha! Diabo de um calhordas que por um — vai tu, irei eu — arrancava logo pelo ferro!..."

Dois trabalhadores, em camisa de meia, entraram na tasca, e o grupo calou-se. Jerônimo fogueou um cigarro no cachimbo do Pataca e despediu-se, relembrando aos companheiros a hora da entrevista e atirando sobre a mesa um níquel de duzentos réis.

Foi direito para o cortiço.

— Fazes mal em andar por aí com este sol!... — repreendeu Piedade, ao vê-lo entrar.

— Pois se o doutor me disse que andasse quanto pudesse...

Mas recolheu-se à casa, estirou-se na cama e ferrou logo no sono. A mulher, que o acompanhara até lá, assim que o viu dormindo, enxotou as moscas de junto dele, cobriu-lhe a cara com uma cambraia que servia para os tabuleiros de roupa engomada, e saiu na ponta dos pés, deixando a porta encostada.

Jantaram daí a duas horas. Jerônimo comeu com apetite, bebeu uma garrafa de vinho, e a tarde passaram-na os dois de palestra, assentados à frente de casa, formando grupo com a Rita e a gente da Machona. Em torno deles a liberdade feliz do domingo punha alegrias naquela tarde. Mulheres amamentavam o filhinho ali mesmo, ao ar livre, mostrando a uberdade das tetas cheias. Havia muito riso, muito parolar de papagaios; pequenos travessavam, tão depressa rindo como chorando; os italianos faziam a ruidosa digestão dos seus jantares de festa; ouviam-se cantigas e pragas entre gargalhadas. A Augusta, que estava grávida de sete meses, passeava solenemente o seu bandulho, levando um outro filho ao colo. O Albino, instalado defronte de uma mesinha em frente à sua porta, fazia, à força de paciência, um quadro, composto de figurinhas de caixa de fósforos, recortadas a tesoura e grudadas em papelão com goma-arábica. E lá em cima, numa das janelas do Miranda, João Romão, vestido de casimira clara, uma gravata à moda, já familiarizado com a roupa e com a gente fina, conversava com Zulmira que, ao lado dele, sorrindo de olhos baixos, atirava migalhas de pão para as galinhas do cortiço; ao passo que o vendeiro lançava para baixo olhares de desprezo sobre aquela gentalha sensual, que o enriquecera, e que continuava a mourejar estupidamente, de sol a sol, sem outro ideal senão comer, dormir e procriar.

Ao cair da noite, Jerônimo foi, como ficara combinado, à venda do Pepé. Os outros dois já lá estavam. Infelizmente, havia mais alguém na tasca. Tomaram juntos, pelo mesmo copo, um martelo de parati e conversaram em voz surda numa conspiração sombria em que as suas barbas roçavam umas com as outras.

— Os paus onde estão?... — perguntou o cavouqueiro.

— Ali, junto às pipas... — segredou o Pataca, apontando com disfarce para uma esteira velha enrolada. Preparei-os ainda há pouco... Não os quis muito grandes... Deste tamanho.

E abriu a mão contra a terra no lugar do peito.

— Estiveram de molho até agora... — acrescentou, piscando o olho.

— Bom! — aprovou Jerônimo, esgotando o copo com um último gole. Agora onde vamos nós! Parece-me ainda cedo para o Garnisé.

— Ainda! — confirmou o Pataca. Deixemo-nos ficar por aqui mais um pouco e ao depois então seguiremos. Eu entro no botequim e vocês me esperam fora no lugar que marcarmos... Se o cabra não estiver lá, volto logo a dizer-lhes, e, caso esteja, fico... chego-me para ele, procuro entrar em conversa, puxo discussão e afinal desafio-o pra rua; ele cai na esparrela, e então vocês dois surgem e metem-se na dança, como quem não quer a coisa! Que acham?

— Perfeito! — aplaudiu Jerônimo, e gritou para dentro: — Olha mais um martelo de parati!

Em seguida enterrou a mão no bolso da calça e sacou um rolo grosso de notas.

— Podem enxugar à vontade! — disse. Aqui ainda há muito com quê!

E, ordenando as notas, separou oitenta mil-réis, em cédulas de vinte.

— Isto é o do ajuste! Este é sagrado! — acrescentou, guardando-as na algibeira do lado esquerdo.

Depois separou ainda vinte mil-réis, que atirou sobre a mesa.

— Esse aí é para festejarmos a nossa vitória!

E fazendo do resto do seu dinheiro um bolo, que ele, um pouco ébrio, apertava nos dedos, agora, claros e quase descalejados, socou-o na algibeira do lado direito explicando entre dentes que ali ficava ainda bastante para o que desse e viesse, no caso de algum contratempo.

— Bravo! — exclamou Zé Carlos. Isto é o que se chama fazer as coisas à fidalga! Haja contar comigo pra vida e pra morte!

O Pataca entendia que podiam tomar agora um pouco de cerveja.

— Cá por mim não quero, mas bebam-na vocês — acudiu Jerônimo.

— Preferia um trago de vinho branco — contraveio o terceiro.

— Tudo o que quiserem! — franqueou aquele. — Eu tomo também um pouco de vinho. Não, que o que estamos a beber não é dinheiro de navalhista, foi ganho ao sol e à chuva com o suor do meu rosto! É entornar pra baixo sem caretas, que este não pesa na consciência de ninguém!

— Então, à sua! — brindou Zé Carlos, logo que veio o novo reforço. — Pra que não torne você a dar que fazer à má casta dos boticários!

— À sua, mestre Jerônimo! — concorreu o outro.

Jerônimo agradeceu e disse, depois de mandar encher os copos:

— Aos amigos e patrícios com quem me achei para o meu desforço!

E bebeu.

— À da S'ora Piedade de Jesus! — reclamou o Pataca.

— Obrigado! — respondeu o cavouqueiro, erguendo-se. — Bem! Não nos deixemos agora ficar aqui toda a noite; mãos à obra! São quase oito horas.

Os outros dois esvaziaram de um trago o que ainda havia no fundo dos copos e levantaram-se também.

— É muito cedo ainda... — obtemperou Zé Carlos, cuspindo de esguelha e limpando o bigode nas costas da mão.

— Mas talvez tenhamos alguma demora pelo caminho — advertiu o companheiro, indo buscar junto às pipas o embrulho dos cacetes.

— Em todo o caso vamos seguindo — resolveu Jerônimo, impaciente, nem se temesse que a noite lhe fugisse de súbito.

Pagou a despesa, e os três saíram, não cambaleando, mas como que empurrados por um vento forte, que os fazia de vez em quando dar para a frente alguns passos mais rápidos. Seguiram pela rua de Sorocaba e tomaram depois a direção da praia, conversando em voz baixa, muito excitados. Só pararam perto do Garnisé.

— Vais tu, então, não é? — perguntou o cavouqueiro ao Pataca.

Este respondeu entregando-lhe o embrulho dos paus e afastando-se de mãos nas algibeiras, a olhar para os pés, fingindo-se mais bêbedo do que realmente estava.

15

O Garnisé tinha bastante gente essa noite. Em volta de umas doze mesinhas toscas, de pau, com uma coberta de folha-de-flandres pintada de branco fingindo mármore, viam-se grupos de três e quatro homens, quase todos em mangas de camisa, fumando e bebendo no meio de grande algazarra. Fazia-se largo consumo de cerveja nacional, vinho virgem, parati e laranjinha. No chão coberto de areia havia cascas de queijo-de-minas, restos de iscas de fígado, espinhas de peixe, dando ideia de que ali não só se enxugava como também se comia. Com efeito, mais para dentro, num engordurado bufete, junto ao balcão e entre as prateleiras de garrafas cheias e arrolhadas, estava um travessão de assado com batatas, um osso de presunto e vários pratos de sardinhas fritas. Dois candeeiros de querosene fumegavam, encarvoando o teto. E de uma porta ao fundo, que escondia o interior da casa com uma cortina de chita vermelha, vinha de vez em quando uma baforada de vozes roucas, que parecia morrer em caminho, vencida por aquela densa atmosfera cor de opala.

O Pataca estacou à entrada, afetando grande bebedeira e procurando, com disfarce, em todos os grupos, ver se descobria o Firmo. Não o conseguiu; mas alguém, em certa mesa, lhe chamara a atenção, porque ele se dirigiu para lá. Era uma mulatinha magra, mal vestida, acompanhada por uma velha quase cega e mais um homem, inteiramente calvo, que sofria de asma e, de quando em quando, abalava a mesa com um frouxo de tosse, fazendo dançar os copos.

O Pataca bateu no ombro da rapariga.

— Como vais tu, Florinda?

Ela olhou para ele, rindo; disse que ia bem, e perguntou-lhe como passava.

— Rola-se, filha. Tu que fim levaste? Há um par de quinze dias que te não vejo!

— É mesmo. Desde que estou com seu Bento não tenho saído quase.

— Ah! — disse o Pataca — estás amigada? Bom!...

— Sempre estive!

E ela então, muito expansiva com a sua folga daquele domingo e com o seu bocado de cerveja, contou que, no dia em que fugiu da estalagem, ficou na rua e dormiu numas obras de uma casa em construção na travessa da Passagem, e que no seguinte oferecendo-se de porta em porta, para alugar-se de criada ou de ama-seca, encontrou um velho solteiro e agebado que a tomou ao seu serviço e meteu-se com ela.

— Bom! muito bom! — anuiu Pataca.

Mas o diabo do velho era um safado; dava-lhe muita coisa, dinheiro até, trazia-a sempre limpa e de barriga cheia, sim senhor! Mas queria que ela se prestasse a tudo! Brigaram. E, como o vendeiro da esquina estava sempre a chamá-la para casa, um belo dia arribou, levando o que apanhara ao velho.

— Estás então agora com o da venda?

Não! O tratante, a pretexto de que desconfiava dela com o Bento marceneiro, pô-la na rua, chamando a si o que a pobre de Cristo trouxera da casa do outro e deixando-a só com a roupa do corpo e ainda por cima doente por causa de um aborto que tivera logo que se metera com semelhante peste. O Bento tomara-a então à sua conta, e ela, graças a Deus, por enquanto não tinha razões de queixa.

O Pataca olhou em torno de si com o ar de quem procura alguém, e Florinda, supondo que se tratava do seu homem, acrescentou:

— Não está cá, está lá dentro. Ele, quando joga, não gosta que eu fique perto; diz que encabula.

— E tua mãe?

— Coitada! foi pro hospício...

E passou logo a falar a respeito da velha Marciana; o Pataca, porém, já lhe não prestava atenção, porque nesse momento acabava de abrir-se a cortina vermelha, e Firmo surgia muito ébrio, a dar bordos, contando, sem conseguir, uma massagada de dinheiro, em notas pequenas, que ele afinal entrouxou num bolo e recolheu na algibeira das calças.

— Ó Porfiro! não vens? — gritou lá para dentro, arrastando a voz.

E, depois de esperar inutilmente pela resposta, fez alguns passos na sala.

O Pataca deu à Florinda um "até logo" rápido e fingindo-se de novo muito bêbedo, encaminhou-se na direção em que vinha o mulato.

Esbarraram-se.

— Oh! Oh! — exclamou o Pataca. Desculpe!

Firmo levantou a cabeça e encarou-o com arrogância; mas desfranziu o rosto logo que o reconheceu.

— Ah! és tu, seu galego? Como vai isso? A ladroeira corre?

— Ladroeira tinha a avó na cuia! Anda a tomar alguma coisa. Queres?
— Que há de ser?
— Cerveja. Vai?
— Vá lá.
Chegaram-se para o balcão.
— Uma Guarda-Velha, ó pequeno! — gritou o Pataca.
Firmo puxou logo dinheiro para pagar.
— Deixa! — disse o outro. — A lembrança foi minha!
Mas, como Firmo insistisse, consentiu-lhe que fizesse a despesa.
E os níqueis do troco rolaram no chão, fugindo por entre os dedos do mulato, que os tinha duros na tensão muscular da sua embriaguez.
— Que horas são? — perguntou Pataca, olhando quase de olhos fechados o relógio da parede. Oito e meia. Vamos a outra garrafa, mas agora pago eu!
Beberam de novo, e o coadjutor de Jerônimo observou depois:
— Você hoje ferrou-a deveras! Estás que te não podes lamber!
— Desgostos... — resmungou o capoeira, sem conseguir lançar da boca a saliva que se lhe grudava à língua.
— Limpa o queixo que estás cuspido. Desgostos de quê? Negócios de mulher, aposto!
— A Rita não me apareceu hoje, sabes? Não foi, e eu bem calculo por quê!
— Por quê?
— Porque a peste do Jerônimo voltou hoje à estalagem!
— Ahn! não sabia!... A Rita está então com ele?...
— Não está, nem nunca há de estar, que eu daqui mesmo vou à procura daquele galego ordinário e ferro-lhe a sardinha no pandulho!
— Vieste armado?
Firmo sacou da camisa uma navalha.
— Esconde! Não deves mostrar isso aqui! Aquela gente ali da outra mesa já não nos tira os olhos de cima!
— Estou me ninando pra eles! E que não olhem muito, que lhes dou uma de amostra!
— Entrou um urbano! Passa-me a navalha!
O capadócio fitou o companheiro, estranhando o pedido.
— É que — explicou aquele — se te prenderem não te encontram ferro...
— Prender a quem? A mim? Ora, vai-te catar!
— E ela é boa? Deixa ver!
— Isto não é coisa que se deixe ver!
— Bem sabes que não me entendo com armas de barbeiro!
— Não sei! Esta é que não me sai das unhas, nem para meu pai, que a pedisse!
— É porque não tens confiança em mim!
— Confio nos meus dentes, e esses mesmo me mordem a língua!
— Sabes quem vi ainda há pouco? Não és capaz de adivinhar!...
— Quem?
— A Rita.
— Onde?
— Ali na praia da Saudade.

— Com quem?

— Com um tipo que não conheço...

Firmo levantou-se de improviso e cambaleou para o lado da saída.

— Espera! — rosnou o outro, detendo-o. — Se queres vou contigo; mas é preciso ir com jeito, porque, se ela nos bispa, foge!

O mulato não fez caso desta observação e saiu a esbarrar-se por todas as mesas. Pataca alcançou-o já na rua e passou-lhe o braço na cintura, amigavelmente.

— Vamos devagar... — disse — se não o pássaro se arisca!

A praia estava deserta. Caía um chuvisco. Ventos frios sopravam do mar. O céu era um fundo negro, de uma só tinta; do lado oposto da baía os lampiões pareciam surgir d'água, como algas de fogo, mergulhando bem fundo as suas trêmulas raízes luminosas.

— Onde está ela? — perguntou o Firmo — sem se aguentar nas pernas.

— Ali mais adiante, perto da pedreira. Caminha, que hás de ver!

E continuaram a andar para as bandas do hospício. Mas dois vultos surdiram da treva; o Pataca reconheceu-os e abraçou-se de improviso ao mulato.

— Segurem-lhe as pernas! — gritou para os outros.

Os dois vultos, pondo o cacete entre os dentes, apoderaram-se de Firmo, que bracejava seguro pelo tronco.

Deixara-se agarrar — estava perdido.

Quando o Pataca o viu preso pelos sovacos e pela dobra dos joelhos, sacou-lhe fora a navalha.

— Pronto! Está desarmado!

E tomou também o seu pau.

Soltaram-no então. O capoeira, mal tocou com os pés em terra, desferiu um golpe com a cabeça, ao mesmo tempo em que a primeira cacetada lhe abria a nuca. Deu um grito e voltou-se cambaleando. Uma nova paulada cantou-lhe nos ombros, e outra em seguida nos rins, e outra nas coxas, outra mais violenta quebrou-lhe a clavícula, enquanto outra logo lhe rachava a testa e outra lhe apanhava a espinha, e outras, cada vez mais rápidas, batiam de novo nos pontos já espancados, até que se converteram numa carga contínua de porretadas, a que o infeliz não resistiu, rolando no chão, a gotejar sangue de todo o corpo.

A chuva engrossava. Ele agora, assim debaixo daquele bate-bate sem tréguas, parecia muito menor, minguava como se estivesse ao fogo. Lembrava um rato morrendo a pau. Um ligeiro tremor convulsivo era apenas o que ainda lhe denunciava um resto de vida. Os outros três não diziam palavra, arfavam, a bater sempre, tomados de uma irresistível vertigem de pisar bem a cacete aquela trouxa de carne mole e ensanguentada, que grunhia frouxamente a seus pés. Afinal, quando de todo já não tinham forças para bater ainda, arrastaram a trouxa até a ribanceira da praia e lançaram-na ao mar. Depois, arquejantes, deitaram a fugir, a toda, para os lados da cidade.

Chovia agora muito forte. Só pararam no Catete, ao pé de um quiosque; estavam encharcados; pediram parati e beberam como quem bebe água. Passava já de onze horas. Desceram pela praia da Lapa; ao chegarem debaixo de um lampião, Jerônimo parou suando apesar do aguaceiro que caía.

— Aqui têm vocês — disse — tirando do bolso as quatro notas de vinte mil-réis. Duas para cada um! E agora vamos tomar qualquer coisa quente em lugar seco.

— Ali há um botequim — indicou o Pataca, apontando a rua da Glória.

Subiram por uma das escadinhas que ligam essa rua à praia, e daí a pouco instalavam-se em volta de uma mesa de ferro. Pediram de comer e de beber e puseram-se a conversar em voz soturna, muito cansados.

A uma hora da madrugada o dono do café pô-los fora. Felizmente chovia menos. Os três tomaram de novo a direção de Botafogo; em caminho Jerônimo perguntou ao Pataca se ainda tinha consigo a navalha do Firmo e pediu-lha, ao que o companheiro cedeu sem objeção.

— É para conservar uma lembrança daquele bisbórria! — explicou o cavouqueiro, guardando a arma.

Separaram-se defronte da estalagem. Jerônimo entrou sem ruído; foi até a casa, espiou pelo buraco da fechadura; havia luz no quarto de dormir; compreendeu que a mulher estava à sua espera, acordada talvez; pensou sentir, vindo lá de dentro, o bodum azedo que ela punha de si, fez uma careta de nojo e encaminhou-se resolutamente para a casa da mulata, em cuja porta bateu devagarinho.

Rita, essa noite, recolhera-se aflita e assustada. Deixara de ir ter com o amante e mais tarde admirava-se como fizera semelhante imprudência; como tivera coragem de pôr em prática, justamente no momento mais perigoso, uma coisa que ela, até aí, não se sentira com ânimo de praticar. No íntimo respeitava o capoeira; tinha-lhe medo. Amara-o a princípio por afinidade de temperamento, pela irresistível conexão do instinto luxurioso e canalha que predominava em ambos, depois continuou a estar com ele por hábito, por uma espécie de vício que amaldiçoamos sem poder largá-lo; mas desde que Jerônimo propendeu para ela, fascinando-a com a sua tranquila seriedade de animal bom e forte, o sangue da mestiça reclamou os seus direitos de apuração, e Rita preferiu no europeu o macho de raça superior. O cavouqueiro, pelo seu lado, cedendo às imposições mesológicas, enfarava a esposa, sua congênere, e queria a mulata, porque a mulata era o prazer, era a volúpia, era o fruto dourado e acre destes sertões americanos, onde a alma de Jerônimo aprendeu lascívias de macaco e onde seu corpo porejou o cheiro sensual dos bodes.

Amavam-se brutalmente, e ambos sabiam disso. Esse amor irracional e empírico carregara-se muito mais, de parte a parte, com o trágico incidente da luta, em que o português fora vítima. Jerônimo aureolou-se aos olhos dela com uma simpatia de mártir sacrificado à mulher que ama; cresceu com aquela navalhada; iluminou-se com o seu próprio sangue derramado, e, depois, a ausência no hospital veio a completar a cristalização do seu prestígio, como se o cavouqueiro houvera baixado a uma sepultura, arrastando atrás de si a saudade dos que o choravam.

Entretanto, o mesmo fenômeno se operava no espírito de Jerônimo com relação à Rita: arriscar espontaneamente a vida por alguém é aceitar um compromisso de ternura, em que empenhamos alma e coração; a mulher por quem fazemos tamanho sacrifício, seja ela quem for, assume de um só voo em nossa fantasia as proporções de um ideal. O desterrado, à primeira troca de olhares com a baiana, amou-a logo, porque sentiu nela o resumo de todos os quentes mistérios que os enlearam voluptuosamente nestas terras da luxúria; amou-a muito mais quando teve ocasião de jogar a existência por esse amor, e amou-a loucamente durante a triste e dolorosa solidão da enfermaria, em que os seus gemidos e suspiros eram todos para ela.

A mulata bem que o compreendeu, mas não teve ânimo de confessar-lhe que também morria de amores por ele; receou prejudicá-lo. Agora, com aquela loucura de faltar à entrevista justamente no dia em que Jerônimo voltava à estalagem, a situação parecia-lhe muito melindrosa. Firmo, desesperado com a ausência dela, embebedava-se naturalmente e vinha ao cortiço provocar o cavouqueiro; a briga rebentaria de novo, fatal para um dos dois, se é que não seria para ambos. Do que ela sentira pelo navalhista persistia agora apenas o medo, não como ele era dantes, indeterminado e frouxo, mas ao contrário, sobressaltado, nervoso, cheio de apreensões que a punham aflita. Firmo já não lhe aparecia no espírito como um amante ciumento e perigoso, mas como um simples facínora, armado de uma velha navalha desleal e homicida. O seu medo transformava-se em uma mistura de asco e terror. E, sem achar sossego na cama, deixava-se atordoar pelos seus pressentimentos, quando ouviu bater na porta.

— É ele! — disse, com o coração a saltar.

E via já defronte de si o Firmo, bêbado, a reclamar o Jerônimo aos berros, para esfaqueá-lo ali mesmo. Não respondeu ao primeiro chamado; ficou escutando.

Depois de uma pausa bateram de novo.

Ela estranhou o modo pelo qual batiam. Não era natural que o facínora procedesse com tanta prudência. Ergueu-se, foi à janela, abriu uma das folhas e espreitou pelas rótulas.

— Quem está aí?... — perguntou à meia voz.

— Sou eu... — disse Jerônimo, chegando-se.

Reconheceu-o logo e correu a abrir.

— Como?! É você, Jeromo?

— *Chit!* — fez ele, pondo o dedo na boca. — Fala baixo.

Rita começou a tremer: no olhar do português, nas suas mãos encardidas de sangue, no seu todo de homem ébrio, encharcado e sujo, havia uma terrível expressão de crime.

— Donde vens tu?... — segredou ela.

— De cuidar da nossa vida... Aí tens a navalha com que fui ferido!

E atirou-lhe sobre a mesa a navalha de Firmo, que a mulata conhecia como as palmas da mão.

— E ele?

— Está morto.

— Quem o matou?

— Eu.

Calaram-se ambos.

— Agora... — acrescentou o cavouqueiro, no fim de um silêncio arquejado por ambos — estou disposto a tudo para ficar contigo. Sairemos os dois daqui para onde melhor for... Que dizes tu?

— E tua mulher?...

— Deixo-lhe as minhas economias de muito tempo e continuarei a pagar o colégio à pequena. Sei que não devia abandoná-la, mas podes ter como certo que, ainda que não queiras vir comigo, não ficarei com ela! Não sei! Já não a posso suportar! Um homem enfara-se! Felizmente minha caixa de roupa está ainda na Ordem e posso ir buscá-la pela manhã.

— E para onde iremos?

— O que não falta é pr'onde ir! Em qualquer parte estaremos bem. Tenho aqui sobre mim uns quinhentos mil-réis, para as primeiras despesas. Posso ficar cá até às cinco horas; são duas e meia; saio sem ser visto por Piedade; mando-te ao depois dizer o que arranjei, e tu irás ter comigo... Está dito? Queres?

Rita, em resposta, atirou-se ao pescoço dele e pendurou-se-lhe nos lábios, devorando-o de beijos.

Aquele novo sacrifício do português; aquela dedicação extrema que o levava a arremessar para o lado família, dignidade, futuro, tudo, tudo por ela, entusiasmou-a loucamente. Depois dos sobressaltos desse dia e dessa noite, seus nervos estavam afiados e toda ela elétrica.

Ah! Não se tinha enganado! Aquele homenzarrão hercúleo, de músculos de touro, era capaz de todas as meiguices do carinho.

— Então? — insistiu ele.

— Sim, sim, meu cativeiro! — respondeu a baiana, falando-lhe na boca — eu quero ir contigo; quero ser a tua mulata, o bem do teu coração! Tu és os meus feitiços! — E apalpando-lhe o corpo:— Mas como estás ensopado! Espera! Espera! O que não falta aqui é roupa de homem pra mudar!... Podias ter uma recaída, cruzes! Tira tudo isso que está alagado! Eu vou acender o fogareiro e estende-se em cima o que é casimira, para te poderes vestir às cinco horas. Tira as botas! Olha o chapéu como está! Tudo isto seca! Tudo isto seca! Mira, toma já um gole de parati pr'atalhar a friagem! Depois passa em todo o corpo! Eu vou fazer café!

Jerônimo bebeu um bom trago de parati, mudou de roupa e deitou-se na cama de Rita.

— Vem pra cá... — disse, um pouco rouco.

— Espera! Espera! O café está quase pronto!

E ela só foi ter com ele, levando-lhe a chávena fumegante da perfumosa bebida que tinha sido a mensageira dos seus amores; assentou-se ao rebordo da cama e, segurando com uma das mãos o pires, e com a outra a xícara, ajudava-o a beber, gole por gole, enquanto seus olhos o acarinhavam, cintilantes de impaciência no antegozo daquele primeiro enlace.

Depois, atirou fora a saia e, só de camisa, lançou-se contra o seu amado, num frenesi de desejo doido.

Jerônimo, ao senti-la inteira nos seus braços; ao sentir na sua pele a carne quente daquela brasileira; ao sentir inundar-lhe o rosto e as espáduas, num eflúvio de baunilha e cumaru, a onda negra e fria da cabeleira da mulata; ao sentir esmagarem-se no seu largo e peludo colo de cavouqueiro os dois globos túmidos e macios, e nas suas coxas as coxas dela; sua alma derreteu-se, fervendo e borbulhando como um metal ao fogo, e saiu-lhe pela boca, pelos olhos, por todos os poros do corpo, escandescente, em brasa, queimando-lhe as próprias carnes e arrancando-lhe gemidos surdos, soluços irreprimíveis, que lhe sacudiam os membros, fibra por fibra, numa agonia extrema, sobrenatural, uma agonia de anjos violentados por diabos, entre a vermelhidão cruenta das labaredas do inferno.

E com um arranco de besta-fera caíram ambos prostrados, arquejando. Ela tinha a boca aberta, a língua fora, os braços duros, os dedos inteiriçados, e o corpo todo a tremer-lhe da cabeça aos pés, continuamente, como se estivesse morrendo;

ao passo que ele, de súbito arremessado longe da vida por aquela explosão inesperada dos seus sentidos, deixava-se mergulhar numa embriaguez deliciosa, através da qual o mundo inteiro e todo o seu passado fugiam como sombras fátuas. E, sem consciência de nada que o cercava, nem memória de si próprio, sem olhos, sem tino, sem ouvidos, apenas conservava em todo o seu ser uma impressão bem clara, viva, inextinguível: o atrito daquela carne quente e palpitante, que ele em delírio apertou contra o corpo, e que ele ainda sentia latejar-lhe debaixo das mãos, e que ele continuava a comprimir maquinalmente, como a criança que, já dormindo, afaga ainda as tetas em que matou ao mesmo tempo a fome e a sede com que veio ao mundo.

16

A essas horas Piedade de Jesus ainda esperava pelo marido.

Ouvira, assentada impaciente à porta de sua casa, darem oito horas, oito e meia; nove, nove e meia. "Que teria acontecido, Mãe Santíssima?... Pois o homem ainda não estava pronto de todo e punha-se ao fresco, mal engolira o jantar, para demorar-se daquele modo?... Ele que nunca fora capaz de semelhantes tonteiras!..."

Dez horas! Valha-me, Nosso Senhor Jesus Cristo!

Foi até ao portão da estalagem, perguntou a conhecidos que passavam se tinham visto Jerônimo; ninguém dava notícias dele. Saiu, correu à esquina da rua; um silêncio de cansaço bocejava naquele resto de domingo; às dez e meia recolheu-se sobressaltada, com o coração a sair-lhe pela garganta, o ouvido alerta, para que ela acudisse ao primeiro toque na porta; deitou-se sem tirar a saia, nem apagar de todo o candeeiro. A ceia frugal de leite fervido e queijo assado com açúcar e manteiga ficou intacta sobre a mesa.

Não conseguiu dormir: trabalhava-lhe a cabeça, afastando para longe o sono. Começou a imaginar perigos, rolos, em que o seu homem recebia novas navalhadas; Firmo figurava em todas as cenas do delírio; em todas elas havia sangue. Afinal, quando, depois de muito virar de um para outro lado do colchão, a infeliz ia caindo em modorra, o mais leve rumor lá fora a fazia erguer-se de pulo e correr à rótula da janela. Mas não era o cavouqueiro, da primeira, nem da segunda, nem de nenhuma das vezes.

Quando principiou a chover, Piedade ficou ainda mais aflita; na sua sobre-excitação afigurava-se-lhe agora que o marido estava sobre as águas do mar, embarcado, entregue unicamente à proteção da Virgem, em meio de um temporal medonho. Ajoelhou-se defronte do oratório e rezou com a voz emaranhada por uma agonia sufocadora. A cada trovão redobrava o seu sobressalto. E ela, de joelhos, os olhos fitos na imagem de Nossa Senhora, sem consciência do tempo que corria, arfava soluçando. De repente, ergueu-se, muito admirada de se ver sozinha, como se só naquele instante dera pela falta do marido a seu lado. Olhou em torno de si, espavorida, com vontade de chorar, de pedir socorro; as sombras espichadas em volta do candeeiro, tracejando trêmulas pelas paredes e pelo teto, pareciam querer dizer-lhe alguma coisa misteriosa. Um par de calças, dependurado à porta do quarto, com um paletó e um chapéu por cima, representou-lhe de relance o vulto de um enforcado, a mexer com as pernas. Benzeu-se. Quis saber que horas eram e não pôde; afigurava-se-lhe terem decorrido já três dias pelo menos durante aquela aflição. Calculou que não tardaria a amanhecer, se é que ainda amanheceria: se é que aquela noite infernal não se fosse prolongando infinitamente, sem nunca mais aparecer o sol! Bebeu um copo d'água, bem cheio, apesar de haver pouco antes tomado outro, e ficou imóvel, de ouvido atento, na expectativa de escutar as horas de algum relógio da vizinhança.

A chuva diminuíra, e os ventos principiavam a soprar com desespero. Lá de fora a noite dizia-lhe segredos pelo buraco da fechadura e pelas frinchas do telhado e das portas; a cada assobio a mísera julgava ver surgir um espectro que vinha contar-lhe a morte de Jerônimo. O desejo impaciente de saber que horas eram punha-a doida: foi à janela, abriu-a; uma rajada úmida entrou na sala, esfuziando, e apagou a luz. Piedade soltou um grito e começou a procurar a caixa de fósforos, aos esbarrões, sem conseguir reconhecer os objetos que tateava. Esteve a perder os sentidos; afinal achou os fósforos, acendeu de novo o candeeiro e fechou a janela. Entrara-lhe um pouco de chuva em casa; sentiu a roupa molhada no corpo; tomou um novo copo d'água; um calefrio de febre percorreu-lhe a espinha, e ela atirou-se para a cama, batendo o queixo, e meteu-se debaixo dos lençóis, a tiritar de febre. Veio de novo a modorra, fechou os olhos; mas ergueu-se logo, assentando-se no colchão: parecia-lhe ter ouvido alguém falar lá fora, na rua; o calefrio voltou; ela, trêmula, procurava escutar. Se se não enganava, distinguira vozes abafadas, conversando, e as vozes eram de homem; deixou-se ficar à escuta, concheando a mão atrás da orelha; depois ouviu baterem, não na sua porta, mas lá muito mais para diante, na casa da das Dores, da Rita, ou da Augusta. "Devia ser o Alexandre que voltava do serviço..." Quis ir ter com ele e pedir-lhe notícias de Jerônimo, o calefrio, porém, obrigou-a a ficar debaixo das cobertas.

Às cinco horas levantou-se de novo com um salto. "Já havia gente lá fora com certeza!..." Ouvira ranger a primeira porta; abriu a janela, mas ainda estava tão escuro que se não distinguia patavina. Era uma preguiçosa madrugada de agosto, nebulosa, úmida, parecia disposta a resistir ao dia. "Ó senhores! Aquela noite dos diachos não acabaria nunca mais?..." Entretanto, adivinhava-se que ia amanhecer. Piedade ouviu dentro do pátio, do lado contrário à sua casa, um zum-zum de duas vozes cochichando com interesse. "Virgem do céu! Dir-se-ia a voz do seu homem! E a outra era voz de mulher, credo! Ilusão sua com certeza! Ela essa noite estava para ouvir o que não se dava..." Mas aqueles cochichos dialogados na escuridão causavam-lhe extremo alvoroço. "Não! Como poderia ser ele?... Que loucura! Se o homem estivesse ali teria sem dúvida procurado a casa!..." E os cochichos persistiam, enquanto Piedade, toda ouvidos, estalava de agonia.

— Jeromo! — gritou ela.

As vozes calaram-se logo, fazendo o silêncio completo: depois nada mais se ouviu.

Piedade ficou à janela. As trevas dissolveram-se afinal; uma claridade triste formou-se no nascente e foi, a pouco e pouco, se derramando pelo espaço. O céu era uma argamassa cinzenta e gorda. O cortiço acordava com o remancho das segundas-

-feiras; ouviam-se os pigarros das ressacas de parati. As casinhas abriam-se; vultos espreguiçados vinham bocejando fazer a sua lavagem à bica; as chaminés principiavam a fumegar; recendia o cheiro do café torrado.

Piedade atirou um xale em cima dos ombros e saiu ao pátio; a Machona, que acabava de aparecer à porta do número 7 com um berro para acordar a família de uma só vez — gritou-lhe:

— Bons dias, vizinha! Seu marido como vai? Melhor?

Piedade soltou um suspiro.

— Ai, não mo pergunte, S'ora Leandra!

— Piorou, filha?

— Não veio esta noite pra casa...

— Olha o demo! Como não veio? Onde ficou ele então?

— Cá está quem não lho sabe responder.

— Ora já se viu?!

— Estou com o miolo que é água de bacalhau! Não preguei olho durante a noite! Forte desgraça a minha!

— Teria-lhe sucedido alguma?...

Piedade pôs-se a soluçar, enxugando as lágrimas no xale de lã; ao passo que a outra, com a sua voz rouca e forte, que nem o som de uma trompa enferrujada, passava adiante a nova de que o Jerônimo não se recolhera aquela noite à estalagem.

— Talvez voltasse pro hospital... — obtemperou Augusta, que lavava junto a uma tina a gaiola do seu papagaio.

— Mas ele ontem veio de muda... — contrapôs Leandra.

— E lá não se entra depois das oito horas da noite — acrescentou outra lavadeira.

E os comentários multiplicavam-se, palpitando de todos os lados, numa boa disposição para fazer daquilo o escândalo do dia. Piedade respondia friamente às perguntas curiosas que lhe dirigiam as companheiras; estava triste e sucumbida; não se lavou, não mudou de roupa, não comeu nada, porque a comida lhe crescia na boca e não lhe passava da garganta; o que fazia só era chorar e lamentar-se.

— Forte desgraça a minha! — repetia a infeliz a cada instante.

— Se vais assim filha, estás bem arranjada! — exclamou-lhe a Machona, chegando à porta de sua casa a dar dentadas num pão recheado de manteiga. — Que diabo, criatura! O homem não te morreu, pra estares agora aí a carpir desse modo!

— Sei-o eu lá se me morreu?... — disse Piedade entre soluços. — Vi tanta coisa esta noite!...

— Ele te apareceu nos sonhos?... — perguntou Leandra com assombro.

— Nos sonhos não, que não dormi, mas vi a modos que fantasmas...

E chorava.

— Ai, credo filha!

— Estou desgraçada!

— Se te apareceram almas, decerto; mas põe a fé em Deus, mulher! e não te rales desse modo, que a desgraça pode ser maior! O choro puxa muita coisa!

— Ai, o meu rico homem!

E o mugido lúgubre daquela pobre criatura abandonada antepunha à rude agitação do cortiço uma nota lamentosa e tristonha de uma vaca chamando ao longe, perdida ao cair da noite num lagar desconhecido e agreste. Mas o trabalho aquecia já de uma ponta à outra da estalagem; ria-se, cantava-se, soltava-se a língua; o formigueiro assanhava-se com as compras para o almoço; os mercadores entravam e saíam: a máquina de massas principiava a bufar. E Piedade, assentada à soleira de sua porta, paciente e ululante como um cão que espera pelo dono, maldizia a hora em que saíra da sua terra, e parecia disposta a morrer ali mesmo, naquele limiar de granito, onde ela, tantas vezes, com a cabeça encostada ao ombro do seu homem, suspirava feliz, ouvindo gemer na guitarra dele os queridos fados de além-mar.

E Jerônimo não aparecia.

Ela ergueu-se finalmente, foi lá fora ao capinzal, pôs-se a andar agitada, falando sozinha, a gesticular forte. E nos seus movimentos de desespero, quando levantava para o céu os punhos fechados, dir-se-ia que não era contra o marido que se revoltava, mas sim contra aquela amaldiçoada luz alucinadora, contra aquele sol crapuloso, que fazia ferver o sangue aos homens e metia-lhes no corpo luxúrias de bode. Parecia rebelar-se contra aquela natureza alcoviteira, que lhe roubara o seu homem para dá-lo a outra, porque a outra era gente do seu peito e ela não.

E maldizia soluçando a hora em que saíra da sua terra; essa boa terra cansada, velha como que enferma; essa boa terra tranquila, sem sobressaltos nem desvarios de juventude. Sim, lá os campos eram frios e melancólicos, de um verde alourado e quieto, e não ardentes e esmeraldinos e afogados em tanto sol e em tanto perfume como o deste inferno, onde em cada folha que se pisa há debaixo um réptil venenoso, como em cada flor que desabotoa e em cada moscardo que adeja há um vírus de lascívia. Lá nos saudosos campos da sua terra, não se ouvia em noites de lua clara roncar a onça e o maracajá, nem pela manhã, ao romper do dia, rilhava o bando truculento das queixadas; lá não varava pelas florestas a anta feia e terrível, quebrando árvores; lá a sucuruju não chocalhava a sua campainha fúnebre, anunciando a morte, nem a coral esperava traidora o viajante descuidado para lhe dar o bote certeiro e decisivo; lá o seu homem não seria anavalhado pelo ciúme de um capoeira; lá Jerônimo seria ainda o mesmo esposo casto, silencioso e meigo, seria o mesmo lavrador triste e contemplativo, como o gado que à tarde levanta para o céu de opala o seu olhar humilde, compungido e bíblico.

Maldita a hora em que ela veio! Maldita! Mil vezes maldita!

E tornando à casa, Piedade ainda mais se enraivecia, porque ali defronte, no número 9, a mulata baiana, a dançadeira de chorado, a cobra assanhada, cantava alegremente, chegando de vez em quando à janela para vir soprar fora a cinza da fornalha do seu ferro de engomar, olhando de passagem para a direita e para a esquerda, a afetar indiferença pelo que não era de sua conta, e desaparecendo logo, sem interromper a cantiga, muito embebida no seu serviço. Ah! Essa não fez comentários sobre o estranho procedimento de mestre Jerônimo, nem mesmo quis ouvir notícias dele; pouco arredou o pé de dentro de casa e, nesse pouco que saiu, foi às pressas e sem dar trela a ninguém.

Nada! Que as penas e desgostos não punham a panela no fogo!

Entretanto, ah! ah! ela estava bem preocupada. Apesar do alívio que lhe trouxera ao espírito a morte do Firmo e a despeito do seu contentamento de passar por uma vez aos braços do cavouqueiro, um sobressalto vago e opressivo esmagava-lhe o coração e matava-a de impaciência por atirar-se à procura de notícias sobre as ocorrências da noite; tanto assim que, às onze horas, mal percebeu que Piedade, depois de esperar em vão pelo marido, saía aflita em busca dele, disposta a ir ao hospital, à polícia, ao necrotério, ao diabo, contanto que não voltasse sem algum esclarecimento, ela atirou logo o trabalho p'ro canto, enfiou uma saia, cruzou o xale no ombro, e ganhou o mundo, também disposta a não voltar sem saber tintim por tintim o que havia de novo.

Foi cada uma para seu lado e só voltaram à tarde, quase ao mesmo tempo, encontrando o cortiço cheio já e assanhado com a notícia da morte de Firmo e do terrível efeito que esta causara no "Cabeça-de-Gato", onde o crime era atribuído aos carapicus, contra os quais juravam-se extremas vinganças de desafronta. Soprava de lá, rosnando, um hálito morno de cólera mal sofrida e sequiosa que crescia com a aproximação da noite e parecia sacudir no ar, ameaçadoramente, a irrequieta flâmula amarela.

O sol descambava para o ocaso, indefeso e nu, tingindo o céu de uma vermelhidão pressaga e sinistra.

Piedade entrou carrancuda na estalagem; não vinha triste, vinha enfurecida; soubera na rua a respeito do marido mais do que esperava. Soubera em primeiro lugar que ele estava vivo, perfeitamente vivo, pois fora visto aquele mesmo dia, mais de uma vez, no Garnisé e na praia da Saudade, a vagar macambúzio; soubera, por intermédio de um rondante amigo de Alexandre, que Jerônimo surgira de manhãzinha do capinzal perto da pedreira de João Romão, o que fazia crer viesse ele naquele momento de casa, saindo pelos fundos do cortiço; soubera ainda que o cavouqueiro fora à Ordem buscar a sua caixa de roupa e que, na véspera, estivera a beber à farta na venda do Pepé, de súcia com o Zé Carlos e com o Pataca, e que depois seguiram para os lados da praia, todos três mais ou menos no gole. Sem a menor desconfiança do crime, a desgraçada ficou convencida de que o marido não se recolhera aquela noite à casa, porque ficara em grossa pândega com os amigos e que, voltando tarde e bêbedo, dera-lhe para meter-se com a mulata, que o aceitou logo. "Pudera! Pois se havia muito a deslambida não queria outra coisa!..." Com esta convicção inchou-lhe de súbito por dentro um novelo de ciúmes, e ela correu *incontinenti* para a estalagem, certa de que iria encontrar o homem e despejaria contra ele aquela tremenda tempestade de ressentimentos e despeitos acumulados, que ameaçavam sufocá-la se não rebentassem de vez. Atravessou o cortiço sem dar palavra a ninguém e foi direito à casa; contava encontrá-la aberta e a sua decepção foi cruel ao vê-la fechada como a deixara. Pediu a chave à Machona, que, ao entregá-la, inquiriu sobre Jerônimo e pespegou-lhe ao mesmo tempo a notícia do assassinato de Firmo.

Com esta nova é que Piedade não contava. Ficou lívida; um pavoroso pressentimento varou-lhe o espírito como um raio. Afastou-se logo, com medo de falar, e foi trêmula e ofegante que abriu a porta e meteu-se no número 35.

Atirou-se a uma cadeira. Estava morta de cansaço; não tinha comido nada esse dia e não sentia fome; a cabeça andava-lhe à roda, as pernas pareciam-lhe de chumbo.

"Seria ele?!..." — interrogou a si própria.

E os raciocínios começaram a surdir-lhe em massa, ensarilhados, atropelando-lhe a razão. Não conseguia coordená-los; entre todas uma ideia insubordinava-se com mais teima, a perturbar as outras, ficando superior, como uma carta maior que o resto do baralho: "Se ele matou o Firmo, dormiu na estalagem e não veio ter comigo, é porque então deixou-me de feita pela Rita!"

Tentou fugir a semelhante hipótese; repeliu-a indignada. Não! Não era possível que o Jerônimo, seu marido de tanto tempo, o pai de sua filha, um homem a quem ela nunca dera razão de queixa e a quem sempre respeitara e quisera com o mesmo carinho e com a mesma dedicação, a abandonasse de um momento para outro, e por quem?! Por uma não sei que diga! Um diabo de uma mulata assanhada, que tão depressa era de Pedro como de Paulo! Uma sirigaita, que vivia mais para a folia do que para o trabalho! uma peste, que... Não! Qual! Era lá possível?! Mas então por que ele não viera?... por que não vinha?... por que não dava notícias suas?... por que fora pela manhã à Ordem buscar a caixa da roupa?...

O Roberto Papa-Defuntos dissera-lhe que o encontrara às duas da tarde ali perto, ao dobrar da rua Bambina, e que até pararam um instante para conversar. Com mais alguns passos teria chegado à casa! Seria possível, santos do céu! que o seu homem estivesse disposto a nunca mais tornar para junto dela?

Nisto entrou a outra, acompanhada por um pequeno descalço. Vinha satisfeita; estivera com Jerônimo, jantaram juntos, numa casa de pasto; ficara tudo combinado; arranjara-se o ninho. Não se mudaria logo para não dar que falar na estalagem, mas levaria alguma roupa e os objetos mais indispensáveis e que não dessem na vista por ocasião do transporte. Voltaria no dia seguinte ao cortiço, onde continuaria a trabalhar, à noite iria ter com o novo amante, e, no fim de uma semana — zás! fazia-se a mudança completa, e adeus coração! — Por aqui é o caminho! O cavouqueiro, pelo seu lado, mandaria uma carta a João Romão, despedindo-se do seu serviço, e outra à mulher, dizendo com boas palavras que, por uma dessas fatalidades de que nenhuma criatura está livre, deixava de viver em companhia dela, mas que lhe conservaria a mesma estima e continuaria a pagar o colégio da filha; e, feito isto, pronto! entraria em vida nova, senhor da sua mulata, livres e sozinhos, independentes, vivendo um para o outro, numa eterna embriaguez de gozos.

Mas, na ocasião em que a baiana, seguida pelo pequeno, passava defronte da porta de Piedade, esta deu um salto da cadeira e gritou-lhe:

— Faz favor?

— Que é? — resmungou Rita, parando sem voltar senão o rosto, e já a dizer no seu todo de impaciência que não estava disposta a muita conversa.

— Diga-me uma coisa — inquiriu aquela — você muda-se?

A mulata não contava com semelhante pergunta, assim à queima-roupa; ficou calada sem achar o que responder.

— Muda-se, não é verdade? — insistiu a outra, fazendo-se vermelha.

— E o que tem você com isso? Mude-me ou não, não lhe tenho de dar satisfações! Meta-se lá com a sua vida! Ora esta!

— Com a minha vida é que te meteste tu, cigana! — exclamou a portuguesa, sem se conter e avançando para a porta com ímpeto.

— Hein?! Repete, cutruca ordinária! — berrou a mulata, dando um passo em frente.

— Pensas que já não sei de tudo? Maleficiaste-me o homem e agora carregas-me com ele! Que a má coisa te saiba, cabra do inferno! Mas deixa estar que hás de amargar o que o diabo não quis! Quem to jura sou eu!

— Pula cá pra fora, perua choca, se és capaz!

Em torno de Rita já o povaréu se reunia alvoroçado; as lavadeiras deixaram logo as tinas e vinham, com os braços nus, cheios de espuma de sabão, estacionar ali ao pé, formando roda, silenciosas, sem nenhuma delas querer meter-se no barulho. Os homens riam e atiravam chufas às duas contendoras, como sucedia sempre quando no cortiço qualquer mulher se disputava com outra.

— Isca! Isca! — gritavam eles.

Ao desafio da mulata, Piedade saltara ao pátio, armada com um dos seus tamancos. Uma pedrada recebeu-a em caminho, rachando-lhe a pele do queixo, ao que ela respondeu desfechando contra a adversária uma formidável pancada na cabeça.

E pegaram-se logo a unhas e dentes.

Por algum tempo lutaram de pé, engalfinhadas, no meio de grande algazarra dos circunstantes. João Romão acudiu e quis separá-las; todos protestaram. A família do Miranda assomou à janela, tomando ainda o café de depois do jantar, indiferente, já habituada àquelas cenas. Dois partidos todavia se formavam em torno das lutadoras; quase todos os brasileiros eram pela Rita e quase todos os portugueses pela outra. Discutia-se com febre a superioridade de cada qual delas; rebentavam gritos de entusiasmo a cada mossa que qualquer das duas recebia; e estas, sem se desunharem, tinham já arranhões e mordeduras por todo o busto.

Quando menos se esperava, ouviu-se um baque pesado e viu-se Piedade de bruços no chão e a Rita por cima, escarranchada sobre as suas largas ancas, a socar-lhe o cachaço de murros contínuos, desgrenhada, rota, ofegante, os cabelos caídos sobre a cara, gritando vitoriosa, com a boca correndo sangue:

— Toma pro teu tabaco! Toma, galinha podre! Toma, pra não te meteres comigo! Toma! Toma, baiacu da praia!

Os portugueses precipitaram-se para tirar Piedade de debaixo da mulata. Os brasileiros opuseram-se ferozmente.

— Não pode!

— Enche!

— Não deixa!

— Não tira!

— Entra! Entra!

E as palavras "galego" e "cabra" cruzaram-se de todos os pontos, como bofetadas. Houve um vavau rápido e surdo, e logo em seguida um formidável rolo, um rolo a valer, não mais de duas mulheres, mas de uns quarenta e tantos homens de pulso, rebentou como um terremoto. As cercas e os jiraus desapareceram do chão e estilhaçaram-se no ar, estalando em descarga; ao passo que numa berraria infernal, num fecha-fecha de formigueiro em guerra, aquela onda viva ia arrastando o que topava no caminho; barracas e tinas, baldes, regadores e caixões de planta, tudo rolava entre aquela centena de pernas confundidas e doidas. Das janelas do Miranda apitava-se com fúria; da rua, em todo o quarteirão, novos apitos respondiam; dos fundos do cortiço e pela frente surgia povo e mais povo. O pátio estava quase cheio; ninguém mais se entendia; todos davam e todos apanhavam; mulheres e crianças berravam. João Romão, clamando furioso, sentia-se impotente para conter semelhantes demônios. "Fazer rolo àquela hora, que imprudência!" Não conseguiu fechar as portas da venda, nem o portão da estalagem; guardou às pressas na burra o que havia em dinheiro na gaveta, e, armando-se com uma tranca de ferro, pôs-se de sentinela às prateleiras, disposto a abrir o casco ao primeiro que se animasse a saltar-lhe o balcão. Bertoleza, lá dentro na cozinha, aprontava uma grande chaleira de água quente, para defender com ela a propriedade do seu homem. E o rolo a ferver lá fora, cada vez mais inflamado com um terrível sopro de rivalidade nacional. Ouviam-se, num clamor de pragas e gemidos, vivas a Portugal e vivas ao Brasil. De vez em quando, o povaréu, que continuava a crescer, afastava-se em massa, rugindo de medo, mas tornava logo, como a onda no refluxo dos mares. A polícia apareceu e não se achou com ânimo de entrar, antes de vir um reforço de praças, que um permanente fora buscar a galope!

E o rolo fervia.

Mas, no melhor da luta, ouviu-se na rua um coro de vozes que se aproximavam das bandas do "Cabeça-de-Gato". Era o canto de guerra dos capoeiras do outro cortiço, que vinham dar batalha aos carapicus, pra vingar com sangue a morte de Firmo, seu chefe de malta.

17

Mal os carapicus sentiram a aproximação dos rivais, um grito de alarma ecoou por toda a estalagem, e o rolo dissolveu-se de improviso, sem que a desordem cessasse. Cada qual correu à casa, rapidamente, em busca do ferro, do pau e de tudo que servisse para resistir e para matar. Um só impulso os impelia a todos; já não havia ali brasileiros e portugueses, havia um só partido que ia ser atacado pelo partido contrário; os que se batiam ainda há pouco emprestavam armas uns aos outros, limpando com as costas das mãos o sangue das feridas. Agostinho, encostado ao lampião do meio do cortiço, cantava em altos berros uma coisa que lhe parecia responder à música bárbara que entoavam lá fora os inimigos; a mãe dera-lhe licença, a pedido dele, para pôr um cinto de Neném, em que o pequeno enfiou a faca da cozinha. Um mulatinho franzino, que até aí não fora notado por ninguém no São Romão, postou-se defronte da entrada, de mãos limpas, à espera dos invasores; e todos tiveram confiança nele porque o ladrão, além de tudo, estava rindo.

Os cabeças-de-gato assomaram afinal ao portão. Uns cem homens, em que se não via a arma que traziam. Porfiro vinha na frente, a dançar, de braços abertos, bamboleando o corpo e dando rasteiras para que ninguém lhe estorvasse a entrada. Trazia o chapéu à ré, com um laço de fita amarela flutuando na copa.

— Aguenta! Aguenta! Faz frente! — clamavam de dentro os carapicus.

E os outros, cantando o seu hino de guerra, entraram e aproximaram-se lentamente, a dançar como selvagens.

As navalhas traziam-nas abertas e escondidas na palma da mão.

Os carapicus enchiam a metade do cortiço. Um silêncio arquejado sucedia à estrepitosa vozeria do rolo que findara. Sentia-se o hausto impaciente da ferocidade que atirava aqueles dois bandos de capoeiras um contra o outro. E no entanto o sol, único causador de tudo aquilo, desaparecia de todo nos limbos do horizonte, indiferente, deixando atrás de si as melancolias do crepúsculo, que é a saudade da terra quando ele se ausenta, levando consigo a alegria da luz e do calor.

Lá na janela do Barão, o Botelho, entusiasmado como sempre por tudo que lhe cheirava a guerra, soltava gritos de aplauso e dava brados de comando militar.

E os cabeças-de-gato aproximavam-se cantando, a dançar, rastejando alguns de costas para o chão, firmados nos pulsos e nos calcanhares.

Dez carapicus saíram em frente; dez cabeças-de-gato se alinharam defronte deles.

E a batalha principiou, não mais desordenada e cega, porém com método, sob o comando de Porfiro que, sempre a cantar ou assobiar, saltava em todas as direções, sem nunca ser alcançado por ninguém.

Desferiram-se navalhas contra navalhas, jogaram-se as cabeçadas e os voa-pés. Par a par, todos os capoeiras tinham pela frente um adversário de igual destreza que respondia a cada investida com um salto de gato ou uma queda repentina que anulava o golpe. De parte a parte esperavam que o cansaço desequilibrasse as forças, abrindo furo à vitória; mas um fato veio neutralizar inda uma vez a campanha: imenso rebentão de fogo esgargalhava-se de uma das casas do fundo, o número 88. E agora o incêndio era a valer.

Houve nas duas maltas um súbito espasmo de terror. Abaixaram-se os ferros, e calou-se o hino de morte. Um clarão tremendo ensanguentou o ar, que se fechou logo de fumaça fulva.

A Bruxa conseguira afinal realizar o seu sonho de louca: o cortiço ia arder; não haveria meio de reprimir aquele cruento devorar de labaredas. Os "cabeças-de-gato", leais nas suas justas de partido, abandonaram o campo, sem voltar o rosto, desdenhosos de aceitar o auxílio de um sinistro e dispostos até a socorrer o inimigo, se assim fosse preciso. E nenhum dos carapicus os feriu pelas costas. A luta ficava para outra ocasião. E a cena transformou-se num relance; os mesmos que barateavam tão facilmente a vida, apressavam-se agora a salvar os miseráveis bens que possuíam sobre a terra. Fechou-se um entra e sai de maribondos defronte daquelas cem casinhas ameaçadas pelo fogo. Homens e mulheres corriam de cá para lá com os tarecos ao ombro, numa balbúrdia de doidos. O pátio e a rua enchiam-se agora de camas velhas e colchões espocados. Ninguém se conhecia naquela zumba de gritos sem nexo, e choro de crianças esmagadas, e pragas arrancadas pela dor e pelo desespero. Da casa do Barão saíam clamores apopléticos; ouviam-se os guinchos de Zulmira que se espolinhava com um ataque. E começou a aparecer água. Quem a trouxe? Ninguém sabia dizê-lo; mas viam-se baldes e baldes que se despejavam sobre as chamas.

Os sinos da vizinhança começaram a badalar.

E tudo era um clamor.

A Bruxa surgiu à janela da sua casa, como à boca de uma fornalha acesa. Estava horrível; nunca fora tão bruxa. O seu moreno trigueiro, de cabocla velha, reluzia que nem metal em brasa; a sua crina preta, desgrenhada, escorrida e abundante como as das éguas selvagens, dava-lhe um caráter fantástico de fúria saída do inferno. E ela ria-se, ébria de satisfação, sem sentir as queimaduras e as feridas, vitoriosa no meio daquela orgia de fogo, com que ultimamente vivia a sonhar em segredo a sua alma extravagante de maluca.

Ia atirar-se cá para fora, quando se ouviu estalar o madeiramento da casa incendiada, que abateu rapidamente, sepultando a louca num montão de brasas.

Os sinos continuavam a badalar aflitos. Surgiam aguadeiros com as suas pipas em carroça, alvoroçados, fazendo cada qual maior empenho em chegar antes dos outros e apanhar os dez mil-réis da gratificação. A polícia defendia a passagem ao povo que queria entrar. A rua lá fora estava já atravancada com o despojo de quase toda a estalagem. E as labaredas iam galopando desembestadas para a direita e para a esquerda do número 88. Um papagaio, esquecido à parede de uma das casinhas e preso à gaiola, gritava furioso, como se pedisse socorro.

Dentro de meia hora o cortiço tinha de ficar em cinzas. Mas um fragor de repiques de campainhas e estridente silvar de válvulas encheu de súbito todo o quarteirão, anunciando que chegava o corpo dos bombeiros.

E logo em seguida apontaram carros à desfilada, e um bando de demônios de blusa clara, armados uns de archotes e outros de escadilhas de ferro, apoderaram-se do sinistro, dominando-o *incontinenti*, como uma expedição mágica, sem uma palavra, sem hesitações e sem atropelos. A um só tempo viram-se fartas mangas d'água chicoteando o fogo por todos os lados; enquanto, sem se saber como, homens, mais ágeis que macacos, escalavam os telhados abrasados por escadas que mal se distinguiam; e outros invadiam o coração vermelho do incêndio, a dardejar duchas em torno de si, rodando, saltando, piruetando, até estrangularem as chamas que se atiravam ferozes para cima deles, como dentro de um inferno; ao passo que outros, cá de fora, imperturbáveis, com uma limpeza de máquina moderna, fuzilavam de água toda a estalagem, número por número, resolvidos a não deixar uma só telha enxuta.

O povo aplaudia-os entusiasmado, já esquecido do desastre e só atenção para aquele duelo contra o incêndio. Quando um bombeiro, de cima do telhado, conseguiu sufocar uma ninhada de labaredas, que surgia defronte dele, rebentou cá debaixo uma roda de palmas, e o herói voltou-se para a multidão, sorrindo e agradecendo.

Algumas mulheres atiravam-lhe beijos, entre brados de ovação.

18

Por esse tempo, o amigo de Bertoleza, notando que o velho Libório, depois de escapar de morrer na confusão do incêndio, fugia agoniado para o seu esconderijo, seguiu-o com disfarce e observou que o miserável, mal deu luz à candeia, começou a tirar ofegante alguma coisa do seu colchão imundo.

Eram garrafas. Tirou a primeira, a segunda, meia dúzia delas. Depois puxou às pressas a coberta do catre e fez uma trouxa. Ia de novo ganhar a saída, mas soltou um gemido surdo e caiu no chão sem força, arrevessando uma golfada de sangue e cingindo contra o peito o misterioso embrulho.

João Romão apareceu, e ele, assim que o viu, redobrou de aflição e torceu-se todo sobre as garrafas, defendendo-as com o corpo inteiro, a olhar aterrado e de esguelha para o seu interventor, como se dera cara a cara com um bandido. E, a cada passo que o vendeiro adiantava, o tremor e o sobressalto do velho recresciam, tirando-lhe da garganta grunhidos roucos de animal batido e assustado. Duas vezes tentou erguer-se; duas vezes rolou por terra moribundo. João Romão objurgou-lhe que qualquer demora ali seria morte certa: o incêndio avançava. Quis ajudá-lo a carregar o fardo. Libório, por única resposta, arregaçou os beiços, mostrando as gengivas sem dentes e tentando morder a mão que o vendeiro estendia já sobre as garrafas.

Mas, lá de cima, a ponta de uma língua de fogo varou o teto e iluminou de vermelho a miserável pocilga. Libório tentou ainda um esforço supremo, e nada pôde, começando a tremer da cabeça aos pés, a tremer, a tremer, grudando-se cada vez mais à sua trouxa, e já estrebuchava, quando o vendeiro lha arrancou das garras com violência. Também era tempo, porque, depois de insinuar a língua, o fogo mostrou a boca e escancarou afinal a goela devoradora.

O tratante fugiu de carreira, abraçado à sua presa, enquanto o velho sem conseguir pôr-se de pé, rastreava na pista dele, dificultosamente, estrangulado de desespero senil, já sem fala, rosnando uns vagidos de morte, os olhos turvos, todo ele roxo, os dedos enriçados como as unhas de um abutre ferido.

João Romão atravessou o pátio de carreira e meteu-se na sua toca para esconder o furto. Ao primeiro exame, de relance, reconheceu logo que era dinheiro em papel o que havia nas garrafas. Enterrou a trouxa na prateleira de um armário velho cheio de frascos e voltou lá fora para acompanhar o serviço dos bombeiros.

À meia-noite estava já completamente extinto o fogo e quatro sentinelas rondavam a ruína das trinta e tantas casinhas que arderam. O vendeiro só pôde voltar à trouxa das garrafas às cinco horas da manhã, quando Bertoleza, que fizera prodígios contra o incêndio, passava pelo sono, encostada na cama, com a saia ainda encharcada d'água, o corpo cheio de pequenas queimaduras. Verificou que as garrafas eram oito e estavam cheias até à boca de notas de todos os valores, que aí foram metidas, uma a uma, depois de cuidadosamente enroladas e dobradas à moda de bilhetes de rifa. Receoso, porém, de que a crioula não estivesse bem adormecida e desse pela coisa, João Romão resolveu adiar para mais tarde a contagem do dinheiro e guardou o tesouro noutro lugar mais seguro.

No dia seguinte a polícia averiguou os destroços do incêndio e mandou proceder logo ao desentulho, para retirar os cadáveres que houvesse.

Rita desaparecera da estalagem durante a confusão da noite; Piedade caíra de cama, com um febrão de quarenta graus; a Machona tinha uma orelha rachada e um pé torcido; a das Dores a cabeça partida; o Bruno levara uma navalhada na coxa; dois trabalhadores da pedreira estavam gravemente feridos; um italiano perdera dois dentes da frente, e uma filhinha da Augusta Carne-Mole morrera esmagada pelo povo. E todos, todos se queixavam de danos recebidos e revoltaram-se contra os rigores da sorte. O dia passou-se inteiro na computação dos prejuízos e a dar-se balanço no que se salvara do incêndio. Sentia-se um fartum aborrecido de estorrilho e cinza molhada. Um duro silêncio de desconsolo embrutecia aquela pobre gente. Vultos sombrios, de mãos cruzadas atrás, permaneciam horas esquecidas, a olhar imóveis os esqueletos carbonizados e ainda úmidos das casinhas queimadas. Os cadáveres da Bruxa e do Libório foram carregados para o meio do pátio, disformes, horrorosos, e jaziam entre duas velas acesas, ao relento, à espera do carro da Misericórdia. Entrava gente da rua para os ver; descobriam-se defronte deles, e alguns curiosos lançavam piedosamente uma moeda de cobre no prato que, aos pés dos dois defuntos, recebia a esmola para a mortalha. Em casa de Augusta, sobre uma mesa coberta por uma cerimoniosa toalha de rendas, estava o cadaverzinho da filha morta, todo enfeitado de flores, com um Cristo de latão à cabeceira e dois círios que ardiam tristemente. Alexandre, assentado a um canto da sala, com o rosto escondido nas mãos, chorava, aguardando o pêsame das visitas; fardara-se, só para isso, com o seu melhor uniforme, coitado!

O enterro da pequenita foi feito à custa de Léonie, que apareceu às três da tarde, vestida de cetineta cor de creme, num carrinho dirigido por um cocheiro de calção de flanela branca e libré agaloada de ouro.

O Miranda apresentou-se na estalagem logo pela manhã, o ar compungido, porém superior. Deu um ligeiro abraço em João Romão, falou-lhe em voz baixa, lamentando aquela catástrofe, mas felicitou-o porque tudo estava no seguro.

O vendeiro, com efeito, impressionado com a primeira tentativa de incêndio, tratara de segurar todas as suas propriedades; e, com tamanha inspiração o fez que, agora, em vez de lhe trazer o fogo prejuízo, até lhe deixaria lucros.

— Ah, ah, meu caro! Cautela e caldo de galinha nunca fizeram mal a doente!... — segredou o dono do cortiço, a rir. — Olhe, aqueles é que com certeza não gostaram da brincadeira! — acrescentou, apontando para o lado em que maior era o grupo dos infelizes que tomavam conta dos restos de seus tarecos atirados em montão.

— Ah, mas esses, que diabo! Nada têm que perder!... — considerou o outro.

E os dois vizinhos foram até o fim do pátio, conversando em voz baixa.

— Vou reedificar tudo isto! — declarou João Romão, com um gesto enérgico que abrangia toda aquela Babilônia desmantelada.

E expôs o seu projeto: tencionava alargar a estalagem, entrando um pouco pelo capinzal. Levantaria do lado esquerdo, encostado ao muro do Miranda, um novo correr de casinhas, aproveitando assim parte do pátio, que não precisava ser tão grande; sobre as outras levantaria um segundo andar, com uma longa varanda na frente toda gradeada. Negociozinho para ter ali, a dar dinheiro, em vez de uma centena de cômodos, nada menos de quatrocentos a quinhentos, de doze a vinte e cinco mil-réis cada um!

Ah! Ele havia de mostrar como se fazem as coisas bem feitas.

O Miranda escutava-o calado, fitando-o com respeito.

— Você é um homem dos diabos! — disse afinal, batendo-lhe no ombro.

E, ao sair de lá, no seu coração vulgar de homem que nunca produziu e levou a vida, como todo o mercador, a explorar a boa-fé de uns e o trabalho intelectual de outros, trazia uma grande admiração pelo vizinho. O que ainda lhe restava da primitiva inveja transformou-se nesse instante num entusiasmo ilimitado e cego.

— É um filho da mãe! — resmungava ele pela rua, em caminho do seu armazém. É de muita força! Pena é estar metido com a peste daquela crioula! Nem sei como um homem tão esperto caiu em semelhante asneira!

Só lá pelas dez e tanto da noite foi que João Romão, depois de certificar-se de que Bertoleza ferrara num sono de pedra, resolveu dar balanço às garrafas de Libório. O diabo é que ele também quase que não se aguentava nas pernas e sentia os olhos a fecharem-se-lhe de cansaço. Mas não podia sossegar sem saber quanto ao certo apanhara do avarento.

Acendeu uma vela, foi buscar a imunda e preciosa trouxa, e carregou com esta para a casa de pasto ao lado da cozinha.

Depôs tudo sobre uma das mesas, assentou-se, e principiou a tarefa. Tomou a primeira garrafa, tentou despejá-la, batendo-lhe no fundo; foi-lhe, porém, necessário extrair as notas, uma por uma, porque estavam muito socadas e peganhentas de bolor. À proporção que as fisgava, ia logo as desenrolando e estendendo cuidadosamente em maço, depois de secar-lhes a umidade no calor das mãos e da vela. E o prazer que ele desfrutava neste serviço punha-lhe em jogo todos os sentidos e afugentava-lhe o sono e as fadigas. Mas, ao passar à segunda garrafa, sofreu uma dolorosa decepção: quase todas as cédulas estavam já prescritas pelo Tesouro; veio-lhe então o receio de que a melhor parte do bolo se achasse inutilizada: restava-lhe todavia a esperança de que fosse aquela garrafa a mais antiga de todas e a pior por conseguinte.

E continuou com mais ardor o seu delicioso trabalho.

Tinha já esvaziado seis, quando notou que a vela, consumida até o fim, bruxuleava a extinguir-se; foi buscar outra nova e viu ao mesmo tempo que horas eram. "Oh! como a noite correra depressa!..." Três e meia da madrugada. "Parecia impossível!"

Ao terminar a contagem, as primeiras carroças passavam lá fora na rua.

— Quinze contos, quatrocentos e tantos mil-réis!... — disse João Romão entre dentes, sem se fartar de olhar para as pilhas de cédulas que tinha defronte dos olhos.

Mais oito contos e seiscentos eram em notas já prescritas. E o vendeiro, à vista de tão bela soma, assim tão estupidamente comprometida, sentiu a indignação de um roubado. Amaldiçoou aquele maldito velho Libório por tamanho relaxamento; amaldiçoou o governo porque limitava, com intenções velhacas, o prazo da circulação dos seus títulos; chegou até a sentir remorsos por não se ter apoderado do tesouro do avarento, logo que este, um dos primeiros moradores do cortiço, lhe apareceu com o colchão às costas, a pedir chorando que lhe dessem de esmola um cantinho onde ele se metesse com sua miséria. João Romão tivera sempre uma vidente cobiça sobre aquele dinheiro engarrafado; fariscara-o desde que fitou de perto os olhinhos vivos e redondos do abutre decrépito, e convenceu-se de todo, notando que o miserável dava pronto sumiço a qualquer moedinha que lhe caía nas garras.

— Seria um ato de justiça! — concluiu João Romão — pelo menos seria impedir que todo este pobre dinheiro apodrecesse tão barbaramente!

Ora, adeus! Mas sete ricos continhos quase inteiros ficavam-lhe nas unhas. "E depois, que diabo! Os outros assim mesmo haviam de ir com jeito... Hoje impingiam-se dois mil-réis, amanhã cinco. Não nas compras, mas nos trocos... Por que não? Alguém reclamaria, mas muitos engoliriam a bucha... Para isso não faltavam estrangeiros e caipiras!... E demais, não era crime!... Sim! Se havia nisso ladroeira, queixassem-se do governo! O governo é que era o ladrão!"

— Em todo caso, rematou ele, guardando o dinheiro bom e mau e dispondo-se a descansar; isto já serve para principiar as obras! Deixem estar, que daqui a dias eu lhes mostrarei pra quanto presto!

19

Daí a dias, com efeito, a estalagem metia-se em obras. À desordem do desentulho do incêndio sucedia a do trabalho dos pedreiros; martelava-se ali de pela manhã até à noite, o que aliás não impedia que as lavadeiras continuassem a bater roupa e as engomadeiras reunissem ao barulho das ferramentas o choroso falsete das suas eternas cantigas.

Os que ficaram sem casa foram aboletados a trouxe e mouxe por todos os cantos, à espera dos novos cômodos. Ninguém se mudou para o "Cabeça-de-Gato".

As obras principiaram pelo lado esquerdo do cortiço, o lado do Miranda; os antigos moradores tinham preferência e vantagens nos preços. Um dos italianos feridos morreu na Misericórdia e o outro, também lá, continuava ainda em risco de vida. Bruno recolhera-se à Ordem de que era irmão, e Leocádia, que não quis atender àquela carta escrita por Pombinha, resolveu-se a ir visitar o seu homem no hospital. Que alegrão para o infeliz a volta da mulher, aquela mulher levada dos diabos, mas de carne dura, a quem ele, apesar de tudo, queria muito. Com a visita reconciliaram-se, chorando ambos, e Leocádia decidiu tornar para o São Romão e viver de novo com o marido. Agora fazia-se muito séria e ameaçava com pancada a quem lhe propunha brejeirices.

Piedade, essa é que se levantou das febres completamente transformada. Não parecia a mesma depois do abandono de Jerônimo; emagrecera em extremo, perdera as cores do rosto, ficara feia, triste e resmungona; mas não se queixava, e ninguém lhe ouvia falar no nome do esposo.

Esses meses, durante as obras, foram uma época especial para a estalagem. O cortiço não dava ideia do seu antigo caráter, tão acentuado e, no entanto, tão misto: aquilo agora parecia uma grande oficina improvisada, um arsenal, em cujo fragor a gente só se entende por sinais. As lavadeiras fugiram para o capinzal dos fundos, porque o pó da terra e da madeira sujava-lhes a roupa lavada. Mas, dentro de pouco tempo, estava tudo pronto; e, com imenso pasmo, viram que a venda, a sebosa bodega, onde João Romão se fez gente, ia também entrar em obras. O vendeiro resolvera aproveitar dela somente algumas das paredes, que eram de um metro de largura, talhadas à portuguesa; abriria as portas em arco, suspenderia o teto e levantaria um sobrado, mais alto que o do Miranda e, com toda a certeza, mais vistoso. Prédio para meter o do outro no chinelo; quatro janelas de frente, oito de lado, com um terraço ao fundo. O lugar em que ele dormia com Bertoleza, a cozinha, e a casa de pasto seriam abobadadas, formando, com a parte da taverna, um grande armazém, em que o seu comércio iria fortalecer-se e alargar-se.

O barão e o Botelho apareciam por lá quase todos os dias, ambos muito interessados pela prosperidade do vizinho; examinavam os materiais escolhidos para a construção, batiam com a biqueira do chapéu de sol no pinho-de-riga destinado ao assoalho, e afetando-se bons entendedores, tomavam na palma da mão e esfarelavam entre os dedos um punhado da terra e da cal com que os operários faziam barro. Às vezes chegavam a ralhar com os trabalhadores, quando lhes parecia que não iam bem no serviço! João Romão, agora sempre de paletó, engravatado, de calças brancas, colete e corrente de relógio, já não parava na venda, e só acompanhava as obras na folga das ocupações da rua. Principiava a tomar tino no jogo da Bolsa; comia em hotéis caros e bebia cerveja em larga camaradagem com capitalistas nos cafés do comércio.

E a crioula? Como havia de ser?

Era isto justamente o que, tanto o barão como o Botelho, morriam por que lhe dissessem. Sim, porque aquela boa casa que se estava fazendo, e os ricos móveis encomendados, e mais as pratas e as porcelanas que haviam de vir, não seriam decerto para os beiços da negra velha! Conservá-la-ia como criada? Impossível! Todo Botafogo sabia que eles até aí fizeram vida comum!

Todavia, tanto o Miranda, como o outro, não se animavam a abrir o bico a esse respeito com o vizinho e contentavam-se em boquejar entre si misteriosamente, palpitando ambos por ver a saída que o vendeiro acharia para semelhante situação.

Maldita preta dos diabos! Era ela o único defeito, o senão, de um homem tão importante e tão digno.

Agora, não se passava um domingo sem que o amigo de Bertoleza fosse jantar à casa do Miranda. Iam juntos ao teatro. João Romão dava o braço à Zulmira, e, procurando galanteá-la e mais ao resto da família, desfazia-se em obséquios brutais e dispendiosos, com uma franqueza exagerada que não olhava gastos. Se tinham de tomar alguma coisa, ele fazia vir logo três, quatro garrafas ao mesmo tempo, pedindo sempre o triplo do necessário e acumulando compras inúteis de doces, flores e tudo o que aparecia. Nos leilões das festas de arraial era tão feroz a sua febre de obsequiar a gente do Miranda, que nunca voltava para casa sem um homem atrás, carregado com os mimos que o vendeiro arrematava.

E Bertoleza bem que compreendia tudo isso e bem que estranhava a transformação do amigo. Ele ultimamente mal se chegava para ela e, quando o fazia, era com tal repugnância, que antes o não fizesse. A desgraçada muita vez sentia-lhe cheiro de outras mulheres, perfumes de cocotes estrangeiras e chorava em segredo, sem ânimo de reclamar os seus direitos. Na sua obscura condição de animal de trabalho, já não era amor o que a mísera desejava, era somente confiança no amparo da sua velhice quando de todo lhe faltassem as forças para ganhar a vida. E contentava-se em suspirar no meio de grandes silêncios durante o serviço de todo o dia, covarde e resignada, como seus pais que a deixaram nascer e crescer no cativeiro. Escondia-se de todos, mesmo da gentalha do frege e da estalagem, envergonhada de si própria, amaldiçoando-se por ser quem era, triste de sentir-se a mancha negra, a indecorosa nódoa daquela prosperidade brilhante e clara.

E, no entanto, adorava o amigo, tinha por ele o fanatismo irracional das caboclas do Amazonas pelo branco a que se escravizam, dessas que morrem de ciúmes, mas que também são capazes de matar-se para poupar ao seu ídolo a vergonha do seu amor. O que custava àquele homem consentir que ela, uma vez por outra, se chegasse para junto dele? Todo o dono, nos momentos de bom humor, afaga o seu cão... Mas qual! O destino de Bertoleza fazia-se cada vez mais estreito e mais sombrio; pouco a pouco deixara totalmente de ser a amante do vendeiro, para ficar sendo só uma sua escrava. Como sempre, era a primeira a erguer-se e a última a deitar-se; de manhã escamando peixe, à noite vendendo-o à porta, para descansar da trabalheira grossa das horas de sol; sempre sem domingo nem dia santo, sem tempo para cuidar de si, feia, gasta, imunda, repugnante, com o coração eternamente emprenhado de desgostos que nunca vinham à luz. Afinal, convencendo-se de que ela, sem ter ainda morrido, já não vivia para ninguém, nem tampouco para si, desabou num fundo entorpecimento apático, estagnado como um charco podre que causa nojo. Fizera-se áspera, desconfiada, sobrolho carrancudo, uma linha dura de um canto ao outro da boca. E durante dias inteiros, sem interromper o serviço, que ela fazia agora automaticamente, por um hábito de muitos anos, gesticulava e mexia com os lábios, monologando sem pronunciar as palavras. Parecia indiferente a tudo, a tudo que a cercava.

Não obstante, certo dia em que João Romão conversou muito com Botelho, as lágrimas saltaram dos olhos da infeliz, e ela teve de abandonar a obrigação, porque o pranto e os soluços não lhe deixavam fazer nada.

Botelho havia dito ao vendeiro:

— Faça o pedido! É ocasião.

— Hein?

— Pode pedir a mão da pequena. Está tudo pronto!

— O barão dá-ma?

— Dá.

— Tem certeza disso?

— Ora! Se não tivesse não lho diria deste modo!

— Ele prometeu?

— Falei-lhe; fiz-lhe o pedido em seu nome. Disse que estava autorizado por você. Fiz mal?

— Mal? Fez muito bem. Creio até que não é preciso mais nada!

— Não, se o Miranda não vier logo ao seu encontro é bom você lhe falar, compreende?

— Ou escrever.

— Também!

— E a menina?

— Respondo por ela. Você não tem continuado a receber as flores?

— Tenho.

— Pois então não deixe pelo seu lado de ir mandando também as suas e faça o que lhe disse. Atire-se, seu João, atire-se enquanto o angu está quente!

Por outro lado, Jerônimo empregara-se na pedreira de São Diogo, onde trabalhava dantes, e morava agora com a Rita numa estalagem da Cidade Nova.

Tiveram de fazer muita despesa para se instalarem; foi-lhes preciso comprar de novo todos os arranjos de casa, porque do "São Romão", Jerônimo só levou dinheiro, dinheiro que ele já não sabia poupar. Com o asseio da mulata a sua casinha ficou, todavia, que era um regalo; tinham cortinado na cama, lençóis de linho, fronhas de renda, muita roupa branca, para mudar todos os dias, toalhas de mesa, guardanapos; comiam em pratos de porcelana e usavam sabonetes finos. Plantaram à porta uma trepadeira que subia para o telhado, abrindo pela manhã flores escarlates, de que as abelhas gostavam muito; penduraram gaiolas de passarinho na sala de jantar; sortiram a despensa de tudo de que mais gostavam; compraram galinhas e marrecos e fizeram um banheiro só para eles, porque o da estalagem repugnou à baiana que nesse ponto era muito escrupulosa.

A primeira parte da sua lua-de-mel foi uma cadeia de delícias contínuas; tanto ele como ela, pouco ou nada trabalharam; a vida dos dois resumira-se, quase que exclusivamente, nos oitos palmos de colchão novo, que nunca chegava a esfriar de todo. Jamais a existência pareceu tão boa e corredia para o português; aqueles primeiros dias fugiram-lhe como estrofes seguidas de uma deliciosa canção de amor, apenas espacejada pelo estribilho dos beijos em dueto; foi um prazer prolongado e amplo, bebido sem respirar, sem abrir os olhos, naquele colo carnudo e dourado da mulata, a que o cavouqueiro se abandonara como um bêbedo que adormece abraçado a um garrafão inesgotável de vinho gostoso.

Estava completamente mudado. Rita apagara-lhe a última réstia das recordações da pátria; secou, ao calor dos seus lábios grossos e vermelhos, a derradeira lágrima de saudade, que o desterrado lançou do coração com o extremo arpejo que a sua guitarra suspirou!

A guitarra! Substituiu-a ela pelo violão baiano, e deu-lhe a ele uma rede, um cachimbo, e embebedou-lhe os sonhos de amante prostrado com as suas cantigas do Norte, tristes, deleitosas, em que há caboclinhos curupiras, que no sertão vêm pitar à beira das estradas em noites de lua clara, e querem que todo o viajante que vai passando lhes ceda fumo e cachaça, sem o que, ai deles! o curupira transforma-os em bicho do mato. E deu-lhe do seu comer da Bahia, temperado com fogoso azeite-de-dendê, cor de brasa; deu-lhe das suas muquecas escandescentes, de fazer chorar, habituou-lhe a carne ao cheiro sensual daquele seu corpo de cobra, lavado três vezes ao dia e três vezes perfumado com ervas aromáticas.

O português abrasileirou-se para sempre; fez-se preguiçoso, amigo das extravagâncias e dos abusos, luxurioso e ciumento; fora-se-lhe de vez o espírito da economia e da ordem; perdeu a esperança de enriquecer, e deu-se todo, todo inteiro, à felicidade de possuir a mulata e ser possuído só por ela, só ela, e mais ninguém.

A morte do Firmo não vinha nunca a toldar-lhes o gozo da vida; quer ele, quer a amiga, achavam a coisa muito natural. "O facínora matara tanta gente; fizera tanta maldade; devia, pois, acabar como acabou! Nada mais justo! Se não fosse Jerônimo, seria outro! Ele assim o quis — bem feito!"

Por esse tempo, Piedade de Jesus, sem se conformar com a ausência do marido, chorava o seu abandono e ia também agora se transformando de dia para dia, vencida por um desmazelo de chumbo, uma dura desesperança, a que nem as lágrimas bastavam para adoçar as agruras. A princípio, ainda a pobre de Cristo tentou resistir com coragem àquela viuvez pior que essa outra, em que há, para elemento de resignação, a certeza de que a pessoa amada nunca mais terá olhos para cobiçar mulheres, nem boca para pedir amores; mas depois começou a afundar sem resistência na lama do seu desgosto, covardemente, sem forças para iludir-se com uma esperança fátua, abandonando-se ao abandono, desistindo dos seus princípios, do seu próprio caráter, sem se ter já neste mundo na conta de alguma coisa e continuando a viver somente porque a vida era teimosa e não queria deixá-la ir apodrecer lá embaixo, por uma vez. Deu para desleixar-se no serviço; as suas freguesas de roupa começaram a reclamar; foi-lhe fugindo o trabalho pouco a pouco; fez-se madraça e moleirona, precisando já empregar grande esforço para não bulir nas economias que Jerônimo lhe deixara, porque isso devia ser para a filha, aquela pobrezita orfanada antes da morte dos pais.

Um dia, Piedade levantou-se queixando-se de dores de cabeça, zoada nos ouvidos e o estômago embrulhado; aconselharam-lhe que tomasse um trago de parati. Ela aceitou o conselho e passou melhor. No dia seguinte repetiu a dose; deu-se bem com a perturbação em que a punha o álcool, esquecia-se um pouco durante algum tempo das amofinações da sua vida; e, gole a gole, habituara-se a beber todos os dias o seu meio martelo de aguardente, para enganar os pesares.

Agora, que o marido já não estava ali para impedir que a filha pusesse os pés no cortiço, e agora que Piedade precisava de consolo, a pequena ia passar os domingos com ela. Saíra uma criança forte e bonita; puxara do pai o vigor físico e da mãe a expressão bondosa da fisionomia. Já tinha nove anos.

Eram esses agora os únicos bons momentos da pobre mulher, esses que ela passava ao lado da filha. Os antigos moradores da estalagem principiavam a distinguir a menina com a mesma predileção com que amavam Pombinha, porque em toda aquela gente havia uma necessidade moral de eleger para mimoso da sua ternura um entezinho delicado e superior, a que eles privilegiavam respeitosamente, como súditos a um príncipe. Crismaram-na logo com o cognome de "Senhorinha".

Piedade, apesar do procedimento do marido, ainda no íntimo se impressionava com a ideia de que não devia contrariá-lo nas suas disposições de pai. "Mas que mal tinha que a pequena fosse ali? Era uma esmola que fazia à mãe! Lá pelo risco de perder-se... Ora adeus, só se perdia quem mesmo já nascera para a perdição! A outra não se conservara sã e pura? Não achara noivo? Não casara e não vivia dignamente com o seu marido? Então?!" E Senhorinha continuou a ir à estalagem, a princípio nos domingos pela manhã, para voltar à tarde, depois já de véspera, nos sábados, para só tornar ao colégio na segunda-feira.

Jerônimo, ao saber disto, por intermédio da professora, revoltou-se no primeiro ímpeto, mas, pensando bem no caso, achou que era justo deixar à mulher aquele consolo. "Coitada! devia viver bem aborrecida da sorte!" Tinha ainda por ela um sentimento compassivo, em que a melhor parte nascera com o remorso. "Era justo, era! que a pequena aos domingos e dias santos lhe fizesse companhia!" E então, para ver a filha, tinha que ir ao colégio nos dias de semana. Quase sempre levava-lhe presentes de doce, frutas, e perguntava-lhe se precisava de roupa ou de calçado. Mas, um belo dia, apresentou-se tão ébrio, que a diretora lhe negou a entrada. Desde essa ocasião, Jerônimo teve vergonha de lá voltar, e as suas visitas à filha tornaram-se muito raras.

Tempos depois, Senhorinha entregou à mãe uma conta de seis meses da pensão do colégio, com uma carta em que a diretora negava-se a conservar a menina, no caso que não liquidassem prontamente a dívida. Piedade levou as mãos à cabeça: "Pois o homem já nem o ensino da pequena queria dar?! Que lhe valesse Deus! onde iria ela fazer dinheiro para educar a filha?!"

Foi à procura do marido; já sabia onde ele morava. Jerônimo recusou-se, por vexame; mandou dizer que não estava em casa. Ela insistiu; declarou que não arredaria dali sem lhe falar; disse em voz bem alta que não ia lá por ele, mas pela filha, que estava arriscada a ser expulsa do colégio; ia para saber que destino lhe havia de dar, porque agora a pequena estava muito taluda para ser enjeitada na roda!

Jerônimo apareceu afinal, com um ar triste de vicioso envergonhado que não tem ânimo de deixar o vício. A mulher, ao vê-lo, perdeu logo toda a energia com que chegara e comoveu-se tanto, que as lágrimas lhe saltaram dos olhos às primeiras palavras que lhe dirigiu. E ele abaixou os seus e fez-se lívido defronte daquela figura avelhantada, de peles vazias, de cabelos sujos e encanecidos. Não lhe parecia a mesma! Como estava mudada! E tratou-a com brandura, quase a pedir-lhe perdão, a voz muito espremida no aperto da garganta.

— Minha pobre velha... — balbuciou, pousando-lhe a mão larga na cabeça.

E os dois emudeceram um defronte do outro, arquejantes. Piedade sentiu ânsias de atirar-se-lhe nos braços, possuída de imprevista ternura com aquele simples afago do seu homem. Um súbito raio de esperança iluminou-a toda por dentro, dissolvendo de relance os negrumes acumulados ultimamente no seu coração. Contava não ouvir ali senão palavras duras e ásperas, ser talvez repelida grosseiramente, insultada pela outra e coberta de ridículo pelos novos companheiros do marido; mas, ao encontrá-lo também triste e desgostoso, sua alma prostrou-se reconhecida; e, assim que Jerônimo, cujas lágrimas corriam já silenciosamente, deixou que a sua mão fosse descendo da cabeça ao ombro e depois à cintura da esposa, ela desabou, escondendo o rosto contra o peito dele, numa explosão de soluços que lhe faziam vibrar o corpo inteiro.

Por algum tempo choraram ambos abraçados.

— Consola-te! Que queres tu?... São desgraças!... — disse o cavouqueiro afinal, limpando os olhos. — Foi como se eu tivesse te morrido... mas podes ficar certa de que te estimo e nunca te quis mal!... Volta para casa; eu irei pagar o colégio de nossa filhinha e hei de olhar por ti. Vai, e pede a Deus Nosso Senhor que me perdoe os desgostos que te tenho dado!

E acompanhou-a até o portão da estalagem.

Ela, sem poder pronunciar palavra, saiu cabisbaixa, a enxugar os olhos no xale de lã, sacudida ainda de vez em quando por um soluço retardado.

Entretanto, Jerônimo não mandou saldar a conta do colégio, no dia seguinte, nem no outro, nem durante todo o resto do mês; e ele coitado! bem que se mortificou por isso; mas onde ir buscar dinheiro naquela ocasião? O seu trabalho mal lhe dava agora para viver junto com a mulata; estava já alcançado nos seus ordenados e devia ao padeiro e ao homem da venda. Rita era desperdiçada e amiga de gastar à larga; não podia passar sem uns tantos regalos de barriga e gostava de fazer presentes. Ele, receoso de contrariá-la e quebrar o ovo da sua paz, até aí tão completo com respeito à baiana, subordinava-se calado e afetando até satisfação; no íntimo, porém, o infeliz sofria deveras. A lembrança constante da filha e da mulher apoquentava-o com pontas de remorso, que dia a dia alastravam na sua consciência, à proporção que esta ia acordando daquela cegueira. O desgraçado sentia e compreendia perfeitamente todo o mal da sua conduta; mas só a ideia de separar-se da amante punha-lhe logo o sangue doido e apagava-se-lhe de novo a luz dos raciocínios. "Não! não!! Tudo que quisessem, menos isso!"

E então, para fugir àquela voz irrefutável, que estava sempre a serrazinar dentro dele, bebia em camaradagem com os companheiros e habituara-se, dentro em pouco, à embriaguez. Quando Piedade, quinze dias depois da sua primeira visita, tornou lá, um domingo, acompanhada pela filha, encontrou-o bêbedo, numa roda de amigos.

Jerônimo recebeu-as com grande escarcéu de alegria. Fê-las entrar. Beijou a pequena repetidas vezes e suspendeu-a pela cintura, soltando exclamação de entusiasmo.

Com um milhão de raios! Que linda estava a sua morgadinha!

Obrigou-as logo a tomar alguma coisa e foi chamar a mulata; queria que as duas mulheres fizessem as pazes no mesmo instante. Era questão decidida!

Houve uma cena de constrangimentos, quando a portuguesa se viu defronte da baiana.

— Vamos! Vamos! Abracem-se! Acabem com isso por uma vez! — bradava Jerônimo, a empurrá-las uma contra a outra. — Não quero aqui caras fechadas!

As duas trocaram um aperto de mão, sem se fitarem. Piedade estava escarlate de vergonha.

— Ora muito bem! — acrescentou o cavouqueiro. — Agora para a coisa ser completa, hão de jantar conosco!

A portuguesa opôs-se — resmungando desculpas, que o cavouqueiro não aceitou.

— Não as deixo sair! É boa! Pois hei de deixar ir minha filha sem matar as saudades?

Piedade assentou-se a um canto, impaciente pela ocasião de entender-se com o marido sobre o negócio do colégio. Rita, volúvel como toda a mestiça, não guardava rancores, e, pois, desfez-se em obséquios com a família do amigo. As outras visitas saíram antes do jantar.

Puseram-se à mesa às quatro horas e principiaram a comer com boa disposição, carregando no virgem logo desde a sopa. Senhorinha destacava-se do grupo; na sua timidez de menina de colégio parecia, entre aquela gente, triste e assustada ao mesmo tempo. O pai acabrunhava-a com as suas solicitudes brutais e com as suas perguntas sobre os estudos. À exceção dela, todos os outros estavam, antes da sobremesa, mais ou menos chumbados pelo vinho. Jerônimo, esse estava de todo. Piedade, instigada por ele, esvaziara frequentes vezes o seu copo e, ao fim do jantar, dera para queixar-se amargamente da vida; foi então que ela, já com azedume na voz, falou na dívida do colégio e nas ameaças da diretora.

— Ora, filha! — disse-lhe o cavouqueiro. — agora estás tu também pr'aí com essa mastigação! Deixa as tristezas pr'outra vez! Não nos amargures o jantar!

— Triste sorte a minha!

— Ai, ai! Que temos lamúria!

— Como não me hei de queixar, se tudo me corre mal?!

— Sim! Pois se é para isso que aqui vens, melhor será não tornares cá!... — resmungou Jerônimo, franzindo o sobrolho. — Que diabo! Com choradeiras nada se endireita! Tenho eu culpa de que sejas infeliz?... Também o sou e não me queixo de Deus!

Piedade abriu a soluçar.

— Aí temos! — berrou o marido, erguendo-se e dando uma punhada forte sobre a mesa. — E aturem-na! Por mais que um homem se não queira zangar, há de estourar por força! Ora bolas!

Senhorinha correu para junto do pai, procurando contê-lo.

— Sebo! — berrou ele, desviando-a. — Sempre a mesma coisa! Pois não estou disposto a aturar isto! Arre!

— Eu não vim cá por passeio!... — prosseguiu Piedade entre lágrimas. — Vim cá para saber da conta do colégio!...

— Pague-a você, que tem lá o dinheiro que lhe deixei! Eu é que não tenho nenhum!

— Ah! Então com que não pagas?!

— Não! Com um milhão de raios!

— É que és muito pior do que eu supunha!

— Sim, hein?! Pois então deixe-me cá com toda a minha ruindade e despache o beco! Despache-o, antes que eu faça alguma asneira!

— Minha pobre filha! Quem olhará por ela, Senhor dos Aflitos?!

— A pequena já não precisa de colégio! Deixe-a cá comigo, que nada lhe faltará!

— Separar-me de minha filha? A única pessoa que me resta?!

— Ó mulher! Você não está separada dela a semana inteira?... Pois a pequena, em vez de ficar no colégio, fica aqui, e aos domingos irá vê-la. Ora aí tem!

— Eu quero antes ficar com minha mãe!... — balbuciou a menina, abraçando-se a Piedade.

— Ah! Também tu, ingrata, já me fazes guerra?! Pois vão com todos os diabos! E não me tornem cá para me ferver o sangue, que já tenho de sobra com que arreliar-me!

— Vamos daqui! — gritou a portuguesa, travando da filha pelo braço. — Maldita a hora em que vim cá!

E as duas, mãe e filha, desapareceram; enquanto Jerônimo, passeando de um para outro lado, monologava, furioso sob a fermentação do vinho.

Rita não se metera na contenda, nem se mostrara a favor de nenhuma das partes. "O homem, se quisesse voltar para junto da mulher, que voltasse! Ela não o prenderia, porque amor não era obrigado!"

Depois de falar só por muito espaço, o cavouqueiro atirou-se a uma cadeira, despejou sombrio dois dedos de laranjinha num copo e bebeu-os de um trago.

— Arre! Assim também não!

A mulata então aproximou-se dele, por detrás; segurou-lhe a cabeça entre as mãos e beijou-o na boca, arredando com os lábios a espessura dos bigodes.

Jerônimo voltou-se para a amante, tomou-a pelos quadris e assentou-a em cheio sobre as suas coxas.

— Não te rales, meu bem! — disse ela, afagando-lhe os cabelos. — já passou!

— Tens razão! Besta fui eu em deixá-la pôr pé cá dentro de casa!

E abraçaram-se com ímpeto, como se o breve tempo roubado pelas visitas fosse uma interrupção nos seus amores.

Lá fora, junto ao portão da estalagem, Piedade, com o rosto escondido no ombro da filha, esperava que as lágrimas cedessem um pouco, para as duas seguirem o seu destino de enxotadas.

20

Chegaram a casa às nove horas da noite. Piedade levava o coração feito em lama; não dera palavra por todo o caminho e logo que recolheu a pequena, encostou-se à cômoda, soluçando.

Estava tudo acabado! Tudo acabado!

Foi à garrafa de aguardente, bebeu uma boa porção; chorou ainda, tornou a beber, e depois saiu ao pátio, disposta a parasitar a alegria dos que se divertiam lá fora.

A das Dores tivera jantar de festa; ouviam-se as risadas dela e a voz avinhada e grossa do seu homem, o tal sujeito do comércio, abafadas de vez em quando pelos berros da Machona, que ralhava com Agostinho. Em diversos pontos cantavam e tocavam a viola.

Mas o cortiço já não era o mesmo; estava muito diferente; mal dava ideia do que fora. O pátio, como João Romão havia prometido, estreitara-se com as edificações novas; agora parecia uma rua, todo calçado por igual e iluminado por três lampiões grandes simetricamente dispostos. Fizeram-se seis latrinas, seis torneiras d'água e três banheiros. Desapareceram as pequenas hortas, os jardins de quatro a oito palmos e os imensos depósitos de garrafas vazias. À esquerda, até onde acabava o prédio do Miranda, estendia-se um novo correr de casinhas de porta e janela, e daí por diante, acompanhando todo o lado do fundo e dobrando depois para a direita até esbarrar no sobrado de João Romão, erguia-se um segundo andar, fechado em cima do primeiro por uma estreita e extensa varanda de grades de madeira, para a qual se subia por duas escadas, uma em cada extremidade. De cento e tantos, a numeração dos cômodos elevou-se a mais de quatrocentos; e tudo caiadinho e pintado de fresco; paredes brancas, portas verdes e goteiras encarnadas. Poucos lugares havia desocupados. Alguns moradores puseram plantas à porta e à janela, em meias tinas serradas ou em vasos de barro. Albino levou o seu capricho até à cortina de labirinto e chão forrado de esteira. A casa dele destacava-se das outras; era no andar de baixo, e cá de fora via-se-lhe o papel vermelho da sala, a mobília muito brunida, jarras de flores sobre a cômoda, um lavatório com espelho todo cercado de rosas artificiais, um oratório grande, resplandecente de palmas douradas e prateadas, toalhas de renda por toda a parte, num luxo de igreja, casquilho e defumado. E ele, o pálido lavadeiro, sempre com o seu lenço cheiroso à volta do pescocinho, a sua calça branca de boca larga, o seu cabelo mole caído por detrás das orelhas bambas, preocupava-se muito em arrumar tudo isso, eternamente, como se esperasse a cada instante a visita de um estranho. Os companheiros de estalagem elogiavam-lhe aquela ordem e aquele asseio; pena era que lhe dessem as formigas na cama! Em verdade, ninguém sabia por quê, mas a cama de Albino estava sempre coberta de formigas. Ele a destruí-las, e o demônio do bichinho a multiplicar-se cada vez mais e mais todos os dias. Uma campanha desesperadora, que o trazia triste, aborrecido da vida. Defronte justamente ficava a casa do Bruno e da mulher, toda mobiliada de novo, com um grande candeeiro de querosene em frente à entrada, cujo revérbero parecia olhar desconfiado lá de dentro para quem passava cá no pátio. Agora, entretanto, o casal vivia em santa paz. Leocádia estava discreta; sabia-se que ela dava ainda muito que fazer ao corpo sem o concurso do marido, mas ninguém dizia quando, nem onde. O Alexandre jurava que, ao entrar ou sair fora d'horas, nunca a pilhara no vício; e a esposa, a Augusta Carne-Mole, ia mais longe na defesa, porque sempre tivera pena de Leocádia, pois entendia que aquele assanhamento por homem não era maldade dela; era praga de algum boca do diabo que a quis, e a pobrezinha não deixou. — Estava-se vendo disso todos os dias!— tanto que ultimamente, depois que a criatura pediu a um padre um pouco de água benta e benzeu-se com esta em certos lugares, o fogo desaparecera logo, e ela aí vivia direita e séria que não dava que falar a ninguém! Augusta ficara com a família numa das casinhas do segundo andar, à direita; estava grávida outra vez; e à noite via-se o Alexandre, sempre muito circunspecto, a passear ao comprido da varanda, acalentando uma criancinha ao colo, enquanto a mulher dentro de casa cuidava de outras. A filharada crescia-lhes, que metia medo. "Era um no papo outro no saco!" Moravam agora também desse lado os dois cúmplices de Jerônimo, o Pataca e o Zé Carlos, ocupando juntos o mesmo cômodo; defronte da porta tinham um fogãozinho e um fogareiro, em que preparavam eles mesmos a sua comida. Logo adiante era o quarto de um empregado do correio, pessoa muito calada, bem vestida e pontual no pagamento; saía todas as manhãs e voltava às dez da noite invariavelmente; aos domingos só ia à rua para comer, e depois fechava-se em casa e, houvesse o que houvesse no cortiço, não punha mais o nariz de fora. E, assim como este, notavam-se por último na estalagem muitos inquilinos novos, que já não eram gente sem gravata e sem meias. A feroz engrenagem daquela máquina terrível, que nunca parava, ia já lançando os dentes a uma nova camada social que, pouco a pouco, se deixaria arrastar inteira lá para dentro. Começavam a vir estudantes pobres, com os seus chapéus desabados, o paletó fouveiro, uma pontinha de cigarro a queimar-lhes a penugem do buço, e as algibeiras muito cheias, mas só de versos e jornais; surgiram contínuos de repartições públicas, caixeiros de botequim, artistas de teatro, condutores de bondes e vendedores de bilhetes de loteria. Do lado esquerdo, toda a parte em que havia varanda foi monopolizada pelos italianos; habitavam cinco a cinco, seis a seis no mesmo quarto, e notava-se que nesse ponto a estalagem estava já muito mais suja que nos outros. Por melhor que João Romão reclamasse, formava-se aí todos os dias uma esterqueira de cascas de melancia e laranja. Era uma comuna ruidosa e porca a dos demônios dos mascates! Quase que se não podia passar lá, tal a acumulação de tabuleiros de louça e objetos de vidro, caixas de quinquilharia, molhos e molhos de vasilhame de folha de flandres, bonecos e castelos de gesso, realejos, macacos, o diabo! E tudo isso no meio de um fedor nauseabundo de coisas podres, que empesteava todo o cortiço. A parte do fundo da varanda era asseada felizmente e destacava-se pela profusão de pássaros que lá tinham, entre os quais sobressaía uma arara enorme que, de espaço a espaço, soltava um formidável sibilo estridente e rouco. Por debaixo ficava a casa da Machona, cuja porta, como a janela, Neném trazia sempre enfeitada de tinhorões e begônias. O prédio do Miranda parecia ter recuado alguns passos, perseguido pelo batalhão das casinhas da esquerda, e agora olhava a medo, por cima dos telhados, para a casa do vendeiro, que lá defronte erguia-se altiva, desassombrada, o ar sobranceiro e triunfante. João Romão conseguira meter o sobrado do vizinho no chinelo; o seu era mais alto e mais nobre, e então com as cortinas e com a mobília nova impunha respeito. Foi abaixo aquele grosso e velho muro da frente com o seu largo portão de cocheira, e a entrada da estalagem era agora dez braças mais para dentro, tendo entre ela e a rua um pequeno jardim com bancos e um modesto repuxo ao meio, de cimento, imitando pedra. Fora-se a pitoresca lanterna de vidros vermelhos; foram-se as iscas de fígado e as sardinhas preparadas ali mesmo à porta da venda sobre as brasas; e na tabuleta nova, muito maior que a primitiva, em vez de "Estalagem de São Romão" lia-se em letras caprichosas:

"AVENIDA SÃO ROMÃO"

O "Cabeça-de-Gato" estava vencido finalmente, vencido para sempre; nem já ninguém se animava a comparar as duas estalagens. À medida que a de João Romão prosperava daquele modo, a outra decaía de todo; raro era o dia em que a polícia não entrava lá e baldeava tudo aquilo a espadeirada de cego. Uma desmoralização completa! Muitos cabeças-de-gato viraram casaca, passando-se para os carapicus, entre os quais um homem podia até arranjar a vida, se soubesse trabalhar com jeito em tempo de eleições. Exemplos não faltavam!

Depois da partida de Rita, já se não faziam sambas ao relento com o choradinho da Bahia, e mesmo o cana-verde pouco se dançava e cantava; agora o forte eram os forrobodós dentro de casa, com três ou quatro músicos, ceia de café com pão; muita calça branca e muito vestido engomado. — E toca a enfiar para aí quadrilhas e polcas até romper a manhã!

Mas naquele domingo o cortiço estava banzeiro; havia apenas uns grupos magros, que se divertiam com a viola à porta de casa. O melhor, ainda assim, era o da das Dores. Piedade dirigiu-se logo para lá, sombria e cabisbaixa.

— Com o demo! você anda agora que nem o boi castrado! — exclamou-lhe o Pataca, assentando-se ao lado dela. — as tristezas atiram-se para trás das costas, criatura de Deus! A vida não dá para tanto! O homem deixou-te? Ora sebo! Mete-se com outro e põe o coração à larga!

Ela suspirou em resposta, ainda triste; porém a garrafa de parati correu a roda, de mão em mão, e, à segunda volta, Piedade já parecia outra. Começou a conversar e a tomar interesse no pagode. Daí a pouco era, de todos, a mais animada, falando pelos cotovelos, criticando e arremedando as figuras ratonas da estalagem. O Pataca ria-se, a quebrar a espinha, caindo por cima dela e passando-lhe o braço na cintura.

— Você ainda é mulher pr'um homem fazer uma asneira!

— Olha pra que lhe deu a ébria! Solta-me a perna, estupor!

O grupo achava graça nos dois e aplaudia-os com gargalhadas. E o parati a circular sempre de mão em mão. A das Dores não descansava um momento; mal vinha de encher a garrafa lá dentro de casa, tinha de voltar outra vez para enchê-la de novo. "Olha que estafa! Vão beber pro diabo!" Afinal apareceu com o garrafão e pousou-o no meio da roda.

— Querem saber! Empinem por aí mesmo, que já estou com os quartos doendo de tanto andar de lá pra cá!

Essa noite, a bebedeira de Piedade foi completa. Quando João Romão entrou, de volta da casa do Miranda, encontrou-a a dançar ao som de palmas, gritos e risadas, no meio de uma grande troça, a saia levantada, os olhos requebrados, a pretender arremedar a Rita no seu choradinho da Bahia. Era a boba da roda. Batiam--lhe palmadas no traseiro e com o pé embaraçavam-lhe as pernas, para a ver cair e rebolar-se no chão.

O vendeiro, de fraque e chapéu alto, foi direito ao grupo, então muito mais reforçado de gente, e intimou a todos que se recolhessem. Aquilo já não eram horas para semelhante algazarra!

— Vamos! Vamos! Cada um para a sua casa!

Piedade foi a única que protestou, reclamando o seu direito de brincar um pouco com os amigos.

Que diabo! Não se estava fazendo mal a ninguém!

— Ora vá mas é pra cama cozer a mona! — vituperou-lhe João Romão, repelindo-a. — Você, com uma filha quase mulher, não tem vergonha de estar aqui a servir de palhaço?! Forte bêbeda!

Piedade assomou-se com a descompostura, quis despicar-se, chegou a arregaçar as mangas e sungar a saia; mas o Pataca meteu-se no meio e conteve-a, pedindo a João Romão que não levasse aquilo em conta, porque era tudo cachaça.

— Bom, bom, bom! Mas aviem-se! Aviem-se!

E não se retirou sem ver a roda dissolvida, e cada qual procurando a casa.

Recolheram-se todos em silêncio; só o Pataca e Piedade deixaram-se ficar ainda no pátio, a discutir o ato do vendeiro. O Pataca também estava bastante tocado. Ambos reconheciam que lhes não convinha demorar-se ali, porém nenhum dos dois se sentia disposto a meter-se no quarto.

— Você tem lá alguma coisa que beber em casa?... — perguntou ele afinal.

Ela não sabia ao certo; foi ver. Havia meia garrafa de parati e um resto de vinho. Mas era preciso não fazer barulho, por' mor da pequena que estava dormindo.

Entraram em ponta de pés, a falar surdamente. Piedade deu mais luz ao candeeiro.

— Olha agora! Vamos ficar às escuras! Acabou-se o gás!

O Pataca saiu, para ir a casa buscar uma vela, e de volta trouxe também um pedaço de queijo e dois peixes fritos, que levou ao nariz da lavadeira, sem dizer nada. Piedade, aos bordos, desocupou a mesa do engomado e serviu dois pratos. O outro reclamou vinagre e pimenta e perguntou se havia pão.

— Pão há. O vinho é que é pouco!

— Não faz mal! Vai mesmo com a caninha!

E assentaram-se. O cortiço dormia já e só se ouviam, no silêncio da noite, cães que ladravam lá fora na rua, tristemente. Piedade começou a queixar-se da vida; veio-lhe uma crise de lágrimas e soluços. Quando pôde falar contou o que lhe sucedera essa tarde, narrou os pormenores da sua ida com a filha à procura do marido, o jantar em comum com a peste da mulata, e afinal a sua humilhação de vir de lá enxovalhada e corrida.

Pataca revoltou-se, não com o procedimento de Jerônimo, mas com o dela.

Rebaixar-se àquele ponto! Com efeito!... Ir procurar o homem lá na casa da outra!... Oh!

— Ele tratou-me bem, quando lá fui da primeira vez... Hoje é que não sei o que tinha: só faltou pôr-me na rua aos pontapés!

— Foi bem feito! Ainda acho pouco! Devia ter-lhe metido o pau, para você não ser tola!

— É mesmo!

— Pois não! O que não falta são homens, filha! O mundo é grande! Para um pé doente há sempre um chinelo velho!— E ferrou-lhe a mão nas pernas — Chega-te para mim, que te esquecerás do outro!

Piedade repeliu-o. Que se deixasse de asneiras!

— Asneiras! É o que se leva desta vida!

A pequena acordara lá no quarto e viera descalça até à porta da sala de jantar, para espiar o que faziam os dois.

Não deram por ela.

E a conversa prosseguiu, esquentando à medida que a garrafa de parati se esvaziava. Piedade deu de mão aos seus desgostos, pôs-se a papaguear um pouco; as lágrimas foram-se-lhe; e ela manducou então com apetite, rindo já das pilhérias do companheiro, que continuava a apalpar-lhe de vez em quando as coxas.

Aquelas coisas, assim, sem se esperar, é que tinham graça!... — dizia ele, excitado e vermelho, comendo com a mão, a embeber pedaços de peixe no molho das pimentas. — Bem tolo era quem se matava!

Depois lembrou que não viria fora de propósito uma xicrinha de café.

— Não sei se há, vou ver, respondeu a lavadeira, erguendo-se agarrada à mesa.

E bordejou até à cozinha, a dar esbarrões pela direita e pela esquerda.

— Tento no leme, que o mar está forte! — exclamou Pataca, levantando-se também, para ir ajudá-la.

Lá perto do fogão agarrou-a de súbito, como um galo abafando uma galinha.

— Larga! — repreendeu a mulher, sem forças para se defender.

Ele apanhou-lhe as fraldas.

— Espera! Deixa!

— Não quero!

E ria-se por ver a atitude cômica do Pataca vergado defronte dela.

— Que mal faz?... Deixa!

— Sai daí, diabo!

E, cambaleando, amparados um no outro, foram ambos ao chão.

— Olha que peste! — resmungou a desgraçada, quando o adversário conseguiu saciar-se nela. Marraios te partam!

E deixou-se ficar por terra. Ele pôs-se de pé e, ao encaminhar-se para a sala de jantar, sentiu uma ligeira sombra fugir em sua frente. Era a pequena, que fora espiar à porta da cozinha.

Pataca assustara-se.

— Quem anda aqui a correr como gato?... — perguntou voltando a ter com Piedade, que permanecia no mesmo lugar, agora quase adormecida.

Sacudiu-a.

— Olá! Queres ficar aí, ó criatura! Levanta-te! Anda a ver o café!

E, tentando erguê-la, suspendeu-a por debaixo dos braços. Piedade, mal mudou a posição da cabeça, vomitou sobre o peito e a barriga uma golfada fétida.

— Olha o demo! — resmungou Pataca. — Está que se não pode lamber!

E foi preciso arrastá-la até a cama, que nem uma trouxa de roupa suja. A infeliz não dava acordo de si.

Senhorinha acudira, perguntando aflita o que tinha a mãe.

— Não é nada, filha! — explicou o Pataca. — Deixa-a dormir, que isso passa! Olha! Se há limão em casa passa-lhe um pouco atrás da orelha, e verás que amanhã acorda fina e pronta pra outra!

A menina desatou a soluçar.

E o Pataca retirou-se, a dar encontrões nos trastes, furioso, porque, afinal, não tomara café.

— Sebo!

21

Ao mesmo tempo, João Romão, em chinelas e camisola, passeava de um para outro lado no seu quarto novo. Um aposento largo e forrado de azul e branco com florinhas amarelas fingindo ouro; havia um tapete aos pés da cama, e sobre a peniqueira um despertador de níquel, e a mobília toda era já de casados, porque o esperto não estava para comprar móveis duas vezes.

Parecia muito preocupado; pensava em Bertoleza que, a essas horas, dormia lá embaixo num vão de escada, aos fundos do armazém, perto da comua.

Mas que diabo havia ele de fazer afinal daquela peste?...

E coçava a cabeça, impaciente por descobrir um meio de ver-se livre dela.

É que nessa noite o Miranda lhe falara abertamente sobre o que ouvira de Botelho, e estava tudo decidido: Zulmira aceitava-o para marido e Dona Estela ia marcar o dia do casamento.

O diabo era a Bertoleza!...

E o vendeiro ia e vinha no quarto; sem achar uma boa solução para o problema.

Ora, que raio de dificuldade armara ele próprio para se coser!... Como poderia agora mandá-la passear assim, de um momento para outro, se o demônio da crioula o acompanhava já havia tanto tempo e toda a gente na estalagem sabia disso?

E sentia-se revoltado e impotente defronte daquele tranquilo obstáculo que lá estava embaixo, a dormir, fazendo-lhe em silêncio um mal horrível, perturbando-lhe estupidamente o curso da sua felicidade, retardando-lhe, talvez sem consciência, a chegada desse belo futuro conquistado à força de tamanhas privações e sacrifícios!

Que ferro!

Mas, só com lembrar-se da sua união com aquela brasileirinha fina e aristocrática, um largo quadro de vitórias rasgava-se defronte da desensofrida avidez da sua vaidade. Em primeiro lugar fazia-se membro de uma família tradicionalmente orgulhosa, como era, dito por todos, a de Dona Estela; em segundo lugar aumentava consideravelmente os seus bens com o dote da noiva, que era rica; e em terceiro, afinal, caber-lhe-ia mais tarde tudo o que o Miranda possuía, realizando-se deste modo um velho sonho que o vendeiro afagava desde o nascimento da sua rivalidade com o vizinho.

E via-se já na brilhante posição que o esperava: uma vez de dentro, associava--se logo com o sogro e iria pouco a pouco, como quem não quer a coisa, o empurrando para o lado, até empolgar-lhe o lugar e fazer de si um verdadeiro chefe da colônia portuguesa no Brasil; depois quando o barco estivesse navegando ao largo a todo o pano: — Tome lá alguns pares de contos de réis e passe-me para cá o título de visconde!

Sim, sim, visconde! Por que não? E mais tarde com certeza, Conde! Eram favas contadas!

Ah! Ele, posto nunca o dissera a ninguém, sustentava de si para si nos últimos anos o firme propósito de fazer-se um titular mais graduado que o Miranda. E, só depois de ter o título nas unhas, é que iria à Europa, de passeio, sustentando grandeza, metendo invejas, cercado de adulações, liberal, pródigo, brasileiro, atordoando o mundo velho com o seu ouro novo americano!

E a Bertoleza? — gritava-lhe do interior uma voz impertinente.

— É exato! E a Bertoleza?... — repetia o infeliz, sem interromper o seu vaivém ao comprido da alcova.

Diabo! E não poder arredar logo da vida aquele ponto negro; apagá-lo rapidamente, como quem tira da pele uma nódoa de lama! Que raiva ter de reunir aos voos mais fulgurosos da sua ambição a ideia mesquinha e ridícula daquela inconfessável concubinagem! E não podia deixar de pensar no demônio da negra, porque a maldita ali estava perto, a rondá-lo ameaçadora e sombria; ali estava como o documento vivo das suas misérias, já passadas mas ainda palpitantes. Bertoleza devia ser esmagada, devia ser suprimida, porque era tudo que havia de mau na vida dele! Seria um crime conservá-la a seu lado! Ela era o torpe balcão da primitiva bodega; era o aladroado vintenzinho de manteiga em papel pardo; era o peixe trazido da praia e vendido à noite ao lado do fogareiro à porta da taberna; era o frege imundo e a lista cantada das comezainas à portuguesa; era o sono roncado num colchão fétido, cheio de bichos; ela era a sua cúmplice e era todo seu mal — devia, pois, extinguir-se! Devia ceder o lugar à pálida mocinha de mãos delicadas e cabelos perfumados, que era o bem, porque era o que ria e alegrava, porque era a vida nova, o romance solfejado ao piano, as flores nas jarras, as sedas e as rendas, o chá servido em porcelanas caras; era enfim a doce existência dos ricos, dos felizes e dos fortes, dos que herdaram sem trabalho ou dos que, a puro esforço, conseguiram acumular dinheiro, rompendo e subindo por entre o rebanho dos escrupulosos ou dos fracos. E o vendeiro tinha defronte dos olhos o namorado sorriso da filha do Miranda, sentia ainda a leve pressão do braço melindroso que se apoiara ao seu, algumas horas antes, em passeio pela praia de Botafogo; respirava ainda os perfumes da menina, suaves, escolhidos e penetrantes como palavras de amor; nos seus dedos grossos, curtos, ásperos e vermelhos, conservava a impressão da tépida carícia daquela mãozinha enluvada que, dentro em pouco, nos prazeres garantidos do matrimônio, afagar-lhe-ia as carnes e os cabelos.

Mas, e a Bertoleza?...

Sim! Era preciso acabar com ela! Despachá-la! Sumi-la por uma vez!

Deu meia-noite no relógio do armazém. João Romão tomou uma vela e desceu aos fundos da casa, onde Bertoleza dormia. Aproximou-se dela, pé ante pé, como um criminoso que leva uma ideia homicida.

A crioula estava imóvel sobre o enxergão, deitada de lado, com a cara escondida no braço direito, que ela dobrara por debaixo da cabeça. Aparecia-lhe uma parte do corpo nua.

João Romão contemplou-a por algum tempo, com asco.

E era aquilo, aquela miserável preta que ali dormia indiferentemente, o grande estorvo da sua ventura!... Parecia impossível!

— E se ela morresse?...

Esta frase, que ele tivera, quando pensou pela primeira vez naquele obstáculo à sua felicidade, tornava-lhe agora ao espírito, porém já amadurecida e transformada nesta outra:

— E se eu a matasse?

Mas logo um calafrio de pavor correu-lhe por todos os nervos.

Além disso, como?... Sim, como poderia despachá-la, sem deixar sinais comprometedores do crime?... Envenenando-a?... Dariam logo pela coisa!... Matá-la a tiro?... Pior! Levá-la a um passeio fora da cidade, bem longe e, no melhor da festa, atirá-la ao mar ou por um despenhadeiro, onde a morte fosse infalível?... Mas como arranjar tudo isso, se eles nunca passeavam juntos?...

Diabo!

E o desgraçado ficou a pensar, abstrato, de castiçal na mão, sem despregar os olhos de cima de Bertoleza, que continuava imóvel, com o rosto escondido no braço.

— E se eu a esganasse aqui mesmo?...

E deu, na ponta dos pés, alguns passos para frente, parando logo, sem deixar nunca de contemplá-la.

Mas a crioula ergueu de improviso a cabeça e fitou-o com os olhos de quem não estava dormindo.

— Ah! — fez ele.

— Que é, seu João?

— Nada. Vim só ver-te... Cheguei ainda não há muito... Como vais tu? Passou-te a dor do lado?...

Ela meneou os ombros, sem responder ao certo. Houve um silêncio entre os dois. João Romão não sabia o que dizer e saiu afinal, escoltado pelo imperturbável olhar da crioula, que o intimava mesmo pelas costas.

— Teria desconfiado? — pensou o miserável, subindo de novo para o quarto. — Qual! Desconfiar de quê?...

E meteu-se logo na cama, disposto a não pensar mais nisso e dormir *incontinenti*. Mas o seu pensamento continuou rebelde a parafusar sobre o mesmo assunto.

— É preciso despachá-la! É preciso despachá-la quanto antes, seja lá como for! Ela, até agora, não deu ainda sinal de si; não abriu o bico a respeito da questão; mas, Dona Estela está a marcar o dia do casamento; não levará muito tempo para isso... o Miranda naturalmente comunica a notícia aos amigos... o fato corre de boca em boca... chega aos ouvidos da crioula e esta, vendo-se abandonada, estoura! Estoura com certeza! E agora o verás! Como deve ser bonito, hein?... Ir tão bem até aqui e esbarrar na oposição da negra!... E os comentários depois!... O que não dirão os invejosos lá da praça?... "Ah, ah! Ele tinha em casa uma amiga, uma preta imunda com quem vivia! Que tipo! Sempre há de mostrar que é gentinha de laia muito baixa!... E aqui a engazopar-nos com uns ares de capitalista que se trata à vela de libra! Olha o carapicu para que havia de dar. Sai sujo!" E, então, a família da menina, com medo de cair também na boca do mundo, volta atrás e dá o dito por não dito! Bem sei que ela está a par de tudo; isso, olé, se está! Mas finge-se desentendida, porque conta, e com razão, que eu não serei tão parvo que espere o dia do casamento sem ter dado sumiço à negra! Contam que a coisa correrá sem o menor escândalo! E eu, no entanto, tão besta que nada fiz! E a peste da crioula está aí senhora do terreiro como dantes, e não descubro meio de ver-me livre dela!... Ora já se viu como arranjei semelhante entalação?... Isto contado não se acredita!

E pisava e repisava o caso, sem achar meio de dar-lhe saída!

Diabo!

— Ela há muito que devia estar longe de mim... fiz mal em não cuidar logo disso antes de mais nada!... Fui um pedaço d'asno! Se eu a tivesse despachado logo, quando ainda se não falava no meu casamento, ninguém desconfiaria da história: "Por que diabo iria o pobre homem dar cabo de uma mulher, com quem vivia na melhor paz e que era até, dentro de casa, o seu braço direito?..." Mas agora, depois de todas aquelas reformas de vida; depois da separação das camas, e principalmente depois que corresse a notícia do casamento, não faltaria decerto quem o acusasse, se a negra aparecesse morta de repente!

Diabo!

Deram quatro horas, e o desgraçado nada de pregar olho; continuava a matutar sobre o assunto, virando-se de um para outro lado da sua larga e rangedora cama de casados. Só pelo abrir da aurora, conseguiu passar pelo sono; mas, logo às sete da manhã, teve de pôr-se a pé: o cortiço estava todo alvoroçado com um desastre.

A Machona lavava à sua tina, ralhando e discutindo como sempre, quando dois trabalhadores, acompanhados de um ruidoso grupo de curiosos, trouxeram-lhe sobre uma tábua o cadáver ensanguentado do filho. Agostinho havia ido, segundo o costume, brincar à pedreira com outros dois rapazitos da estalagem; vinham, cabritando pelas arestas do precipício, subindo a uma altura superior a duzentos metros do chão e, de repente, faltara-lhe o equilíbrio e o infeliz rolou de lá abaixo, partindo os ossos e atassalhando as carnes.

Todo ele, coitadinho, era uma só massa vermelha; as canelas, quebradas no joelho, dobravam moles para debaixo das coxas; a cabeça, desarticulada, abrira no casco e despejava o pirão dos miolos; numa das mãos faltavam-lhe todos os dedos e no quadril esquerdo via-se-lhe sair uma ponta de osso ralado pela pedra.

Foi um alarma no pátio quando ele chegou.

Cruzes! Que desgraça!

Albino, que lavava ao lado da Machona, teve uma síncope; Neném ficou que nem doida, porque ela queria muito àquele irmão; a das Dores imprecou contra os trabalhadores, que deixavam um filho alheio matar-se daquele modo em presença deles; a mãe, essa apenas soltou um bramido de monstro apunhalado no coração e caiu mesquinha junto do cadáver, a beijá-lo, vagindo como uma criança. Não parecia a mesma!

As mães dos outros dois rapazitos esperavam imóveis e lívidas pela volta dos filhos, e, mal estes chegaram à estalagem, cada uma se apoderou logo do seu e caiu-lhe em cima, a sová-los ambos que metia medo.

— Mira-te naquele espelho, tentação do diabo! — exclamava uma delas, com o pequeno seguro entre as pernas a encher-lhe a bunda de chineladas. Não era aquele que devia ir, eras tu, peste! Aquele, coitado, ao menos ajudava a mãe, ganhava dois mil-réis por mês regando as plantas do Comendador, e tu, coisa-ruim, só serves para me dar consumições! Toma! Toma! Toma!

E o chinelo cantava entre o berreiro feroz dos dois rapazes.

João Romão chegou ao terraço de sua casa, ainda em mangas de camisa, e de lá mesmo tomou conhecimento do que acontecera. Contra todos os seus hábitos impressionou-se com a morte de Agostinho; lamentou-a no íntimo, tomado de estranhas condolências.

Pobre pequeno! Tão novo... tão esperto... e cuja vida não prejudicava a ninguém, morrer assim, desastradamente!... Ao passo que aquele diabo velho da Bertoleza continuava agarrado à existência, envenenando-lhe a felicidade, sem se decidir a despachar o beco!

E o demônio da crioula parecia mesmo não estar disposta a ir só com duas razões; apesar de triste e acabrunhada, mostrava-se forte e rija. Suas pernas curtas e lustrosas eram duas peças de ferro unidas pela culatra, das quais ela trazia um par de balas penduradas em saco contra o peito; as roscas lustrosas do seu cachaço lembravam grossos chouriços de sangue, e na sua carapinha compacta ainda não havia um fio branco. Aquilo, arre! tinha vida para o resto do século!

— Mas deixa estar, que eu te despacho bonito e asseado!... — disse o vendeiro de si para si, voltando ao quarto para acabar de vestir-se.

Enfiava o colete quando bateram pancadas familiares na porta do corredor.

— Então?! Ainda se está em val de lençóis?...

Era a voz do Botelho.

O vendeiro foi abrir e fê-lo entrar ali mesmo para a alcova.

— Ponha-se a gosto. Como vai você?

— Assim. Não tenho passado lá essas coisas...

João Romão deu-lhe notícia da morte do Agostinho e declarou que estava com dor de cabeça. Não sabia que diabo tinha ele aquela noite, que não houve meio de pegar direito no sono.

— Calor... — explicou o outro. E prosseguiu depois de uma pausa, acendendo um cigarro: — pois eu vinha cá falar-lhe... Você não repare, mas...

João Romão supôs que o parasita ia pedir-lhe dinheiro e preparou-se para a defesa, queixando-se inopinadamente de que os negócios não lhe corriam bem; mas calou-se, porque o Botelho acrescentou com o olhar fito nas unhas:

— Não devia falar nisto... são coisas suas lá particulares, em que a gente não se mete, mas...

O taberneiro compreendeu logo onde a visita queria chegar e aproximou-se dele, dizendo confidencialmente:

— Não! Ao contrário! Fale com franqueza... Nada de receios...

— É que... sim, você sabe que eu tenho tratado do seu casamento com a Zulmirinha... Lá em casa não se fala agora noutra coisa... até a própria Dona Estela já está muito bem disposta a seu favor... mas...

— Desembuche, homem de Deus!

— É que há um pontinho que é preciso pôr a limpo... Coisa insignificante, mas...

— Mas, mas! Você não desembuchará por uma vez?... Fale, que diabo!

Um caixeiro do armazém apareceu à porta, prevenindo de que o almoço estava na mesa.

— Vamos comer, disse João Romão. Você já almoçou?

— Ainda não, mas lá em casa contam comigo...

O vendeiro mandou o seu empregado dizer lá defronte à família do barão que seu Botelho não ia ao almoço. E, sem tomar o casaco, passou com a visita à sala de jantar.

O cheiro ativo dos móveis, polidos ainda de fresco, dava ao aposento um caráter insociável de lugar desabitado e por alugar. Os trastes, tão nus como as paredes, entristeciam com a sua fria nitidez de coisa nova.

— Mas vamos lá! Que temos então?... — inquiriu o dono da casa, assentando-se à cabeceira da mesa, enquanto o outro, junto dele, tomava lugar à extremidade de um dos lados.

— É que — respondeu o velho em tom de mistério — você tem cá em sua companhia uma... uma crioula, que... Eu não creio, note-se, mas...

— Adiante!

— É! Dizem que ela é coisa sua... Lá em casa rosnou!... O Miranda defende-o, afirma que não... Ah! Aquilo é uma grande alma! Mas Dona Estela, você sabe o que são as mulheres!... torce o nariz e... Em uma palavra: receio que esta história nos traga qualquer embaraço!...

Calou-se, porque acabava de entrar um portuguesinho, trazendo uma travessa de carne ensopada com batatas.

João Romão não respondeu, mesmo depois que o pequeno saiu; ficou abstrato, a bater com a faca entre os dentes.

— Por que você a não manda embora?... — arriscou o Botelho, despejando vinho no seu e no copo do companheiro.

Ainda desta vez não obteve logo resposta; mas o outro tomando, afinal, uma resolução, declarou confidencialmente:

— Vou dizer-lhe toda a coisa como ela é... e talvez que você até me possa auxiliar!...

Olhou para os lados, chegou mais a sua cadeira para junto da de Botelho e acrescentou em voz baixa:

— Esta mulher meteu-se comigo, quando eu principiava minha vida... Então, confesso... precisava de alguém nos casos dela, que me ajudasse... e ajudou-me muito, não nego! Devo-lhe isso! Não! Ajudar-me ajudou! mas...

— E depois?

— Depois, ela foi ficando para aí; foi ficando... e agora...

— Agora é um trambolho que lhe pode escangalhar a igrejinha! É o que é!

— Sim, que dúvida! Pode ser um obstáculo sério ao meu casamento! Mas, que diabo! Eu também, você compreende, não a posso pôr na rua, assim, sem mais aquelas!... Seria ingratidão, não lhe parece?...

— Ela já sabe em que pé está o negócio?...

— Deve desconfiar de alguma coisa, que não é tola!... Eu, cá por mim, não lhe toquei em nada...

— E você ainda faz vida com ela?

— Qual! Há muito tempo que nem sombras disso...

— Pois então, meu amigo, é arranjar-lhe uma quitanda em outro bairro; dar-lhe algum dinheiro e... Boa viagem! O dente que já não presta arranca-se fora!

João Romão ia responder, mas Bertoleza assomou à entrada da sala. Vinha tão transformada e tão lívida que só com a sua presença intimidou profundamente os dois. A indignação tirava-lhe faíscas dos olhos e os lábios tremiam-lhe de raiva. Logo que falou veio-lhe espuma aos cantos da boca.

— Você está muito enganado, seu João, se cuida que se casa e me atira à toa! — exclamou ela. — Sou negra, sim, mas tenho sentimentos! Quem me comeu a carne tem de roer-me os ossos! Então há de uma criatura ver entrar ano e sair ano, a puxar pelo corpo todo o santo dia que Deus manda ao mundo, desde pela manhãzinha até pelas tantas da noite, para ao depois ser jogada no meio da rua, como galinha podre?! Não! Não há de ser assim, seu João!

— Mas, filha de Deus, quem te disse que eu quero atirar-te à toa?... — perguntou o capitalista.

— Eu escutei o que você conversava, seu João! A mim não me cegam assim só! Você é fino, mas eu também sou! Você está armando casamento com a menina de seu Miranda!

— Sim, estou. Um dia havia de cuidar de meu casamento!... Não hei de ficar solteiro toda a vida, que não nasci para pândego! Mas também não te sacudo na rua, como disseste; ao contrário agora mesmo tratava aqui com o seu Botelho de arranjar-te uma quitanda e...

— Não! Com quitanda principiei; não hei de ser quitandeira até morrer! Preciso de um descanso! Para isso mourejei junto de você enquanto Deus Nosso Senhor me deu força e saúde!

— Mas afinal que diabo queres tu?!

— Ora essa! Quero ficar a seu lado! Quero desfrutar o que nós dois ganhamos juntos! Quero a minha parte no que fizemos com o nosso trabalho! Quero o meu regalo, como você quer o seu!

— Mas não vês que isso é um disparate?... Tu não te conheces?... Eu te estimo, filha; mas por ti farei o que for bem entendido e não loucuras! Descansa que nada te há de faltar!... Tinha graça, com efeito, que ficássemos vivendo juntos!... Não sei como não me propões casamento!

— Ah! Agora eu não me enxergo! Agora eu não presto para nada! Porém, quando você precisou de mim não lhe ficava mal servir-se de meu corpo e aguentar a sua casa com o meu trabalho! Então a negra servia para um tudo; agora não presta para mais nada, e atira-se com ela no monturo do cisco! Não! Assim também Deus não manda! Pois se aos cães velhos não se enxotam, por que me hão de pôr fora desta casa, em que meti muito suor do meu rosto?... Quer casar, espere então que eu feche primeiro os olhos; não seja ingrato!

João Romão perdeu por fim a paciência e retirou-se da sala, atirando à amante uma palavrada porca.

— Não vale a pena encanzinar-se... — segredou-lhe o Botelho, acompanhando-o até a alcova, onde o vendeiro enterrou com toda a força o chapéu na cabeça e enfiou o paletó com a mão fechada em murro.

— Arre! Não a posso aturar nem mais um instante! Que vá para o diabo que a carregue! Em casa é que não me fica!

— Calma, homem de Deus! Calma!

— Se não quiser ir por bem, irá por mal! Sou eu quem o diz!

E o vendeiro esfuziou pela escada, levando atrás de si o velhote, que mal podia acompanhá-lo na carreira. Já na esquina da rua parou e, fitando no outro o seu olhar flamejante, perguntou-lhe:

— Você viu?!

— É... — resmungou o parasita, de cabeça baixa, sem interromper os passos.

E seguiram em silêncio, andando agora mais devagar; ambos preocupados.

No fim de uma boa pausa, Botelho perguntou se Bertoleza era escrava quando João Romão tomou conta dela.

Esta pergunta trouxe uma inspiração ao vendeiro. Ia pensando em metê-la como idiota no Hospício de Pedro II, mas acudia-lhe agora coisa muito melhor: entregá-la ao seu senhor, restituí-la legalmente à escravidão.

Não seria difícil... considerou ele; era só procurar o dono da escrava, dizer-lhe onde esta se achava refugiada e aquele ir logo buscá-la com a polícia.

E respondeu ao Botelho:

— Era e é!

— Ah! Ela é escrava? De quem?

— De um tal Freitas de Melo. O primeiro nome não sei. Gente de fora. Em casa tenho as notas.

— Ora! Então a coisa é simples!... Mande-a p'ro dono!

— E se ela não quiser ir?...

— Como não?! A polícia a obrigará! É boa!

— Ela há de querer comprar a liberdade...

— Pois que a compre, se o dono consentir!... Você com isso nada mais tem que ver! E se ela voltar à sua procura, despache-a logo; se insistir, vá então à autoridade e queixe-se! Ah, meu caro, estas coisas, para serem bem feitas, fazem-se assim ou não se fazem! Olhe que aquele modo com que ela lhe falou há pouco é o bastante para você ver que semelhante estupor não lhe convém dentro de casa nem mais um instante! Digo-lhe até: já não só pelo fato do casamento, mas por tudo! Não seja mole!

João Romão escutava, caminhando calado, sem mais vislumbres de agitação. Tinham chegado à praia.

— Você quer encarregar-se disto? — propôs ele ao companheiro, parando ambos à espera do bonde — se quiser pode tratar, que lhe darei uma gratificação menos má...

— De quanto?...

— Cem mil-réis!

— Não! Dobre!

— Terá os duzentos!

— Está dito! Eu cá, para tudo que for pôr cobro a relaxamento de negro, estou sempre pronto!

— Pois então logo mais à tarde lhe darei, ao certo, o nome do dono, o lugar em que ele residia quando ela veio para mim e o mais que encontrar a respeito.

— E o resto fica a meu cuidado! Pode dá-la por despachada!

22

Desde esse dia Bertoleza fez-se ainda mais concentrada e resmungona e só trocava com o amigo um ou outro monossílabo inevitável no serviço da casa. Entre os dois havia agora desses olhares de desconfiança, que são abismos de constrangimento entre pessoas que moram juntas. A infeliz vivia num sobressalto constante; cheia de apreensões, com medo de ser assassinada; só comia do que ela própria preparava para si e não dormia senão depois de fechar-se à chave. À noite o mais ligeiro rumor a punha de pé, olhos arregalados, respiração convulsa, boca aberta e pronta para pedir socorro ao primeiro assalto.

No entanto, em redor do seu desassossego e do seu mal-estar, tudo ali prosperava forte em grosso, aos contos de réis, com a mesma febre com que dantes, em torno da sua atividade de escrava trabalhadeira, os vinténs choviam dentro da gaveta da venda. Durante o dia paravam agora em frente do armazém carroças e carroças com fardos e caixas trazidas da alfândega, em que se liam as iniciais de João Romão; e rodavam-se pipas e mais pipas de vinho e de vinagre, e grandes partidas de barricas de cerveja e de barris de manteiga e de sacos de pimenta. E o armazém, com as suas portas escancaradas sobre o público, engolia tudo de um trago, para depois ir deixando sair de novo, aos poucos, com um lucro lindíssimo, que no fim do ano causava assombros. João Romão fizera-se o fornecedor de todas as tabernas e armarinhos de Botafogo; o pequeno comércio sortia-se lá para vender a retalho. A sua casa tinha agora um pessoal complicado de primeiros, segundos e terceiros caixeiros, além do guarda-livros, do comprador, do despachante e do caixa; do seu escritório saíam correspondências em várias línguas e, por dentro das grades de madeira polida, onde havia um bufete sempre servido com presunto, queijo e cerveja, faziam-se largos contratos comerciais, transações em que se arriscavam fortunas; e propunham-se negociações de empresas e privilégios obtidos do governo; e realizavam-se vendas e compras de papéis; e concluíam-se empréstimos de juros fortes sobre hipotecas de grande valor. E ali ia de tudo: o alto e o baixo negociante; capitalistas adulados e mercadores falidos; corretores de praça, zangões, cambistas; empregados públicos, que passavam procuração contra o seu ordenado; empresários de teatro e fundadores de jornais, em apuros de dinheiro; viúvas, que negociavam o seu montepio; estudantes, que iam receber a sua mesada; e capatazes de vários grupos de trabalhadores pagos pela casa; e, destacando-se de todos, pela quantidade, os advogados e a gente miúda do foro, sempre inquieta, farisqueira, a meter o nariz em tudo, feia, a papelada debaixo do braço, a barba por fazer, o cigarro babado e apagado a um canto da boca.

E, como a casa comercial de João Romão, prosperava igualmente a sua avenida. Já lá se não admitia assim qualquer pé-rapado: para entrar era preciso carta de fiança e uma recomendação especial. Os preços dos cômodos subiam, e muitos dos antigos hóspedes, italianos principalmente, iam, por economia, desertando para o "Cabeça-de-Gato" e sendo substituídos por gente mais limpa. Decrescia também o número das lavadeiras, e a maior parte das casinhas eram ocupadas agora por pequenas famílias de operários, artistas e praticantes de secretaria. O cortiço aristocratizava-se. Havia um alfaiate logo à entrada, homem sério, de suíças brancas, que cosia na sua máquina entre oficiais, ajudado pela mulher, uma lisboeta cor de nabo, gorda, velhusca, com um princípio de bigode e cavanhaque, mas extremamente circunspecta; em seguida um relojoeiro calvo, de óculos, que parecia mumificado atrás da vidraça em que ele, sem mudar de posição, trabalhava, da manhã até a tarde; depois um pintor de tetos e tabuletas, que levou a fantasia artística a ponto de fazer, a pincel, uma trepadeira em volta da sua porta, onde se viam pássaros de várias cores e feitios, muito comprometedores para o crédito profissional do autor; mais adiante instalara-se um cigarreiro, que ocupava nada menos de três números na estalagem e tinha quatro filhas e dois filhos a fabricarem cigarros, e mais três operárias que preparavam palha de milho e picavam e desfiavam tabaco. Florinda, metida agora com um despachante de estrada de ferro, voltara para o São Romão e trazia a sua casinha em muito bonito pé de limpeza e arranjo. Estava ainda de luto pela mãe, a pobre velha Marciana, que ultimamente havia morrido no hospício dos doidos. Aos domingos o despachante costumava receber alguns camaradas para jantar, e como a rapariga puxava os feitios da Rita Baiana, as suas noitadas acabavam sempre em pagode de dança e cantarola, mas tudo de portas adentro, que ali já se não admitiam sambas e chinfrinadas ao relento. A Machona quebrara um pouco de gênio depois da morte de Agostinho e era agora visitada por um grupo de moços do comércio, entre os quais havia um pretendente à mão de Neném, que se mirrava já de tanto esperar a seco por marido. Alexandre fora promovido a sargento e empertigava-se ainda mais dentro da sua farda nova, de botões que cegavam; a mulher, sempre indiferentemente fecunda e honesta, parecia criar bolor na sua moleza úmida e tinha um ar triste de cogumelo; era vista com frequência a dar de mamar a um pequerrucho de poucos meses, empinando muito a barriga para a frente, pelo hábito de andar sempre grávida. A sua comadre Léonie continuava a visitá-la de vez em quando, aturdindo a atual pacatez daquele cenóbio com as suas roupas gritadoras. Uma ocasião em que lá fora, um sábado à tarde, produzira grande alvoroço entre os decanos da estalagem, porque consigo levava Pombinha, que se atirara ao mundo e vivia agora em companhia dela.

Pobre Pombinha! no fim dos seus primeiros dois anos de casada já não podia suportar o marido; todavia, a princípio, para conservar-se mulher honesta, tentou perdoar-lhe a falta de espírito, os gostos rasos e a sua risonha e fatigante palermice de homem sem ideal; ouviu-lhe, resignada, as confidências banais nas horas íntimas do matrimônio; atendeu-o nas suas exigências mesquinhas de ciumento que chora; tratou-o com toda a solicitude, quando ele esteve a decidir com uma pneumonite aguda; procurou afinar em tudo com o pobre rapaz; não lhe falou nunca em coisas que cheirassem a luxo, a arte, a estética, a originalidade; escondeu a sua mal-educada e natural intuição pelo que é grande, ou belo, ou arrojado, e fingiu ligar interesse ao que ele fazia, ao que ele dizia, ao que ele ganhava, ao que ele pensava e ao que ele conseguia com paciência na sua vida estreita de negociante rotineiro; mas, de repente, zás! Faltou-lhe o equilíbrio e a mísera escorregou, caindo nos braços de um boêmio de talento, libertino e poeta, jogador e capoeira. O marido não deu logo pela coisa, mas começou a estranhar a mulher, a desconfiar dela e a espreitá-la, até que um belo dia, seguindo-a na rua sem ser visto, o desgraçado teve a dura certeza de que era traído pela esposa, não mais com o poeta libertino, mas com um artista dramático que muitas vezes lhe arrancara, a ele, sinceras lágrimas de comoção, declamando no teatro em honra da moral triunfante e estigmatizando o adultério com a retórica mais veemente e indignada.

Ah! Não pôde iludir-se!... e, a despeito do muito que amava à ingrata, rompeu com ela e entregou-a à mãe, fugindo em seguida para São Paulo. Dona Isabel, que sabia já, não desta última falcatrua da filha, mas das outras primeiras, que bem a mortificaram, coitada! desfez-se em lágrimas, aconselhou-a a que se arrependesse e mudasse de conduta; em seguida escreveu ao genro, intercedendo por Pombinha, jurando que agora respondia por ela e pedindo-lhe que esquecesse o passado e voltasse para junto de sua mulher. O rapaz não respondeu à carta, e daí a meses, Pombinha desapareceu da casa da mãe. Dona Isabel quase morre de desgosto. Para onde teria ido a filha?... "Onde está? onde não está! Procura daqui! procura daí!" Só a descobriu semanas depois; estava morando num hotel com Léonie. A serpente vencia afinal: Pombinha foi, pelo seu próprio pé, atraída, meter-se-lhe na boca. A pobre mãe chorou a filha como morta; mas, visto que os desgostos não lhe tiraram a vida por uma vez e como a desgraçada não tinha com que matar a fome, nem forças para trabalhar, aceitou de cabeça baixa o primeiro dinheiro que Pombinha lhe mandou. E, desde então, aceitou sempre, constituindo-se a rapariga no seu único amparo da velhice e sustentando-a com os ganhos da prostituição. Depois, como neste mundo uma criatura a tudo se acostuma, Dona Isabel mudou-se para a casa da filha. Mas não aparecia nunca na sala quando havia gente de fora, escondia-se; e, se algum dos frequentadores de Pombinha a pilhava de improviso, a infeliz, com vergonha de si mesma, fingia-se criada ou dama de companhia. O que mais a desgostava, e o que ela não podia tolerar sem apertos de coração, era ver a pequena endemoninhar-se com champanha depois do jantar e pôr-se a dizer tolices e a estender-se ali mesmo no colo dos homens. Chorava sempre que a via entrar ébria, fora de horas, depois de uma orgia; e, de desgosto em desgosto, foi-se sentindo enfraquecer e enfermar, até cair de cama e mudar-se para uma casa de saúde, onde afinal morreu.

Agora, as duas cocotes, amigas inseparáveis, terríveis naquela inquebrantável solidariedade, que fazia delas uma só cobra de duas cabeças dominavam o alto e o baixo Rio de Janeiro. Eram vistas por toda a parte onde houvesse prazer; à tarde, antes do jantar, atravessavam o Catete em carro descoberto, com a Juju ao lado; à noite, no teatro, em um camarote de boca chamavam sobre si os velhos conselheiros desfibrados pela política e ávidos de sensações extremas, ou arrastavam para os gabinetes particulares dos hotéis os sensuais e gordos fazendeiros de café, que vinham à corte esbodegar o farto produto das safras do ano, trabalhadas pelos seus escravos. Por cima delas duas passara uma geração inteira de devassos. Pombinha, só com três meses de cama franca, fizera-se tão perita no ofício como a outra; a sua infeliz inteligência, nascida e criada no modesto lodo da estalagem, medrou logo admiravelmente na lama forte dos vícios de largo fôlego; fez maravilhas na arte; parecia adivinhar todos os segredos daquela vida; seus lábios não tocavam em ninguém sem tirar sangue; sabia beber, gota a gota, pela boca do homem mais avarento, todo o dinheiro que a vítima pudesse dar de si. Entretanto, lá na Avenida São Romão, era, como a mestra, cada vez mais adorada pelos seus velhos e fiéis companheiros de cortiço; quando lá iam, acompanhadas por Juju, a porta da Augusta ficava, como dantes, cheia de gente, que as abençoava com o seu estúpido sorriso de pobreza hereditária e humilde. Pombinha abria muito a bolsa, principalmente com a mulher de Jerônimo, a cuja filha, sua protegida predileta, votava agora, por sua vez, uma simpatia toda especial, idêntica à que noutro tempo inspirara ela própria à Léonie. A cadeia continuava e continuaria interminavelmente; o cortiço estava preparando uma nova prostituta naquela pobre menina desamparada, que se fazia mulher ao lado de uma infeliz mãe ébria.

E era, ainda assim, com essas esmolas de Pombinha, que na casa de Piedade não faltava de todo o pão, porque já ninguém confiava roupa à desgraçada, e nem ela podia dar conta de qualquer trabalho.

Pobre mulher! chegara ao extremo dos extremos. Coitada! Já não causava dó, causava repugnância e nojo. Apagaram-se-lhe os últimos vestígios do brio; vivia andrajosa, sem nenhum trato e sempre ébria, dessa embriaguez sombria e mórbida que se não dissipa nunca. O seu quarto era o mais imundo e o pior de toda a estalagem; homens malvados abusavam dela, muitos de uma vez, aproveitando-se da quase completa inconsciência da infeliz. Agora, o menor trago de aguardente a punha logo pronta; acordava todas as manhãs apatetada, muito triste, sem ânimo para viver esse dia, mas era só correr à garrafa e voltavam-lhe as risadas frouxas, de boca que já se não governa. Um empregado de João Romão, que ultimamente fazia as vezes dele na estalagem, por três vezes a enxotou, e ela, de todas, pediu que lhe dessem alguns dias de espera, para arranjar casa. Afinal, no dia seguinte ao último em que Pombinha apareceu por lá com Léonie e deixou-lhe algum dinheiro, despejaram-lhe os tarecos na rua.

E a mísera, sem chorar, foi refugiar-se, junto com a filha, no "Cabeça-de-Gato" que, à proporção que o São Romão se engrandecia, mais e mais ia-se rebaixando acanalhado, fazendo-se cada vez mais torpe, mais abjeto, mais cortiço, vivendo satisfeito do lixo e da salsugem que o outro rejeitava, como se todo o seu ideal fosse conservar inalterável, para sempre, o verdadeiro tipo da estalagem fluminense, a legítima, a legendária; aquela em que há um samba e um rolo por noite; aquela em que se matam homens sem a polícia descobrir os assassinos; viveiro de larvas sensuais em que irmãos dormem misturados com as irmãs na mesma lama; paraíso de vermes; brejo de lodo quente e fumegante, donde brota a vida brutalmente, como de uma podridão.

23

À porta de uma confeitaria da rua do Ouvidor, João Romão, apurado num fato novo de casimira clara, esperava pela família do Miranda, que nesse dia andava em compras.

Eram duas horas da tarde e um grande movimento fazia-se ali. O tempo estava magnífico; sentia-se pouco calor. Gente entrava e saía, a passo frouxo, da Casa Pascoal. Lá dentro janotas estacionavam de pé, soprando o fumo dos charutos, à espera que desocupassem uma das mesinhas de mármore preto; grupos de senhoras, vestidas de seda, faziam lanche com vinho do Porto. Respirava-se um cheiro agradável de essências e vinagres aromáticos; havia um rumor quente e garrido, mas bem-educado; namorava-se forte, mas com disfarce, furtando-se olhares no complicado encontro dos espelhos; homens bebiam ao balcão e outros conversavam, comendo empadinhas junto às estufas; algumas pessoas liam já os primeiros jornais da tarde; serventes, muito atarefados, despachavam compras de doces e biscoitos e faziam, sem descansar, pacotes de papel de cor, que os compradores levavam pendurados num dedo. Ao fundo, de um dos lados do salão, aviavam-se grandes encomendas de banquetes para essa noite, traziam-se lá de dentro, já prontas, torres e castelos de balas e trouxas d'ovos e imponentes peças de cozinha caprichosamente enfeitadas; criados desciam das prateleiras as enormes baixelas de metal branco, que os companheiros iam embalando em caixões com papel fino picado. Os empregados das secretarias públicas vinham tomar o seu vermute com sifão; repórteres insinuavam-se por entre os grupos dos jornalistas e dos políticos, com o chapéu à ré, ávidos de notícias, uma curiosidade indiscreta nos olhos. João Romão, sem deixar a porta, apoiado no seu guarda-chuva de cabo de marfim, recebia cumprimentos de quem passava na rua; alguns paravam para lhe falar. Ele tinha sorrisos e oferecimentos para todos os lados; e consultava o relógio de vez em quando.

Mas a família do Barão surgiu afinal. Zulmira vinha na frente, com um vestido cor de palha justo ao corpo, muito elegante no seu tipo de fluminense pálida e nervosa; logo depois Dona Estela, grave, toda de negro, passo firme e ar severo de quem se orgulha das suas virtudes e do bom cumprimento dos seus deveres. O Miranda acompanhava-as de sobrecasaca, fitinha ao peito, o colarinho até ao queixo, botas de verniz, chapéu alto e bigode cuidadosamente raspado. Ao darem com João Romão, ele sorriu e Zulmira também; só Dona Estela conservou inalterável a sua fria máscara de mulher que não dá verdadeira importância senão a si mesma.

O ex-taverneiro e futuro visconde foi, todavia, ao encontro deles, cheio de solicitude, descobrindo-se desde logo e convidando-os com empenho a que tomassem alguma coisa.

Entraram todos na confeitaria e apoderaram-se da primeira mesa que se esvaziou. Um criado acudiu logo e João Romão, depois de consultar Dona Estela, pediu sanduíches, doces e moscatel de Setúbal. Mas Zulmira reclamou sorvete e licor. E só esta falava; os outros estavam ainda à procura de um assunto para a conversa; afinal o Miranda que, durante esse tempo contemplava o teto e as paredes, fez algumas considerações sobre as reformas e novos adornos do salão da confeitaria. Dona Estela dirigiu, de má, a João Romão várias perguntas sobre a companhia lírica, o que confundiu por tal modo ao pobre do homem, que o pôs vermelho e o desnorteou de todo. Felizmente, nesse instante chegava o Botelho e trazia uma notícia: a morte de um sargento no quartel; questão entre inferior e superior. O sargento, insultado por um oficial do seu batalhão, levantara a mão contra ele, e o oficial então arrancara da espada e atravessara-o de lado a lado. Estava direito! Ah! Ele era rigoroso em pontos de disciplina militar! Um sargento levantara a mão para um oficial superior!... Devia ficar estendido ali mesmo, que dúvida!

E faiscavam-lhe os olhos no seu inveterado entusiasmo por tudo que cheirasse a farda. Vieram logo as anedotas análogas; o Miranda contou um fato idêntico que se dera vinte anos atrás, e Botelho citou uma enfiada deles interminável.

Quando se levantaram, João Romão deu o braço a Zulmira e o barão à mulher, e seguiram todos para o Largo de São Francisco, lentamente, em andar de passeio, acompanhados pelo parasita. Lá chegados, Miranda queria que o vizinho aceitasse um lugar no seu carro, mas João Romão tinha ainda que fazer na cidade e pediu dispensa do obséquio. Botelho também ficou; e, mal a carruagem partiu, este disse ao ouvido do outro, sem tomar fôlego:

— O homem vai hoje, sabe? Está tudo combinado!

— Ah! vai? — perguntou João Romão com interesse, estacando no meio do largo. — Ora graças! Já não é sem tempo!

— Sem tempo! Pois olhe, meu amigo, que tenho suado o topete! Foi uma campanha!

— Há que tempo já tratamos disto!...

— Mas que quer você, se o homem não aparecia?... Estava fora! Escrevi-lhe várias vezes, como sabe, e só agora consegui pilhá-lo. Fui também à polícia duas vezes e já lá voltei hoje; ficou tudo pronto! Mas você deve estar em casa para entregar a crioula quando eles lá se apresentarem...

— Isso é que seria bom se se pudesse dispensar... Desejava não estar presente...

— Ora essa! Então com quem se entendem eles?... Não! Tenha paciência! É preciso que você lá esteja!

— Você podia fazer as minhas vezes...

— Pior! Assim não arranjamos nada! Qualquer dúvida pode entornar o caldo! É melhor fazer as coisas bem feitas. Que diabo lhe custa isto?... Os homenzinhos chegam, reclamam a escrava em nome da lei, e você a entrega — pronto! Fica livre dela para sempre, e daqui a dias estoura o champanha do casório! Hein, não lhe parece?

— Mas...

— Ela há de choramingar, fazer lamúrias e coisas, mas você põe-se duro e deixe-a seguir lá o seu destino!... Bolas! Não foi você que a fez negra!...

— Pois vamos lá! Creio que são horas.

— Que horas são?

— Três e vinte.

— Vamos indo.

E desceram de novo a rua do Ouvidor até o ponto dos bondes de Gonçalves Dias.

— O de São Clemente não está agora, observou o velho. Vou tomar um copo d'água enquanto esperamos.

Entraram no botequim do lugar e, para conversar assentados, pediram dois cálices de conhaque.

— Olhe, acrescentou o Botelho; você nem precisa dizer palavra... faça como coisa que não tem nada com isso, compreende?

— E se o homem quiser os ordenados de todo o tempo em que ela esteve em minha companhia?...

— Como, filho, se você não a alugou das mãos de ninguém?!... Você não sabe lá se a mulher é ou era escrava; tinha-a por livre naturalmente; agora aparece o dono, reclama-a e você a entrega, porque não quer ficar com o que lhe não pertence! Ela sim, pode pedir o seu saldo de contas; mas para isso você lhe dará qualquer coisa...

— Quanto devo dar-lhe?

— Aí uns quinhentos mil-réis, para fazer a coisa à fidalga.

— Pois dou-lhos.

— E feito isso — acabou-se! O próprio Miranda vai logo, logo, ter com você! Verá!

Iam falar ainda, mas o bonde de São Clemente acabava de chegar, assaltado por todos os lados pela gente que o esperava. Os dois só conseguiram lugar muito separados um do outro, de sorte que não puderam conversar durante a viagem.

No Largo da Carioca uma vitória passou por eles, a todo o trote. Botelho vergou-se logo para trás, procurando os olhos do vendeiro, a rir-se com intenção. Dentro do carro ia Pombinha, coberta de joias, ao lado de Henrique; ambos muito alegres, em pândega. O estudante, agora no seu quarto ano de Medicina, vivia à solta com outros da mesma idade e pagava ao Rio de Janeiro o seu tributo de rapazola rico.

Ao chegarem à casa, João Romão pediu ao cúmplice que entrasse e levou-o para o seu escritório.

— Descanse um pouco... — disse-lhe.

— É, se eu soubesse que eles se não demoravam muito ficava para ajudá-lo.

— Talvez só venham depois do jantar — tornou aquele, assentando-se à carteira.

Um caixeiro aproximou-se dele respeitosamente e fez-lhe várias perguntas relativas ao serviço do armazém, ao que João Romão respondia por monossílabos de capitalista; interrogou-o por sua vez e, como não havia novidade, tomou Botelho pelo braço e convidou-o a sair.

— Fique para jantar. São quatro e meia, segredou-lhe na escada.

Já não era preciso prevenir lá defronte porque agora o velho parasita comia muitas vezes em casa do vizinho.

O jantar correu frio e contrafeito; os dois sentiam-se ligeiramente dominados por um vago sobressalto. João Romão foi pouco além da sopa e quis logo a sobremesa.

Tomavam café, quando um empregado subiu para dizer que lá embaixo estava um senhor, acompanhado de duas praças, e que desejava falar ao dono da casa.

— Vou já — respondeu este. E acrescentou para o Botelho: — São eles!

— Deve ser — confirmou o velho.

E desceram logo.

— Quem me procura?... — exclamou João Romão com disfarce, chegando ao armazém.

Um homem alto, com ar de estroina, adiantou-se e entregou-lhe uma folha de papel.

João Romão, um pouco trêmulo, abriu-a defronte dos olhos e leu-a demoradamente. Um silêncio formou-se em torno dele; os caixeiros pararam em meio do serviço, intimidados por aquela cena em que entrava a polícia.

— Está aqui com efeito... — disse afinal o negociante. — Pensei que fosse livre...

— É minha escrava — afirmou o outro. — Quer entregar-ma?...

— Mas imediatamente.

— Onde está ela?

— Deve estar lá dentro. Tenha a bondade de entrar...

O sujeito fez sinal aos dois urbanos que o acompanharam logo, e encaminharam-se todos para o interior da casa. Botelho, à frente deles, ensinava-lhes o caminho. João Romão ia atrás, pálido, com as mãos cruzadas nas costas.

Atravessaram o armazém, depois um pequeno corredor que dava para um pátio calçado, e chegaram finalmente à cozinha. Bertoleza, que havia já feito subir o jantar dos caixeiros, estava de cócoras, no chão, escamando peixe, para a ceia do seu homem, quando viu parar defronte dela aquele grupo sinistro.

Reconheceu logo o filho mais velho do seu primitivo senhor, e um calefrio percorreu-lhe o corpo. Num relance de grande perigo compreendeu a situação; adivinhou tudo com a lucidez de quem se vê perdido para sempre: adivinhou que tinha sido enganada; que a sua carta de alforria era uma mentira, e que o seu amante, não tendo coragem para matá-la, restituía-a ao cativeiro.

Seu primeiro impulso foi de fugir. Mal, porém, circunvagou os olhos em torno de si, procurando escápula, o senhor adiantou-se dela e segurou-lhe o ombro.

— É esta! — disse aos soldados que, com um gesto, intimaram a desgraçada a segui-los. — Prendam-na! É escrava minha!

A negra, imóvel, cercada de escamas e tripas de peixe, com uma das mãos espalmada no chão e com a outra segurando a faca de cozinha, olhou aterrada para eles, sem pestanejar.

Os policiais, vendo que ela se não despachava, desembainharam os sabres. Bertoleza então, erguendo-se com ímpeto de anta bravia, recuou de um salto, e antes que alguém conseguisse alcançá-la, já de um só golpe certeiro e fundo rasgara o ventre de lado a lado.

E depois emborcou para a frente, rugindo e esfocinhando moribunda numa lameira de sangue.

* * *

João Romão fugira até o canto mais escuro do armazém, tapando o rosto com as mãos.

Nesse momento parava à porta da rua uma carruagem. Era uma comissão de abolicionistas que vinham, de casaca, trazer-lhe respeitosamente o diploma de sócio benemérito.

Ele mandou que os conduzissem para a sala de visitas.

A MORTALHA DE ALZIRA

*Ao leitor**

Este romance é nada mais do que um vasto jardim artificial, feito de frias, perpétuas e secas margaridas, mas todo ele embalsamado pelo aroma de uma flor, uma só, que é a sua alma — "La Morte Amoureuse", de Théophile Gautier.

O AUTOR

L'homme n'est donc qu'un sujet plein d'erreurs; rien ne lui montre la vérité; tout l'abuse... Les deux principes de vérité, la raison et le sens, autre qu'ils manquent souvent de sincérité, s'abusent réciproquement l'un l'autre... Les sens abusent la raison par des fausses apparences, et cette même piperie qu'ils lui apportent, ils la reçoivent d'elle à leur tour: elle s'en revenge... Les passions de l'âme troublent les sens et leur font des impressions fâcheuses... Ils mentent, et se trompent à l'envi.

PASCAL—*Pensées (article IV, VIII et II)*

* Obra dedicada "ao leitor de Vitor Leal" (1893).

Primeira Parte

1
A cela misteriosa

No ano de 17**, Paris, então muito governado pela Pompadour e um pouco por Luís XV, palpitava de entusiasmo com um escândalo original.

Por um instante, a grande cidade libertina distraía-se dos seus desregramentos habituais e esquecia a ordem dos Aphrodites e dos Hermaphrodites, e esquecia as picantes palhaçadas de Taconnet e o obsceno macaco de Nicolet e os expressivos fogos de vista de Torré, e esquecia Ruggieri com a sua exibição de pernas e colos importados da América, e esquecia *les spetacles pyrrhiques* e o Wauxhall, e esquecia as velhacas e célebres representações do Barão d'Esclapon e da duquesa de Mazarin, e esquecia-se até de ouvir as pilhérias da magra, feia e adorada Guimard, para só ter atenção para o novo escândalo que acabava de surgir inesperadamente.

Era o caso que o famoso pregador La Rose tinha, como todos os anos, de pregar o seu sermão da quinta-feira santa na capela real, e fora acometido por um formidável ataque de asma, justamente na véspera desse dia. Escreveu logo ao vigário-geral, seu amigo particular, dando-lhe parte do fato e pedindo-lhe que, sem perda de tempo, tratasse de descobrir alguém que o substituísse.

Ora, o caso era deveras apertado! Quem teria a coragem de ir, à última hora substituir La Rose no púlpito da capela real, num dos sermões mais importantes da quaresma?...

Substituir La Rose!... La Rose, "o segundo Bossuet", como lhe chamavam seus inúmeros admiradores! La Rose, o amimado pregador da corte, o protegido de Antoinette Poison, o querido tanto por parte dos Molinistas como por parte dos Jansenistas, o aclamado por todo o alto e baixo público de Paris! La Rose, o indispensável! La Rose, o — insubstituível!

E era preciso que ele com efeito estivesse deveras doente, para faltar ao sermão de quinta-feira santa, porque La Rose prezava muito aos seus triunfos na tribuna sacra, e não esperdiçaria facilmente uma boa ocasião de orar perante o rei e toda sua corte de fidalgos e toda a sua corte de letrados.

Entretanto, sabia-se também que La Rose, desde que sentisse a menor alteração na voz, não seria capaz de falar em público, nem à mão de Deus Padre, porque era precisamente na maneira especial de jogar com a sua bela e sedutora voz que consistia o grande segredo dos seus incomparáveis triunfos.

É inútil dizer que, por melhores esforços empregados, nenhum pregador se descobriu, bom ou mau, que quisesse ir tomar o lugar do querido mestre. Davam-se todos por igualmente atacados da garganta, como se a asma de La Rose, à semelhança do que sucedia com o seu estilo oratório, se estendesse de improviso por todos eles, desde o mais pretensioso até o mínimo dos numerosos pregadores sagrados, que nesse piedoso e alegre tempo enchiam os púlpitos de Paris com as suas frases retumbantes e com os seus eloquentes e artísticos soluços.

O rei aborreceu-se e chegou a franzir as sobrancelhas. Luís XV, se era folgazão, era também devoto. E se era devoto era também homem de gosto exigente; não compreendia uma quinta-feira santa sem La Rose. Além disso, tinha na véspera abusado da sua suntuosa adega, e a melhor água de Selters para as suas ressacas era ainda La Rose.

— Que diabo! O caso era sério.

Empregaram-se os últimos recursos para descobrir alguém que, sem grande escândalo, fosse capaz de improvisar um sermão digno da real ressaca; ofereceram-se bonitas somas, fizeram-se as mais lindas promessas. O cabido inteiro agitou-se, remexeu-se, sorveu consecutivas pitadas, esfregou mil vezes o lenço encarnado no nariz, mas ninguém teve coragem para aceitar a espinhosa missão.

As salas do palácio arquiepiscopal pareciam formigueiros; as batinas esfervilhavam irrequietas, entrando e saindo, trazendo e levando recados. Cochichava-se daqui, cochichava-se dali, bichanava-se por todos os cantos e recantos do palácio, sem nada se resolver que aproveitasse.

E, no entanto, o tempo fugia e era preciso tomar uma resolução.

O arcebispo, já desesperado, ia estender o braço para tomar ao acaso o primeiro dos seus sufragâneos, e ordenar-lhe que subisse ao púlpito e despejasse, com um milhão de raios! um sermão qualquer, quando de improviso rasgou-se o reposteiro da sala, em que ele se achava entre uma negra nuvem de batinas, e viu-se surgir a veneranda figura de frei Oseias, com as suas grandes barbas brancas e a sua enorme calva de profeta.

Encaminhou-se diretamente para o arcebispo e disse-lhe, depois das reverências do estilo:

— Comprometo-me, se mo permitirem, a apresentar hoje no púlpito da capela real alguém que irá dignamente substituir o padre La Rose.

Fez-se em torno destas simples palavras um profundo silêncio de pasmo e de desabafo.

Bastava só, porém, a presença do frei Oseias naquela sala do paço arcebispal para levantar a sopresa do cabido inteiro, porque todos lhe conheciam a vida obscura e solitária, e todos sabiam que era muito e muito raro vê-lo fora do seu modesto convento, a não ser para algum ato de caridade.

Frei Oseias era um homem singularíssimo, como mais adiante apreciará o leitor. Havia vinte e tantos anos que em torno dele se formara, de dia para dia, a mais sólida reputação de virtude e santidade.

De quem disporia o singular frade para fazer substituir La Rose?...

E começou logo o sussurro dos comentários.

O arcebispo, entretanto, tomara-o avidamente pelo braço, e desaparecera com ele pela porta que conduzia ao interior do palácio.

Pouco depois, descia frei Oseias as escadas do paço, metia-se no carro que o esperava à entrada do jardim, dizia ao cocheiro que tocasse depressa para o convento de S. Francisco de Paula, e, daí a meia hora, atravessava o longo pátio ladrilhado de pedra e subia a pesada escada do claustro, em que ele se havia condenado a viver para sempre em dura penitência.

Apesar do tremor dos seus setenta anos, venceu ligeiro os extensos corredores abobadados, galgou uma estreita escada que conduzia a um sombrio mirante, e, tendo várias vezes volvido os olhos para trás, como se temesse ser acompanhado por alguém, chegou-se a uma pequena porta inteiriça, e bateu três pancadas secas com as falanges dos seus dedos ossudos e pálidos.

A porta abriu-se sem ruído. Ele entrou, e a porta fechou-se de novo, silenciosamente.

O lugar em que o venerando religioso acabava de penetrar, era uma triste cela, sombria e espaçosa, com uma janela gradeada e fechada, e apenas frouxamente esclarecida por uma claraboia do teto. As paredes, nuas de alto a baixo, tinham uma cor sinistra de osso velho. Em uma delas havia um grande nicho com a imagem da Virgem da Conceição, quase de tamanho natural; a um dos cantos, uma negra estante toscamente feita, pejada de grossos alfarrábios amarelecidos pelo tempo; no centro, uma mesa de madeira escura com um breviário em cima, ao lado de uma candeia de azeite, um pedaço de pão duro e um cilício de couro cru; junto à mesa, um banco de pau.

Oseias fora recebido à porta por um mancebo de uns vinte anos, muito pálido, ainda imberbe, vestido com uma esfarrapada batina de seminarista.

Não havia mais ninguém na cela.

O mancebo beijou-lhe a mão. Oseias abraçou-o e disse-lhe depois, tocando-lhe carinhosamente no ombro:

— Meu filho, vais hoje pela primeira vez atravessar as ruas de Paris e entrar na capela real.

— Para quê, meu pai?

— Para pregar o sermão de quinta-feira santa.

— Eu? Mas o que vou dizer?...

— Vais dizer pura e simplesmente o que sabes e o que sentes a respeito da paixão de Jesus Cristo... Não te preocupes com a multidão que lá encontrares, não te preocupes com o que vires! Fecha-te contigo mesmo e fala como se conversasses com o teu anjo da guarda. Abre o teu coração, quando abrires os teus lábios, e deixa dele sair, imperturbável e cristalina, a tua alma de bem-aventurado.

— Bem, meu pai.

— Daqui a pouco virá a roupa com que tens de ir. Dentro de uma hora virei buscar-te.

— Estarei pronto e às suas ordens, meu pai.

— Reza a Nossa Senhora enquanto me esperas. Adeus.

— Sua bênção, meu pai.

— Deus te abençoe.

E frei Oseias tornou a sair, fechando-se de novo sobre ele a porta, silenciosamente.

2
Frei Oseias e o enjeitado

As máscaras de hipocrisia que escondiam a corrupção da corte de Luís XIV, caíram com a morte desse príncipe. Os fidalgos e cortesãos pareciam impacientes por sair da forçada e falsa compostura, em que se mantinham durante a velhice devota do Rei Sol.

Até aí fingiu-se ainda; daí em diante ninguém mais procurou ocultar os seus vícios.

A ferocidade e a perfídia dos tempos bárbaros, os crimes do feudalismo, todos os erros, todos os abusos e todos os desregramentos de um governo cínico e perverso e de uma magistratura e uma jurisprudência feitas de ignomínia e adulação, eis do que se compunham os costumes desse infeliz começo de século.

A administração da polícia criava e dirigia casas de jogo e casas de prostituição.

Paris era policiado por malfeitores, vestidos de farda. Só uma coisa divertia o público: a crápula.

Mas o que caracterizava particularmente essa época, era o dourado verniz de elegância, com que o escol da sociedade de então disfarçava a libertinagem mais desenfreada e brutal.

A duquesa de Bourbon, apesar de casada, vivia publicamente com Du Chayla. Law levava a sua amante à corte. A princesa de Conti, filha do rei, posto que devota, já velhusca e cheia de aparentes escrúpulos, confessava não poder dispensar a consolação de seu sobrinho La Vallière. A outra princesa de Conti, a moça, essa, a despeito dos ciúmes que mantinha pelo marido, só deixou o seu amante La Fare, quando o substituiu por Clermont; a irmã dela, Mlle de Charolais, dava os mais terríveis escândalos com o duque de Richelieu. As filhas do duque de Orléans, então regente, levaram mais longe a sua depravação, porque tinham no próprio pai o principal cúmplice das suas orgias. A irmã da duquesa de Bourbon, Mlle de la Roche-sur-Yon, célebre pela sua beleza, não se separava de Marton, estivesse onde estivesse, e ameaçava de furar os olhos com um punhal, que ela trazia sempre na liga, àquela que lho roubasse ainda que por um instante. Mme du Maire, tendo aliás como amante vitalício o cardeal de Polignac, íntimo de seu esposo, disfarçava-se frequentemente em regateira, para correr as ruas e vielas de Paris em busca de aventuras de todo o gênero.

O pior no entanto, estava no que não se pode contar nestas páginas. *Toute chair était détournée de sa voie*, como disse Voltaire a esse respeito, e como o provaram com os fatos mais indecorosos as próprias delfinas de Luís XIV e Mme de Maintenon, e o *chevalier* de Vendôme, e o Sr. de Chambonas, e, mais que todos e que todas, a formosa duquesa de Chartres, que se recolheu ainda moça ao convento de Chelles, não para se penitenciar dos seus pecados contra a natureza, porém, sim, para poder, ali, naquele doce e obscuro viveiro de almas adolescentes, agravá-los mais à farta e mais à vontade.

Frei Oseias tinha nessa época vinte e cinco anos.

Havia feito seus estudos e recebera as primeiras ordens no seminário de Borgonha, sua província natal; depois atirou-se para Paris, onde se ordenou, justamente no começo da regência do Duque de Orléans.

Dotado de temperamento bastante sensual para arrastá-lo, e sem força na sua fé para poder resistir à corrente de perdições desse tempo ele, se não foi tão ferozmente devasso como Dubois ou tão friamente libertino como Dorat, acompanhou todavia o exemplo dos seus confrades, e com eles arrastou a batina pelos antros mais escorregadios do jogo, da embriaguez e da prostituição.

Chegou a fazer parte dessas ridículas e terríveis sociedades secretas, que infestavam o reinado de Luís XV, centros criados com o fim exclusivo de exercer o gozo, mas o gozo requintado, torturado, burilado a ponta de agulha; gozo como só se inventou nesse tempo, gozo à Chambonas e à Pompadour, de quem ele tirou o estilo complicado e extravagante. Vintimille, então arcebispo de Paris, devasso como os demais parisienses dessa época, mas enfim arcebispo, esteve a ponto de mandar Oseias para a Bastilha, como sucedeu com o padre Tencin, com Adrien Aubert, com Chegny, Pierre de Galon e outros muitos religiosos de sangue quente.

Mas quando Oseias chegou aos quarenta e cinco a cinquenta anos, começou a cair em si, e pela primeira vez pensou na perdição da sua alma, tão comprometida; e, ou fosse que os requintados prazeres lhe desfibrassem as energias da carne, ou fosse que uma grande e miraculosa transformação moral se operasse com efeito em todo o seu ser, o fato é que ele, fulminado de súbito pela consciência dos seus pecados sem remissão, desabou em fundo arrependimento e protestou nunca mais, nunca mais, cometer a menor ação que de longe pudesse envergonhar a sua responsabilidade de sacerdote.

Era tarde. Nada mais hipotético do que apagar um passado. Por mais brilhante e intensa que fosse a luz do seu arrependimento, lá estava o gigantesco espectro dos crimes cometidos, para antepor-se entre eles, e encher de sombra e remorso aquela consciência de sacerdote pecador. Por mais sincera e convicta que fosse a sua nova lei de conduta, por mais leal e verdadeira a sua nova linha de virtude, sua alma chorava perdida para sempre, porque para sempre se sentia corrompida e suja.

Então Oseias começou a dar-se todo, de espírito e corpo, à sua reabilitação.

Cegava-o ardente desejo de conseguir o seu fim.

Principiou por deixar de ser padre, para meter-se na ordem dos missionários de S. Francisco de Paula, denominados — "Os mínimos". Fez voto de pobreza absoluta e abriu mão de tudo, tudo que possuía; o que, aliás, não era pouco, porque além dos seus bens de família, Oseias metera-se a especular no jogo feroz que Law criara sob a regência, e chegara a acumular uma bonita soma de seis milhões de francos.

Desde então, noite e dia, hora a hora, instante a instante, a sua única preocupação era expurgar a alma das passadas conspurcações. E nunca ninguém se mostrou tão empenhado em reabilitar-se do passado. Por mais escabroso que fosse o ato de piedade, Oseias não desdenhava afrontá-lo, como se a sua fé, por muito tempo adormecida, acordasse de súbito, à vida de sacrifícios e provações.

Quer onde houvesse soluços e dores, chagas a laquear, lágrimas a suster, aflições a reprimir, ali estava ele, apresentando os ombros para todas as cruzes, que os seus semelhantes não pudessem suster.

A sua velha túnica, de sarja grossa e sem dobras, não lhe pertencia mais do que ao primeiro mendigo que sentisse frio; o seu pão só lhe chegava à boca, depois de rejeitado pelos que já tinham matado a fome; a sua luz só alumiava o seu covil de santo, quando nenhum gemido suspirava na treva.

Para esse arrependido egresso, criado nas orgias do começo do século passado; para esse arrependido devasso, que se embriagava com os restos do incestuoso prazer do duque de Orléans, a febre do arrependimento converteu-se em loucura, converteu-se numa nevrose que o arrastava de joelhos, com o rosto na terra, a todos os delírios da fé, a todos os heroísmos da abnegação.

A peste de Marselha foi um dos mais brilhantes teatros para o seu desespero de ser santo. Como um verdadeiro revolucionário do bem, fez dos farrapos do seu burel uma bandeira de caridade e agitou-a pelos alcouces abandonados, em que era vergonha entrar, ainda que fosse para socorrer os que morriam.

À última e mais leprosa das perdidas não negava sua boca o beijo da consolação, enviado por Deus aos desamparados pelos homens.

E assim, no fim de alguns anos de arrependimento, Oseias ganhara reputação de santo; e, com efeito, se nenhum religioso até antes fora mais culpado, nenhum também levou tão longe o esforço da sua reabilitação.

Mas, apesar de tamanhas provações, Oseias não se sentia purificado. Sua alma sangrava ainda, pedindo mais sacrifícios, e ele caía de joelhos, arranhando as carnes do peito com as unhas, e suplicando a Deus que lhe inspirasse um meio de resgatar-se, completamente, aos olhos da sua própria consciência envergonhada.

Que meio poderia ser esse que ele exigia de Deus?

Eis ao que nem o próprio Oseias seria capaz de responder.

Todavia, não cessava de pedir ao senhor misericordioso que lhe mandasse dos céus uma luz guiadora do caminho da completa salvação, certo de que Deus, onipotente e compassivo, havia de achar, nos segredos de sua bondade, recursos para apagar aquela dor incurável e profunda.

Foi nessa conjuntura que ele, uma vez de madrugada, saindo do seu convento para uma piedosa excursão, encontrou à porta do jardim uma pequena cesta, de onde um fraco e quase imperceptível vagido partia como de um berço.

Abaixou-se logo, apoderou-se da cesta, e verificou que dentro dela havia uma criança do sexo masculino.

Um enjeitado!

Tomou-o nos braços.

Mas um enjeitado de quem?... Por aquelas alturas não lhe apontava a memória qualquer pessoa que fosse capaz desse crime.

Além disso, porque o depunham à porta de um mosteiro, frio lugar onde só havia alguns pobres religiosos sem recursos para nada?...

Era como se o lançassem ao surdo portão de um cemitério!

Qual seria a mãe, tão néscia, que, procurando passar seu filho às mãos de quem o pudesse fazer viver, fosse procurar um lugar onde eram crime a voz e o choro desses anjinhos da terra?...

Então uma estranha ideia acudiu ao espírito sobressaltado do infeliz frade.

— Quem sabe — pensou ele — se esta inocente criatura será um enviado de Deus?... Sim! Sim! Bem pode ser o Senhor misericordioso, compenetrado da sinceridade do meu arrependimento e da amargura da minha dor, me enviasse dos céus este meio de resgate para minha alma!... Sim! Sim! Eu, que não consegui ser um padre digno e puro; eu, a quem faltaram amparo e forças para lutar com as tentações mundanas, tenho aqui, nesta pequena porção de carne imaculada, o cabedal para fazer um sacerdote casto e sagrado, como eu devia ter sido e não fui!

E Oseias como que se encontrava a si mesmo, encontrando aquela criatura angélica.

Era Deus, sem dúvida, que o restituía ao berço e ao seu supremo estado de pureza, para que ele começasse de novo a viver, armado, entretanto, para todas as lutas.

— Sim! Sim! — exclamou ele, erguendo nas mãos trêmulas a criancinha, e cobrindo-lhe os pés de beijos e de lágrimas de alegria. — Sim! Sim! Desta cera virgem poderei fazer um sacerdote digno de Deus! Obrigado, obrigado, meu Pai de bondade, que ouviste afinal as minhas súplicas e me enviaste do teu peito de amor um meio de salvação!

E louco de contentamento, despiu sem hesitar o seu velho capote, envolveu nele a criança e correu à casa mais próxima, para pedir que a ela prestassem os primeiros socorros.

Logo que pôde, levou-a à igreja, batizou-a com o nome de Ângelo; depois tratou de descobrir uma mulher honesta, que se quisesse encarregar da aleitá-la até a época competente.

E, quando o pequenino Ângelo pôde enfim dispensar os cuidados da ama, Oseias carregou com ele para o seu convento, e encerrou-o misteriosamente numa cela ignorada e sombria.

A bem poucos dos seus confrades confiou o segredo do que ele chamava "a criação do Messias da sua alma". E, desde essa época, Ângelo viveu sem nunca sair do convento e nem sequer chegar a uma janela para ver a rua.

Oseias foi o seu companheiro, e o seu guia, e o seu mestre, e o seu pai espiritual. Só o confiava a algum dos outros religiosos ou a algum professor do seminário, quando as exigências do ensino assim o determinavam.

O sigilo da existência e da criação de Ângelo no convento, não foi quebrado por nenhum dos frades que o conheciam. Uma cadeia de respeitoso interesse formou-se em torno dessa criança, que todos eles acreditavam predestinada, pelos mistérios do céu, a cumprir na terra uma alta e sagrada missão.

Ângelo cresceu, pois, fechado na sua religiosa estufa, sem ter nem ao menos desconfiança do que se passava lá fora, nessa cidade do prazer e do vício. Cresceu casto como uma flor, que as abelhas e as borboletas não alcançam.

Apenas conhecia a religião e a Bíblia. Até os vinte anos, fez todos os seus estudos e recebeu as ordens ao lado do pai espiritual. Mas tal era a confiança que o velho Oseias tinha no seu discípulo, que não hesitou em apresentá-lo para substituir La Rose no sermão de quinta-feira santa na capela real.

Ângelo ia sair à rua pela primeira vez.

3
Virgindade no homem

Logo que Oseias deixara a sombria cela do convento de S. Francisco de Paula, e a porta se fechara sobre ele silenciosamente, Ângelo, em obediência às suas ordens, ajoelhara-se defronte do oratório e começara a rezar.

Na sua alma inocente não passava a ideia da responsabilidade que o esperava. Sem nunca ter saído à rua, sem conhecer Paris e os parisienses, não podia desconfiar sequer do que era nesse tempo um sermão pregado na capela real, defronte do rei e da corte.

Não sabia que nesse tempo, piedoso e devasso, fazia-se da religião um prazer requintado, e que o púlpito era, como o palco, ou como o livro, ou como o salão e o álbum, um meio de exibições de talento esquisito e complicações de arte. Não sabia, o pobre Ângelo, que o pregador do que menos precisava, nesse bom tempo do estilo equilibrado em cinco palitos, era de ser sincero e convicto, mas sim de ter originalidade na maneira, graça na exposição da frase, elegância nos gestos e naturalidade galante nos soluços e nos gemidos de pecador.

Essa mistura do sagrado áspero com o profano macio, do prazer aveludado com a devoção capitosa, produziu as célebres festas híbridas, que então se organizavam em uma das salas das Tulherias durante a quaresma, e as quais deram gamenhamente, o nome de *Concertos espirituais*.

Luís XV gostava de presenciá-las, sentado a um canto entre algumas formosas mulheres, e bebendo vinho da Síria, que era o seu vinho predileto. Pestanejava e sorria para todos os lados. Liam-se versos ternos e religiosos, cantavam-se o *Miserere*, o *De profundis*, o *Stabat*, e outras coisas tristes, mas tudo com muita graça e requebros faceiros.

Era o amor temperado com óleo cheiroso de Santa Luzia.

Havia sempre para estrear, no púlpito desses concertos, um ou mais jovens eclesiásticos, sempre moços bonitos, aos quais, durante o sermão, serviam água rosada e licor de violetas. E o que deles se exigia, era apenas voz doce, olhar meigo, dentes bem claros, lábios vermelhos, rendas alvíssimas na camisa, e mãos brancas de unhas limpas. Às vezes criava-se uma bela reputação e fazia-se uma bonita carreira, só com uma palavra feliz ou com um gemido suspirado com chiste em ocasião oportuna. O caso era que as gentis devotas se impressionassem. E só se falava à meia voz, só se namorava a meio sorriso e só se andava lentamente aos pulinhos, abafando os passos nos arminhosos tapetes a que Pompadour deu o seu nome.

Ângelo, coitado, nada conhecia disso nem por notícia sequer; como igualmente não conhecia o outro gênero de pregadores, não menos comum nesse tempo, o do pregador terrível, de pulso forte e cabeça dura, que ia para o púlpito de cacete escondido debaixo do capote, e cujos sermões eram por via de regra uma descarga política e uma tremenda descompostura, contra o partido dos Jansenistas ou contra o partido dos Molinistas, conforme a filiação do orador, e que, em geral, acabavam também por soluços e gemidos, mas estes agora bem sinceros e bem reais, e grossa pancadaria no átrio da igreja.

Até certa idade, Ângelo chegou a acreditar que o mundo se resumia no seu convento, e que a humanidade se compunha apenas daquela meia dúzia de frades, ingênuos e quase santos, que ele conhecia. Oseias, com um cuidado enorme, um zelo de guarda do Paraíso, isolava-o dos seminaristas e dos empregados do seminário, e lhe não deixava cair nas mãos a mais inofensiva página de qualquer livro que não fosse religioso.

E, no entanto, Ângelo era dotado de um poderoso talento de assimilação e devorava sofregamente tudo, bom ou mau, que lhe davam para ler. As matérias religiosas que plantaram no seu fecundo espírito, desabrocharam logo, produzindo uma intrincada floresta de filosofia teológica, que abismava aos próprios seus professores.

Aquela criança — diziam estes — estava destinada a fazer o verdadeiro renascimento da religião cristã.

E cresciam os desvelos em torno de Ângelo, orçando já pelo fanatismo. Não lhe permitiam olhar para o pátio do convento, onde havia uma criação de galinhas e coelhos. Receavam, e com razão, que o espetáculo dos instintos procriadores dos inocentes bichos despertasse no outro inocente ideias que a igreja reprovava. Escondiam-lhe o próprio sol em dias de grande calor, como se a exibição daquela vida que se derramava sobre a terra para fecundar com a luz germinadora e benéfica, fosse bastante para acordar na carne pálida do seminarista a revolucionária centelha do amor.

Entretanto, Ângelo bem pouco se impressionava com essas coisas, e tinha para todas essas lubrificações com que a natureza estimula a vida, um profundo olhar de indiferença, como se todo ele estivesse perenemente voltado para a fria religião ideal e azul, em que os anjos, únicos que a povoam e habitam, não têm idade nem sexo.

Não era uma criatura humana, não era um moço que ia entrar na adolescência; era a sombra incolor de um obscuro beijo que se fizera carne, e que o crepúsculo da manhã confiava ao crepúsculo da tarde, pedindo-lhe que o não deixasse corromper-se à sensual e perturbadora luz do sol.

Às vezes, ao cair da noite, quando a natureza parece abrir o peito, para chorar em gotas de orvalho as misteriosas dores do seu parto de todos os dias, ele, o pálido enjeitado, que vivia à sombra das paredes sonolentas e úmidas de um claustro, saía a passear pelo maltratado jardim que havia nos fundos do convento. E aí, entre as cheirosas moitas das rosas silvestres, tépidas ainda do derradeiro sol que as dourara no último poente, o seu vulto triste e meigo transparecia, como um sonho de poeta ou um fugitivo devaneio de donzela.

Pobre Ângelo! De tudo que sua alma podia conceber, só uma coisa lhe não esconderam — a Bíblia. E era com o auxílio desse poema quente e cheiroso como os perfumes de Cedar, que ele, o infeliz, enchia de estrelas os seus devaneios de sonhador impúbere.

Nesses momentos, o canto que o seu coração cantava chorando, e chorando lhe fazia agitar da boca as pétalas trementes, era o *Cântico dos Cânticos*, o livro do poeta rei, amante de todas as mulheres formosas do Oriente.

Ironia dolorosa! Ângelo, o casto, arrebatava-se nas asas da inspiração do poeta de mil amantes!

"Eu durmo e o meu coração vela; eis a voz do meu amado que bate, dizendo: — Abre-me, irmã minha, amiga minha, pomba minha, imaculada minha; porque a minha cabeça está cheia de orvalho, e me estão correndo pelos anéis do cabelo as gotas da noite."

"Eu abri a minha porta ao meu amado, mas ele já se tinha ido, era já passado a outra parte. A minha alma se derreteu, assim que ele falou: busquei-o, mas não o achei; chamei-o, e ele me não respondeu."

E Ângelo, quando estes versetes lhe vinham ao espírito, misturados com os suspiros da vaga saudade, que ele mal definia e em que mal acreditava, caía em fundas cismas, para as quais só havia uma consolação: escrever. Não versos, desses que o público exige dos poetas mundanos, porque Ângelo não conhecia regras de arte, mas lançava sobre o papel frases como as que lia no livro de Salomão, ao correr da pena, e impregnados da quente virgindade de sua alma.

Quem roubasse da escura cela as tiras de papel, esquecidas sobre a tosca mesa de pinho, leria nas trêmulas linhas, aí traçadas todas as noites com mão nervosa, estranhos pensamentos como os que formam o capítulo a seguir.

4
Vem! Que te chamo!

"Amado da minha alma, aponta-me onde é que apascentas o teu gado, onde te encostas pelo meio-dia, para que não entre eu a andar feito uma vagabunda atrás dos rebanhos dos teus companheiros.

"O meu amado é para mim como um ramilhete de mirra. Ele morrerá entre meus peitos.

"Meu amado, vem comigo pelos campos, dá-me a tua mão; que eu perfume nela os meus cabelos e que eu sorva tremente o cheiro da tua boca, como a cabra montesa que morde os lírios da ladeira.

"Tu és belo e forte como o cedro, suave como a ribeira, e tua voz é como o gemido das pombas.

"As tuas faces têm toda a maravilha de um prado iluminado por dois sóis, e onde os meus beijos, como um rebanho, descansam à sombra dos teus cabelos.

"Vem, amado meu do meu coração, que eu por ti definho de amor e morro de tristeza.

"O amado do meu coração é bonito que nem essa cabra arisca, que grimpa à tardinha pelos escalvados outeiros sem relva, e que de noite e de manhã a gente não bispa mais. Ele é como o veadinho branco, que corre mais depressa e se some, se lhe querem pôr a mão em cima. Ele é como aquilo que nós mais queremos, e que não está dentro dos nossos braços e junto dos nossos lábios.

"Mas não, alma minha mentirosa, ei-lo que ali está ele, todo amoroso e rubicundo, posto de pé por detrás da parede do meu quarto, olhando o meu leito pelas frestas da janela, chorando de amor e estendendo a vista dos seus olhos por entre as gelosias.

"Lavei os meus pés assentada no meu leito. Como os hei de sujar agora?

"O sândalo e a murta estão recendendo.

"Vem, amado de minha alma, as vinhas já puseram o primeiro cacho de seus frutos, e as moças de Jerusalém estão dormindo à sombra das parras, para sonhar com aqueles que as querem para amar.

"Eu só, amado das minhas entranhas; eu só, a mais mesquinha entre filhas de Jerusalém, não durmo o sono da noite, e estou à espera que a minha vinha amadureça e tome cor, para te puxar para meu lado e repartir contigo a minha uva doce.

"Virás, que te chamo com as minhas mãos, e te abro meus peitos.

"Tu és, amado de minha vida, o escolhido do meu coração. Tua cabeça é como a espiga de ouro que o sol beija de manhã, pensando que beija a mesma cabeça de seu filho, os teus cabelos são como as fibras que as palmeiras choram, quando lhe arrancam as pencas dos seus frutos que elas produziram. São leves, macios, correntes e ondulosos, são como os cabelos do milho doce, e mais doce que o mel gostoso da flor da banana.

"Eu te amo, porque tu és formoso. Mira-te, tu, nos meus olhos amorosos, e verás se te mentem minhas palavras. Não me fujas como a ave que deseja a irmã sozinha no ninho, sem o companheiro para cobrir os ovos. Teu rebanho não se perderá na montanha, enquanto tu dormires com a cabeça entre meus peitos de amor.

"Vem, amado meu. As nossas noites serão como os regatos tranquilos, em que se abrem os nenúfares, brancos e perfumados como sonhos de amor. Teus lábios serão dos meus lábios, teus cabelos serão dos meus cabelos, teu seio do meu seio, como a raiz é da terra, como a flor é da abelha. Vem, põe a cabeça em cima de mim e dorme o teu sono, que eu também dormirei, mas desfalecida de amor. Dá o teu último pensamento vivo para os meus lábios, para que eu o guarde dentro de mim, e te o restitua depois na tua boca. Fala-me para dentro, e minha alma te ouvirá cativa e amorosa.

"Conjuro-te, amado meu, que desças da montanha pelo teu pé e venhas até a mim, que te quero. Traze tu o teu rebanho branco, e iremos, nós juntos, apascentá-lo muito longe pelas campinas, até que morra o sol e a noite chegue sacudindo os cabelos orvalhados de estrelas.

"Junta-te comigo, que eu sou o mel de que teus lábios gostam. Bebe a doçura da minha boca, e tu me pedirás o favo inteiro.

"A asa procura a flor, porque a flor esconde o mel doce nos seus seios. Vem; vem e fecha nas tuas asas de sol as pétalas do meu desejo.

"Desce donde estiveres, vem, que te espero eu, sem poder fechar o meu tormento, enquanto não chegares para me amar.

"Mas quem és tu, amado de minha alma, que meus olhos te não distinguem por entre as sombras da minha vida, nem meus braços te alcançam, quando de noite te busco nos meus sonhos?... Quem és tu, amada visão, que eu busco e que me acompanha?... Quem és tu, que te evoco e me não vales, quando todo meu desejo é que me desejes e me tenhas?

"Minha porta dorme tão aberta como meu peito. Meu leito não tem muros, e meus braços não se cruzarão para o teu encontro, posto sejas tu o senhor, e eu escrava que te espera.

"Tu me reconhecerás na sombra, se chegares; basta que ponhas a mão sobre minha carne. E isso será um selo para que tu nunca mais me percas.

"Vem, amado do meu coração! Vem! Vem, que toda eu te quero!"

E, no entanto, Ângelo era um inocente, ou, pelo menos, nunca tinha visto uma mulher.

5
Triunfo inconsciente

Dotado, como ficou dito, de grande atividade intelectual e poderoso talento de assimilação, Ângelo aos quinze anos já embasbacava os seus ingênuos professores, com as argúcias das suas réplicas e com os engenhosos comentários que fazia do Velho e do Novo Testamento.

Oseias, cada vez mais profundamente convencido da procedência divina do seu pupilo, guardava-o e escondia-o afinal com o respeitoso carinho e desvelo com que se guarda uma relíquia consagrada.

E a crença de que Ângelo era um inspirado por Deus, foi ganhando o espírito de todos que com ele praticavam no convento.

Havia com efeito no ar daquele pobre adolescente prisioneiro de um claustro, alguma coisa que impressionava a quem o observasse de perto. Os seus grandes olhos azuis, muito escuros, quase negros, tinham uma híbrida expressão feita de inocência e perspicácia; eram vivos como os da águia, mas transparentes e doces como os de uma criança, e tinham, ao mesmo tempo que deixavam transluzir toda a virgindade daquela alma imaculada, súbitos clarões, inteligentes, que denunciavam um espírito agudo e forte. Na suavidade das suas faces de moço, havia a sombra das duras penitências e das grandes vigílias místicas sobre as páginas do breviário, ou defronte do altar da Virgem Santíssima, mas havia também uma juvenil frescura de flor, dessas misteriosas e pálidas, que só à noite desabrocham e recendem. A sua boca imberbe era um conjunto fascinador de graça e de tristeza, seus lábios, um tanto cheios e sanguíneos, pareciam todavia talhados mais para os beijos de amor do que para o frouxo balbuciar das orações. Seus cabelos negros, crescidos à nazarena, como então usavam os religiosos de França, derramavam-se-lhe em fartos anéis sobre a brancura do pescoço e caíam-lhe em trêmulas madeixas de lado a lado do rosto.

Devia ter sido um rapaz muito forte, se não fora a enervadora clausura a que o condenara seu infeliz destino. Era de natural esbelto e airoso, tinha os dentes brancos e rijos, o queixo enérgico, o nariz feito de uma só linha, a fronte alta e severa.

As macerações dos jejuns e das ásperas disciplinas não conseguiram desfibrar-lhe de todo a sólida compleição com que a natureza o dotara. Apesar de tudo, era ainda, nos seus cândidos vinte anos, uma garbosa e gentil figura, que havia fatalmente de impressionar às damas sensuais da corte de Luís XV.

Efetivamente assim foi.

Conduzido até ao púlpito por seu pai espiritual, Ângelo, mal se mostrou e percorreu com os olhos inexperientes o auditório que o aguardava ansioso, um súbito rumor de simpatia percorreu toda a igreja. As mulheres, instaladas nas tribunas, alongaram o pescoço para o ver melhor. O rei sorriu interessado, e logo toda a sua corte sorriu também.

A capela, completamente cheia, palpitava de curiosidade. Paris elegante estava todo ali, entre aquelas bonitas paredes de mármore cor-de-rosa, guarnecida de florões e filetes de ouro rebrilhante. Sentia-se o tilintar dos pingentes de cristal dos imensos lustres de mil velas, e sentia-se por entre o farfalhar dos veludos e das sedas, o fremir dos leques de tartaruga e madrepérola, suavemente agitados contra os adereços preciosos. O cheiro sagrado da mirra e do incenso confundia-se no espaço com os voluptuosos perfumes do toucador.

Ângelo, imóvel, de pé, mãos pousadas no rebordo do púlpito, olhos postos no alto e lábios entreabertos, fazia a sua oração preparadora, inteiramente alheio a toda aquela luzida e refulgente corte que o cercava.

Compreendia-se que sua alma, arrebatada no enlevo da prece, vagava naquele instante pelos infinitos páramos do céu.

Toda a sua fé, toda a sinceridade das suas crenças e toda a pureza do seu corpo e do seu espírito, vieram-lhe ao semblante naquele momento de profundo êxtase.

Parecia um arcanjo em dulcíssimo idílio com a Divindade. Dir-se-ia que ele, de um instante para outro, ia desprender-se da terra e partir lentamente para Deus, como a própria súplica que lhe agitava as rosas da boca e se evaporava como um perfume.

Quando as suas primeiras palavras saíram-lhe do coração, num doce murmúrio de voz angélica, houve em todas aquelas pobres criaturas, estafadas pelo vício e pela libertinagem, uma inesperada comoção que lhes umedecia os olhos.

E ele, sempre arrebatado no voo do seu enlevo religioso, continuava a falar, como se estivesse sonhando, cercado de uma nuvem de anjos.

A sua voz, de cristal e ouro, virgem e sonora, enchia o recinto, produzindo naquele extático e maravilhado auditório o efeito de uma estranha música desconhecida, que baixasse dos céus para acordar-lhe, no corrompido e morto coração, uma ideia generosa e consoladora.

Foi geral e profunda a comoção. As mulheres arfavam, sem despregar os olhos da encantadora figura de Ângelo. O rei deixara pender a cabeça sobre o peito e cismava, possuído de uma expressão de bondade, que até aí ninguém lhe tinha jamais visto. A condessa de Pompadour, debruçada no seu genuflexório de veludo carmesim, tinha a fisionomia paralisada e parecia orar contritamente.

Entretanto, Ângelo falava sempre, e sempre alheio ao que o cercava. Suas frases vinham-lhe aos lábios naturalmente, sem que houvesse nele a mais ligeira preocupação de agradar ao público ou armar ao efeito. Era nada mais do que a confissão do seu entranhado amor pelo mártir do Gólgota, um descrever de dores cruciantes, que ele sofria dizendo-as ali, como se naquela ocasião as experimentasse, possuído de uma revolta de arcanjo fiel e cheio de piedoso entusiasmo por esse Deus humilde, que abandonou o seu trono celeste para vir padecer, na terra ingrata, como o derradeiro dos homens.

Falava de Jesus como se falasse de um desgraçado companheiro, a quem arrancaram de seus braços para levá-lo de rastos por essas ruas, cuspindo-lhe sobre as feridas, rasgando-lhe as carnes nas pedras do caminho, e matando-o afinal num poste infame, onde se justiçaram os ladrões e os assassinos.

A sua dor era sincera, e por isso se apoderava do coração de todos que o escutavam; tanto que Ângelo, ao terminar a prédica, lançando o derradeiro lamento de desespero pela morte do Redentor, e pedindo a Deus que o fulminasse também naquele mesmo instante, para nunca mais ter olhos, nem boca, nem ouvidos para este mundo de maldades, viu erguerem-se todos em volta dele e um grito de entusiasmo acompanhar as suas últimas palavras, como se de repente acordassem em sobressaltos, depois da embriaguez em que os lançara aquela estranha e capitosa eloquência.

Mas, antes que tivessem tempo de apoderar-se dele, e antes que as damas descessem das tribunas para felicitá-lo, já frei Oseias, cioso do seu tesouro, arrastava-o pelos corredores da sacristia e metia-se com ele no carro, mandando tocar a toda pressa para o convento.

Quando o rei lhe mandou dizer pelo seu primeiro criado particular, o Sr. de Laborde, que viesse à sua presença para falar-lhe, já a sege de praça em que ele ia com o frade, havia desaparecido muito tempo antes.

6
Um homem puro discutido por mulheres

O sermão de Ângelo foi um verdadeiro acontecimento, que logo se apoderou da curiosidade de Paris inteiro.

Por toda a parte se falava em tal, e se comentava aquele pálido e meigo seminarista, que vinha, da sombra silenciosa de um pobre mosteiro, abalar o coração de toda a corte de Luís XV.

Discutiam-lhe os olhos, a boca, os cabelos. Falava-se do seu ar angélico, da sua encantadora expressão de santo inspirado, e da maravilhosa doçura da sua voz.

Formaram-se logo mil lendas a respeito dele, e sabia-se que o rei, depois de lhe oferecer um lugar na capela real, o que foi imediatamente recusado pelo velho Oseias, propôs-se a assistir à sua missa nova, graça que não tinha até aí concedido a nenhum outro iniciando, e prometeu também presenteá-lo com as vestes e paramentos que o seminarista tinha de pôr nesse dia, o que equivalia a dizer que Ângelo iria ordenar-se cercado de todos os esplendores.

E começaram, tanto os que presenciaram o famoso sermão de quinta-feira santa, como os que apenas ouviram falar dele com insistência, a esperar o dia da iniciação de Ângelo, para ter, ao menos, o prazer de ver esse imberbe e afortunado pregador, que assim abalava escandalosamente o alto e baixo público de Paris.

Ângelo era o assunto de todas as palestras da rua e das salas. No teatrinho que o duque de Orléans tinha no seu palácio de Bagnolet, célebre pelas cenas licenciosas que aí se representavam, tratava-se já de fazer subir à ribalta uma peça com o nome dele, na qual o duque desempenharia um dos principais papéis.

No salão teatral da duquesa de Villeroi, onde o rei da Dinamarca viera uma vez para ouvir declamar o popularíssimo Le Kain e Mlle Clairon, pensava-se também em montar uma comédia de assunto sacro, cuja ação se passava na capela real, e cujo protagonista era um pregador de vinte anos.

E, assim, no teatro do Barão de Esclapon, no da duquesa de Mazarin, no do Sr. de Magnaville, no do príncipe de Condé, no da Guimard, e nas salas alegres de Sofia Arnould, pontos esses de reunião em que melhor se fazia espírito e, com mais graça e mais picante maldade, se discutiam as novidades e os escândalos do dia, era ainda Ângelo o assunto da palestra e o objeto de mil epigramas, sátiras e trocadilhos.

Mas onde incontestavelmente o assunto despertou maior escândalo, foi no salão da condessa Alzira, bela, cínica e espirituosa cortesã, célebre por ser nessa época a mulher mais insensível e mais fria de Paris. Juravam todos que a formosa condessa jamais sentira por ninguém a menor partícula de amor, e que o seu melhor momento de alegria era quando, por causa dela, algum dos seus inúmeros apaixonados caía morto em duelo ou metia uma bala nos miolos.

Começando pelo rei, que fora o seu primeiro amante, pertencera ela depois simultaneamente, ora mais ora menos tempo, a toda a gente da corte capaz de manter mulheres caras.

Tinha uma virtude: a ninguém enganava, porque, não só confessava francamente ao seu dono da ocasião toda a sua insensibilidade, fosse lá por quem fosse, como não repartia com um segundo aquilo que um primeiro houvesse arrematado já e pago à vista.

Esta sinceridade original em uma pessoa das suas condições, valeu-lhe a estima de alguns homens de espírito. De sorte que as quintas-feiras de Alzira eram frequentadas por boa roda de rapazes, e a gente se não aborrecia entre as quatro paredes das suas riquíssimas salas.

Como fiéis, reuniam-se lá todas as semanas suas amigas, a cantora Sofia Verriére, Gabriela Vanguyon, Margarida Duclos, o Conde de Saint-Malô, Artur Bouvier, e, principal e invariavelmente, o seu velho amigo, o único homem para quem Alzira tinha às vezes um sorriso de amizade, o Dr. Cobalt, médico de nomeada, que fazia algum ruído em volta do próprio nome com os seus estudos sobre o materialismo, então apenas nascente em França.

E as reuniões eram boas quase sempre. Na imediata ao sermão de quinta-feira santa, era Ângelo o assunto forçado em todos os grupos.

— Um triunfo! — exclamava Sofia — um verdadeiro triunfo! Em alguns dias o tal discípulo do velho Oseias tornou-se quase tão popular como a Pompadour!

— É exato! — confirmou o Conde de Saint-Malô — depois de Bossuet, não se ouviu em Paris uma prédica tão notável. Nem as melhores de La Rose!

— Ah! — interveio Artur Bouvier — o sermão de quinta-feira foi com efeito uma obra-prima no seu gênero! Vi desfazerem-se em pranto criaturas, a quem eu supunha fosse impossível arrancar uma lágrima!

— Pois se até a Guimard chorou!... — disse Margarida — mostrando os seus dentes grandes como os de uma inglesa.

Bouvier replicou:

— A Guimard não admira, é uma mulher! Feia é verdade; magríssima, não há dúvida; sarapintada de marcas de bexiga, ninguém o nega; mas afinal é uma mulher! Comover, porém, o duque de Fronsac e o marquês de Sade até a lágrima... isso é que é verdadeiramente extraordinário!...

— Pois esses dois monstros choraram?... — perguntou Gabriela, afetando grande surpresa. — Oh! Como hoje em dia a lágrima está ao alcance de todas as bolsas!...

— Pois choraram... — insistiu Bouvier. Tanto que a propósito Sofia Arnoud disse que o jovem pregador, fazendo brotar água de tais rochedos, conseguira maior milagre do que o seu legendário colega Moisés.

— Ah! — suspirou Margarida. — Não há dúvida de que o talento sabe fazer todos os milagres!...

O Dr. Cobalt, que a um canto da sala conversava com Alzira, mas aplicava meio ouvido à palestra dos outros, exclamou de lá:

— Não! Não! Perdão! Não foi o talento que fez o milagre, minhas gentis amigas; não foi o talento, nem tampouco a ilustração teológica do jovem seminarista, o que tão profundamente impressionou Paris...

Estas palavras do médico abriram na sala um silêncio de surpresa e indignação.

— Como? Pois o Dr. Cobalt tinha a coragem de negar talento ao pregador de quinta-feira santa?... Oh!

O Conde de Saint-Malô aprumou-se ainda mais sob os bofes bordados da sua camisa de rendas. Bouvier cerrara os lábios, revoltado, e Gabriela assentara sobre o doutor o seu *lorgnon* de tartaruga.

— Negar talento ao pobre moço!... Com efeito!

Cobalt sorriu, levantou-se, e, indo colocar-se entre eles, respondeu com a sua fleuma habitual, afagando o ventre:

— Sim senhor, sim senhor; não foi o talento, nem foi a ilustração do seminarista, o que impressionou Paris inteiro. Há por aqui milhares de teólogos, muito mais fortes na matéria e mais oradores do que Ângelo, que não conseguem abalar um só dos seus ouvintes.

— Então o que é que foi?... — interrogou a formosa Gabriela, sem abaixar o *lorgnon*.

— Uma coisa muito simples, minha querida senhora, uma coisa extremamente simples...

Todos se aproximaram dele, vencidos pela curiosidade.

— Que foi? — Que foi? — Que foi então?...

— A sinceridade — respondeu o médico.

— A sinceridade?... — exclamaram em coro.

— Sim, meus caros amigos. A verdadeira convicção nas suas crenças, o verdadeiro sentimento do que ele afirmou no púlpito. Foi só daí que lhe veio aquela poderosa e dominadora eloquência. Ângelo falou mais com o coração do que com a cabeça, e só por isso Paris o ouviu tão comovido.

E depois de uma pausa: — Sim, porque é preciso confessarmos uma coisa, meus idolatrados amigos: os parisienses de hoje dispõem de muito espírito e de muita enciclopédia, mas, em questão de sentimento e de sinceridade... são de uma pobreza franciscana.

— Não é tanto assim!... — arriscou Artur.

— Nós, os parisienses de hoje — prosseguiu o médico — somos muito corteses, muito engraçados, sim senhor, mas... falsos e hipócritas como ninguém...

— Ora essa, doutor!... — resmungou o conde com um trejeito de ressentimento.

Cobalt acrescentou, torcendo para baixo a linha fria da sua boca barbeada:

— Paris admirou em Ângelo o que Paris já não possui e só por isso considera extraordinário. Foi o assombro do homem desfibrado e gasto, produzido pelo homem ainda forte e perfeito. Admirou a fresca e delicada flor do sentimento, que ele supunha há muito tempo extinta; admirou esse estranho Ângelo como se admirasse uma raridade preciosa, uma das nossas armaduras dos tempos gauleses por exemplo.

— Não sou dessa opinião! — opôs Gabriela, voltando o rosto.

Alzira, que não deixara o canto do seu divã, ia cada vez mais se mostrando empenhada no que dizia o médico. Agora tinha o cotovelo fincado na almofada, a mão amparando o rosto, e os olhos espetados no teto.

— Era muito natural — continuou aquele — muitíssimo natural que, em meio de uma sociedade devassa, em meio da França da Pompadour, aquele verbo sincero, ingênuo, convicto e apaixonado, a todos fulminasse, como se fora ele raios de luz vingadora enviada diretamente por Deus. Paris, meio eletrizado de *champagne*, havia adormecido embalado por uma canção de Bouflers, guinchada por qualquer *espalier* do teatro de Audinot, e acordou estremunhado no dia seguinte à voz cristalina e matinal de uma criança, que vinha repetir em linguagem bíblica o que há quase dezoito séculos apregoavam em Galileia os discípulos de Cristo. É natural que se comovesse... e foi isso justamente o que sucedeu. Paris, que há tanto tempo só sabe fazer uma coisa bem feita e com graça — a orgia —, ficou embasbacado defronte da casta e simples palavra de um pobre seminarista sem pretensões. Nada mais justo! Mas o que lhes afianço, meus amigos, é que, se o simplório do padreco visasse a qualquer efeito; se desconfiasse, ao menos, da impressão que ia produzir no público, a ninguém teria comovido. Se ele conhecesse a sociedade que hoje o aclama; se ele tivesse tido a menor aspiração de glória; se ele não fosse, enfim, coitado! mais inocente e mais puro do que a menina mais inocente de Paris, juro-lhe que não conseguiria o triunfo que obteve. O choque foi grande, porque foi inesperado. Os parisienses morrem pelo imprevisto e pela novidade; e ninguém, hoje em dia, lhes poderia proporcionar melhor novidade, do que o singularíssimo caso de um rapaz de vinte anos perfeitamente imaculado e puro!

— Mas, doutor, ele será com efeito tão puro como se diz por aí?... — perguntou Gabriela em ar de riso. — não creio!

— O que há de mais puro — confirmou o médico.

— Um homem virgem em pleno século dezoito!... Qual! — disse Sofia Verrière, soltando uma risada — também não acredito!

— Nem eu! — reforçou Margarida — sem rir.

— O Dr. Cobalt exagera com certeza... — observou Gabriela.

— Não exagero — tornou o materialista — e digo mais, que ele nenhum mérito revela com semelhante raridade, porque tal pureza não é obra sua, mas sim de frei Oseias.

— Mas, afinal — perguntou Alzira, saindo da sua abstração e encaminhando-se para o doutor — afinal, qual dessas mil e uma lendas, que correm por aí a respeito de Ângelo, é a verdadeira?

— Quais sejam as mil e uma, não sei... — disse o médico, sentando-se no meio do grupo — mas a verdadeira é esta que vou contar:

— Pois venha a lenda!

— Venha a lenda!

— Atenção!

7
Frágil como uma lágrima!

O Dr. Cobalt, com o espírito alegre de que era dotado e com a sua pitoresca e original maneira de contar as coisas, narrou às damas e cavalheiros que se achavam no palpitante salão da condessa Alzira, a curiosa e singela história de Ângelo.

Foi escutado com o máximo interesse. A formosa e fria dona da casa, essa mulher que diziam de coração surdo a todas as ternuras e de olhos secos e fechados para todas as dores, era todavia a que se mostrava presa dos lábios do narrador, e a que mais avidamente lhe bebia as palavras.

— Oseias — disse o médico concluindo — queria enfim fazer um padre perfeito, para poder dar alguém por si, quando, despido da traiçoeira carne, tivesse de apresentar-se de alma nua perante o Criador, e tivesse, como sacerdote, de prestar contas do que praticara nesta vida. Queria fazer um grande coração, muito forte e muito amoroso; amoroso para Deus, forte para o mundo. Queria que o seu discípulo amado fosse uma torre de cristal, invulnerável e incorruptível, mas tão alta e tão sólida que ligasse a terra ao céu e o homem a Deus!

Dito isto, calou-se por um instante; depois sorriu para o atento grupo que o cercava silencioso, e acrescentou, pondo-se de pé e abrindo os braços, na galante reverência de uma quase mesura:

— Ora aí têm, meus adoráveis amigos, tudo o que sei de fonte pura a respeito do singular moço, que tão formidável impressão deixou sobre Paris na quinta-feira santa.

Alzira quebrou o seu silêncio para perguntar, com os olhos fitos no médico:

— E ele, antes de quinta-feira, nunca então havia saído à rua?...

— Nunca — afirmou aquele — Fez todos os seus estudos e recebeu as ordens sem arredar pé do convento, ao qual o seminário é anexo. Seus dias, desde a mais tenra idade, foram todos, dedicados de corpo e alma aos livros santos e aos misteres da igreja.

— Então é um ente perfeitamente puro? — interrogou ela.

— Puro como um anjo.

— É extraordinário! — exclamou Margarida, sem poder conter o seu entusiasmo.

— É inacreditável! — disse Sofia, meneando a cabeça com um gesto de incredulidade.

Gabriela Vanguyon soltou um suspiro e deixou escapar esta frase, que fez rir a sociedade:

— Um homem puro em Paris! A dois passos de nós!...

E o Dr. Cobalt, que saboreava o efeito da notícia da castidade de Ângelo sobre aquelas mulheres, cujo olfato já de há muito se tinha esquecido do delicioso perfume da flor de laranjeira, acrescentou, para alfinetar-lhes as fibras da admiração:

— Um homem puríssimo, virginal! Imaculado como a Virgem Santíssima! Um homem completamente inocente, sem a menor ideia do que seja sociedade, nem paixões mundanas, nem sexos, nem...

— Nem sexos?! — inquiriu Gabriela, escancarando os olhos, sinceramente pasmada.

— Nem nada! nada! nada! — respondeu o médico, sorrindo e apertando os lábios. — Nada, minhas adoráveis pecadoras! Mas o que se chama "nada"!

— Estudava e lia muito, não é verdade, Dr. Cobalt?... — quis saber Margarida Duclos.

— Sim, mas só coisas sagradas... biografias de santos, anedotas religiosas e dissertações espirituais... Ora, sucedeu por acaso que essa mísera criança, que o mesmo acaso atirou às mãos do padre Oseias, dispusesse das mais valentes faculdades mentais, e, não conhecendo ela outro meio além daquele em que vegetou, e, não tendo outro pasto para seu espírito além da doutrina cristã e da manhosa teologia, deu-se todo inteiro a estas duas estéreis e sedutoras senhoras, e no fim de contas apresentou escandalosamente aquele imprevisto tipo, que fez as nossas delícias e as delícias da corte na quinta-feira passada.

— Ah! — disse o Conde de Saint-Malô — não há dúvida, porém, de que ele tem muito talento oratório; é uma capacidade em matéria de religião...

— Qual! — desdisse o materialista em ar de pouca importância. — Acho que aquele pobre moço é mais uma inteligência aproveitável que se perde, e mais um infeliz doente que ganham os hospitais!

— E por quê?... — exclamou Alzira vivamente.

— Ora! — desdenhou aquele. — Porque toda a sua ciência, se é que ele a tem, baseia-se nos mais falsos princípios. A sua filosofia é bonita, não há dúvida, mas completamente inútil. Não passará nunca de um metafísico. Construiu o seu edifício intelectual sobre areia movediça; e no dia em que o primeiro sopro quente de vida real cair-lhe em cima, lá se irá por terra a igrejinha! No dia em que a natureza, indefectível nas suas leis, o chamar friamente à verdade das coisas e exigir que ele cumpra com o seu destino fisiológico de homem, o seu próprio talento há de revolucionar-se com o seu sangue, e ele terá de abrir guerra aos falsos e arbitrários princípios em que o educaram. E então, o desespero e a decepção daquela pobre vítima do visionário Oseias, serão tamanhos e tão fortes, que o desgraçado talvez não tenha forças para resistir ao golpe!

Alzira estremeceu.

— Infeliz... — balbuciou ela.

Artur Bouvier tinha-se aproximado do Dr. Cobalt, e disse-lhe pousando-lhe a mão no ombro:

— Pode ficar tranquilo, meu amigo, que o inocente Ângelo não conservará por muito tempo as suas penugens de anjo. A questão foi pôr o nariz à primeira vez fora do convento, ainda que para pregar sermão; respirou este ar de Paris, está pronto! Está perdido! Um átomo desta complicada atmosfera, composta da exalação de todos os luxos e de todas as misérias, de todas as febres e de todas as paixões, é o bastante para revolucionar-lhe o espírito e corromper-lhe o corpo até a medula. Além de que, o rei, com certeza, já o tem de olho, e não deixará escapar uma joia tão rara; é natural que a cobice para a sua corte. Não dou muito tempo para vermos o tal santinho de olhos bonitos entrando para o quadro da capela real, com uma boa sinecura e um bom ordenado que lhe chegue para ter carruagem e para pagar uma gentil preceptora, encarregada de completar-lhe a educação. E juro-lhe que essa terá tanta paciência e tanta solicitude, quanta teve o santarrão do velho Oseias, mas para lhe ensinar aquilo justamente que este lhe não quis revelar...

— E não será difícil encontrar quem se queira encarregar de completar-lhe a educação... — observou Sofia — porque, segundo a opinião geral, o tal anjo de pureza é notavelmente simpático...

— Sim — tornou Cobalt — mas para isso era preciso que o "Santarrão", como disse aqui o nosso Bouvier, não estivesse de olhos bem abertos.

— Ora! — opôs Margarida por detrás do seu leque — O velho Oseias tem mais de setenta anos! Já deve estar com a vista curta...

— E as pernas trôpegas... — acrescentou Gabriela.

— E não viverá eternamente... — completou Sofia. Se o santinho não tiver por si outra guarda, pode ir desde já rezando por alma da sua virginal capela!...

— Sim! — apoiou o conde. — Não há dúvida de que está aí, está cantando a primeira missa e entrando logo em seguida para a capela real. E há de fazer carreira!

— Pois engana-se, caro conde — acudiu o doutor — engana-se redondamente. Ângelo não entrará para o quadro da capela real, posto que o rei já o convidasse. O velho Oseias tenciona carregar com ele para Roma, depois para Jerusalém, com o fim de alargar-lhe quanto possível o cabedal das suas luzes; e, quando o rapaz estiver bem homem, bem forte, completamente desenvolvido, então o velho Oseias o atirará sobre Paris, opondo o discípulo como um terrível protesto vivo contra a grande e desenfreada decadência moral dos nossos tempos. Conta que a luta se travará um dia, afinal, tremenda e sem tréguas. De um lado, o invencível apóstolo, fechado na armadura da sua virtude e armado até os dentes com a sua sabedoria divina; do outro lado, Paris, Paris friamente inabalável nos seus vícios e na sua libertinagem, Paris crápula, Paris abjeção, Paris lodo!

— Ah! essa luta há de ser fatal! — disse Artur Bouvier no meio do silêncio dos outros.

— Não! — acrescentou o materialista, perdendo por um instante a sua fleuma natural e deixando escapar dos olhos uma estranha cintilação, que lhe transformou o ar bondoso da fisionomia. — Não há de ser com súplicas e sermões que a França se resgatará, mas a metralha, a canhão e a ponta de baionetas!

— A sangue?! — exclamou o conde.

— Sim, a sangue... — confirmou o médico, sacudindo a cabeça.

E calaram-se.

O sorriso havia desaparecido de todos os lábios; as mulheres tinham desmaiado de cor ligeiramente.

Cobalt acrescentou em voz cava, como se falasse consigo mesmo:

— O que talvez não esteja longe!...

E um indeciso sobressalto agitou-lhes o sangue e oprimiu-lhes vagamente o coração, nem que naquele momento entrasse ali, como um sopro pressagioso, agitando as cortinas da sala e empalidecendo a luz das velas, um clarão vermelho vindo das bandas setentrionais da América.

Era o anélito da revolução que se aproximava lentamente da França.

Se prestassem ouvidos, quem sabe? Talvez escutassem um surdo ruído subterrâneo: Diderot e d'Alembert abriram já a sua mina por debaixo da terra, para depois Voltaire lançar-lhe fogo.

Só Alzira não parecia sobressaltada. Encaminhando-se para o Dr. Cobalt, tomou-o pelo braço, afastou-o para um canto da sala e perguntou-lhe, reclinando no ombro dele a sua formosa cabeça:

— Já sabe qual é o dia marcado para a missa nova do padre Ângelo?...

— Segunda-feira.

— Onde?

— Em Notre-Dame.

— Quer ir comigo?

— Com mil desejos, minha encantadora amiga.

— Obrigada. Iremos juntos.

8 Fulminação

No dia marcado para a missa nova de Ângelo, a catedral de Paris, onde devia ela efetuar-se, começou desde muito cedo, a encher-se de gente de todas as classes, desde a mais alta até a mais baixa camada social.

Iria o rei, e com ele lá estaria, sem dúvida, a corte em peso. A corte arrastaria o que de mais brilhante houvesse no alegre círculo das loureiras; estas, por sua vez, chamariam atrás de si um mundo de namorados, de poetas, de artistas e folgazões, aos quais acompanharia espontâneo o povo, sempre curioso e ávido de festas.

Num dos longos corredores laterais da sacristia, corredor abobadado e feito todo de pedra, o Dr. Cobalt conversava tranquilamente com um padre velho chamado Azarias, e com um sacristão que se mostrava muito entusiasmado com a escandalosa e original fortuna do seminarista.

O médico não tinha perdido a sua calma habitual; dir-se-ia que ele estava ali mais para observar do que para se divertir. Com os seus frios lábios sempre contraídos, parecia abstrato e afagava o queixo escanhoado, cheirando de vez em quando uma pitada. O sacristão, esse não ficava quieto um só instante, ia e vinha de carreira, furando por toda a parte, e procurando saber quem estava na igreja.

— Chi! — exclamava ele esfregando as mãos defronte do padre Azarias. — Que furor! Que furor! Não imaginam que de gente cada vez mais chega, para assistir à missa nova do discípulo de frei Oseias! Já vi a Sra. marquesa de Vandenesse e a sua encantadora irmã: a Sra. De Conti, a Sra. condessa de Laranguais, de quem dizem que o rei...

E interrompeu-se para declarar, dando um salto e apontando para uma das portas por onde se via quem chegava:

— Olhem! Olhem! Ali vai o poeta Bouflers!... vai com o Conde de Saint-Malô e com o cavalheiro Artur Bouvier. Agora entrou a Sra. marquesa de Tourneles!

— Ora! — disse Azarias. — Pois se até a rainha, que agora pouco sai à rua, aposto que há de vir!...

O sacristão, depois de novas carreiras e novo esfregar de mãos, veio segredar quase ao ouvido do padre:

— E veio também, reverendo, o que há de mais espaventoso entre o mulherio parisiense!...

— Ó maroto! — resmungou o velho sacerdote. Alguém aqui te perguntou por isso? Anda! Sai de junto de mim, tinhoso!

O sacristão voltou-se então para o médico e disse, contando pelos dedos:

— Está aí a falada Dutê, com o seu eterno vestido cor-de-rosa e com o seu atual amante, o duque de Durfort! Está aí Sofia Arnould com o seu cãozinho — o duque de Chartres!

— Não te calarás?! — bradou o padre velho, tornando-se vermelho.

O sacristão não fez caso e continuou, dirigindo-se ao médico, como se esse lhe desse atenção:

— Vieram também as Barrière, com as quais confesso que embirro solenemente, a Dervieux, de quem eu cada vez mais gosto, a Guimard, a Cleofile, e, mais bela que todas, mais sedutora e mais diabólica, a célebre condessa Alzira, a mulher mais insensível de Paris! Veio com o seu amante destes últimos tempos, o marquês de Florans!

— Este sacristão é entendido no gênero!... — observou o materialista a rir-se.

O padre resmungou, em resposta, coçando a calva:

— Ah! Paris! Paris das Pompadours!...

— Também acaba de chegar! — exclamou o endemoninhado sacristão. — Está na primeira tribuna da esquerda, com o príncipe de Henin e o Conde de Aranda.

O velho tornou a coçar a cabeça e disse com azedume:

— Não sei que tem a cheirar na casa de Deus semelhante gente!... Mas que quer? Fizeram desta missa um divertimento! O culpado é o rei. Aposto que está aí também o duque de Fronsac, esse maldito libertino, que herdou todos os vícios de seu pai, o cardeal de Richelieu, sem herdar nenhuma das virtudes! Vem ao faro das aventuras, o desavergonhado!

— E o que aí está de homens ilustres... — observou Cobalt ao ouvido do padre. — já avistei Favart, Gentil Bernard, Condorcet, Luchet, Fréron, d'Alembert, Diderot, Beaumarchais, Mallly, Lavoisier...

— Este seminarista — declarou o outro — é com efeito de uma fortuna inacreditável! Creia, meu doutor Cobalt, que nunca vi tanta gente boa reunida numa igreja para ouvir missa! E uma missa nova! É extraordinário!

Mas Ângelo nesse momento saltava do carro para entrar com Oseias na porta lateral da sacristia, e um rumor geral se levantava provocado pela sua chegada.

O Dr. Cobalt afastou-se de carreira, a ver se arranjava um lugar na capela, em que devia ser a iniciação do adorado presbítero.

A capela, suntuosamente preparada para a cerimônia, refulgia, fulgurando de luzes e de ouro, de alvas rendas preciosas, brilhantes colgaduras de damasco e riquíssimas alfaias de mil cores.

Grande esplendor! Grande riqueza! Grande deslumbramento!

O altar-mor, onde Ângelo ia celebrar, parecia sair de dentro de um imenso ramalhete, tão grande era a profusão de rosas, que as damas lançavam nos seus degraus à medida que iam chegando.

As tribunas regurgitavam de mulheres luxuosamente vestidas, e venustamente decotadas à moda caprichosa do tempo. Viam-se formidáveis penteados, em que cintilavam diamantes por entre pérolas e plumas de cristal finíssimo.

Legros, então o mais querido entre os mil e duzentos cabeleireiros do bom-tom, passara três noites em claro a aviar toucados, sem conceder mais de dez minutos a nenhuma cabeça, e ocupando sob suas ordens, naqueles últimos dias, mais de quinhentos ajudantes.

E toda aquela gamenha gente, com as suas fantasiosas roupas de sedas multicores; as mulheres de saia e *panier* à Pompadour; os homens de casaca *à la* Ramponneau, com as suas cabeleiras empoladas, de três e quatro canudos, *à la* Sartines, grandes bofes de cambraia, chapéu de três bicos debaixo do braço e florete à cinta; toda essa gente, aglomerada, sussurrante e irrequieta, apresentava, no interior daquela austera e formosa catedral, o folião e brilhante aspecto de um luxuoso carnaval de corte.

Conversava-se e ria-se.

Mas, de repente, calaram-se todos e todos se agitaram. Os que estavam assentados puseram-se rápido de pé.

Era o rei que chegava, acompanhado por sua pomposa comitiva.

Com um gesto frio e distraído Luís xv fez um ligeiro cumprimento de cabeça, e deixou-se cair na cadeira à frente da real tribuna, cruzando as pernas negligentemente e bocejando de tédio.

O olhar que ele lançou para os sorrisos e para as reverências, que de todos os lados o receberam, foi um pálido olhar de desdém e cansaço. A ceia da véspera devia ter sido prolongada.

Ouviram-se, então, do lado do coro, as primeiras notas, severas e plangentes, do órgão.

Ia começar a missa.

Algumas pessoas preparavam-se já para a contrição. Muitos ajoelhavam, de mãos postas e cabeça baixa. O silêncio estendia-se respeitoso. Vieram do alto vozes de cantores, e o vermelho cabido respondeu cá de baixo, também cantando, junto às suas estreitas cadeiras de alto espaldar de madeira negra.

Ângelo, ricamente paramentado com as vestes talares com que o presenteara o rei, tinha chegado ao altar, e, dentre uma nuvem de incenso, erguia-se no êxtase da sua oração, com os braços abertos, os olhos postos na doce imagem de Cristo crucificado. Estava belo como um jovem Deus!

Assim, nos seus suntuosos damascos bordados, parecia um anjo todo vestido de ouro. E o seu formoso rosto era bem o rosto de marfim, de que falava na Bíblia a triste e volutuosa filha de Jerusalém, decantando o seu amado.

Oseias servia-lhe de acólito. E a sua curva figura, detrás daquele moço, lembrava, no trêmulo arrebatamento da contrição, o vulto de um velho rei louro, irmão de Lear, guardando com os olhos ansiosos o seu lindo príncipe desejado por todas as mulheres.

E, com efeito, sobre Ângelo, de todas as tribunas, desciam raios de tentação.

Alzira fitava-o como uma serpente paradisíaca.

A missa, entretanto, seguia o seu curso, inalteravelmente, por entre o vago murmúrio dos colos que arfavam, não de piedade, mas de desejo e de amor.

Mas, quando Ângelo, terminado o divino sacrifício, erguia o olhar pela derradeira vez, procurando o céu, seus olhos de repente se fecharam fulminados, e todo o seu corpo estremeceu da cabeça aos pés.

Em vez do céu, seus olhos tinham encontrado o olhar de Alzira.

Oseias, soltando um grito, correu para ele, tomou-o violentamente nos braços, escondeu-lhe a cabeça entre as suas mãos trêmulas, tapando-lhe o rosto contra seu peito.

E ficou por longo tempo a fitar, ameaçadoramente, a linda cortesã.

A multidão precipitou-se para junto dos dois eletrizada de curiosidade. Todos queriam saber no mesmo instante o que havia acontecido.

Mas os sinos começaram a repicar alegremente; a orquestra tocava já uma música profana; nuvens de incenso ergueram-se de novo. A missa estava terminada.

E Ângelo, sem levantar a cabeça do colo de seu pai, afastou-se do altar e saiu da capela, vagarosamente, arrastando os pés como um cego.

Não se lhe ouviam os soluços, mas todo o seu corpo se agitava nas convulsões do choro.

9
Um olhar de mulher

Ângelo, de volta da igreja, assim que se achou no carro a sós com Oseias, abriu a soluçar, numa convulsa explosão de todo o seu ser.

Não podia, entretanto, determinar o que se passava em sua alma. Era uma agonia estranha e dolorosa, que a revolucionava sem dizer por quê; um íntimo martírio, feito de vagas apreensões, que a atordoavam de terror por iminentes e desconhecidos perigos.

Sem ter a menor ideia da vida comum, sem desconfiar sequer do maravilhoso efeito que o seu sermão de quinta-feira santa produzira sobre o público, que poderia o mísero compreender de todo aquele ruidoso entusiasmo que o cercara, e de todos aqueles ávidos olhares feminis que o devoravam de curiosidade?

Seu próprio nome, ouvira-o ele repetido por tantas bocas ao mesmo tempo, que agora lhe chegava à memória como o estribilho de uma singular canção, falada em língua alheia.

Oseias, a seu lado, meditava sem erguer a cabeça, recolhido em profunda preocupação.

Não deram ambos uma só palavra durante a viagem, até chegar ao mosteiro.

Entraram na cela como duas sombras.

O presbítero foi direito ao altar da Virgem, caiu de joelhos defronte dela e quedou-se a fitá-la, enquanto as lágrimas lhe escorriam pelo rosto, agora silenciosamente.

Depois ergueu-se e começou a considerar, abstrato, tudo que o cercava ali, como se visse aqueles objetos pela primeira vez.

E tudo aquilo nunca lhe pareceu tão miserável, tão ermo e turvo, como naquele instante. Aquela dura prisão, onde surdamente se escoara a triste mocidade, nunca lhe pareceu tão árida e tão mesquinha. Aquelas nuas paredes, empalidecidas pelo tempo, nunca lhe pareceram tão apertadas, e aquele sombrio teto, tão baixo e tão sufocante.

Olhou longamente para as suas velhas estantes carregadas de pesados livros religiosos, olhou para a sua tosca e tranquila mesa de estudo, para a sua pobre enxerga de condenado, e ficou a considerar o cilício pendido da parede junto ao altar da Virgem.

Oseias observava-o, imóvel até ali, de braços cruzados, com uma inconsolável e funda expressão de mágoa no olhar.

Afinal, foi ter com ele, e tocou-lhe no ombro.

Ângelo despertou sobressaltado.

— Então, meu filho — disse o velho com voz segura — continua a tua perturbação?...

Ângelo não deu resposta.

— Vamos! Fala!

— Sim, meu pai, — tartamudeou o pobre moço, volvendo para ele os olhos inocentes. — e peço-lhe que me deixe só; preciso concentrar-me, até voltar à minha primitiva tranquilidade...

O velho insistiu, segurando-lhe as mãos e fitando-o, como se procurasse arrancar-lhe pelos olhos a confissão da revolta que lhe ia n' alma.

— Mas como explicar semelhante perturbação?... — exclamou ele. — Pois então justamente hoje, hoje que tua alma devia, melhor que nunca, resplandecer de santo júbilo; hoje, que deste o teu último passo para chegar ao coração da igreja; hoje, que deste o teu supremo voto; hoje é que te sentes conturbado e aflito?!... Como explicar semelhante anomalia?!...

— Não sei... não sei... — balbuciou Ângelo. — deixe-me ficar só, meu pai! Deixe-me conversar com a minha pobre alma!...

— Mas tu nunca faltaste a nenhum dos teus deveres... — tornou o frade. — Tu nunca pecaste, por palavras, nem por obras, nem por pensamentos... tu, que foste por bem dizer educado pela mão de Deus, porque até hoje te não afastaste uma linha do seu divino ritual... tu, que não tens sequer a ideia da culpa... tu, és tão inocente e tão puro como no dia em que te trouxe em meu colo para este convento... tu, que vieste das mãos de Deus para as minhas, e das minhas tornaste hoje diretamente para as mãos de Deus... por que tremes agora e por que me olhas desse modo, Ângelo?!

— Não sei, não sei, meu pai!

E Ângelo, como se receasse a traição dos próprios olhos, sentou-se no banco e escondeu o rosto nas mãos.

Oseias chegou-se mais para ele e disse, depois de contemplá-lo em silêncio por algum tempo:

— Acaso estará o demônio a cercar-te, cobiçoso de tua alma tão branca e tenra?... Ou a tua perturbação será causada pelo eco profano dessa capital que te admira e te aclama, e cuja multidão só hoje atravessaste pela primeira vez?...

Ângelo ergueu-se e descobriu o rosto.

A sua fisionomia tinha-se transformado.

— Não sei! — exclamou. — Não posso explicar o que sinto, o efeito que me produz o confuso rumor que ouço em torno de mim!... Não posso determinar qual é o fato que me perturba, qual é o ponto de onde me vem esta agonia, mas sinto-me espavorido e frio, como se estivesse abandonado sobre o píncaro de um rochedo nu, em torno do qual se agitam todos os mares do globo. Sinto em derredor do meu cérebro o terrível vozear desse interminável oceano... E no arruído das suas vozes ameaçadoras, há como que a repercussão de um inferno sufocado pelas águas! Afigura-se-me a cada instante que o oceano se vai abrir defronte dos meus olhos, e que então o inferno aparecerá com as suas goelas de fogo, pronto a devorar-me. Não compreendo, nem distingo uma só dessas vozes, não consigo destacar uma palavra ou uma nota musical de todo esse murmurar de espetros, não sei o que é que me preocupa e consterna, mas sinto a alma pequena e transida de medo, como se em volta dela girasse rosnando um bando de leões esfaimados!

E lançando os braços em torno do pescoço de Oseias, terminou com uma explosão de soluços, deixando cair a cabeça sobre o peito dele.

— Não sei o que me cerca! Não sei o que me ameaça! Mas tenho medo, meu pai! Tenho medo! Salve-me, por piedade!

— Tens medo?! — bradou Oseias, — Entretanto, hoje não devias ouvir, nem ver, nem sentir outras vozes que não fossem as vozes do céu! Tua alma devia estar toda voltada para ele e só a ele refletindo, como um grande lago quieto, cristalino e límpido, cuja superfície não toldasse sequer a asa de uma abelha...

— Bem sei, bem sei, meu pai! — soluçou Ângelo — mas, a despeito dos meus esforços, outras vozes vinham ainda há pouco misturar-se às vozes celestiais, outros perfumes perturbavam os aromas da igreja, outras ideias distraíam minha alma, outro sangue me pulsava em todo o corpo! Afigurava-se-me até ter dentro do peito outro coração que não o meu, dentro do cérebro pensamentos que me não pertenciam!

Oseias, ouvindo estas palavras, teve um forte sobressalto de terror, e apossou-se de Ângelo como se o quisesse resguardar do mundo inteiro.

— Oh! — bramiu ele, aterrorizado. — É preciso que fujas, quanto antes, deste covil de tentações diabólicas! É preciso deixar Paris, imediatamente, já! É preciso que te refugies na paróquia mais humilde, mais pobre, mais miserável, e onde só possas encontrar sacrifícios e dores a sofrer! E se aí mesmo, arredado de tudo que for brilhante e fascinador, isolado das perdições mundanas, aproximar-se outra vez de ti o demônio e fizer com que o sangue te volva ao cérebro, ameaçando estrangular os teus votos sagrados, então agarra aquele cilício e fustiga e martiriza com ele a tua carne, até que a faças calar para sempre!

E, chegando-lhe a boca ao ouvido, segredou-lhe misterioso, a tremer, a tremer, convulsionadamente, como se naquele instante todo o seu passado se erguesse de novo, para vir, ainda, como dantes, pedir mais punição para os desvarios da sua juventude:

— E se, apesar de tudo, encontrares alguma mulher, que te leve a sonhar estranhas venturas... bate com os punhos cerrados contra o peito, dilacera as tuas carnes com as unhas até sangrares de todo o veneno da tua mocidade! Esmaga, à força de penitência, toda a animalidade que em ti exista! Aperta os teus sentidos dentro do voto de ferro da tua castidade, até lhes espremeres toda a seiva vital! Fecha-te, enfim, dentro do teu voto de castidade, como se te fechasse dentro de um túmulo!

Ângelo soltou um grito e caiu de joelhos, balbuciando uma prece por entre os seus soluços.

Oseias acalmou-se e estendeu o braço, abençoando-lhe a cabeça com a mão aberta.

— Sim, reza! — disse — reza, meu filho, ao pai misericordioso o maior tempo que puderes!

E depois acrescentou, inspirado por uma súbita ideia:

— O velho cura de Monteli acaba de sucumbir à peste que se manifestou nessa pobre aldeia. Vou ter com o arcebispo e peço-lhe que te nomeie para lá. Em Monteli não terás tentações!

E saiu vivamente, enquanto Ângelo, ajoelhado ao meio da cela, de braços e olhos erguidos para o céu, em vão procurava alar-se como dantes no voo dos seus êxtases.

Era inútil. Seu pensamento caía por terra e ia arrastando-se até à esplêndida catedral, à procura de um bem, em busca de uma ventura, que ele não sabia qual era, mas tão doce e tão irresistível que lhe deixava alma e coração vagamente enleados de desejo.

10
Acedo

Ângelo não conseguira concentrar-se.

— Mas que estranha perturbação será esta?... — exclamou ele, desistindo da súplica e erguendo-se dos joelhos. — Que teria eu feito para estar assim?... Que teria eu cometido, sem consciência minha, para que a oração já não exerça no meu espírito a eficácia consoladora que tinha dantes?...

E nada respondia às suas palavras ansiosas. E em torno da sua aflição era tudo cada vez mais surdo, mais fechado e mais morto. Voz amiga não lhe acudia nenhuma em seu socorro, quer viesse ela de dentro dele mesmo, quer baixasse do céu para ampará-lo.

O mísero lançou em torno do seu abandono os olhos suplicantes, e deu com a Bíblia.

Correu a buscá-la, tomou-a nas mãos sofregamente, levou-a aos lábios e beijou-a.

— Minha boa amiga! — disse apertando-a contra o peito — minha fiel companheira de tantos e tantos anos! Foste tu a minha doce consolação, o meu refúgio carinhoso, o meu confidente, o escrínio das minhas primeiras lágrimas e dos meus últimos sorrisos; foste tu a discreta testemunha dos meus êxtases e o grande manancial das minhas alegrias religiosas, vale-me também agora! Vale-me tu, que me abrigaste durante o longo tempo, em que vivemos os dois encerrados com as minhas mágoas nesta prisão sombria! Ah! como eu era então feliz!... como tinha a alma tranquila e descuidosa!... Vale-me, amada minha, que talvez consigas o que a oração não pôde!

E, sentando-se no banco, abriu a Bíblia sobre os joelhos e leu, ao acaso, alguns versículos do primeiro capítulo que seus olhos encontraram.

Era o livro de Jó.

"A minha alma tem tédio à minha vida; soltarei a minha língua contra mim; falarei na amargura de minha dor desconhecida.

"Direi a Deus: As tuas mãos me fizeram, e me formaram todo em roda, e assim de repente me despenhas?

"Lembra-te, eu te peço, que com barro me formaste e que me hás de reduzir a pó.

"Vida e misericórdia me concedeste, e a tua assistência conservou o meu espírito.

"Se eu pequei, tu me perdoaste na mesma hora; porque não permitiste tu que eu esteja limpo da minha iniquidade?

"Tu multiplicas contra mim a tua ira, e as penas combatem contra mim.

"Por que me tiraste tu do ventre de minha mãe? Oxalá que eu tivesse perecido, para que nenhuns olhos me vissem. Que tivera sido como se não fora, desde o ventre transladado para a sepultura.

"Deixa-me, pois, que eu chore um pouco a minha dor!

"Antes que vá para não tornar para aquela terra tenebrosa, e coberta da escuridade da noite. Terra de miséria e de terror."

Mas o seu espírito rebelado fugia da página da Bíblia, e punha-se a cantar-lhe ao ouvido as palavras do velho Oseias: "E, se apesar de tudo, encontrares alguma mulher, que te leve a sonhar estranhas venturas..."

Ângelo estremecia, tornava à página e punha-se a ler. Mas aqueles lamentosos versículos, que dantes o arrebatavam para Deus, agora nada mais conseguiam do que deixá-lo num vago entorpecimento de desânimo.

E vinha-lhe uma frouxa vontade de morrer, ou pelo menos de envelhecer logo, de repente, ali mesmo; um desejar que seu corpo se fizesse de súbito alquebrado e frio, que seu cabelo, de preto e lustroso se tornasse branco e desbotado, que os seus dentes amarelecessem, e que a sua fronte se despojasse naquele mesmo instante, e abrisse toda em rugas.

Desejava refugiar-se covardemente na velhice, como dentro de um abrigo seguro contra a feroz matilha que lhe rosnava no sangue. Mas a misteriosa frase de seu pai, vinha-lhe de novo à superfície dos pensamentos, furando e abrindo caminho por entre todas as outras ideias.

"E, se apesar de tudo, encontrares alguma mulher, que te leve a sonhar estranhas venturas, bate com os punhos cerrados contra o peito, dilacera as tuas carnes com as unhas, até sangrares de todo o veneno da tua mocidade!"

— Mas que estranhas venturas serão essas que as mulheres nos levam a sonhar?... — interrogou-se ele, erguendo o rosto e cruzando as mãos sobre a página da Bíblia. — Então a mulher não é também uma criatura de Deus?... Um ente, tão abençoado e protegido por ele, que até foi por ele escolhido para servir de mãe a seu filho Jesus?... Pois tão grande honra se concederia a um ente desprezível, posto neste mundo só para tentar os justos e desviá-los do caminho da virtude?... Se a mulher é má, por que existe?... Se existe, por que Deus a fez má e perigosa?... Por que me é vedado amá-la tanto quanto me cumpre amar aos homens?... A ela ainda devia amar muito mais, porque é mais fraca, mais mesquinha, mais amorosa e mais desamparada. Por que não devo amar as mulheres?... Não serão minhas irmãs?... Não seremos todos filhos do mesmo pai?...

Fechou os olhos, como se quisesse fugir a estes pensamentos; mas a ideia da frase de Oseias alastrava-se-lhe pelo cérebro, estrangulando todas as outras, que nem a planta egoísta e daninha que não permite viver e crescer ao seu lado nenhuma outra planta.

— Se a mulher é produto dos infernos... — continuou ele a pensar; todos temos em nós um pouco de Deus e um pouco do demônio, porque todo o homem nasce, tanto do homem como da mulher. Não compreendo bem este fenômeno do nascimento... nunca mo explicaram... Mas sei que o homem nasce da mulher, como Jesus nasceu do ventre de Maria... Não mo explicaram, e todavia ensinaram-me a odiar a mulher... Por quê?...

Nisto, entrou na sombria cela um alegre casal de borboletas brancas, e começou a cruzar-se no ar, doudejando em volta da cabeça de Ângelo. Depois uma delas, enquanto a outra a perseguia, foi pousar tranquilamente na amarelenta página da Bíblia, que ele conservava aberta e esquecida sobre os joelhos.

O presbítero pôs-se a fitá-la. A borboleta fugiu para o teto, à procura da companheira, e ele a seguiu com a vista.

— Um casal de borboletas!... — disse consigo. — Duas!... Um par!... E por que duas?... Por que andam juntas? Por que não veio uma só?...

Elas interromperam de novo o seu aéreo e irrequieto idílio, e foram pousar, uma ao lado da outra, na pequena cruz latina que encimava o oratório da Virgem.

Ângelo continuava a pensar:

— Se o sexo é uma imundície condenada por Deus, por que Deus então fez as suas criaturas aos pares, e por que fez o sexo?... Por que os homens não continuam a nascer como Adão e Eva?... "Por castigo" diz a Escritura Sagrada... Logo, a procriação não é um bem, é um mal; logo, o mundo inteiro é um purgatório, e a vida um tormento!...

As borboletas começaram de novo a doudejar no espaço.

— E estas desgraçadinhas — interrogou Ângelo a si mesmo — estas também pecaram no Paraíso, para que Deus as obrigasse a viver e procriar?...

As borboletas, redobrando de impaciência, iam e vinham por toda a cela, à procura de uma saída.

O padre compadeceu-se delas e quis dar-lhes o ar livre. Foi abrir a janela, mas encontrou resistência; os gonzos oxidados não queriam acordar do seu ferruginoso sono de vinte anos. Ângelo empregou toda a força e conseguiu afinal abri-la.

Um jato de luz alegre e cantante inundou a fria prisão. Um mundo de vida patenteou-se no ar, à douradora claridade que vinha lá de fora.

O presbítero correu às grades da janela.

— Que belo! Que belo! — exclamou ele, defrontando com a extensa paisagem que se descortinava aos seus olhos deslumbrados.

Estava a uns cem metros de altura. O ponto de vista era esplêndido. Primeiro, o grande parque do convento, todo cercado de altos muros; depois, as ruas da cidade, as praças e os jardins, e logo em seguida o Sena, coberto de barcos, e afinal as longínquas árvores do campo, que se perdiam suavemente nas tintas duvidosas do horizonte.

— Que belo! Que belo!

E vendo o casal de borboletas, que fugia espaço afora:

— Oh! Como vão ligeiras... Como brincam no espaço... Agora dizem um segredo... Voam de novo... Desaparecem...

Abaixando o olhar, descobriu sobre um telhado um casal de pombos que arrulhava.

— Como são lindos! — pensou. — Como são brancos e amorosos! Agora se beijam! Que belo! Que belo!

Na rua descobriu um homem de braço dado a uma mulher, levando ele um pequenito pela mão.

— São casados!... A criança parece com ambos!... Oh! agora conversam... ele tomou as mãos dela entre as suas; ela sorri, abaixa os olhos... São felizes!

Afastou-se bruscamente da janela. O espetáculo daquela tranquila ventura fazia-lhe mal, e quase o irritava.

Não sabia dizer por quê, mas um íntimo e profundo malquerer, contra tudo e contra todos, principiava a torturá-lo com uma dura e secreta agonia de inveja.

— São felizes! São felizes! — soluçou de punhos cerrados e com o coração oprimido. — E por que hão de eles rir e eu chorar! Qual é o meu crime?! Por que todos nesta vida têm uma companheira, e eu não a posso ter?! Por que hei de ser só, eternamente só, quando a natureza deu um par a cada uma das suas criaturas?!...

Mas caiu logo em si, e derramando pela cela um olhar de quem desperta de traiçoeiro sonho, deu com a imagem da Virgem, que, de dentro do seu nicho de pedra, parecia lançar-lhe um triste sorriso de ressentimento.

— Não! — bradou ele, atirando-se de joelhos e arrastando-se até os pés da Santa. — Não estou só! Nunca estarei só! Sou um padre e a minha esposa sois vós, Senhora amorosíssima, lírio celeste, perfeição dos céus! Perdoai-me se por um instante de delírio me esqueci do nosso amor!

E correndo à janela, bramiu, ameaçando lá para fora, com a mão fechada:

— Oh! Bem te compreendo, natureza pérfida e sedutora! Bem compreendo os teus embustes! És pior ainda que a tua rival, a sociedade! Mas em vão te enfeitas com as tuas galas e com os teus sorrisos de amor! Não me seduzirás, pântano de lama coberto de flores! Não me corromperás, porque tenho n'alma bastante energia para governar os meus sentidos, e tenho o meu coração cercado por uma muralha de fé! Atira-me aos pés o ouro do teu sol, atira-me o perfume das tuas flores, o mel dos teus frutos, o mistério dos teus crepúsculos, a música das tuas florestas, os deslumbramentos das tuas auroras! Tudo será baldado! Hei de resistir a todas as tuas provocações! Hei de lutar contra todos os inimigos da minha pureza, e, ou cairei morto, ou hei de suportá-los a todos, um por um!

E sentindo-se arrebatado no delírio da sua fé, bradou como um louco:

— Venham! Venham, filhos do inferno! Podem vir todos, que me encontrarão armado e de pé firme!

Em seguida atirou-se de novo aos pés da Virgem e começou a rezar fervorosamente.

Quatro horas depois foi surpreendido pelo velho Oseias, que lhe bateu no ombro.

Ângelo voltou para ele os olhos desvairados.

— Amanhã — disse aquele — partiremos de madrugada para Monteli.

— Estou às suas ordens, meu pai.

11

Ângelo ameaçado

Era a antecâmara da formosa Alzira rigorosamente posta ao caprichoso gosto da época.

Guarneciam-na móveis de madeira, esculpida e pintada de branco, com arabescos de ouro, que variava entre o fusco e o luzente, formando torturados desenhos de ornato. Pombas aos pares e anjinhos rechonchudos serviam de adorno às guarnições das portas. Sobre peanhas e cantoneiras havia jarras de Sèvres, com pinturas assinadas, em que se viam pastores enfeitados de fitas azuis e cor-de-rosa, na cinta, nos joelhos, no pescoço e nos tornozelos, tocando avena e frauta, ao lado de roliças raparigas de saia curta listrada com sobressaia de tufos de seda clara, chapéu de palha, coberto de flores, uma corbelha enfiada no braço, sapatinhos quase invisíveis, e um dos peitos à mostra, branco e levemente rosado, como trêmula gota de leite sobre uma pétala de rosa.

As cortinas de estofo alvadio, adamascado de prata, eram arrepanhadas ao meio por grandes florões de penas multicores.

Os espelhos tinham cercaduras de florinhas de porcelana, primorosamente acabadas e coloridas com muita arte. Era uma recordação do luxo de Luís XIV.

Em cima do fogão, dourado quase todo, havia um grande relógio de Boule, tirado por leões de ouro, entre várias lâmpadas e espevitadores também de ouro.

Nas paredes, forradas de uma tapeçaria azul celeste, destacavam-se suavemente, por cima das portas e contornando os móveis, desenhos do mesmo azul um pouco mais escuro, representando alegorias pastoris.

Prendiam a tapeçaria cordões de arame, de prata, entrançando, com grandes nós de espaço a espaço, terminando em amplas borlas do mesmo metal, que afinavam admiravelmente com os bordados das cortinas.

O tapete era felpudo e azul sombrio, à moda dos volutuosos tapetes da Turquia. Os batentes das portas eram forrados de veludo cor de pérola e fechavam como tampas de estojo.

Alzira, ainda em penteador, estendida negligentemente num divã fofo e rasteiro, fumava uma dourada cigarrilha oriental, e acompanhava distraída as espirais do fumo com as pálpebras semicerradas.

O relógio marcava meio-dia. Ela acabava de levantar-se do leito, onde fizera a sua refeição da manhã: uma pequena xícara de chocolate e dois biscoitos de Reims.

Um rico dominó de seda negra, arremessado sobre uma cadeira, e uma meia máscara caída sobre o tapete, diziam que nessa madrugada se recolhera ela depois de um baile; e um pobre lenço de rendas preciosas, que jazia a um canto estraçalhado em tiras, denunciava todo o frenesi de tédio com que a linda condessa, à volta do baile, entrara nos seus aposentos.

Mas agora, sozinha no perfumado e tépido remanso da sua antecâmara, parecia já esquecida dos aborrecimentos da véspera, alheia a tudo que a cercava, e só entregue e abandonada, volutuosamente, à memória do venturoso sonho dessa manhã.

Pensava em Ângelo. Via-o em meio dos esplendores da igreja, cercado de ávidos olhares, surgindo, todo paramentado de ouro, dentre uma nuvem de incenso. Via-o, formoso e cândido, de braços abertos, defronte do altar, com os olhos virginais voltados para o céu. Via o trêmulo sorrir da sua boca de anjo, via o melancólico balancear dos seus negros cabelos de meridional. Tinha-o todo inteiro e todo vivo defronte da sua alma, pela primeira vez enamorada; tinha-o ali, defronte dela, com a sua misteriosa palidez de flor de estufa; tinha-o com aqueles lábios tão divinos e tão puros, com aqueles gestos donairosos e tranquilos, com aquela voz embriagadora, que parecia sair de uma garganta de cristal e sândalo.

Tinha-o todo inteiro, e sentia-lhe até os perfumes do damasco da sua vestimenta, o aroma do seu hábito e o bálsamo dos seus cabelos.

E Alzira espreguiçou-se com um profundo suspiro, de olhos fechados e lábios entreabertos, dilatando o pescoço, como se procurasse alcançar com a boca a sombra de uma outra boca fugitiva.

E deixou-se cair sobre a almofada do divã, suspirando de novo, inconsolável na sua deliciosa mágoa de amor.

O que em Ângelo a fascinava daquele modo, o que a arrastava para ele, tão irresistivelmente, não era, todavia, a singular formosura do pálido presbítero, mas a sua fenomenal pureza de corpo e de alma; era aquela sedutora virgindade, ligada a tão altiva e clara inteligência.

Ela, que vira rendida a seus pés a fina flor de espírito parisiense e a flor brilhante de toda a fidalguia do seu tempo, e que nunca se deixara escravizar pelo ouro dos nababos, nem pela vermelha glória dos heróis vitoriosos, ou pela glória azul dos poetas endeusados; ela, que até aí jamais entregara os pulsos, sequer por um instante, a uma dessas paixões, que fazem da pessoa amada o dono e senhor exclusivo da nossa vida e dos nossos pensamentos; ela, a insensível Alzira, a cortesã de mármore, sentia-se agora cativa de Ângelo, o casto; e seria capaz de trocar, por um beijo daqueles lábios imaculados, todos os seus tesouros, todas as suas joias, todas as suas baixelas e todo o valimento do seu corpo escultural.

Era a primeira vez que amava, era a primeira vez que todo o seu ser desejava alguém; a primeira vez que ela se sentia pequena, humilde, miserável, defronte de um homem; a primeira vez que se supunha capaz de ajoelhar-se aos pés do seu amante e beijá-lo doida de amor, pedindo ternura como um cão pede carícias aos pés do dono, suplicando-lhe que a fizesse morrer sufocada nos seus braços, para que fosse dele a última vibração daquela frágil carne de mulher, e dele fosse o extremo beijo daquela pobre alma apaixonada.

E começou a soluçar.

Era mulher pela primeira vez: pela primeira vez chorava.

Daí a instantes, agitou-se o reposteiro de uma das portas, e um negro, de libré vermelha, entrou na antecâmara, com os braços cruzados e os olhos baixos.

— Que é, Amílcar?... — perguntou Alzira sem tirar o lenço dos olhos.

— O Dr. Cobalt... — respondeu o africano com a sua acentuação etíope.

— Cobalt, sim, pode entrar... E mais ninguém, ouviste? Nem o marquês!

O negro retirou-se. E o médico entrou pouco depois, risonho e prazenteiro como sempre.

Foi logo beijar a mão da condessa e ficou a tomar-lhe o pulso.

— Então?... — indagou, olhando-a no fundo dos olhos. — O mal tem progredido?

Ela respondeu com um suspiro, e ofereceu-lhe um lugar a seu lado no divã.

Cobalt assentou-se e deu um estalo com a língua.

— Não estou nada contente com isto, sabe?... — declarou ele, em ar de paternal censura. — No seu melindroso estado de sobre-excitação nervosa, produzida pelo excesso dos prazeres, pode ser-lhe fatal este singular capricho da fantasia, porque nunca poderá ser satisfeito. Ângelo, como homem, é um caso perdido... não podemos contar com ele para nada. E receio que esta circunstância traga perigosas consequências... Ora, a condessa nunca amou, nunca sofreu esse adorável gênero de loucura; o seu organismo não tem por conseguinte a menor prática da moléstia de que agora se sente atacado, e aquilo que para outra mulher nada valeria, pode nestas condições transformar-se em coisa muito séria!...

— Mas que hei eu de fazer, meu amigo?

— Oh! Se fosse possível, receitava-lhe: "Ângelo em estado simples, duas doses por dia, uma antes e outra depois do sono. É bom sacudir o remédio antes de o tomar." E pronto! Afianço que ficaria boa!

Alzira teve um gesto de impaciência, e o médico, percebendo-o, tomou-lhe as mãos e disse, como se falasse com uma criança caprichosa e doente:

— O que há de fazer?... Ora essa! Nada mais simples: evitar semelhante preocupação!...

— É impossível!

— Viaje! Vá até a Itália! Corra o mundo inteiro, se for preciso; e leve o marquês...

— Não me fale no marquês!

— Aqui é que não convém ficar, deixando-se consumir por um desejo, que naturalmente nunca será satisfeito... Pelos seus olhos, percebe-se que já hoje chorou! É muito bonito, não há dúvida!

— Não ralhe comigo, doutor!

— Ralho com razão! Sempre lhe perdoei as fantasias, mas...

— Sabe se é verdade o que disseram?

— A respeito de quê?

— A respeito dele. Parte?

— Sim. É exato; parte para Monteli.

— Quando?

— Não sei. Por estes dias.

— Monteli! Irei também!

— Está sonhando, condessa?... Monteli é hoje o lugar de mais peste! Não irá, que não consinto!

— Há de consentir e até há de acompanhar-me...

— Eu?! Qual!

— Nesse caso irei só. Vai ver!

E foi ao tímpano e vibrou-o.

Reapareceu Amílcar.

— O marquês já está visível?... — perguntou-lhe ela. — Vai a ver, e, se estiver, dize-lhe que faça o favor de vir cá.

Quando daí a pouco o marquês, com a sua desafinada figura de homem muito alto e muito gordo, entrou na perfumada antecâmara de Alzira, esta, antes que ele tivesse tempo de apresentar-lhe uma galanteadora frase de saudação, e antes que ele correspondesse ao cumprimento do Dr. Cobalt, disse-lhe sem mais preâmbulos e no tom de quem dá uma ordem irrevogável:

— Meu amigo, de hoje até depois de amanhã o mais tardar, preciso de uma casa de campo nas imediações de Monteli! Vá! Não se descuide! É caso urgente!

O marquês contentou-se, na sua surpresa, de fazer uma cara de assombrado. E sorriu constrangidamente.

O médico também sorriu, mas sem nenhum constrangimento.

12
Florans em teias de aranha

Na subsequente quinta-feira achava-se no salão de Alzira a roda do costume, e conversava-se ainda a respeito de Ângelo e da sua perturbação ao terminar a missa em Notre-Dame, quando Amílcar apareceu para anunciar que a ceia estava servida.

— Meus amigos — disse a condessa — não faço cerimônia convosco. Dispensem-me.

Afastaram-se os comensais para a sala de jantar, e o Dr. Cobalt correu a encontrar-se com a dona da casa.

— Sente alguma coisa, minha amiga?... — perguntou-lhe solicitamente, apoderando-se de uma das mãos dela.

— Não, doutor. E diga-me: sabe se ele partiu ontem, como estava previsto?

— Ainda não. Foi detido por uma febre.

— Moléstia grave?...

— Qual! Sobre-excitação nervosa, produzida naturalmente pelo fanatismo.

— E quando parte?

— Não sei, condessa. Logo que possa fazer a viagem. O marquês já comprou a casa?

— Já.

— Onde?

— Em Raismes.

— Bom.

E vendo que o marquês se aproximava:

— Aí vem o seu verdugo. Vou tomar chá...

Afastou-se.

— Pensei que não nos deixassem um momento em liberdade!... — disse o amante de Alzira, encaminhando-se para ela.

— Ah! Estava aí, marquês? Não vai à mesa?... — perguntou a formosa mulher, afetando um gesto de interesse.

Florans franziu a testa.

— Minha presença a incomoda, condessa?... — segredou ele, chegando-se mais. — Impacientava-me por me ver a seu lado... sozinhos...

— Está no seu direito...

— Não me fale em direito, minha flor. Não é por um direito que eu desejo privá-la dos seus momentos de solidão...

— Então por que mais é?...

— Desejava que fosse por seu gosto, pelo prazer que a condessa encontrasse em conversar a sós comigo...

— Isso não é coisa que dependa só da vontade...

E como o marquês fizesse um triste ar de ressentimento: — Não se pode queixar, meu amigo, creio que, depois que estamos juntos, ainda não deixei uma só vez transparecer má vontade em suportar a sua companhia...

— Suportar!... — repetiu o pobre marquês com um suspiro. — Suportar!... Eis um termo que, só por si, patenteia toda a indiferença que a senhora tem por minha pessoa...

— Suportá-lo é a minha obrigação, e faço por cumpri-la o melhor que me é possível... Repito que o marquês não tem o direito de queixar-se...

— Ah! — suspirou ele de novo. — Não! Não tenho! Sou tão infeliz que nem esse direito possuo... Juro-lhe, entretanto, que preferia menos zelo no cumprimento da obrigação de que fala, e um pouco mais de escrúpulo no que me diz às vezes. A franqueza, minha cara amiga, em certos casos e usada de certo modo, é ofensa... e a senhora, creio eu... não tem motivo algum para me ofender...

— Ah! que o senhor hoje está num dos seus maus dias!... — respondeu ela, meneando a cabeça com impaciência.

E, notando que ele se afastava, acrescentou a meia voz, como se receasse detê-lo com as suas palavras: — Desculpe se o ofendi...

Mas o marquês voltou, e ela então acudiu desabridamente: — Se a sua intenção é dizer-me qualquer coisa, ou exigir de mim seja o que for, fale logo com franqueza e por uma vez. Bem sabe que estou às suas ordens!...

— Às minhas ordens!... — resmungou o infeliz. — Às minhas ordens!... Tem graça! Preferia estar eu às suas, como estou, mas que lhe não ouvisse a cada instante palavras duras e apoquentadoras...

Alzira perdeu a paciência.

— Oh! basta! — exclamou. — Que impertinência! Está sempre a queixar-se...

— Queixo-me com razão — retorquiu ele, por sua vez irritado, e fazendo-se vermelho. — A condessa bem sabe que a minha ligação com a senhora não foi um simples impulso dos sentidos!...

— E que tenho eu com isso?... — interrogou ela, apertando os olhos. — Que tenho eu com os motivos que o levaram a ligar-se comigo?...

O marquês, coitado! Já se não podia conter, e prosseguiu com a voz trêmula: — A senhora bem sabe que, para ficar a seu lado, tive de sacrificar tudo que de melhor e mais sagrado possuía no mundo! Sabe que esse amor invencível que a senhora me inspirou, foi a causa da morte de minha esposa e será a desgraça de meus filhos.

— Mas o marquês também sabe e há de convir — replicou Alzira — que eu não tenho culpa alguma em tudo isso! Há de convir que não dei o menor passo, nem empreguei o menor esforço, para provocar esta união!... O marquês viu-me um dia, apaixonou-se; fez-me uma proposta, que eu aceitei porque me convinha... Nesse contrato não me comprometi a amá-lo, comprometi-me apenas a não pertencer a outro, enquanto estivesse na sua dependência... Ora, creio que até hoje ainda não faltei com a minha palavra!...

— Tem razão, condessa... — disse o marquês, já vencido. — Tem toda a razão. Mas tudo isso é porque a amo, muito, muito loucamente!

Quis tomar-lhe as mãos; ela não deixou, e respondeu virando-lhe as costas:

— Ama-me muito! Isso não diminui a impertinência de suas palavras! Não é a primeira vez que o senhor me lança em rosto a morte de sua mulher e o futuro de seus filhos!...

— Perdoe, Alzira...

— Se lhe não convenho, se lhe sou perniciosa, afaste-se de mim! Ninguém o obriga a ficar a meu lado!

E arredou-se dele, para ir assentar-se em um divã. O marquês acompanhou-a.

— Se o traísse, vá! — continuou ela — se lhe desse ocasião de ter ciúmes, ainda vá; mas, que diabo! Eu cumpro lealmente com o que prometi e, quando não estivesse disposta a fazê-lo, di-lo-ia com franqueza, por que afinal sou livre! Como, pois, admitir que me exprobre fatos, pelos quais não sou responsável? O senhor, se fez sacrifícios para obter-me, não foi sem dúvida com o intuito de praticar uma boa ação, mas simplesmente para proporcionar a si mesmo um prazer que lhe apetecia. Se fez sacrifícios, não foi por mim, foi pela sua própria pessoa; e, se não tinha elementos para a empresa, por que a empreendeu?...

— Porque a amava!

— E amava-me, porque sou bela, sou moça e estou na moda! Ora, meu caro marquês, há de convir que com isso não teve originalidade alguma!... (E soltou uma risada de escárnio). Original seria se tivesse a desvairada pretensão de ser, durante algum tempo, o amante exclusivo da condessa Alzira, sem despender alguns milhões de francos!...

— A senhora bem sabe que não é o dinheiro despendido o que eu deploro...

— Pois eu com o resto nada tenho que ver!... São-me indiferentes a morte de sua mulher e o futuro de seus filhos!... Quando o senhor se descuidou deles, quanto mais eu!... O senhor que fosse melhor marido e melhor pai! Se há um criminoso entre nós, não sou eu decerto: na minha qualidade de cortesã, sou lógica, não me afasto uma linha do meu programa; o senhor é que se afastou dos seus deveres, na qualidade de chefe de família. Queixe-se por conseguinte de si mesmo e não me aborreça!

— E é a senhora quem me diz isto?!... — exclamou o marquês, abrolhando os olhos.

— Certamente — respondeu Alzira — com toda a calma.

— No entanto — volveu ele — a condessa sabe perfeitamente que eu a tudo me resignaria, se a senhora fosse para mim um pouco mais amorosa... eu tudo perdoaria, se...

— Perdoaria?... Mas eu é que não quero o seu perdão para coisa alguma... Não me sinto absolutamente culpada.

— Pois devia sentir-se! — disparatou o fidalgo, fazendo-se outra vez vermelho. — Tenho o direito de ser tratado melhor nesta casa!

Alzira olhou para ele sem voltar o rosto.

— Minhas palavras são amargas?... — disse. — É o senhor quem as provoca... Quanto aos meus atos — são irrepreensíveis!...

Esta última frase teve o encanto de transformar o marquês.

— Tudo isso — resmungou o queixoso — prova que a senhora nunca sentiu por mim o menor vislumbre de amor...

Alzira soltou uma gargalhada sincera.

— Ora, marquês, não me faça rir! — disse depois, cobrindo o rosto com o lenço.

— Não é debalde que todos a citam como a mulher mais insensível do mundo!

— Mas por que razão queria o marquês que o amasse?...

— Quando por mais não fosse, por gratidão...

A condessa, já séria, mediu-o de alto a baixo.

— Nunca lhe pedi obséquios! — disse.

— Mas aceitou-os...

— Engana-se!

— Com a senhora despendi o necessário para enriquecer cinco famílias!...

— Basta! (E ela desta vez bateu com o pé.) Já me tardava que o senhor me lançasse também em rosto esse dinheiro que supõe ter gasto comigo!

E encaminhou-se lentamente até o tímpano e vibrou-o com força.

— A senhora vai pôr-me fora?... — gaguejou o marquês, fazendo-se pálido.

— Não — explicou ela — muito tranquila. Vou ordenar ao criado que não o receba quando o senhor voltar. Não tenho o direito de o mandar sair, mas tenho o de nunca mais o receber!

Um raio não fulminaria tanto o marquês como estas palavras. De pálido passou novamente à cor de cereja. Hesitou um instante, limpou o suor da testa e, afinal, foi ter com Alzira, e disse empregando todo o esforço para sorrir:

— A senhora dessa forma obriga-me a não voltar... (Ela sacudiu os ombros.) E, para evitar que isso aconteça... só vejo um meio... é não sair mais daqui...

Foram interrompidos pelo criado, que exclamou da porta, fazendo uma continência:

— O cavalheiro Bouflers!

— Bouflers?... — repetiu Alzira.

— Bouflers aqui!... — resmungou entredentes o marquês.

E acrescentou, dirigindo-se à condessa:

— Eis aí um... com quem a senhora não usaria da franqueza que usa comigo...

— Por que não?

— Porque é moço, é bonito e tem talento...

Alzira gritou para o pajem:

— Dize-lhe que ainda desta vez o não recebo...

— Não lhe convém recebê-lo em minha presença condessa?...

— Ah! Sim?... — disse ela.

E voltou-se de novo para o criado:

— Faze-o entrar.

O criado saiu.

— Mas eu — exigiu o marquês — quero ficar ali, por detrás daquela cortina...

— Com uma condição — propôs a condessa — haja o que houver, o senhor não se baterá com ele...

— Prometo, mas a senhora não lhe dirá que o ama...

— Ah! Não! Isso não direi com certeza...

— Pois então juro que me não baterei.

— Pode esconder-se.

O criado reapareceu, erguendo o reposteiro, para dar entrada ao satírico e famoso poeta Bouflers.

13
Ah, mulheres! Mulheres!

Bouflers entrou aos pulinhos. Estacou no meio do salão e fez a mais extraordinária mesura que é possível imaginar, mesmo conhecendo os complicados e genuflexórios salamaleques desse tempo galante. Os altos e empoados canudos da sua cabeleira roçaram-lhe três vezes pelos joelhos, e o rabicho, guarnecido por um laço de fita preta, três vezes se agitou no ar, como a irrequieta cauda de um cãozinho fraldiqueiro.

Vinha vestido a rigor e com extrema elegância.

Trazia uma casaca de seda cor de pérola, forrada de branco e guarnecida de botões de prata. Bofes de rendas de Veneza, nobremente salpicados de pó de tabaco espanhol, saltavam-lhe do peito por entre um colete de veludo cor de âmbar; tinha calções da mesma seda da casaca e meias bordadas a ouro, sapatos de salto vermelho, e espada, não de barba de baleia, como então alguns usavam, mas de bom e bem temperado aço de Toledo, com bainha de couro, forrada de veludo branco, e guarda coberta de vistosa pedraria multicor.

Deu alguns passos para Alzira, e, assim que se viu defronte dela, perfilou-se de novo e pôs a mão esquerda sobre o punho da espada, de modo a arrebitar com a ponta desta a grande aba da sua casaca *à la* Ramponeau. E, empertigado, conservou-se um instante com o chapéu de três bicos debaixo do braço, e disse depois fazendo um passo de minuete:

Ora graças a Cupido,
Neste empíreo da beleza
Enfim me foi permitido
Entrar, sem maior despesa!...

— Trazia a musa em sua companhia, Bouflers?... Nesse caso devia ter pedido licença para dois...

— Descanse, formosa estrela; minha musa é rapariga discreta... não contará ao marquês o que entre nós dois se passar aqui...

— Discreta?...

— Não diz mal de ninguém...
— Informe a pobre senhora de Durfort...
— Uma sátira inocente...
— Oh! muito inocente!...
— Tão inocente como o padre Ângelo.
— Ah! Já o conhece?...
— Pudera!
E, armando de novo a sua coreográfica mesura, improvisou:

Dizem que Paris inteira,
Após o célebre sermão
Da sagrada quinta-feira,
Anda toda em devoção...

Traz no peito as mãos cruzadas,
Os olhos fitos no céu,
Calça meias encarnadas,
Põe estola e solidéu!

Até consta que a marquesa
De Pompadour vai além;
Quer obrigar sua alteza
A tomar ordens também...

E, chegando-se mais para Alzira, segredou intencionalmente:

Que certa moça galante,
Ouvindo a missa, fitou
Por tal modo o celebrante,
Que o celebrante... corou!

E ficaria engasgado
Com o próprio corpo de Deus,
Se não bebesse, coitado!
Duas gotas de Bordéus...

— Isto é uma sensaboria de mau gosto!... — declarou a condessa.
— Por quê? Dar-se-á o caso de que a insensível e tirana condessa Alzira também esteja com o peito ferido pelo casto pregador de quinta-feira?...
— Como "também"?... Há então muitas que o estejam?
— Oh! oh!

Foi o caso que o sujeito,
Tendo as damas convertido,
Tanto as fez bater no peito,
Que o peito lhes pôs ferido!...

— Fale antes em prosa Bouflers! O verso fatiga muito.

— Pois seja! — exclamou ele, encaminhando-se para a condessa com um belo sorriso de namorado, e disse tomando-lhe uma das mãos que levou aos lábios: — Eu te amo, Alzira, flor insensível! Flor dos meus sonhos! Flor das minhas desventuras! E quero saber quando será o dia venturoso em que receba eu de tua formosa boquinha...

— Um sorriso?...

— Não! Uma palavra de animação...

— Bravo!

— Bravo?!

— Não conheço melhor palavra de animação...

— Não zombe de mim, condessa!...

— Zombar de Bouflers!... Oh!... Se o conseguisse, vingaria meia humanidade, tão ferozmente satirizada pelos seus versos maus e pelos seus maus versos!

— Conclua-se destes trocadilhos, que sairei daqui sem ouvir uma palavra de esperança...

— Está falando sério, meu pobre amigo?...

— Juro-lhe que sim, condessa. Juro-lhe pelas musas, que a minha maior felicidade seria merecer-lhe uma palavra de amor...

— E por que razão havia eu de amá-lo?...

— Ora essa! Por que razão é que os outros se amam?...

— Mulheres da minha espécie, caro poeta, só amam, quando as fascina qualquer coisa extraordinária, muito extraordinária! Seja o que for, mas que seja — extraordinária!

— Paciência!... Todavia, quero crer que o marquês de Florans nada tem em si de extraordinário, e no entanto...

— É meu amante... Ah! O caso é outro! O marquês é muito rico... pode dar-se a esse luxo!... Ama-me, daí porém a ser amado — vai um abismo!

— Se o marquês a ouvisse?...

Alzira sacudiu os ombros.

— Ele sabe disso tão bem como eu; a ninguém engano!...

— Nem ama, tampouco!

— Quem sabe lá?... Talvez...

— A condessa? Qual! Duvido! A senhora não é mulher! Não tem coração!...

— Então que sou eu?...

— É um lindo cofre de marfim rosado, com o competente orifício para receber o ouro dos papalvos.

— E era para dizer-me semelhante galanteria, que o poeta há tanto tempo fazia empenho de vir à minha casa?

— Não! Era na esperança de ser correspondido no meu amor...

— O cavalheiro às vezes não me parece um homem de espírito...

— Em questões de amor todos os homens são igualmente estúpidos!...

— Mas, valha-me Deus, Bouflers! Por que razão havia eu de amá-lo?... O senhor é um bonito rapaz; não há dúvida; está na flor da idade, não lhe falta talento, mas... é só isso!...

— E acha pouco?... Moço, bonito e com talento. Tenho os encantos das três graças — mocidade, amor e beleza, e ainda me sobra um!

— Não — dois — o talento e a vaidade.

— Ou isso!

— Mas falta-lhe o principal...

— O que não falta ao marquês... dinheiro?...

— Qual! O dinheiro não se conta...

— Não se conta?...

— Gasta-se!

— Então que me falta? Juízo, talvez...

— Ainda menos! O juízo é a negação do espírito!...

— Então não sei que me falta!...

— Sei-o eu! — exclamou uma voz grossa.

E o marquês surgiu defronte de Bouflers, fulo e trêmulo de raiva.

— Oh! Oh! — interjeicionou este, zombeteiramente e sem se alterar. — Estava escondido, senhor marquês?... Divertia-se a escutar-nos... Magnífico!

E voltando para Alzira: — Obrigado, condessa! — Depois resmungou de si para si:

— Pagá-lo-ão bem caro!

O marquês, sem poder domar a cólera que o sufocava, prosseguiu no tom em que começou:

— A qualidade que lhe falta, senhor poeta, não é dinheiro, nem juízo; é prudência! É grande temeridade dizer mal de quem quer que seja à própria amante dessa pessoa!

— Não é só temeridade... — respondeu Bouflers, pondo a mão na cintura e empinando a cabeça — é insolência. Estou às suas ordens! Avie-se!

A condessa correra para junto de Florans.

— Lembre-se do que me prometeu!... — disse-lhe ela rapidamente e em voz baixa.

— Só não me baterei... — segredou o marquês ao ouvido da amante — se a senhora não me fechar a sua porta...

— Não fecharei, marquês!

— Pois não me baterei, Alzira!

Bouflers, que durante este curto diálogo, media os dois com ar de desprezo, entortando a cabeça e sacudindo a perna gritou para o marquês, como se falasse ao seu cocheiro:

— Olá, senhor pregador de prudência, é esta que o aconselha a consultar a sua amante, antes de pôr a limpo as injúrias que lhe fazem... Creio ter dito bem alto que estou às suas ordens!

— Não me bato com o senhor... — balbuciou o outro.

— Ah! Ah! — escarneceu o poeta. — Já o desconfiava!...

E calçando de novo a luva, que ele havia principiado a despir: — Pois chega-me a vez de dar-lhe também um conselho: quando não se reconhecer com ânimo de assumir dignamente a responsabilidade dos seus atos, meça melhor as palavras e não se apresente como se apresentou defronte de mim!

— Insolente! — bradou o marquês, avançando de punho fechado sobre Bouflers.

— Então!... — interveio Alzira, metendo-se entre os dois.

— Mas este atrevido afronta-me! — exclamou Florans.

— Pois é desafrontar-se! — retorquiu o poeta. — Para isso tem uma espada à cinta!

Alzira chegou os lábios ao ouvido do marquês.

— Se aceitar o duelo — disse-lhe — não ponha mais os pés aqui!

O fidalgo fez-se cor de cera e murmurou imperceptivelmente:

— Esta mulher despoja-me de tudo!...

Bouflers sorriu e acrescentou:

— Registre, condessa, mais esta qualidade a meu favor: a coragem!

— Vale menos que as outras neste instante... — desdenhou Alzira.

E tomando as mãos do marquês: — Em certos casos, o forte é aquele que resiste à provocação. Obrigado, meu amigo! Poupou-me remorsos!... Ah! Já os tenho em demasia!... Creia que lhe estou grata!... Quanto ao senhor, cavalheiro...

E voltou-se para Bouflers, fazendo-lhe um gesto de despedida.

— Obrigado! — respondeu este. — Antes, porém, de sair, permita que a felicite pela bela escolha que fez para seu amante!... Este adorável palerma merece bem uma cínica da sua ordem!

E pondo o chapéu na cabeça, encaminhou-se para a saída.

— Miserável! — exclamou o marquês, correndo sobre ele.

— Infame! — disse Alzira acompanhando-o.

Mas foram detidos pelo Conde de Saint-Malô, Artur Bouvier, Cobalt e as damas que acudiram lá de dentro em sobressalto.

— Que foi?!

— Que significa isto?!

— Bouflers!

— Um escândalo?!

— Que sucedeu?!

— Covarde! covarde! covarde! — exclamou Alzira, procurando chegar até onde estava Bouflers.

— Todos os teus insultos — respondeu este, armando a carreira para fugir — não valem uma palavra, uma só, que qualquer homem tem o direito de atirar-te à cara!

E, rápido, chegando a boca ao rosto dela, segredou um termo que a fulminou. E fugiu.

— Ah! — gritou a cortesã, levando as mãos ao peito e cambaleando.

E correu ao marquês para bradar-lhe, segurando-lhe o braço:

— Vá! Siga-o! Alcance-o ainda que no inferno! Não me volte aqui sem o haver matado!

— Oh! Obrigado, condessa! — exclamou Florans.

E, desembainhando a espada, desapareceu da sala e bateu pelas escadas, ligeiro como um raio.

14
Era o amor

Quando Bouflers chegou à rua, lançou para o palácio de Alzira um olhar de indiferença e disse, cruzando a capa sobre os ombros:

— Ora! Não perdi grande coisa! Alzira e o marquês que vão para o diabo!

E depois cantarolou, seguindo em direção da tavolagem do Conde de Charolais, príncipe de sangue:

Corramos ao jogo,
Que o provérbio diz:
Amor sem ventura,
— É jogo feliz!...

Mas, ao dobrar a esquina, o marquês, que desgalgara a escada a quatro e quatro, assomou à porta da rua e gritou-lhe, correndo:

— Olá! Ó poeta bêbado! Se não és um covarde, espera!

Bouflers voltou-se *incontinenti* e levou a mão aberta sobre os olhos.

— Quem é?!

Reconheceu o marquês, e perguntou com impaciência:

— Que queres de mim, basbaque?...

— Castigar-te, miserável, como se castiga um perro!

— Ah! Ah! Chegou-te afinal a indignação?... Ainda bem! (E desembainhou a espada.) Vá lá! Antes tarde do que nunca!... Já fizeste a tua oração, bruto?... Não te quero despachar para a eternidade com a alma suja! Vamos! Dei-te tempo de sobra!

— A rua é escura e deserta!... — considerou o marquês. — Não precisamos ir mais longe. Aqui defronte da porta de Alzira, temos a claridade suficiente...

Aproximaram-se da porta, procurando colocar-se no foco da luz que vinha do corredor.

— Vê lá onde queres que te fira, fanfarrão! — exclamou Bouflers pondo-se em guarda.

Artur Bouvier, o Conde de Saint-Malô e o Dr. Cobalt tinham descido a escada do palácio.

As damas os seguiram.

— Marquês — disse o conde — tem em mim uma testemunha.

— E eu por ti, Bouflers! — exclamou Artur.

— E o médico, pronto! — acrescentou Cobalt.

— Não é preciso!... — faceciou Bouflers. — De qualquer modo se mata o cão!...

E cruzaram os ferros.

— Defende-te, poeta libertino! — bramiu o marquês — porque a minha intenção é matar-te!

O outro retrucou, aparando-lhe destramente os golpes:

— Antes guardasses tanto empenho para defender tua mulher, alma de Menelau!

E gritou, caindo-lhe em cheio: — Toma!

Florans desviou o tiro e fez-lhe pontaria de fundo.

— Toma tu lá este em paga da tua insolência, bandido!

Mas Bouflers soltou uma risada, e, depois de um salto para trás, desferiu-lhe um bote certeiro, que lhe atravessou o peito.

— Ai! — gemeu o marquês

E caiu estatelado no chão.

— Já?... — perguntou o poeta, inclinando-se. — É pena! Principiava a tomar interesse pela brincadeira!

E tirou do bolso o seu lenço de rendas, para limpar a lâmina da espada que escorria sangue.

Alzira acudira com um grito e lançara-se de joelhos ao lado do amante, beijando-lhe a fronte.

— Meu bom amigo — dizia entre soluços — perdoe-me! perdoe-me! Oh! Quanto sou desgraçada!

Bouvier, o conde e o médico aproximaram-se também e cercaram o ferido.

— Ai! Eu morro! — gorgolejou o marquês, aflito virando a cabeça de uma banda para outra.

— Agradece-o a esse demônio que aí tens a teu lado!... — exclamou Bouflers, lançando fora o lenço com que limpara a espada.

E voltando-se para as damas: — Boas noites, gentis mulheres!

Depois falou aos outros: — Cavalheiros, boas noites!

E bateu no ombro de Artur: — Obrigado, Bouvier!

Em seguida traçou a capa e perdeu-se na sombra da rua, cantarolando de novo:

Corramos ao jogo,
Que o provérbio diz:
Amor sem ventura,
— É jogo feliz!...

E desapareceu.

— Marquês! Marquês! — chamava o Conde de Saint-Malô, enquanto Alzira, desesperada, levantava soluçando os braços para o céu.

— Ó meu Deus! Ó meu Deus! — lamentava-se ela. — É mais um que me vai pesar na consciência! É mais um que morre por minha causa!

Nesse instante, do lado contrário ao que Bouflers tomara, surgiam na treva da noite dois vultos negros, que lentamente se aproximavam, silenciosos e tristes como duas sombras.

Vinham envoltos, da cabeça aos pés, em grandes capas talares, que lhes davam ao aspecto um tom sinistro.

— Anda, meu filho... — dizia um deles ao companheiro. — tem resignação, e apresse os passos, que precisamos alcançar a diligência de Raismes, para chegarmos a Monteli antes de raiar o dia...

— Sim, meu pai...

— Ai! — gemeu de novo o marquês, debatendo-se no seu estertor. — Morro sem confissão! Morro sem confissão!...

Ouvindo isto, um dos dois embuçados precipitou-se sobre o moribundo, exclamando aflito:

— Que vejo?... Um corpo coberto de sangue!

E, arriando o capuz, para mostrar a sua veneranda cabeça de cabelos brancos, interrogou ao grupo que o cercava:

— Quem feriu este homem?

— Um adversário em duelo... — murmurou o próprio marquês. — Ai! morro! morro!

O misterioso velho arrancou do seio um crucifixo, e levou-o com a mão trêmula à boca do agonizante.

— Pede a Deus perdão das tuas culpas... — segredou ele com a voz comovida. — Entrega-lhe a tua alma em plena confiança, porque eu rogarei por ela ao Senhor misericordioso!

E ouviu-se o débil sussurro de um gemido de amor esvoaçar entre os lábios do moribundo.

Era o nome de Alzira, que ele chamava pela última vez.

O médico abaixou-se para auscultar-lhe o coração.

— Está morto... — disse.

Houve uma triste concentração em que se ouviram prantos abafados.

E o negro vulto de barbas brancas pôs-se a rezar, ao lado do cadáver, com as mãos postas, o pálido rosto pendido sobre o seio.

Entretanto, Alzira, num transporte de aflição, correra a ter com a outra sombra, que se quedava à distância, de cabeça baixa e rosto escondido sob o capuz, e exclamou entre soluços, estendendo-lhe os braços suplicantes:

— Meu padre! Meu padre! Sou eu a culpada de tudo isto! Sou muito, muito desgraçada! Peça perdão a Deus por mim!

O vulto se agitou e tremeu todo, através do mistério da sua negra túnica.

Ouvia-se-lhe o ansioso arquejar do peito.

Depois, como se precisasse de ar, arremessou para traz o capelo do hábito e recuou aterrado.

Alzira soltou um grito.

— Ele!

E teria caído no chão, desfalecida, se Ângelo a não amparasse nos braços.

Acudiram todos e se apoderaram dela.

O presbítero puxou de novo o seu capuz sobre o rosto, deu o braço à outra sombra, e começaram os dois de novo a seguir o seu caminho.

Ângelo tinha afinal compreendido bem a verdadeira causa da sua perturbação.

A sua perturbação era o amor.

15
Duas vezes enjeitado

Ângelo chegou a Monteli, acompanhado por Oseias, às sete da manhã.

Veio recebê-lo à porta da casa uma velha chamada Salomé, antiga criada que fora do falecido pároco do lugar.

— Então? Então, meu filho?... — perguntou-lhe o egresso. — Que em ti significa tamanha tristeza?... Pareces-me um vil criminoso sobrecarregado de remorsos!... Vamos! Não te convém esse aspecto! Dize-me com franqueza o que sentes...

— Nada! Nada, meu pai! São íntimas tristezas sem razão de ser!... São desgostos só meus, que só eu mesmo compreendo!... A viagem fatigou-me. Preciso repousar... Bem sabe que ainda não estou bom de todo...

— Pois sim, recolhe-te! Ali está o teu quarto. Já mandei pôr lá a imagem da Virgem. Eu ficarei aqui. Até breve.

— Até breve, meu pai.

E Ângelo, arrastando a sua melancolia, entrou no pequeno aposento que lhe era destinado.

Um triste quarto, em que a formosa imagem da Virgem se destacava, como na outra cela do convento de S. Francisco de Paula. Paredes nuas e velhas, teto esborcinado e sem forro.

Ângelo sentou-se no catre que havia a um canto, e começou a soluçar, com o rosto afogado nas mãos.

Chorava, e não sabia dizer por quê. Sofria e não se animava a confessar a si mesmo de onde lhe vinha aquela dor, que assim lhe arrancava tão quentes lágrimas do coração.

Mas seu desejo era poder naquele momento apertar nos braços alguém, cujo nome seus lábios não se atreviam a balbuciar, receosos de magoarem a candidez da sua alma virginal, branca noiva de Deus! O seu desejo era poder dizer o que lhe ensinara a Bíblia, era poder cantar a capitosa música do *Cântico dos Cânticos*, que nunca alma nenhuma jamais no mundo sonhou e repetiu sozinha. O seu desejo era poder dizer: "Eu te amo!" e sentir a miragem desta doce palavra refletida inteira nuns lábios de mulher, que lhe não falavam, porque já não tinham voz senão para soluçar de amor.

O seu desejo era Alzira!

Era Alzira de carnes brancas e olhos negros! O seu desejo eram longos cabelos nus, soltos no vendaval de todos os desejos. O seu desejo eram lábios trementes e vermelhos, eram doces braços de veludo, eram a funda morte do supremo gozo, bebido de borco sobre um níveo colo de Eva paradisíaca!

O seu desejo era o pecado.

E Ângelo chorava.

Mas, de repente, como se o espetro do dever lhe tocara no ombro, ele ergueu-se estremunhado e trocou um olhar, ansioso e suplicante, com o triste e quieto olhar da Virgem.

Correu para junto dela e ajoelhou-se a seus pés, mesquinho de remorso e trêmulo de arrependimento.

— Valei-me! — disse, erguendo para a imagem os olhos lacrimosos. — Valei-me a mim, a mais desgraçada de todas as vossas criaturas!

E soluçava.

— Maria! Maria puríssima! — exclamou ele depois, como um desprezado amante aos pés da sua cruel amada. — Vede! Atendei, flor dos céus! Vede bem que sou eu quem aqui vos fala e quem vos chama neste momento!

E arrastando-se de joelhos, com os lábios estendidos para alcançar-lhe a fímbria do vestido: — Mãe casta! Mãe sempre virgem, valei-me! Vós sois o meu último recurso, a minha última salvação! Escondei dentro da urna de marfim da vossa misericórdia a pureza da minha pobre alma, que a besta imunda a cerca, farejando! Salvai-me, virgem mãe sem mácula; abrigai-me numa das dobras do vosso manto azul, constelado de estrelas! Defendei-me contra mim próprio e contra o meu sangue traiçoeiro! Vós, que sois o eterno prodígio da castidade, protegei a minha castidade contra os meus íntimos inimigos! Não me deixeis cair em pensamentos depravados! Exorcizai de dentro do meu corpo o demônio que me morde as carnes e cospe fogo no meu sangue! Enxotai a luxúria, que baba minha alma para sorvê-la depois!

"Salvai-me! Salvai-me, rainha de bondade! Se queríeis abandonar-me assim, à mercê dos meus sentidos, por que pois me aninhastes carinhosa, durante tanto tempo, sob as asas brancas da vossa divina graça?... Se a vossa intenção era atirar-me assim às garras do pecado, por que pois, me ensinastes a amar-vos tão castamente desde a minha infância mais inocente?... Dormi tão confiante em vossa guarda, respirando as rosas místicas do vosso divino amor, e de repente acordo, sobressaltado, entre uivos de fera que me cerca, para devorar-me!

"Onde estais vós, mãe puríssima, onde, que desde aqueles malditos olhos tão formosos e tentadores, já me não ouvis as súplicas e já me não enxugais, com o vosso alvo sudário cor de neve, as lágrimas deste desespero?

"Ó peito de amor! Entranhas de piedade! Como é que assim vos fechais para quem vos ama?... Oh! volvei para mim os vossos lindos olhos misericordiosos! Voltai a ter comigo, a sós, na minha cela, como dantes, quando eu era um dos anjos rubicundos do vosso trono de nuvens!... Tornai a ter comigo, Maria, cheia de graça!

"Se tínheis de abandonar-me e perder-me num segundo, para que então vos dei toda a minha existência de vinte anos, mais brancos do que a torre de David?... Se assim tinha de ser, amada minha, não valia a pena então conservar-me tão puro e tão cândido!...

"Maria! Virgem amorosíssima! Vida e doçura! Esperança nossa! Se não quereis vir em meu socorro, matai-me! Eu aqui estou a vossos pés, e não me levantarei dos meus joelhos senão por um ar da vossa divina graça!..."

E Ângelo, de olhos fitos na Virgem, esperava um milagre, esperava alguma coisa que lhe restituísse a sua antiga tranquilidade de espírito.

Nada! A imagem parecia surda ao seu desespero de salvação.

"Oh! por piedade! Por piedade, minha mãe querida! Envia-me do vosso peito de amor a inspiração do meu resgate!"

Nada! Nada!

Ângelo deixou cair o rosto para a terra; abandonou os braços, com as mãos entre os joelhos, e quedou-se pensativo.

Infeliz! Infeliz!

Não era a primeira mãe que o enjeitava!...

E as lágrimas de abandonado correram-lhe tristes pelo mármore das faces, e o mísero deixou-se levar de rastos pelas garras da sua dor imensa, para o inferno da sua desesperança sem consolo.

Foi despertado pela velha criada, que, depois de bater várias vezes, resolveu-se a entrar no quarto.

— Perdão, senhor vigário. Queira desculpar interromper as suas orações, mas...

— Fale, minha irmã...

— É que está aí uma dama toda vestida de negro e coberta por um longo véu, que deseja falar a vossa mercê...

— Uma mulher?... E não disse quem era?...

— Não quis dizer, senhor vigário.

— Bem, minha filha, faça-a entrar para a capela e diga a frei Oseias que tenha a bondade de vir cá.

A criada saiu e o egresso apareceu pouco depois.

— Há, aí — disse-lhe o presbítero — uma mulher que me procura. Devo escutá-la, meu pai?...

— Que estranha pergunta, Ângelo!... Deves, decerto! É talvez alguma desgraçada que precisa de quem a conduza ao arrependimento. A consciência pura e bem apoiada na fé jamais teme as ciladas do inferno. Vai! Fala-lhe! E, se for uma pecadora, suplica a Deus, noite e dia, até conseguires o perdão para sua alma.

— Bem, meu pai...

E Ângelo afastou-se lentamente, tomando a direção da capela.

16
Diabo, mundo e carne

Ângelo aproximou-se vagarosamente da misteriosa mulher que o esperava na capela, e perguntou-lhe a que vinha.

Ela, cuja comoção se percebia, apesar do espesso véu que a ocultava da cabeça aos pés, respondeu indicando-lhe o confessionário. Ele encaminhou-se então para lá, sentou-se, e, com um gesto, convidou-a a que se ajoelhasse a seus pés.

O vulto tremia todo, quando vergou os joelhos e abaixou o rosto, para rezar entredentes o *confiteor*.

— Não se amedronte, minha pobre irmã... — disse o presbítero com a voz amiga — não trema desse modo, que por mais fundas que sejam as chagas do seu coração, e por maior que seja o remorso da sua alma, a misericórdia divina há de chegar até lá, se o arrependimento já lhe abriu o caminho e franqueou as portas.

Não se assuste, porque não é a mim que vai falar, é a Deus, cujo seio de amor e de bondade jamais se fechou uma só vez aos que sofrem e pedem a remissão das suas culpas. Vamos! Abra-me a sua alma de par em par. Confie-me as suas dores, que eu as farei minhas, e ajudá-la-ei a carregá-las até os pés do nosso pai supremo!

A embuçada, em vez de responder às palavras do confessor, deixou cair a cabeça sobre os joelhos dele, e abriu a soluçar desesperadamente.

Era um pranto convulso e sem tréguas, que lhe agitava o corpo inteiro, e que menos parecia a dor silenciosa e triste dos arrependidos, do que a explosiva revolta de quem chora pela ausência de uma ventura sensual e terrestre.

Ângelo, por sua vez, estremeceu perturbado e tolhido de alheios sobressaltos. Daquela misteriosa carne de mulher que palpitava a seus pés, erguia-se um quente eflúvio, traiçoeiro e lascivo, que lhe entontecia a alma, um odorante e luxurioso vapor de estranhos vinhos que o enleavam. Dir-se-ia que aquelas lágrimas recendiam a volúpia e que aqueles soluços eram soluços de amor, chorados no sigilo de uma alcova.

Ele ergueu-se, a embuçada segurou-lhe as mãos, cobrindo-as de beijos apaixonados.

Ângelo quis fugir. Ela, com um gesto rápido, rejeitou o véu que lhe rebuçava as formas, e ali, no sagrado retiro daquela pobre capela de aldeia, surgiu a perigosa Alzira, a terrível condessa de gelo, mais pálida e mais sedutora do que nunca, assim humilde e triste sob a dura violência daquelas queixas de amor.

— Ó meu Deus!... — balbuciou Ângelo de si para si, abaixando os olhos, como se estivesse defronte do demônio. — Ó meu Deus, dá-me coragem! Dá-me coragem!

E recuou alguns passos, estendendo o braço, como para isolar-se daquele abismo.

Nesse instante, Oseias acabava de surgir ao fundo da capela, observando os dois, escondido por detrás de um altar. Seu peito arfava tão convulso como o peito de seu filho, mas nele o sobressalto era de outra espécie.

Ângelo, todavia, parecia calmo e senhor absoluto de si mesmo. Apenas o traíam a súbita palidez das faces e um ligeiro tremor de lábios.

— Creio, minha irmã, que nada mais tem que fazer aqui... — disse ele pausadamente, apontando-lhe a saída. — Queira retirar-se... não é este o lugar que convém às suas lágrimas... Vamos... saia, e, em benefício de sua própria alma, não torne a cometer semelhante desatino, que a faz muito mais culpada do que todas as outras maldades cometidas. Vamos! Retire-se! Este sagrado e tranquilo recanto pertence somente aos arrependidos que sofrem!...

— Mas eu sofro! — exclamou ela. — Eu sofro muito! Sofro infernalmente!

— Sofre?! — inquiriu o padre, transformando-se. — É talvez o arrependimento! Fale, minha irmã!

— Não! Não sofro pelos delitos cometidos, não sofro pelas mortes que provoquei: sofro porque te amo, Ângelo! Porque te amo loucamente!

E quis chegar-se para ele. Ângelo tornou a apontar-lhe a saída.

— Retire-se! Eu pedirei a Deus que se compadeça dos seus desvarios...

— Oh! Eu te amo! Eu te amo! Eu te amo! — soluçou ela, caindo novamente de joelhos, e procurando beijar-lhe a fímbria da samarra. — Amo-te: eis o meu crime! Eis a minha grande culpa! Perdoe-me, já que tens um coração de santo! Sei que devia esconder o meu segredo e morrer com ele fechado dentro dos lábios!...

Sei que nenhuma esperança tenho de ser algum dia correspondida no meu desgraçado amor, porque nada mereço de um ente tão puro como és!... Mas perdoe-me! Sou uma fraca mulher que nunca a mais ninguém amou, e tu o homem que pela primeira vez me acordaste o coração, e me encheste a alma de sonhos de ternura! Perdoe-me, se te amo tanto, Ângelo.

Ele escutava-a, imóvel e pálido como um cadáver. Não se lhe percebia nas feições a luta homicida que se lhe travava n'alma.

— Se me amas... — disse, quase em segredo — cumpre com o que te vou pedir. Volta para Deus, minha desgraçada irmã, todo o teu amor de mulher!... Ama-o! Ama-o extremosamente, e no seu peito de pai encontrarás perene manancial de consolações! Sê honesta, e serás feliz!... Se tens medo de ti mesma e dos que te cercam, recolhe-te a um asilo religioso e faze-te monja! E principalmente nunca mais tornes aqui, nunca mais me procures ver, se queres possuir o meu amor de irmão e o meu reconhecimento de sacerdote. Vai, e não tornes nunca mais. Adeus.

Dito isto, voltou-lhe as costas e afastou-se vagarosamente, como tinha vindo.

— Ângelo! — exclamou ela com a voz suplicante. Ele virou-se, pôs o dedo nos lábios, impondo silêncio, e saiu.

Alzira, ainda de joelhos, conteve-se um instante; depois ergueu-se e precipitou-se de carreira para alcançá-lo.

Mas a veneranda figura de Oseias cortou-lhe a passagem, surgindo-lhe de improviso pela frente.

A formosa cortesã estacou defronte daquelas barbas brancas, abaixando a cabeça e cravando os olhos no chão.

Oseias, sem dizer palavra, alongou o braço, apontando-lhe a saída, e quedou-se imóvel nessa postura, até que ela desapareceu, lenta e silenciosamente.

Por esse tempo Ângelo ganhava o seu quarto e, caindo de joelhos aos pés da Virgem, agradecia-lhe a vitória que ele alcançara sobre os seus próprios sentidos, postos naquele dia em tamanha provação.

— Ó mãe de bondade! — dizia ele com as mãos cruzadas no peito — Fazei com que ela nunca mais volte a ter comigo, que nunca mais soluce sobre os meus joelhos!... Se soubesses, mãe querida, como lutei para não tomá-la nos braços e estancar-lhe com a minha boca os seus dolorosos soluços de amor!... Se soubesses como o meu coração chorava enquanto meus lábios a repeliam!... Oh, por piedade! Que ela nunca mais, nunca mais me volte a ver!

E, deixando cair o rosto sobre os pés da Virgem, pôs-se a rezar com todo o fervor e reconhecimento da sua alma dolorida.

Alzira, entretanto, ao sair da capela, metera-se no carro que a esperava lá fora, e atirara-se para o fundo das almofadas, a soluçar aflita. O carro tinha de seguir para Raismes; ela mandou tocar para Paris.

Ia com o coração despedaçado. Já lhe não restava a menor esperança!... Ângelo a repudiava... Ângelo, o primeiro homem que ela amava, repelia-a, como quem repele um réptil venenoso!

Todos os sonhos daquele seu primeiro amor ruíram por terra, antes mesmo de bem vingados.

Oh! Como nesse momento Alzira desejava ser pura! Como desejava ser casta!...

Doía-lhe fundo aquele tranquilo desprezo com que o padre rejeitara os seus sinceros protestos de amor, acendendo-lhe, sem saber, o desejo da luta para conquistá-lo.

Se Ângelo a tivesse recebido com palavras duras, se a enxotasse da sua presença como o arcanjo do Paraíso enxotou a Eva pecadora, é possível que ela não levasse tão longe o empenho de ser amada por ele; mas só a ideia daquela frieza, daquela inalterável superioridade de ente puro e forte, que não teme seduções de espécie alguma, só isso era o bastante para levá-la a não desistir da campanha e lutar até vencer ou cair morta.

— Sim! — disse ela, cerrando os punhos, desesperada. — Agora, dê por onde der, sofra quem sofrer, hei de vencê-lo, hei de possuí-lo, ou buscarei na morte o completo esquecimento desta fatal paixão!

Segunda Parte

Si nous rêvions toutes les nuits la même chose, elle nous affecterait peut-être autant que les objets que nous voyons tous les jours.
PASCAL — *Pensées*

1
Emurchecer de uma flor

Seis meses são decorridos depois que Ângelo foi para Monteli, e poucas coisas extraordinárias se têm passado com as personagens que figuram nesta amorosa narrativa.

O Dr. Cobalt, durante esse tempo, apresentou à Academia Francesa um livro de fisiologia e de filosofia, revolucionando a ciência de então com as suas novas ideias materialistas. A obra fez grande alvoroço e foi condenada a um tempo pela Sorbonne, pelo Papa e pelo Parlamento. Mas ele, sustentado entusiasticamente pelos discípulos de Moraud, Picard e Hecquet, não desanimou e prometeu voltar a campo, armado agora para a luta com um novo trabalho, ainda mais formidável que o primeiro, em que se propunha provar que as famosas convulsões, provocadas pelo milagroso diácono Paris, no cemitério de Saint-Médard, nada mais eram do que fenômenos nervosos da histeria, moléstia que só então começou a ser estudada e conhecida em França.

Bouflers, esse, coitado! havendo escrito uma sátira contra o duque de Choiseul, que nunca mais o perdeu de vista, caiu na tolice de aceitar os ternos favores de *demoiselle* Tiercelin, então mantida pelo rei no seu famoso serralho do Parc-aux--cerfs, e teve a infelicidade de ser descoberto nos seus amores por aquele ministro, que o denunciou a Luís XV, e o fez prender e encerrar na Bastilha. Lá ficou.

Frei Oseias, pelo seu lado, três meses depois de permanecer em Monteli, fora acometido pela peste; esteve à morte, e vira-se forçado a separar-se do filho por algum tempo. Persistia muito enfermo, e ainda em perigo de vida, num hospital para onde o levara o Dr. Cobalt.

Quanto a Alzira, depois de novas e inúteis tentativas para conseguir arrastar Ângelo a seus braços, precipitara-se de novo na antiga vida dos prazeres largos, e continuava em Paris a servir de retorta ao ouro dos libertinos, cada vez mais terrível e funesta para os seus amantes.

Diziam que a devorava uma implacável sede de orgias e loucuras, a qual nenhuma virtude, por mais sólida, resistia.

Ângelo, entretanto, ia resignadamente cumprindo o seu estreito e obscuro destino de pobre pároco de aldeia.

Estava, porém, muito mais magro, mais pálido, mais concentrado e mais triste. Fugira-lhe das faces a cândida frescura da sua mocidade, fugira-lhe dos olhos aquele puro e ardente brilho, que era como o reflexo da sua apaixonada alma de inspirado asceta, fugira-lhe dos lábios a purpurina flor dos seus sorrisos virginais, e agora todo ele nada mais era do que a trêmula sombra do que dantes fora.

Sombra lenta e misteriosa, que em silêncio se arrastava pela vida, ofegante e curvada, como se sobre ela andasse a pairar eternamente o anjo da melancolia, roçando-lhe os cabelos com as suas asas úmidas de pranto.

Impressionava vê-lo, à hora do crepúsculo, errar no jardim entre as lousas mortuárias, com a fronte pendida para a terra, como se estivesse a procurar o derradeiro abrigo no seio dessa mãe melhor que as outras, que nunca enjeita os filhos.

Impressionava aquele negro vulto, arrastando a túnica pela areia dos caminhos, para levar, aos que sofriam menos do que ele, a misericórdia da sua consolação e do seu amor.

Uma noite, já nove horas tinham dado, e Ângelo não aparecia em casa.

A velha Salomé, aflita, ia de vez em quando à janela e voltava desapontada, agitando os ombros e sacudindo a cabeça.

— Que digo eu?... — exclamou ela sozinha, olhando a estrada deserta. São quase dez horas, e o senhor vigário ainda fora!... Vão ver que está por aí à cabeceira de alguma vítima da peste, sem se lembrar de que não tem no estômago mais do que uma xícara de leite e um pedaço de pão! Ah! definitivamente...

Um relâmpago cortou-lhe a palavra.

— Chit! Santa Bárbara! Vamos ter tempestade! E o pobre homem por onde andará?...

Ia a sair da janela. Mas uma voz gritou-lhe lá de fora, estrangulada pela ventania.

— Ó tia Salomé!

— Ah! — disse ela. — É você, mestre Jerônimo?...

— Não pensei achá-la acordada!

— Pois se o senhor vigário ainda não chegou!... Entre.

Foi abrir a porta, e mestre Jerônimo, um hortelão da vizinhança, penetrou na modesta sala, trazendo seguro pelo braço um rapazola de uns doze anos, que mal se podia ter nas pernas de tão ébrio que estava.

— É que — declarou o hortelão — encontrei no caminho este mariola no bonito estado em que o vê, e trouxe-o porque calculei que ele com certeza não acertaria com a casa!

— O Robino como vem!... Virgem santíssima!... — exclamou a velha, pondo as mãos nas cadeiras. — Não sei quando este rapaz tomará caminho! Por isso é que o maroto, mal acabou de ajudar a missa, desapareceu até agora!...

— Vinha da taverna do Bruxo — explicou Jerônimo. — Que quer? Os fidalgos do Roudier gostam de o ver assim, e não largam de lhe dar o que beber, enquanto não o põem por terra! Súcia de vadios!

E, como Robino, no seu persistente cabecear, lhe desse um empurrão: — Fica quieto, ó rapaz! Ora já se viu que mona?... A este não leva a peste!

Robino empertigou-se e resmungou alguma coisa entredentes.

— Cala-te — gritou-lhe Salomé. — Merecias é que te deixassem na rua como a um cão sem dono! Mal faz o Sr. vigário em conservar em casa semelhante biltre!...

— Ora! — gaguejou o emborrachado. — É o próprio vigário quem todos os dias me abre o apetite!... Ele à missa escorropicha a sua pinga com tanto gosto!...

— Cala-te, demônio! — ralhou Salomé. — Se estivéssemos no tempo do padre René, andarias mais direito! Isto te afianço eu!

— Ah! com certeza! — afirmou o hortelão.

— O padre René bebia muito mais do que eu!... — tartamudeou Robino.

— Não te calarás, coisa ruim?...

E Salomé voltou-se para o outro enquanto o pequeno, depois de um longo bocejo, adormecia encostado à parede.

— Tenho saudades do defunto vigário... — declarou ela, com suspiro. — Era uma boa alma!... Sempre bem disposto, alegre, amigo de pilheriar... É o que não tem este agora, o padre Ângelo!... Não há dúvida que é muito santa pessoa, mas nunca vi criatura tão triste!... Até mete pena, coitado!...

— Ainda o não vi rir uma só vez... — considerou Jerônimo.

— Muito! muito triste!... — continuou a velha. — Às vezes, fica horas esquecidas à mesa, com os olhos pregados no teto, a cismar!... E a comida às moscas!... Vão lá tirá-lo dali! Doutras vezes dá-lhe pra passear no jardim ou no cemitério, e então, adeus! É preciso ir buscá-lo quase à força pra dentro de casa! Põe-se então a andar pra baixo e pra cima, que nem uma alma penada, Deus me perdoe!

— É que talvez esteja rezando... — disse o hortelão, muito interessado com o que lhe contava a tia Salomé.

— Ainda ontem fui chamá-lo para falar ao filho do Mongol, que aí veio pedir-lhe que o casasse com a pequena do tio Jorge, e toquei-lhe no ombro. Pois acredita você, mestre Jerônimo, que o senhor vigário soltou um grito e ficou a olhar-me espantado, como se eu cá fosse algum fantasma?...

— E por que, tia Salomé?

— Ora! sei cá por quê?... Ficou mais branco que aquela cal da parede! E todo a tremer!... Já se vê, pois, que não rezava, porque ele quando reza, ouve-se-lhe a oração e vê-se-lhe o movimento dos lábios... Nessas ocasiões é até quando fica ao contrário um poucochito mais tranquilo e de melhor humor. Cá pra mim, ninguém me tira da cabeça que ali anda tentação do cão!... Ali anda rabo de demônio!

— Ou talvez de saia!... — acudiu o hortelão, coçando a cabeça.

— Credo, mestre Jerônimo! Não diga isso nem brincando, que brada aos céus! Aquilo é um santo! Olhe! Se frei Oseias estivesse ainda aqui, juro-lhe que o senhor vigário não chegaria ao estado a que chegou! Até o acho meio apatetado! Deus me perdoe!

— Apatetado, tia Salomé?...

— Pois se lhe disser que de uma feita o deixei ajoelhado no altar depois da missa e que, voltando só à tardinha à igreja, para reformar o azeite da Virgem, encontrei o homem ainda na mesma posição!... Os braços abertos, os olhos ferrados na santa, e tremendo de frio, coitadinho! que metia dó! Chamei-o, qual "Senhor vigário! Ó senhor vigário!" Respondeu você, que lá não estava?... Pois assim respondeu ele! Afinal agarrei-o pelo braço e disse-lhe que aquilo não tinha jeito!

— Não tinha, decerto, tia Salomé!

— Acompanhou-me tiritando. Você sabe como a capela é fria!... E mal deu alguns passos pelas lajes, desatou num pranto de choro, como eu nunca vi!

— Chorando?! Que me diz, tia Salomé?!

— Como uma criança, mestre Jerônimo! Nunca vi chorar tanto! Ao depois, meteu-se ali no quarto, não quis comer nada, e levou toda a noite a andar de um para outro lado, até que...

Mas interrompeu-se, porque a porta acabava de abrir-se, e Ângelo entrava na sala, com o seu passo lento e o seu ar triste e acabrunhado.

Fez-se silêncio.

2
Mal secreto

Ângelo vinha profundamente pálido e abatido, mas com a fisionomia serena. Um quê de tranquilo cansaço imobilizava-lhe o rosto, não deixando distinguir bem qual a fonte da expressão que nele predominava. Seria a piedosa resignação do justo que, seguro da sua fé, caminhava de olhos fitos no divino ideal, passando, sem rasgar os vestidos da alma, por entre todos os espinhais mundanos; ou seria o surdo desfalecimento de quem, a pura violência, esmaga dentro do próprio peito a fecunda semente das suas mágoas, como a mãe desnaturada sufoca nas entranhas o palpitante fruto dos seus amores?

Vagarosamente atravessou a sala e foi sentar-se numa velha cadeira, ao lado da tosca mesa de carvalho.

A criada e o hortelão acompanhavam-lhe os movimentos com um lastimoso olhar.

— Boas noites, tia Salomé, boas noites, mestre Jerônimo — disse ele, cumprimentando-os humildemente.

— Deus Nosso Senhor lhe dê as mesmas, senhor vigário! — respondeu a criada, quase que ao mesmo tempo que o hortelão.

E a boa velha, pensando em Robino, que continuava a dormir a um canto, foi tratar de afastá-lo dali, para poupar a Ângelo o espetáculo daquela imoralidade.

Mal, porém, lhe pôs as mãos em cima, o pequeno gritou acordando:

— É de virar! É de virar! Hip! Hip! Hurra!

— Que é isto?... — perguntou Ângelo, voltando o rosto.

— Ora! Que há de ser?... — explicou a criada, enquanto Jerônimo carregava o pequeno lá para dentro. — É o mariola do Robino que está que se não pode ter nas pernas! Se não fosse o hortelão, ficaria aí estendido pelo caminho e talvez se afogasse na enxurrada, que vamos ter muita chuva! Seria bem feito!

— Coitado!... — murmurou Ângelo.

— Coitado?! Ainda o Sr. vigário diz: "Coitado!"?... nunca vi coisa assim! Isto já não é bondade é tolerância demais! Ter pena de um maroto que se vai meter na taverna do Bruxo até ficar a cair!... O Sr. vigário faz mal em proteger semelhante biltre, que para nada serve! Queria ver se o despedissem daqui, onde ele encontraria quem o aturasse!...

— Por isso mesmo não devemos despedi-lo... — observou o cura. — Se ele não tem para onde ir, como quer a tia Salomé que o ponhamos fora de casa? Seria matá-lo de penúria!...

A criada abaixou a cabeça e disse, de si para si, a endireitar o seu avental: — É mesmo um coração de anjo!...

— Ouça, minha boa Salomé... — acrescentou Ângelo, pousando-lhe a mão no ombro — você às vezes finge-se má... aposto que, se eu expulsasse daqui o Robino, seu coração, minha irmã, sofria com isso mais do que o dele próprio...

— Não digo o contrário, Sr. vigário, mas...

— Por que então há de fingir-se aquilo que não é?... Por que há de dizer o que não sente?... Por que fazer-se má, quando os seus sentimentos são humanos e compassivos?... Saiba, pois, que tanto se ofende a Deus com a falsa maldade, como com a verdadeira. Com a falsa ainda mais se ofende, porque a outra tem a sua absolvição na fatalidade dos instintos, ao passo que esta é toda produto do raciocínio, e como tal deve ser punida. Se Robino é um miserável, é um perdido, por isso mesmo devemos socorrê-lo; se não dispõe de ninguém por si, devo eu estar ao lado dele, e, se eu também o abandonasse, ainda ficaria Deus, que não abandona nunca os desgraçados.

E prosseguiu, depois de uma pausa, deixando-se arrebatar no voo do seu amoroso enlevo pelas coisas místicas:

— O santo missionário Francisco Xavier, quando percorreu a longa Índia com a sua esfarrapada sotaina, tocava uma campainha para atrair o povo, e entre este ia escolhendo os desgraçados de toda a espécie, para socorrê-los e dividir com eles a melhor parte do seu pão e do seu coração. Schwartz, Marshman, e quantos outros soldados de Jesus, afagaram toda a escala das misérias humanas, como se percorressem o doce teclado de um órgão, entoando hino de amor à Virgem Puríssima! Vicente de Paula, reduzido à escravidão em Argel, humilhou-se de tal modo e com tamanha devoção, que acabou convertendo o seu herético senhor à fé católica. E mais tarde, em Marselha, ei-lo que desdenha a honrosa companhia do Conde de Joigny, para ir coabitar com os galés, até chamá-los, a todos, um por um, ao caminho da moral e da religião de Cristo! Mas o próprio Cristo?... Não foi ele quem recolheu nos seus braços a pecadora das pecadoras, a desgraçada repelida por todas as multidões? Não foi ele quem fez de Madalena o louro arcanjo da regeneração?... Não foi ele quem dela fez uma santa? Sim! Sim, Jesus, meu Mestre! Toda a tua religião e toda a tua sabedoria se reduzem a esta palavra: — Amor!

E um longo suspiro saiu-lhe do fundo da alma.

Salomé, que do meio para o fim da divagação do presbítero se fora comovendo progressivamente dava agora repetidos soluços, limpando os olhos com o avental.

— Perdoe-me!... — gaguejou ela — perdoe-me, Sr. vigário!... Vossa reverendíssima tem toda a razão... Vossa reverendíssima é um santo... mas que quer?... Eu estava contrariada... Eu estou muito zangada! Tenho que ralhar!

— Por que, minha boa irmã?...

— Ora, por quê! Porque vossa reverendíssima pelo modo que vai, dá cabo de si!... Tem lá jeito! Levar até estas horas com o estômago vazio, a andar por aí todo o santo dia, em risco de lhe acontecer como ao frei Oseias!...

— E todavia não tenho fome...

— Mas há de sempre comer alguma coisa, senão é que me zango deveras!...

— Tenho é muito cansaço...

E assentou-se.

— Pudera não! Fazendo destas!... Isto até ofende a Deus!

E, de carreira, foi lá dentro em busca do que havia para cear.

Ângelo, mal se viu a sós, deixou pender a cabeça e pousou as mãos sobre os joelhos.

— Ah!... — pensou ele. — Como estou transformado, meu Deus!... Como eu próprio me desconheço!... Como sou miserável e fraco!... (E agarrando o peito, desesperado.) Carne traiçoeira e maldita! De que lama és tu feita?... E não poder quebrar-te num instante, imundo barro sensual e pobre!

Mas Salomé voltava com a ceia.

— Ingrato! — exclamou ela. — Eu que lhe havia preparado uma sopa tão apetitosa!... Vamos! Coma alguma coisa...

E enchendo-lhe o copo com o vinho que trouxe num canjirão: — Beba, Sr. vigário! Beba um bom trago de vinho! Este ainda é da colheita do defunto padre René... Ah! o padre René!... Esse é que tinha sempre um apetite... que metia gosto vê-lo comer!... Comia tão bem o santo homem que, às vezes, vendo-o jantar, jantava segunda vez! Um dia pregou-me uma formidável indigestão!... Santa criatura!...

— Você o estima muito, não é verdade, tia Salomé?... — perguntou Ângelo, tomando uma colherada de sopa.

— Como não?... Pois se o servi durante dezoito anos seguidos!... Se não fosse a congestão que o raspou, ainda...

— A congestão?! — interrompeu o vigário. — Pois ele não morreu atacado pela peste?...

— Qual o quê! — negou a criada, rindo. — Isso foi uma balela que se arranjou aqui em Monteli!... Os amigos dele entenderam que lhe não ficava bem, como sacerdote, morrer de congestão, havendo tanta peste na aldeia...

— Ah!

— Coitado! Foi lástima! Belo homem! Não parecia ter setenta anos! Forte, sadio e trabalhador como gente!... Às vezes, depois do almoço, agarrava-se a uma enxada e dava-lhe para labutar, que três ou quatro trabalhadores não lhe levariam a melhor! Não vê o senhor vigário toda aquela parte do muro do cemitério que está reconstruída?... Pois quem foi que a levantou?...

— Ah! Ele também trabalhava de pedreiro?...

— Se trabalhava! Queria que o visse em mangas de camisa e calças arregaçadas, pé no chão, a fazer barro e a carregar terra! Mas também, quando caía na cama, era aquela certeza!

— Dormia bem?...

— E roncava, senhor vigário! Roncava, que se ouvia de longe! Uma vez...

Um trovão mais forte estalou no espaço, fazendo tremer as folhas da janela.

— Chit! — gritou Salomé, correndo até à porta — que tempestade vamos ter! Olha se o senhor vigário se demora mais um pouco!... Felizmente tenho aí alecrim bento para queimar!...

Mas Ângelo já não a ouvia. Tinha os olhos cravados no teto.

— Então que é isso?... — perguntou ela, tocando-lhe familiarmente do ombro. — Já caiu na cisma?... Vamos! coma ainda alguma coisa! Vá uma fatia de queijo. (Ângelo repeliu o prato.) Sempre queria que me dissessem o que foi que o senhor vigário comeu!... Não sei do que se sustenta!... Se isto continua assim, mando pedir ao boticário o remédio que ele deu ao filho do tio Curvado. Aquele também não comia, nem à mão de Deus Padre, mas o boticário deu-lhe uns papelinhos, e o rapaz endireitou logo! Hoje, de gordo, não passa por aquela porta!

Interrompeu-a um novo trovão, mais forte ainda que o primeiro.

— Valham-me São Jerônimo e Santa Bárbara! Parece que vem hoje o mundo abaixo! Vou acender uma vela benta!

E saiu da sala, a correr, benzendo-se com ambas as mãos, estonteada de medo.

Ângelo, imóvel na posição em que caíra esquecido, só daí a pouco moveu com os lábios, para murmurar entredentes:

— "E se, apesar de tudo, encontrares alguma mulher, que te leve a sonhar estranhas venturas..."

— Oh! — disse em voz alta — meu pai tinha razão!... Tinha toda a razão!...

E erguendo-se, como se acordasse de um letargo:

— Pois eu não terei energia bastante para reagir contra esta fraqueza?... Não poderei estrangular a matilha que me rosna no sangue?... Pois a ideia daquele demônio matará em mim todas as outras ideias?... Oh, meu Deus, não é possível! Seria uma injustiça! Uma tremenda injustiça!

Salomé reapareceu, para perguntar:

— Então, Sr. vigário! que faz que se não recolhe?... Vamos! Deite-se, que precisa de repouso. Já acendi o oratório da Virgem. Não fique aí a cismar!

— Vá! Vá descansada, tia Salomé, que eu me recolho imediatamente. Boa noite.

Ângelo, uma vez recolhido ao quarto, começou a passear de um para outro lado, entregue todo a sua implacável preocupação.

— Não! — protestou ele, estacando no meio do aposento, depois de longo meditar. — Não! A ideia daquela mulher não matará meu coração e minha alma! Preciso não pensar nela! Preciso arrancar daqui de dentro esta terrível loucura, que me absorve, gota a gota, toda a substância do meu espírito!...

E circunvagou em torno o olhar ansioso e desvairado.

— Mas — prosseguiu o mísero — como poderei não pensar nela, se, mal me vejo a sós, sinto-a comigo?...

Sim! Sim! Ela aqui está e em tudo se denuncia!... Sinto-a perfeitamente; sinto-a no perfume dos seus cabelos, no farfalhar do seu vestido, na tentadora luz de seus olhares!... Parece-me que, ao voltar-me, darei com ela, face a face, a sorrir-me de amor e a estender para mim seus braços pecadores...

E atirou-se de joelhos defronte da Virgem com a cabeça pousada no rebordo do altar. Depois ergueu o rosto, e, de mãos postas, tentou dizer uma oração. Mas o seu espírito não acompanhava a religiosa palavra que seus lábios proferiam, e o desgraçado, louco de desespero, deixou-se cair por terra, soluçando, estendido ao longo do chão, como um cadáver. Perdeu os sentidos.

Lá fora a tempestade continuava, roncando no espaço.

No fim de algumas horas, Ângelo passou da síncope ao sono, e começou a sonhar:

— Alzira, minha amada... — sussurrava ele, entreabrindo os lábios — teu rosto é formoso como o rosto da Virgem, teus olhos são como os dela — fonte de amor e de ternura, são negros, são doces, augustos e suplicantes; teus cabelos cor de ouro valem pelo seu diadema de rainha dos céus, a carne do teu colo é tão macia como o cetim do seu manto constelado... mas eu não te posso dar o meu amor, adorável pecadora, porque me casei com a igreja e dei o meu coração a Maria...

Nisto, bateram lá fora três fortes pancadas com a aldrava da porta.

— Não! Não me chames!... — continuava a sonhar o pároco. — Não te aproximes de mim, flor de perdição! Que eu morreria de pena se te fugisse, mas também morreria de remorsos, se tu ficasses nos meus braços. (Bateram de novo e mais forte.) Não! Não irei abrir-te a porta! Mas não desesperes, minha pobre amada!... Ainda nos havemos de reunir no Paraíso!... Seremos dois espíritos inseparáveis, que percorrerão abraçados os páramos de Deus! Então, como duas asas de anjo, viveremos unidos para sempre e sempre acordes.

Bateram de novo, ferozmente, e Salomé gritou lá de dentro:

— Quem é?

— Queremos falar ao Sr. cura — respondeu uma voz de fora.

— Agora não é possível! Voltem pela manhã!

— É caso urgente!

— Mas ele está dormindo!...

— Precisamos falar-lhe no mesmo instante!

E no entanto... sonhava o pároco; o teu amor deve ser mais doce que o mel das flores... mais suave que o perfume da mirra, e melhor e mais saboroso do que os vinhos de Canaã!...

Salomé, deveras contrariada, entrou na sala de jantar, trazendo na mão uma candeia acesa, e foi até a porta do quarto de Ângelo.

— Tem lá jeito!... — resmungava ela a gesticular com o braço que trazia livre. — Tem lá jeito!... Incomodarem o pobre homem, que ainda não há muito se recolheu tão cansado!...

E bateu na porta do quarto.

Ângelo acordou sobressaltado, ergueu-se e correu a saber quem era.

— Estão aí dois desalmados, que querem por força falar ao senhor vigário. Eu disse logo que não era possível; eles, porém, insistiram tanto, que...

— Fez bem em chamar-me, tia Salomé. Faça-os entrar imediatamente. São, com certeza, viajantes que precisam de agasalho!... Que entrem sem demora!... Veja o que há aí para comer. Eles devem trazer fome...

A criada pousou a candeia sobre a mesa, e afastou-se resmungando.

Daí a pouco penetravam na sala dois homens corpulentos, envolvidos em longas capas de pano escuro.

Um deles era negro e tinha os olhos vermelhos de chorar.

— Com licença! — disse o outro sacudindo o chapéu encharcado de chuva. — Por Baco! Pensei não chegar aqui! Boa noite, senhor cura!

Ângelo cumprimentou-os.

— Os senhores — disse — são sem dúvida forasteiros e querem agasalho, não é verdade? Vou dar as providências para...

— Não, senhor cura, muito obrigado — agradeceu aquele, detendo o pároco. — Não queremos agasalho, temos até de voltar *incontinenti*!...

— Por este tempo?... — observou Ângelo.

— Viemos pedir a vossa reverendíssima para ir dar a extrema-unção a uma agonizante, que a reclama com insistência.

— Pois não! Pois não! — respondeu o padre, correndo a tomar o chapéu e o capote. — Estou pronto! Vamos! Onde é?...

— Logo ao entrar na avenida de Blancs-Manteaux, castelo d'Aurbiny.

— Avenida de Blancs-Manteaux! — exclamou a criada que até aí estivera de mãos nas cadeiras, a sacudir a cabeça furiosa. — Quase uma légua de distância! Isso não pode ser! Não consinto!

Ângelo foi ter com ela e disse-lhe em voz baixa:

— Cale-se, boa Salomé... Não me queira desviar das minhas obrigações!

E foi ainda lá dentro buscar o necessário para dar a extrema-unção.

— Mas é uma imprudência o que o senhor vigário quer fazer!... — insistiu aquela. — Sair de casa a estas horas e com este tempo!...

Ouviu-se um trovão.

— Valha-me Deus! — exclamou ela. — Os caminhos com certeza estão piores que o mar!

— Trouxemos um cavalo para o senhor cura.

— Nem sequer trouxeram um carro! Não! Definitivamente o senhor vigário não vai, porque eu não consinto!

— Então, Salomé! — disse Ângelo — cale-se, minha irmã... O dever não deve olhar maus tempos e perigos mesquinhos...

A boa velha, em vez de calar-se, colocou-se defronte dele, com os braços erguidos, e exclamou:

— Mas, por amor de Deus! Repare que esta loucura vai fazer-lhe muito mal!... Lembre-se de que não está bom de saúde!... Lembre-se de que...

Ângelo interrompeu-a:

— E supõe que eu poderia ficar aqui tranquilo, sabendo que alguém morre, pedindo inutilmente a confissão?... Que eu poderia dormir descansado, lembrando--me que nesse momento um moribundo me amaldiçoava, porque lhe faltei com os derradeiros socorros à sua alma!...

E voltando-se para os dois homens:

— Vamos! Vamos, irmãos! Estou às vossas ordens!

E traçou a capa e saiu, acompanhado pelos outros dois.

Daí a pouco, três cavaleiros negros cortavam a estrada e entranhavam-se na floresta, galopeando na treva, como fantasmas.

Pareciam voar nas asas da tempestade. E, a cada relâmpago, os cavalos aterrados relinchavam, acelerando a vertigem do galope.

Só pararam defronte do velho e sombrio castelo d'Aurbiny.

Ângelo apeou-se, e ao transpor o largo portão de pedra, em cujo frontal havia ainda as armas fidalgas de uma grande família extinta, sentiu a alma tolhida por uma vago e áspero pressentimento de desgraça.

Mas entrou sem hesitar e subiu a longa e esborcinada escadaria de mármore, conduzido por um pajem de libré vermelha, que o veio receber à porta.

3
Primeiro beijo de amor

Em uma desarranjada alcova do velho castelo, entre mesas cobertas de frascos de remédio e estojos de cirurgia, há uma cama com um cadáver de mulher.

Esse cadáver é de Alzira.

Tem soltos os cabelos, que lhe correm de um e de outro lado do rosto. Os braços saem-lhe das largas mangas de uma túnica branca, e cruzam-se piedosamente sobre o frio e apagado peito.

Ela, de tão serena que tem a fisionomia, parece dormir um sono que não é o derradeiro, e nos seus lábios gélidos, para sempre unidos pela morte, há como que a sombra do último sorriso que por eles passou.

Ao lado da cama, enterrado no fundo de uma poltrona e com o rosto escondido no lenço, Artur Bouvier chora silenciosamente; junto dele o Conde de Saint--Malô, também mudo, contempla o cadáver. E o Dr. Cobalt, com ar prostrado e a roupa em desordem, arruma a sua carteira de médico e prepara-se para sair.

— Não me surpreendeu esta morte... — disse afinal o conde. — Há muito que a previa...

— Foi um verdadeiro suicídio!... — declarou o doutor. — Não é impunemente que se leva a vida de extravagâncias, a que esta pobre rapariga se atirara por último... Não há dúvida que queria dar cabo de si!

— Pobre louca!... — murmurou Bouvier com um suspiro. — Dir-se-ia que uma implacável sede de comoções a devorava incessantemente!... Quantas vezes, nestas últimas orgias da sua vida, a vi ardendo em febre, a tossir, a escarrar sangue, sem ânimo todavia de recolher-se à cama. Pobre Alzira!

O médico, que acabava de arrumar os seus ferros, disse, aproximando-se dos outros dois:

— Moralmente, coitada, foi sempre enferma... Sofreu muito! Sofreu muito, porque só desejava o que não podia obter. Fingia-se a mulher mais insensível do mundo, quando, em verdade, era de uma delicadíssima sensibilidade nervosa. Se vivesse ainda por muito tempo, acabaria louca sem dúvida!

— Pobre Alzira! — repetiu Bouvier.

— Mas o caso é que está morta — disse o conde — e nós, últimos amigos que a acompanham, precisamos completar a obra, dando-lhe um enterro condigno da sua beleza.

E, vendo que acabava de assomar à porta a figura de Ângelo:

— Aí está o padre!

Ângelo cumprimentou-os com um respeitoso movimento de cabeça, e parou à entrada.

O conde foi ter com ele e apertou-lhe a mão.

— Já chega tarde, Sr. padre Ângelo... não encontra uma agonizante, encontra um cadáver...

— Expirou há duas horas... — declarou Bouvier, pondo a mão sobre o rosto da morta. — Já principiava a enregelar...

O pároco, que lentamente se aproximara do cadáver, ao dar com aquela branca figura de mármore estendida sobre a cama, soltou um grito e começou a tremer, arquejante e lívido.

Bouvier e o conde acercaram-se dele, enquanto o Dr. Cobalt, a certa distância, atentamente o observava com os seus olhos de médico apaixonado pela sua ciência.

— Não é nada... não é nada... — tartamudeou Ângelo, procurando esconder a sua tremenda comoção. — O espetáculo da morte produz-me sempre este abalo. Não é nada!... Peço-vos que me deixeis um instante só com o cadáver... Vou encomendá-lo a Deus.

— Pois não... Pois não...

— Fique à vontade, senhor cura — acrescentou o materialista. — Nós passamos à sala de jantar, mesmo porque temos necessidade de comer alguma coisa. Desde pela manhã que aqui estamos a lutar com a morte. Fique, e desejo que os seus esforços sejam mais proveitosos que os meus. Até logo.

Os três saíram da alcova.

Ângelo foi acompanhá-los à porta, afetando grande tranquilidade, mas, logo que o pesado reposteiro de damasco se fechou sobre eles, explodiu-lhe do peito uma onda de soluços, e o mísero precipitou-se para junto do cadáver e caiu de joelhos, abraçando-lhe o pescoço e beijando-lhe as mãos.

— Ah! — exclamou transportado pela paixão. — Posso enfim estreitar-te agora nos meus braços! Já não és uma mulher, és simples matéria inerte! Já não és o fruto proibido! Já não és o ente perigoso que nos leva a sonhar estranhas venturas!... És pó! És nada! Posso agora ao teu cadáver dizer tudo, confessar-lhe o meu pobre amor, o muito que sofri, as longas horas de amargura que arrastei na minha negra solidão! Deus não me castigará por isso! Minhas palavras de amor ficarão contigo, adorável despojo, sepultadas debaixo da terra! Não! Não estou pecando, porque não é à tua carne que eu me dirijo, é à tua alma, e essa não pertence ao mundo, essa não tem sexo!

E, alucinado, acrescentou, como se a morta pudesse ouvi-lo:

— Sim! Sim! Eu te amo, eu te adoro, alma que te partiste para sempre! Corpo que vais para sempre desaparecer da superfície da terra! Eu te amo, Alzira! Eu te amei sempre!

E uma vertigem se apoderou dele, e o seu sangue enlouqueceu, acendendo--lhe os sentidos, e apagando-lhe naquele instante a luz da razão.

Soltou um grito. Aos seus olhos desvairados, Alzira acabava de erguer-se a meio no leito, e abriu as pálpebras, estendendo-lhe os braços com um fugitivo e triste sorriso nos lábios.

— Meu Deus! Meu Deus! — exclamou ele, trêmulo e aterrorizado. — Que significa isto?... Ainda vives, Alzira?... Mas como é que vives, se o teu corpo tem a gelidez da morte?...

E Ângelo viu distintamente que os lábios dela se moviam, para lhe responder com uma voz quase indistinguível:

— Sim, vivo ainda... um instante apenas, um ligeiro instante; o que baste para encher minh'alma com a tua imagem imaculada e santa, antes que eu parta eternamente para as margens desconhecidas que já daqui avisto...

— Meu Deus! — soluçou Ângelo — perdoa-me! Perdoa-me!

— Descansa — segredou ela, afagando-lhe os cabelos — Deus, que é bom pai, não amaldiçoará o nosso amor... Ele quer que as suas criaturas vivam aos pares e se amem como nós nos amamos... E eu te amei tanto, meu Ângelo, tanto, que Deus perdoou todos os meus crimes só pelo muito que te amei e pelo muito que sofri com ser repelida do teu seio! Eu, a mais depravada de todas as mulheres, eu, que só causei mal durante a minha existência, não tenho ânimo de levar minh'alma à presença de Deus, se para sempre não me fechar os lábios um beijo do homem mais puro entre todos os que a terra habitam! É isso que vim pedir-te! Dá-me um beijo e minh'alma voará purificada aos pés do Criador! Um só beijo dos teus, tão puro e divino, me resgatará de todos os outros, cínicos e vis, que dei durante a vida inteira!

— Eu te amo, Alzira! — respondeu Ângelo.

E seus lábios colaram-se aos lábios dela, no êxtase de um primeiro beijo de amor.

Depois, Alzira soltou um fundo e doloroso suspiro e deixou-se cair de novo para trás, outra vez cadáver.

O alucinado passou-lhe então a mão no rosto, sacudiu-a pelos braços e, sentindo-a de novo tão hirta e tão gelada, soltou um formidável grito de agonia e perdeu os sentidos, caindo com a cabeça sobre o colo da morta.

Com o grito de Ângelo acudiram os que estavam lá dentro, vindo na frente o Dr. Cobalt, que correu logo para junto do padre e começou a observá-lo radiante como se nesse momento acabasse de descobrir um tesouro preciosíssimo.

— Está sem sentidos! — disse, e acrescentou entredentes, enquanto o apalpava. — Que achado! Que rico achado!... Já não o largo!... É meu! Creio que afinal encontrei o caso que eu há tanto tempo procuro!...

O conde e Artur Bouvier entreolharam-se, interrogando-se mutuamente que significaria aquele singular sacerdote que diziam santo, assim desfalecido sobre um inanimado corpo de mulher.

Ângelo, entretanto, continuava tão imóvel, tão pálido e morto sobre a morta, que parecia um cadáver perseguindo em silêncio outro cadáver.

4
Por fora de horas

O Dr. Cobalt, ajudado pelo conde e por Bouvier, tratou de remover Ângelo do fúnebre leito de Alzira, para um divã que havia na alcova.

O pároco continuava inanimado.

O médico que estivera a tentear-lhe o rosto e as mãos, disse, sem deixar de observá-lo minuciosamente:

— O cadáver comunicou-lhe o terrível frio da morte... Vejam como ele tem as faces e as mãos geladas!

— E como está hirto e pálido!... — considerou o conde. — Parece morto...

— Não! Não está morto!... — declarou Cobalt, pondo-lhe o ouvido sobre o peito.

— Sente pulsar-lhe o coração? — perguntou-lhe aquele.

— Não! Não se ouve absolutamente pulsar-lhe o coração, mas afianço-lhe que está vivo.

— É extraordinário!... — notou Artur Bouvier, apalpando a fronte do desfalecido.

— Mas, afinal, doutor, que tem esse pobre homem? — indagou o conde.

— Nada mais simples — explicou o médico — tem um ataque de letargia... ou coisa que o valha!...

— Ah!

— Produto sem dúvida de um profundo abalo nervoso. Vou tratar dele. Hei de curá-lo e estudar o caso, que me parece muito bonito. O que me convém saber é qual era o seu estado patológico antes desta crise, e qual o valor dos agentes estranhos que poderiam ter contribuído para ela. Como sabem, a nossa ciência neste ponto ainda está muito atrasada em toda a Europa. Quase nada se conhece desse grande mundo, extraordinário, fantástico, impalpável, quase incompreensível; esse mundo de fenômenos psíquicos fornecido pelas afecções nervosas! Basta dizer-lhes que entre nós a histeria é ainda um mistério; a sugestão magnética é um divertimento!! As suas singularíssimas manifestações escapam ao médico e são exploradas pelo clero, que as explica como obra do diabo e receita para todos os casos os milagres de Saint-Médard! Estamos mais atrasados que nas épocas empíricas de Platão; mas, tempo virá, meus amigos, em que esta mesma França, ignorante de hoje, há de dar sobre este assunto as mais belas lições de ciência. O futuro vingará minha obra, tão ferozmente amaldiçoada pela Sorbonne e pelo Parlamento! Juro-lhes que a histeria, com todo o seu carnavalesco e brilhante cortejo de loucuras, não será um mistério no século XIX!

— E quanto tempo levará este homem sem dar acordo de si?... — quis saber Artur.

— Não sei... — respondeu Cobalt. — Ainda não posso dizer ao certo, se o que ele tem é uma crise cataléptica, ou se caiu em letargia histérica. Se for catalepsia, pode a síncope durar pouco e pode também durar muito; pode durar apenas algumas horas, como igualmente pode durar meses...

— Meses?...

— Pois não! Há casos observados de prostração cataléptica, que duram mais de cem dias... Espere! Vou fazer uma experiência...

E foi buscar um frasquinho de éter, que levou ao nariz de Ângelo. Este conservou-se imóvel.

— Não! Não pode ser simples catalepsia... — declarou o médico. Com a ação do éter, os catalépticos põem-se em movimento e reproduzem inconscientemente, por mímica, a cena que lhes determinou a crise.

— Então é letargia?... — disse o outro.

— Creio que sim... E, se for... oh! Os senhores não imaginam que sonhos extravagantes, que visões, que fantasias, pode ele experimentar durante esse estado!... Foi isso o que no outro tempo levou muita gente à fogueira; tais coisas viam os histéricos nos seus delírios e tais coisas juraram ter presenciado, que os santos padres resolviam queimá-los, convencidos de que os infelizes eram feiticeiros ou tinham o diabo no corpo. E, mesmo agora, todas essas convulsionárias, que infestam Paris, protegidas pelos jansenistas, e que pretendem cair às vezes em estado de inspiração divina, para conversarem com os espíritos e outros seres sobrenaturais, o que mais são do que histéricas sinceras ou fingidas?...

— Pobre moço!... — lamentou Bouvier, considerando a pálida figura de Ângelo estatelada sobre o divã. — Aí está em que deu tanta pureza de corpo e alma!...

— Agora o que convém — tornou o médico — é afastá-lo daqui, e proibir que lhe falem no ocorrido. A presença daquele cadáver agravaria o seu estado e poderia ser-lhe fatal. É preciso poupar-lhe esse perigo. O melhor será que desperte da letargia já em casa, deitado no seu próprio leito; e, como já não sou necessário neste lugar, encarrego-me de acompanhá-lo a Monteli. Ficam os senhores para tratar do enterro.

— Mas, doutor — observou o conde — permita que lhe lembre que a noite está horrível e que o padre Ângelo, se me não engano, não mora tão perto!

— Não importa! Sei onde é... Levo-o na minha carruagem. Os cavalos são bons e o cocheiro conhece bem o caminho! Daqui a pouco estarei lá.

— Como quiser... Uma vez que se interesse tanto pelo padre Ângelo...

— Não é o homem que me interessa — declarou o médico, enfiando o seu longo capote de jornada — é o doente. O conde não ignora que eu tenciono apresentar ainda este ano à Academia umas memórias a respeito de certas enfermidades nervosas, que não foram estudadas em França... Preciso deste enfermo como de pão para a boca!

E foi chamar os criados, e ordenou-lhes que levassem Ângelo para o seu carro, o que ele mesmo ajudou a fazer, com uma solicitude de namorado a raptar a amada desfalecida.

— Cuidado, hein! — gritou ele a Amílcar, quando o negro se apoderou do pároco. — Adeus, conde! Adeus, Bouvier!

E saiu, acompanhando de perto o seu tesouro.

Durante a viagem não tirou a mão do pulso do histérico e, por várias vezes, debruçou-se sobre ele, auscultando-lhe o peito.

Continuava a letargia.

Salomé, quando viu seu amo entrar em casa carregado a braço por dois homens, levou as mãos à cabeça, e desandou numa terrível imprecação, contra todos os que tinham contribuído para fazê-lo sair aquela noite, fora de horas e por um temporal de morte.

— Malditos sejam! — exclamou ela — que me obrigaram o pobre homem a cometer tamanha loucura! Agora, está aí! Vejam como ele volta! Que digam se eu tinha ou não tinha razão!

O médico tapou-lhe a boca com uma moeda de ouro, enquanto depunham o desfalecido no quarto, sobre o leito.

— Tome lá para o seu rapé... — disse aquele — e não precisa afligir-se, tiazinha! O pároco não está abandonado, nem corre o menor perigo. Sou médico e não o deixarei enquanto ele precisar dos meus socorros. Apenas desejo que a senhora me ajude naquilo que for preciso...

— Estou às suas ordens, senhor doutor...

— Bom! Pois então, em primeiro lugar, nada de gritaria, que isso só serve para fazer mal; em segundo: vai a senhora contar-me minuciosamente como tem vivido aqui, até hoje, o nosso vigário, o que tem feito ele, e quais os incômodos que tem sofrido.

E Cobalt, enquanto ela dava conta da existência de Ângelo, escutava-a com os olhos fitos no chão, e só a interrompia para lhe pedir novos esclarecimentos sobre algum ponto que não ficara logo bem explicado.

Depois, tirou a sua carteira, tomou algumas notas a lápis, e em seguida foi assentar-se à cabeceira do leito do doente, consultando o relógio de instante a instante.

Assim esteve até pela manhã, quando percebeu que Ângelo ia voltar a si.

Ergueu-se na ponta dos pés e foi ter com a criada, que dormia a um canto da sala de jantar, sentada num banco de pau.

— Olhe! — disse-lhe em voz baixa. — O vigário vai despertar... É preciso ter todo o cuidado com ele, entende?... Observe-o com atenção para me dizer depois o que se passar. Convém que ele me não veja e que não desconfie sequer que eu cá estive... É preciso não deixá-lo perceber que está doente, porque senão ficará pior e talvez perdido... A respeito de tudo que se deu aqui esta noite — nem palavra, ouviu? Isto é o principal! A menor palavra a esse respeito pô-lo-ia doido! Todo o cuidado é pouco!

Salomé, de boca aberta e olhos arregalados, ouvia-o sem pestanejar.

— Mas — disse ela — e se o senhor vigário me fizer alguma pergunta a respeito do que se passou à noite?

— Finja que de nada sabe. Assim é preciso, se a senhora não o quer ver doido varrido! Adeus. Não se descuide, hein!... E tome lá de novo para o seu rapé! Até logo. Eu voltarei mais tarde.

Deu-lhe outra moeda e saiu, andando cautelosamente, como se receasse acordar alguém.

Ângelo, entretanto, acabava nesse momento de voltar a si.

Abriu os olhos, passeou-os estranhamente em volta da cama, depois tornou a fechá-los, deixou cair de novo a cabeça sobre o travesseiro e começou a dormir, como se continuasse um sono, apenas por um instante interrompido.

Eram duas da tarde quando se ergueu do leito.

5
Entre a vida e o sonho

Depois daquele imenso temporal da noite inteira, o dia abriu formoso e resplandecente de luz. A areia dos caminhos brilhava, secando ao sol; as chaminés das cozinhas atiravam para o ar penachos cor de pérola, que se agitavam suavemente às brisas refrescadas pela chuva.

A aldeia parecia sorrir. Os pardais saltavam por toda a parte e grasnavam por entre as ripas dos telhados. As borboletas saíam do mistério dos seus casulos, e vinham peraltear à grande claridade dos vergéis alegres e floridos.

Ângelo, entretanto, continuava a dormir profundamente, como um enfermo que acabasse de escapar à morte, depois de ter atravessado muitas noites em claro. Não sonhava, não se movia no leito. Era um sono de pedra.

Quando acordou às duas horas, fez as suas orações, tomou um copo de leite, que lhe haviam posto à cabeceira da cama, e deixou-se ficar no quarto até ao momento de ir rezar às Trindades na capela.

Saiu em silêncio, em silêncio atravessou por entre os aldeões, e foi colocar-se defronte do altar, com os braços abertos, e olhos perdidos no vago, imóveis, a desfiarem lágrimas.

Já não eram lágrimas de sacerdote, era o seu ferido coração de homem que sangrava.

Por esse tempo, Jerônimo e Salomé conversavam lá fora, sob o velho parreiral que havia em frente à pobre vivenda do pároco.

Falavam em voz baixa, como se conspirassem.

— Ora — segredou o hortelão — muito me conta a tia Salomé a respeito do nosso vigário!... Bem me dizia vossemecê ainda ontem que o homem às vezes parecia apatetado!...

— Não estou nada satisfeita, mestre Jerônimo. Durante o tempo do defunto padre René nunca vi coisa assim! O padre René contava-me tudo, tudo que se passava com ele, ao passo que este agora, nem só nada diz, como ainda por cima o médico me proíbe de lhe fazer perguntas!... Tem lá jeito!

— Ah! O Dr. Cobalt proibiu de lhe falar, hein?

— É exato! Jurou-me que, se o senhor vigário ouvisse uma só palavra do que se passou de ontem à noite para hoje, ficaria doido varrido...

— E o que foi que se passou, tia Salomé?

— Sei cá o que se passou! E, ainda que o soubesse, não o diria, porque o médico proibiu!

— O médico proibiu de contar ao senhor vigário e não a mim... Ora essa!

— Não sei! Prometi de não contar, não conto a ninguém!

— A tia Salomé terá receio de que eu também fique com a bola virada ao ouvir a tal história?... Se o caso é esse, perca o receio e desembuche, que eu cá respondo por mim!

— Mas é que eu de nada sei, homem de Deus!

— Não sabe?... Então a que vem a recomendação do doutor?...

— Naturalmente cuida que estou a par de tudo... E confesso que já agora não se me dava de saber que história é essa, que põe a gente com o juízo transtornado...

— O que me parece, tia Salomé, é que para o vermos doido, não é preciso que vossemecê lhe conte a tal história!...

— Para longe o agouro, mestre Jerônimo!

— Ora! Um homem que anda sempre como se estivesse dormindo em pé!... Suponho que nem dá pelo que se passa em redor dele...

— É um santo!

— É! Por isso anda sempre lá pelo céu, com a lua.

— Credo, mestre Jerônimo! Isso não se diz. Você está ficando ateu!

Foram interrompidos pelo Dr. Cobalt, que surgiu por entre moitas de verbena, a olhar misteriosamente para todos os lados.

— Onde está ele?... — perguntou ao ouvido de Salomé. — Saiu para a rua?...

— Não, Sr. Doutor, está rezando às Trindades. O senhor vigário, sempre que não diz missa, reza às Trindades.

— Você nada lhe disse, hein?...

— Não trocamos palavras. Ele só saiu do quarto para ir direitinho para a capela.

E, como o sino principiasse a tocar, a criada acrescentou: — Acabou a reza! O senhor vigário vai voltar naturalmente.

— Bom! Bom! — disse o médico, apressando-se. — Vou, antes que ele chegue. Não lhe diga que estive aqui, percebe?

— Sim, Sr. Doutor.

E Cobalt resmungou contrariado:

— E eu que tenho de partir esta noite para Paris... Diabo!

Voltou-se para Salomé e falou-lhe de carreira: — Olhe, minha amiga, preciso afastar-me daqui, não sei por quanto tempo... você fica encarregada de, quando eu voltar, dar-me conta de todos os passos do nosso doente. Tenha todo o cuidado com ele, que a recompensarei. Não o contrarie nunca, ouviu?... Não o apoquente, e principalmente não lhe dê uma palavra a respeito do que se tem passado. Observe-o bem. Adeus. Saio aqui pelos fundos da casa, para me não encontrar com ele. Tome para o rapé!

E fugiu, depois de atirar-lhe na mão uma nova moeda.

— Deus lhe pague, Sr. Doutor.

E acrescentou para o hortelão:

— Muito gosta este homem de dar dinheiro para rapé...

— É um médico esquisito — observou aquele — tem medo de encontrar-se com o seu doente...

— Bem, mestre Jerônimo, vou lá para dentro cuidar da merenda do Sr. vigário.

— Eu também me vou chegando, tia Salomé. Boas noites.

— Deus lhe dê as mesmas!

E Salomé afastou-se para recolher-se à casa.

Ângelo, nesse instante, acabava de sair da capela e atravessava o jardim.

Entrou na sala de jantar como um sonâmbulo, sem olhar para os lados, e foi assentar-se no banco ao lado da mesa, fitando inalteravelmente o teto.

Estava muito mais pálido e mais abatido que na véspera.

A criada aproximou-se para lhe dar boa noite. Ele não respondeu, nem fez com a cabeça o menor gesto.

Ela saiu da sala, demorou-se um pouco lá dentro, e voltou com o candeeiro aceso.

Ângelo durante esse tempo conservou-se na mesma imobilidade.

— O senhor vigário quer tomar já a sua sopa?... — perguntou a boa velha.

E, como não recebesse resposta, chegou-se mais para ele, segurou-lhe o braço com brandura e repetiu a pergunta.

Ângelo tomou-lhe as mãos e fixou-a.

— Diga-me uma coisa, minha boa amiga... — pediu ele. — Que horas eram, quando ontem à noite vieram chamar-me aqui?...

— Aqui?... — repetiu Salomé, desviando a vista. E acrescentou de si para si: — Agora é que são elas!...

— Sim — insistiu o pároco — refiro-me àqueles dois homens que vieram buscar-me à noite...

— Que homens?...

— Oh! Aqueles com quem eu saí a cavalo...

Salomé engoliu em seco, estalou várias vezes a língua contra o céu da boca, e declarou afinal, tomando uma resolução:

— Vossa reverendíssima ontem à noite não saiu de casa!

— Não saí?!...

E Ângelo ergueu-se, abrindo muito os olhos. — Como não saí?!...

— Não saiu, não senhor. Vossa reverendíssima recolheu-se ontem ao seu quarto e só apareceu hoje à tarde para rezar às Trindades...

O pároco tornou a segurar-lhe as mãos, e perguntou, deveras abismado:

— Pois eu não saí ontem com duas pessoas que vieram chamar-me?... Pois não foi a senhora, tia Salomé, quem me acordou?... Não me disse até que era temeridade sair com o tempo que fazia?...

— Eu?! Eu, não senhor!...

Ângelo levou as mãos à cabeça e exclamou:

— Ó meu Deus! Eu estarei louco?...

Salomé abaixou os olhos, dizendo consigo mesma:

— Quanto mais se eu confessasse a verdade!...

O padre pôs-se a cismar, passeando ao longo da sala. — Seria um sonho?... — pensou ele. — Ela em verdade não teria morrido? Estará viva?...

— Posso trazer a merenda, Sr. vigário?... — perguntou a criada.

E acrescentou para si, vendo que ele não dava resposta: — Coitado, se eu pudesse, dizia-lhe tudo!...

E saiu.

— Foi um sonho!... Não há dúvida... Logo eu, de fato, não pequei!...

E respirou aliviado, encaminhando-se para a mesa.

— Mas, é estranho!... — continuou ele a pensar — nunca sonhei assim!... Seria capaz de jurar que não sonhei — que vivi... Verdade é que nem tudo aparece claro e lúcido no meu espírito... (E procurou recordar-se.) Não consigo lembrar-me do que eu fazia ontem à noite antes de adormecer... Recordo-me que pensava muito em Alzira, tanto que me pus a rezar defronte da Virgem, mas... a Virgem transformou-se em Alzira... Estaria já sonhando, ou tudo isto já seriam alucinações do meu delírio?... Depois era Alzira que tomava as feições da Virgem... Sim! Lembro-me perfeitamente... Depois, sonhei que bateram lá fora e sonhei que Salomé me acordara... Surgem-me dois homens vestidos de negro e pedem-me para ir dar a extrema-unção a um moribundo... Vou... A noite era tenebrosa e só os relâmpagos nos iluminavam a estrada... Galopamos não sei por quanto tempo... afinal paramos defronte de um velho castelo; subo... Receberam-me três cavalheiros... Aproximei-me de um cadáver... reconheci Alzira... Apertei-a nos meus braços... Ela voltou à vida... pediu-me um beijo e... morreu! Depois... (E procurava recordar-se.) Depois... nada mais me lembro, senão que acordei já tarde, naquele quarto, sobre a minha cama... Foi tudo um sonho, não há dúvida!...

— E, no entanto... — acrescentou ele, apalpando a fronte e as mãos — no entanto, dir-se-ia que ainda conservo o frio que me comunicou o cadáver!... É singular! Muito singular!...

Despertou desse devaneio com a voz de Robino, que acabava de aparecer à janela, metendo a cabeça para dentro da sala.

— O senhor vigário deixa-me entrar por aqui?... — exclamou ele.

— Quem é?

— Sou eu, senhor vigário. A tia Salomé, de má, fechou-me a porta! O senhor vigário consente que eu entre?...

— Sim.

Robino saltou a janela e foi ter com o padre, que continuava entregue à sua profunda meditação.

— Boa noite, senhor vigário — disse ele. — A tia Salomé não tinha razão para me fechar hoje a porta!... Eu não estive na taberna do Bruxo!... Eu fui ver o enterro da tal moça de Paris, que estava na avenida de Blancs-Manteaux...

— Hein?! Que dizes tu?! — exclamou o pároco, voltando-se para ele com súbito interesse.

— É verdade, senhor vigário, que lindo enterro! Parecia uma procissão!...

— De quem era o tal enterro?...

— Da tal moça que veio doente para o castelo de Aurbiny... Ia na frente um carro com o caixão, todo enfeitado de plumas pretas e amarelas; depois...

Ângelo interrompeu-o:

— Estás dizendo a verdade?...

— Pois se venho agora mesmo de lá, a correr, para não encontrar a porta fechada?... A tia Salomé disse-me que não me deixaria entrar, se eu viesse depois das Trindades!...

— Como se chamava a morta?...

Robino fez um esforço para lembrar-se.

— Chamava-se... Ora! estou com o nome debaixo da língua!... Chamava-se... Ah! Condessa Alzira!

— Não era um simples sonho!... — murmurou Ângelo, deixando-se cair na cadeira, a sacudir tristemente a cabeça. — Não era um simples sonho!...

6
Mais forte que a morte

Salomé, que entrava trazendo na mão a bandeja com a merenda estacou, ao dar com Robino.

— Por onde entrou este mariola?...

— Pela janela — disse o rapaz.

— Pela janela?!

— Foi o Sr. vigário que me deu licença... — acrescentou Robino, coçando a nuca e passeando o olhar entre a criada e o padre.

— Pois o Sr. vigário fez muito mal!... — declarou a mulher, depondo a bandeja sobre a mesa. — Fez muito mal em deixar este tratante saltar a janela! Assim ele nunca tomará caminho! Não sei o que quer dizer um biltre que...

Ângelo cortou-lhe a frase, segurando-lhe uma das mãos com ambas as suas.

— Minha boa Salomé — interrogou vivamente interessado — diga-me com franqueza uma coisa: está bem certa de que eu ontem à noite não saí de casa?... Vamos! responda-me lealmente!

— Pior vai o negócio!... — pensou a criada, e acrescentou em voz alta: — Como quer que lhe diga que não, Sr. vigário?...

Ângelo voltou-se para o pequeno:

— E tu — perguntou-lhe — estás bem certo de que viste o enterro da...

— Da condessa Alzira?... — acabou Robino. — Ora se estou! Pois se de lá venho!

— Eu cada vez entendo menos... — resmungou Salomé.

E disse, de si para si: — Muito custa a mentir, mesmo por conta alheia!...

Depois, continuou em voz alta, falando ao cura, que parecia muito preocupado: — O verdadeiro, Sr. vigário, é tomar a sua merenda, que está esfriando, e deixar-se de querer saber de coisas que se não explicam!... Boa noite! Vou acender o altar da Virgem... Agora, veja se se deixa ficar aí, a cismar, em vez de fazer a sua refeição...

E, dando uma palmada na cabeça de Robino:

— Anda tu também, daí, ó coisa-ruim!...

— Boa noite, senhor vigário!

Ângelo, ao ficar só, cruzou as mãos sobre o ventre e fechou as sobrancelhas fixamente, no mais intenso ar de interrogação e de pasmo.

— Com que... — pensou ele — sonhei que a vi morta, e ela com efeito morreria, justamente nessa ocasião... Logo, Deus não me abandonou de todo, e, ao contrário, protege-me, envolvendo-se neste meu amor pecador e profano!... Ah! sim, recordo-me agora que, no estranho sonho dessa noite, a própria Alzira me dizia que o Criador é o grande e nutriente manancial de ternura, que noite e dia se derrama sobre o mundo, para o fecundar, como o sol fecunda a terra!... Sim! sim! agora tudo compreendo! É Deus que vem em meu socorro! É Deus que me acode e me aparece em sonhos, como fazia antigamente com os eleitos do seu amor!... Sim! é que o pai misericordioso, reconhecendo a minha inocência e a pureza do meu desespero, enviou-me por um dos seus anjos o beijo de paz!...

E, abrindo ambas as mãos sobre o peito, respirou desabafadamente, e, coisa que havia muito não fazia, sorriu.

— Ah! — suspirou — que doce tranquilidade sinto agora invadir-me a alma!... Obrigado, meu bom pai! meu bom senhor! meu bom amigo!

E deixou-se cair de joelhos no chão, com os braços abertos e os olhos erguidos para o céu, na favorita postura dos seus êxtases.

— Meu protetor e meu abrigo — disse contritamente — às vossas sacrossantas mãos me entrego todo, para que me protejais contra as coisas vis e torpes deste lameiro de lágrimas!... Minha alma já não sente o frio que a torturava; sente-se aquecida e agasalhada no aconchego do vosso peito de amor e perdão, sente-se fortalecida na fé e na confiança da vossa infinita bondade! Meu coração, pai dos desamparados, já me não quer saltar incandescido de dentro do peito em brasa, e meu sangue já me não ameaça sufocar o cérebro com uma terrível e infernal onda de fogo... Obrigado, meu Deus!

E acrescentou, depois de respirar de novo, sorrindo para o espaço:

— A luz da vossa divina graça principia a iluminar-me, como nos primeiros tempos da minha virginal pureza d'alma. Vou adormecer como dantes, como um justo, como um dos vossos servos bem-aventurados... Amanhã poderei, enfim, celebrar o sacrifício da missa, sem o menor escrúpulo de consciência... Já não recearei que meus lábios queimem a hóstia consagrada com o fogo que os abrasava... Obrigado, meu Deus!

E fez o sinal-da-cruz, ergueu-se, e recolheu-se à cama.

Daí a pouco dormia tranquilamente, sorrindo como uma criança.

A casa adormeceu também. Só se ouvia o vento da noite sussurrar nas folhas dos castanheiros lá fora na estrada.

Ângelo principiou a sonhar:

Um coro etéreo descia dos céus e vinha cantar-lhe ao ouvido o epitalâmio dos anjos. O nicho da Virgem iluminava-se de fogos cambiantes, derramando no aposento uma doce claridade de luar multicolor, e a Santa sorria para ele, banhada de ternura, toda de branco e coroada de flores de laranjeira, como uma noiva.

Ângelo volta-se todo para ela e sonha que lhe estende os braços, pedindo-lhe que desça do seu altar e venha colocar-se ao lado dele.

Mas a Virgem começa a tomar as feições de Alzira. A sua branca roupa de noiva transforma-se em longa túnica mortuária, soltam-se-lhe os cabelos e caem-lhe pelas espáduas, como os da morta do castelo de Aurbiny.

Os olhos tingem-se-lhe de uma sinistra sombra cadavérica, e os seus lábios fazem-se roxos e tiritantes de frio.

Ângelo tem medo e volta-se todo contra a parede, cosendo-se aos travesseiros e tremendo aflito.

Mas o espectro de Alzira desce do nicho, e dirige-se para a cama dele.

Ângelo, frio de terror, sente-lhe os passos no chão, e ouve o estranho pisar daqueles pés duros e ossificados pela morte.

Retrai-se, encolhe-se, e arqueja com o rosto escondido.

Mas Alzira vai até a cama, verga-se sobre ele e toca-lhe no ombro com a mão gelada.

O mísero quer gritar e não pode.

Ela senta-se ao lado dele e beija-lhe os cabelos.

Ângelo estremece, mas um voluptuoso fluido percorre-lhe o corpo inteiro, acorda-lhe o coração do sobressalto em que estava, e o seu medo vai a pouco e pouco desaparecendo.

— Ângelo!... — disse-lhe ao ouvido o espectro, com a voz mais doce e amorosa que um suspiro de saudade. — Ângelo, amado de minha alma!... Ouve!... Volta-te para a tua Alzira!... Escuta-me!...

— Alzira? — exclamou ele, voltando-se.

— Sim, meu amado, sou eu...

— Que desejas de mim?... De onde vens?...

— Venho de muito longe... venho da outra margem da vida, que tu ainda não conheces... venho do mundo dos mortos, mundo de sombras e de sonhos!... Venho de onde nada se conserva desta vida senão a memória de ser aqui que amamos!...

— E que desejas de mim?...

— A tua companhia. Venho buscar-te.

— Buscar-me?...

— Sim. Com a força do meu amor, consegui vencer o abismo que nos separava e chegar até aqui. Minha alma foi arrojar-se aos pés de Deus e pedir-lhe, pelo muito que sofri em vida por amar-te em segredo, que lhe concedesse a graça de aparecer-te todas as noites durante o sonho. Deus, apiedado, porque eu te não possuí na vida dos sentidos, consentiu que me pertencesses nesta existência espiritual, melhor que a outra. Aqui me tens, e todas as noites, mal adormeças, eu virei buscar-te.

Ângelo escutava-a atentamente.

— E para onde tencionas levar-me?... — perguntou depois do primeiro abalo.

— Para toda a parte — respondeu Alzira — onde possamos esquecer as dores que já sofremos, e fruir as delícias que ainda não gozamos! Para toda a parte, onde cada lágrima derramada pelos nossos olhos, seja resgatada por um beijo de nossos lábios...

E deu-lhe um beijo na fronte.

Ângelo soltou um gemido e retraiu-se.

— Que tens?... — indagou ela com meiguice.

— É que teus beijos são frios como as gotas da noite!... Parecem beijos de uma estátua gelada!...

— Sim! Enregelei na viagem... Ah! São tão frias as paragens que percorri!... Mas tu me aquecerás com os teus ardentes lábios de moço! tu me darás um pouco de calor do teu sangue!

Ângelo retraiu-se ainda.

— Não tenhas medo — prosseguiu ela — este frio é todo exterior; meu coração arde-me dentro do peito, como um vulcão sob a neve. Não fujas de mim! Vamos! Ergue-te! Principiemos a nossa existência feliz! Vem, que só poderemos estar juntos até o raiar do dia! Não há tempo a perder!...

E a sua túnica mortuária transformou-se por encanto num rico vestido de castelã da época, e o seu porte readquiriu a primeira graça fascinadora.

Ângelo ergueu-se deslumbrado, e viu com surpresa que a sua pobre sotaina também se transformava nas belas roupas de um cavalheiro nobre, e que seu corpo readquiria destreza e força.

— Que é isto? — exclamou ele.

— É uma das vantagens da nova existência que te ofereço. Agora já não és um miserável cura de aldeia, és um homem, és livre, és senhor do teu corpo e de tua alma! Correrás comigo o mundo inteiro! Ao meu lado conhecerás todos os gozos, todas as paixões, tudo enfim que na outra vida representa os prazeres que te são vedados!

Ângelo passou-lhe o braço na cintura.

— Sim! Sim! — disse. — Eu irei contigo! Quero gozar! Quero viver!

E uma larga estrada maravilhosa abriu-se defronte deles, onde dois negros cavalos, esplendidamente ajaezados, impacientes os esperavam relinchando.

— Vamos! Vamos!

Ângelo e Alzira montaram e partiram a galope.

7
O mundo dos mortos

O sonho continuou.

Ângelo, ao lado de sua fantástica companheira, deixou-se arrebatar na vertigem de um galope tão lesto, que lhe dava a sensação de um voo contínuo e rápido.

A floresta fugia em torno deles como duas faixas de treva compacta, que se rasgavam de vez em quando ao súbito bruxulear dos relâmpagos.

Depois sentiram-se dentro de uma estreita e profunda galeria toda de pedra, onde o tropel das patas dos cavalos ressoava como um frenético martelar de ferreiros infernais. E afinal acharam-se defronte de um estranho palácio erguido em abóbada, cujo átrio solenemente se abria em arcadas, iluminado por um sinistro luar fosforescente.

Os animais estacaram desalentados, soprando forte pela boca e pelas ventas.

— Apeemo-nos — disse Alzira, dando um salto em terra.

O companheiro imitou-a.

— Onde estamos? — quis ele saber.

— Verás. Caminha comigo.

E penetraram numa extensa galeria toda formada de ossos.

Ângelo olhava para os lados, considerando aquelas longas colunas feitas de caveiras e de tíbias, por entre as quais perpassavam fugitivas sombras silenciosas, que o perturbavam.

Às vezes queria parar para ver melhor, mas Alzira arrastava-o pela cintura, segredando-lhe que se não detivesse ali um só instante.

— Vamos! Vamos! — dizia ela, impaciente.

E só deteve o passo ao chegar a um enorme salão, singularmente ornado de estátuas em esqueleto e iluminado por milhares de piras bruxuleantes. Uma vasta galeria perdia-se ao fundo, multiplicando as colunas a perder de vista.

Ao centro um grande órgão, em que velho e carcomido esqueleto, todo vergado sobre o teclado, tocava, com os seus movimentos demoradíssimos, uma arrastada harmonia funerária.

Ao lado do órgão outros esqueletos dançavam estranhamente, requebrando-se por entre sombras e fantasmas vaporosos.

Sobre cochins de veludo negro, enfeitados de lágrimas de prata, damas e cavalheiros, que pareciam ter saído naquele instante das sepulturas, bebiam e conversavam meio abraçados, trocando sorrisos e beijos.

Por toda a parte viam-se, passeando aos pares, espectros de homens e de mulheres; uns com os ossos à mostra, outros envolvidos em longas túnicas sombrias. Aqui declamavam versos de amor, ali carpiam saudades eternas, e todos surdamente e lentamente se agitavam, se confundiam e se baralhavam.

— Companheiros! — disse um espectro no meio de um grande grupo, empunhando a sua taça, de onde saía um tênue vapor fosforescente. — É preciso aproveitarmos bem as horas de que dispomos! A noite vai adiantada!... A aurora não tarda aí... Bebamos e folguemos!

— Bebamos e folguemos! — responderam os outros, erguendo cada um a sua lívida taça.

E ouviu-se um coro entoando surdamente uma canção de prazer.

Alzira aproximou-se do grupo, acompanhada por Ângelo.

— Oh! — exclamaram com surpresa, ao vê-la chegar. — Sê tu bem-vinda!

— Eis Alzira que volta! Viva a formosa Alzira!

— Sim, — respondeu ela — eis-me de novo convosco, meus queridos e eternos camaradas! Venho de novo reclamar o meu lugar e a minha taça nos vossos belos e misteriosos festins!

— Supúnhamos que não voltasses — observou um esqueleto.

— Mal havias chegado, fugiste logo... — acrescentou outro.

— Ausentas-te de nós tão chorosa e tão triste!... — interveio um terceiro.

— Mas volto alegre como veem!... — declarou ela.

— De onde vens?

— Do mundo dos vivos.

— Da terra?... — exclamaram todos.

— É verdade, amigos, venho da terra...

— E que foste lá fazer?...

— Buscar o meu amante. Cada um de vós tem junto de si a pessoa amada; eu precisava também ir buscar aquele por quem minha alma se apaixonou. Ei-lo!

E tomando Ângelo pela mão, apresentou-o à roda.

Ângelo saudou-os com um amável movimento de cabeça. Mas os espectros mediram-no com um revesso olhar de desconfiança.

— Parece um vivo!... — objetou um deles, considerando-o da cabeça aos pés.

— É, infelizmente é um vivo!... — confirmou Alzira com ar de tristeza. — E por isso mesmo mais me custou a trazê-lo comigo...

— E como o conseguiste?...

— Indo suplicar a Deus que mo confiasse durante as horas consagradas ao sono.

— E o Criador cedeu ao teu pedido?...

— Não! Cedeu às minhas lágrimas, cedeu à sinceridade do meu desespero, cedeu à eloquência da minha dor! Quando minha alma, recendendo o aroma do primeiro beijo que recebi de Ângelo, penetrou nos céus e foi arrojar-se aos pés de Deus, todos os seus anjos choraram com a minha mágoa de amor, e uniram as suas vozes celestiais à minha súplica terrestre.

E, recuperando o ar de satisfação com que entrara:

— Ah! mas agora estou resplandecente de alegria.

E passou os braços em volta do pescoço do seu companheiro, e perguntou-lhe com a boca junto aos lábios dele:

— Não é verdade, meu Ângelo, que todas as noites, mal o sol se esconda, serás meu, só meu, para sempre, como aqueles dois velhos amantes de três mil anos que ali vão abraçados?...

— Quem são eles?... — perguntou Ângelo, observando as duas sombras que ela indicava.

— Esope e Rodope. Mas, responde, amado da minha alma; não é verdade que durante as doze horas do dia pertencerás à outra vida, mas durante a noite serás todo desta, onde estaremos juntos?... Fala!

E, como percebesse que Ângelo se intimidava com a presença dos espectros:

— Confundem-te os nossos companheiros?... Criança que és tu! Pensas que ainda estás na outra vida! Aqui o amor não é um mistério ou um pecado... ninguém aqui dissimula o que sente, porque ninguém sabe fingir!... Olha! Não vês além, junto daquelas colunas, como aqueles dois se beijam?... Anda! Beija-me tu também!

— Sim, Alzira! — respondeu Ângelo com transporte. — Eu te amo, e estou disposto a nunca mais me separar de ti!

— Bravo! — exclamou um espectro. — Agora sim, Alzira, já não desconfiamos do teu amante. Ele pode ficar conosco!

— Foi a tua última paixão?... — perguntou à condessa uma dama sepulcral.

— Última não — única! — respondeu aquela. — Só a este amei na outra vida! Este será o meu amor eterno! Desde a vez primeira em que o vi, minha alma voou logo para ele. Pertenço-lhe!

— Minha alma és tu! — exclamou Ângelo. — Sou todo teu! Só a ti amarei sempre!

— Bravo! Bravo! — gritaram os outros. — Ao amor! Ao amor! Ao amor!

E as taças tocaram-se freneticamente.

— Ao amante de Alzira! — brindou um. — Ao primeiro vivo que se animou a penetrar em nosso mundo ideal! Ao temerário Ângelo!

— A Ângelo!

— A Ângelo!

— Agora, amigos — acrescentou o espectro — continuemos os nossos idílios. Deixemos Alzira em liberdade com o formoso amante!

E o grupo dispersou-se, formando-se diversos pares, que se afastaram, segredando palavras de ternura.

Alzira passou o braço nas espáduas de Ângelo, e os dois começaram a percorrer o estranho lugar em que se achavam.

Penetraram na extensa galeria que se desdobrava ao fundo.

— Onde estamos nós agora, minha querida?... — perguntou Ângelo, penetrando na galeria de ossos e olhando em torno de si. Que estranhas sombras são estas que se cruzam em volta dos nossos passos?... Quem são aqueles espectros que conversavam conosco?...

Alzira chegou a boca ao ouvido dele, para dizer-lhe:

— São as minhas iguais e os seus respectivos amantes...

— As tuas iguais?...

— Sim — confirmou a condessa — são as cortesãs de todos os tempos e de todos os lugares da terra. Nesta, como na outra vida, cada uma de nós procura o lugar que lhe compete. Achamo-nos agora em uma das seções da grande região das amorosas; esta é a seção das infelizes que, como eu, prostituíram o corpo na outra vida!... Todas elas vêm ter aqui após o seu passamento, e a cada uma só acompanha o homem que no mundo a amou deveras e foi por ela correspondido.

E apontando para duas sombras que atravessavam nesse momento por defronte dos seus olhos: — Olha! Vês esse par que aí vai, conversando em segredo?... É Cleópatra e Marco Antônio. Assim conversam há vinte séculos!... A outra que os sucede, enternecida e chorosa, é a imperatriz Teodora; a sombra, que lhe beija os cabelos, é a sombra de Adriano. Amam-se ainda!...

— E aquela outra?... — indagou Ângelo, mostrando um belo espectro coroado de rosas vermelhas.

— É Valéria — explicou Alzira.

— Valéria?...

— Sim, a infame e formosa Messalina. Supunhas talvez que a infeliz não tivesse ninguém para a acompanhar neste mundo ideal do amor!... Enganas-te; aquele que a segue, de olhos baixos, e cujo coração vês ainda palpitar sangrento através das brancas cavernas do peito, é o seu gentil escravo Ismael, a quem ela deu a virgindade do corpo, justamente na primeira noite do seu casamento com Cláudio.

E voltando-se para outro lado, acrescentou:

— Olha lá Aspásia e Alcibíades, Dido e Eneias, Safo e Faon. Vê como cada qual desliza esquecido no seu amor... Ali vem — prosseguiu ela — a linda e desditosa Gabriela; anda à procura da sombra de Henrique IV! Aquela outra é Laís; acompanha-a o esqueleto de Diógenes, trazendo ao pescoço a sua lanterna para sempre apagada...

Nesse instante desfilaram diante deles Marion de Lorme ao lado de Didier, e a pálida Margarida de Valois de braço dado com o duque de Guise.

Alzira segredou o nome deles ao ouvido de Ângelo.

— E aquele par que se beija tão apaixonadamente?... — perguntou-lhe este.

— Rizzio e Maria Stuart... A outra, que diz agora um segredo ao seu cavalheiro, é Bianca Capelo.

— E essa que aí vem tão soberana?

— Impéria. Conheces aqueles dois?... Helena e Páris...

— E o outro par?

— Catarina da Rússia. O soldado que a acompanha, ninguém sabe quem é...

— E esta, quem será? Olha o seu porte carrancudo e altivo!

— Lucrécia Bórgia — segredou-lhe Alzira.

Mas uma geral agitação começava a apoderar-se de todos aqueles casais de espectros. A música do órgão, até aí arrastada e lenta, principiou também a fazer-se nervosa, acelerando o seu andamento, até transformar-se num infernal galope, que arrebatava o turbilhão das sombras numa vertigem doida.

E, freneticamente, puseram-se todas a dançar, aos beijos e aos abraços passando e perpassando no delírio de uma dança sensual.

— Que é isto agora?... — perguntou Ângelo, prendendo o braço na cintura de Alzira. — Por que é que todos se agitam deste modo?

— Ah! — explicou ela com um espreguiçamento voluptuoso. — É um frenesi de amor...

E suspirou luxuriosamente.

— Não compreendo...

— É que Deus — elucidou a cortesã — nos seus bons momentos de ternura afaga os mundos, e essa carícia lhes produz lascivos estremecimentos. Neste instante um súbito espasmo sensual percorre toda a natureza. Em cada corpo animado há um sobressalto de amor. Neste instante toda a criação se predispõe a procriar; as feras e as borboletas, os homens e as boninas, acoitam-se e beijam-se, para garantia da interminável cadeia da vida! Olha! Vê! Todos se afagam! Todos se abraçam!...

— Sim! sim! — exclamou Ângelo. — Eu mesmo sinto percorrer-me o corpo um sobressalto estranho!

Alzira atirou-lhe os braços em volta do pescoço, e arrastou-o para o turbilhão das sombras que giravam aos pares.

E ouviu-se um coro de vozes, entrecortado de suspiros, a cantar, dançando:

Tenhamos amores!
Ó feras!
Ó flores!
Condores!
Panteras!
Amai-vos! Amai-vos!

E seguia-se um crepitante estribilho de beijos.

Cruzai vossas graças,
Ó entes
De raças
Diferentes!
Ó gentes, Amai-vos! Amai-vos!

E novos beijos se estalavam.

E o frenesi chegou ao auge do delírio, e as vozes e os suspiros perderam-se todos num só grito, prolongado e agudo, um ai supremo, que resumia todas as vozes da natureza.

Houve um instante de espasmo, em que todos aqueles espectros fremiram convulsivamente, chocalhando os ossos uns com os outros. Depois a música foi de novo enfraquecendo, e os gemidos foram-se apagando, como as derradeiras notas de uma cantante caravana que se afasta.

E um desfalecimento geral empalideceu mais ainda a trêmula chama das piras, e os espectros começaram a dissolver-se à fulgurante luz da aurora, que raiava lentamente, atravessando a imensa abóbada fantástica.

E brancas figuras esbatiam-se, vaporosas como as cambraias da manhã, que o sol desfia e esgarça com a dourada ponta dos seus raios.

Ângelo mal podia já distinguir a sua amada.

— Alzira? — disse ele.

— Adeus... — respondeu o eco fugitivo de uma voz de mulher. — Aí chega o dia!... separemo-nos!...

— Quando voltas?

— À noite, sem falta! Às mesmas horas de ontem...

E o murmúrio de um beijo esvoaçou-lhe nos lábios.

— Adeus...

E Ângelo abriu os olhos.

Acordara.

Ergueu-se com um salto. O dia entrava-lhe já pelas vidraças da janela, o sino da igreja repicava chamando para a missa.

8
Ela! Sempre ela!

Pobre Ângelo! Sua alma tinha remorsos daquela noite passada em companhia de Alzira. Travava-se dentro dele uma pungente revolta contra o misterioso inimigo, que assim o arrancava à doce e honesta tranquilidade do leito, para levá-lo de rastos, como um perdido, pelos barrancos da fantasia, obrigando-o a percorrer antros sensuais, ao lado do fantasma de uma cortesã, que o ameaçava de voltar todas as noites.

— Maldita sejas tu, imunda fantasia! — pensava ele. — Maldita sejas tu, danosa imaginação! Ah! Se pudesse eu fechar-vos entre os dedos e reduzir-vos a pó!... A pó?... Alzira também agora é pó e é lama, e, no entanto, governa ainda os meus sentidos e perturba ainda a minha consciência!... O pó e a lama dos sepulcros não são menos poderosos do que a carne palpitante, quando os reanimam a nossa saudade e o nosso amor!... Não há mulher que de nós desapareça para sempre, quando nós deveras a amamos!... Foge-nos dos olhos, foge-nos dos braços, foge-nos dos lábios; mas da alma, ah! da alma, nunca mais, nunca mais desaparecerá a mulher amada!

E Ângelo voltou os olhos para o céu, interrogando-o. E exclamou:

— Meu Deus, teria eu pecado com o sonho desta noite?... O sonho, bem sei, é produto do pensamento, e por pensamento se peca tanto como por palavras e por ações; mas o sonho não obedece à vontade de quem sonha, porque, se obedecesse, eu só construiria meus sonhos com as coisas que vos pertencem... Deveis saber que sou bem intencionado e que sou sincero!... Ah! Maldita sejas tu, minha louca e desvairada fantasia, que me fazes revoltar contra mim mesmo!...

Se o velho Oseias estivesse ali, ao lado dele, Ângelo teria ao menos a quem consultar o que devia fazer contra aquele inimigo terrível e traiçoeiro.

Mas só, como se achava, o mísero vacilara perplexo. Devia penitenciar-se pelos desvarios da sua imaginação, ou devia deixar que o sonho continuasse a correr à solta, cometendo todos os desatinos que lhe aprouvesse?

Entretanto o sino lá fora o chamava para junto do altar. O sino o chamava para que fosse ele erguer a hóstia consagrada acima da sua atordoada cabeça, oferecê-la a Deus em sacrifício!

Deveria ir?...

Sua alma estaria em suficiente estado de pureza, para arrastar-se até o supremo trono do Criador, ou deveria a mísera arrojar-se por terra, envergonhada e corrida, à espera que as lustrais águas do tempo perpassassem bem por cima dela e a limpassem de todo?

Mas se ele em tudo aquilo não tinha a menor culpa?... Mas se o seu coração era puro, e só, em consciência, se preocupava com as coisas divinas?...

Que deveria, pois, fazer?...

E o sino tocava, tocava, chamando-o com insistência.

Ângelo preparou-se, saiu do quarto e dirigiu-se para a capela, em silêncio e aligeirando o passo.

— Sim, sim! — pensava ele pelo curto caminho. — O meu lugar é lá, junto do altar!... O meu lugar é aos pés da Divindade!... Que importa que as bruxas do sonho maquinem e conspirem durante a noite, furtando-me a alma a Deus?... Eu sou da

Igreja, só à Igreja pertenço, e é lá que devo estar como um marinheiro a bordo do seu navio, principalmente em dias de tempestade!

E entrou na capela.

Os aldeões o esperavam ajoelhados na nave, contritamente. Alguns tinham ao lado as ferramentas que deviam servir ao seu trabalho desse dia. Mulheres amamentavam os filhos, com os olhos fitos nas imagens dos santos. Velhos, secos e nodosos como esqueletos de árvore ressequidas pelo inverno, vergavam a cabeça sobre as trêmulas mãos apoiadas no bordão.

Os pardais e os melros chilreavam por entre as frestas das altas paredes da capela, caiada de cima a baixo.

As velas do altar derretiam-se tristemente, consumidas pela surda chama que a sanguínea luz da manhã tornava desluzida e lívida.

Ângelo atravessou a igreja, de olhos baixos, e foi colocar-se de joelhos nos degraus do altar.

A sua oração preparatória nesse dia durou mais tempo que nos outros. Notaram que as lágrimas lhe corriam pelas faces, quando ele se ergueu para celebrar o sacrifício.

E seus lábios tremeram na ocasião de receber a hóstia consagrada. Naquela alma, imaculada e sincera, um doloroso escrúpulo tolhia a confiança na sua própria pureza.

Mas celebrou.

E depois voltou-se, de braços abertos para os crentes, abençoando-os em nome do Pai de todos os homens.

Os sinos repicaram de novo.

Ângelo, mais sucumbido ainda que antes do sacrifício, retirou-se da igreja cabisbaixo e concentrado.

À saída, um cavalheiro saiu-lhe ao encontro e tirando o chapéu, disse-lhe cortesmente:

— Perdão, Sr. vigário; tenho que desempenhar uma sagrada missão ao lado de V. Revma... Sagrada, porque é voto de uma pobre criatura que já não existe...

Esse cavalheiro era o Conde de Saint-Malô.

Ângelo convidou-o a entrar em casa.

— Tenho um companheiro comigo... — observou o conde, chamando com um gesto Artur Bouvier, que o esperava a certa distância.

Depois de trocados os cumprimentos, entraram os três na modesta sala de jantar do pároco. Bouvier não se fartava de olhar para este como se observasse um fenômeno precioso pela raridade.

Naquela pobre casa desfavorecida do menor conforto, a elegante roupa de seda bordada a ouro dos dois cavalheiros destacava-se escandalosamente. Ângelo, defronte deles, pálido e mal vestido, parecia um esfarrapado cadáver saído naquele instante da vala comum dos miseráveis.

Uma ideia o preocupava todavia, desde o momento em que os considerou de perto. É que, ao vê-los assim, cheios de saúde, gentilmente vestidos e empoados, levantando entre as abas da casaca a petulante ponta do florete, lembrava-se da sua própria figura essa noite ao lado de Alzira, e seria capaz de jurar que já em sua vida, ou nos seus sonhos, tinha visto aqueles dois homens.

Salomé trouxe-lhe pão fresco e leite fervido.

O pároco deu às visitas os melhores assentos que havia na casa, e ofereceu-lhes do seu almoço.

Enquanto comiam, o conde expôs o motivo da sua viagem a Monteli.

— Venho, senhor cura, — disse ele — entregar-lhe um cofre e uma carta, que encontramos no espólio da falecida condessa Alzira... Aqui estão. Trazem o seu nome.

— O meu nome?... — balbuciou Ângelo, a tremer, visivelmente perturbado, — mas...

— Testamenteiros dela, como somos — acrescentou o conde, indicando ao mesmo tempo Bouvier — cumpre-nos fazer entrega desses objetos. Ei-los.

E apresentou-lhe um pacote de pouco mais de um palmo de tamanho, cuidadosamente embrulhado e lacrado. Tenha a bondade de recebê-los.

Ângelo, sumamente pálido, estendeu a mão, hesitante.

E tal era o seu tremor, que o conde teve de ajudá-lo a quebrar o selo do pacote e tirar de dentro a carta, que lhe passou *incontinenti*.

— Leia — disse. — Creio que esse papel explica a razão de ser do cofre...

Ângelo abriu a carta e leu o seguinte:

Respeitável Cura de Monteli. — Desejo e peço a V. Revma. que se encarregue de distribuir pelos infelizes da sua pobre paróquia, ultimamente tão vitimada pela peste, a quantia que acompanha esta carta e que se acha dentro de um cofre, por minha mão fechado e sobrescritado a V. Revma. Outrossim, peço que nas suas orações de santo interceda algumas vezes junto a Deus por minha triste alma pecadora arrependida e contrita.

Assinava "Alzira"

Com a leitura daquelas palavras, que pareciam vir do outro mundo, que pareciam vir do fundo nebuloso dos seus sonhos, Ângelo estremeceu todo e fez-se mais lívido que a própria Alzira, no momento em que ela pela primeira vez lhe surgiu da sepultura. Aquela carta, que um frio sopro de morte lhe arrojava às mãos, vinha obrigá-lo a pensar nessa mulher já extinta, que tanto aliás o procurava ainda.

Oh! Aceitando aquela missão teria que pensar nela eternamente... Teria de envolver o seu nome impuro nos sagrados dizeres das suas fervorosas orações!... Teria de falar a Deus a respeito dessa misteriosa cúmplice, de quem ele se não queria recordar nunca, e teria de a fazer conhecida e abençoada por todos os pobres da aldeia, enquanto durasse aquele dinheiro, fruto da prostituição!

E repeliu o cofre, disposto a não aceitar o encargo.

Mas, pensou, antes de proferir a recusa; teria ele porventura o direito de assim proceder?... Teria ele o direito de privar os miseráveis de Monteli daquele utilíssimo socorro, que uma alma, sedenta de perdão, lhes enviava do seu leito de morte?...

E não seria fraqueza de sua parte, temer tanto ao traiçoeiro inimigo, que o vinha surpreender à noite durante o sono, quando justamente a sua consciência não era responsável pelos seus pensamentos?... Pois então a sua fé e a sua confiança em si próprio eram tão frágeis e tão mofinas, que assim covardemente fugia da luta, antes mesmo de começar o combate?

— Não! — pensou ele, resoluto, pondo-se de pé e estendendo a mão sobre o cofre. — O meu dever será cumprido! Se mais sofrimentos me estão reservados por isso, tanto melhor! Tanto melhor, porque mais completa será a minha provação! Maria sofreu muito mais, quando lhe arrancaram o filho dos seus amorosos braços de mãe, para atirá-lo aos cruentos braços de uma cruz!

E, voltando-se tranquilamente para os outros dois, disse-lhes sem hesitar:

— A vossa comissão, cavalheiros, está terminada. Este dinheiro será discretamente distribuído pelos necessitados, e eu pedirei a Deus pela alma de quem lhes envia a esmola...

O conde e Artur Bouvier fizeram as suas despedidas. Ângelo foi acompanhá-los até a porta, e depois recolheu-se ao quarto, colocando o cofre sobre a mesa.

Despejou-o. O conteúdo elevava-se à quantia de cinquenta mil francos em várias espécies. O pároco separou logo algumas placas de ouro e prata, para nesse mesmo dia principiar a distribuição de socorros.

Oh! Ele sabia melhor que ninguém onde aquele dinheiro deveria encontrar o seu destino!... Quantas vezes, pensando em certas desgraçadas famílias de jornaleiros, reduzidas à fome pela peste, não chorou amargamente por nada mais de seu ter para lhes dar?... Quantas vezes não se privou do mais que restritamente necessário, para que não faltasse o leite a um desgraçadinho a quem já faltava mãe?... Quantas vezes não levou a sua esfarrapada batina à casa dos ricos do lugar, e não lhes estendeu a mão, esmolando para os que choravam de penúria e de frio?... Quantas vezes não se privou dos lençóis da cama, para cobrir com eles o corpo dos que gemiam na enxerga nua?...

Sim! Aquele dinheiro ia ser manancial de consolações!... Alzira, se durante a vida cometera muitos crimes, praticara na sua última hora uma ação boa lembrando-se dos desamparados da fortuna.

Mas Ângelo, ao repor as cédulas no fundo do cofre, notou que um longo fio de cabelo louro envolvia-se nos seus dedos.

Tomou-o pelas extremidades e ergueu-o até à altura dos olhos.

Era sem dúvida um cabelo de Alzira!... considerou ele, perturbando-se. Era um triste e perdido raio de um sol que para sempre se apagara!...

E deteve-se a fitá-lo, embevecido de saudade.

Oh! Por que Deus fizera assim longos os cabelos da mulher?... Por que lhos dera tão grandes e tão abundantes, se ela já não precisava deles, como outrora a Eva no Paraíso, para esconder a nudez de seu pudor?...

E continuava a fitar o tênue fio de ouro, perdido num dédalo de cogitações, que o arrebatavam para o mundo ideal das suas loucuras. Mas um sopro de brisa entrou pela janela do jardim e arrebatou-o dos dedos.

Ângelo acompanhou-o com a vista. O dourado fio de cabelo ondeou no ar, espreguiçando-se, e subiu ainda, para depois voltar de novo lentamente, até ir cair afinal sobre os brancos pés da imagem de Maria.

O pároco não se animou a reavê-lo, nem enxotá-lo daquele sagrado asilo.

Quem saberia, pensou ele, se Alzira, que já não tinha lábios, nem olhos, para suplicar, não houvera, do fundo do seu eterno desterro, mandado um fio dos seus cabelos transmitir à Virgem o voto do seu arrependimento?

E voltou à mesa, assentou-se, e, tomando o cofre entre as mãos, começou a considerá-lo atentamente. Era um lindo objeto de luxo, uma boceta de ébano com incrustações de ouro, e guarnecida de artísticas miniaturas em marfim, que representavam assuntos mitológicos.

Em cima, na tampa, havia o nome da cortesã, cercado de flores e borboletas.

Ângelo continuou a admirar o bonito estojo, voltando-o de todos os lados, abrindo-o e fechando-o repetidas vezes.

Mas de repente, estremeceu e repeliu-o, torcendo o rosto para não vê-lo.

Tinha descoberto, entre um grupo de anjinhos e cupidos cor-de-rosa, um pequeno oval de meia polegada com um delicadíssimo retrato de Alzira, primorosamente trabalhado, e de uma semelhança inexcedível.

Não quis vê-lo; voltou as costas ao cofre. Mas seus olhos instintivamente procuravam a formosa miniatura.

E o mísero compreendeu e pressentiu que aquele retrato, era mais um inimigo que lhe invadia traiçoeiramente o espírito.

9
Misérias do coração

O resto desse dia passou-o Ângelo em piedosas visitas aos pobres de Monteli. Só ao cair do sol tornou à casa, prostrado de fadiga e torturado pelas suas favoritas agonias.

Salomé trouxe-lhe o jantar, em que ele, como de costume, mal tocou, para recolher-se logo às suas orações defronte do altar da Virgem.

Às sete horas deitou-se cansado e adormeceu logo, precipitando-se no sonho, como se acordasse da vida.

Alzira esperava já por ele.

— Ah! enfim! — exclamou ela, abrindo-lhe os braços e apresentando-lhe os lábios. — Tremia com a ideia de que te demorasses!... Não imaginas como estava impaciente por tornar a ver-te!... A imobilidade a que me vejo condenada durante as horas do dia, é para mim indefinível tormento!... Maldita seja a sepultura!...

— Mas eu me não demorei!... — observou Ângelo. — Adormeci pouco depois de anoitecer... Não seriam mais de sete horas quando...

— Tens razão. Não percamos tempo! Partamos. Os cavalos chamam-nos à montaria, escarvando a terra.

— Onde vamos nós?...

— A um lugar esplêndido. Sigamos!

Montaram e partiram desenfreadamente como na véspera, varando a alma trevosa da noite.

Galoparam! Galoparam!

No fim de algum tempo, Alzira chamou a si as rédeas do seu cavalo.

— É aqui — disse. — Chegamos afinal!

Os dois apearam-se.

Achavam-se na estreita garganta de uma sombria serra, onde nenhum rumor de folhas se escutava.

— Andemos — disse ela.

Ângelo obedeceu.

E seguiram caminho avante, por entre um pedregal de serros e cabeços silenciosos, que se perdiam no céu, escondendo-lhe as estrelas.

O caminho fazia-se cada vez mais escuro, mais penhascoso e íngreme. Era já necessário aos dois ampararem-se um no outro, para que não rolassem juntos por aqueles precipícios.

Afinal, penetraram num vale, fechado entre rochas negras e gigantescas, em torno das quais giravam aflitivamente sinistras aves, que corvejavam e gemiam, como se a cada instante rasgassem o peito nas arestas da pedra.

Era um convulso redemoinhar sem tréguas, lembrando um irrequieto bando de gaivotas, a doidejarem sobre as águas, no alto-mar, quando a tempestade se aproxima, abrindo as longas asas prenhes e agoureiras.

— Que diabo vimos nós buscar aqui?! — perguntou o sonhador, intimidado por aqueles loucos gemidos que singravam no espaço.

— Viemos buscar dinheiro... — respondeu Alzira.

— Dinheiro?... Para que dinheiro?...

— Ora essa! Para tudo! Com dinheiro teremos prestígios nos lugares que vamos percorrer!

E avançando alguns passos, mostrou ao companheiro uma grande pedra encravada no rochedo.

— Vês esta pedra? — disse ela. — É a porta das cavernas do Ouro. Nesta misteriosa gruta acha-se encerrada toda a riqueza dos avarentos já mortos, entesoura-se aí todo o ouro desses miseráveis, que em vida sofrem as mais duras privações, para acumular dinheiro sem proveito de ninguém!

— E como vieram parar aqui todas essas riquezas?... — indagou Ângelo.

A cortesã explicou:

— Por intermédio dos herdeiros pródigos e das mulheres da espécie a que pertenci no mundo dos vivos. Por minhas mãos passaram muitos e muitos milhões, que aqui caíram, derramados em longas e ruidosas noites de orgia. Esta esplêndida caverna é o tormento das almas amarelas dos usurários...

— E ao mesmo tempo é o teu banco... — faceciou Ângelo.

— Justamente — tornou Alzira. — Quando preciso de dinheiro, venho buscá-lo aqui.

— E estas aves, porque esvoejam em torno da montanha, e por que soltam assim uivos tão tristes?...

— São as almas dos avarentos... Rondam, noite e dia, sem cessar, o tesouro que já não podem possuir e que ainda cobiçam. Atrai-as o cheiro do dinheiro! Deixa-as lá, míseras que são!

E Alzira encaminhou-se para o pedregulho que fechava a gruta, e tocou sobre ele com a sua linda mão cor de neve.

A pedra afastou-se *incontinenti*, e uma fulgurante abertura fez-se defronte da cortesã, jorrando luz como a boca de uma fornalha.

As aves que rondavam a montanha, assanharam-se e logo se puseram a rodopiar com mais fúria, multiplicando os uivos e os gemidos.

Ângelo adiantou-se deslumbrado, olhando para dentro daquela esplêndida galeria de ouro e pedras fulgurantes.

— É maravilhoso! — exclama ele. — É surpreendente! Oh! quanta riqueza! Que interminável tesouro!

E olhava, fascinado.

A galeria, plana embaixo e por cima abobadada, firmava-se em colunas de ouro. O chão era calçado de moedas de todos os países; de espaço a espaço erguia-se um repuxo também de ouro, donde espipava ouro líquido que se derramava, entre rocas de esmeralda, formando reluzentes lagos nunca secos. Do teto pendiam estalactites de ouro, de coral e de topázio. As paredes cintilavam num delírio de fogos multicores, em que fulguravam diamantes, safiras, rubis, opalas e cornalinas.

— Oh! Que deslumbramento! — exclamou Ângelo, sem desviar os olhos da refulgente caverna. — Que grande maravilha!

— Não tão grande — opôs-lhe Alzira, procurando com os lábios alcançar-lhe a boca — não tão grande como o amor que me inspiraste!

Ângelo não lhe ouviu as palavras, nem recebeu a carícia que ela lhe oferecia. Toda a sua atenção era para a sedutora caverna.

— Não me escutas, meu querido amor?...

Ele, em vez de responder, perguntou avidamente:

— Eu também posso levar daqui o ouro que quiser, não é verdade?...

— Não — disse Alzira entristecendo — não podes carregar daqui com um grão de ouro... Eu, sim!

— Por quê?

— Porque nunca foste perdulário... Ah! Mas descansa que nada te faltará!... Estarei sempre a teu lado, e sempre terás à mão a minha bolsa.

Ângelo abaixou os olhos, empalidecendo.

— Que tens, meu amor?... — interrogou a amante. — Sentes-te mal?... Fala.

— Nada!...

E cerrou os punhos, rilhando os dentes.

— Que tens tu, Ângelo?

— Oh! Cala-te! Terrível sentimento apodera-se do meu coração! Sinto-me ambicioso e ávido de riquezas! Desejo ser o único dono de todos aqueles tesouros que ali estão acumulados! E esta cobiça me faz estalar o cérebro! Tenho o sangue a escaldar! Tenho febre! Tenho febre!

— Empalideces! Ó Ângelo! Ângelo! Não te preocupes com o ouro! Pensa em mim, que sou a tua riqueza!

Ele afastou-a com o braço.

— Sofro! Sofro neste instante! — acrescentou. — Faz-me mal a vista de tanto ouro! Tenho vertigens! Desejava agora ser mil vezes milionário e ter todas as grandezas da terra!

— Ângelo! Ângelo!...

— Oh! Deixa-me! Afinal não passo de um pobre aventureiro, sem o menor prestígio, sem ter sequer um nome de família! Não passo de um miserável, sem passado e sem futuro, uma sombra de homem, sem esperanças e sem saudades! Não sou ninguém! Ninguém!

— És muito, és tudo, meu amor, és tudo, pelo menos para mim! — exclamou Alzira, tentando inutilmente chamá-lo a seus braços. — Que te importam o futuro e o passado, se tens o presente, que sou eu?... Riquezas e grandezas! Mas tudo isso não vale o ser amado como eu te amo, meu Ângelo!

— Não! Não! Quero ir morrer lá dentro, afogado naquelas voragens de ouro!

E, desprendendo-se dos braços dela, precipitou-se para a caverna.

Mas uma resplandecente figura, de longas barbas e cabelos de ouro vivo, cortou-lhe a passagem, colocando-se à entrada da gruta.

Era o Demônio do Ouro.

Vinha cintilante da cabeça aos pés, e o diadema, que lhe guarnecia a fronte, refulgia como um sol.

— Para trás! — disse ele a Ângelo. — E presta toda a atenção ao que vais ouvir!

O ambicioso abaixou o rosto e recuou dominado.

O opulento gênio avançou alguns passos e disse, tocando no ombro da cortesã:

— Alzira! Continuas então a vagar durante a noite pelo mundo dos vivos, em vez de jazeres tranquilamente na tua sepultura?...

— Cala-te, por amor de Deus, que essas palavras desconsolarão o meu amante, se as ouvir...

— Volta de vez para o túmulo!...

— Não! A minha sepultura é tão fria, e eu morri tão moça... que, à noite, quando os vivos dormem, preciso vir aquecer-me nos braços de Ângelo... Não é assim, meu amor?... — acrescentou ela, indo ter com o companheiro.

Este, porém, não respondeu, nem desviou os olhos das riquezas da caverna.

— E ele te ama?... — perguntou o demônio à cortesã.

— Adora-me! — afirmou a interrogada. — E por mim ama a vida e os prazeres.

— Queres dinheiro, já sei — tornou aquele. — Entra e enche-te à vontade. Leva o que quiseres; tudo o que levares, voltará multiplicado!

Alzira entrou na gruta. Ângelo quis acompanhá-la; o gênio de Ouro deteve-o de novo.

— Espera! Ouve! — disse.

E tomou-o amigavelmente pelo braço, acrescentando: — Que te falta, ambicioso?... Que te falta para seres feliz?... Tens mocidade e dispões da bolsa de Alzira, a quem é permitido fartar as mãos neste inesgotável tesouro!...

— O que me falta? — volveu Ângelo. — Falta-me tudo! Falta-me o poder absoluto! Queria ser um homem tão poderoso, que a um gesto meu o mundo inteiro se curvasse submisso e escravo!

— Por pouco que desejavas ser Deus!

— Oh, não! Não me fale em Deus!... Não lhe invejo a grandeza! Queria uma glória mais humana, queria ter as conquistas de César e Alexandre, ligadas ao genial prestígio de Homero e Dante!

O demônio sorriu, mostrando os seus dentes de ouro luminosos, e replicou depois, fechando de novo a fisionomia:

— Não posso satisfazer tanta ambição!... Conquistam-se tronos, como verá teu espírito no século futuro, porque um homem virá ao mundo, e mesmo em

França, tão atrevido, que com a ponta de sua espada descobrirá as régias frontes, para guarnecer a sua cabeça de soldado com uma coroa de Imperador... Sim! Conquistam-se coroas de rei, mas não se conquista a coroa de louros do mendigo de Tebas, porque essa não cabe em nenhuma outra cabeça. Falaste em Dante!... Faze tua alma tão grande como a dele, e serás o mais desgraçado dos homens... Abre-lhe o cérebro, abre-lhe o peito, abre-lhe os intestinos! Encontrarás nessas três regiões do pensamento, do amor e da animalidade, o modelo dos círculos do inferno, que ele traçou no seu lancinante poema. E nesses círculos só uma força há que os iguala e nivela, é a dor! A dor de quem pensa, a dor de quem ama e a dor de quem tem fome! Queres ser feliz?... Vive bestialmente! Opõe os teus sentidos ao teu cérebro e ao teu coração! Sê bruto, meu filho! A natureza é um pasto de bestas — espoja-te nele, se quiseres gozar a vida!

E tirou da cinta um punhal de ouro, que apresentou ao seu interlocutor, acrescentando:

— Guarda esta arma! Defende-te com ela e vencerás sempre!

Ângelo apoderou-se do punhal.

— Obrigado! — exclamou. — Obrigado! Com esta arma poderei dominar os meus semelhantes!

— Se foras deveras um ambicioso!... Mas não o és, pois ao contrário principiarias por tentar vencer a mim próprio, para te apoderares dos meus tesouros... Adeus! Não passas de um ambicioso vulgar!...

E recolheu-se à gruta.

Alzira saiu logo em seguida, fechando-se sobre ela o pedregulho da entrada.

Fez-se de novo escuridão completa. As aves recomeçaram a doidejar desesperadas, perseguindo agora a cortesã, como se lhe fariscassem o dinheiro que ela levava consigo.

Alzira, com efeito, vinha carregada de ouro e pedras preciosas.

— Vamo-nos daqui! — disse ao companheiro.

E puseram-se a subir a montanha, com os braços na cintura um do outro.

Ângelo ia preocupado e triste.

— Que tens tu?... — perguntou-lhe a amante ao fim de algum tempo de caminho.

— Nada! — tartamudeou ele.

— Tremes, meu amigo!...

— É do frio da noite...

E nesse instante saiu-lhes em frente meia dúzia de salteadores armados, cortando-lhes a passagem.

O amante de Alzira mal teve tempo de puxar o seu punhal e passar a amada para trás de si.

— Matem o homem e prendam a mulher, que a quero para mim! — ordenou o chefe da quadrilha.

Mas os primeiros bandoleiros que se precipitaram sobre o viajante, caíram apunhalados, rolando a montanha.

— Matem-no, com um milhão de raios! — exclamou furioso o chefe, levando a arma ao rosto e fazendo pontaria sobre o assaltado.

O tiro partiu, alcançando um dos bandidos, enquanto mais dois caíam aos pés de Ângelo.

— Ah! — bradou o chefe, desembainhando o seu sabre. — Agora somos apenas um homem contra outro homem, pois veremos qual dos dois fica com esta mulher!

E atirou-se de um salto sobre o adversário, que o esperou na ponta da sua arma invencível.

— Maldito sejas! — bramiu aquele já ferido. — Hei de matar-te!

— Hás de morrer! — tornou o outro, abrasado de cólera. — Nunca mais terás olhos para cobiçar a minha amante!

E arrancando contra ele, coseu-lhe o peito a punhaladas.

— Ai! — gemeu o salteador agonizando.

— Fujamos! — segredou Alzira, puxando pelo braço o companheiro.

— Não! Hei de beber-lhe primeiro o sangue! Hei de beber o sangue de todo aquele que pretender arrancar-te de meus braços!

E vergou-se sobre o cadáver, colando-lhe os lábios a uma ferida do peito que sangrava.

— Ângelo! Ângelo! Partamos! Olha que aí vem o dia! — exclamou a cortesã.

Ângelo ergueu então a cabeça e notou que, com efeito, em volta dele tudo começava a esbater-se à luz da aurora. O próprio cadáver de cuja ferida acabava ele de despregar a boca cheia de sangue, nada mais era do que uma transparente sombra, estendida a seus pés.

E as montanhas foram-se dissolvendo, e outros objetos se acentuando por detrás delas.

E Ângelo, de olhos bem abertos, foi a pouco e pouco distinguindo e reconhecendo o seu modesto aposento de Monteli. Através da tenebrosa paisagem que fugia, viu ele surgirem lentamente as velhas estantes pejadas de livros santos, viu surgir o seu genuflexório de madeira escura e viu surgir o altar, onde a Virgem sorria com o coração atravessado de punhais.

E ergueu-se a meio sobre a cama, tateando os olhos e apalpando a enxerga.

Levou a mão aos lábios e consultou-a depois, tal era o enjoativo gosto de sangue que ainda sentia na boca.

Os sinos tocavam lá fora, chamando para a missa. Levantou-se, abriu a janela, olhou um instante o dia recém-nascido, e em silêncio preparou-se para sair.

Daí a pouco, o seu trêmulo e negro vulto atravessava a capela, e ia cair ajoelhado nos degraus do altar, arquejando, que nem um libertino depois de uma larga noite de dissipação.

Seus olhos amortecidos, quedavam-se como que indiferentes à própria imagem defronte da qual ia ele celebrar. A sua triste figura, sombria e vacilante, já não era a de um fervoroso crente, a de um sacerdote contrito, mas sim a de um cansado ascético, que não pode nem sabe chorar nem rir.

E os fiéis começavam até a murmurar contra ele, principalmente depois que alguns padres da vizinhança se achavam de passagem em Monteli, aproveitando o tempo para conspirar contra o vigário do lugar.

— Olhe você para aquilo! — segredou um dos tais a outro que tinha ao lado! — Veja só se aquilo são modos de estar ao altar!... Parece um ébrio! Não é debalde que todos nós estamos prevenidos contra este esquisitão!...

— Creio que ele não regula bem da cabeça...

— É pancada, ou finge que o é!... Mas inclino-me a acreditar que, no fim de contas, é nada menos que um grande velhaco... Você não conhece a história que por aí corre, a respeito deste santinho com a brejeira viúva do morgado de Thevenet?...

— Não! Não sei de nada... — respondeu o eclesiástico, já arregalando gulosamente os olhos e cheirando sorrateiramente uma pitada.

— Pois deixe acabar a missa, que eu lhe contarei tudo. Você vai ficar abismado!...

10
Ó louco! Ó louco!

Ângelo nunca fora amado por grande parte dos seus colegas, e a razão disso estava na inconsciente fortuna com que se iniciou ele na vida pública, e no prestígio de santo que logo lhe deram os seus paroquianos.

É assim sempre em todas as classes sociais. Os nossos confrades estão sempre bem dispostos a nosso favor, enquanto não lhes tomamos a dianteira. Todas as flores são poucas para nos atirarem; desde o momento, porém, que os deixamos para trás — não há pedras no chão que cheguem para satisfazer a sua avidez de quebrar--nos a cabeça e as pernas.

Os padres a Ângelo invejavam, menos no que este realmente era, naquilo que, por moto próprio ou por sugestão de Oseias, ele desdenhava ser.

Mas o coração de um homem puro é como o sândalo, que perfuma o machado que o decepa. O coração de Ângelo embalsamava a boca dos caluniadores que o mordiam.

Prova-o a tal famosa história, que o padre na capela prometeu contar ao outro, envenenando-a sem dúvida, e a qual tinha afinal a sua base na mais legítima bondade cristã, como se pode ver pela seguinte exposição do próprio fato:

A viúva do morgado de Thevenet era mulherzinha de má nota. Em Monteli falava-se, à boca pequena, a respeito dos seus desregramentos amorosos. Constava mesmo que certa rapariga morrera de desgosto, porque o seu noivo caíra um dia nos braços da maldita, e nunca mais conseguira despregar-se deles, senão para ser enterrado.

Entretanto, Ângelo, logo nos seus primeiros tempos de Monteli, uma vez, depois de uma das prédicas da quaresma, fora surpreendido em casa com a visita da viúva.

Recebeu-a amavelmente, como a todos recebia. A mal reputada senhora não procurou rodeios para confessar a profunda impressão que sentira, ouvindo as simples e sinceras palavras do eloquente pregador, e, tal fora a súbita vergonha que lhe veio pelas impurezas do seu passado, que àquele pediu encarecidamente para ajudá-la na obra da sua regeneração.

Chorou. E o presbítero compreendeu que aquelas lágrimas não eram fingidas, e que ali estava a seus pés uma alma capaz de convicto arrependimento.

Não hesitou um instante, pôs-se logo à disposição dela, pronto a servir-lhe de guia espiritual. O primeiro conselho que lhe deu, foi que alijasse de si, e de uma só vez, todos os seus antigos pensamentos, e procurasse criar novos, inspirados na moral cristã e no exemplo dos justos, porque, desde que os pensamentos fossem bons, as ações seriam boas consequentemente.

Ela prometeu obedecer.

Depois aconselhou-a a que procurasse, antes de entrar na prática da piedade, exercer sinceramente a caridade, como um salutar curso preparatório e caminho mais curto e mais seguro para aquela.

— A piedade — dizia ele — é flor mimosa e exigente; só pode ser exercida com bom proveito, quando o coração de quem a pratica se acha em absoluto estado de paz, e quando se sente feliz e satisfeito consigo mesmo. Sem a inteira harmonia de todos os atos e de todas as intenções, ninguém pode, minha irmã, ser piedoso e justo. A piedade é o perfume da moral religiosa, é o lírio branco e místico do amor pelos seus semelhantes. Sede virtuosa convosco mesma e sede boa para todos sem distinção de ninguém, que a piedade derivará dos vossos atos, como a paz deriva da consciência reta e cônscia do cumprimento dos seus deveres. Ah! Se não fora esse inquebrantável apoio, como seria eu o mais desgraçado dos homens! E, no entanto... não sou dos mais criminosos...

Ela perguntou por onde devia principiar a exercer a caridade.

— Não poderia ninguém desejar melhor ocasião, nem melhor lugar do que este — respondeu Ângelo. — Monteli presentemente é um vale de lágrimas, que clamam socorro. Ide ter com os miseráveis que não têm quem lhes leve aos lábios o crucifixo na hora da morte, ide ter com os órfãos sem regaço que os acolha, e com as donzelas sem defesa e sem forças para guardar a sua virgindade. Socorrei-os a todos, socorrei os desgraçados, indeterminadamente, que, entre os vossos favorecidos, será a vossa própria alma a primeira e mais socorrida pela vossa caridade!

E o presbítero foi em pessoa ensinar-lhe os frios caminhos do desalento e da fome, e conduziu pela mão aquela arrependida ao lugar do sacrifício, da humildade e do verdadeiro amor, isto é, à cabeceira dos que gemiam na miséria e no abandono.

A viúva aprendeu o caminho que lhe ensinara o presbítero. Apaixonou-se pelo bem, dedicou-se de corpo e alma à mais praticante e religiosa caridade e, dentro de muito pouco tempo, oferecia com as suas ações belíssimo exemplo de moral e virtude.

E todos começaram a respeitá-la.

Ângelo, encantado com tão completa transformação, dedicava-lhe já uma estima sem limites, e muitas vezes a acompanhava em suas piedosas romarias à casa dos pobres mais remotos.

Mas um dia, dois meses depois que a viúva começara a sua reabilitação, um fato, que precedia de época anterior, veio enchê-la de infinita tristeza e colocá-la no mais vivo embaraço.

Sentia-se grávida.

O último cúmplice de seus passados desvarios sensuais, e a quem ela devia agora aquela dolorosa situação, era um pobre-diabo de um boêmio, rico e libertino, que um belo dia lhe fugiu dos braços e nunca mais lhe deu notícias suas.

Ângelo, ao ouvir-lhe a confissão, não teve um gesto de censura, nem de repugnância; era antes a compaixão o que se revelava na sua fisionomia.

— Resigne-se... — disse-lhe ele tranquilamente — e seja boa mãe de seu filho. Não o desampare! Oh! Por coisa nenhuma desta vida o desampare! Sofra com energia as consequências do seu erro, aceite as represálias sociais que daí procedam, como elementos novos de sacrifício, e continue na obra da sua reabilitação.

E não alterou em nada a estima e o respeito que lhe votava; ao contrário, depois que a infeliz sentia crescer o fruto da sua culpa, Ângelo parecia mais compassivo e mais atencioso para com ela. Ia vê-la, dava-lhe notícias dos seus pobres, encarregava-se de a estes levar socorros em seu nome e, quando orava, pedia a Deus que poupasse à mísera os dissabores que ainda lhe reservava.

Foi naquela célebre noite da tempestade, em que Salomé o esperava com impaciência, que a viúva deu à luz o filho.

Ângelo veio então da casa dela, supondo-a livre de perigo; mas agora, justamente nos últimos dias em que o pároco era vítima dos sonhos com Alzira, a parturiente fora acometida de febre e achava-se em risco de vida.

O fato, logo que transpirou, tornou-se escandaloso. Não se falou noutra coisa em Monteli durante esses dias.

A viúva, depois de uma noite de delírio, em que repetia sem cessar o nome do presbítero, faleceu nos braços deste.

Outros padres estavam presentes e cochichavam à socapa, felizes por terem afinal descoberto bom pasto para a sua campanha de difamação. Ângelo, de todo desprevenido contra o mal que pudessem julgar dele, dava ampla expansão às lágrimas que a morta lhe merecia e rezava de joelhos ao lado do cadáver.

Depois do enterro, o presbítero pensou no pequenito, que assim tão tristemente se orfanava logo ao entrar no mundo, e resolveu, visto que a falecida não deixava parentes, carregar com ele para a casa de uma família pobre, que se quisesse encarregar da sua criação.

Imagine-se o que não fizeram os seus adversários com todo este combustível para a intriga.

Por tal modo tramaram e conspiraram contra Ângelo, que o público começou a prevenir-se contra ele, e afinal, quando depois viam atravessar lentamente pela estrada o seu triste vulto contemplativo e enfermo, segredavam já em voz brejeira:

— Anda apaixonado!... Não se consola da morte da viúva!...

Ângelo seguia em silêncio, indiferentemente, sem distinguir o murmúrio da calúnia que lhe esvoaçava em torno dos pés.

Mas os seus contrários rosnavam, ameaçando-o:

— Ah! Finges pouco caso?... Pois deixa estar que te mostraremos quem pode mais: tu ou nós!

Era bem singular essa luta de alguns padres, apercebidos com todas as armas da intriga, contra aquele pobre cura indiferente à maldade humana, caminhando abstrato pelo seu destino, com a alma inconscientemente caída por terra, e os olhos da razão postos no céu.

E, não obstante, os padres lá iam para a frente, ganhando terreno contra Ângelo e agitando de Monteli até Paris os seus estandartes de difamação. Quanto aos romeiros, quanto aos que vinham à casa do presbítero arrastados pela fé no milagre, a esses o sincero pároco falava francamente e dizia-lhes que — milagres, só Deus os podia realizar, porque a tanto chegava o seu infinito poder; mas que ninguém devia levar tão longe a vaidade, que se julgasse digno de provocá-los ou merecê-los, sem incorrer em desagrado aos olhos do Senhor, que só amava aos simples e despretensiosos.

Que voltassem para os seus lares! exortava-lhes Ângelo, que voltassem para os seus lares!... Os homens para o trabalho que dá o pão de cada dia, e as mulheres para junto dos seus filhos e dos seus deveres de esposa.

— Ah! — dizia abertamente, sem armar ao menor efeito. — Ah! Meus irmãos! Quando o lar é abençoado e honesto, não precisa que venham buscar Deus aqui tão longe; Deus irá lá ter espontaneamente e far-se-á lembrado a cada instante. Sejam bons e leais, e Deus será convosco! Não o ofendam, pretendendo que eu faça o que só ele tem o direito de fazer!

Esse modo de proceder era a pior arma que Ângelo podia vibrar contra os seus adversários, porque neutralizava o pábulo da maledicência; mas os molinistas, assim que deram com isso, mudaram de tática e começaram a persegui-lo por outra face.

Um dia o presbítero ficou muito surpreendido, quando na rua gritaram atrás dele:

— Ó louco! Ó louco!

E, desde então, convenceu-se de que não era amado, nem respeitado, por uma parte da população de Monteli.

De outra vez, depois de ouvir aquelas mesmas palavras, recebeu nas costas uma pedrada.

Voltou-se, abaixou-se e apanhou a pedra.

A certa distância havia um grupo de rapazes e raparigas, foi até lá e perguntou se era algum deles que tinha arremessado a pedra.

Ninguém respondeu.

— Meus filhos — disse Ângelo então — aos loucos não devemos apedrejar, que são eles capazes de cair em raiva. Alguns tenho eu visto aí pela aldeia, a quem até dão pão e dão leite...

E passando a mão na cabeça de um dos pequenos, perguntou-lhe, sem cólera:

— Por que me atiraste tu a pedra?

— Era para aquele cachorro!... — disse o rapazito, apontando um cão.

— Mentes, meu filho; mas ainda que dissesses a verdade, serias pecador, porque é pecado apedrejar aos cães... perdoo-te por esta vez e aconselho-te a que não cometas igual delito.

Afastou-se, e quando tinha feito algum caminho, ouviu de novo atrás de si:

— Ó louco!

Talvez tenham razão!... — disse ele consigo, sacudindo os ombros.

E, com efeito, para quem só julgasse pelas aparências, Ângelo figurava um louco. Na terrível palidez do seu rosto, brilhavam-lhe os olhos sinistramente com desvairada expressão; seus lábios, que nunca sorriam, denunciavam fria e profunda angústia, que se não traduzia por palavras; um mistério de sofrimentos havia nas rugas precoces da sua fronte mais branca que o mármore das sepulturas, e os seus gestos eram lentos e como que mal governados, e o seu andar vacilante e frouxo, como o de quem caminha lentamente para a morte. Todo ele era apenas uma estranha sombra que atravessava pela terra, sem se comunicar com ela.

Estava cada vez mais fraco e mais abatido.

E não podia ser senão assim, porque Ângelo sofria muito e não tinha um momento de repouso. Durante o dia era dos seus misteres religiosos e dos seus deveres de piedade, e à noite, quando se recolhia à cama, em vez de descanso, tinha para o martirizar o tormento do sonho.

À noite, ele pertencia a Alzira. A cortesã vinha buscá-lo ao leito, e carregava-lhe o espírito com ela até a manhã seguinte.

E o mais curioso era que, naquelas duas existências, tão opostas e até tão inimigas, o cavalheiro amante da condessa Alzira conhecia o cura de Monteli e ria-se intimamente das ingenuidades deste; ao passo que Ângelo, em mente, detestava o outro e não lhe perdoava as libertinagens e os crimes.

Com o correr dos sonhos, formou-se uma secreta rivalidade entre o padre casto e o licencioso boêmio. Odiavam-se. Cada qual desejava a extinção do rival.

O presbítero, entretanto, a ninguém confiara até aí o segredo das escápulas do seu espírito, e principiava a habituar-se àquele duplo viver de sacerdote virtuoso e de folião profano.

Alzira vinha invariavelmente buscá-lo, mal fechava ele os olhos, e levava-o de cada vez a um novo lugar de prazeres.

O último passeio maravilhoso daquelas noites deixara-o profundamente impressionado, porque fora de todos o mais comovedor e transcendente, como vai ver o leitor.

Foi assim esse terrível sonho:

11
Luta de Ângelo com a própria sombra

Ângelo, ao adormecer, viu-se logo à margem de uma formosa baía, cercada de misteriosos arvoredos, por entre os quais se destacavam ao luar os mármores de velhos palácios talhados em estilo veneziano.

Alzira veio buscá-lo numa gôndola cor de prata, guarnecida de brilhantes lanternas verdes. Ele embarcou e sentou-se ao lado dela.

A gôndola começou a deslizar indolentemente sobre as águas, onde o céu se espelhava todo azul, borrifado de estrelas, e onde as luzes dos barcos e das janelas ogivais vinham perder-se em trêmulos reflexos de mil cores.

A noite era serena e transparente. Alzira pousou a cabeça no ombro do seu amante, tomou um bandolim e começou a cantar:

As águas têm mil lampejos,
Se a brisa cantando vai...
Ó mar! bebei nossos beijos!

Ó brisas! murmurejai!...
Ai! ai!
O mar tem alma,
É belo o mar!
A noite calma
Convida a amar!
Ai! ai!

Um coro longínquo respondeu noutro tom da margem oposta:

Vivam os amantes
Cantando aos pares!
Voem distantes
Negros pesares!

Alzira continuou a cantar, e Ângelo cantou depois de beijar-lhe a boca:

As águas dormem, querida;
A lua brilha nos céus...
Eu quero beber a vida
Num beijo dos lábios teus!...
Ai! ai!

E ambos repetiram:

O mar tem alma
É belo o mar!
A noite calma
Convida a amar!
Ai! ai!

O coro respondeu, agora mais perto, porque a gôndola se aproximara dele:

Vivam os amantes
Apaixonados,
Morram as dores
E vãos cuidados!...

E Ângelo achou-se defronte de um lindo alpendre, construído à beira-mar e coroado de verdura e de flores.

— Saltemos! — disse a cortesã, indicando a longa e branca escadaria de pedra batida pelas águas.

E os dois saltaram, galgaram os degraus de mármore, e penetraram num doce e vasto recinto, frouxamente iluminado por balões venezianos.

Ao centro havia um esplêndido tapete desdobrado no chão, com uma ceia servida em baixelas de prata e ouro.

Aí, três cavalheiros e três damas, ricamente vestidos e negligentemente reclinados em coxins orientais, bebiam e comiam, em boa camaradagem, a rir e conversar, e meio abraçados uns com os outros.

Mais adiante, três damas e um cavalheiro, assentados sobre macias e felpudas peles, jogavam as cartas, entre beijos e gargalhadas.

De outro lado, três moços trajados à napolitana e estendidos por terra, fumavam em volta de um grande cachimbo arábico, e bebiam vinho cor de topázio, que uma bela rapariga de colo nu lhes derramava nos copos de ouro.

Sobre o cais que dominava a baía, um casal deitado, de peito para o ar, contemplava a lua, ambos quase adormecidos, com a cabeça pousada nos braços um do outro.

Cantavam à meia voz em tom de barcarola:

Tem a vida, mil encantos,
Quando a gente sabe amar...
Os gozos são tantos, quantos
Murmúrios há no mar...
Deixa-me a boca
Tua beijar!
A vida é pouca
Para te amar!...

Ângelo parara à entrada com Alzira.

— Que bela coisa é o prazer!... — disse um dos cavalheiros que ceavam.

E acrescentou, abraçando preguiçosamente as duas damas que tinha ao seu lado:

— E pensar que há por esse mundo gente que fala em tristezas!... As mulheres, as flores, a música, o jogo, o vinho e os bons manjares, eis o nosso elemento da vida!...

E tomando as mãos da sua vizinha da direita:

— Não é verdade, minha bela, que o prazer é a melhor coisa da vida?...

A dama respondeu-lhe com um beijo, quebrando os olhos voluptuosamente.

— Ganhei! — disse outro cavalheiro no grupo dos jogadores. — Paga!

— Aqui tens! — volveu a dama, oferecendo-lhe os lábios, que ele beijou com delícia.

E ela exclamou logo em seguida:

— Agora ganhei eu!

Ele tirou da cinta um punhado de moedas, que lhe atirou ao colo.

E continuaram a jogar.

— Entremos! — segredou Alzira, penetrando no recinto do alpendre.

— Que lugar encantador!... — considerou Ângelo, que até aí estivera a olhar para todos os lados, deveras surpreendido.

E fazendo a todos um rasgado cumprimento:

— Boa noite, cavalheiros!

— Vivam, rapazes! — exclamou Alzira ao mesmo tempo.

Foram correspondidos indolentemente pelos circunstantes.

Só um dos cavalheiros da ceia voltou-se para eles, e disse-lhes em ar amável:

— Boa noite, gentis namorados. Andais gozando a vida, não é verdade?...

— Sim — respondeu Alzira. — Temos mocidade e dinheiro: queremos gozar!...

— Sede bem-vindos! — volveu aquele. — Não podereis escolher sítio melhor! Aí tendes o que comer e o que beber... Tomai assento conosco e sereis dos nossos! Bebei e embriagai-vos, caríssimos:

Ângelo e Alzira assentaram-se juntos num coxim, e o cavalheiro prosseguiu, mal podendo abrir os olhos:

— Aqui as horas correm ligeiras e felizes! Escorregam como um bom vinho!...

— Mas quem sois vós?... — perguntou Ângelo, levando aos lábios a taça que acabara de encher.

O interrogado explicou logo:

— Somos sectários da religião do prazer: nossa única ambição, nosso único ideal — é gozar! A sensualidade é o nosso Deus!

— O gozo pelo gozo! Eis aí a nossa divisa! — interveio um dos outros cavalheiros que ceavam.

E o terceiro acrescentou, emborcando o copo:

— Não conhecemos outra moral, nem outra filosofia!... O amor antes de tudo!...

— Perdão, — objurou Ângelo, tomando interesse na conversa — isso não é amor, é lascívia...

— Oh! — replicou o que recebera a objeção. — Nada de sentimentalismo!... Queremos as ideias etéreas... vivamos pura e exclusivamente para os sentidos. Nada de amores platônicos ou exclusivistas! Nada de ciúmes e nada de egoísmos! Entre nós, as mulheres, seja qual for, é um instrumento de prazer, de que cada um se serve como melhor gosta e lhe apraz. Aqui, neste feliz recinto, as mulheres não têm dono; são como as flores do caminho: pertencem ao primeiro que se debruça sobre elas para lhes sorver o aroma...

E derreando-se entre as duas mulheres que estavam ao lado dele, passou-lhes o braço na cintura e perguntou-lhes, beijando-as, uma e depois outra:

— Não é verdade, encantadoras amigas, saborosas flores, cujo perfume nos embriaga de prazer? Não é verdade que não guardais egoisticamente, só para um homem, o vinho dos vossos lábios e os tesouros dos vossos corpos adoráveis?...

Uma das mulheres respondeu sorrindo:

— Somos altruístas... Com os encantos que possuímos, poderíamos, por interesse, dar a felicidade a um homem... preferimos dá-la a muitos. É mais generoso...

— Decerto! — confirmou o cavalheiro que falara por último. — A castidade não passa de uma torpe especulação!...

— A mulher — reforçou o outro — só é verdadeiramente sublime, quando se dá a todos, sem preferência de nenhum...

— Não concordo convosco! — declarou Alzira.

Ângelo sentiu-se irritado com aquelas ideias, e disse, erguendo-se:

— Degradante filosofia é a vossa, escravos da luxúria! Desvirtuastes o amor, prostituístes a mulher! Amaldiçoais assim a melhor obra de Deus!

— Ou do demônio... — corrigiu com uma gargalhada um dos comensais.

— Não! — teimou Ângelo. — O demônio inventou o ódio e não o amor, descobriu a inveja e não a ambição, descobriu o desespero e não a felicidade, descobriu a luxúria, que é o desespero da carne, e não o amor, que é o orvalho da alma!

— Ou estás muito ébrio já — disse aquele — ou és um poeta!

— Não! Sou um homem que ama, e nada mais — repontou o amante de Alzira.

— És um sonhador!... — interveio outro com uma nova gargalhada. — Um amante das estrelas!... Mau lugar escolheste tu para os teus idílios sentimentais!...

— Segue o teu caminho, visionário! — aconselhou outro. — A tua loucura faz-nos pensar, e nós não queremos dar-nos a esse trabalho... Vai-te embora!

— Enxotam-me?! — exclamou Ângelo.

E puxou um punhado de moedas de ouro, que atirou sobre a mesa, acrescentando: — Tenho o direito de cá estar! Pago os meus prazeres! E, se alguém há entre vós, que a isso se queira opor, fale, que imediatamente lhe taparei a boca.

Um dos convivas ergueu-se, encaminhou-se tranquilo para ele e disse-lhe, com os olhos meio fechados pela embriaguez:

— Tens o direito de estar aqui, não há dúvida alguma... mas o que não tens, desgraçado, é o direito de incomodar-nos...

— Desgraçados sois vós, míseros sensualistas! — replicou Ângelo.

— Deixa-me! — tornou o outro desdenhosamente. — A tua moral enjoa-me! Se quiseres seguir o nosso exemplo, aí tens o teu copo, é beber até caíres ébrio nos braços da mulher que te ficar mais perto; qualquer destas... Não temos ciúmes!... E se isso não te convém, toma então de novo a tua gôndola e segue adiante, que trazes ao teu lado uma mulher formosa e não prometemos respeitá-la mais que às outras.

— Ai daquele que lhe tocar com um dedo! — exclamou Ângelo no auge de cólera.

Alzira interveio.

— Acalma-te — disse ela — dando-lhe um beijo. — A noite é curta, meu amor; não vale a pena perdê-la com outra coisa que não seja o prazer!

E, voltando-se para os que estavam à ceia:

— Encham-me a taça, amigos, que a noite ainda é melhor assim regada com o capitoso e dourado moscato italiano!

— Tens muito mais espírito que o teu sentimental amante!... — observou rindo um dos convivas. — E és formosa demais para pertencer a um só homem!

Ângelo deu um salto sobre o libertino que acabava de falar e, desembainhando a sua espada, exclamou, pondo-lhe a mão esquerda fechada em frente do rosto:

— Mais uma palavra e arranco-te a alma, miserável!

— Acalmem-se! — suplicou Alzira, colocando-se entre eles. — Acalmem-se por quem são! Bebamos e folguemos, antes que o sol venha de novo tirar-me a carne de cima dos ossos!...

— A beleza — disse o contendor de Ângelo, esvaziando ainda uma vez a sua taça espumante — a beleza é uma divindade! E uma divindade deve ser adorada por todos!

— Bravo! bravo! — gritaram os que se tinham deixado ficar no chão. — Adoremos a divindade da beleza!

— À Beleza! À Beleza!

E entre risos, as taças chocaram-se, tilintando.

— É demais! — gritou Ângelo desprendendo-se dos braços de Alzira, e saltando em meio do banquete. — É demais! Este miserável deve morrer!

A cortesã procurou detê-lo.

— Ângelo! Ângelo!

— Deixa-me! — bradou este. — Quero punir aquele infame! Quero esmagar aquele estúpido libertino!

Houve um geral sobressalto. Ergueram-se todos. Puxaram pelas espadas, e as damas empalideceram, soltando gritos de pavor.

Ângelo parecia possesso. A lâmina do seu aço florentino reluzia no ar, ameaçadoramente. E ele sem deter-se um instante no mesmo lugar, varria aos pontapés os estorvos que encontrava nos seus saltos de esgrimista.

— Venham todos! — bradava, sacudindo os cabelos. — Venham todos, cáfila de brutos sensuais! Venham, que os rejeitarei na ponta deste ferro!

— Ângelo! Ângelo!

— Com a vida o pagarás! — exclamou um hércules veneziano, que acabava de erguer-se sacando o punhal.

— Morrerás como um javali! — gritou outro, acudindo de arma em punho.

E ouviu-se um coro de imprecações e frases de terror.

— Um conflito?!...

— Calma! Calma!

— Diabos levem os intrusos!

— Morra quem perturba o nosso gozo!

— Matem-no e lancem o cadáver ao mar!

— Fiquemos com a mulher, que é bonita!

Entretanto, um cavalheiro colocara-se defronte de Ângelo, com a espada em desafio.

Mediram-se as lâminas, os ferros cruzaram-se no ar: os dois fizeram uma rápida oração entre os dentes cerrados pela cólera, e o combate começou feroz.

Abriu-se um instante de silêncio, em que o retintim metálico das duas espadas era o único arruído que se ouvia.

Os contendores arfavam, desesperado cada qual pela destreza e galhardia do seu adversário.

— Agora! — bramiu Ângelo, caindo a fundo contra o inimigo.

E atravessou-o de lado a lado.

— Oh! — gritaram todos, correndo para o lugar do duelo.

E cercaram Ângelo numa trincheira de espadas nuas.

— O meu punhal! — berrou o perseguido, desembainhando a terrível arma, que lhe dera o Demônio do Ouro. — Assim o querem?... Assim seja!

E abriu aos pulos para todos os lados, cravando uma punhalada a cada salto.

Um a um, iam caindo todos em volta dele, expirando cada qual entre gritos de agonia e uivos de cólera sequiosos de vingança.

Do meio para o fim desta singular hecatombe, os que não tinham recebido o golpe fatal, fugiram, lançando-se do cais às águas da baía. As mulheres rolavam pelo chão, estrebuchando espavoridas, ou jaziam sem sentidos, pálidas e estateladas como cadáveres.

Ângelo viu-se afinal senhor do campo e, ofegando de cansaço, limpou o punhal tinto de sangue nas roupas de uma das suas vítimas.

— Fujamos! — disse Alzira, a enxugar-lhe com o lenço de rendas a fronte ressumbrante de suor. — Fujamos antes que amanheça!

— Não! — opôs Ângelo. — Vamos beber ainda, e esperemos a aurora abraçados os dois sobre estes coxins feitos para a volúpia!...

Mas, no momento em que levava aos lábios a ânfora de vinho, arremessou-a para o lado, soltando um terrível grito de pavor.

Defronte dele, com os braços cruzados, os olhos faiscantes e o rosto fulo e sinistro como uma caveira, erguia-se o espectro do macilento cura de Monteli.

Ângelo recuou fulminado.

E o pároco, sem descruzar os braços, caminhou para ele, atravessando-o com o seu claro olhar de sacerdote intransigente.

— Crápula! — exclamou, chegando-lhe a boca ao rosto. — Assassino! Bêbado! Ladrão!

O amante de Alzira pôs-se a tremer.

O outro prosseguiu:

— Em que imundo esgoto perdeste tu a tua vergonha e a tua consciência, miserável?... para andares sem pudor a vagabundear ao lado de uma infecta prostituta?...

— E que tens tu com isto, hipócrita?... — interrogou o Ângelo boêmio, recuperando o sangue-frio. Acaso vou eu tomar-te contas das ridículas pantomices que levas a praticar durante o dia em Monteli?... Interrompo porventura a farsa das tuas missas, quando charlataneias o teu irrisório latim e ergues ao ar, espetaculosamente dois dedos de vinho e três de obreia, proclamando que é sangue e corpo de Cristo... o que vais ingerir?... Já fui eu lá dizer-te ao ouvido que isso é uma truanice, tão digna de desprezo quanto de lástima?... Já fui eu lá insinuar aos teus devotos que os teus milagres são mentiras, como é mentira a tua fé, como é mentira a tua ciência, como é mentira a tua religião?... Não me venhas pois aborrecer, onde não és chamado, e volta para a tua pestilenta aldeia, que tens lá quem precise dos teus desvelos e dos teus conselhos. Dá-los ao filho da viúva Thevenet!

O presbítero, ouvindo este nome, estremeceu por sua vez.

Sacudiu a cabeça e disse revoltado:

— Até tu, alma perdida! Até tu finges não compreender a verdade a respeito dessa infeliz criança.

— Não sou eu quem te acusa; são todos! Nada mais faço do que repetir a voz do povo, que é a voz de Deus! Some-te da minha presença!

— Sim! Mas deixa essa mulher!

— Por quê? Ah! compreendo! São os ciúmes que te agitam, hein? Magnífico!

— Deixa essa mulher, já disse!

— Queres que a deixe contigo, talvez!...

— Obedece-me ou eu tomar-ta-ei à força!

— Não tentes experimentá-lo, porque ficarias aqui mesmo estendido por terra com esses outros imprudentes que aí estão! Vai-te embora, desgraçado!

O pároco foi ter com Alzira e tomou-lhe as mãos.

— Acompanha-me — disse — com ar de súplica.

A cortesã olhou para ele, olhou para o outro, e abaixou os olhos, hesitando perplexa.

— Não vens comigo?... — interrogou o padre, arfando de cólera e ciúme.

— E ele?... — balbuciou a cortesã. — Como deixá-lo?... Bem vês que não posso!...

— Aqui! A meus braços! — ordenou o outro Ângelo, batendo o pé. — Já! Não dês ouvidos a esse embusteiro!

Alzira chegou-se para o amante folgazão, obedecendo submissa.

Então o pároco, sem dominar a cólera, atirou-se contra o rival, tentando estrangulá-lo.

Alzira, percebendo que aquele arrancava o punhal da cinta, apoderou-se do ferro traiçoeiramente e lançou-o ao mar.

O desarmado soltou um formidável grito de desespero e engalfinhou-se com o outro Ângelo, rolando ambos ao chão, por entre os cadáveres ensanguentados, enquanto um sino ao longe principiava a badalar, chamando para a missa, e a aurora acordava a natureza, cantando um hino de gorjeios e murmúrios de floresta.

O infeliz vigário acordou afinal, na vida real, banhado de suor, sufocado e aflito, a debater-se no seu leito com a própria sombra, que o estrangulava.

12
A dúvida

A tarde sucumbia lentamente, enchendo a natureza com a sua triste alma lamentosa. As cigarras estridulavam nas sonolentas frondes dos arvoredos, como um contínuo gemido do crepúsculo que agonizava. O sol, cansado do seu esplendor, fugia ao longe, cambaleando por uma escadaria de púrpura real. Os lavradores recolhiam-se à casa, com a ferramenta ao ombro, e crianças brincavam no eirado ouvindo as Trindades.

Entretanto, na modesta sala de jantar do cura de Monteli, a velha Salomé, com o queixo apoiado à mão, o olhar perdido ao acaso, meneava a cabeça defronte do Dr. Cobalt, e parecia deveras desconsolada.

O médico tomava notas na sua carteira.

— Ele não se queixa de nada?... — perguntou depois de uma pausa, a estorcer nos dedos o lábio inferior.

— Não, senhor doutor, não se queixa de nada!... E é isso o que eu estranho!...

— Não tem dores de cabeça?... Vertigens, achaques nervosos?... — insistiu aquele.

— Se tem, não sei... — respondeu a criada — porque ele não se queixa nunca... É outra coisa que eu estranho!...

— Come com apetite?...

— Tão pouco como dantes...

— Está mais expansivo?... Conversa?...

— Está na mesma... E isso também não deixa de causar-me certa estranheza!

— Dorme bem?...

— Ah! Quanto a isso, acho que até dorme demais!... Ultimamente, mal toca às Trindades, já o senhor vigário está procurando a cama!... Só nisto mudou durante a ausência do Sr. doutor... Dantes levava às vezes acordado até que horas da madrugada, e agora, é anoitecer, e já ninguém o detém de pé! Deu para isso desde aquela célebre noite em que o vieram buscar para ir à Avenida de Blancs-Manteaux.

O médico tomou novas notas e perguntou depois, sem desfitar o olhar de onde o tinha pregado:

— Ele anda muito durante o dia?... Fatiga-se?...

— Não sai agora de casa senão para os seus deveres...

— Não passeia?...

— Agora, nunca. Dantes ainda o fazia algumas vezes, e quase sempre demorava-se por aí, margeando o rio ou percorrendo a serra; mas depois da ida ao castelo d'Aurbiny, nunca mais fez desses passeios. Mal acaba o que tem de aviar aí por fora, volta logo para casa e, chegando a noite, deita-se, haja o que houver!...

— E dorme logo?...

— É deitar-se e pegar logo no sono.

— E o sono é sossegado?... é profundo?...

— Pode vir a casa abaixo, que ele não dá por isso! Só desperta na manhã seguinte, ao raiar do dia. E nunca vi procurar a cama com tamanha sofreguidão!... Até parece moléstia, Deus me perdoe!

— Singular!... muito singular!... — resmungou o doutor, sem largar o lábio.

— Nem sei o que me parece aquele modo de dormir!... — tornou a criada, com um suspiro, em que denunciava toda a sua tristeza pelo estado do amo. — Tenho meus receios de que haja praga! Virgem Santíssima! Há no mundo tanta boca danada, e o senhor vigário tem sido, nestes últimos tempos, perseguido pelos padres que vieram de Paris!...

Cobalt interrompeu-a.

— Ele não lhe tem contado nada a seu respeito, minha boa amiga?... — perguntou.

— Qual! Nunca esteve comigo tão fechado como agora...

— É singular!... — resmungou o médico. — É singular!... Os fenômenos que observo neste enfermo, desmentem as minhas experiências já feitas nos hospitais!... É um caso singularíssimo de histeria no homem!... Ah, meus colegas, meus colegas obstinados em que a histeria tem a sede no útero!... Queria vê-los aqui, e haviam de confessar que ela não passa de uma nevrose encefálica!... Platão, com o seu sistema de útero desesperado por conceber, com o seu útero que dana e faz cabriolas até o cérebro, é um visionário, como todos os seus discípulos espalhados pelas nossas academias!... No século dezenove compreenderão talvez o que hoje negam tão obcecadamente! Caturras! Não percebem que o vasto mundo dos nervos é tão grande, tão complicado e tão extraordinário, como todo um mundo planetário!... Falam em psicologia, falam em intelecto, e não falam nessa coisa ainda hoje sem nome — a vida autônoma dos nervos; isso, cujo conjunto pressinto e vejo pelas suas fenomenais manifestações, e habita uma parte material de nosso corpo, tão importante quão pouco conhecida e estudada até hoje! isso, que há de encher uma época no mundo dos sábios e produzir uma grande revolução científica! Ah! não poder eu viver daqui a cem anos!... ou não ter talento, gênio, para poder adivinhar o que os outros mais tarde descobrirão. Maldita seja esta minha cabeça inútil, e maldita seja a Medicina! E maldita principalmente seja esta minha ausência de Monteli, durante a qual tantos progressos fez o meu doente na sua desconhecida moléstia!... Ah! mas hei de chegar a um resultado, ou enforco-me no primeiro lampião ou na primeira árvore que encontrar pelo caminho! — E, voltando-se vivamente para a tia Salomé, a limpar, ofegante, o suor da testa, perguntou:

— E ele em que estado acorda?...

— Ora, Sr. doutor... Cada vez mais acabrunhado e abatido... — respondeu a boa velha, sarapantada de todo com o ar perplexo do médico. — As tais horas de sono do senhor vigário, em vez de lhe darem novas forças e fazê-lo rijo, a modo que o deixam mais prostrado... Acorda cansado nem que se chegasse de uma viagem muito longa, ou que então largasse naquele instante um serviço muito forte!... Levanta-se da cama quase cambaleando, as suas orações fá-las ele tão fatigado como se passasse a noite em claro, barbeia-se caindo de sono, e depois assenta-se um bom tempo, descansando. Se eu não vier chamá-lo para a missa, é capaz de ficar aí todo o santo dia, a cismar!...

— Diabo! — exclamou o médico com uma palmada na perna. — Diabo! Esta minha ausência foi um transtorno infernal! A nevrose chegou a um ponto em que se torna quase incurável!... Ah! Mas, haja o que houver, carrego-o amanhã mesmo para o novo hospital de nevropatas que acabei de abrir, e vou fazer nele as minhas primeiras experiências da aplicação da água fria por meio de duchas graduadas! Está decidido! E é bem possível que eu, daqui a pouco tempo, esteja apresentando à Academia de Ciências o meu livro novo sobre o grande mundo dos nervos!...

E voltando a ter com Salomé:

— Não veio de Paris ninguém visitá-lo, além dos devotos do milagre?...

— Ninguém... — respondeu ela.

— Diga-me uma coisa, tiazinha... mas fale com franqueza, que é para o bem do nosso doente... Nunca descobriu no vigário qualquer inclinação por alguma mulher?...

— Credo, senhor doutor!... — exclamou Salomé, benzendo-se. — Credo, Pai Santíssimo! Pois então o senhor vigário seria lá capaz de?... Ele, que é um santo! Valha-me a Senhora dos Aflitos, que até senti um engulho no estômago!

— Não há dúvida! Carrego-o amanhã mesmo para o hospital!... Vou daqui tratar do que me falta para poder levá-lo!

Salomé, que tinha ido até a janela, voltou para segredar apressada ao médico:

— Ele aí vem!...

Cobalt pôs-se logo em retirada, e disse precipitadamente à velha:

— Continue a observá-lo. Volto em breve. Segredo, hein?... E tome lá para o seu rapé!

Atirou-lhe uma moeda e fugiu; enquanto Salomé, indo abrir a porta, considerava de si para si:

— O vigário estará sofrendo da cabeça, mas este médico, pelos modos, não regula melhor que ele...

E abriu a porta a Ângelo, que entrou da rua, mais taciturno e mais sonâmbulo do que nunca.

A criada foi ter ao seu encontro e deu-lhe as boas noites.

O infeliz não respondeu.

— Coitado!... — pensou ela, considerando-o da cabeça aos pés com um olhar de lástima. — Como ele está hoje!... Nem deu pela minha presença!...

E tomou-lhe o braço, para perguntar-lhe, gritando, como se falasse a um surdo:

— O senhor vigário quer que eu vá buscar a sua refeição?...

E, como ele ainda desta vez não respondesse, a boa velha afastou-se lá para a cozinha, resmungando:

— É melhor mesmo que o doutor o leve, para ver se o endireita!...

A intriga dos invejosos vingara finalmente. Ângelo era já pelos seus superiores considerado louco; o arcebispo suspendera-lhe as ordens por tempo indefinido, e ameaçava de excomunhão todo aquele que fosse a Monteli em romaria devota.

Entretanto, ele parecia indiferente e alheio a tudo isso, e continuava escravo dos seus dolorosos enlevos, como se o seu espírito vivesse com efeito em um outro mundo, um mundo só dele conhecido, um mundo longe da terra e longe das suas duras melancolias religiosas.

E, cada vez mais taciturno e sombrio, seu vulto, quando agora vagava pelas estradas, já se não detinha aos gemidos dos desgraçados, nem ao riso alvar dos imbecis que escarneciam dele.

Salomé tinha razão: a coisa única que o preocupava agora, era o sono. Ângelo queria dormir tanto quanto possível, para sonhar muito. O delírio conquistara-o de todo. O sonho vencera a vida real.

Ângelo foi até o seu quarto e parou junto à cama.

— Eis enfim o momento de dormir!... — pensou ele. — Dormir! — estranho modo de morrer!... Sonhar! — estranho modo de viver!...

E atirou o chapéu para o lado, desfez-se do capote e continuou a meditar:

— Sim, — murmurou, sacudindo a cabeça — sim, eu vivo nos meus sonhos, e mentiria se dissesse que os não desejo... Desejo-os ardentemente; volto deles com a consciência aflita e dolorida, mas durante as longas horas do dia, nada mais faço que chamar pela noite, para poder correr aos braços de Alzira!... Sonhar! Será vida o sonho?... E por que não?... Por que supor que esta é vida verdadeira e a outra não?... Por que, se ambas têm a mesma razão de ser? as mesmas dúvidas, as mesmas incertezas!... Não são ambas um mistério?... Saberei por acaso o que eu era antes de nascer e o que serei depois da morte?... De onde vim?... Para onde vou?... Eis o mistério!... A vida, qualquer que ela seja, não será sempre um ligeiro sonho que se esvai entre dois nadas? Sair de um ventre de mulher, para entrar no ventre da terra!... Eis tudo o que se sabe!...

E começou a espacear pelo quarto, gesticulando.

— Sim! Qual das duas vidas será a verdadeira?... Qual das duas será mentira e sonho?... Poderei afirmar que existo nesta?...

E começou a apalpar as mãos, e a estorcer, uns contra os outros, seus dedos magros e pálidos.

— Este meu corpo será com efeito meu, e será com efeito um corpo?... Ele com efeito existirá?... Eu o estarei vendo, ou tudo isto será ilusão?... (E apertou com força, entre os dedos, a carne do seu braço.) Todos estes objetos que me cercam, existirão com efeito?... Sim! Eu os vejo! Eu os apalpo! Eu os sinto com o meu tato!

Salomé, que entrara com a merenda, estacou a olhar para ele, desconsoladamente.

— Que estará o senhor vigário a fazer às voltas com aquela cadeira?... — resmungou ela, notando que Ângelo tinha uma cadeira erguida nas mãos e a examinava com suma atenção. — Parece admirar uma raridade!...

— Sim — exclamou o pároco. — Isto existe!

E arremessou a cadeira ao chão.

— Mau! Mau! — resmungou a criada. — Hoje está para quebrar as coisas!...

E foi ter com ele, carinhosamente, depois de largar sobre a mesa a bandeja da merenda.

— Por que não trata de comer alguma coisa e recolher-se, senhor vigário?... Olhe que já são quase sete horas!...

Ângelo despertou:

— Sete horas? Já?... Sim, sim, vou deitar-me! Preciso dormir! dormir muito!

— Mas há de primeiro tomar a sopinha de leite com pão! Vamos! venha para a mesa! (E conduziu-o até lá, puxando-o pelo braço.) Assim! Agora beba um trago de vinho!

Ângelo obedecia, como uma criança, sem dizer palavra.

— Bem — disse a criada, quando viu que não conseguia fazê-lo comer mais nada. — Agora pode recolher-se. Boa noite!

E saiu, soltando um fundo suspiro de lástima.

O presbítero continuou perdido nas suas cismas.

— Sonhar!... Sonhar!... Estarei eu sonhando agora, para daqui a pouco acordar nos braços de Alzira?... Não! Mas isto existe!

E tomou de cima da mesa o canjirão de vinho.

— Tanto existe... — prosseguiu ele — que eu posso quebrar este objeto! Destruí-lo! (E despedaçou o canjirão contra a parede.) Eu tenho um corpo que sente... tenho uma alma que dói! Ah! mas na outra vida palpita-me também o sangue dentro das veias! Na outra vida a minha boca beija, os meus olhos choram, a minha carne treme de prazer e de dor! na outra vida governo os meus membros, dirijo os meus pensamentos, e piso a terra, e repiso o ar, e como, e bebo, e amo!

Nisto abriu-se surdamente a porta que dava para o interior da casa, e a veneranda figura do velho Oseias desenhou-se contra a sombra.

Vinha abatido pela sua longa enfermidade; parecia mais velho e macilento. Afundaram-se-lhe de todo as faces e cavaram-se-lhe os olhos, onde transparecia agora, em vez do brilho místico que o iluminava dantes uma triste luz de mortal desesperança.

Imóvel, de braços cruzados sobre o peito, quedou-se a observar em silêncio o espectro do seu discípulo amado.

Ângelo que não dera por ele e continuava a monologar, gesticulando:

— Sim... sim... por que acreditar que esta miserável existência de cura de aldeia é a vida real, e a outra não? A outra que aliás é tão superior?... Sim! sim! Ou ambas são vida, ou são ambas sonho!... A única diferença é que lá eu vivo e gozo, ao passo que aqui... apenas choro e sofro... Ah! sonho por sonho, prefiro o outro! No outro sou feliz, sou livre, sou um homem como qualquer! Não tenho senhor! Não tenho Deus! Lá — eu amo — eu sou amado! Sim! Sim! Prefiro a outra vida! Corramos aos braços de Alzira!

E encaminhou-se para o quarto com avidez.

Mas frei Oseias, que lentamente se aproximara do discípulo, fê-lo estacar, interpondo-se-lhe na passagem.

— Oh! meu pai?... — exclamou o pároco.

— Ângelo! — disse o frade, abrindo os braços, enquanto as lágrimas lhe corriam pelas longas barbas brancas.

— Meu pai aqui!

— Sim! Venho em teu socorro, meu filho!

E Ângelo atirou-se-lhe nos braços, soluçando.

13
A confissão

Passado o abalo da primeira impressão, um constrangido silêncio fez-se entre Ângelo e Oseias.

O presbítero tinha os olhos baixos, como um criminoso, e o outro acompanhava-lhe os menores movimentos, tremulando a cabeça.

— Sim, meu filho... — disse o velho afinal — venho em teu socorro!... Dize-me como estás e dize-me o que sentes...

Ângelo não ergueu os olhos.

— Eu?... Nada!... — tartamudeou. — Creio que estou bom...

— E eu tenho a certeza do contrário, meu pobre Ângelo...

E Oseias acrescentou a um gesto negativo do discípulo:

— Ah! Não tentes enganar-me!... Tens, seja qual for, uma preocupação bem grave, que inutilmente procuras esconder aos meus olhos!... Há alguns instantes que te observo, que acompanho todos os teus movimentos, cheguei mesmo a ouvir muitas palavras do teu monólogo de louco! Ah, sim! Tens uma dor secreta, e eu hei de arrancar-te e destruí-la, custe o que custar!... Vamos! É melhor que fales com franqueza!

— Nada! Não tenho nada!... — insistiu o pároco, visivelmente perturbado.

— Negas?!... Desconheço-te, Ângelo!... Já não és o mesmo casto discípulo, que eu cerquei durante vinte anos com a dedicação dos meus desvelos e da minha fé!...

— Creia que se ilude, meu pai!...

— Tu é que me queres iludir, Ângelo... Ah! mas não o conseguirás! Não suponhas que vim aqui às apalpadelas... Tenho-te acompanhado de longe, desde que a enfermidade me obrigou a separar-me de ti...

E recuperando de súbito o seu antigo ar enérgico, exclamou:

— Exijo que me confesses abertamente a causa deste teu estado atual!

— Mas...

— Exijo!

— Mas que lhe hei de dizer?...

— Fala-me, por exemplo, das consequências daquele estranho sobressalto, que te aconteceu quando celebravas a tua primeira missa... Ainda até hoje não me deste conta disso!...

Ângelo estremeceu, balbuciando alguns sons ininteligíveis.

E Oseias acrescentou:

— Sim, nunca me confessaste que ele foi provocado por uma mulher que se achava na igreja...

O pároco estremeceu ainda.

— E por que tremes agora?... — bradou o velho. — Por que abaixas os olhos?... Por que desse modo empalideces?... Por que as lágrimas estão a correr-te pelas faces?... Ah! eram bem fundados os meus receios de então!... são bem certas as minhas desconfianças de agora!...

— Desconfianças?... De quê?...

— De que Alzira te preocupa ainda!...

— Alzira já não existe...

— Sim, já não existe para o mundo... Quem sabe, porém, se ela não continuará a existir para a tua imaginação enferma e desvairada?...

O pobre moço tomou-lhe as mãos.

— Por que diz isso, meu pai?...

— Porque vejo e compreendo que uma ideia fixa te rói o cérebro e devora-te a razão! Quero saber o que é! Fala!

Houve uma pausa.

Oseias prosseguiu, mudando de tom:

— É a primeira vez que bato ao teu coração, e ele se não abre logo de par em par!... Compreendo: já te não possuo... já não és o mesmo que foste para mim... já não és o meu filho submisso e casto!... Perdi tudo! Paciência! Nada mais me resta a fazer aqui... Adeus.

Ângelo prendeu-o nos braços.

— Perdoe! Perdoe, meu pai!

— Então, fala!

— Ah! se soubesses quanto eu sofro!...

— E não obstante ainda há pouco sustentavas o contrário... Bem vês que tenho razão!...

— Sim, mas, por amor de Deus, não exija que eu fale!...

— Ao contrário, quero que me abras o teu coração com toda a confiança, quero que mo despejes em confissão, como o fazias dantes!

— Mas é tão estranho o que se passa comigo!...

— Conta-me tudo!

— Sou um imperdoável pecador!

— Maior serias se não me falasses com sinceridade! ...

— Sou um desgraçado!...

— Não tanto, como se eu não estivesse agora a teu lado, disposto a salvar-te!...

— Mas o meu crime é traiçoeiro... só se apodera de mim durante a inconsciência do sonho...

Oseias fixou-o e, concentrando a atenção, disse depois surdamente:

— Continua...

— Vou dizer-lhe tudo com franqueza!...

E Ângelo olhou para os lados, e acrescentou, abafando a voz:

— Vou contar-lhe tudo...

— Fala, meu filho...

— A perturbação que eu senti no dia em que me ordenei, era com efeito causada por uma mulher...

— Alzira...

— Sim... — confirmou o pároco, meneando lentamente a cabeça. — Sim... Alzira... Soube logo que esse era o seu nome, em volta de mim na igreja todos o repetiam quando ela me fitava da tribuna...

— Eu notei. E depois!...

— Só a tornei a ver naquela noite em que deixei Paris... E no dia em que ela veio procurar-me aqui...

— Sei. Adiante.

— Sua imagem, porém, nunca mais me saiu da memória, até que, uma noite, sonhei que vinham buscar-me para socorrer um moribundo...

— Não foi sonho, foi a realidade...

— A realidade?!... — exclamou Ângelo, com os olhos pasmados. — Então é real que a estreitei nos meus braços?... Então é real que a ressuscitei com os meus beijos?!...

— Isso é que já foi sonho, ou melhor, delírio!

— Meu Deus! Onde começa o sonho?... Onde termina a realidade?... Alzira teria com efeito vindo buscar-me no dia seguinte ao seu enterro?... (Oseias redobrou de atenção.) Eu ter-me-ia transformado em um cavalheiro e ela em formosa dama? Teríamos saído por aí afora, montados em fogosos cavalos, que nos levaram a mundos desconhecidos para mim?... Teria eu percorrido com ela todas essas paragens maravilhosas?... Teria eu provado de todos os venenos do prazer e bebido de todos os vinhos do amor?...

Oseias apoderou-se do braço de Ângelo.

— E ela continua a voltar?... — exclamou, sobressaltado.

— Sim, sim, volta sempre! Ainda não faltou uma só noite até hoje! Mal adormeço, ela vem logo e carrega comigo! É ela a pessoa com quem eu mais convivo neste mundo.

— Neste, não! No mundo da tua loucura!

— E por que acreditar que este é o verdadeiro e o outro não?!... Ambos me ocupam longas horas o espírito, ambos palpitam de sentimento e de verdade, ambos têm as suas consolações e os seus desgostos!

— Mas, meu filho, não te lembras que cresceste a meu lado, que viveste sempre comigo?...

— Também no outro mundo tenho reminiscências de uma vida inteira. Lembro-me do colégio, das férias passadas com parentes, dos afagos de meus pais... sim! Porque lá não sou um miserável enjeitado... tenho família e tenho amigos... É uma vida completa e perfeita! Esta outra existência obscura, de pároco de aldeia, apresenta-se-me então ao espírito como um sonho extravagante e ridículo!...

— É preciso que Alzira nunca mais te apareça! — bradou o velho.

— Ah! — disse Ângelo. — Creio que só com a morte deixarei de vê-la!... E, ainda assim, quem sabe?... Quem sabe se Alzira não virá ter comigo, quando esse outro sono me adormecer para sempre?... E quem poderá afirmar que eu vivo?... Quem me dirá que não sou, como ela, um pobre espírito errante, um espectro, uma sombra, condenado a nunca repousar?...

— Cala-te, louco! Não a verás hoje!

— Ela virá logo que eu adormeça!...

— Hoje não dormirás!

— Ela me espera!...

— Desgraçado! Já não és senhor de tua vontade?... Acaso negociaste tua alma?...

— Não, meu pai, minha vontade é a sua... minha alma pertence a quem ma confiou, pertence a Deus!

— Pois então, obedece-me! Põe o teu capote e o teu chapéu, toma um alvião e uma enxada, e acompanha-me!

— Aonde vamos?

— Depois o saberás. Ajoelha-te e pede ao Criador que te proteja!

O discípulo obedeceu.

E o velho acrescentou, erguendo os braços e os olhos para o céu:

— Ó meu Deus! Ó senhor misericordioso! Não nos desampareis nesta terrível excursão que vamos empreender!...

14
Cruz e calvário

Oseias muniu-se de uma lanterna furta-luz e fez-se acompanhar por Ângelo, que levava o alvião e a enxada.

Saíram.

A noite era bonita e frouxamente iluminada por um luar de abril. A aldeia dormia já, e apenas algumas árvores rumorejavam, sonhando talvez, ainda tontas da quente carícia do último sol que as sufocara com os seus beijos de fogo.

Cães ladravam, de pescoço estendido, provocando o céu. As estrelas bruxuleavam tristemente no azul da abóbada misteriosa. Não se ouvia o pio de uma ave noturna.

E os dois religiosos lá se iam pela estrada, silenciosamente, projetando longas sombras na areia dos caminhos.

Pareciam dois espectros filhos da mesma noite.

Andaram durante algumas horas. Atravessaram a aldeia, sem dizer palavra. E afinal chegaram a um cemitério, que já não pertencia a Monteli e sim a Blancs-Manteaux.

— É aqui, meu filho... — disse o velho, parando, extenuado de fadiga.

Ângelo nada respondeu. Encostou-se ao sinistro muro da casa dos mortos e respirou descansando.

— O que viemos aqui fazer... — perguntou depois.

— Entremos... — deliberou o outro, procurando o lado mais baixo do muro para galgá-lo.

E penetraram no cemitério.

Era um bem triste lugar aquele, com a sua dura simetria de túmulos enfileirados, branquejando ao luar. Canteiros de flores, mais fúnebres que as sepulturas, pareciam dizer na muda linguagem das perpétuas e das margaridas, todo o segredo das dores e das saudades, que ali gemeram junto aos que fugiram para debaixo da terra.

Mas agora, nem o eco de um soluço, nem a cintilação de uma lágrima!...

Mudo esquecimento e paz absoluta! A lágrima nasceu líquida para secar depressa, e o soluço não tem asas para acompanhar a memória dos que morrem!

Oseias e Ângelo puseram-se a andar vagarosamente por entre os mausoléus, até chegarem ao campo raso dos mortos anônimos, para os quais só há uma cruz de ferro, com um simples número, fria como o coração do coveiro que os sepultou.

O cemitério era grande, mas de aspecto miserável. Um vasto campo, que se estendia, subindo em rampa, até parar de súbito num formidável despenhadeiro, onde nunca descia a luz do sol nem das estrelas.

O frade, ao chegar a certo sepulcro, coberto por uma lousa de mármore, deu luz à sua lanterna, e alumiou a lápide.

— Lê!... — disse ao companheiro.

— Ah! — exclamou Ângelo, retraindo-se.

Na laje funerária estava escrito "Alzira".

— Aqui jaz o que dela resta... — segredou o velho.

E depois de um silêncio, acrescentou: — Levanta a lousa...

— Profanar uma sepultura!... Eu?... — protestou Ângelo, recuando. — Não! Nunca!

— Assim é preciso! Obedece!

— Meu pai!...

— Obedece!

O presbítero hesitou ainda.

— Obedece, ou eu te amaldiçoarei para sempre! — insistiu Oseias.

Ângelo abaixou a cabeça e começou a levantar com o alvião a pedra sepulcral.

Conseguiu-o no fim de algum esforço.

— Agora — tornou o velho, quando viu a tumba descoberta — tira com a enxada o que está lá dentro.

O pároco voltou o rosto, exclamando:

— Oh, não! não! por amor de Deus!

Oseias tomou a enxada, e retirou com ela uma caveira de dentro da sepultura.

Limpou-a ao hábito e levou-a até aos olhos do discípulo, dizendo:

— Vê! Vê bem!...

— Uma caveira!

— Sim! Uma caveira! É tudo que resta da beleza da tua Alzira!... A terra comeu-lhe os olhos, o nariz, a boca, as faces cor-de-rosa... Só ficaram os dentes, para se rirem de ti, louco!

Ângelo tomou a caveira entre as mãos, e ficou a contemplá-la, abstrato e mudo.

Oseias chegou-se mais para ele e disse-lhe, avizinhando a boca do seu ouvido e abafando a voz como quem conspira:

— Vê bem!... É uma caveira vulgar... confunde-se com todas as outras!... Foram-se-lhe os encantos... foram-se os cabelos com os seus perfumes sensuais, os lábios com os seus sorrisos sedutores, os olhos com as suas chamas de amor!...

— Meu Deus! — soluçou Ângelo.

— Restam apenas ossos... — insistiu Oseias. É tudo que dela resta neste mundo!... O mais que suponhas que exista, o mais que vejas nos teus sonhos libertinos, é loucura! Compreende bem, Ângelo! — Loucura!

— Meu Deus! — exclamou o moço, deixando cair a caveira dentro do túmulo, e sentindo fugir-lhe a luz dos olhos. — Meu Deus, valei-me.

E baqueou no chão, abraçando-se à lápide.

Oseias precipitou-se sobre ele, para socorrê-lo.

— Ângelo! — chamou. — Ânimo! ânimo, meu filho!

O pároco não deu acordo de si.

E o pobre velho apalpou-lhe o rosto e o coração.

— Perdeu os sentidos! — disse aflito. — Valha-me Deus! Valha-me Deus! Como lhe hei de valer? Se eu tivesse ao menos um pouco de água. A sua fronte escalda de febre!

E correu os olhos em torno, desesperado por ver somente a morte em volta do seu desespero.

— Ah! — exclamou com uma ideia. — Na capela! Talvez encontre o guarda!...

E procurando estugar os seus cansados passos de ancião, afastou-se deixando Ângelo abraçado à lousa de Alzira.

Ângelo ergueu a cabeça ao fim de algum tempo e contraiu-se todo, ajoelhando-se na terra.

Todo ele tremia.

Aos seus olhos desvairados, um terrível espetáculo se patenteava naquele instante.

Alzira surgia da cova, lentamente. Vinha toda de branco, no seu longo roupão funerário, em que ele a vira estendida no seu leito de morta, quando, louco de amor, a estreitara nos braços. Tinha os cabelos soltos sobre as espáduas, os olhos repreensivos e tristes, a boca entreaberta por um sorriso amargo, mostrando a embaciada pérola dos dentes.

— Ah! — gritou o pároco, fitando-a.

E um singular diálogo travou-se entre os dois:

— Para que vieste profanar esta sepultura?... — perguntou o branco espectro de Alzira.

Ângelo respondeu, sempre de joelhos e sem despregar os olhos dela:

— Para me convencer de que não és mais do que vil despojo! Para me convencer de que és pó e lodo!...

— E que lucraste com isso?...

— A razão, porque tu me enlouqueces... Tu és a minha loucura, sedutor demônio!

— Loucura! E conheces, por acaso, alguma coisa no mundo que não seja delírio e loucura?... O que é a tua virtude senão loucura?... O que é a tua ciência?... O que é a tua religião?... Tudo isso é insânia!... Tudo isso é a febre dos doidos!... é o desvairar dos loucos!...

Ângelo arrastou-se para ela, exclamando suplicante:

— Então não me deixes viver outra vida senão esta em que eu te tenho ao meu lado, ao alcance dos meus lábios!... Leva-me, como nas outras noites, para os teus palácios encantados, para as tuas grutas misteriosas, leva-me para onde quiseres. Eu serei o teu pajem! o teu amante! o teu donzel!

— É tarde! — replicou Alzira, desviando-se dele, sem fugir de onde estava!

— Não! — insistiu o pároco! — Não é tarde! Venha a minha espada de cavalheiro! Venha o meu fogoso ginete de longas crinas flutuantes! Arranca-me desta abominável mortalha preta, em que me envolveram desde o berço! Arranca-me desta vida estúpida, e dá-me a outra ideal e sonhadora! Vamos! quero ser de novo um aventureiro, quero as minhas paixões, quero o meu punhal, quero a formosa mulher que palpitava de amor nos meus braços! Vamos! Vamos, minha Alzira, meu doce enlevo, poesia e sonho de minha vida, encanto da minha alma! Vamos! atende-me!

— É tarde!

— Ah! — gemeu o mísero, deixando cair a cabeça entre as mãos, a soluçar.

— Ouve, desgraçado! — tornou a sombra de Alzira, com uma voz triste e plangente. — O amor que te votei era tão grande, que ninguém jamais amou tanto sobre a terra!... Tão grande, que eu consegui, das invioláveis profundezas deste mundo dos mortos, criar um novo modo de viver contigo! Dei-te a vida ideal do sonho, onde não terias nunca as tristes misérias dessa outra vida em que vegetas!... Mas tu, insensato! Acabas de destruir o que eu com tamanho amor criei para a tua felicidade!... Que lucraste em desfazer a nossa vida fantástica?... Que vantagens descobriste nessa miserável existência que te resta agora, tão carregada de tédios e mesquinhas necessidades?... Onde melhor poderíamos gozar a suprema ventura de nos amarmos, de que em um mundo ideal inventado pelo nosso próprio amor?...

— Sim! sim! — exclamou Ângelo. — Eu quero viver eternamente contigo!... Eu quero continuar a ser uma sombra! Eu quero sonhar!

— É tarde! — repetiu o espectro. — Mira-te na tua sombra!...

E o seu rosto começou a fazer-se pálido, e mais pálido, até tornar-se cor de osso, e os seus olhos foram-se esfumando, a cobrirem-se de sombra, até que nada mais eram do que dois negros buracos apagados, e seu nariz desapareceu, e os seus cabelos abandonaram o crânio amarelento e nu, e os seus lábios sumiram-se, deixando a descoberto os dentes já sem brilho.

E a caveira ressurgiu afinal, sorrindo para Ângelo, pavorosamente.

E por debaixo do alvo roupão mortuário, foi, pouco a pouco, fugindo a carne que o enchia. Desfizeram-se as voluptuosas curvas dos quadris e do colo. A túnica engelhou bamba como um sudário sobre um esqueleto.

E Ângelo ouviu um sinistro cascalhar de ossos, e, soltando um grito, viu cair e sumir-se o desfeito espectro na aberta e tenebrosa boca do sepulcro.

Debruçou-se sobre a cova, olhando lá para dentro.

Nada mais viu do que um punhado de lodo.

Oseias acudira de carreira, e lançou-se para ele com os braços abertos.

— Que tens, meu filho? Que tens... Fala! — exclamou, erguendo-o.

Ângelo pôs-se de pé, passou a mão pela fronte, e disse, amargamente:

— Acabou-se tudo... Nunca mais, nunca mais a verei!...

— Por Deus que nunca mais! — confirmou o velho. — Os céus ouviram minhas súplicas e acabam de restituir-te à razão!...

O pároco olhou em torno de si, como um alucinado que em verdade recuperasse naquele instante o entendimento.

— Ah!... — disse depois. — Eu estava louco!... Sim... Agora compreendo... Era tudo desvario... Era tudo ilusão!...

E calou-se durante algum tempo.

— Sonhos!... sonhos!... — prosseguiu quase em segredo, meneando a cabeça desconsoladamente. — Sim... eu existo... eu sou o seminarista Ângelo... o pupilo de frei Oseias... a criança encontrada à porta do convento de S. Francisco de Paula... Aquele amor, toda aquela felicidade, eram sonho, eram loucura!...

E apontando para dentro da sepultura:

— Isto aqui... é a realidade... isto aqui é a verdadeira vida!...

— Sim! — confirmou o frade.

Ângelo tomou-lhe as mãos, perguntando-lhe ansiosamente:

— Então, nunca mais a verei?... Nunca mais a estreitarei nos meus braços, peito a peito, lábio a lábio?...

— Não!

— Então, nesta vida real, nunca mais terei um raio de amor, que aqueça minha alma?...

— Tens o amor de Deus!

— Deus?... E onde está ele, que nunca o vi, apesar de lhe ter dedicado a vida inteira?...

Oseias ergueu o braço, apontando para o céu.

— Lá? — perguntou Ângelo, como uma criança, apontando também. — Mas lá é tão longe, tão longe... que minha voz, nem o meu entendimento alcançam!

— Mas alcança tua alma!...

— Não! Minha alma é irmã gêmea do meu corpo, e ambos são filhos da terra! Sou um homem!

Oseias estremeceu ouvindo estas palavras, e bradou com energia:

— Não és um homem, és um padre!

Ângelo fitou-o, aproximando o seu rosto do dele.

— E quem me tirou o direito de ser homem?... — interrogou. — Quem me obrigou a ser padre?... Qual bárbara violência foi essa de me trocarem um direito por uma responsabilidade?... Quem foi que cometeu este crime?!

E, segurando violentamente o braço de Oseias, bramiu com os lábios trêmulos e os olhos ferrados sobre ele.

— Ah! ah! foste tu, bem sei!... Encontraste-me pequenino, desamparado, sem ter nada no mundo, nem mãe ao menos!... E carregaste-me para a tua sombria furna, tal a fera carrega com a mesquinha presa... Encerraste-me naquele tenebroso convento, e aí me deformaste a alma, como um saltimbanco ao corpo do enjeitado que lhe cai nas garras!

E, cruzando os braços, interrogou com voz terrível, perfilado defronte de Oseias:

— E quem te deu o direito de deformar minha alma?! Quem te deu o direito de fazer de mim um padre?! Quem?! Responde!

— As minhas sagradas convicções, as minhas crenças!... — respondeu o egresso.

Ângelo sorriu ironicamente.

— Crenças!... convicções!... — disse. — E tudo isso de que me serve agora?!... Eu quero viver! Eu quero o quinhão de vida a que tenho direito! Restitui-me a minha mocidade, o calor do meu sangue, o meu talento! Entrega-me o que me roubaste, ladrão!

Oseias deixou-se cair de joelhos e abriu os braços, volvendo para o céu os olhos lacrimosos.

— Ó meu Deus! — suplicou. — Ó meu Deus! Piedade para ele! Socorrei-o! Iluminai-o com a vossa divina graça!...

— É tarde!... — rouquejou Ângelo. — A sombra de Alzira bem o disse!... É tarde, roubador de crianças, salteador d'almas! Já nada tenho a perder, porque me roubaste afinal a última ilusão! Nada mais me resta a fazer neste mundo de nojentas misérias! Sê maldito! Adeus!

E lançou-se de carreira para o abismo onde terminava o cemitério.

Mas Oseias alcançou-o e prendeu-o nos braços.

— Meu filho! meu filho! atende-me, por amor de Deus!

— Não sou teu filho, não sou nada, sou um padre! — respondia Ângelo, debatendo-se para arrancar-se dos braços dele. — Deixei de ser um vivo entre os mortos, sou um morto entre os vivos!

— Que vais fazer, Ângelo!

— Completar naquele abismo a tua obra, bandido!

— Não! — gritou Oseias, fazendo um supremo esforço para desviar o filho do precipício. — Não te matarás!

E engalfinhados numa tremenda luta, rolaram até a sepultura de Alzira.

— Não hás de morrer!

— Pois morrerás tu! — exclamou o pároco, ofegante, pondo-lhe o joelho sobre o peito.

E arrancou uma cruz da terra.

— Vês?... — disse, bramindo-a com o braço erguido. — É com a própria arma da tua religião que te vou ferir!

E cravou-lha na garganta.

— Ah! — gemeu Oseias. — Perdoai-lhe, Senhor!

E vendo que Ângelo galgava a rampa do precipício, tentou ainda arrastar-se para lá, inutilmente. Gorgolhava-lhe forte o sangue da ferida.

— Ângelo! meu filho! Atende! — vagiu agonizando. — Não procures a morte!

— Não é a morte, é o sono eterno! — respondeu o pároco. — Eu quero sonhar!...

E de um salto precipitou-se no abismo.

LIVRO DE UMA SOGRA

1

...ce travail offre un autre découragement; que des choses hardies, et que je n'avance qu'en tremblant, seront de plats lieux communs dix ans après ma mort...
STENDHAL, *Souvenirs d'Égotisme.*

De volta da minha última peregrinação à Europa, depois de cinco anos de saudades do Brasil, foi que, pela primeira vez, senti todo o peso e toda a tristeza do meu isolamento e pensei com menos repugnância na hipótese de casar. Foi a primeira vez e também a última que semelhante veleidade me passou pelo espírito; daí a vinte e quatro horas tinha resolvido ficar eternamente solteiro.

Estava então com trinta e cinco anos. Dessa vez, como sempre me sucedia ao pensar no casamento, veio-me logo à ideia o meu amigo Leandro, e vou dizer por quê:

Leandro de Oviedo era, entre os meus companheiros da primeira juventude, o único que se conservou fiel à nossa amizade. Os outros tinham todos desaparecido; alguns simplesmente do Rio de Janeiro ou do Brasil, mas, ai! a melhor parte havia já desertado deste mundo, para nunca mais voltar.

Leandro foi sempre um rapaz bem equilibrado: coração generoso, caráter sério, inteligência regular, sobriedade nos costumes e tino para arranjar a vida. Do nosso grupo era ele o mais moço e também o mais forte e bem-apessoado. Tinha excelente educação física, adquirida num colégio da Inglaterra; conhecimento perfeito da esgrima e jogos de exercício; destreza na montaria e plena confiança nos seus músculos.

Ainda não contava ele vinte anos quando o conheci, e a nossa intimidade foi apenas interrompida pelas minhas viagens. Fui eu o confidente da grande paixão que o levou a casar, quatro anos depois, com uma encantadora rapariga, filha da velha mais fantástica, mais diabólica, mais sogra, que até hoje tenho visto.

A fúria, para consentir nesse casamento, aferrou-se às mais leoninas exigências; impôs condições as mais humilhantes para o futuro genro. Já me não lembro ao justo quais foram elas, posso afiançar porém que eram todas originais e ridículas. Havia uma, entre tais cláusulas, de que nunca me esqueci, a da assinatura de certo documento, em que o desgraçado pedia à polícia não responsabilizasse ninguém pela sua morte, caso ele aparecesse assassinado de um dia para outro.

Mas Leandro estava irremediavelmente perdido de amores; e a moça era muito rica, e ele o que se pode chamar pobre. Não havia para onde fugir; sujeitou-se a tudo e — casou.

Ainda porém não tinha desfrutado o primeiro mês da sua lua-de-mel, e já a sogra achava meios e modos de interrompê-la, separando-o violentamente da noiva. E daí em diante o casal nunca mais teve ocasião de absoluta felicidade. O demônio da velha parecia não poder sofrer o genro ao lado da filha, e o pobre rapaz, que amava cada vez mais apaixonadamente a esposa, não lograva um segundo de ventura junto desta, sem ver surgir logo entre eles o terrível espectro. Não os deixava um instante sossegados; não os perdia de vista um só momento, rondava-os, fariscava-lhes os passos, como se vigiasse a rapariga contra um estranho mal-intencionado; perseguia o genro só pelo gostinho de atormentá-lo; contrariava-o nas suas mais justas pretensões de marido, azedando-lhe a existência, intrometendo-se na sua vida íntima, desunindo-o da mulher, sobre quem conservava os mais despóticos direitos.

Causava-me ele verdadeira compaixão.

Um dia vi-o entrar por minha casa, desesperado, aflito, e atirar-se a uma cadeira, soluçando. Sem que lhe apanhasse uma só palavra das muitas que os seus soluços retalhavam, consegui, de dois dos seus monossílabos mais estrangulados, perfazer a de "Sogra", e exclamei-lhe desabridamente:

— Mas, com um milhão de raios! por que não te livras por uma vez dessa víbora?!

— Livrar-me, como?! De que modo?! — perguntou-me o infeliz entre dois arquejos.

— Ora, como?! De que modo?! Seja lá como for! Foge, ou torce-lhe o pescoço! Atira-a no meio da baía! Sacode-a do alto do Pão de Açúcar!

— Impossível! Amo loucamente minha mulher, e minha mulher adora a mãe! Não consentiria em separar-se dela, nem mo perdoaria, se o tentasse!

— Histórias!

— Além de que, sabes qual é hoje a minha posição na praça do Rio de Janeiro; não é das piores! mas sabes também que só agora começo a colher o resultado de enormes sacrifícios feitos para obtê-la!... Pois bem, tudo o que tenho, tudo o que sou, devo a minha sogra! O capital é dela! O crédito foi ela quem mo deu! Um rompimento seria a minha ruína completa!

— Oh, diabo!

— É o que te digo! Vê tu que posição a minha!

— Então, meu amigo, só te restam os extremos — resignação ou... suicídio!

* * *

Ele, ao que parece, resignou-se.

Um ano depois encontramo-nos em Paris.

— Olá! — bradei-lhe. — Fugiste...

— Qual! Estou de passeio. Minha sogra mandou-me passear...

— Expulsou-te de casa?...

— Não. Mandou-me passear por algum tempo. Eu volto...

— Ah! compreendo! quer que a filha se distraia um pouco pela Europa. Dou-te os meus parabéns!

— Não! vim só.

— Hein?! E tua mulher?

— Ficou.

— E tua sogra acompanha-te?...

— Ah! não!

Fiz-lhe, intrigado, ainda algumas perguntas, a que ele respondeu com reserva, procurando evitá-las. Percebi que me não queria falar francamente, talvez por medo do ridículo, e não insisti.

Jantamos em companhia um do outro, e desde então pegamos de ver-nos todos os dias. Fizemos juntos uma viagem à Suíça, e a nossa amizade revigorou-se com essa jornada; ficamos inseparáveis até que ele, meses depois, deixou a Europa para tornar ao Brasil.

E eu, agora, aqui no Rio de Janeiro, ao acordar da primeira noite, passada no detestável Freitas-Hotel, senti cair-me em cima, com o peso de mil arrobas, todo o negrume da minha solidão. A ideia da solidão fez-me pensar no casamento; a ideia do casamento fez-me pensar em Leandro.

É verdade! Que fim teria ele levado?...

— Vou vê-lo! — deliberei, saltando da cama.

Procurei o endereço da sua atual residência. "Tijuca. Alto da Serra". Era longe, mas o dia estava magnífico. Por que pois não ir? Enquanto lá estivesse disfarçaria ao menos o meu tédio de celibatário. Leandro era afinal o meu melhor amigo; além do que, apetecia-me à curiosidade saber notícias do seu casamento e da sua fenomenal sogra. Não nos víamos havia quatro anos. Como seria agora a sua existência? Que fim teria ele dado ao demônio da bruxa?...

Vesti-me, almocei, saí, dei um passeio pela rua do Ouvidor e tomei o *tramway* da Tijuca. Na raiz da serra procurei informações sobre a casa de Leandro; deram-mas na mesma cocheira que me alugou uma vitória para lá subir.

Às cinco e meia da tarde entrava na residência do meu amigo. Uma deliciosa chácara, com o seu *cottage* ao fundo, na fralda da montanha, escondido entre árvores floríferas e cercado por um jardim de rosas e camélias. Adivinhava-se logo, desde o portão da rua, haver ali todo o conforto e regalo que nos podem proporcionar os maravilhosos arrabaldes do Rio de Janeiro. Toquei o tímpano na varanda. Fizeram-me entrar para a sala de espera; não mandei o meu cartão intencionalmente, e, quando Leandro chegou e deu comigo, soltou uma sincera exclamação de prazer.

Atiramo-nos nos braços um do outro.

— Que bela surpresa! — bradou ele. — Não sabia que tinhas chegado!

— Cheguei ontem. E tu como vais por aqui? A senhora como está? E tua sogra, que fim levou?

— Minha mulher não está aí. Saiu na minha ausência com os filhos e com o velho César. Não sei para onde foram... Mas vai entrando! vai entrando!

— Estão espairecendo naturalmente por aí perto, aventei, passando para a sala de visitas.

— Talvez, mas talvez não. Não sei! Pode ser que voltem já e pode ser que se demorem. Desconfio que foram fazer uma viagem...

— Como? Pois tu não sabes se tua mulher foi fazer uma viagem, ou se está passeando pela vizinhança da casa?... Ora esta!

— Não, filho, não sei. Temos uma vida muito especial. Ela às vezes me foge, ou eu lhe fujo. Levamos três, quatro dias fora, uma semana, um mês até, longe um do outro, visitando parentes e amigos, ou simplesmente passeando, viajando...

Calei-me, por falta absoluta de palavras, e comecei a desconfiar que a sogra afinal acabara por derreter os miolos ao meu pobre amigo. Era de esperar!

Depois de uma pausa, aproximei-me dele e perguntei-lhe, em voz soturna, olhando para os lados:

— E a serpente?...

— Que serpente?!

— Ora, qual há de ser? A fúria infernal, o diabo de saias, tua sogra!

— Coitada!

E Leandro soltou um grande suspiro.

Escancarei os olhos e a boca, sem compreender.

— Coitada!... — repetiu ele, com um novo suspiro. — Já não existe... ah! infelizmente já não existe!...

Recuei aterrado; senti o sangue gelar-se-me nas veias. Que estava eu ouvindo, meu Deus? que estava dizendo o mísero rapaz? Oh! agora já não havia a menor dúvida — era um caso perdido!

— Regenerou-se afinal?... — interroguei-lhe, fingindo sangue-frio, e sem me aproximar muito desta vez.

— Não zombes, meu amigo! A memória de minha sogra é hoje para mim tão sagrada, ou mais, do que a memória de minha própria mãe!...

— Mas, espera! quantas sogras então tiveste tu?... — perguntei-lhe, receando também já um pouco pelo meu juízo.

— Uma só.

— E essa, a que te referes agora, é aquela mesma, a célebre? aquele terror, aquela moléstia, aquele mal que te roía a existência? aquele diabo, a quem devias o implacável inferno em que te vi espernear de desespero?...

— A mesma, Leão. Simplesmente eu, nesse tempo, era injusto...

— Aquela que, só pelo gostinho de contrariar, se metia entre ti e tua mulher, cortando-lhes no meio as carícias e perturbando-lhes o amor?...

— Não a compreendia nessa época. O imbecil era eu!

— Aquela, que te trazia suspensa sobre a cabeça uma ameaça de morte?...

— Fazia-o, porque era adoravelmente boa!

— Aquela, que te não permitiu fosses o dono do primeiro beijo de teu filho?...

— É verdade, a mesma!

— Aquela fúria?

— Era uma santa!

E ficou muito sério, com o rosto compungido e contrito.

Até hoje ainda não sei como não caí para trás, fulminado.

Meti as mãos nos bolsos das calças, abri as pernas à marinheira, ferrei o olhar no tapete do chão, apertei os lábios, arregacei as sobrancelhas, e embatuquei.

— Sim, senhor!...

Estava preparado para ver, sem me alterar, o meu estimável amigo Leandro de Oviedo atirar as mãos para o chão, e pôr-se a percorrer a sala de pernas para o ar.

Que digo? Poderia ver, sem pestanejar, o retrato da própria sogra de Leandro desprender-se do seu caixilho dourado, e vir dar-lhe um beijo, ou dançar um fandango entre nós dois.

Naquele instante nada me causaria abalo!

* * *

Mas, ao fim do jantar, reanimado por um velho e generoso Barbera, pedi ao meu paradoxal amigo que me explicasse o milagre daquela sua tão absoluta inversão de pontos de vista. Sempre queria ouvir!

— Não te darei uma palavra e terás a mais satisfatória explicação do mistério, — disse-me ele. — Dormes aqui, não é verdade? Dormes decerto!

— Mas...

— Podias até passar alguns dias comigo. Isto por cá é muito aprazível nesta época. Onde estás morando?

— No Freitas.

— Ora! Não te largo esta semana! Seria desumanidade deixar-te ir! Hospedado no Freitas!...

— Mas é que... não contava com isto... Vou sem dúvida incomodar tua família...

— Qual! Minha família não sei quando virá... Tu agora não tens ainda com certeza o que fazer... De resto não ficas totalmente preso: podes ir à cidade quando quiseres; trazer de lá ou mandar buscar o que precisares. Olha! aqui pelo menos estás livre de qualquer febre! e podemos dar magníficos passeios, a cavalo e de carro, pela Floresta, à Vista Chinesa, à Gávea. Amanhã mostro-te as minhas estrebarias; se ainda conservas gosto pelo gênero, encontrarás o que ver.

Confessei-me vencido, mesmo porque sentia já a curiosidade excitada.

Jogamos à noite uma partida de bilhar e, às onze horas, na ocasião de recolher à câmara que me destinaram, exigi de Leandro a prometida explanação do milagre.

— Entra para o teu quarto, que lá ta levarei, — respondeu ele, afastando-se.

E pouco depois voltava, trazendo com todo o carinho um pequeno estojo de ébano. Abriu-o defronte de mim com uma chavezinha de prata, e tirou de dentro um livro preciosamente encadernado.

Mostrou-me o livro, em silêncio, cheio de gestos e desvelos religiosos. Na capa, entre guarnições de ouro e pedras finas, havia um delicadíssimo esmalte, retratando em miniatura o busto da sogra. Estava a primor, com o seu distinto e singelo penteado de cabelos brancos, com as suas lunetas de cristal, e com aquele sutil sorriso malicioso, que lhe conheci noutro tempo.

— Não poderia dar-te maior prova de amizade, do que te confiando este sagrado tesouro, — disse-me Leandro. — É um manuscrito de minha sogra. Começa a lê-lo hoje antes de dormir, e depois, quando o tenhas concluído, conversaremos a respeito da mãe de minha mulher...

Tomei nas mãos, cuidadosamente, a sedutora relíquia, examinei-a deveras intrigado, depu-la de novo no seu estojo, agradeci a Leandro o obséquio, apertei-lhe a mão e dei-lhe as boas noites, impaciente por vê-lo pelas costas.

Logo que me pilhei sozinho, fiz em três tempos a *toilette,* aninhei-me na cama, cheguei para perto a luz do velador, e, com uma volúpia repassada da mais legitima curiosidade, abri a primeira página e comecei a leitura.

Mal sabia eu que grande influência ia exercer esse manuscrito sobre minha vida!... E como hoje posso publicá-lo, não ponho nisso a menor dúvida.

É o que se segue:

2

Manuscrito de Olímpia

La nature a des perfections pour montrer qu'elle est l'image de Dieu,
et des défauts pour montrer qu'elle n'en est que l'image.
PASCAL, *Pensées.*

Órfã de pai e mãe, tinha eu dezoito anos de idade, quando passei das mãos de meu tutor para as mãos do estimado e simpático Dr. Virgílio Xavier da Câmara, que me recebeu por esposa na igreja de São João Batista em Botafogo.

Meu noivo contava vinte e sete anos.

Éramos ambos de boa família, ambos muito bem relacionados, ambos sadios, e ambos até bonitos. Ele — médico, inteligente e trabalhador, conservando intacto um patrimônio de quarenta contos, que herdara ainda criança; gênio feliz, costumes irrepreensíveis, nada de vícios perigosos e nada de paixões de qualquer gênero, nem mesmo desses perturbadores sonhos de glória ou dessas ambições descomedidas, que nos fazem sacrificar às vezes a doce tranquilidade do presente garantido, pela hipotética e fascinadora conquista de um nome no futuro incerto. Eu, pelo meu lado, — inocente e pura, educada sob os mais austeros exemplos de moral e virtude, tendo feito a minha aprendizagem doméstica sem prejuízo dos meus pequenos dotes sociais; sabendo coser, como sabendo bordar; dirigir o serviço dos criados, governar uma casa, como sabendo tocar piano, receber visitas e dançar uma valsa; e mais: tinha boa ortografia, alguma leitura, que não era composta só de maus romances, um pouco de francês, um pouco de inglês, um pouco de desenho, sessenta contos de dote, princípios religiosos bem regulados, caráter sereno, temperamento garantido por hereditariedade natural, seguros hábitos de asseio, alinho e gosto no vestir, que nada deixavam a desejar quanto à elegância, mas que jamais roçavam, nem de leve, pelos arrebiques do janotismo equívoco.

Eis como nós éramos os dois. E eu — meiga e delicada; e meu marido — extremoso e forte.

Casamo-nos por inclinação de parte a parte, com o aplauso de ambas as famílias, depois de um calmo namoro de seis meses, regular e honesto, abençoado por todos os nossos parentes e amigos.

Não se poderia pois desejar casamento mais equilibrado, nem se poderia conceber um par mais harmonioso, e até mais simétrico.

Não obstante, apesar de que nunca transigi dos meus deveres conjugais; apesar de que meu marido prosperou sempre de fortuna na sua carreira médica e, depois, na sua carreira política; apesar de que ele era bom, e apesar de que sempre nos estimamos; apesar de tudo isso, tanto ele como eu fomos igualmente muito desgraçados, enquanto nos não separamos; fomos os dois um casal de infelizes, amarrados um ao outro pelo duro e violento laço do matrimônio; fomos dois calcetas, seguros na mesma corrente de ferro, condenados a suportar a existência eternamente juntos.

Não foi possível! Quebramos a cadeia, arrancamo-nos da grilheta. O governo nomeou-o para uma honrosa comissão fora do Brasil; aproveitamos o ensejo e separamo-nos. Tínhamos dois filhos, um de cada sexo; a menina ficou comigo e o menino seguiu com ele.

Ao contrário do alvitre jurídico, entendi sempre que, na separação de cônjuges, mormente abastados, o filho ou filhos varões devem acompanhar o pai, e a filha ou filhas devem ficar ao lado da mãe, porque esta é sem dúvida mais apta, que um homem, para zelar pela boa educação e pureza de uma menina; ao passo que aquele outro pode, melhor que a mulher, dirigir e encaminhar a vida de um rapaz.

O contrato moral e íntimo do nosso apartamento foi ainda mais digno e mais sincero do que o contrato público e material da nossa união. Não nos preocupou a questão de dinheiro, porque éramos já bastante ricos, e podíamos ficar ambos pecuniariamente independentes. Obriguei-me a não macular jamais o nome que ele me dera, e esse preceito foi por mim cumprido à risca; ele, pelo seu lado, comprometeu-se a se não descuidar nunca de nosso filho, e assim o fez, durante os curtos anos que viveu ainda o meu pobre Gastãozinho.

Separamo-nos bons amigos, mas, ai de nós! depois de grandes desavenças domésticas e brigas de cada instante, que fizeram até aí da nossa vida um triste inferno, e que para sempre nos tornaram incompatível a existência em comum. O que nos valeu foi o nosso espírito. Num momento lúcido compreendemos tudo, encaramos a sangue-frio a situação; e abraçamos com coragem o único partido digno de nós. Se continuássemos a viver juntos, teríamos chegado às últimas degradações da falta de respeito um pelo outro, e talvez ao crime. É possível que Virgílio me batesse, ou me matasse, num dos nossos muitos ímpetos de irreprimível cólera nervosa. Só os casados, só estes, poderão calcular e compreender quanto nos injuriamos os dois, quanto nos aviltamos, por palavras e gestos, nessas secretas e constantes lutas. O arrependimento chegava sempre, porém tarde, e nunca aproveitava para impedir novas crises; o arrependimento só servia para mais nos rebaixarmos aos nossos próprios olhos, com a consciência da nossa degradação. Mais do que as rixas, os sequentes amores na confirmação das pazes, deixavam-nos humilhados e corridos de vergonha; e este fato, só por si, a deprimente certeza da nossa ignomínia, era já um novo rastilho pronto e aceso para uma nova explosão de cólera.

Afinal, o contato, ou a só presença de qualquer dos dois, tinham se tornado absolutamente insuportáveis para o outro. Às vezes, sem razão, não podia demorar a vista sobre meu marido: irritavam-me nervosamente os seus gestos mais simples e naturais. Uma ocasião, em que o contemplei pelas costas, assentado à sua mesa de trabalho, todo embebido no que estava fazendo, com a cabeça baixa, um gorro de seda preta, os ombros envolvidos num xale que lhe escondia o pescoço, desejei-lhe a morte, e tive de fugir dali para não disparatar com ele.

Mas por quê? por que razão eu, que sem dúvida estimava e compreendia meu marido, não podia às vezes suportá-lo?... por que razão ele, que me amava, não pôde continuar a viver junto de mim?

Por quê?

Eis o difícil de explicar, e eis do que, tendo estudado minuciosamente o meu próprio coração e o coração de meu marido, e depois de uma longa e paciente observação de todos os instantes da vida de casados que nós dois tivemos, tirei a base e a substância da minha filosofia sobre o amor conjugal e os meios práticos de obter-lhe a duração.

Não o fiz por mim, mas só por minha filha, a minha Palmira, a flor mimosa dos verdadeiros encantos da minha vida de moça, o ser único a quem neste mundo dei, até certo momento da velhice, todo inteiro o meu coração, a quem dei todo o meu amor, sem a mais ligeira reserva de ternura e sem a menor hipocrisia nos sorrisos e nos beijos. Amei-a mesmo antes que ela nascesse, amei-a cada vez mais durante a existência, e creio que ainda a amaria sempre depois da sua morte. Nunca neste amor descobri as falhas de tédio, de cansaço, e até de absoluto enjoo, que infelizmente, logo desde o começo da minha vida conjugal, descobri no amor que eu votava ao meu bom e querido esposo. No meio do maior aborrecimento, no mais ingrato instante das horas de desânimo, a presença de minha filha era sempre uma consolação e um repouso; nunca beijo nenhum que ela me deu foi inoportuno; nunca as suas carícias chegaram fora de propósito, e nunca deixaram de produzir em minha alma o mesmo delicioso efeito de suave refrigério. Entretanto, quantas vezes, ainda na lua-de-mel, não me revoltei contra mim mesma e não amaldiçoei as rebeldias do meu coração, por não poder evitar que, a despeito da minha traiçoeira afabilidade externa, o enojo repelisse no meu íntimo as carícias que nessa ocasião me dava meu marido?!

Ah! ele não percebia a verdade, porque eu com uma hipocrisia, que nesse tempo acreditava honesta e generosa; uma hipocrisia, que eu supunha fazer parte dos meus deveres de boa esposa, obrigava meus olhos, meus lábios, meus braços, meu corpo inteiro, a mentirem, representando sem vontade essa coisa inconfessável, ignóbil, que me tinham feito acreditar, secretamente, que era "o amor". Que blasfêmia! e mais — que era "o matrimônio". Que desilusão!

Oh! quantos sorrisos, quantos suspiros de volúpia e quantos beijos dados por mentira, meu Deus! Oh! quanto me prostituí nos braços de meu marido!

E que vergonha, que repugnância, dele e de mim própria, não me assaltaram quando descobri que com Virgílio se dava a mesma coisa a meu respeito; e que ambos nós, procurando iludir um ao outro, representávamos cada qual no seu transporte a mesma degradante comédia de amor? Quantas vezes percebi que seu espírito bocejava de tédio, enquanto seus lábios me cobriam de beijos fervorosos?

Mentirá todo aquele e mentirá toda aquela que disser que a presença de sua esposa, ou que a presença de seu marido, lhe foi sempre agradável; e mentirá, se não confessar que muita vez se prestou a satisfazer os desejos do cônjuge com sacrifício de todo o seu ser.

Éramos já dois desgraçados, e dali em diante começamos a ser duas vítimas e dois verdugos recíprocos, chumbados à mesma dor e à mesma crueldade, a torturarem-se, a devorarem-se num estreito abraço de extermínio.

Oh! definitivamente não podíamos continuar a viver juntos! E, no entanto, eu amava meu marido, e sei que era amada por ele. Nenhum casal até hoje se estimou e respeitou mais do que nós no foro íntimo da sua alma. Juro que tínhamos em segredo um pelo outro a maior e mais sincera consideração, e que ambos, de parte a parte, apesar dos constantes atritos, fazíamos de cada qual o mais alto e digno conceito. Mas juro também que muita vez me senti verdadeiramente desgraçada nos seus braços, e ele nos meus; e que por último, muitas e muitas vezes nos injuriamos, com as mais duras palavras de desprezo, quando, no fundo da consciência, julgávamos mutuamente o contrário do que blasfemávamos.

Que singular monstruosidade!

E não me venham dizer que nos amávamos só com a razão e não com os sentidos. Vou copiar fielmente um fragmento das notas póstumas de meu esposo, onde o contrário se acha bem demonstrado. O que adiante se segue escreveu ele já depois da nossa disjunção, longe de mim, na Itália, poucos anos antes de morrer.

Descobri essas notas entre os papéis do seu espólio. Sem as transcendentes revelações que elas me depararam, é natural que nunca chegassem minhas pesquisas filosóficas a qualquer resultado, e nunca me animasse eu a empreender este doloroso manuscrito.

Atenção! É Virgílio quem agora fala:

3

"

....

"Sim! minha mulher foi a única mulher que amei. Em meio do maior enjoo da vida doméstica, sentia eu perfeitamente, no âmago da minha consciência, que nenhuma outra valia tanto como Olímpia, quer no físico, quer no moral e até no intelectual; sentia que, se ela não fosse minha esposa, minha companheira obrigada de cama e mesa, de todo o instante, havia de desejá-la apaixonadamente; sentia, adivinhava que, se eu viesse um dia a deixar de possuí-la, como fatalmente sucedeu, havia de sofrer muito, como efetivamente sofri, sem nunca mais encontrar mulher que a substituísse ou que lograsse fazer-me-la esquecer.

"Não! Não podia amá-la mais do que a amei no meu noivado, do que a amei depois nos intervalos da cólera, do que a amo hoje principalmente, nesta irremediável viuvez da nossa fatal desunião. Todavia, antes de nos separarmos, só a desejei deveras como mulher, além daquela época, uma vez em que tivemos de afastar-nos um do outro por oito meses seguidos; de resto foi sempre o mesmo tédio e os mesmos enfastiamentos na comunhão da cama. Muita vez o perfume dos seus belos cabelos, o cheiro do seu corpo, aliás sempre limpo e bem tratado, o contato macio da sua pele e a frescura de seus lábios relentados no delíquio amoroso, me fizeram repugnância.

"Por quê? Não achei nunca a explicação. Mas a verdade é que, antes mesmo da nossa primeira contenda doméstica, quando éramos ainda um para o outro, só afagos e sorrisos, eu, apesar de amá-la muito, gostava já de vê-la arredar-se de mim por qualquer tempo. Amava-a muito, mas, se por condescendência ficava um dia inteiro ao seu lado, depois de passarmos a noite juntos, como de costume, sentia certo prazer estranho, sentia um inconfessável gozo de alívio, se me vinham anunciar que algum amigo, mesmo dos mais insignificantes, estava à minha espera na sala de visitas.

"Quantas vezes não detive perto de mim pessoas que o não mereciam, só porque, enquanto estivesse eu com elas conversando, não estaria conversando, ou procurando o que conversar, com a minha querida esposa?... só porque, enquanto eu estivesse abrigado naquela visita, não sentiria no meu corpo o calor do corpo de minha mulher, e não lhe sentiria o cheiro penetrante das carnes e dos cabelos?...

"E como todo esse contraditório martírio cresceu depois do nascimento do nosso primeiro filho? Como fiquei eu amando moralmente muito mais minha esposa e desejando muito menos possuí-la como mulher?

"Depois do nascimento de Palmira, nunca mais o meu espírito amou minha mulher associado com o meu corpo. Meu espírito continuava a amá-la, como sempre, meu corpo continuava, também como sempre, a unir-se ao dela para o matrimônio; mas espírito e corpo completamente alheios e separados durante o ato conjugal. O amor do meu espírito nada tinha de comum com o amor do meu corpo, como aliás sucedia dantes, na primeira fase do casamento; e ai! só nesse irrecuperável período o nosso amor foi completo, e foi amor, porque nos unia de corpo e alma! O amor de meu espírito era um sentimento insexual, respeitoso, nobre, feito de uma ternura de amigo, de irmão mais velho, um sentimento baseado na proteção do mais forte que se dedica pelo mais fraco. Havia nele um quê de mística doçura, de sagrado voto cumprido lealmente, um quê da consoladora satisfação do desempenho de um dever honroso, um quê de religião e de ideal. Ao passo que o amor do meu corpo era quase inconsciente, irresponsável até, nem merecia o nome de amor, porque, no fim de algum tempo era, por bem dizer, preenchido sem o menor concurso do coração.

"E pensar que o abuso deste segundo falso amor prejudicou o primeiro, o verdadeiro, a ponto de privar-nos da sua doçura e do seu enlevo!

"Com minha mulher devia suceder a mesma coisa que sucedia comigo, porque certas vezes despertei-a à noite para o fim genésico, e, mais dormindo que acordada, deixava indiferentemente, com os olhos fechados, que eu saciasse nela o meu desejo material. Tanto o nosso espírito já por fim não tomava parte no desempenho da função matrimonial, que em muitas ocasiões, enquanto nos dispúnhamos para cumpri-la, conversávamos de vários interesses domésticos, alheios ambos ao supremo destino que naquele instante nos aproximava um do outro.

"Não! isso não era amor; isso era instinto somente; isso era brutalidade! Entretanto, hoje, que já não possuo minha mulher; hoje, que me acho para sempre incompatibilizado com ela, e me vejo na mesquinha contingência de recorrer, para satisfação das minhas necessidades fisiológicas, a essas pobres máquinas vaginais que se alugam por instantes, quanto não daria em tais momentos para poder tê-la ao alcance de meus braços? Quanto não daria para dispor então daquela valiosa criatura, ao lado de quem não consegui viver, e ao lado de quem, ainda hoje, me seria impossível suportar a existência, apesar de desejá-la tanto?

"Sim! ainda aplaudo e compreendo a nossa separação, e ainda a amo. E se agora, neste instante, por um efeito maravilhoso, me dessem a escolha de uma mulher, entre todas as mais sedutoras e formosas que tenho visto, reclamaria, sem hesitação, a minha própria esposa, e juro que a amaria com o mesmo arrebatamento do primeiro desejo que ela me inspirou.

"Todavia, ridículos monstros que somos nós! no tempo em que vivíamos juntos, quantas vezes, deitados no mesmo leito, me senti, apesar da sinceridade do meu empenho em respeitar o voto nupcial, perturbado pela lembrança de outras mulheres, que sem dúvida não valiam a sombra daquela que eu tinha ao lado? Quantas vezes, com a consciência ressentida, não conjeturava eu a hipótese traiçoeira de ter nos braços, naquele momento, certa provocadora mulher com quem estivera conversando essa noite, durante o baile? E isto dava-se estando eu deitado junto de minha esposa! Revoltava-me contra tão hipócrita deslealdade; repelia indignado semelhantes pensamentos inconfessáveis; mas a mulher, que não era a minha e que não valia tanto quanto ela, mas que eu só avaliava por conjeturas, e cujo perfume de cabelo ou cheiro de corpo nunca me tinham sido revelados na intimidade da posse, impunha-se despoticamente aos meus culposos sentidos, acordando-me amores fogosos e enérgicos, como os já não acordava a minha bonita companheira.

"Oh! que me perdoes, Olímpia, as vezes que em ti matei desejos que vinham de outras mulheres!

"E, em consciência, não será isto já o adultério? A ideia do toque amoroso com outra que não seja a própria esposa, não será uma traição conjugal? *Castus est qui amorem amore, ignemque igne excludit*, diz Santo Agostinho. Se assim é, há de ser difícil descobrir um casal que se não adultere de parte a parte, pois estou bem convencido de que com minha mulher, por excelência virtuosa, devia suceder outro tanto; assim como estou amplamente convencido de que tudo, tudo que em mim observei, se verificou também com ela."

* * *

Aí termina o trecho das notas de meu marido. Ele tinha razão: Amei-o e desejei-o também na sua ausência e, justamente quando pensava em tentar uma reconciliação, o que hoje compreendo que seria loucura, recebi a triste notícia de sua morte. Então a saudade e o amor que ele de longe me inspirava transformaram-se em verdadeiro culto. Idolatrei a sua memória; mas, só depois dos estudos que determinaram este manuscrito, pude compreender de todo quanto esse pobre homem era bom, digno e reto, e quão pouco nos cabia, a ele e a mim, da responsabilidade de nossa desgraça.

De mais, o seu lugar no meu coração, quando por mais nada, estava garantido como pai que era da minha Palmira, da minha filha idolatrada, laço único que me ligava à vida e ao mundo. E se fui boa mãe; se consegui, à força de desvelos e de extremos de amor, aplanar-lhe a existência das misérias que a minha corromperam, di-lo-ão estas páginas, para ela escritas.

4

Sim, minha filha era a minha vida, porque era o meu verdadeiro amor. Se eu não tivesse outras razões para conservar-me honesta e digna, depois da ausência e da morte de meu marido, tê-lo-ia feito só pelo muito que a amava.

À proporção que Palmira se desenvolvia, fortificava-se o meu caráter, apurava-se a minha inteligência, e o meu coração fazia-se melhor. Meu pensamento pertencia-lhe quase que exclusivamente, mesmo já nos melhores tempos de minha vida de casada. Se então meu marido ganhava terreno na minha estima e eu na dele, era só porque ele era seu pai e eu sua mãe; e o desenvolvimento dessa afetuosa solidariedade estava na razão inversa do nosso amor físico.

Ah! eram inevitáveis as tristes consequências desse deslocamento de amor. Foi talvez dessa época que se decidiu a nossa incompatibilidade, e que se originou a nossa separação; entretanto ainda então sabíamos conter-nos um defronte do outro. Em uma nota, muito anterior àquela que ficou atrás, meu marido revela-se claramente a esse respeito. Vou transcrevê-la e será esta a última; insisto em fazê-lo, porque todo o estudo que forma o cabedal deste meu querido livro foi inspirado nessas notas de Virgílio, e também porque elas dizem o que eu talvez nunca tivesse a coragem de confessar a meu respeito.

Eis o que ele escreveu. Nesse tempo, note-se, ainda se não tinha quebrado a aparente harmonia da nossa vida íntima; ainda não tinha estalado a caldeira, onde ferviam já os humores da reação:

"Noto que os sutis efeitos desse fato (refere-se ao exclusivismo do seu amor paterno) começam a patentear-se tristemente na intimidade egoísta da minha vida conjugal. Começo a perceber que o arrefecimento do meu ardor amoroso para com minha mulher vai lentamente toldando, de vaporosas mágoas, a sua calma existência de esposa infeliz e honesta. Ela se não queixa nunca, mas a progressiva expressão de desgosto que vão adquirindo seus formosos olhos; o indefinível sorriso de resignação que lhe entreabre os lábios quando eu, ao seu lado na cama, lhe falo com entusiasmo de nossos filhos, e só deles, esquecido do resto do mundo, esquecido de tudo mais, tomado, possuído inteiramente pelo meu amor de pai; tudo isso me faz cair em mim e enche-me de revolta contra o exclusivismo do meu coração. Estudo-me e descubro com horror que já não há em mim a menor sombra de entusiasmo amoroso por minha mulher. — Fico indignado! Quero convencer os meus rebelados sentidos de que isto é uma indigna injustiça, e chamo em socorro dos meus deveres de bom marido a ideia dos encantos de Olímpia, evocando o ardor com que a desejei durante o noivado e durante a lua-de-mel.

"É tudo inútil!

"Minha mulher tem agora vinte e seis anos. Está em pleno desenvolvimento de suas graças físicas; nunca foi tão bela, tão sedutora e tão mulher. E eu, com trinta e cinco anos, na força da idade e da saúde, reconheço tudo isso, admiro-lhe os dotes físicos, tenho orgulho da sua beleza e, em consciência, não compreendo mulher mais perfeita e mais digna de amor que a minha. E, contudo, o amor entra no comércio da nossa vida íntima apenas como ligeiro e fugitivo incidente. Apesar de reconhecer o seu inapreciável valimento feminil, a riqueza daquele palpitante tesouro de formas brancas e formosas, o preço daquele corpo carinhoso e casto, só vejo, só enxergo nela, a mãe dos meus filhos, só vejo o ventre sagrado, donde nasceu em ondas de sangue a minha felicidade de ser pai.

"Beijo-a, acarinho-a sinceramente, ao sair de casa, ao entrar da rua; às vezes interrompo o meu trabalho para tomar-lhe as mãos, assentá-la um instante sobre os meus joelhos, passar-lhe o braço na cintura. Mas estes afagos, alheios ao transporte amoroso, são feitos de fria ternura de amigo, são meigo reconhecimento da minha paternidade feliz.

"Donde vem, pois, esta estranha coisa, esta incompreensível anomalia, de que eu ame cada vez mais minha mulher e menos a deseje amorosamente? Por quê?

"Não sei, não atino com a verdadeira causa; e a convicção do fato, que no meu espírito de marido leal e virtuoso atinge as proporções de feia monstruosidade, começa a torturar-me seriamente.

"Sim, sim, a certeza de que a felicidade moral de Olímpia subsiste em prejuízo da sua felicidade de mulher atormenta-me de modo atroz. E percebo ainda, com o coração envergonhado e a consciência em revolta, que a grande dor saída dessa convicção não é determinada pelo mal que ela porventura cause à minha pobre esposa, mas pela ameaça do mesmo mal prometendo cair mais tarde sobre a cabeça de minha filha. Sim, porque minha filha há de também um dia ser esposa e ser mãe, e terá nesse caso de sofrer as mesmas injustiças que eu faço hoje à minha mulher, e que agora lhe entristecem a vida e lhe dão ao bondoso semblante aquele doloroso ar de resignação.

"Pois se eu, cônscio da minha íntima probidade conjugal, amando minha mulher como a amei sempre, não pude furtar-me à cruel e misteriosa lei que me obriga, contra a própria razão, a sentir-me farto e cansado da sua ternura, quanto mais se eu fosse um esposo vulgar, sem escrúpulos, e sem domínio sobre si para chamar a consciência, o coração, e até os sentidos, ao bom e leal desempenho dos seus deveres?... O que seria então?... Que horrorosa vida não teria dado à minha mulher se não fora eu tão honestamente rigoroso no desempenho do meu papel de esposo?... Que mundo de dores e desgostos lhe teria eu proporcionado, se ela descobrisse o sacrifício com que às vezes suporto as suas carícias e a hipocrisia com que as retribuo ou provoco?...

"O marido de minha filha terá, como eu, a delicadeza, a bondade, de se não revoltar, de submeter-se passivamente à convenção matrimonial, calcando no íntimo as revoltas do tédio, e resistindo heroicamente às solicitações externas, como eu resisti sempre até aqui?

"A pertinaz sedução de mais de uma formosa mulher, que encontrei na sociedade, quebrou-se contra os meus princípios de moral; e Olímpia, que é inteligente, bem o percebeu e bem mo agradeceu, não com palavras, mas por delicados meios, que ainda mais me fizeram seu amigo. O marido que minha filha viesse a ter seria capaz de tanto?...

"Eis o que me tortura principalmente!

"E minha filha será, como é minha mulher, uma virtude inquebrantável, um espírito orgulhoso e forte, que resista às tentações de procurar fora de casa a felicidade, que o casamento lhe terá prometido e não lhe terá dado; ou, impelida pelo fastio da vida conjugal, irá refugiar-se nas criminosas ilusões de novas crises de amor; nessa espécie de falsificadas luas-de-mel, que a mulher adúltera inventa fora do lar doméstico, porque vê que neste não poderá nunca, nunca mais, obter a reprodução da lua-de-mel verdadeira e legítima?

"E, admitindo mesmo a melhor hipótese, admitindo que Palmira herde da mãe a energia e a honestidade do caráter e o rigoroso equilíbrio do temperamento, será justo deixar que ela passe pelas mesmas provações e sofra as mesmas dúbias e lentas infelicidades, que eu observo e estudo em Olímpia, e que me enchem de compaixão por ela e de revolta contra mim mesmo e contra estes meus ingratos e miseráveis sentidos? Pois será esse o belo futuro que eu preparo para minha querida filha? destiná-la a servir de instrumento de tédio a um marido, que não será talvez tão resignado como eu e que não consiga amá-la como eu amo minha mulher? condená-la a ser, por toda a melhor parte de sua vida, nada mais do que um ludibriado receptáculo de fingidas carícias? condená-la, coitadinha! a apagar com os seus beijos castos o fogo de inconfessáveis desejos, criados por outras mulheres, cuja única superioridade sobre ela será a de não serem casadas com o homem que for seu marido? E, se este não tiver o meu gênio e não conseguir arrancar de si os artifícios de delicadeza, que eu mantenho para com minha mulher, terei eu o direito de acusar minha filha, no caso que se desvie da linha inflexível dos seus deveres, e procure fora do tedioso matrimônio os regalos exigidos pela sua mocidade e pelos reclamos que, no seu sangue, pôs a natureza para garantia da espécie e segurança na intérmina cadeia da vida? Se assim acontecer, terei o direito de amaldiçoá-la; terei o direito de castigá-la com o meu desprezo e com o meu abandono?

"E não será mais odioso crime punir semelhante desgraça, com outra desgraça ainda maior para ela? Para ela e para mim, e para minha esposa; pois que — deserdar qualquer filha do amor de seus pais — é sem dúvida para essa infeliz um tremendo martírio, porém nunca tão grande e tão doloroso como para os desgraçados que o infligem!"

* * *

Eis aí fica uma sincera página, escrita por meu marido, antes da nossa crise das contendas e disputas que nos desuniram para sempre. Calculo quanto não teria ele sofrido mais tarde, pensando no destino de nossa filha e reconhecendo que nem ele próprio, que se considerava tão seguro na sua resignação conjugal e tão firme na sua energia para conter as revoltas do tédio, pudera evitar a explosão nervosa e o fatal rompimento, que nos arredaram, a ele de Palmira, a mim do meu pobre filho! Como meu marido devia ter sofrido longe dela, coitado!

Mas a semente do seu amor paternal foi recolhida pelo meu coração de mãe, e já vingou, e há de crescer, florir e dar bons frutos!

Sim, meu infeliz irmão, se lá no duvidoso mundo, para onde voou teu nobre espírito, acompanha-te a mágoa do destino que terá nossa filha, e se guardas nessa outra vida memória dos que nesta te amaram, põe a larga o coração, porque estarei ao lado dela para evitar-lhe os escolhos, em que comigo naufragaste; estarei a seu lado, vigiadora e fiel, para preservá-la do mal que nos separou, e para dar-me toda inteira, de corpo e alma, para sempre, à conquista de um meio de a fazer feliz! Juro-te que nossa filha não passará pelas mesmas angústias por que passei, nem resvalará em nenhum dos muitos modos de ser da prostituição!

Não! Palmira não terá a desgraça de ser uma esposa adúltera e desprezível, nem será também uma vítima ridícula da sua própria virtude, privada, na idade do amor sexual, dos direitos e dos gozos que a natureza conferiu a cada uma das suas criaturas; nem será tampouco, como eu fui, a esposa mãe, cujos beijos do marido nada mais eram que os restos frios do seu amor paterno! Não! minha filha há de amar e ser dignamente amada, com todo o ardor, com todo o entusiasmo, com toda a grande e próspera volúpia de que é capaz o verdadeiro amor! E não somente durante o noivado, mas sempre, por toda a vida, todos os dias e todos os instantes.

Minha filha há de ser feliz!

5

Jurara pois a mim mesma, e à memória de meu marido, que minha filha seria feliz. Mas como realizar esse ideal?

Eis a questão. Vejamos:

Dar-lhe um marido, quando chegasse à idade do amor?...

Mas, se o meu, que fora tão bom, tão leal, e tão justo, não conseguira proporcionar-me a felicidade?

Dar-lhe um amante?

Mas, sobre ser, debaixo do ponto de vista social, imoralíssimo o fato, em que poderiam afinal consistir as vantagens de um amante sobre um marido ?

Não seria o amante nada mais do que um marido ilegítimo, que trouxesse à mulher todas as desvantagens domésticas do casamento e nenhuma das suas vantagens sociais?

Para o homem, sim, a amante parece incontestavelmente preferível à esposa, porque a mulher de posição só aceita um homem para seu concubinário quando o ama fervorosamente; ao passo que pode tomar marido, ou só porque os seus interesses de vida social assim o exijam, ou só porque a sua vida particular não tenha outro meio de manter-se.

O marido é sempre para a mulher uma garantia do presente e uma garantia do futuro; o amante é nada mais do que um incidente arriscado. O marido é uma conquista social; o amante é um sacrifício feito ao amor. A mulher que não tem posição social, conquista-a com o casamento; e aquela que já a tinha, perde-a tomando um amante. Por conseguinte o casamento eleva e o concubinato rebaixa.

No casamento o escravizado é o marido; no outro caso a escravizada é a mulher. O casamento é o sacrifício de um homem em proveito da sociedade; o concubinato é o sacrifício de uma mulher feito a um homem. A mulher casada vê no "seu" marido uma propriedade sua; e, para manter a felicidade burguesa do seu lar e para não perturbar a suposta tranquilidade da sua vida conjugal, quer que ele, ao entrar casado na câmara nupcial, despeje para sempre o coração de todos os seus sonhos de glória; quer que ele abdique, em proveito do seu novo estado, de todas as suas ambições brilhantes, de todo o seu ideal de conquistas na vida pública. E desse dia em diante, tudo o que nele for pessoal e de alcance exterior encontrará nela um inimigo terrível. No triunfo individual dele ela verá uma perene ameaça aos seus direitos de proprietária conjugal. A felicidade particular dele, posto que de caráter moral, será por ela considerada um roubo, um atentado cometido contra a solidariedade do casal. Que ele seja um "Bom marido" é o essencial, é quanto basta; é tudo o que ela exige dele e é só o que ela consente que ele ambicione.

E para ser um "Bom marido" convém que ele seja caseiro, metódico, pacato, previdente; que disponha de recursos para manter a família, e não tenha a menor ambição de nome. O que por aí se chama "Bom marido" é um ser genérico e coletivo, que, por si só, particularmente, nada representa, e que não pode ser aproveitado, na cadeia dos interesses gerais da vida humana, senão como simples e obscuro elemento de procriação. Um bom marido é útil somente porque produz filhos.

Para ser um bom marido não pode o indivíduo ser um "homem de ação", como não pode ser um "contemplativo". Não pode ser um conquistador, um revolucionário ou um grande empreendedor, como não pode ser um poeta, um artista ou um sábio. E como são essas as duas únicas ordens em que se divide a humanidade produtora, da soma de cujo esforço de ação ou de pensamento tira a evolução histórica a sua grande força de impulso e de aperfeiçoamento geral, segue-se que o "Bom marido", na comunhão da vida inteligente e na obra do progresso do mundo, não tem lugar como homem, mas só como animal, e seu esforço só poderá ser aproveitado como passivo instrumento da vontade alheia.

Por isso um bom marido deve ser única e exclusivamente um bom marido, e nisso limitar toda a sua aspiração. Um bom marido não deve ter pátria, nem ideias. A sua pátria é a casa, e o programa de todo o seu pensamento é o seguinte: Ter ou obter meios para a regulada subsistência da família; não perturbar nunca a paz burguesa do lar; atrair à casa, de vez em quando, amigos sérios e respeitadores dos princípios estabelecidos; promover partidas de dança, em que a mulher se divirta, em que as filhas, se já estiverem desenvolvidas, possam namorar para obter marido; não faltar nunca ao lado da esposa com o provimento sexual de que ela, conforme o seu temperamento, careça para o seu bem-estar e perfeita sinergia do organismo; e nunca, nunca, dar ou promover escândalos, sejam estes de ordem política, artística, amorosa, doméstica, ou sejam de simples e inocente folguedo.

Para o satisfatório desempenho desta última parte do programa, deve o bom marido abster-se de escrever, com assinatura, artigos em jornais e livros principalmente; não deve ler senão as obras que possa dar também a ler à sua família; não deve expor ao público e à venda qualquer produção artística de sua lavra, mas reservá-la para ornamento da sua sala de visitas ou de jantar; no seu modo de vestir nunca trazer a roupa muito à moda, nem muito fora da moda; deve, enfim, nisto, como em tudo absolutamente, escolher sempre o meio termo, o regular, o médio, porque a mediocridade deve ser o seu nível. Razão esta para que evite, escrupulosamente, aperfeiçoar-se em qualquer ramo de conhecimento científico ou artístico, que da perfeição pode, mesmo sem querer, cair no sucesso e aplauso público, o que lhe não convém de modo algum, por ser escandaloso. Todo o sucesso é um escândalo, e o bom marido deve temer o escândalo antes de tudo.

E mais: o bom marido deve recolher-se à casa sempre cedo; não sair para o passeio ou para o teatro sem levar a família; evitar a convivência mundana com todo o indivíduo que for popular e apontado a dedo. Não lhe convém igualmente, e nem por sombra, a menor relação de amizade com os agitadores de ideias e com os artistas reformadores. O seu círculo, além da família, só pode estender-se um bocadinho às circunspectas classes conservadoras; o seu nome não deve figurar nunca senão em listas oficiais e graves. O bom marido deve ser, nos seus atos e nas suas funções, inalterável como uma pêndula: — Da casa para o trabalho e do trabalho para casa. Qualquer desvio do movimento estabelecido pode alterar a marcha do relógio, que é o lar.

Logicamente, quem deveria perder o nome com o casamento e adotar o do cônjuge era o homem e não a mulher, porque se o casamento for o que se chama "regular" e o marido sair "um bom marido", é ele quem desaparece engolido pela família; ao passo que ela, até aí escondida atrás dos parentes, sem ter mesmo até então o direito de pensar, casando-se, surge desassombradamente à tona social e forma à direita do esposo um novo elo na grande cadeia.

E não há mulher que não deseje que seu marido seja um "Bom marido". No seu indefectível egoísmo, os interesses privados do lar impõem-se antes de tudo. Não admitirá ela nunca que seu marido pertença a qualquer outra coisa ou ideia que não seja o próprio casamento.

Algumas não amam o esposo, mas nem por isso deixam de pesquisar-lhe a vida inteira, até aos mais pequeninos atos da existência. Esse vivo e feminil empenho de perquisição não vem do interesse carinhoso que ele inspira à mulher, mas do gozo de desfrutar um direito, o direito de zelar e governar o que lhe pertence, o que é só dela e de mais ninguém; pois que, na maior parte dos casos, a mulher não faz questão de que o marido seja este ou aquele, desde que o sujeito preencha os já citados requisitos de bom marido.

E o que recebe o pobre do bom marido em troca de tudo o que dá à esposa? só recebe uma recompensa — a felicidade de ser pai. Só esta resiste; tudo mais que ele, de longe, nas ilusões do desejo, supunha constituir um mundo de venturas, desfaz-se em tédio e obrigações maçantes. A mulher deixa em breve de ser a esposa para ser "A minha companheira — a minha velha — a madama". Deixam ambos de ser marido e mulher para serem "Feijão com carne-seca", como eles lá dizem, os imbecis! O lar deixa de ser o ninho da paz e do descanso para ser "a obrigação da casa". E em obrigação, e obrigação acabrunhadora, transforma-se toda a vida do homem, desde a mesa da comida até à cama, só lhe ficando intacta a consolação de ser pai.

* * *

Com a amante sucede precisamente o contrário. O homem a quem ela se entregou impôs-se ao seu coração por uma irresistível fatalidade do amor. Essa ligação não entrava no programa da sua vida, como o casamento entrava no da vida da outra; essa ligação veio como consequência inevitável de uma fascinação imprevista. Em vez de investigar se o homem a quem se "deu" tinha as qualidades e requisitos necessários para tomar mulher, o que ela quis saber, só, foi se ele a amava tanto quanto era amado por ela; e, justamente ao inverso do que faz a mulher na ocasião de arranjar marido, em vez de dizer: "Aceito este ou aquele contanto que dê de si um bom marido", o que a amante pensou foi o seguinte: "só este me convém e quero, só este me pode servir para amante, ainda mesmo que ele não disponha das necessárias qualidades para ser um bom amante". E ela assim pensa e faz, porque ama, e como o seu amor visa certo e determinado indivíduo, só esse, tenha ele as qualidades ou defeitos que tiver, poderá ser o seu homem.

E, como, unindo-se a esse homem, ela em vez de subir, apeou-se da sua posição social, todo o seu empenho, depois de unidos, se transforma em desejar vê-lo crescer e elevar-se no conceito público, porque, quanto maior for ele, tanto mais desculpável será a queda da mulher que lhe pertence.

Ainda ao contrário do que sucede no casamento, aqui a tranquilidade e a íntima bem-aventurança do lar são sacrificadas aos interesses exteriores do amante, se este tiver ambições de caráter público, quer como artista, quer como homem de ação. A paz doméstica, os gozos do amor, tudo isso é rapidamente atirado para o lado, se a honra ou o interesse abstrato da glória reclamam o sacrifício do homem amado.

Quando, nos grandes momentos decisivos para a vida pública de um homem, tenha este, sem hesitação, de arriscar tudo num lance resoluto, num rasgo de coragem, e, ou galgar de assalto a vitória completa, ou cair vencido para sempre; se ele é casado, a mulher agarra-o com ambas as mãos, grita, chora, enlaça-o nas suas saias e não o deixa sair de junto dela, reclamando egoisticamente que o infeliz é seu marido e que ela não pode consentir que ele se exponha, porque seria expor também a segurança do seu lar e da sua família; e, se o homem não for casado, enquanto a esposa faz aquilo, o que faz a amante?

A amante, esquecendo a sua felicidade privada pelas conveniências públicas do seu amado, e tendo pouco de si mesma que arriscar, porque tudo por ele próprio já arriscou, e não temendo cair em posição falsa, porque falsa já é a sua posição, é a primeira a empurrá-lo para o seu posto de honra e a instigar-lhe os brios, gritando-lhe que não perca um instante e cumpra resoluto o seu dever, sejam quais forem as consequências.

Ele pode morrer! — Embora! Mas é preciso que vá, que se não desonre, porque, se assim acontecer, ela terá perdido de um modo mais triste ainda a sua felicidade de mulher, porque terá perdido a sua ilusão de amor, porque terá perdido moralmente o seu amante.

Que vá! Que vá! Antes morto que desonrado!

E nisto consiste a grande vantagem que leva o concubinato sobre o casamento. Se eu, em vez de uma filha, tivesse um filho, não hesitaria em aconselhar-lhe que preferisse tomar uma concubina a tomar uma esposa.

Mas, na inversão do caso; quer dizer: sob o ponto de vista do interesse da mulher, o amante será preferível ao marido?

Vejamos:

6

À primeira vista parece que não; parece que o amante, longe de levar vantagem sobre o marido, fica-lhe muito inferior, sob o ponto de vista dos interesses da mulher. A princípio parece que um amante traz todas as desvantagens de um marido vulgar e nenhuma das vantagens morais.

Já ficou estabelecido que o marido é o escravo e que o amante é o senhor.

Mas, sob o ponto de vista dos interesses domésticos e da verdadeira felicidade privada de uma mulher, não estará justamente nesse fato de ser senhor e não escravo a superioridade do amante sobre o marido? Qual será mais apto para fazer a felicidade de uma mulher — um homem que a ame como senhor, ou um homem que a ame como escravo?

Dir-me-ão talvez que, tanto um como outro, não preenchem o ideal da mulher, e que o melhor partido é o de um homem que a ame de igual para igual.

Não. Essa igualdade é bonita, mas é impossível e, se fosse possível, seria inconveniente. A mulher, já pela sua especial constituição física e intelectual, já pelo seu natural estado de passividade, não pode em caso algum ser a igual do homem com que vive.

O raro caso da absoluta superioridade da mulher é uma anomalia que traz fatalmente o desequilíbrio no casal.

É justamente dessa desigualdade perfeita, desse contraste de aptidões físicas e morais, que nasce a sublime harmonia do amor. É com a variedade de competências e de necessidades de cada um, que os dois se completam.

Pois se até na idade e na estatura física é conveniente, para o bom equilíbrio de um casal, que haja certa inferioridade da parte da mulher! No que precisa haver identidade é no ponto de educação social e no grau de colocação na escala etnológica. E, ainda neste particular, caso não seja possível obter a igualdade, dada a circunstância de que uma das partes do casal tenha de ser, na raça ou na condição, inferior à outra, é preferível, para todas as conveniências e efeitos, que a parte inferior na raça ou na condição seja a mulher e não o homem. É mais natural e aceitável ver um branco casado com uma mulata ou um mulato com uma preta, do que ver uma branca ligada a um preto ou a um mulato; pela simples razão de que, na apuração e aperfeiçoamento da casta, a mulher só entra em concorrência como passivo auxiliar.

A mulher, regularmente constituída, não quer para sócio na procriação, nem só um indivíduo que lhe seja etnogenicamente inferior, como não quer um homem organicamente tão ou mais fraco do que ela, nem quer também um que lhe seja igual na falta de energia e de ação, mas sim quer um ente superior, que lhe sirva de firme garantia à sua fraqueza e ao seu pudor; quer um homem que lhe possa dar conselhos e amparo, e, se tanto for preciso, até o próprio castigo.

Sim, o castigo. — Um bom e verdadeiro amante é sempre um pouco pai da mulher amada.

O marido, esse é que nunca é mais de que o par de sua mulher, e com ela discute de igual para igual, com ela dueliza e luta, como um sócio disputando sobre os seus interesses com o outro sócio que o quer lograr. Ela não teme desgostá-lo com as suas palavras duras e injuriosas, porque não tem receio que ele lhe fuja — o cabresto do casamento é rijo e apertado.

Desde que a mulher reconheça no amante a indispensável superioridade, não pode, como aquela, ver nele o seu escravo, mas o seu dono, o dono da sua vontade e do seu corpo; e, no passivo enternecimento de julgar-se um objeto dele, reside a sua felicidade de mulher que ama e é amada.

A mulher, creiam todos, sente prazer em reconhecer-se passiva, em ver em si um ente fraco e por isso mesmo digno de respeito; goza com sentir indispensável o apoio moral e físico do homem a quem se entregou toda inteira, toda confiante, de olhos fechados. Se ama deveras o seu concubinário, pode este fazer dela o que quiser, uma heroína de abnegação e bondade, como pode fazer o mais perverso dos facínoras. Dele tudo depende, porque nela é ele quem manda, ele é o senhor e governa.

As romanas antigas, talvez se divertissem menos, porém deviam ser muito mais felizes no interior do lar do que as nossas esposas modernas; e eram mais felizes porque eram mais mulher, e os seus homens eram mais homem.

Ao inverso do que sucede no comum dos casamentos de pura conveniência burguesa, a mulher mais ama o seu amante quanto mais este avulta e cresce no conceito público, por conseguinte mais o ama quanto mais ela diminui ao lado dele, até reduzir-se às ínfimas proporções de simples fêmea amorosa. E só então é verdadeiramente feliz no amor.

Isto, já se vê, só se pode dar no caso do amante e nunca do esposo, porque é justamente da prática do oposto desse fato que nasce o invencível desconcerto entre os casados e o fatal desequilíbrio da vida conjugal. É que a mulher casada quer, geralmente, emparelhar com o marido e acompanhá-lo nas regalias da consideração pública e na glória das conquistas sociais, sem se lembrar de que, se ele cresce, é pelo talento, ou pela bravura, ou pelas virtudes enérgicas, ou simplesmente pela atividade na intriga política; cresce enfim pela ação ou pela produção intelectual; cresce porque luta e vence. Ao passo que ela ambiciona acompanhá-lo no mesmo voo, substituindo aquelas asas fortes de que ele dispõe, por uma coisa única — o amor; quando não é pela simples circunstância ridícula de ser esposa dele. Mas, valha-me Deus! o amor físico é uma função material e privada, é um instinto, é o instinto da conservação da espécie, como a fome é o instinto da conservação pessoal — nada mais! E, se o fato de ser mulher de um homem ilustre lhe desse a ela os mesmos direitos por ele conquistados pelo talento ou pela ação, seria isso uma distinção adquirida sem esforço e por conseguinte sem mérito e até odiosa.

Estou farta de ver todos os dias na imprensa o nome de certas senhoras figurando com indecorosa insistência à frente de subscrições públicas, de programas de festas patrióticas, de manifestações de vários gêneros, e até como título de estabelecimentos de instrução ou de caridade, e tudo isso só porque são casadas com homens postos em evidência pela política do momento ou pela alta soma de seus haveres. Ora, tinha vontade de saber se essas esposas, que tão afoitamente emparelham com os maridos nos seus prósperos voos de glória, estariam também dispostas a acompanhá-los ao patíbulo, ou a cumprir a pena de galés perpétuas, se a tais fossem eles condenados.

E nada, todavia, seria mais justo, porque — quem come a carne deve roer os ossos!

O que fatalmente acontece, no caso vulgar dessa tentativa de emparelhamento no voo da ambição do homem público, é que a mulher não consegue subir com o esposo, nem fica também no ponto donde nunca devia ter saído — o lar, que é o seu posto de honra, e onde tanto mais ela cresce quanto mais se afunda.

Daí o desequilíbrio doméstico e a infelicidade de parte a parte, quando no casamento o marido é um homem notável ou ambicioso.

E, se a mulher tem elementos individuais para subir também, tanto pior para os dois, porque nesse caso marido e mulher já não representam um casal, que se ama e se constituiu para procriar, mas tão-somente dois êmulos, ávidos de glória, disparados em carreira, a disputarem o passo um ao outro.

Nessa hipótese, o convênio conjugal desaparece totalmente, sem deixar vestígios. Observe-se para exemplo a vida dos artistas, principalmente cantores e atores, que se casam entre si.

Se a felicidade conjugal fosse coisa possível no casamento, como ele é entre nós, o único tipo de esposo, ainda assim capaz de proporcioná-la à mulher, seria o pacóvio que lá para trás ficou etiquetado com o rótulo de "Bom marido", ou então, o que infelizmente deve ser muito difícil de acontecer, quando a mulher, por uma feliz intuição do seu destino, fizesse do próprio esposo o seu amante e tomasse corajosamente, não à sua direita, mas à sua esquerda, a posição subalterna de uma amiga apaixonada.

A estatura moral da mulher em relação ao seu homem deve ser como a sua estatura física — ela não deve ficar-lhe nunca abaixo do coração, nem tão alto que chegue a nivelar a sua cabeça com a dele. O casamento seria talvez suportável, se a esposa compreendesse esta verdade, mas em geral a mulher casada, nem só pretende alcançar a estatura oficial do marido, como ainda quer excedê-la na consideração pública. Nada há mais intoleravelmente ridículo do que a mulher de um homem ilustre possuída da sua alta posição, quer dizer, da posição que lhe reflete o marido, porque ela só por si nada representa. E, ah! quanto isto é frequente nesta nossa sociedade! quanto é frequente o orgulho em pobres criaturas casadas com altos indivíduos, que todavia são, pelo seu lado, o mais singelo exemplo da modéstia!

Com a amante não há receio que aconteça o mesmo. Esta, não podendo acompanhar o amigo nos voos empreendidos pela conquista da glória, porque a sociedade não lho permite, deixa-se ficar cá embaixo, no lar, reduzida ao papel de caseira, e com isso tem garantido a sua felicidade e a dele.

Conclui-se pois que um amante é mais apto que um marido para fazer a felicidade da mulher; e então, uma vez que minha filha não tivesse de viver eternamente só, seria preferível dar-lhe um amante a dar-lhe um esposo.

Mas, e a sociedade?...

* * *

Sim, teria eu a coragem de afrontar com inabaláveis e velhos preconceitos estabelecidos até hoje?... Só o casamento, segundo os nossos ilógicos costumes, tão injustos para o meu sexo, dá à mulher o livre exercício de seus direitos naturais e só dele podemos receber a consagração da maternidade, que é o ato capital e mais transcendente no destino genésico de nós todas.

Substituir o marido por um amante é fácil de dizer aqui nestas páginas, mas, na vida real, é coisa delicadamente difícil de pôr em obra.

E minha filha, que não foi criada fora da sociedade, estaria disposta a consentir nisso? Não se julgaria lesada na substituição e eternamente ferida no seu decoro? E afinal, no fundo, qual de nós duas teria razão e bom senso: eu em dar-lhe um amante; ou ela em rejeitá-lo? E quem me diz que, assegurando-lhe a felicidade doméstica, não iria por outro lado fazê-la muito mais desgraçada, privando-a dos gozos e das regalias, que o casamento proporciona à mulher, fora dos limites do leito e do quarto, e que a sociedade nega formalmente a toda a infeliz que lhe não é endossada por um representante legítimo?... As quatro paredes de uma alcova de amor podem conter um vasto paraíso de intérminas esperanças e um mundo de venturas; o pequeno espaço de uma cama é, entre todas as vastidões da terra, o campo mais largo e mais importante no destino do homem — é aí que ele nasce, é aí que ele se reproduz, e é aí que ele morre. Sim senhor! tudo isso é verdade e em tudo isso eu creio; mas não entrarão também, como requisitos de felicidade na vida de uma mulher de hoje — os bailes, o lírico, a estação em Petrópolis, as águas de Caxambu, os domingos de corrida, o jogo, os jantares diplomáticos, a palestra e a convivência enfim com o escol da sociedade?...

E, o que é mais sério, um amante, por melhor escolhido por mim, faria com efeito a felicidade de Palmira? ou, quem sabe, se a razão do tédio e das dolorosas falhas da vida conjugal não residiriam particularmente na forma da ligação, mas em qualquer outro fato que tanto entrasse na esfera da ligação legítima como na da ilegítima!...

Sim, porque meu marido foi em algum tempo também meu amante; uniu-se comigo porque me amava e era fervorosamente correspondido; eu reconhecia nele um ente superior e sentia-me feliz em precisar da sua proteção. E tudo isso não impediu, apesar de nossa lealdade de conduta, que Virgílio se sentisse farto de mim e eu dele igualmente; o que fez de nós, até nos separarmos para sempre, dois desgraçados que amaldiçoavam, cada um no segredo da sua íntima miséria, a existência de galés que arrastávamos ao lado um do outro.

Ah! minha filha, minha filha! inda uma vez te digo que em verdade só tu foste a minha consolação e a minha ventura; não quero que mais tarde possas, por tua vez, dizer o mesmo, porque a maternidade, só por si, não constitui, ou não deve constituir, a felicidade completa de uma mulher.

Não! Hás de desfrutar todo inteiro o quinhão que te toca no banquete da vida! hás de gozar o que a natureza generosamente criou para o conforto da tua alma e do teu corpo! Fruirás todas as delícias do que for capaz a poesia do teu amor; terás todos os beijos que te pertencem; terás a realização de todos os teus castos e voluptuosos sonhos de moça! E terás também, ao lado disso, todos, todos os prazeres, que a sociedade em que nasceste proporciona dentro do seu orgulho e dentro da sua vaidade!

7

A promessa estava sinceramente feita, mas qual seria o meio de a cumprir? Onde estaria afinal a misteriosa causa de se não poder obter essa felicidade que parece à primeira vista tão simples, tão natural e tão justa? Qual seria o meio de tornar, não só possível, mas deliciosa, a vida em comum de dois entes, que se amem e queiram viver eternamente um para o outro?

Como conseguir a vida reta de um casal, sem a privação do amor, que é a base de todas as felicidades da mulher perfeita, mas também sem essas intermitências do tédio, sem os tristes desfalecimentos do entusiasmo de parte a parte? Como descobrir para a minha Palmira uma existência larga, completa, boa e fecunda, sem as misérias do casamento e sem as misérias da mancebia; sem os beijos hipócritas, sem os vergonhosos recursos do fingimento conjugal, que fazem dos casados verdadeiros cabotins do amor; mas igualmente sem as decepções amargas, e as dores escondidas, e as melancolias da exclusão social e o estéril arrependimento dos casais ilegalmente constituídos?

Oh! Era impossível que não houvesse recurso para obter um ideal lógico e tão humano! Era impossível que não pudesse eu evitar para minha filha o grande mal que me estragou toda a vida! Era impossível que não houvesse um meio de salvar a pobre criança da desgraça que a esperava; um meio de evitar que ela naufragasse como eu naufraguei, apesar da minha virtude e apesar do amor e das boas intenções de meu marido!

Sim, sim! o meio havia de existir, e eu havia de descobri-lo!

* * *

E desde esse momento, não descansei mais um instante. Dedíquei todo o meu pensamento, todo o meu coração de mãe, todo o meu esforço, em descobrir o meio salvador.

Principiei por estudar-me a mim mesma; estudei-me longa e pacientemente, dissecando, um a um, todos os grandes e pequenos fatos que encheram a minha vida conjugal, e procurei descobrir quais deles marcavam as épocas divisórias dos três estados que conheci ao lado de meu marido; a saber: 1.°) o estado de completa e franca felicidade moral e fisiológica; 2.°) o estado de transição, estado de dúvida, de tristeza sobressaltada e vago ansiar por uma felicidade, que eu não podia determinar qual fosse, mas que me fazia muita falta à vida e me tornava inconsolável como mulher. Foi durante esse segundo período que nasceu, e começou logo a acentuar-se, a minha indiferença genésica por meu marido. Foi também nesse período que acabei de amamentar Palmira; 3.°) o estado de crescente hipocondria, depois tédio e cansaço, e afinal repugnância absoluta pela vida matrimonial, o que transformava em verdadeiro sacrifício, sacrifício insuportável, a existência em contato com meu esposo, a quem todavia continuava a estimar muito, não tanto quanto a minha filha, nem também em segundo lugar, mas logo em terceiro. O segundo lugar na minha afeição cabia já ao homem, que até hoje ficou sendo o meu amigo e o meu verdadeiro amado, o Dr. César Veloso, de quem lá para adiante terei muito que dizer. Só o conheci já em meio deste terceiro período, e desde então minha alma foi, a pouco e pouco, se chegando para ele... mas não é disso que se trata por enquanto. Vamos ao que importa:

O primeiro estado começou na minha época de noiva, e sustentou-se até quase ao termo da aleitação de Palmira. Esse período feliz foi apenas falhado por alguns senões da lua-de-mel, como explicarei depois; coisas de grande alcance, mas de possível correção, quando se tratasse do casamento de minha filha. O segundo estado durou quatro anos, e o terceiro três, até à minha definitiva separação de Virgílio.

Voltemos ao primeiro: Com a puberdade, como que se abriu defronte de meus nascentes desejos um mundo de misteriosas delícias, um vasto caminho de ternura e de esperanças, verde, alegre, risonho, todo iluminado de um sol novo e desconhecido para mim, que me embriagava a alma. E esse desejado caminho perdia-se infinitamente pelos meus sonhos de donzela, por entre uma cheirosa alameda de laranjeiras em flor.

Como suspirei estendendo o meu casto desejo por esse longo e misterioso caminho desejado! Como eu então, pobre de mim! supunha que o meu destino fosse uma indefinida cadeia de satisfações de todo o meu ser; e que este, sob o fecundo eflúvio do amor de meu noivo, iria desabotoar amplamente, como uma rosa ao sol, transbordante de seiva e de aroma! A ideia de um filho vinha-me já ao espírito, mas na poética imagem de um pequenino botão de flor ao lado de outra flor maior, plenamente desabrochada, que era eu.

Dores, decepções, fastios e tédios não entravam jamais no cantante programa da minha felicidade. E note-se que eu não era, à semelhança de muitas das minhas amigas, o que se pode chamar uma moça romântica. Não sonhei nunca para meu noivo algum príncipe encantado, nem algum singular e formoso aventureiro, que viesse de longínquas paragens, galgando precipícios e vencendo insuperáveis escolhos, para chegar até a mim e depor a meus pés o seu coração de poeta enamorado e a sua gloriosa espada de cavalheiro.

Não, e acho que essas donzelas, que sonham assim torto, são verdadeiras aleijadas do coração, deformidade consequente de uma moléstia que grassava muito quando eu tinha dezoito anos — a infecção romântica, com caráter pernicioso e acompanhada de crises agudas de delírio e perturbações cerebrais. O que eu via no casamento, graças a Deus o digo, em boa consciência e com orgulho do meu bom senso, era o legítimo direito de uma felicidade natural e honesta. Sonhava um noivo razoável e verossímil; sonhava um rapaz de gravata e fraque, sadio, inteligente, ativo, honrado e bem-parecido.

Era ainda sonhar muito, mas, apesar disso, encontrei o ideal dos meus sonhos.

Quando encarei com Virgílio pela primeira vez, meu coração disse-me baixinho: "Ei-lo aí está, o invasor! Prepara-te, pobre fortaleza, que vais ser tomada de assalto e conquistada!" Rendi-me logo ao primeiro ataque — o seu primeiro olhar venceu-me. Não sei o que me segredou estar ali naquele moço, tão sério e tão amável, quem devia ser o meu companheiro no risonho mundo, que os olhos da minha alma, e os meus sentidos ainda mal acordados, pressentiam com frêmitos de felicidade.

Eu era um bom partido: além do dote, havia de herdar muito de minha avó; já não tinha pai nem mãe. Esta última desgraçada circunstância era ainda considerada uma vantagem pelos burgueses mal-educados, que veem na sogra e no sogro os principais inimigos da sua tranquilidade; como se a tranquilidade absoluta fosse coisa possível no casamento comum.

O casamento é quase sempre um duelo, em que um dos dois adversários tem de ser vencido; os sogros nada mais são que as testemunhas oficiais, imcdiatamente interessadas na luta.

O meu dote tirava-me pois da ridícula situação em que se acham muitas moças, coitadas! que não podem, como eu podia, escolher noivo. Virgílio, pelo seu lado, era também um excelente partido; de sorte que nenhum de nós dois teve de representar, nas salas em que nos encontramos e namoramos, o triste e odioso papel de caçador ou de caça.

Meu coração não me enganara quando mo apontou como o ente destinado a iniciar-me na vida sexual. Desde o nosso primeiro encontro, senti logo que ele pensaria em mim com insistência, e comecei a associá-lo a todos os meus devaneios de donzela; comecei a amá-lo.

A flor da minha cândida feminilidade expandia-se enamorada, ao idílico frêmito das asas de ouro, que lhe esvoaçavam em torno.

Caía então em longas cismas deliciosas, suspirava sem saber por quê, e, dormindo, abraçava-me aos travesseiros, estendendo os lábios à procura dos beijos de alguém, que meus braços e meu colo reclamavam com impaciência.

E era sempre e só com Virgílio que eu tinha desses sonhos. Quando ele me pediu em casamento, passei a noite inteira a chorar de alegria. Toda eu palpitava ao anelo daquelas núpcias. Os seis meses de nosso namoro pareceram-me séculos de invariáveis mágoas, tanto eu morria por poder confiar-lhe toda a minha ternura e dar-lhe toda a minha dedicação. Sentia-me ansiosa para lhe mostrar, para lhe provar, quanto eu era meiga, pura, casta; para lhe provar quanto e quanto o amava; para lhe mostrar por palavras, e por atos, e por ações de todo o instante, e por toda, toda a vida, tudo aquilo que eu sentia e que até aí não me permitira o pudor que lhe dissesse ou demonstrasse.

Oh! Que loucura apressar essa época feliz!

E amei-o, amei-o com todo o entusiasmo de minha alma, desejando-o mais e mais de dia para dia, vendo nele o melhor, o mais perfeito dos homens, o único digno de ser amado, o único que eu amaria sempre.

* * *

E quanto é belo o amor de uma virgem! Quanto ele é mais forte, mais sincero e mais corajoso que o primeiro amor do homem! O adolescente só vê o seu primeiro sonho de amor através do prisma da poesia; todo o homem é poeta nos arroubos da puberdade: não deseja possuir a mulher que ama, quer ao contrário divinizá-la, fazer dela um ídolo sagrado, diante do qual se ajoelhe compungido e contrito, sem lábios, e sem voz, e sem mãos, senão para a divina prece; sem olhos senão para as estrelas confidentes do seu enlevo. E ela — não! a mulher desde o seu primeiro amor de donzela, já é a mulher, já é a carne, já é o pecado. Menos dominada pela poesia ideal, volta-se mais para o paraíso da terra do que para o paraíso dos céus. Não vê no homem desejado e amado um ídolo venerando, mas nele vê o senhor e dono de todo o seu ser.

O ideal existe sempre, apenas o dela é mais natural e humano.

O homem, na puberdade, ama só com o espírito; a manifestação do seu amor é um transbordamento de resíduos de leituras romanescas e reminiscências poéticas. O seu primeiro amor nunca aproveita para a geração. É muito raro, é raríssimo, encontrar um homem que constituísse casal com o seu primeiro amor; em geral todo o pai, todo o chefe de família, tem, guarda, e conserva, depois do casamento, escondidos aos olhos da mãe de seus filhos, a saudade e o culto daquela a quem ele consagrou, na puberdade, as poéticas e suspirosas primícias do seu coração. E a virgem, essa ama logo com todo o seu ser, com todo o seu corpo imaculado. E goza em sentir-se pronta a dar esse mimoso corpo, todo inteiro, ao carnal despotismo do seu amante; goza em senti-lo ameaçado pelas mãos sensuais que se estendem avidamente para ele; goza em abandoná-lo, vencida, e deixá-lo invadir, rasgar, e deixá-lo alterar todo, transformando-o de um corpo de virgem em um corpo de mulher.

Ela prevê que o homem não se modificará fisicamente com o novo estado que começa no leito nupcial; ele era já um homem e continua a ser um homem como dantes. E ela? ela vai transformar-se toda, invadida pelo amor até às entranhas; ela sabe já que os seus delicados pomos virginais avultarão, adquirindo novas curvas; que os seus estreitos quadris de donzela ganharão voluptuosas protuberâncias; que o seu fino pescoço de criança vai carnear-se, formando uma garganta cheia de ondulações misteriosas e sedutoras, um branco e tépido ninho para os beijos dele; e que seus olhos se rasgarão, banhados de novos fluidos de volúpia, e que seus olhares serão outros e outros os seus sorrisos, depois do amor consumado; e que seu ventre enfim vai ser consagrado pela maternidade, e seu sangue transformar-se em leite e seu amor transformar-se em vida.

Oh! Pertence-lhe o amor muito mais do que ao homem! O amor no homem é um incidente e nela é um destino, é a missão principal de sua vida. O amor pode nascer ou não no homem e pode abandoná-lo sem deixar sinal de raízes; na mulher apodera-se de todo o seu ser, invade-lhe as entranhas, e nelas cresce, enfolha, floreja e frutifica. E por isso, porque nesse amor de uma donzela entra já a ideia do sacrifício de todo o seu corpo; por isso que ele é mais da terra, mais natural e mais humano; por isso esse amor é sem dúvida melhor que o amor do homem, pois que este precisa para manter-se dos socorros da ilusão e do ideal.

E é por isso ainda que nós mulheres amamos, relativamente, com mais igualdade e mais firmeza que o homem. Em qualquer casal é sempre ele o que primeiro afrouxa de entusiasmo no amor, sendo aliás quem principia com mais intensidade e com mais ímpeto; ao passo que a mulher, passiva desde o berço, escrava por natureza, só chega, em geral, a enfastiar-se do seu companheiro, quando este já não preenche, como homem, os requisitos de sedução, que no mister procriador a natureza exige em benefício do filho.

Esta última razão é um dos pontos capitais da insignificância do casamento como ele está instituído. O encanto, que namora, que aproxima dois indivíduos de sexo oposto, empenhados inconscientemente na formação de um novo ser, é coisa muito mais importante do que parece à primeira vista.

Para que o filho saia um ente perfeito — forte, inteligente e belo — é indispensável que venha em consequência de um perfeito amor. A natureza, sempre amiga e previdente, prepara o terreno para os amantes que têm de pagar o delicioso tributo da reprodução — dá à juventude os atrativos da beleza e a sedução da força e da inocência, como dá à flor o brilhante matiz, a frescura e o perfume, com que ela chama o trêfego inseto condutor do pólen. Mas, quando assim não seja, quando mulher ou homem não tenha algum deles verdadeiros atrativos e reais encantos, o amor, isto é, o instinto da conservação da espécie, substitui no espírito do outro, com a imaginação, os sedutores atributos que faltam na pessoa amada.

"Quem o feio ama, bonito lhe parece", diz o provérbio, e diz a verdade.

Não é, pois, indispensável, para a perfeição do filho, que a mulher seja deveras formosa e o homem um perfeito ideal do amor; indispensável é que eles se amem de fato, porque, se assim acontecer, no momento capital da irresistível atração de um para o outro, ela representa para ele a primeira mulher do mundo, a mais sedutora, a mais terna, a mais amável, e ele representa para ela o melhor dos homens, o mais nobre, o mais apaixonado e o mais digno do seu amor.

Nestas condições, o filho será por força de regra, não como são os pais, mas um ente tão perfeito como eles mutuamente se julgavam, convictos, na providencial ilusão do seu desejo. Donde se conclui que a formação de um filho, rigorosamente perfeito, isto é, que a garantia da seleção humana e o aperfeiçoamento da espécie, dependem mais da imaginação dos pais do que das suas verdadeiras virtudes e das suas qualidades físicas.

Mas, pergunto eu agora, essa ilusão pode existir sempre, entre os dois mesmos indivíduos, durante toda a sua existência íntima de casados? Depois do nascimento e da amamentação do primeiro filho, o homem continuará a ver na esposa a mais desejável de todas as mulheres, e ela continuará a ver no marido o melhor e superior de todos os varões?

Não! Para isso seria preciso a possibilidade de um novo período de fascinação amorosa, de namoro, e uma nova expectativa de lua-de-mel. Para isso seria preciso que os dois se desejassem de novo como se desejaram da primeira vez, e que se atirassem de novo nos braços um do outro, com o mesmo primitivo entusiasmo, com o mesmo ardor, com a mesma ilusão.

Ora, como não é possível obter de novo essa ilusão, todo o casal, depois de criado o primeiro filho, compõe-se de dois desiludidos.

Mas, se, para que o filho seja perfeito, é indispensável aquele conjunto de circunstâncias auxiliares, e, se o destino fisiológico do homem é procriar, aperfeiçoando a sua espécie, segue-se que — ter um segundo filho, com a mulher inutilizada pelo primeiro — é um crime perante as conveniências gerais da espécie, e é um crime perante os interesses particulares do segundo filho, que será injustamente lesado, que será privado das regalias e das vantagens naturais de seu irmão mais velho.

Mas isto é a execrável lei dos vínculos e morgadios prevalecendo ainda fisiologicamente na família! O segundo filho, concebido já dentro do período da desilusão dos cônjuges, é um brutal atentado contra a natureza!

Entretanto, essa mesma mulher, agora inapta para despertar no pai de seu filho aquelas favoráveis ilusões que, aos olhos dele, faziam dela a mais desejável das mulheres, pode ainda acordar noutro homem, com quem nunca viveu na intimidade procriadora, os mesmos fortes desejos, o mesmo ardor, a mesma febre de posse carnal, que dantes levantara no primeiro. E este, que já não serve para encher de sonhos de amor a fantasia da mãe de seus filhos, é talvez nesse momento o objeto dos anelos de outra mulher, que o ronda enamorada, e nele vê o ente escolhido pelo seu desejo, o eleito da sua carne, o único colaborador que lhe convém para a sua missão reprodutora.

A sociedade, porém, não quer que se aproveitem esses dois indivíduos, ainda tão úteis à geração, e obriga-os a ficarem perniciosamente ao lado um do outro, contra todas as leis da natureza.

Ora, se tudo aquilo que for contra a natureza é imoral e vicioso, o nosso casamento é, passada a crise do primeiro filho, nada menos do que uma condenável imoralidade.

8

O casamento um ato imoral! Ó meu Deus, a que triste conclusão me arrastaram os meus raciocínios!

Imoral o casamento! — logo, todo o homem ou toda a mulher que persiste ao lado um do outro, depois da amamentação do primeiro filho, é um ente imoral? E minha filha, minha pobre Palmira, teria de ficar eternamente solteira, privada dos seus direitos naturais de mulher, ou teria de ser uma criatura imoral, quer tomando para companheiro de vida um amante, quer aceitando um marido?...

Que horror!

Seria preferível conservá-la virgem, ou seria isto ainda maior atentado? Se o casamento é imoral porque é contra as leis da natureza, o celibato casto também o é pela mesma razão.

Conservá-la virgem! Mas conservá-la virgem seria matá-la por dentro, secando-lhe com a abstinência forçada a vida dos seus mais importantes órgãos, os órgãos direta e indiretamente empenhados na procriação! Mas uma mulher é toda ela, dos seus pequenos pés brancos e fracos, aos longos, cetinosos e tépidos cabelos, um simples aparelho de amor! Tirem-lhe o que foi formado para o conjunto do mister propagador, e o que fica?

Sim! por que tem ela os quadris mais amplos e volumosos que o homem? por que tem as coxas grossas, as mãos mimosas, a pele fina? por que tem peitos tão doces e tão macios? por que tem os lábios vermelhos e a boca livre e desembaraçada de barba, senão para dar beijos? e por que tem o rosto liso e rosado, senão para provocá-los e recebê-los? por que tem os olhos súplices, lamentosos, banhados em ternura e desejo? por que tem os cabelos tão compridos e tão perturbadores? e por que numa longa existência, de menina a octogenária, desde a primeira boneca ao último netinho, ela só viveu para a carícia e para o amor? e só teve uma função real e constante — amar, abraçar, beijar?

Não! minha filha não ficaria assim perdida para o seu verdadeiro destino de mulher!

* * *

Mas, se o casamento como a mancebia eram ambos imorais e não podiam proporcionar a felicidade que eu sonhava para ela, Palmira precisava de um novo cooperante genésico todas as vezes que tivesse de ser mãe. E isso, valha-me Deus! seria a mais completa e feia prostituição; seria perdê-la irremediavelmente para a moral e para a sociedade!

Oh! só agora, depois de pensar em tudo isto, é que vejo quanto fui casta e quanto fui boa; quanto fui sacrificada e quanto fui generosa! Que me não ouçam as mulheres fracas e vulgares; perder-se-iam com a minha dolorosa filosofia. Mas as fortes, as espartanas do lar doméstico, se algum dia souberem do segredo destas confissões, que se consolem com a minha heroica desgraça, porque só essas compreenderão as orgulhosas lágrimas que chorei.

Triste de mim, pobre mãe, cujo único ideal na vida era agora a inteira felicidade de minha filha, e acabava de compreender que semelhante felicidade era impossível, tanto no celibato casto, como no matrimônio, como na concubinagem, como na prostituição. E fora disso, nada havia a explorar.

Que desespero!

* * *

Cheguei a lembrar-me do mormonismo, a amaldiçoada seita polígama de José Smith. Mas, no dogma dos mórmons, o caso essencial era precisamente contrário ao que me parecia indispensável à felicidade fisiológica da mulher e às conveniências individuais do filho. Lá o homem tem o direito de tomar quantas esposas lhe apeteçam, desde que as possa manter; a mulher, porém, essa há de contentar-se com um só marido, se é que se pode chamar um marido a um homem partilhado por vinte esposas. Um vigésimo de marido!

Ora, se um achava eu insuficiente para bem gerar todos os filhos de uma mulher, quanto mais a vigésima parte de um! Entretanto, lendo de boa-fé a exposição dos princípios filosóficos e religiosos dos mórmons, abalei-me com certos preceitos da moralidade conjugal por eles estabelecida e observada. Afirmam com orgulho que, no mundo civilizado, são os únicos bons e honestos cumpridores do sagrado mandamento de Deus: "Crescei e multiplicai-vos", porque um varão pode procriar duzentos filhos, e uma mulher nunca mais de vinte.

Como pois exigir que seja uma só mulher a mãe de todos os filhos que produza um homem, quando precisa ela de dois anos para a gestação, parto e criação de cada um? Não será isso constranger o marido a uma destas três coisas: — ou condenar-se à esterilidade forçada, para não faltar à fé conjugal; ou transigir das regras da boa higiene, aproximando-se da consorte nos períodos em que não deve; ou procriar fora do casal, o que lhe fará ser pai de alguns filhos legítimos e, ao mesmo tempo, de muitos e muitos filhos inconfessáveis? Não seria melhor, mais digno e mais generoso, argumentam eles, que o homem, em vez de ter uma só mulher legítima e várias concubinas de ocasião, e que, em vez de ter filhos reconhecidos e filhos abandonados, aceitasse corajosamente as imposições do seu organismo e vivesse claramente, à luz da legalidade, com todas as suas consorciadas, sem subterfúgios desleais e dissimulações ridículas?

E os mórmons justificam-se com os exemplos da Bíblia: Lamech, filho de Methusael, teve duas mulheres — Ada e Zilla; Jacob quatro; Abrahão muitas mais; David todas as que herdou de Saul, e Salomão nunca menos de mil.

E entendem que só a poligamia pode realizar o grandioso fim do matrimônio — multiplicar e apurar a espécie; e que ela é a regra instintiva e natural em toda a extensa ordem dos mamíferos que povoam a terra, e que ela é ainda a garantia da felicidade conjugal e dos direitos fisiológicos e sociais da descendência.

Não há dúvida! Tudo isso pode ser muito justo e muito razoável, apenas acho que os senhores mórmons legislaram conforme os seus interesses de homem e conforme os interesses da sua descendência, mas sem pensar absolutamente nas delicadas conveniências morais e físicas da mulher. E como a minha única preocupação era o interesse de minha filha e não o do marido que ela viesse a ter, vi e apreciei o revolucionário dogma social pelo lado contrário ao ponto de vista dos autores, o que fez com que a minha impressão fosse diametralmente oposta à deles. De resto, quando fosse com efeito o casamento polígamo o melhor e mais aceitável de todos, iria eu carregar com Palmira para Salt Lake City, abandonando a minha pátria, os meus amigos e os meus interesses no Rio de Janeiro? E para quê? para a levar a um sultão? para a deixar cair no serralho de Utah, como se deixasse cair uma franga dentro de um galinheiro?

Não! De tudo que li sobre os mórmons, só uma coisa me aproveitou, foi o desejo de consultar a Bíblia a respeito do que era possível fazer pela felicidade de minha filha. E aí, sim, encontrei afinal a chave do problema que me atormentava.

* * *

Foi na Bíblia, foi nessa inesgotável fonte de consolações para os que sofrem, foi nesse eterno poema de amor, que me orientei sobre o único caminho que tinha a tomar.

Depois da lição dos capítulos XII e XV do Levítico, convenci-me de que o mal do nosso casamento não estava precisamente na monogamia, mas só no meio de exercê-la; convenci-me de que um marido, para não perder a ilusão do seu amor conjugal, precisa afastar-se da mulher em certas ocasiões. Eis tudo!

Como afinal é sempre intuitiva e simples a base dos maiores problemas da nossa vida! Mas prossigamos:

A eterna permanência de um homem ao lado da esposa obriga-os a prosaicas intimidades inimigas do amor (amor sexual), e acaba fatalmente por azedar-lhes o gênio e trazer a ambos o fastio, o tédio, a completa relaxação do desejo, e afinal a explosão dos caracteres em perene atrito, e as brigas, a troca violenta de injúrias, e, muita vez, se os desgraçados por falta de educação não souberem conter os seus ímpetos nervosos, o pugilato e até o homicídio.

"L'amour finit par s'aigrir, comme le vin qui reste trop longtemps en bouteille", reza a velha filosofia dos provérbios.

O primeiro ponto da minha questão era pois fazer desaparecer a imoralidade de dentro do casamento monógamo. Ora, este casamento era imoral e trazia o tédio e o cansaço por parte de cada um dos cônjuges, só porque depois do desempenho do primeiro filho, o pai e a mãe incompatibilizavam-se entre si para a concepção perfeita de um novo descendente. Tratei pois de descobrir em que consistia a causa dessa incompatibilidade. Não foi preciso grande esforço de inteligência para dar logo com ela: É que o entusiasmo sensual, o amor, de um pelo outro consorte, era um puro produto da imaginação e do desejo de ambos, e desde que os dois se não separavam nunca, nem só nunca se podiam desejar de novo, como igualmente não podiam manter, de parte a parte, a mútua e cativante impressão que os havia ligado.

O instinto da conservação da espécie, que é o amor, deve ser de qualquer modo tratado como o instinto da conservação pessoal, que é a fome. Não há estômago que resista a faisão-dourado todos os dias; o melhor acepipe, se não for discretamente servido, enfastiará no fim de algum tempo. O mesmo acontece no matrimônio: os cônjuges acabam invariavelmente por se enfararem um do outro, não pelo uso que fazem do seu amor, mas pelo abuso mútuo da convivência e da ternura.

Se tens um prato predileto, que se dá bem com o teu paladar e com o teu estômago, e o qual não podes ver sem sentires a boca lubrificada pelo apetite, não abuses desse estimável prato, para que ele se não inutilize para o teu desejo, e para que possas continuar a saboreá-lo com o mesmo gosto; e principalmente não comas dele sem boa vontade.

A pessoa amada ganha sempre valor e novo prestígio aos olhos do amante, quando dele se afasta por algum tempo. É nessa reforçadora ausência que ela é mais desejada e querida. Dois amantes, inopinadamente arrancados dos braços um do outro e desunidos por um pequeno espaço de tempo, continuarão a amar-se e a cobiçar-se com a mesma primitiva intensidade de antes da posse; enquanto, deixados tranquilamente juntos, na mesma casa, na mesma mesa, na mesma cama, no fim de alguns meses já nenhum dos dois enxergará no companheiro os elementos de sedução que os inodou sacramentalmente, e cada um há de perguntar de si para si, com a mais sincera estranheza, por que diabo se apaixonou por aquela criatura que ali está a seu lado, a ponto de unir-se com ela para sempre, por um voto eterno?

E tanto assim é, que, no caso, infelizmente tão comum, de homens casados que mantêm uma concubina fora da casa em que moram, e com a qual não convivem todos os dias, nem todas as noites, mas que frequentam a furto, uma vez por outra, amam, sempre e sempre, dado mesmo a hipótese de igual valimento físico entre as duas, muito mais a amante do que a mulher legítima, e são por ela capazes de sacrifícios e esforços que já lhes não merece a esposa.

Dir-me-ão alguns que é porque mesmo ele nunca amou deveras a consorte; que sc enganara quando supunha amá-la, e que só depois do casamento, já irremediavelmente tarde, reconheceu o seu erro; e que na outra mulher fora encontrar afinal a "afinidade eletiva", ensinada por Goethe, e pois sentira-se irresistivelmente arrastado para ela.

"O amor que pôde extinguir-se não era amor!" dir-me-ão outros com o poeta.

Pois sim! era bastante que aquelas duas mulheres trocassem as posições entre si, para que o decantado amor também trocasse de objetivo. Fosse a concubina morar com o amante, conviver com ele noite e dia; e começasse a esposa a ser visitada pelo marido somente de longe em longe, em furtivas escapulas, e veríamos qual delas seria, no fim de algum tempo, a mais amada e desejada — a amante de cama e mesa ou a esposa proibida?

Há muito exemplo de marido, que só veio a amar deveras à mulher, depois que esta lhe fugiu para os braços de outro, ou de outros.

Quando um homem e uma mulher são condenados por lei a viver eternamente inseparáveis, o corpo pode ceder a tal violência, mas a imaginação, que é a mãe do amor, essa reage logo e foge, põe-se ao largo, onde as suas asas encontrem livre o espaço e o voo franco. O espírito do homem é por natureza independente e só se poderá escravizar a uma mulher, o que não é tão comum, quando o faça, não por lei de qualquer espécie, mas por livre e espontânea vontade.

A legítima esposa, que vive inalteravelmente ao lado do marido, pode, a força de virtude e de bondade, conservar e até desenvolver a estima, a consideração e o respeito, que ele lhe tributa; pode ser amada moralmente. Mas o outro amor, o sensual, esse belo instinto tão necessário ao bom resultado da progênie, esse vai para a mulher ilegal, para a inconfessável amante, cujos beijos são mais apreciáveis, porque são mais raros, cujas horas de convivência são preciosas, porque são contadas, minuto a minuto, e cujo ligeiro contato de corpo é sempre, para ele, um gozo conquistado, seja pela ternura, seja pelo dinheiro, e nunca um dever imposto por lei ou um direito exercido com sacrifício.

* * *

Estava afinal achado o x do meu grande problema. Consistia em nada mais do que uma pequena inversão de princípios. O meu raciocínio concludente era tudo o que há de mais simples; era o seguinte:

Um casal vulgar só pode ser feliz enquanto dura de parte a parte a ilusão do amor sensual que o determinou; uma vez esgotada a provisão de amor ou de ilusão, o casal deixa de ter razão de ser e deve ser dissolvido. Logo, a mulher, para ser fisiologicamente feliz, precisa substituir o seu amante por um novo, desde que ele não continue a exercer sobre ela o fascinante prestígio que a cativou. Ora, sendo de todo impossível substituir assim um esposo, o que restava a fazer? — Substituir a ilusão. O ator seria sempre o mesmo, os papéis, representados por ele aos olhos da consorte, é que teriam de variar e seriam sempre novos.

Minha filha, pois, conhecendo um só homem, teria nesse homem uma bela e sedutora variedade de amantes.

Mas, como chegar a semelhante resultado? Como obter na vida prática a execução de tão revolucionário sistema? Como vencer a exigência dos velhos costumes e arraigados hábitos domésticos e sociais? Como poderia eu dispor assim de meu genro e governá-lo na sua íntima vida conjugal? Como conseguiria reformar-lhe ou reforçar-lhe, de quando em quando, as suas qualidades insinuativas e os seus dotes de sedução e encanto, para desse modo manter o amor de minha filha sempre no mesmo grau de entusiasmo?

Eis o que principiei a inquirir com alma e coração, até chegar a um resultado satisfatório, como exporei neste manuscrito, se Deus para tanto me conservar vida e saúde. Posso afiançar desde já é que ao amor de mãe nada é impossível, por mais transcendente que pareça, quando se trata da felicidade do filho; e que eu, longe de desanimar com o peso da tarefa que me impunha, sentia a minha confiança cada vez mais segura e forte nas energias do meu coração materno.

9

A invariável convivência matrimonial é coisa muito séria, é a grande razão da corrente infelicidade doméstica, é a causa imediata da fatal desilusão dos cônjuges, mesmo daqueles que se casam por amor legítimo e verdadeiro, como eu me casei; é fonte de inevitável desgraça para a vida inteira, desgraça que os noivos ainda mais agravam, imprudentemente, com os recursos artificiais e hipócritas do namoro, quando aliás a mocidade, a graça natural e o amor, deviam ser os únicos agentes da atração que os ajunta e abrocha.

Quando um moço, ou uma moça, quer casar, qual é o seu primeiro cuidado? — Enfeitar-se; ou melhor — disfarçar-se.

Ela recorre às torturas do espartilho para fazer a cinta inverossimilmente fina, às torturas dos sapatinhos apertados para fazer o pé microscópico; recorre aos arrebiques, ao pó-de-arroz, às opiatas, ao dentista, ao cabeleireiro, à modista. De feia pode fazer de si uma dessas elegantes bonecas de salão, por quem às vezes os homens se enfeitiçam. Ele, por outro lado, trata logo de dar brilhantina e cosmético ao bigode, calça-se com esmero, e estuda os meios, não de conseguir a própria felicidade e a daquela que pretende para esposa, mas de tornar-se irresistível dançando a valsa; e põe monóculo, e faz versos, ou arranja quem lhos faça. E ambos, depois de bem enfrascados em perfume, depois de bem adornados e convertidos no que não são, esforçam-se, cada qual com mais empenho, em esconder aos olhos do outro os seus defeitozinhos e as suas pequenas misérias de entes civilizados.

Ela, coitada! para de si dar cópia de um ser poético e vaporoso, recita poesias sentimentais ao piano, fala de coisas românticas que pescou de orelha, levando a comédia ao ponto de não querer à mesa, se houver rapazes presentes, quase que tocar nos pratos; e suspira, e requebra os olhos, e sibila os *ss*, e remexe-se toda, e toma langorosas posturas estudadas; e quando anda, e quando fala, e quando dança, e quando pousa na cadeira, é sempre com a mesma simulação e fazendo mil esgares de faceirice, mil trejeitos de ingenuidade e ao mesmo tempo de provocação amorosa.

Ele, bem barbeado, cheiroso, limpo e janota, afeta grande pureza de costumes e de maneiras, escolhe para a conversa assuntos finos e termos convenientes; faz-se terno, cordato, circunspecto, com um gênio de anjo; e fala do seu amor e do seu futuro conjugal, com tal doçura e tão voluptuosa virtude, que uma donzela ao ouvi-lo imagina logo que a vida, em companhia de semelhante puritano, há de ser uma nova edição, correta e aumentada, do paraíso, antes da gulodice da maçã.

E assim, mutuamente enganados, mutuamente iludidos e engodados — casam-se.

Essa ilusão servirá para a garantia do primeiro filho. Está muito bem! Mas ainda os dois falam entre si e com os amigos em "lua-de-mel", e já cada um por sua conta começa a descobrir no companheiro imprevistas particularidades, reais e prosaicas, que vão surdamente desdourando o insubstituível prestígio poético que exerciam um sobre o outro.

Hoje um flato mal disfarçado, amanhã um ligeiro transbordamento de humor bilioso, em seguida uma cólica desmoralizadora, e em breve o marido já se não esforça por esconder os seus calos e a sua dispepsia, nem a esposa tem o cuidado de caracterizar-se de mulher bonita: já não mete os cabelos em papelotes para os trazer crespos sobre a testa, já não aperta com sacrifício a cintura e os pés, já não arma aqueles divinos sorrisos provocadores que parecia fazerem parte integrante da sua fisionomia, e já não arranja aqueles fascinantes olhares voluptuosos, que foram talvez o que mais decisivamente determinou a conquista do homem que agora é seu marido.

E as pequenas e apoquentadoras misérias do gênio e do caráter, que se vão revelando dia a dia? E os egoísmos feminis? E as vaidades masculinas? E os desleixos do corpo, que não chegam a ser desasseio, mas que já não são, decerto, o sedutor perfume que ambos sentiam um no outro, durante o período do namoro, e sob cuja influência se amaram, e se desejaram, e se tiveram?

O cheiro! Que importante papel representa ele no amor conjugal e nos destinos da família!...

As secreções da pele são às vezes um terrível inimigo das ilusões do nosso amor de hoje, mesmo aquelas que a natureza em nós criou ingenuamente para lubrificante estímulo dos sentidos. É que a natureza não contava com a degeneração do olfato, produzida pelo abuso, pelo vício, dos perfumes, das essências, dos desinfetantes e vinagres aromáticos, e mais das balsâmicas pastilhas de serralho e do odorante fumo do tabaco. O homem e a mulher, que se casam, só vêm a conhecer um do outro o verdadeiro cheiro, depois de rigorosamente unidos pelos inabrocháveis fechos do matrimônio, quando está mais que provado que, no amor, o cheiro particular do indivíduo tem ação tão poderosa como a cor da sua tez e dos seus cabelos, como o timbre da sua voz, a expressão do seu olhar e da sua boca, o feitio do seu corpo e o caráter geral do seu modo de ser. O olfato tem as suas idiossincrasias, tem as suas antipatias e as suas inclinações, como as têm o ouvido, o paladar, os olhos e o tato. Nos esponsais, os direitos desse sentido, tão respeitáveis como os dos outros seus congêneres, são perfeitamente ludibriados pela perfumaria de toucador, sem calcularem os noivos o perigo que com isso corre a sua futura felicidade doméstica.

O cheiro natural do corpo é por vezes o bastante para desfazer o laço amoroso de um par, mormente quando um bom perfume artificial, usado com insistência e regularidade, tenha, de parte a parte, como que servido de medianeiro durante o tempo de namoro. Os perfumistas são, sem dar por isso, grandes promovedores e grandes dissolvedores de casais.

O gosto e o desgosto do olfato têm máxima importância na questão do amor genesíaco. A mulher, durante certos períodos fisiológicos, deve ser para o marido um ente inacessível, deve ser sagrada; já não digo só com respeito à comunhão sexual, mas ainda para a simples coabitação do leito ou do quarto. Ele, durante esse tempo, nem só não lhe deve tocar no corpo, como até nem dela se deve aproximar.

Eu digo — sagrada; a Bíblia lhe chama — imunda.

E já explicou um filósofo humorista que o casamento era sempre uma permuta, mas não de almas e corações, e sim: durante o dia — de maus humores; durante a noite — de maus odores.

Não convenho nesta jocosidade de mau gosto, mas a mulher, com efeito, naquelas ocasiões, torna-se repulsiva pelo cheiro. A mesma natureza como que assim está insinuando que o homem deve então afastar-se da esposa. O homem, porém, é teimoso e deixa-se ficar; fica por falsa compreensão dos seus deveres de ternura, ou fica por negligência e preguiçosa sujeição aos hábitos.

E a mulher afinal torna-se grávida, e o imprudente continua a dormir ao lado dela. Vêm as enojosas manifestações da crise gestante, as dores matrizes, os enjoos, as desagregações pituitárias, os vômitos, o mau hálito, as aberrações histéricas do gosto — e o teimoso não se despega.

E começa então para os dois uma existência de indecorosa promiscuidade; já não escondem absolutamente um para o outro os seus bocejos e as suas mais repulsivas expansões do corpo. É como se não estivessem juntos; cada qual, sem poder fugir à indefectível necessidade do isolamento — pois que todo o homem precisa de horas de solidão, como precisa de horas de sono, de horas de trabalho e de horas de convivência e prazer — e, não podendo evitar nos seus lazeres a presença do companheiro, abstrai-o do espírito, e acaba por ficar só, inteiramente só, ao lado dele.

E se um dos dois adoece gravemente, fica o outro a servir-lhe de enfermeiro, a mudar-lhe as roupas enxovalhadas, a aplicar-lhe vesicatórios, a dar-lhe purgantes e a ajudá-lo em todos os mais íntimos misteres.

Mas onde está, que fim levou, aquele airoso dançador de valsas, aquele gentil mancebo, que não seria capaz de exibir-se a ninguém, e muito menos à noiva, senão depois de caprichosamente apurado na roupa, no cabelo, nos dentes e nas unhas? aquele irresistível galanteador, que dizia coisas tão finas e que fazia versos tão lindos, e trescalava a sândalo ou cananga-do-japão? E onde está aquela mocinha vaporosa, que era toda graça, delicadeza e perfumes, e que mostrava uma cintura e uns pezinhos tão provocadores, e uma cabeça tão primorosamente penteada, e um colo, e uns olhos, e uma boca, tão misteriosos e divinos?...

— Oh! Isso foi durante o tempo do namoro! — dizem eles. — Hoje somos "papel queimado!" Hoje somos "feijão com carne-seca!"

— Muito bem! — replico eu; — mas os dois que se amaram eram aqueles dois que desapareceram e não vós, que agora aí estais defronte um do outro, sem saber por que e para quê!

— Oh! mas agora nós nos estimamos muito mais. Se desapareceu a ilusão do amor, ganhamos em compensação um pelo outro uma bela amizade que dantes nos não ligava.

— Mas, adorável casal, tu te não constituíste para formar dois bons amigos íntimos, que nenhuma reserva têm entre si e que só desejam conservar a sua boa amizade! Tu, mancebo desiludido, e tu, querida dama despenteada, não vos unistes pelos laços da amizade, mas sim pelos laços do amor, o que é muito diferente; e, uma vez que já não existe amor entre vós, continuai amigos, mas separai-vos de corpo; que vá cada um procurar além novo consórcio para o seu amor, porque ainda podeis ser aproveitados para a única verdadeira missão que a natureza exige de vós — procriar, e procriar bem.

— Ora, — respondem eles. — Mas nós somos felizes assim!...

— Não sois tal! Ah! eu conheço já de longa data essa confissão de felicidade a vosso modo! Vós, maridos, sois todos muito felizes; mas quem tomar a sério os vossos próprios conselhos não se casará nunca, porque cada um de vós, enquanto pela prática justifica o casamento, vai segredando pela boca pequena, ao ouvido de cada um dos amigos: "Eu, cá por mim, não me posso queixar; fui feliz! Não tenho que dizer; mas, aceita o meu conselho — não te cases! Não te cases nunca! É um conselho de amigo, podes crer!"

E repetem quase todos eles a mesma cantiga. É difícil encontrar um marido que não tenha na ponta da língua esta frase: "Eu não me posso queixar, mas não te cases!" sem se lembrarem os ratões de que semelhante conselho já é uma queixa.

Que diabo de felicidade é então essa, que os casados aconselham a todos os seus amigos solteiros que a evitem? Será isso egoísmo na ventura, ou falso vexame de confessar a própria desgraça?

Não, a razão é outra. Quereis saber, contraditórios casados, por que assim falais do casamento? É porque nele sois ao mesmo tempo felizes e infelizes — felizes na vossa amizade; infelizes no vosso amor.

E sois infelizes no vosso amor, simplesmente porque sois desiludidos.

Olhai o casamento entre a gente do campo. Por que razão o camponês é mais feliz no casamento do que a gente civilizada da cidade? É que lá na roça quando o João da Horta vai casar com a Joana dos Porcos já lhe conhece a medida justa da cintura, e já lhe viu os pés descalços, as unhas sujas e a cabeça despenteada; e ela vai sabendo já qual o verdadeiro cheiro que ele tem, e quais são os defeitos e as boas qualidades que o acompanham.

São antes do matrimônio o que são depois — não sofrem decepções! E, como a vida exercitada e simples do campo lhes tem naturalmente conservado melhor a integridade do corpo, e lhes tem poupado calos, enxaquecas, hemorroidas e dispepsias, a infinidade de misérias e inconfessáveis aborrecimentos, que sobrevêm fatalmente na coabitação dos casais civilizados, quase que não existe entre eles.

Assim, só entre os simples, ainda se encontram casados que se amam e se desejam fisicamente depois de ter tido vários filhos; por conseguinte só entre eles as crianças, concebidas depois do primeiro parto, seriam sãs, fortes e inteligentes, se nas relações matrimoniais dos camponeses concorresse o indispensável elemento poético da imaginação, do enlevo espiritual, donde tira o filho a última daquelas três qualidades. Só esse elemento lhes falta no amor, e é por isso que o filho do homem do campo é quase sempre bem constituído de corpo, mas em geral estúpido, ainda mesmo passando logo a conviver entre gente mais cultivada.

Em toda a ocorrência sexual, a ilusão fascinadora do espírito é indispensável para o perfeito equilíbrio do filho consequente.

Concluí pois dos meus raciocínios, não que Palmira precisasse conhecer bem o noivo antes do casamento, ou vice-versa, porque seria isso perigoso debaixo do ponto de vista da ilusão amorosa — ela não era uma camponesa; mas que deviam ambos conservar, eternamente intactas e perfeitas, as boas impressões, que um do outro tivessem porventura recebido no período em que se desejaram pela primeira vez.

A tarefa, como se vê, era mais que penosa, delicada, e de muito difícil execução; eu, porém, estava disposta a todos os sacrifícios por amor de minha filha, e haveria de triunfar! De resto, com que melhor poderia eu encher a vida? A ideia de escrever estas memórias só mais tarde começou a preocupar-me o espírito.

* * *

Mas prossigamos. Vamos ver agora como cheguei à realização dos meus ideais.

10

Na escolha mental que fiz de um noivo para minha filha, pareceu-me fosse preferível um oficial de marinha em serviço ativo, porquanto o marinheiro leva no casamento duas vantagens sobre os homens de outras profissões. A primeira porque o serviço de bordo ou em alguma fortaleza o obriga a afastar-se periodicamente da esposa, cumprindo ele assim, por dever de ofício, com o higiênico preceito da Bíblia; a segunda porque os perigos da sua vida aventurosa, a honra militar e a estética da farda, lhe dão certo brilho especial de antiburguesismo e um fascinante prestígio de altivez e denodo que muito pesam nos interesses do amor.

Nós mulheres gostamos de ver no homem amado tudo aquilo que não possuímos nem podemos aspirar. Quanto mais varonil e másculo for ele, tanto mais nos impressiona e atrai. A força física, a bravura, a energia de ação, e a singela bondade do homem forte, são os dotes masculinos que mais diretamente seduzem uma mulher bem equilibrada. Eu, que amei tanto meu marido, nunca lhe perdoei todavia, no íntimo do meu julgamento feminil, que ele fosse de compleição pouco mais desenvolvido em músculos do que eu. E não era fraco.

As mulheres ordinárias, que não desgostam de ser batidas pelo seu homem, têm a sua absolvição na mesma natureza inferior da mulher. Dar-lhes pancada é prova de falta de respeito e é brutalidade, mas não é prova de falta de amor; antes pelo contrário é essa uma das mais naturais expansões do domínio e do ciúme; e quer sempre dizer superioridade física. Ora, o que a mulher vulgar exige do seu homem não é respeito, mas só amor; logo prefere a pancada a qualquer outra manifestação menos grosseira, porém mais deprimente dos seus interesses sexuais.

Devia, por conseguinte, o noivo de minha filha ser um oficial de marinha em serviço ativo, e homem forte. Mas, como a força física não basta para conquistar um amor complexo, e para manter no mesmo grau de entusiasmo o enlevo poético de uma mulher de certa ordem, era preciso que o meu oficial de marinha, além de são e possante, fosse inteligente, honesto, simpático e carinhoso.

E encontraria eu um sujeito nestas circunstâncias, capaz de amar minha filha?...

Por que não? Palmira tinha dezoito anos, era bonita e perfeita, bem educada, inteligentezinha, e com um dote animador. Seria possível que não houvesse por aí um rapaz pobre, naquelas condições, que se apaixonasse por ela, encaminhando eu as coisas com certo jeito?

Pus mãos à obra: comecei a procurar o meu homem. Em breve, porém, convenci-me de que sozinha não daria conta do recado, e lembrei-me de pedir auxílio ao meu amigo, o Dr. César Veloso, de quem já prometi falar.

Cumpra-se esta promessa antes de mais nada; César Veloso era então um belo velho de cinquenta a sessenta anos, médico, abastado, viúvo, já sem nenhum de seus filhos, e vivendo em companhia de uma irmã, D. Etelvina, único parente que lhe restava e a quem ele estremecia profundamente. Foi o melhor coração e o melhor caráter que encontrei até hoje no meu caminho. Conheci-o, como disse, pouco depois do nascimento de Palmira, e já desde esse tempo o estimava mais do que a meu próprio esposo, de quem ele, só por minha causa, foi bom, leal e verdadeiro amigo.

Deu-se na minha vida e no meu coração uma coisa muito singular a respeito desse homem: Sem nunca formular sobre ele a mais ligeira hipótese de amor sensual, achava-me todavia tão sua amiga, amava-o tanto, que era um verdadeiro prazer, para minha alma, senti-lo perto de mim. Quando as desilusões do meu casamento me prostraram os sentidos e me enegreceram a existência, foi ele o único com quem abri o coração. Falei-lhe com toda a franqueza, queixei-me do meu destino; disse-lhe tudo quanto eu sofria, e até, ainda hoje me parece extraordinário! chorei em sua presença, o que, juro pela felicidade da Palmira, seria impossível suceder com outro, mesmo com meu marido.

Desde esse momento capital da minha vida, compreendi que era também amada por ele como a irmã eleita por sua alma e por sua inteligência. E fizemo-nos amigos para sempre, unificamo-nos em espírito, tornamo-nos moralmente inseparáveis por um tácito consórcio de absoluta confiança um pelo outro; consórcio de imperturbável harmonia de ideais, de alta poesia e de amor imaculado e superior a todas as misérias da carne. E esse amor essencial e puro, que nunca fora nem de leve perturbado pelo sobressalto dos sentidos, era um canto tranquilo e doce, em *que meu pobre espírito* repousava da infernal campanha doméstica e dos enojos do outro amor.

Mas como se poderá explicar essa minha estranha predileção por um homem, que não era meu parente, nem meu companheiro de infância, e quando não havia entre nós de parte a parte o menor impulso de sexo?...

É preciso notar que eu fora sempre considerada, pelas pessoas que me conheciam, como um caráter seco e orgulhoso. E, com efeito, não gostei nunca de revelar, a quem quer que fosse, meus pensamentos e meus íntimos conceitos, nem mesmo a meu marido, com o qual guardei em todos os tempos uma reserva, que ele aliás, coitado! jamais tivera para comigo. Posso até dizer que com Virgílio fui, no último quartel da nossa vida de casados, mais fechada e retraída do que com qualquer outro. No entanto, era bastante demorar-me alguns momentos sozinha perto de César, fitá-lo e descansar por algum tempo o olhar no seu olhar sereno, franco e bondoso, para logo me acudir à boca tudo o que meu coração, tão avaramente, trazia escondido e fechado para os demais homens.

Às vezes, espantava-me eu própria com semelhante fato e, depois de lhe revelar os meus mais íntimos segredos, perguntava a mim mesma — como e por que exercia aquele homem tão grande e decisiva influência sobre meu espírito? Fazia então vivos protestos de mudar de norma de conduta daí em diante. Afinal não havia justificativa para uma distinção tão acentuada! Chegava a parecer-me desonestidade! Mas, na primeira ocasião, em que de novo a sós nos encontrávamos, quando dava por mim, já o meu coração se tinha aberto por si mesmo, e despejava-se até ao fundo em palavras de amor.

Donde vinha toda essa confiança de minha parte? donde procedia esse poderoso e casto sentimento que a César me ligava tanto, e que em nada se parecia com o amor que eu mantive por meu marido, nem com o que eu sentia por meus filhos? Não atinava então com a verdadeira causa do fenômeno e moralmente supunha-me deveras culpada. Só muito mais tarde, continuando a estudar, no meu próprio coração, o coração humano, pude compreender, quando afinal o conheci de todo, que não se tratava com aquele fato de um caso meu particular, mas de uma lei comum para a minha espécie. Essa conclusão assustou-me profundamente e veio abalar todas as minhas ideias aparelhadas a respeito da felicidade conjugal, e, se ela já não chegasse muito e muito tarde, ter-me-ia feito sem dúvida reformar o programa de vida, que eu com tanto empenho e tanto cuidado traçara para minha filha.

Do resultado dessas minhas observações, vim a perceber que, sendo a procriação um instinto, e sendo o amor um sentimento, o grande mal, ou o grande erro, do matrimônio vulgar, consistia no disparate de querer harmonizar e unir, para os mesmos fins, essas duas coisas distintas — sensualidade e amizade — tão contrárias entre si, e tão antipáticas e até perfeitamente incompatíveis.

Compreendi que a mulher — para procriar, precisa de um homem, de um varão, escolhido pelos seus sentidos; e — para amar, precisa de um amigo, de um irmão, eleito pela sua alma e pela sua inteligência. O associado do seu corpo, em caso nenhum, pode ser o associado do seu espírito, ou vice-versa.

Os irracionais também são, como nós, suscetíveis de simpatia e apego de amizade, mas nunca põem esse sentimento, que neles aliás não é tão elevado e tão perfeito como no homem, ao serviço da sua sensualidade e do seu destino procriador.

Compreendi que...

Mas não precipitemos os fatos da minha exposição. Vamos por ordem.

* * *

Como ia dizendo: Logo que me senti fraca para realizar sozinha o programa da felicidade de minha filha, recorri naturalmente à única pessoa com quem eu podia contar, o Dr. César. Escrevi-lhe, pedindo-lhe uma conferência em minha casa. Ele veio no mesmo dia.

Foi uma longa prática. Referi-lhe detalhadamente as minhas apreensões a respeito do futuro de Palmira; expus o que nesse tempo constituía o meu cabedal de observações concernentes ao casamento, e disse-lhe afinal qual era o meu plano resolvido. César ouviu-me, durante todo o tempo, em silêncio, com os olhos baixos, sem desviar um só instante a sua atenção do que eu expunha. Compreendi, pela concentração do seu rosto, que as minhas ideias e o meu projeto o interessavam e surpreendiam extremamente.

Quando acabei, ele tomou-me as mãos entre as suas, com um gesto carinhoso que lhe era habitual a sós comigo; meneou a cabeça e disse-me sorrindo que — em primeiro lugar, me fazia os seus cumprimentos pela lucidez de coração e de inteligência, que eu acabava de patentear; depois, já em ar sério, falou da minha ilimitada dedicação materna, e declarou, ao terminar, sorrindo de novo, que, posto não acreditasse na eficácia do meu plano, pois que em absoluto não acreditava na felicidade, punha-se desde logo à minha disposição e pronto a entrar em campanha, na qualidade de meu ajudante-de-ordens.

Rejubilei de contente. Agradeci-lhe com um abraço sincero. Dispondo de semelhante ajudante-de-ordens, tinha certeza da vitória! César, amoroso e dedicado como sempre fora para comigo, havia de tomar a peito a minha causa e destruiria, com o seu valor de homem, os obstáculos que eu não pudesse quebrar com as minhas mãos de mulher.

— Os seus serviços, meu amigo, disse-lhe eu, vão ser desde logo necessários para uma prévia inspeção, inspeção rigorosa, na pessoa de quem se propuser para meu genro. Só consentirei que se case com Palmira um rapaz perfeito, em plena normalidade de saúde.

— Está claro!

— A menor lesão, o menor vício de organismo ou de sangue, a menor deformação física, é o bastante para pô-lo fora de combate. Não lhe parece?

— Decerto; e desde já respondo por mim, como médico consciencioso... disse o meu bom amigo. Mal apareça o homem, arranje, Olímpia, um meio de pô-lo em contato comigo, e eu me encarregarei do resto. Desde que eu declare: "Este serve! — Este é perfeito! — Este está conforme!" pode você aceitá-lo de olhos fechados, porque não deixarei passar gato por lebre!

Ele ficou para jantar conosco, e toda essa tarde meu coração cantou vitorioso, como se efetivamente já tivesse segura a felicidade de Palmira.

11

Mas o homem põe, e Deus dispõe; um ano decorreu sem que eu descobrisse, para minha filha, um oficial de marinha que lhe conviesse. Ela acabava de fazer dezenove anos e era um mimo de graça e de inocência; amava-me extremamente, e jurava que me faria todas as vontades — só para me ver feliz.

Coitada! — Ver-me feliz!... a mim! Como se no mundo houvesse, para mim, outra felicidade que não fosse a dela própria.

Durante todo esse ano dei festas em minha casa; comecei a receber, às quartas-feiras, todas as semanas. Como sabiam por aí que éramos ricas, não faltaram pretendentes à mão de minha filha; e o bom acolhimento que dispensei logo à farda de marinha encheu-me as salas de velhos e jovens oficiais dessa milícia, com tamanha profusão, que cheguei a recear ter inutilizado o gênero, barateando-o aos olhos de Palmira.

Minha casa parecia já uma repartição de Marinha, e no entretanto a rapariga não se decidia por nenhum dos oficiais. Verdade é que bem raros se me afiguravam corresponder aos requisitos exigidos. Só um, Saturnino da Rocha, primeiro-tenente, de vinte e cinco anos, me deu vivas esperanças. Um belo moço! Mas o Dr. César disse que ele tinha a solitária. Pusemo-lo à margem.

Com o que eu não contava foi o que sucedeu, como acontece quase sempre. Entre os candidatos, colhidos pela rede que atirei ao mar para pescar um noivo, veio, de mistura com os legítimos representantes daquele poético elemento, um empregado público, de segunda ou terceira ordem, um amanuense de secretaria, amador de música; um verdadeiro contrabando, impingido já me não lembra por quem. Era ainda muito moço, bonito e bem-apessoado. Estudei-o de relance; não me pareceu mau de gênio e revelou inteligência quase regular. Tocava piano e bandolim com certa graça; falava inglês, francês e espanhol. Era pobre.

— Quem sabe?... — pensei eu. Talvez apesar da idade, cuja diferença da de Palmira me parecia pequena demais, estivesse naquele contrabando um rapaz aproveitável para os fins que eu tinha em vista... Mas, que pena! não era oficial de marinha!... De todos os proponentes era, todavia, e sem termo de comparação, o melhor como estampa.

Interpelei minha filha a respeito dele, frouxamente, como por descargo de consciência. E qual não foi o meu espanto quando a vi reproduzir fielmente todos os gestos retraídos, que eu própria fizera quando me consultaram, nas mesmas condições, sobre o meu defunto esposo?

Ela abaixou os olhos, corou, sorriu quase imperceptivelmente, e começou a percorrer com os dedos da mão direita os botões do corpinho do seu vestido.

Tomei-lhe as mãos; estavam frias e ligeiramente trêmulas. Interroguei-a de novo, e Palmira, em vez de responder, caiu-me nos braços, soluçando.

Era a coisa, não havia dúvida! Comigo tinha sido tal e qual!

— Gostas dele... Não é verdade, minha filha?... — perguntei-lhe, beijando-a na testa.

— Eu o amo, minha mãe... — foi a sua única resposta.

— Tu o amas! — Sabes lá o que é isso! Queira Deus que não estejas procurando iludir-te; iludir a ti e a mim! Não te deixes levar por falsas impressões!...

— Só com ele me casarei por meu gosto! Só com ele serei feliz!...

— Isso é o que todas nós dizemos nas tuas condições, minha filha... Mas não te mortifiques, que, se o rapaz te ama deveras, e se estiver em condições de casar contigo, não serei eu que a tal me oponha, porque bem sabes que só procuro e quero a tua felicidade.

Ela, transportada, beijou-me repetidas vezes, agradecendo-me com as suas carícias as minhas palavras.

Todavia, talvez que de nós duas fosse eu a mais comovida nesse momento. Quando me separei de Palmira, encerrei-me no quarto e chorei copiosamente. Por quê? Não sei dar a razão; só afianço que um doloroso sobressalto se apossou de mim, e uma dura e fria tristeza, tristeza de velho, encheu-me o coração e escureceu-me a vida.

Procurei consolar-me, refugiando-me na ideia da felicidade de minha filha. Ah! pobres corações de mãe! pobres corações, que tanto sofreis para depois ainda mais vos amesquinhardes, chorando sob o peso infamante e ridículo desta terrível palavra — Sogra!

E apressei-me a procurar o meu amigo. Fui logo no dia seguinte à casa dele. César, ao receber-me, percebeu a minha tristeza; compreendeu-a talvez. Mas não me disse uma só palavra a respeito dela; apenas tomou-me a mão e afagou-a entre as suas, como de costume.

Para bem nos entendermos, os dois, bastava-nos o olhar!

Assentei-me junto à secretária, bem perto da sua cadeira e, em voz baixa e comovida, dei-lhe parte de tudo, e concluí, pedindo-lhe que viesse à minha casa na próxima reunião. — O pretendente lá estaria. César prometeu ir.

E não faltou com efeito.

* * *

Tínhamos muita gente essa noite em casa. Havia concerto e depois dança. Os uniformes de marinha, rebrilhantes de galões dourados, cruzavam-se em todas as salas, ofuscando as casacas pretas e dando àquela minha modesta quarta-feira oficiais realces de uma festa de corte. As damas afidalgavam-se, e pareciam até mais amáveis e mimosas ao reflexo das refulgentes dragonas.

Minha filha cantaria ao piano, acompanhada pelo seu preferido. Ela resplandecia de sedução, naqueles primeiros arrulhos de pomba amorosa, que procura fazer ninho; estava alegre, saltitante, ébria de ilusões e de esperanças.

E pensar eu que, daí a algum tempo, toda aquela gárrula confiança no amor, toda aquela louçania de inocência e toda aquela frescura de mocidade, poderiam emurchecer e transformar-se no que eu sofri pouco depois que me casei!... Ah! mas eu lá estaria ao lado dela para vigilar-lhe o leito de recém-casada, como lhe vigilara, outrora, o berço de recém-nascida. E o meu coração de mãe tremia tanto agora, ao vê-la assim sorrir de ventura às primeiras pulsações do amor, quanto tremera dantes, aos seus primeiros vagidos e às primeiras lágrimas que lhe vi nos olhos.

O concerto correu bem, Palmira foi feliz no que cantou acompanhada pelo namorado, creio até nunca lhe ter ouvido cantar com tamanha expressão. Mal deixaram o piano, apontei o rapaz ao meu velho amigo, que começou logo a observá-lo disfarçadamente.

Daí a pouco apresentei-os um ao outro, e não os perdi mais de vista.

César, insinuante como é, ganhou logo a simpatia, e suponho até que a confiança do pretendente de Palmira. Vi-os passear juntos durante longo tempo, sem deixarem nunca de conversar com o mesmo interesse. Depois tomaram uma das janelas da saleta de estudo, e continuaram na palestra, mais à vontade. Eu, do lugar em que estava, podia observá-los. O médico com certeza falava já de coisas concernentes à boa disposição física, porque notei que o outro sacudia com desembaraço as pernas e os braços, empinando soberbo a cabeça e o peito, como para dar ideia da sua perfeita compleição muscular.

Não pude deixar de rir, principalmente quando César, lá do fundo de sua janela, me fez sinal com os olhos de que a coisa caminhava bem.

O rapaz parecia com efeito muito bem constituído. Era delgado e forte, rico de espádua; boa estatura, pernas e braços bem proporcionados; bom cabelo; olhos vivos, de azul forte; tez limpa, de um moreno pálido, sadio e fresco; barba vigorosa, bem preta, luzidia e fina; unhas másculas e rijas. E os dentes pareciam-me de primeira ordem.

Já morria de impaciência quando o meu bom César, arranchando-se comigo para tomar chá a um canto da sala de jantar, me veio dar conta da sua comissão.

— Creio que temos o homem! — declarou logo, antes de assentar-se ao meu lado. E segredou-me depois: — Mas não dou por enquanto a minha opinião definitiva...

— Ah!...

— Ficamos amigos... — acrescentou César. — Ele, sabe? vai depois de amanhã à minha casa, e, como tem gosto pelos jogos e exercícios de força e faz grande vaidade da sua musculatura, creio que o convencerei de que deve por sistema tomar duchas no meu estabelecimento hidroterápico. Ah! então sim, poderei dar com segurança o meu *veredictum*!

— Aqueles dentes?... Reparou se são verdadeiros?

— São. Afianço!

* * *

Daí a dias, o meu zeloso ajudante-de-ordens procurava-me para dizer-me radiante:

— Completo sucesso! auscultei e observei minuciosamente o rapaz. Creio até que o maganão adivinhou, ou compreendeu, qual era a razão particular que me dirigia, porque veio, por bem dizer, ao encontro do meu desejo e prestou-se ao exame, sorrindo, sem esconder a sua vaidade de homem forte, consciente da sua riqueza orgânica!

Estávamos a sós, na biblioteca, lá em casa. Aproximei-me mais do meu velho amigo, com interesse; e ele acrescentou, dando com ambas as mãos duas palmadas simultâneas nas próprias coxas:

— Um rapagão, Olímpia! o que se pode chamar um rapagão! Equilíbrio perfeito entre o sistema nervoso e o sistema muscular! Órgãos em belo estado de pureza! Uma autópsia seria a mais esplêndida vitória para as suas vísceras! Devia deixar-se dissecar, por orgulho!

— Então, César!... Fale a sério, meu amigo!
— Não lhe descobri o menor vício no organismo. Os pulmões são os de um ferreiro; o coração funciona como um Patek Philippe; o fígado não parece fígado nacional; os rins fariam inveja aos de um atleta! Tórax soberbo; bíceps de gladiador! Em minha presença manejou, com a maior facilidade e destreza, halteres de trinta quilos cada um!
— Sim?...
— É o que lhe digo! E a conformação geral do corpo, esteticamente falando, é simplesmente maravilhosa! Quando o vi nu, pensei ter defronte dos olhos uma estátua grega. Marte e Apolo fundidos, formando um homem. Que belo conjunto de força e delicadeza anatômica! Nem sei como, com a degeneração da raça latina e com a crescente depravação de costumes, ainda possa haver — no Brasil! um moço em semelhantes condições físicas! Verdade é que ele é de raça catalã!
— Que entusiasmo, meu amigo!
— Entusiasmou-me com efeito, o demônio do rapaz! Nunca vi, na minha clínica, um espécime tão puro! É verdadeiramente um belo animal!
— Acha-o então, César, quanto ao físico... no caso de preencher cabalmente o nosso ideal de... de marido de Palmira?
— Oh! Por esse lado não poderíamos desejar melhor!
— E, pelo outro! Que tal será ele? Diga-me, achou-o simpático?...
— Ora! Um homem naquelas condições é o orgulho da sua espécie e há de ser fatalmente simpático. O que mais é a simpatia senão o reflexo da bondade? e a bondade é um produto lógico da saúde perfeita e da força, como são a coragem e a alegria. Fiquei gostando dele infinitamente. Ah! se aquele ladrão fosse meu filho?
— Ainda bem, meu amigo...
— Oh! Pode estar amplamente satisfeita com ele, Olímpia, e dá-lo, quanto antes, para noivo da nossa formosa Palmira. Aquele, se não for vítima de algum acidente, ou não apanhar algum diabólico micróbio que o estrague, morrerá de velho!
Agradeci penhoradíssima os bons serviços do meu querido amigo e pedi-lhe que me ajudasse a colher, logo desde o dia seguinte, informações sobre o passado e sobre o caráter do pretendente de minha filha.

* * *

Desde o dia seguinte, com efeito, pusemo-nos em campo. E foram quatro meses de ininterrompidas pesquisas, em que eu despendi um grande capital de dedicação, de atividade e de paciência, cujo segredo só mesmo um coração de mãe poderia achar. Mas não lamento tais canseiras, porque cheguei ao completo resultado do que eu queria.
Eis o que colhemos:
O rapaz chamava-se José Leandro de Oviedo. (Isso já eu sabia.) Nasceu na província do Rio de Janeiro, numa fazenda de Teresópolis. Era filho de Manoel Oviedo, pintor espanhol, que o teve de uma tal Margarida Porto, senhora brasileira por ele tomada do marido, um rico fazendeiro de café, e com a qual viveu o pintor dez anos.
Leandro foi o primeiro filho de Oviedo, (esta circunstância animou-me a seu favor) e o único que sobreviveu aos pais. Criou-se na fazenda, mas aos cinco anos

fez com a família uma viagem à Europa, donde voltou com dez, já órfão de mãe. O pai destinava-o ao comércio e quis, ao tornar aqui, pô-lo de caixeiro em uma loja de ferragens, mas o padrinho, um tal Gonçalves, com quem o rapaz fora habitar de volta ao Brasil, remeteu-o, três anos depois, para um colégio na Inglaterra, donde Leandro voltou aos dezoito de idade, por morte do seu protetor. Não consegui saber se deste herdou então alguma coisa; soube, sim, que nesse tempo fez ele uma excursão pelas províncias do sul do Brasil, dando com pouco sucesso concertos de piano e bandolim. Dois anos depois morreu-lhe o pai, em completa miséria.

Alguns quadros, e outros objetos que deixou, foram vendidos para pagar o enterro e o último mês de tratamento em uma casa de saúde. Aos vinte anos entrou Leandro, como amanuense, para a secretaria, onde era segundo oficial quando pretendeu minha filha.

Não me souberam informar se foi bom filho, nem descobri quem era ao certo o tal padrinho, que o mandou a educar em Londres, nem tampouco a razão por que este, homem rico naturalmente, o protegeu tanto em vida, sem dele se lembrar depois no testamento; afiançaram-me, porém, que Leandro era moço de bom caráter, regularmente estimado, e que havia rejeitado casamento com a filha de um negociante forte, mas rapariga feia e pretensiosa. Não me constou também que se desse ao jogo, tampouco ao álcool, nem fizesse loucuras por mulheres de má vida. Descobri que ultimamente morava ele, havia um ano, numa casa de família honesta, que lhe alugava um quarto; e soube que tinha um amigo íntimo, com quem era visto sempre aos domingos no clube ginástico a que ambos pertenciam, um Leão da Cunha, rapaz rico e viajado, sócio comanditário de uma casa de comissões no Rio de Janeiro.

E tudo isto descobrimos, César e eu; tudo desenterramos, por amor de minha filha; e foi tudo obtido e foi tudo feito com a máxima reserva e discrição. Leandro, ao que suponho, não desconfiou de coisa nenhuma.

Estudando-o de mais perto, reconheci que as suas maneiras eram, de fato, convenientes e não afetadas para nos engodar durante o namoro; pareceu-me até que, por debaixo daquela forte robustez física, havia um caráter tímido e paciente. Notei com satisfação que ele não abusava do fumo e detestava o cachimbo. Não me pareceu absolutamente ambicioso. Falava pouco do seu piano e do seu bandolim. No entanto, as suas cartas a Palmira, as quais esta me mostrava sempre, eram discretamente escritas, na forma como no fundo, e pareciam sinceras no que diziam de amor.

Convenci-me afinal de que a coisa única que me restava a fazer era casá-los, dando ainda graças a Deus por me ter deparado tão bom partido.

Minha filha mostrava-se cada vez mais empenhada por ele, e Leandro cada vez mais disposto a obedecer-me e respeitar-me nos meus desígnios. Íamos bem.

Quanto a mim, tomava-lhe já estima e habituava-me à ideia de ver nele um futuro filho. Tudo, não obstante, dependia da sua boa ou má disposição para aceitar as condições do casamento. Deliberei impor-lhe as provas preliminares. Entrei em campanha — principiei a contrariá-lo.

Comecei a ser sogra!

12

Meu Deus, como eu, que aliás ainda não tinha então descoberto a terrível lei da incompatibilidade do amor físico com o amor moral, me sentia já ansiosa e apreensiva, pensando no casamento de Palmira! Aquele rapaz, mesmo rigorosamente dirigido por mim, faria com efeito a felicidade de minha filha?... Ama-la-ia deveras? Seria ele com efeito um bom moço, ou teria conseguido enganar-nos, com os seus gestos de jovem atleta civilizado e com os seus claros sorrisos de mocidade olímpica? Oh! também só nisto punha eu todo o meu empenho — em que ele não nos iludisse; pois, quanto ao fato da sua pobreza e da sua modesta procedência, longe de fazer-lhe carga, dava-lhe até boas vantagens ao meu ver. Minha filha e eu éramos bastante ricas, para não precisarmos perturbar o plano da felicidade dela, e minha, com mais esses frios interesses de dinheiro.

Que era ele um belo exemplar de homem, isso é o que ninguém poria em dúvida, e isso valia bem pelo dote pecuniário de Palmira; pelo outro, ainda mais bonito que ela trazia em pureza, inocência e formosura, valeria a boa vontade com que o noivo aceitasse as estreitas e rigorosas condições, que eu lhe ia impor ao casamento. E nesta última parte estava o ponto mais delicado da questão; para realizá-la, sem futuros prejuízos dos meus planos de absoluto domínio sobre eles, dispunha-me a empregar todo o esforço e toda a astúcia de que eu fosse capaz; pois, em consciência, a verdade era que outro homem já não queria eu, nem já me convinha, para cavalheiro de minha filha ou para gerador de meus netos, porque outro com certeza não descobriria eu em condições naturais tão boas e perfeitas como Leandro. Até a sua própria mediocridade de inteligência se me afigurava o belo complemento da sua perfeição de animal humano: — o talento elevado a certo grau é sempre, no amor, uma anormalidade perigosa. Achava-o cada vez melhor e mais próprio para bom marido; achava-o, além disso, muito simpático e atraente; achava graça naquele seu tipo moreno pálido, de olhos muito azuis e cabelos muito pretos; até mesmo o crespo sotaque inglês, que a princípio lhe estranhei e me fazia torcer o nariz, agora achava eu que lhe ia bem com o sonoro metal da sua voz masculina e forte.

Entretanto, não me convinha de modo algum que ele alcançasse com facilidade a certeza da posse de minha filha. Afastava-os intencionalmente; começava a representar, entre eles dois, o terrível papel de linha divisória, de linha sanitária, estabelecida em guerra contra os traiçoeiros inimigos das suas ilusões de amor. Ah! quanto me custava, e quanto me aprazia ao mesmo tempo, esse altruísta e odioso mister de delicada perseguição! Quanto eu me sentia ir ficando sogra! Mas estava disposta a não me arredar um passo do meu programa, ainda mesmo tendo mais tarde de entestar, como já esperava, com a cólera de meu genro e com as lágrimas de minha filha.

Seria muito preferível, em todo o caso, que ela chorasse dessas lágrimas de ilusão, a ter mais tarde de amargar as lágrimas de desengano que chorei.

* * *

O namoro de Leandro ia se tornando tanto mais insistente, quanto mais era por mim contrariado. Só uma vez por semana lhe consentia viesse ver a desejada, nas noites de recepção comum, como todos os outros nossos frequentadores; e isso bem percebia eu que o torturava cruelmente.

Vingava-se nas cartas; essas, consentia eu, fingindo ignorá-las. As cartas não podiam prejudicar, antes serviam, opostamente, para manter firme a intensidade do desejo.

E as coisas assim corriam bem. Ele perseguia e cercava Palmira por toda a parte e em todos os lugares, no passeio, nos teatros, nas compras à rua do Ouvidor; mas, quando me via, antes de ver minha filha, perturbava-se logo, sem ânimo de vir ter conosco e contentando-se apenas em cumprimentar-nos com o chapéu. Coitado! tinha-me medo!

Ah! se ele soubesse todavia quanto o meu coração é bom!

Pareceu-me chegada a ocasião de preparar o espírito de minha filha para a campanha já travada. Conversei largamente com ela. Falei-lhe muito do seu casamento, não em tom de mãe ralhadora, mas no de amiga confidente; falei-lhe como se fosse apenas uma sua irmã mais velha. Palmira felizmente compreendeu e compenetrou-se do louvável alcance da minha norma de proceder. Disse-lhe claramente que a sua felicidade dependia daqueles alicerces; e que ela me deixasse, a mim, parecer às vezes impertinente e dominada por espírito de contrariedade; que deixasse, confiante no futuro; não era natural que estivesse eu em erro, porque toda a complicada arquitetura do edifício daquela felicidade tinha a sua base na experiência dos fatos essenciais da vida doméstica e no profundo estudo da desgraça do amor conjugal. Ela, ameigando-me contente, jurou que de corpo e alma se entregaria às minhas mãos, e que nem só me obedeceria sempre, mesmo depois de casada, como ainda havia de ajudar-me na execução dos meus designios.

Abraçamo-nos, satisfeitas e concertadas com aquela conferência.

— Olha! — disse-lhe, em remate. — Asseguro-te é que, até hoje, mãe nenhuma pensou na felicidade de sua filha com tamanha dedicação, nem fez por ela os sacrifícios que por ti afronto, minha Palmira. O menos que me pode acontecer é ser amaldiçoada por teu futuro marido, por quem aliás devia eu ter o direito de ser amada como verdadeira protetora. Ah! não me iludo neste ponto! Não procuro enganar-me — bem sei o que me espera!...

No dia seguinte a esta conversa, que sem dúvida ia ter uma grande influência moral no destino de minha filha, mandei preparar as malas e parti com ela para Petrópolis, combinando entre nós duas que de nada se daria parte ao pretendente. Manobra de guerra! Queria provocar o inimigo. A minha retirada brusca era simples negaça feita ao assaltante. Convinha que Leandro, desde logo, se fosse habituando ao meu sistema estratégico.

Produziu efeito. Ele, três dias depois, surgia-nos por lá, com um ar de hesitação solerte e um grande ramo de camélias frescas. Recebi por minha parte a visita um pouco friamente, e nenhuma de nós duas insistiu com ela para que se demorasse. O rapaz, logo à primeira despedida, foi-se, escabreado e vermelho de confusão.

Como no outro dia, encontrando-nos na rua, se embandasse conosco para um passeio à Renana e declarasse que passaria o resto do mês em Petrópolis, tocamos na manhã seguinte para a cidade, sem que ele desse pela nossa retirada. Palmira tentara interceder desta vez pelo namorado; arriscara mesmo a súplica de um dia mais de demora; eu, porém, cortei-lhe a palavra com um olhar, em que a pobre criança leu toda a inutilidade da sua pretensão.

***

Foi um mês depois disso que se deu o pedido de casamento.

Era domingo; tínhamos acabado de jantar e havíamos passado para o gabinete de trabalho que fora de meu marido, quando, depois de ouvir parar um carro à porta da rua, veio o criado anunciar-me que o Sr. Leandro, vestido de casaca, estava à espera na saleta do corredor e desejava falar-me.

Compreendi logo do que se tratava: César já me tinha preparado; mas nem por isso foi menos agudo o choque que senti no coração. Troquei um olhar com Palmira, que abaixou as pálpebras enrubescendo. Mandei que o criado conduzisse o visitante para o salão, e disse depois a minha filha, cujo crescente sobressalto lhe fazia arfarem os seios, que se não nos apresentasse sem ser chamada; passei-lhe com os olhos uma rápida revista da cabeça aos pés, fiz-lhe ligeiras correções no penteado, dei-lhe um beijo, e saí do gabinete.

Ó meu Deus! ia travar-se o grande momento, que de antemão me fazia tremer de medo; medo de que o ridículo, num só instante, derribasse todos os meus castelos de mãe amorosa e sonhadora. O que iria passar-se naquela sala entre mim e o pretendente de minha filha?... Mas era preciso não hesitar no que estava por mim determinado, porque assim o exigia a felicidade dela! Entrei um instante no quarto do oratório e, numa ligeira súplica, pedi coragem a Deus; segui depois até ao toucador, alisei melhor os cabelos sobre as fontes, corri os olhos rapidamente pela roupa, e fui ter com a visita.

Entrei na sala vagarosamente, afetando grande tranquilidade; havia, porém, de estar ainda ofegante e pálida.

Leandro mostrava-se francamente comovido. Ao ver-me, precipitou-se ao meu encontro e balbuciou algumas palavras de cortesia, que lhe não passaram dos lábios.

Fi-lo assentar-se e assentei-me perto dele.

Com prazer notei que o belo moço, assim em alto trajo, mais belo ainda me parecia. Tinha aparado a barba; os dentes luziam-lhe como se fossem de um metal branco e polido, e os seus grandes olhos de safira pareciam joias coruscantes. A casaca assentava-lhe muito bem, desenhando-lhe a cinta esbelta, fazendo sobressair o seu busto altivo, e deixando em desembaraço a rica musculatura das coxas. E a comoção enriquecia-lhe mais o rosto com uma austera palidez de mármore consagrado pelos séculos.

***

Depois que o meu espírito atingiu o seu pleno desenvolvimento, sempre achei o homem mais belo que a mulher; ou por outra: achei que a beleza do homem era mais valiosa que a beleza feminina, como de resto se observa geralmente nas várias espécies de animais inferiores.

A mulher tem encantos, mas o homem tem real beleza. Nos encantos da mulher há todos os perturbadores mistérios da volúpia terrestre, mas na serena e máscula beleza do homem há sempre um quê de divino e sagrado. Nenhum homem será capaz de impressionar-se pelos encantos físicos de uma mulher, sem que nisso entre o concurso dos seus sentidos; ao passo que qualquer mulher pode admirar um homem belo, sem desejá-lo sensualmente. É assim que nós mulheres amamos Jesus Cristo; e se Maria, a formosa Virgem Santíssima, não tivesse, para resguardar a sua enamoradora e frágil boniteza de mulher, a celestial e sacrossanta auréola de mãe de Deus, o que seria de ti, ó doce, poético e venerando prestígio do catolicismo?...

Cristo atravessa os séculos, todo nu, de braços abertos para a humanidade, e a sua nudez de homem jamais trouxe rubor de pejo às faces da donzela, nem acordou desejos no peito das mulheres.

Mas se despissem Maria das castas vestimentas que lhe escondem o divino corpo, ela deixaria de ser a piedosa e cândida rainha dos céus, e seria Vênus, a deusa do amor e do pecado.

Estas considerações fi-las eu defronte do homem a quem minha filha chamava, de braços abertos e lábios postos em beijo, através das alvas e rendilhadas pétalas do seu leito virginal — grande lírio branco, embalsamado e puro, que franqueava a sua urna de amor ao resplandescente inseto fecundante.

Palmira tinha inteira razão em chamá-lo e desejá-lo com tamanho amor: um homem perfeito como aquele é a melhor obra de Deus. A mulher, essa lhe é tão inferior, em todos os sentidos, que não chega a ser o seu par, mas um simples complemento dele. A perfeição da mulher não é absoluta, como a do homem é relativa. Se o homem tivesse sempre a compreensão justa do seu próprio valimento e da sua superioridade, havia de ser para a pobre mulher muito melhor do que é com efeito; seria verdadeiramente o seu protetor moral, o seu bom e paternal amigo, e não o seu egoísta e sensual adversário. E quando um homem se colocasse, como muita vez sucede, ao nível da fraqueza de uma mulher, para enganá-la de igual a igual, teria vergonha e remorsos de haver com isso cometido a mais degradante covardia que é possível no seu sexo. Se esse poderoso, belo e adorado animal, que tem forma de Deus, e que nos governa brutalmente, compreendesse a responsabilidade da sua força — quando um homem de trinta anos conseguisse iludir uma rapariga de quinze, ele, e não ela, é que ficaria desonrado.

* * *

— Minha senhora... — balbuciou Leandro, afinal, vergando-se para falar-me de mais perto.

E eu interrompi meus pensamentos, para escutá-lo. E inclinei-me também, dizendo a meia voz:

— Estou às suas ordens, amável senhor. Pode dizer qual é o motivo da sua visita...

13

— Antes de falar, minha senhora, no delicado objeto que aqui me traz... — principiou Leandro, com a voz um pouco alterada, — preciso da prévia garantia do seu perdão, sem o que não terei ânimo de cometer semelhante atrevimento...

Autorizei-o a que falasse e prometi a minha indulgência.

— Imagine, minha generosa senhora, — continuou ele, — imagine como devo tremer em sua presença... Juro-lhe que, se o meu amor não me merecesse todos os sacrifícios e não me tivesse roubado a razão, não cometeria eu a loucura, a temeridade, o crime talvez, que estou agora perpetrando...

— Continue, — acudi, sem modificar a minha fisionomia.

— Imagine, minha senhora: eu, que nada sou; um pobre-diabo sem passado e sem futuro, filho de uma união irregular, atrevo-me a vir pedir-lhe me conceda tudo o que há de melhor no mundo; tudo o que há de mais puro, de mais belo, de mais ideal! Imagine que eu, um desgraçado, tenho o desvairamento de pedir-lhe a mão de...

Hesitou, abaixando os olhos. Compreendi que, a menor palavra de recusa, o pranto rebentaria deles com violência.

— O senhor está autorizado por minha filha a fazer-me semelhante pedido? — perguntei-lhe depois de uma pausa, em que ouvia a larga respiração dele.

— Sim, minha senhora.

— E, no caso que obtenha o meu consentimento, estará o senhor disposto a fazê-la feliz, como eu o entendo?

— Juro! — exclamou o rapaz.

— Não! não jure ainda, sem primeiro responder-me, se já sabe como é que tem de a fazer feliz...

— Minha senhora, — volveu Leandro, reanimado por estas palavras e aproximando a sua cadeira para mais perto da minha, — ainda há pouco não pude entrar em pormenores, nem disse quase nada do que trago a intenção de dizer... V. Ex.ª compreenderá sem dúvida o meu estado de comoção...

— Sim. Fale.

— Minha senhora, eu adoro sua filha, e sei, e sinto, e afianço, que nunca mais amarei assim outra pessoa em toda a minha vida! Juro que...

— Não! — interrompi. — Não prometa coisa nenhuma! Fale só do presente; deixe lá o futuro que a Deus pertence! Quem pode nesta vida determinar com segurança alguma coisa futura?... Pois se pelo passado, que já está vivido, nem sempre podemos responder, porque ele às vezes nos foge da memória, como quer o senhor legislar sobre o porvir, ainda todo incerto? Fale-me do presente!

— Tem razão, minha senhora, e consinta que eu prossiga: Amo loucamente a senhora sua filha e só com ela posso compreender uma união eterna... Mas, V. Ex.ªs são ricas e eu sou pobre... ganho pouco; esse pouco, porém, chega com economia para duas pessoas resignadas... Entretanto, se ela própria me não tivesse jurado aceitar com satisfação o sacrifício de partilhar da minha pobreza, não faria a V. Ex.ª, nem por pensamento, o temerário pedido que acabo de fazer. Desejo que V. Ex.ª me conceda sua filha, sem outro dote além das virtudes que a enobrecem e além dos seus encantos pessoais...

Eu sorri. Não sei se era sincero o que ele dizia. Talvez fosse, porque a mocidade é quase sempre generosa e o primeiro amor é leal e adora o sacrifício. Mas a ideia, de consentir que minha filha partilhasse do magro ordenado de um amanuense de secretaria, pareceu-me infinitamente extravagante.

Já se vê que entrava no meu sorriso um pouco de vaidade; qual é, porém, o nosso ato social em que a vaidade não entre em grande ou pequena dose?

— Senhor José Leandro de Oviedo, — declarei-lhe formalmente — o dote de minha filha pertence a minha filha. Dele partilhará a pessoa que se casar com ela; e se dela tiver filhos, herdará de mim, como a esposa, o que eu por minha vez herdei de meus pais, de meu sogro e de meu marido. Isso é questão assentada e nem é disso que convém tratar aqui. Entendo que tanto pode dignamente um moço pobre casar com uma moça rica, como um rico dar a mão de esposo a uma pobre, desde que essa união seja inspirada no interesse do amor e não no interesse do dinheiro. As ideias a isso contrárias são cópia de mal-entendido orgulho do homem. Entendem eles que uma mulher deve aceitar tudo das mãos do marido, e que este no entanto fica humilhado recebendo iguais benefícios da mão da consorte. Não é má essa moral! Que o homem faça do casamento um meio de enriquecer, acho indigno, como igualmente acho se o fizer a mulher; se o consórcio, porém, não for obra do dote e sim do amor, nada mais curial que os dois dividam amigavelmente entre si o que um deles possua, e que vivam felizes. Mas, graças a Deus, tanto minha filha como eu, somos bastante ricas para nos não preocuparmos em saber se o noivo dela traz ou não traz bens de fortuna; mesmo porque o casamento de Palmira não será um casamento vulgar, e coisas muito mais sérias que o dinheiro têm de ser discutidas nesta ocasião, aqui entre nós dois. Ponhamos pois de parte a questão pecuniária. Não se persuada, todavia, o senhor de que, por não trazer dote, esteja dispensado de dotá-la. A retribuição que exijo é de outra espécie, mas não é por isso menos valiosa que o dote dela...

— V. Ex.ª tenha a bondade de dizer o que exige de mim. Seja o que for, estou pronto a cumprir! E o que não faria eu para alcançar tão grande e sublime prêmio?!

— Pois responda às perguntas que lhe vou fazer...

— Estou inteiramente às suas ordens, minha senhora.

— O senhor ama minha filha tanto quanto diz?

— Juro que a amo tanto quanto é possível!

— E será capaz de um grande sacrifício para obtê-la em casamento?

— Desde que não seja um sacrifício de honra... estou disposto a tudo!

— Não, não é um sacrifício de honra, e antes de prosseguir, declaro-lhe que minha filha é pura, perfeitamente pura!

— Posso então jurar que, seja qual for o sacrifício, eu o farei, minha senhora!

— E como me provará o senhor que é um homem de honra, para que sua palavra me sirva de garantia?

— Pode V. Ex.ª indagar a meu respeito de todas as pessoas que me conhecem. Até hoje tenho sido um homem honrado: nunca faltei à minha palavra, nem cometi ação que pudesse desdourar o meu caráter...

— E como garantir a sua palavra?

— Posso assinar um documento, um título de honra. Aceito as condições que V. Ex.ª exigir...

— Pois então o senhor assinará uma declaração, formal e precisa, dirigida à polícia, dizendo que a ninguém devem atribuir a autoria da sua morte, porque foi o senhor mesmo quem pôs termo aos seus dias. E empenhará comigo a sua palavra de honra em como a ninguém revelará a existência desse documento; documento que será reformado de três em três meses. Aceita?

— E é esse o sacrifício que V. Ex.ª exige de mim?... — perguntou Leandro, a sorrir.

— Não, — respondi eu, muito séria — isso é apenas a garantia da sua palavra e da minha impunidade, caso tenha eu, algum dia, de eliminá-lo para sempre de minha família. Esse documento só servirá na hipótese de que o senhor falte ao cumprimento de sua palavra, porque então, juro-lhe que o farei matar...

— Ah!

— Sem dúvida. E ainda está em tempo de voltar atrás. O senhor ainda se não comprometeu comigo a coisa alguma.

— Recuar? Acha V. Ex.ª que eu possa recuar, desistir da única felicidade que ambiciono neste mundo?!

— Pense bem, antes de responder...

— Não há que pensar! Uma recusa em nada me adiantaria; V. Ex.ª dispõe já de minha vida; tem-na fechada na mão! Tanto vale dar-me a morte, negando-me sua filha, como me fazendo assassinar.

— O senhor só será assassinado se não cumprir com a sua palavra...

— Tenha a bondade de dizer o que exige de mim...

— É pouco. O senhor, depois de casado com minha filha, não coabitará com ela; o senhor morará só, numa boa casa, bem servida e bem mobiliada, que porei às suas ordens; ao passo que Palmira continuará a residir em minha companhia e só estará com o marido o tempo e as vezes que eu consentir. Serve-lhe?

— Mas eu terei então de viver separado de minha esposa?!...

— Separado totalmente, não. O senhor poderá vê-la e estar com ela frequentemente, não digo todos os dias, mas quase todos. Prometo mesmo que minha filha passará ao lado do marido um ou mais dias; levo até a condescendência a tolerar que fiquem juntos uma ou outra noite. Mas, desde que eu a reclame ou vá buscá-la, o senhor não poderá opor-se a que ela venha para a minha companhia.

— V. Ex.ª está gracejando com certeza... ou suporá que a minha intenção é privá-la de ver a senhora sua filha todas as vezes que quiser?... Mas, se assim for, valha-me Deus! não vejo razão para não morarmos juntos!...

— Não! não! Não estou gracejando, nem admitirei, nunca, que o senhor more conosco. Nunca! E só consinto no casamento, sob as condições expostas. Se elas lhe convém, o senhor passará o documento, e minha filha será sua esposa...

— Mas, permita, minha senhora, que...

— É inútil, senhor, toda e qualquer reclamação. Repito que só consentirei no casamento de minha filha com o senhor, ou seja com quem for, nas condições apresentadas. Se quer algum tempo para refletir, pode retirar-se; dou-lhe quinze dias.

Leandro, que agora parecia ouvir minhas palavras como ouve um condenado a sentença de morte, apertava os lábios, franzia as sobrancelhas e cerrava os punhos, mal contendo a sua agonia. Afinal, disse com o ar submisso e a voz resignada:

— Para que refletir, minha senhora?... Estou disposto e estou pronto para tudo. Aceito o compromisso!

— Pois aí, na saleta ao lado, — declarei, erguendo-me da cadeira — encontrará o senhor papel e tinta; passe o documento pela minuta que lhe vou dar. Já a tenho escrita. Com licença.

E saí da sala, para ir buscar a minuta à gaveta da minha secretária, e principalmente para respirar, no alívio daquela solução.

Ah! felizmente estava passado o grande escolho!

De volta fui ter com Palmira. À minha primeira palavra, ela declarou, enrubescendo e sorrindo, que ouvira toda a minha conversa com Leandro.

— Bisbilhoteira!... E o que tens tu a observar?... — perguntei-lhe.

— Eu?... Mamãe bem sabe que sempre acho bem feito tudo o que a senhora fizer...

Dei-lhe um beijo na testa e voltei ao salão, depois de fazer-lhe sinal que podia vir também.

14

Ai, quanto me custou a levar a cabo aquela singular conferência com meu futuro genro!... Como devia eu parecer-lhe caprichosa e ridícula! .. Mas está claro que não havia de sacrificar minha filha a um falso escrúpulo de momento, a um miserável egoísmo de minha vaidade pessoal. Seria covardia indigna de mim — abandonar, à primeira dificuldade da campanha, todo o meu trabalho de tanto tempo, e comprometer para sempre a felicidade de Palmira e por conseguinte a minha própria.

Depois do pedido, principiamos logo a cuidar dos aprestos para o casamento. Mandei preparar a casa do noivo, e dispus com todo o esmero, lá em minha residência, os aposentos destinados à noiva. Eu e minha filha acompanhamos as obras com igual empenho e dedicação. Tanto em uma casa como na outra, tudo se fez para o completo conforto de um par; dir-se-ia que se tratava de acomodação, não de um, mas de dois casais.

Para meu futuro genro destaquei um pequeno e galante prédio que possuíamos em Botafogo; ficou excelente depois de bem mobiliado e guarnecido com esmero. Para minha filha mandei arranjar, lá em nossa casa nas Laranjeiras, onde ela nascera e onde eu habitava havia vinte e dois anos, uma sala, uma larga alcova de casados, um quarto de estudo e oratório, outro de vestir, e um cômodo de toucador e banho; tudo isso independente, por modo que ela ficasse em liberdade e pudesse ter as suas entrevistas com o marido, quando as não realizasse em casa dele. Ficou tudo muito bom.

Os enxovais também foram aviados em duplicata, à exceção, bem visto, do vestido da noiva. Em qualquer das duas habitações podia um casal instalar-se comodamente. Minha filha palpitava de alegria no antegozo do seu amor, e eu sentia-me feliz por vê-la feliz; mas ninguém poderá calcular a dose de energia e a constância de caráter que tive de pôr em ação, para impedir que o noivo interferisse e se intrometesse nestes arranjos domésticos, e não estivesse sempre encarrapichado às nossas saias. O pobre rapaz queria também, como é do costume no Brasil, vir todas as noites visitar a noiva e pespegar-se ao lado dela durante o serão até ao momento de servir-se o chá. Não faltava mais nada! desalojei-o logo dessa pretensão, declarando que a ninguém recebíamos senão às quartas-feiras; mas, o demônio insistiu, recorrendo para vencer-me a todos os carinhosos recursos da adulação; e afinal, reforçando suas súplicas com as de Palmira, conseguiram os dois apanhar-me mais um dia na semana, que ficou sendo o domingo.

Só nas vésperas do casamento permiti que se vissem todos os dias.

* * *

Por essa ocasião realizamos os três, e mais o meu velho amigo César, um belo passeio à Floresta da Tijuca.

Ao despontar de sol estávamos já à raiz da serra. Levávamos farnel e um criado para tomar conta dele. Deixamos na cocheira daquele ponto o carro que nos conduziu até aí, e tomamos, para subir a formosa cordilheira, uma vitória de dois lugares, onde eu iria com César, e em cuja boleia o criado se arranjaria com o farnel. Palmira e Leandro tinham, prontos à sua espera, dois cavalos escolhidos.

Era outubro, e a manhã saíra-nos encantadora. Foi deliciosa a subida até ao alto da serra, por entre as vegetações e os penhascos da estrada, ao primeiro transbordamento do dia. A quaresma e a sucupira abriam já, na sombra azul das matas, flores roxas e amarelas. Inebriava o espírito deslizar suavemente naquele vasto recender de aromas resinosos, ao hino matinal dos campos, que se iam, ainda mal acordados dos seus sonhos cor de opala, preguiçosamente desnevoando à dourada fulguração da luz nascente.

Não nos quisemos deter na Cascatinha, e continuamos a subir para a Floresta.

A Floresta! Ah! quantas recordações não tinha eu desses lugares, onde tantas vezes passeei pelo braço de Virgílio, antes do nosso casamento, antes da nossa desilusão, quando eu ainda o amava com amor de mulher! César ao meu lado, no carro, parecia também esquecido nas suas saudades, porque ia abstrato e mudo, olhando fixamente o misterioso horizonte de verdura, com as mãos sobpostas ao queixo e firmadas no castão da sua bengala.

Palmira e Leandro seguiam adiante, cavalgando emparelhados, a rir e a conversar, gárrulos e donairosos. Ah! esses não ficavam quietos e calados um só instante, porque iam vivendo do presente e do futuro. Avançavam a galope, resplendentes e soberbos no orgulho do seu amor e da sua mocidade, sem volver para trás os olhos enamorados; alheios ao passado, alheios a tudo, encarando com desdém o resto do mundo, como do alto da montaria olhavam no caminho as pobres cambaxilras, que esvoaçavam escorraçadas fugindo e gralheando à sua vitoriosa passagem.

Penetramos no coração da Floresta. Minha alma, de comovida, abriu-se de par em par, num êxtase contrito, num doce e profundo enlevo religioso. Tive vontade de ajoelhar-me à sombra das velhas árvores e chorar.

Como eu te amava ainda, casto paraíso das minhas saudades! ó minha querida floresta! Não tinhas, como eu, envelhecido, odorante e sombrio templo de verdura! encontrei-te moça e garrida como te deixara, e como a mim tinhas visto, dantes, muito dantes, à flor da minha juventude; o que agora te não achei foi tão minha amiga, tão minha confidente e tão comunicativa como dantes. Eras alegre, paraíso! achei-te triste!

Não! já não eras para mim o mesmo éden carinhoso e sorridente, que com todas as tuas vozes me falavas de amor e de vida! Reconheci as tuas místicas estradas murmurantes; os teus brancos caminhos serpeados entre montanhas de veludo verde; as tuas árvores patriarcais, de longas barbas venerandas, em que se engrimpam e dependuram orquídeas e parasitas; o teu lago quieto e melancólico, em que as taquaras e samambaias se miram furtivamente, por entre a esparsa e mergulhada cabeleira das algas e nenúfares; reconheci a música plangente das tuas águas rebatidas, de cascata em cascata, a sombra amorável e doce das tuas grutas escondidas; reconheci tudo isso, todas essas paragens encantadas; mas já não eras a mesma para mim, Floresta, que me embalaste os sonhos de esperança!

Oh! como Palmira nesse mesmo instante devia achar-te alegre, triste Floresta! Triste e morto paraíso de saudades!

— Em que cisma, minha amiga?... — perguntou-me César, tomando-me uma das mãos.

— No mesmo em que você pensava ainda há pouco — no passado... Cismas de velho!...

E suspiramos ambos, desconsoladamente.

* * *

Voltei desse longo passeio, de um dia inteiro, com uma fria impressão de tristeza, que se não dissolveu em lágrimas, mas que enlutou de sombras dolorosas o meu velho coração de mulher.

E comigo foi sempre assim, muito antes mesmo da velhice. A contemplação de belas paisagens como a da Floresta, as grandes obras de arte, a música principalmente, deixavam-me na alma um amargo ressaibo de melancolia insolúvel. Atribuía isso, então, ao fato de nunca ter sido, em nenhum tempo de minha vida, completamente feliz. Essa tristeza era como que, não a saudade, mas a desconsolação de quem entreviu, compreendeu e sentiu a ventura natural do viver inteiro e completo, sem nunca lograr desfrutá-la; e que, depois, já na velhice, se acha afinal sem esperanças de gozá-la ainda algum dia, nesta, ou noutra qualquer existência. Era o flébil ressentimento de um pobre coração espoliado e vencido.

E já agora confesso tudo: cheguei a ter uma incogitável ponta de inveja por minha filha... Mas não invejava a noiva, invejava a felicidade de mulher que a esperava, feita e preparada por mim. Ah! eu não tivera mãe, como ela me possuía!...

Entretanto, não me fartava de contemplá-la, embevecida de amor materno; e não me cansava de rever-me na sua paradisíaca ventura, achando-a mais feliz com seu amado, neste paraíso, do que no outro extinto os primitivos amantes; que esses, ai deles! só chegaram a conhecer o amor pelo prisma da maldição e do pecado. Contemplei-os, feliz na minha inveja, belos como estavam, minha filha e meu genro, naquele passeio à Floresta da Tijuca! Como a inteira segurança da ventura os fazia monarcas absolutos da vida! Ainda agora, enquanto escrevo estas linhas à luz do meu candeeiro de trabalho, tenho-os nitidamente defronte dos olhos, como os vi nessa linda tarde, depois do almoço na gruta dos Dois Irmãos. Como eram um lindo par! Ele, com a sua roupa de montaria, assentado ao lado dela, fustigava com o chicote a pedra em que estavam ambos; Palmira, mais esbelta na sua amazona azul-ferrete, escutava-o sorrindo, com os olhos fitos nos dele. E entre seus lábios, que nunca até então se tinham juntado, havia sempre, no murmúrio das palavras um sussurrar de beijos.

E vendo-os assim, tão íntimos, tão confiantes um no outro, tão seguros da sua eterna felicidade e do seu eterno amor, lembrei-me do meu tempo de noiva, lembrei-me das minhas esperanças, e logo também das negras decepções que sobrevieram ao meu casamento. Oh! se eu não estivesse ali, para interpor-me entre eles e separá-los quando fosse preciso, aquele par, tão harmonioso, tão sinceramente unido pelo amor; aqueles dois entes, tão talhados um para o outro, como eu parecia ter sido para meu marido, seriam no fim de algum tempo, se não tivessem reagido logo, fugindo cada um para seu lado, dois míseros infelizes, dois perdidos para a vida, dois inimigos rancorosos, condenados a viver na mesma casa, a comer na mesma mesa, a dormir na mesma cama!

Quão diferente fora a minha existência, se eu tivera possuído alguém capaz de fazer pela minha felicidade um pouco do que eu fazia pela felicidade de minha filha! Oh! mas só mesmo um coração de mãe seria capaz de tanto, e só ele conseguiria as coisas extraordinárias, que ainda tenho a revelar nestas sagradas páginas.

15

Já próximos do casamento, consultei Leandro a respeito do seu futuro e aconselhei-o a que deixasse o emprego público pelo comércio. Eu me comprometia a ajudá-lo e me encarregaria de encaminhar as coisas, no caso que ele aceitasse o meu alvitre. César, que dispunha de boas relações na praça, tomou a seu cargo descobrir um sócio que conviesse ao rapaz. Eu entraria com a metade do capital, escondida atrás da firma de meu genro; a outra metade sairia do dote de Palmira.

O generoso médico, para quem minha família não tinha segredos, tomava crescente interesse pelos noivos. Seria ele um dos padrinhos de Palmira. Entusiasmava-o aquele casamento, assim levado a efeito contra todas as danosas praxes convencionais; prefigurava-se-lhe o meu original proceder alta lição doméstica, e dizia que a minha firmeza, em realizar o difícil plano concebido, dava uma bela cópia da energia do meu caráter, e havia de produzir obra de grande alcance sobre a futura orientação da vida conjugal. Fazia-me vaidosa o bom amigo! E começou a empenhar-se por Leandro com tão boa vontade, que o rapaz podia dizer encontrara nele um pai melhor que o verdadeiro. Foi César, enfim, quem moralmente o preparou para representar, junto de Palmira, o papel que eu lhe havia designado; sem essa inteligente e perseverante ajuda, não sei se teria conseguido chegar, vitoriosa, ao fim da minha empresa.

Leandro pediu a sua exoneração do emprego público na mesma semana do casamento.

Este foi num sábado, às cinco horas da manhã, sem pompas e sem ruídos; era nada mais que o meio de coonestar o namoro de Leandro com minha filha. O seu estado de noivos continuava por bem dizer como dantes; simplesmente, já desposados, gozavam de mais liberdade entre si, e poderiam, à sorrelfa, ir mais longe nos seus galanteios. Quis, intencionalmente, criar-lhes um transitivo período de beijos furtados e desejos mal contidos. Isso era necessário. Seria preferível essa iniciação da sexualidade a deixá-los, conforme o costume, promiscuamente encerrados numa alcova, durante muitos dias seguidos.

É torpe lançar na mesma cama, sem transição, um rapaz e uma donzela, que horas antes se tratavam ainda com certa cerimônia e só se amavam por palavras, olhares e sorrisos. O salto é muito brusco; há de fatalmente perturbá-los. Reinará sempre mais vexame do que felicidade entre o casal que se vê duramente entalado na decantada lua-de-mel.

Não penso, todavia, com o Conde de Tolstoi, que o noviciado do amor seja análogo ao noviciado do vício de fumar, e produza no iniciante as mesmas náuseas e os mesmos incômodos; males terríveis, que os pacientes, não obstante, disfarçam em ambos os casos, sem coragem para dizer francamente que a lua-de-mel é uma repugnante tortura, e que o fumar não merece as honras de um belo prazer. Não! o amor é natural, e por isso não deve causar náuseas, no começo, como no fim. A lua--de-mel, consoante nossas práticas, é que não é natural, e deve constranger tanto a noiva como o noivo. Ela fica mortalmente ferida no seu ingênito decoro de mulher, e no seu congenial pudor de donzela; e ele, naturalmente ainda mais tímido que a sua companheira de suplício, pois todo o homem, em questões de amor, é sempre mais tímido que qualquer mulher, sofre revoltado pelo grosseiro e agressivo papel de verdugo, que tem de representar contra uma virgem, pela qual, no seu enlevo de amante, daria a vida se fosse reclamada.

Além disso, nas cruentas vicissitudes do iniciamento conjugal, revelam-se na esposa naturais manifestações que, por decoro, devem ser escondidas aos olhos de todo e qualquer homem, ainda mesmo que seja este o próprio consorte.

É preciso, em honra da moral e do respeito à natureza, que a consumação do amor, venha, não *ex abrupto,* mas como o fatal e último elc de uma deliciosa e progressiva cadeia de ternuras; é preciso que ela seja a extrema nota de um crescendo de beijos; é preciso que esse momento supremo chegue naturalmente, chamado por todo o corpo, reclamado por todos os sentidos, e não decretado friamente por uma lei sacramental, numa situação adrede preparada pela família dos noivos. Para que tão transcendente destino fisiológico se cumpra, sem detrimento do pejo feminil e da dignidade virginal, é indispensável que os dois agentes não tenham, no ato, absoluta consciência, nem a menor preocupação de o consumarem; é preciso que o seu arroubo amoroso haja chegado à loucura, depois de vibrada toda a escala de carícias, e lhes roube, nesse súbito instante delicioso, a luz do julgamento e da razão; e que os dois, na insânia do seu desejo, sem juízo para refletir, sem olhos para ver, esquecidos de tudo e cada um de si mesmo, se confundam num só desvairamento de volúpia, e só acordem do seu transporte, e só deem acordo do seu espírito, depois da ampla consumação carnal.

A crise amorosa, levada pelas carícias ao auge do desejo, atinge às proporções do delírio; e esse delírio, essa momentânea inconsciência dos atos praticados, é o véu providencial com que a natureza esconde, castamente, no supremo instante da vitória da carne, a nudez do homem aos olhos da mulher, a nudez da mulher aos olhos do homem.

Sem esse véu, que os envolve e os oculta à vergonha um do outro, o primeiro amor de uma donzela fica tão prostituído como esses frios amores que os libertinos compram no regaço das perdidas. Ao contrário do que disse S. Mateus, no versículo 28 do seu livro, e com o que Tolstoi fecha o seu duro libelo niilista contra a propagação da espécie, todo o contato carnal, que não vier precedido de um desejo invencível, é imoral e vicioso. E, pois, todo o enlace de sexo, produzido exclusivamente pela fatalidade dos instintos, sem intervenção absoluta da vontade moral, não é obra da criatura, e sim da natureza, ou de Deus, e como tal deve ser respeitável e sagrado, seja ele na vida dos homens, ou na vida dos brutos, ou na vida das plantas; ou, quem sabe? na vida dos astros!

* * *

Haverá coisa mais repugnante e mais estúpida do que esse velho costume de preparar a cama dos noivos? e cobri-la de flores, e cercá-la de obscenos cuidados? E mais: depois de um baile, depois de escandalosas fórmulas e cerimônias, em que entram véus brancos e grinaldas de flores simbólicas; e depois da vexatória exposição das duas vítimas a todos os olhares e íntimos juízos dos convidados, conduzir a pobre noiva, toda paramentada, para o quarto que lhes destinam, para o toro do defloramento, no meio de um cerimonial de palavras e gestos, trocados entre madrinhas e padrinhos; e depois — abandoná-la ao noivo, de quem se presume não haja nunca recebido uma carícia sensual; e deixá-los a sós, presos na mesma alcova, forçosamente distraídos do seu desejo, a olharem-se um para o outro, sem ter nenhum o que dizer, que não seja afetado e banal; ela a tremer, intimidada pelo desconhecido e pelo terror do que a espera; ele constrangido e aflito, por sentir-se fora dos seus hábitos regulares e longe do seu bem-estar, e tendo de despir-se ali mesmo, defronte de uma virgem, e deitar-se com ela na mesma cama, e, afinal, tomá-la convencionalmente nos braços, enquanto a paciente, com toda a lucidez do seu espírito, entanguida e sarapantada de susto, em vez de pensamentos de amor, em vez do apócrifo *"Enfin seuls"*, só rumina e babuja entredentes esta frase ridícula e medrosa: "É agora!"

Então, haverá coisa mais repulsiva e mais bárbara do que isto?

Ainda hoje me doem amargamente no coração as angústias que sofri na minha primeira noite de casamento, e juro, não obstante, que amava muito meu marido, e que, muito e muito, o desejei antes, nos meus enganosos sonhos de felicidade. Mas, quando me vi a sós com ele, fechada no mesmo quarto, o meu desejo único foi fugir e pedir socorro.

Toda aquela indecorosa encenação de amor; todo aquele cerimonial de que cercaram o meu tálamo; todo aquele desusado e insociável luxo de que sobrecarregaram o aposento, iluminado por uma lâmpada de vidro azul; e o luxo afetado e espetaculoso da cama, e o luxo intencional de rendas e fitas na camisa que me vestiram, e os calculados perfumes que me puseram no corpo; tudo isso, tudo me sobressaltava e me fazia nervosa. Demais, o ar de Virgílio também me constrangia: ele não tinha nessa ocasião as suas maneiras simples, o seu ar franco e simpático de bom rapaz; estava até esquerdo, desajeitado, procurando disfarçar o seu invencível embaraço.

A verdade é que nos sentíamos corridos e vexados, comparecendo assim, um defronte do outro, naquele isolamento de alcova, mais que os dois criminosos do paraíso, no momento do pecado capital. Prenderam-nos ali dentro, para quê? Para uma coisa inconfessável e ridícula, desde que não era naturalmente provocada pelos transportes da nossa mocidade, posta em jogo pelo amor. Não tínhamos palavras um para o outro. Virgílio, todavia, caiu-me aos pés, beijou-me as mãos e agradeceu-me com bonitos termos — aquela felicidade — que lhe era, afinal, concedida, depois de tanto desejada.

Aquela felicidade! mas eu sentia perfeitamente que tudo isso, afirmado por ele nessa ocasião, não era sincero; dizia-o para dizer alguma coisa, para dar qualquer solução àquela cena difícil; e o que eu lhe respondi foi tão falso como o que ele me mentiu. Se eu lhe pudesse falar com franqueza, se não fosse ofendê-lo confessar-lhe a verdade, dir-lhe-ia que, naquele momento, o meu desejo era só, e só, que ele se retirasse da minha presença; dir-lhe-ia que, naquele instante, tudo desejaria, menos fazer a consumação carnal do amor que eu lhe dedicava.

E percebi claramente que Virgílio ia lançar-se nos meus braços, não por impulso do seu amor, aliás forte e verdadeiro, mas porque era essa a sua obrigação de noivo; percebi claramente, e afianço, que, se ele pudesse saltar por cima dessa noite difícil, sem tocar-me no corpo, e acordar no dia seguinte já familiarizado comigo, e já desoprimido do constrangimento que a nós ambos vexava — aceitaria essa graça como um presente do céu. E, no entanto, ia se despindo, afetando um grande empenho em achar-se ao meu lado, na cama...

Pobre de nós! começamos a mentir um para o outro desde o primeiro dia do nosso consórcio!

E eu já não tremia; sentia-me agora revoltada, sentia raiva! contra quem, não sei; mas sentia ódio, sentia cólera. Não que me repugnasse a ideia do primeiro contato com um homem; não que tanto me apavorizasse o segredo nupcial; mas porque não caminhara até ali arrebatada pelas garras do meu desejo, arrastada pelos impulsos do meu sexo, e porque tudo aquilo grosseiramente desrespeitava o meu direito de vontade, rebaixava o meu caráter e ofendia o meu pudor.

***

A minha noite de núpcias foi pois uma noite de sacrifícios, nem só para mim, como sem dúvida para meu marido. Não lhe compensara, decerto, tamanho constrangimento o complicado prazer, que porventura lhe proporcionou o nosso primeiro contato, no formal desempenho daquele grosseiro enlace.

Não tive o menor gozo; tudo me fez sofrer, sofrer deveras; não só no moral, como fisicamente, e muito. Sofri e padeci, porque, na preocupação sobressaltada de esperar aquela noite, e no constrangimento e no choque daquele primeiro encontro, assim tão cerimonioso, tão previsto e tão festejado, meu corpo, sem atingir o necessário grau de apetite sexual, privou-se da indispensável e benéfica lubrificação com que a natureza protetoramente habilita e prepara, em tais casos, os nossos delicados órgãos do amor. E essa falta transformou um ato, que devia ser bom e natural, em verdadeira violência. Fez-me doer; fez-me chorar.

Apesar de toda a minha ingenuidade de donzela, compreendi que não era aquilo, com certeza, o que a natureza queria desempenhado; não era aquilo o que todo o meu corpo adivinhava depois da puberdade, reclamando-o com delícia, e enchendo-me os sonhos de amorosos enleios voluptuosos, em que o espírito se me aniquilava e só a matéria palpitava de gozo. Não! ali, naquela terrível noite, a minha razão não sucumbiu, nem os meus próprios sentidos tomaram parte na vergonhosa pugna; fiz-me paciente resignada, cônscia de estar cumprindo uma obrigação penosa, aflita por ver-me livre de semelhante sacrifício. Que fosse o verdugo meu marido, fosse Virgílio ou qualquer outro homem, ser-me-ia igual, porque não era o amor que lhe votava o que me retinha pregada àquela cruz, crucificada naquele pomposo leito de dores.

16

Só mais tarde comecei a achar prazer nas ligações com meu marido; os primeiros dias foram horríveis. Ainda me lembro do calafrio de medo que tive na segunda noite, quando ele quis recomeçar a campanha da véspera.

Para evitar à minha filha todo esse ridículo infortúnio, entendi e resolvi que ela devia entrar na sua vida de casada sem "pagar patente" com a clássica "lua-de-mel". De sorte que, na mesma manhã do casamento, achando-se já tudo disposto, carreguei com os noivos para a fazenda de um amigo meu, no interior da província, a qual de antemão me fora franqueada. A fazenda estava entregue apenas aos cuidados do feitor e da escravatura, enquanto os senhores passeavam na Europa.

Acomodamo-nos por lá como nos foi possível, sem arranjos especiais de quarto de noivos. Nada disso! Cada um tomou conta de seu aposento e tratou de si.

Durante a viagem de trem, e principalmente depois de chegados à fazenda, meu genro, que não deixava a mulher um só instante, furtava-lhe beijos sempre que eu me afastava deles, ou quando me supunham muito distraída. Não os perseguia, nem rondava, mas também não lhes facilitava ocasiões para os arrulhos. A gente da casa não sabia se eles eram irmãos, ou primos, ou casados, ou noivos, ou simplesmente namorados. O quarto de Palmira era distante do quarto do marido, e entre os dois estava o meu. Esta disposição foi intencionalmente estabelecida por mim: se eles com efeito se sentissem arrebatados um para o outro, o próprio desejo havia de aproximá-los de qualquer modo, não era absolutamente necessário que os fechasse eu dentro da mesma prisão, como fizeram comigo e Virgílio, e como se faz com as cadelas e os cães de raça que têm de procriar.

Como eles se uniram pela primeira vez, em que ocasião e em que circunstâncias, só vim a saber meses depois, narrado comovidamente por minha filha, que até hoje guarda a mais doce, a mais poética e consoladora impressão desse momento de completa felicidade.

Nem foi em casa, foi num sombrio, ignorado canto da mata deserta, sítio protetor de outros amores, de cujos suspensos ninhos partiam bíblicos duetos de ternura. Não foi sobre colchas bordadas, nem lençóis de renda adrede preparados, mas no regaço carinhoso da floresta, ao casto e lascivo respirar da natureza, na confidência maternal da terra.

Tínhamos chegado à fazenda às onze horas da manhã, com tal fome que, mal nos desfizemos do pó da viagem, atiramo-nos ao almoço vorazmente. Almoço de roça, que são os melhores, porque são os que se comem com mais apetite. Depois, não pude resistir ao cansaço daquele dia tão cheio, deitei-me, e quando acordei soube que minha filha tinha ido dar um giro pelo campo com o — namorado. Achei natural, e nada lhes notei na fisionomia quando os vi de volta às cinco horas da tarde. Apenas uma coisa me impressionou suavemente, é que Leandro, ao entrar em casa, tomou-me as mãos com meiguice e deu-me um beijo na testa. Com esse beijo quis ele naturalmente dizer que já era meu filho, mas na ocasião não dei por isso, notei sim que as suas roupas, como os cabelos de Palmira, respiravam cheiro de folhas verdes esmagadas.

Se eu reproduzisse aqui a descrição que dela ouvi desse furtivo passeio ao fundo da mata virgem, deixaria entre estas pobres linhas uma vívida página de romance, mas como não sou romancista, nem estou fazendo literatura, mas tão-somente escrevendo uma justificação de meus atos de mãe e sogra, destinada a dois únicos leitores — minha filha e meu genro, nada direi do que então se passou entre eles, mesmo porque, a respeito de tal cena, é o caso de afirmar com segurança que os meus leitores a conhecem já melhor do que eu.

Foi no mesmo dia, e eu, tola que sou! imaginava ainda que os brejeiros esperassem ao menos pela noite. E o mais curioso é que nunca percebi, mesmo depois, as vezes em que eles se uniram. Durante o dia estávamos quase sempre juntos; às horas de recolher cada um ia para o seu quarto, depois de enchermos o serão a fazer música ou canto, ou jogando cartas, até à ocasião do chá; e durante a noite nunca ouvi o ruído de uma porta que se abrisse ou fechasse, nem senti passos na varanda, nem rumor de cochichos abafados nos aposentos dela ou dele. Podem gabar-se, os matreiros, de terem sido umas verdadeiras abelhas do amor.

Nessa ocasião o meu empenho único a respeito deles era não deixar que faltassem ao preceito imposto pela Bíblia no Levítico, versículo 19, do seu capítulo XV, ficando ao lado um do outro durante o período condenado. E assim foi. Logo que percebi a aproximação da crise, mandei fazer as malas e determinei levantarmos acampamento na manhã seguinte, sem dar ouvidos às súplicas e às reclamações dos dois.

Meu genro parecia ter endoidecido com o fato, amuou-se, resmungou, não quis jantar; contentei-me pela minha parte em lembrar-lhe as condições do casamento.

Ele, sem se resignar de todo, recorreu então aos meios humildes; tomou-me nos braços, beijou-me, pediu-me por amor de Deus que lhe concedesse mais uma semana de lua-de-mel, apenas uma semana!

Fui inflexível; se cedesse logo à primeira vez, estaria desmoralizado para sempre o meu programa.

A volta da fazenda foi por conseguinte quase muda e muito triste. Palmira chorava em silêncio ao canto de um banco do *wagon*; o marido, ao lado dela, de pernas cruzadas, sobrolho franzido e dentes cerrados, não emitia palavra, nem desviava os olhos de um só ponto, a não ser para desferir de vez em quando, contra mim, um fulminante olhar de ressentimento e raiva. Ia furioso!

E, já na cidade, lá em casa nas Laranjeiras, as despedidas foram dolorosas.

Uma cena violenta! — frases de maldição! Houve soluços por parte de minha filha; lágrimas por parte de Leandro. Sim, eu vi as suas lágrimas, ele é que não viu as minhas, porque lhas não mostrei. No entanto o meu pobre coração chorava: doía-me separá-los tão depressa. E quando os contemplei abraçados, a despedirem-se, com os rostos escondidos no pescoço um do outro, o corpo de minha Palmira sacudido pelos soluços, sem ânimo nenhum dos dois de largar dos braços o consorte, apertou-se-me tanto a alma, que, por pouco, não fraqueio e abro mão da disciplina, deixando-os ficar juntos o tempo que entendessem.

Felizmente, porém, não sucumbi à momentânea fraqueza e tive alento para dizer ao rapaz, em tom sereno e já com a voz segura:

— Bom! O caso não é assim também para tão grandes despedidas! A separação não é tamanha! Agora vai o senhor, meu estimável filho, para a sua casa, e nós cá ficamos em nosso canto. Pode visitar-nos uma vez por dia, até nova ordem. Não durará muito a interdição — descanse! Olhe: venha jantar amanhã conosco... O Dr. César deve estar aí, e temos de conversar os três sobre interesses comerciais. Não venha antes das três horas da tarde. Adeus, adeus.

E Leandro destacou-se com efeito para a sua casa, acompanhado pelos olhos da esposa, que não saiu da janela enquanto ele não dobrou a esquina da rua, depois de repetidos sinais de adeus de parte a parte.

Como passara meu genro essas primeiras horas de isolamento depois de quase um mês de convivência com a sua amada, só o soube muito mais tarde, repetido por minha filha, a quem ele no dia seguinte descreveu os seus tormentos. Ela também estava então inconsolável; chegou a fazer-me biquinho. Eu, porém, tinha de sobra no meu amor materno segredos para o desarmar contra mim. Consolei-a o melhor que pude.

Mas que alegrão no outro dia, quando os dois se encontraram de novo! Dir-se-ia que a ausência não fora de vinte e tantas horas, mas de vinte e tantos meses! Leandro acudiu pontualmente à hora marcada por mim. Palmira, ao perceber da janela que ele chegava, lançara-se com tal ímpeto pelo corredor, que não sei como não rolou a escada. Recebeu-o nos braços, chorando de alegria.

Ele trouxe-nos flores; beijou-me a face, como sinal de que já não estava agastado comigo, e abraçou expansivamente o Dr. César, que também fora ao seu encontro com um calmo sorriso e uma amorável frase paterna.

E o nosso jantar foi o mais alegre que tivemos até aí. Abriu-se uma garrafa de *champagne*.

Foi bastante a separação de um dia para que voltassem ao casal todos os arrulhos de antes do matrimônio. Meu genro tocava com os pés, por debaixo da mesa, os pés de Palmira, e segurava-lhe furtivamente a mão, e dizia-lhe em voz baixa sedutoras palavras de amor, requestando-a de novo para um novo casamento.

Eram felizes. E eu me sentia também feliz, ao reflexo da ventura dos dois; e sorria para César, que esse bem compreendia o alcance da minha felicidade e orgulhava-se de ter contribuído para ela.

À meia-noite dissolveu-se a roda. Leandro retirou-se com o médico, ficando ajustado que voltariam ambos no dia seguinte às mesmas horas. O meu velho e querido amigo disse-me, ao sair, por ocasião de dar-me a mão:

— Vai muito bem! Vai muito bem!... Continue, Olímpia!

— Creio que consigo fazer o milagre... — segredei-lhe, abraçando-o.

— Consegue, consegue tudo! Você é uma santa, minha amiga! Adeus.

17

Foi uma bela inspiração ter feito Leandro entrar para o comércio. Entrou com o pé direito. A casa a que ele se reuniu começou, com o novo capital, a prosperar de um modo admirável. Tornou-se rapidamente conhecido na praça e conquistou logo bonito crédito. A sua atividade e a sua inteligência, aliás comuns, encontraram bom campo para exercitar-se, sem o menor prejuízo do seu sistema nervoso.

Agora, já não lamentava eu que ele não fosse oficial de marinha. Reformara todo o meu julgamento a esse respeito, por deduções que exporei mais adiante.

Ao contrário do que sucederia se Leandro fosse meu filho e não meu genro, alegrava-me com ser ele simples negociante e não notável artista, ou afamado escritor, ou vulto ilustre na ciência. No exclusivismo do meu amor de mãe, teria até um grande desgosto se o marido de minha filha se revelasse, de um dia para outro, homem de talento singular e começasse a ser aclamado pelo público. Deus me livre! — seria uma desgraça!

Nem falar nisso é bom! o homem de talento não pertence à família, pertence à multidão, pertence à sua pátria, pertence ao mundo, pertence ao século; que sei eu? pertence ao diabo, pertence a tudo, a tudo, menos à pobre mulher com quem caiu na perniciosa asneira de casar. Além do que, o constante esforço encefálico, para conceber e produzir grandes obras de arte, traz fatalmente consigo o precoce esgotamento nervoso; o que, suponho, não preciso dizer que é de suma importância na felicidade conjugal.

Se eu fosse homem, sacrificaria de bom grado boa parte da minha força nervosa pela glória de ser um grande escritor, ou um grande artista, ou um grande sábio; se eu tivesse um filho daria prontamente, nem só minha saúde, mas a vida, se em troca de tal sacrifício alcançasse ele aquela glória; mas o que eu tinha não era um filho, era uma filha; logo precisava de um "bom genro", de um bom marido para ela; e queria pois que esse meu genro fosse talhado pelas conveniências particulares de sua mulher e não pelas conveniências gerais de qualquer homem.

Parece absurdo, mas não é. Absurdo é o protesto que alguns artistas fazem contra as competentes sogras, porque estas, na vigilância do seu amor materno, se revoltam em guerra aberta contra o absorvente egoísmo do talento deles e contra a absorvedoura preocupação das suas glórias individuais, cônscias de que nisso reside o terrível inimigo da felicidade doméstica da filha.

Não é raro ouvirem-se deles exclamações desta ordem:

"Vejam o que é ser sogra! A minha já me declarou, face a face, que preferia fosse eu um homem vulgar, mas — bom marido — a ser quem sou, causando à filha, apesar do meu nome e do meu talento, as contrariedades de que ela se queixa! Já particularizou até com toda a franqueza que preferia para genro um taverneiro estúpido, porém exemplar como esposo, a mim ou ao mais ilustre artista do universo!"

Decerto! Elas têm toda a razão. Não compreendem esses senhores sonhadores de glória que a sogra, assim praticando, está perfeitamente dentro do seu programa de mãe amorosa, ao passo que eles, contraindo casamento, traíram o programa do seu ideal artístico, aceitando um novo ideal incompatível com o primeiro. É impossível viver de corpo e alma para a arte e para a glória e viver ao mesmo tempo para a família! Desses dois ideais um triunfará em sacrifício do outro. Há uma coisa pior do que ficar eternamente solteiro — é casar, sem sentir aptidão para ser um bom chefe de família.

"Quem não pode com o tempo não inventa modas", diz a sabedoria do povo.

A boa sogra, ou, por outra, a boa mãe, quer que seu genro seja um bom marido de sua filha e nada mais. Não é o talento, nem são as glórias dele que a interessam, mas é só a felicidade dela. Para isso a boa mãe ou boa sogra procura agradar o genro, fazer-lhe as vontades, não contrariá-lo, adulá-lo até, levar-lhe a papinha à cama; mas não por ele próprio, e sim porque tudo isso se traduz em benefício da filha.

Leandro pois, ao meu ver, nada por si só representava; valia muito, porém, desde que eu o julgasse como auxiliar indispensável à felicidade de Palmira. Por conseguinte, sob o ponto de vista do meu egoístico e extremoso amor materno, meu genro, quanto menos individualidade intelectual tivesse, tanto melhor para mim, porque tanto mais seria ele absorvido pela esposa.

A um genro basta a inteligência apenas necessária para não ser ridículo e para não fazer maldades conjugais por estupidez. Na família, em que ele entra, e à qual fica adido, nunca poderá atingir no amor dos pais o primeiro plano, que esse pertence aos filhos. É um auxiliar do amor, como certos artistas de ordem subalterna são os auxiliares dos artistas criadores, ou de primeira ordem. Um genro é para nossa filha o que o gravador é para o pintor original, de cujo quadro ele tira o seu desenho; o que o cantor é para o compositor musical; o que o ator é para o autor; o que o executor de estátuas é para o estatuário que as concebeu; o que o mestre-de-obras é para o arquiteto, e o que o tradutor ou o compositor tipográfico é para o escritor. Do mesmo modo que o artista criador não pode dispensar o artista auxiliar, porque precisa dele para o desempenho da sua produção, assim, nós sogras, não podemos dispensar o genro. Não o desprezamos, ao contrário — tratamo-lo com todo o carinho; mas o seu papel, em nosso amor e em nosso interesse, nunca será o primeiro e sim o segundo, porque o primeiro pertence à sua mulher, que é nossa filha.

O que uma boa sogra tem a pedir ao genro não é estima, nem carinhos para ela; não é tampouco que tenha talento ou seja um grande homem, é pura e simplesmente que lhe faça a filha feliz. Se o genro fizer isto, a sogra nada mais tem a exigir dele, e há de ser boa por força de regra.

A sogra só é má quando a filha é infeliz com o marido, ou quando, o que é anormal, não sinta amor de mãe.

Não! para esposo de minha filha não quereria nunca um gênio, nem algum herói glorioso, fosse ele lá de que espécie fosse; para meu genro queria simplesmente um homem — um bom marido.

Pois bem: o negociante, segundo o meu novo modo de julgar, é quem melhor preenche esse ideal.

Vejamos por quê:

* * *

O negociante, na comunhão do trabalho e da luta pela vida, representa apenas o cômodo papel de uma máquina de especulação movendo-se tão-somente pela avidez do lucro pecuniário. Para abraçar e exercer a sua carreira, ele não precisou pôr em contribuição as suas forças nervosas, estudando um curso difícil e fatigante; precisou nada mais do que exercitar-se materialmente na prática do comércio. O indivíduo, sem técnica ou habilitação para produzir qualquer trabalho, o indivíduo intelectualmente nulo, pode abraçar, de um dia para outro, a carreira comercial, e pode ser feliz. Não são raros os exemplos de negociantes ricos, considerados e poderosos, absolutamente analfabetos e rasos de inteligência.

A ignorância e a vulgaridade intelectual são até requisitos indispensáveis ao bom êxito dessa carreira, tanto quanto a ilustração e o talento são qualidades negativas, porque os escrúpulos, as suscetibilidades, a fidalga e generosa linha moral de um espírito superior e cultivado, representam sérios impedimentos para o pronto alcance de sucesso na vida comercial.

E, se descermos à análise do mercador de baixa escala, esse que por aí se chama "negociante a retalho", então poderemos dizer que o homem de negócio é o que menos se gasta nervosamente no atrito do esforço comum, o único que nada produz absolutamente, o único por conseguinte que não trabalha, e no entanto o que mais ganha e acumula dinheiro. Esses formam uma classe especial, e especial é o prisma por que tudo veem. Até a sua suposta honradez é singular: Não pagar, por exemplo, uma conta ao dia e à hora certa, é para um negociante o ato mais desonesto que se pode cometer, mas furtar no custo de qualquer objeto vendido, ou enganar o comprador, impingindo gato por lebre, isso é simplesmente fazer bom negócio.

E tanto assim é que, esse mesmo traficante, que leva a iludir ao próximo todos os dias, a toda a hora, a todo o instante, quando encontra um mais velhaco, caso raro, que por sua vez consiga enganá-lo, comprando-lhe qualquer objeto a crédito e não pagando no prazo ajustado, revolta-se furioso e quer brigar, em vez de, por coerência e por honra aos seus princípios, atirar-se-lhe nos braços, exclamando: "Ora até que afinal, entre tantos tolos, encontro um esperto dos meus! Sejamos amigos!"

A honra do negociante é diferente da honra dos outros homens. O militar, por exemplo, que não solver uma letra no dia do vencimento, não fica por isso desonrado, como não fica desonrado o negociante que levar um par de bofetadas; mas, se invertermos os casos, tão desonrado fica um como o outro. Isto quer dizer que a chamada honra do negociante não reside, como a de toda a gente honesta, na consciência do respeito a si mesmo e na imputabilidade pessoal, mas no crédito abstrato da sua firma ou da sua casa de comércio; por isso que ele, mesmo sem levar bofetadas, mas cometendo toda a sorte de baixezas, enganando, mentindo, adulando o freguês para lesá-lo, continuará a ser um "homem honrado", desde que pague em dia as suas contas.

O mais interessante, porém, é que a sociedade brasileira, nem só lhe dá acesso, como ainda o coloca no primeiro plano da sua primeira camada, emprestando-lhe, como para justificar-se desse erro, aos olhos dos que não são traficantes comerciais, o título das duas qualidades que ele menos possui: — trabalhador e honrado.

Honrado trabalhador! Mas trabalho quer dizer técnica e quer dizer produção; e o negociante não produz e só tem uma ciência — a de enganar o incauto consumidor, para apanhar-lhe, como as cocotes, o dinheiro que puder. E eu, cá por mim, nesta questão de exploração e gatunagem, prefiro, com franqueza, e acho menos nocivo e mais sincero, o gatuno que rouba o relógio ao transeunte ou arrebata um queijo da porta do súcio, porque esse é castigado pelo seu próprio aviltamento e arrisca a liberdade quando furta; ao passo que o outro a nada se expõe e, em vez do castigo correcional, recebe em prêmio da sua próspera ganância todas as honras e todas as considerações da nossa melhor sociedade.

Ninguém será capaz de apresentar-me o exemplo de um taverneiro que não furte ou não tenha furtado; no entanto os proprietários prediais, desta aristocrática cidade, preferem, para a indispensável garantia dos aluguéis das suas casas, a qualquer outra firma, a firma de um vendeiro.

Isto tudo para explicar que eu, quando falo da conveniência de ser o marido negociante, não quero dizer que desejaria para esposo de minha filha um taverneiro ou coisa que o valha; mas um desses homens de ação e de atividade, que conseguem fazer da inteligente especulação do capital ou do crédito um bom e rendoso meio de vida e de riqueza. Em abono da classe em geral, afirmarei que esses são incapazes de pequenos furtos e jamais sujam as mãos no cobre alheio, porque só tocam em ouro, e ouro não suja, como eles dizem, ainda mesmo que não seja nosso. São homens limpos, afáveis, em geral de boas maneiras, vivos, penetrantes e muita vez inteligentes. A um conheci eu, muito polido e galante, que conseguia casar com o seu hebraico e frio entusiasmo pelo rei dos metais certo calor de imaginação poética. Esse dizia, sorrindo de volúpia, que “o juro é o perfume do capital” e outras tantas coisas assim bonitas e inspiradas. Era um encanto ouvi-lo nos seus sonoros devaneios.

***

Na sua qualidade de mero especulador parasitário da produção científica, industrial, artística, literária ou agrícola, não passando nunca de ávido intermediário entre o produtor e o consumidor, o negociante não se esgota nervosamente, sem todavia deixar-se ficar em completa ociosidade, tão enervante e perniciosa como o excesso de trabalho intelectual; e por isso deve ser um excelente procriador. A mulher tem sempre a lucrar fisiologicamente todas as vezes que o marido, em vez de trabalhos intelectuais, execute serviços materiais. O espírito perde, mas o animal aproveita. E a felicidade doméstica, a despeito de tirar da imaginação o segredo de manter o entusiasmo do amor, baseia-se menos no espírito que na matéria.

Não se suponha que, por ser material a vida do comércio, sejam materialistas os negociantes e sejam incapazes das ilusões do amor. Não! o fato justamente do positivismo forçado da sua profissão leva-os, por uma simples lei de contrastes, a buscar nas coisas idealizáveis o necessário repouso do pensamento. Os artistas, os filósofos e os poetas, esses sim, é que, fazendo do ideal matéria de trabalho e cabedal de ofício, precisam ser materialistas nas horas de descanso.

O poeta, quanto mais sublime e elevado for na sua obra, tanto mais prosaico e terrestre será na vida privada; ao passo que o burguês do comércio, depois de deixar o estúpido serviço, começa a viver para a fantasia e para o coração.

O poeta sonha quando trabalha e animaliza-se para descansar. O comerciante trabalha como animal e repousa com o sonho. Aquele precisa deixar folgar o cérebro com a vida do corpo, e o outro dá folga ao corpo com a vida do pensamento.

É por isso que todo homem de vida material detesta, em questões de arte, o naturalismo e a verdade, encontre-os na estatuária, na pintura, no romance ou no teatro, e adora o maravilhoso e o fantástico. São como as crianças.

O mercador do Brasil, quando não sonhe outras quimeras, com uma nunca deixa de sonhar — é a da comenda. E, mal a suponha realizada, começa a sonhar com o título de barão, e depois com o de visconde ou conde.

Ora, se o poeta, ou qualquer homem de talento só tem ilusões dentro do seu ideal artístico ou científico, ao contrário do que sucede ao homem de vida prática, e, se para a felicidade doméstica da mulher, é indispensável a ilusão do amor por parte do marido, segue-se que para este fim é preferível entre aqueles o segundo e não o primeiro. E, como nos diversos ramos da atividade material, o comércio leva grandes vantagens sobre todas as outras ocupações desse gênero, conclui-se que o negociante é quem melhor preenche o ideal do esposo.

— Então, a mulher só pode ser feliz casando-se com um negociante? — perguntar-me-ão talvez.

— Não digo isso; mas, com efeito, nessa ordem de casamentos, é onde relativamente aparece menor número de desgraças conjugais.

Há porém um ponto desta questão que jamais foi atendido e que merece todavia ser estudado de perto, porque destrói em parte as vantagens do negociante como esposo. Vem a ser o seguinte:

O tipo do negociante em geral não é o de um homem fascinador. Além da falta de talento que o atirou para a vida material, faltam-lhe o hábito e as boas maneiras da gente fina; falta-lhe elegância, bom gosto; falta-lhe educação. Ora, sucede quase sempre que a gentil rapariga, ao passar das mãos dos seus parentes para os braços dele, entende fazer com isso um sacrifício à família, porque, de si para si, já tinha naturalmente criado na fantasia um ideal de noivo muito diferente do que lhe deram; quando já não o tenha escolhido real e palpável mas em silêncio, entre os estudantes acadêmicos ou entre os poetas e artistas pobres.

O noivo adotado pela família é claro que será o prevalecente, e mais se o pai da moça for comendador.

Pois vejamos agora quais são as tristes consequências desse casamento, feito assim, só com a vontade do comendador pai e só com a vontade do futuro comendador genro. Admitamos, antes de mais nada, que a desposada é virtuosa e compreende perfeitamente os deveres do seu novo estado, o que a torna incapaz de trair o marido. É esta a melhor hipótese. Ainda assim, o que sucede?

Sucede que ela, desiludida por aquele casamento, que em nada veio realizar os seus sonhos de felicidade, resigna-se, mas sem fazer o menor empenho para tornar melhor e mais feliz do que a dela a vida do esposo. Não o desonra, mas também não lhe dá um só momento de verdadeira alegria e de verdadeiro amor. Ele, pelo seu lado, que esperava achar no matrimônio a realização de uma contínua felicidade, honesta e calma, fica por sua vez desiludido e desesperado, e começa a ser desde então nada mais que um burro de carga daquela casa, que nunca foi o seu lar ou o seu ninho, pois que não se compreende ninho ou lar sem amor.

Vem o filho, e a desventura doméstica dos pais transforma-se então em novos elementos de desgraça para a geração inteira: a mãe, que até aí conservou intacto o cabedal de meiguice feminil com que veio ao mundo, põe-se a adorar o bebê e despeja-lhe de uma só vez, na tenra moleira, todo esse inestimável tesouro de ternura, que ela trazia no coração para gastar durante toda a sua vida de mulher; o marido, por outro lado, não tendo tido também até aí com quem aproveitar o seu farnel de dedicação e de amor, porque encontrou a esposa sempre de peito fechado para recebê-lo, recorre ao filho, e começa a fazer dele o exclusivo objeto de todos os seus carinhos e exagerados desvelos. Se o pimpolho não desmedra e morre logo no berço, sufocado de beijos e abraços, qual será a consequência desse excesso de mimos? Será que a criança fica irremissivelmente estragada e perdida para todos os efeitos; fica malcriada, voluntariosa, insuportável de gênio; fica reduzida a um mimalho adulado pelo papá e pela mamã. E como o desvelo por ele foi até ao ponto de o não deixarem correr e brincar em liberdade, e como sempre o trouxeram afogado em ondas de rendas e de fitas, e de fraldas e cueiros; e como lhe não deixaram descansar o estômago das balas de açúcar e confeitos e bonecas meladas, fica ainda o desgraçadinho tão minguado de corpo como de espírito.

E que homem pode vir desse mimanço? O pai, comendador, destina-o para doutor, está claro! mas, à proporção que o filho for crescendo, os mimos vão aumentando, e o infeliz ir-se-á tornando pior, cada vez mais insuportável para os estranhos, e cada vez mais adulado pelo papá e pela mamã. Como até então ninguém o constrangeu ao menor esforço ou dever de trabalho, ninguém obterá também dele que consiga aprender alguma coisa; ficará condenado a ser um belo tolo; adquirirá vícios antes de ser homem; o seu curso acadêmico, se chegar à academia, o que é natural porque é fácil, será um curso de bebedeiras, de pândegas e de aprovações obtidas à custa do aviltamento de seu caráter, ou do caráter dos pais. E o mimalho acabará fatalmente por apresentar ao mundo mais um espécime desses milhões de bacharéis inúteis, pretensiosos e tristes, incapazes da obra mais insignificante, mantendo-se à custa da família ou da herança até à velhice, e só vivendo para desorganizar o meio em que vegetam.

Eis por que o negociante nem sempre convém para marido de nossas filhas.

E eis por que, para sintetizar a escala geral da família brasileira feita pelos portugueses, formei este axioma:

Pais — comendadores; filhos — bacharéis; netos — mendigos.

Se outras razões não ocorressem para promover eu a todo o transe a conservação do amor sexual entre minha filha e meu genro, só o fato de que o contrário seria nocivo a meus netos mereceria de mim todos os sacrifícios que àquela causa tenho até hoje dedicado.

18

Com orgulho e com prazer declaro que a vida conjugal de minha filha ia por diante, desenrolando-se feliz. Meu genro continuava a morar sozinho em Botafogo e nós duas no bairro de Laranjeiras. Ao fim de vinte meses de casados, Leandro era para a sua adorada Palmira o mesmo amante dos primeiros dias.

Mas é que nunca se aproximou dela nos períodos em que a Bíblia manda que o homem se afaste da mulher — por imunda; nem jamais demorada promiscuidade deu-lhes margem e vagar a que se estudassem em silêncio, no enojo de bocejados lazeres, ao lado um do outro na mesma cama, quando o corpo, cansado de amar, deixa que só o pensamento trabalhe por sua conta própria, enquanto ele repousa. Nunca enfim tiveram ocasião de enfastiar-se juntos, consorcialmente, porque o tempo de que dispunham nas suas desejadas entrevistas era pouco para os interesses de seu amor e para o muito que cada um, de parte a parte, tinha para dizer ao companheiro, com respeito à felicidade de ambos.

Eram felizes. Contudo, mais de uma vez, tentou Leandro imbecilmente revoltar-se contra mim, queixando-se com amargura da suposta falsa posição que eu lhe impusera ao lado da esposa. Chamei-o à razão e ao bom desempenho da sua palavra de honra, sem lhe dar todavia segura explicação do meu modo de proceder, porque me não convinha ainda que ele alcançasse por inteiro o secreto espírito das minhas intenções. Palmira também, a princípio, não parecia muito disposta a conformar-se com o meu regime estabelecido, mas tal carinho pus no que lhe disse, e tal eloquência emprestou o meu amor de mãe às minhas palavras, que se ela em verdade não se deu por convencida, pelo menos entregou-me os pulsos resignada.

Não me desgostava ouvir-lhe as queixas; sinal eram de que amava fisicamente o marido, virtude esta que se vai fazendo rara em nossos dias.

— Olha, minha filha, — disse-lhe uma vez, enquanto costurávamos à mesma mesa — o que não poderás negar são as vantagens, que tens sobre as outras esposas, com este sistema de vida conjugal que te arranjei... O casamento, longe de roubar-te aos prazeres que dantes desfrutavas na sociedade, veio trazer-te novos, sem falar no inestimável gozo da satisfação do amor instintivo que ainda não conhecias. Continuas a ter hoje, em minha companhia, os teus bailes, os teus passeios e os teus teatros, como no tempo de solteira; teu marido, sempre enamorado de ti, nunca falta aos pontos onde saiba que estejas. Entre os homens que te galanteiam é sempre ele o mais solícito em merecer-te as graças, em requestar-te, em perseguir-te como um verdadeiro apaixonado.

— Ora, quero que me digas quantas senhoras casadas encontras tu por aí nestas condições a respeito dos competentes maridos?...

— Nenhuma.

— Pudessem eles e nunca em público compareceriam ao lugar onde elas se acham, ainda mesmo quando as amem.

— E isso por quê? porque sabe cada qual de antemão que, ao recolher-se à casa, há de invariavelmente encontrar a mulher à sua espera, e que terá a sua companhia por toda a noite, e por todo o dia seguinte, e pelo outro depois, e por todos os que se seguirem, e enfim por toda a vida! "Estamos unidos para sempre!" suspira o desgraçado. E vê, minha filha, repara quanto esta frase é terrivelmente assustadora! repara como é ela em tudo oposta a essa outra frase, que teu marido repete todas as vezes que tão amargamente se queixa de mim: "Nunca estou com minha mulher todo o tempo que desejo!" sem se lembrar, o ingrato! que nisso consiste justamente o segredo da felicidade de vocês dois! Vamos, confessa qual das duas esposas é a mais feliz — aquela, cujo marido se preocupa com a irremediável eternidade da sua união; ou tu, minha tolinha, cujo marido lamenta a cada instante que as horas passadas contigo nunca são tantas e tão longas quanto ele desejava?...

— Mas, — observou Palmira — eu amo tanto meu marido!... Não me cansaria em estar ao lado dele...

— É o que te parece agora, como a todo o sujeito, atormentado pelo apetite, parece que se não cansaria de comer! Estivessem vocês sempre e sempre juntos, e haverias de dar razão às minhas palavras...

— Ora, mamãe, não há de ser tanto assim... — murmurou ela.

— E, se não podes responder por ti, quanto mais por ele!...

— Oh! Ele me ama deveras! Disso tenho eu certeza!

— E eu também. E justamente para que essa bela chama não se extinga, dou-me ao cuidado de reformar-lhe o combustível!

Palmira soltou uma risada e não insistiu no assunto. Mas, à noite desse mesmo dia, a questão voltou com mais força. Meu genro, quando veio para jantar, trazendo, como de costume, flores para a mulher e uma pequena lembrança literária para mim, (creio que dessa vez foi um livro de Olavo Bilac) percebeu logo, pela conversa travada entre nós duas, que ele essa noite iria para Botafogo, pois havia já três seguidas que ficava com Palmira.

Não protestou logo, apenas franziu o nariz. À sobremesa, porém, começou a lamentar-se vagamente, dizendo que iria aborrecer-se sozinho em casa — e que, com franqueza, antes não tivesse casado — e que era preferível não amar a esposa como ele a amava — e não sei que muitas frases deste gênero.

Fingi não perceber a sua rabugice e, para mudar de conversa, falei-lhe de interesses comerciais, atirando-lhe perguntas sobre perguntas, a que tinha ele de responder a todas. Mas Leandro, que se conservava ao lado da mulher, não descia da sua preocupação e, por meias palavras em segredo e gestos dissimulados, instigava Palmira a protestar contra o meu arbítrio. Palmira, a furto, olhava-me suplicante.

Findo o jantar fomos jogar o *poker*, e ele durante o jogo parecia cada vez mais contrariado. Ao chá mostrou-se muito carinhoso com minha filha, não obstante ir visivelmente se agravando o seu mau humor à medida que se aproximava a hora da separação. E depois do chá deixou-se ficar conversando, sem se resolver a tomar o chapéu e a bengala.

Levantei-me e chamei o criado para dizer-lhe que se preparasse para apagar as luzes e fechar a casa, porque o senhor Leandro ia sair. Palmira então veio ter comigo, com o ar embaraçado, as mãos um tanto frias; deu-me um beijo, e pediu-me, hesitante, comovida, e em segredo, que eu consentisse ao marido passar com ela ainda aquela noite.

Durante isto, meu genro, sem abalar donde estava, sacudia com impaciência a perna que tinha dobrada sobre a outra. E olhava-me à esconsa.

— Não! Não! — respondi à minha filha.

— Mamãe!...

— Ele já cá ficou três noites seguidas... É preciso que se vá embora.

Palmira ia insistir e fazer-me novas carícias, mas o marido interrompeu-a secamente, erguendo-se.

— Não insistas! — disse. — Para quê?... Deixa lá tua mãe! Ela não quer! Acabou-se!

Não dei palavra. E ele acrescentou, sem se poder conter: — Ora! afinal isto é humilhante e ridículo para mim! Não sei agora que me parece ser preciso andar eu solicitando, como um grande favor, uma coisa que no fim de contas é do meu direito!

Era a primeira vez que meu genro me falava com semelhante aspereza. Até aí sempre me guardara respeito, fugindo até a discutir comigo. Produziram-me pois muito má impressão o tom e a forma do seu protesto; mas, no íntimo dos meus interesses maternais, ria de gozo por ver aquele desespero com que o pobre rapaz disputava mais uma noite ao lado da esposa, e a comoção e ardor com que esta o acompanhava nesse empenho.

Definitivamente o suspirado milagre do amor matrimonial tinha-o eu realizado em benefício de minha filha!

Mas Leandro prosseguiu entredentes:

— Afinal, por menos que se pareçam as sogras, hão de ser sempre sogras!

— Que quer meu genro dizer com isso?... — perguntei; agora ressentida, a despeito de tudo.

Aquela terrível palavra "Sogra", tão mal reputada e tão corrompida pelo mau gosto dos zombeteiros da imprensa, lançada assim à queima-roupa, produziu-me o efeito do mais feio insulto.

Ele respostou:

— Ora, que quero dizer!... Quero dizer que a senhora minha sogra abusa do pacto feito entre nós quando me casei! E abusa da sua posição de minha benfeitora, contrariando-me e torturando-me só pelo gostinho de ser sogra!

Palmira interveio a favor dele, mas em tom modesto.

— Leandro tem razão, mamãe! Que mal faz que ele fique hoje comigo? Ele é meu marido!...

— E a senhora que gosta tanto de citar a Bíblia, — reforçou meu genro, — devia saber que ela manda à mulher deixar pai e mãe para seguir o marido!

— É, mamãe! A Bíblia manda!... — confirmou minha filha com uma carinha brejeira. — Lembre-se de que Deus Nosso Senhor disse a Eva para obedecer a Adão e acompanhá-lo por todo lugar onde ele fosse!

— Mas, — observei-lhe, — Eva não tinha mãe, a seu lado, que, se a tivesse, não daria ouvidos à serpente...

— Oh! — exclamou Leandro agastado. — Dir-se-ia que a senhora me chamou "Serpente!" Serpente! Tem graça!... Eu é que sou a serpente!... Pois, minha senhora, se aqui temos pomo de discórdia, não sou eu com certeza que o promovo. E, quanto ao fato de Eva não ter mãe, digo-lhe então, francamente, que Adão, esse é que era deveras um felizardo, porque não tinha sogra! Ouviu, minha senhora? — Não tinha sogra!

E depois de passear agitado pela sala, respingou ainda, enquanto eu, assentada junto à mesa, percorria as páginas de uma ilustração:

— Serpente! Ora esta! — Serpente!

— Eu lhe não chamei serpente, homem de Deus! — disse afinal, fitando-o através das minhas lunetas. — O senhor não tem razão! Creio que até agora ainda não exorbitei dos meus direitos ajustados antes do casamento! O senhor é que se está excedendo, meu genro!

E tornei ao meu jornal.

Ele serenou um pouco e prosseguiu depois, sem deixar de espacear pela sala:

— Mas enfim, queria que me dissessem que mal viria ao mundo, se eu ficasse hoje ao lado de Palmira!...

E parou defronte de mim, para me falar em voz mais baixa: — Quer que lhe diga então uma coisa, Sra. D. Olímpia? A senhora, com essas suas exigências, faz-me ter ideias que me repugnam! Eu amo muito minha mulher; sou homem, sinto-me comovido ao lado dela; desejo-a; (E creio que com isso não cometo um crime!) mas, depois de jantarmos juntos e juntos passarmos algumas horas, tenho de retirar-me e meter-me sozinho em casa? Ora, diga-me: parece-lhe que seria muito censurável, se eu, ao sair daqui, fosse procurar onde não tenho direito as consolações de que a senhora me priva ao lado da única mulher que legitimamente mas pode dar?...

— Leandro! Leandro, não digas isso! — exclamou minha filha, correndo a lançar-se nos braços do marido. — Ouça, mamãe! ouça o que ele está dizendo!...

— Não te podes queixar de mim, filhinha! — respondeu meu genro, triunfante com o seu estratagema. — Queixa-te de tua própria mãe!

— Não! — protestou ela, passando-lhe os braços em volta do pescoço e beijando-o. — Não quero que digas isso, mesmo sabendo que serias incapaz de semelhante deslealdade!

E correndo de novo para mim, já com as lágrimas a quebrarem-lhe a voz: — Vamos, mamãe, diga-lhe por amor de Deus que fique! Bem vê que estas coisas me põem nervosa! — E batendo com o pé: — Eu não consinto que Leandro vá hoje daqui sozinho! Se mamãe não o deixa ficar, sou eu que me vou com ele! Sozinho já o não deixo hoje!

— Pois fiquem juntos! fiquem! — respondi finalmente, erguendo-me, disposta a retirar-me para o quarto. — Vocês no fim de contas não passam de duas crianças, e fazem-me a mim também criança!

Palmira pôs-se a saltar, batendo palmas; e, assim aos saltos, veio até a mim, apanhou-me o rosto com ambas as mãos e cobriu-mo de beijos estalados.

Leandro, cuja fisionomia fora a pouco e pouco se abrindo e alegrando, chegou-se também para despedir-se de mim.

Notei, no seu olhar, que ele me agradecia sinceramente aquela concessão.

— Vá! Vá! — disse-lhe eu, batendo-lhe uma amigável palmada no ombro. — Mas fica para outra vez prevenido desde já de que, quanto mais longe forem as suas ameaças, tanto pior para o senhor... Deus lhe dê muito boa noite!

Apertei-lhe a mão, beijei inda uma vez Palmira e retirei-me para o meu quarto.

Bem ouvi ainda resmungar meu genro com a mulher. Queixava-se de mim, naturalmente. Compreendi que nesse momento estava sendo amaldiçoada por ele, mas sentia-me radiante, porque tinha ampla convicção de que minha filha, apesar de casada havia já quase dois anos, ia ser feliz, muito feliz, nos braços do esposo.

Recolhida, depois da minha habitual oração, em que pedia a Deus continuasse a dar-nos, a ela a felicidade e a mim forças para poder zelar por esta, deitei-me e adormeci, com a alma nadando em júbilo.

Tinha eu conseguido boa parte do meu ideal. À custa daqueles dúbios enfados e arrufos passageiros, a grande ilusão do amor instinto, a deliciosa quimera da felicidade sensual, mantinha-se equilibrada, sem cair por terra como desalada mentira, nem perder-se no vago como desvairado sonho.

* * *

Mas, dentro em pouco, uma grande ocorrência vinha alterar nossa vida, tão custosamente bem feita, e revolucionar-nos a casa, abrindo entre minha filha e meu genro uma cena cruel, cena de lágrimas e soluços, agora verdadeiros, de verdadeira dor.

19

Manifestaram-se em Palmira os sintomas de gravidez. Isto, que em outra família seria motivos de regozijo, lá conosco foi razão de sérias lutas por mim travadas contra meu genro e minha filha.

Declarei logo que ela, desde esse dia, deixava de coabitar com o marido, e que este seguiria no primeiro paquete a sair para a Europa, ou partiríamos nós duas. Se ele fosse, todas as despesas da sua viagem correriam por minha conta, mas Leandro só tornaria a ver a mulher, quando esta pudesse apresentar-lhe nos braços o filhinho, já dignamente livre dos cueiros e das cuecas, todo enfeitado, coberto de rendas e fitas e cheirando como um botão de rosa.

Uma bomba de dinamite não causaria maior explosão do que este meu decreto. Foi fulminante: minha filha quase perde os sentidos ao recebê-lo; meu genro, que acabava de almoçar conosco, enterrou o chapéu na cabeça e desgalgou de casa como um raio, exclamando que fugia — para não fazer ali mesmo uma loucura.

Eu, porém, estava resolvida a não ceder um passo. E não cedi.

Em vão minha filha recorreu a todos os modos da súplica; em vão chorou e jurou que morreria se tivesse o filho longe de Leandro; em vão ameaçou-me de que seria capaz de um infanticídio para não sofrer aquela minha exigência — assim tão dura, tão desumana e tão ridícula.

— Nunca pensei, mamãe, — disse-me ela, — que a senhora levasse tão longe a sua mania de separar-me de meu marido! Nem parece que vosmecê é mãe e já esteve grávida, porque então devia saber que uma mulher, quando está neste estado e tem de dar à luz, o primeiro filho principalmente, quem mais deseja perto de si é o esposo!...

— É justamente porque já estive grávida; é porque te dei à luz; é porque sou mãe; e é porque também fiz grande questão em que teu pai acompanhasse todo o período da minha gravidez, e assistisse, do começo ao fim, o parto donde nasceste

— que agora não consinto, por forma nenhuma, suceda contigo a mesma coisa! Sei o que faço, minha filha! E, desde já, previne teu marido de que, se se opuser às minhas determinações, não conte ele comigo para mais nada, a não ser perseguição e vingança!

Desta vez não fui pedir à Bíblia o outro versículo do Levítico, em que o Senhor, muito expressamente, dá a Moisés e Aarão, para que a transmitam aos filhos de Israel, a lei especial do afastamento durante o nojo da parturição e da prenhez. Já me não animava a citar a Bíblia; tal firmeza mostrei porém na minha vontade, que meu genro compreendeu a inutilidade de abrir luta, a não ser com um rompimento completo e brusco.

O pobre rapaz ficou aflito, bem o vi, e na realidade causava-me pena. Parecia ter perdido a cabeça; não se animava a romper comigo por uma vez, nem se queria resignar tampouco à minha inflexível ditadura de sogra; não que o preocupasse a sua declaração escrita, creio eu, mas porque um rompimento comigo seria a sua desgraça comercial, ou pelo menos violento golpe dardejado na sua nova carreira até aí tão próspera.

Reconheci que desta vez o sacrifício imposto ao coração de ambos era, com efeito, muito mais sério que das outras, e por isso procurei suavizá-lo não me agastando com as impertinências dele, nem com os ressentimentos de minha filha. A tudo resisti serenamente, e, com boas palavras e maneiras calmas, fiz ver a meu genro que ao lado de sua mulher — ficava eu; e ao lado da enferma — ficava um bom médico, que era o Dr. César.

Ele pois que embarcasse tranquilo e confiante; a competência profissional do meu velho amigo e os meus desvelos de mãe não deixariam sentir a nossa Palmira a falta dos seus cuidados.

Leandro começou daí por diante a evitar a minha presença; a falar-me secamente e o menos que podia; começou a não me tratar senão por "Minha sogra", dando a esta palavra uma expressão tão agressiva e tão dura, que por fim já me doía e magoava bem cruelmente.

Urgia contudo não perder tempo. Era preciso que meu genro partisse quanto antes, e, uma vez que ele me não queria falar, fui ter humilhada ao seu encontro. Animei-o, como a um filho malcriado e caprichoso, e, apesar da ofensiva secura com que me ouviu, achei meios de dizer-lhe que não visse no meu ato uma ridícula pirraça de velha rabugenta, dominada pelo espírito de contradição; fiz-lhe sentir que, se ele dentro de poucos dias não despregasse do Rio de Janeiro, nos obrigava, a mim e a minha filha, duas senhoras — uma idosa e a outra pejada, a aventurarmo-nos numa viagem, onde Palmira não encontraria decerto o conforto e os socorros que o seu estado reclamava. Além disso, da Europa ele apenas mal conhecia Londres, através de um colégio. Precisava agora vê-la e estudá-la como homem. Que melhor ocasião para fazer esse passeio?... Iria descansar um pouco, espairecer, instruir-se, ganhar novas ideias e novos pontos de vista, cujos bons frutos seriam aproveitados em favor da sua profissão comercial e em favor da educação de seu filho.

— Sim, — replicou Leandro, — desejo ir à Europa, e muito, mas em companhia de minha mulher!

— Irá depois com ela... — correspondi — e eu mesma os acompanharei, e mais o nosso herdeirozinho... É até muito mais conveniente que o senhor primeiro realize sozinho essa viagem, para poder ensinar depois sua mulher a ver e apreciar aquilo que o senhor já tenha visto. É mais correto! Num casal bem constituído, o chefe deve sempre levar vantagens sobre a esposa, tanto no seu grau de cultura intelectual, como no seu conhecimento prático da vida e do mundo...

— Mas abandonar minha mulher quando a vejo naquele estado?!

— O senhor não a abandona, meu genro; o senhor a deixa entregue aos meus desvelos e ao meu amor de mãe. Quanto ao estado dela — não queira também exagerar as coisas! a gravidez e o parto, em boa normalidade de circunstâncias, são funções naturais e quase tão simples como o próprio amor que os produziu.

— Mas é o primeiro parto!

— O que lhe não impedirá de ser muito benigno, porque o filho foi concebido nas melhores condições que é possível desejar. Fique certo, meu genro, que em geral — os filhos gerados com todo o amor e com todo o desejo, nem só são os únicos perfeitos, como ainda são os que nascem com a maior e mais lisonjeira facilidade. É preciso desconfiar sempre da harmonia e boa ventura doméstica de um casal, cujos filhos encontrem dificuldade em entrar na vida, a não ser que haja vício orgânico por parte da mulher ou vício no sangue por parte do homem. Entre os dois instintos garantidores da vida — o amor e a fome, existem as mais estreitas analogias: da mesma forma que — comer sem apetite produz má digestão, conceber sem amor — produz má gravidez e mau parto; quando não produz o aborto, que é a legítima indigestão do amor. Meu neto há de ter um nascimento feliz, sou eu quem lho assegura! E imagine agora o prazer que lhe está reservado para a sua volta, meu amigo! Prefigure-se tornando à casa depois de alguns meses de ausência e vindo encontrar o seu filhinho nos braços da nossa Palmira! Hein? não lhe parece que o prazer da volta compensa um pouco os sacrifícios da ausência?

— Ausência de quase um ano!...

— Qual! Ela está grávida de três meses, creio. Ponhamos um para a viagem — quatro! Ao senhor basta demorar-se lá seis ou sete, quando muito... Ora, seis meses passam depressa, principalmente em passeio pela Europa, vendo coisas bonitas!...

— Bonitas! Bonito será se, daqui em diante, mal perceba que minha mulher está grávida, tenha de entrouxar as malas a toda a pressa e fugir para a Europa!

— Ora deixe lá o futuro, que a Deus pertence, meu filho, e cuidemos do presente, que é a nossa obrigação. E já não fazemos pouco!

* * *

Quando nos separamos essa noite, depois do chá, meu genro estava resignado a fazer a viagem. Faltava-me, porém, a outra, que me parecia mais difícil de ceder, sem ficar prostrada pelo sacrifício.

E, com efeito, maior resistência encontrei em Palmira do que em Leandro. Mas com prazer descobri logo que semelhante reação não vinha tanto dos seus terrores do parto, como dos seus mal disfarçados ciúmes pelo marido, que se ia ausentar assim por tanto tempo.

Desde que percebi isto, tinha por ganha a vitória.

Fiz ver-lhe logo que aquela ausência de Leandro, longe de ser desfavorável à esposa, era uma nova garantia para o amor e para a felicidade de ambos. Deixando-o ir agora, surpreendido assim violentamente no auge do seu enlevo amoroso, ela podia ficar segura de que o marido iria resguardado pela saudade e nada cometeria, que pudesse ser lesivo ao ente estremecido que ele deixava tão distante. Leandro honraria o seu voto sagrado e guardaria fidelidade, justamente por se achar então a contragosto separado da sua "pobre e querida mulherzinha".

— Ficando aqui, — disse-lhe eu, — vendo-te ele todos os dias, sem aliás poder aproximar-se de ti para o matrimônio, haveria de trair-te, fatalmente, durante os resguardos da prenhez e do parto, porque a consciência lhe descobriria absolvição para tal delito nas supostas necessidades do seu organismo de homem e na tua acidental inutilidade de mulher. Ser-te-ia infiel, convencido de que com isso não cometeria baixeza, nem maldade, porque havia de resgatar a sua culpa junto à tua cama de doente, à força de constante dedicação, à força de desvelos de enfermeiro e pequeninos cuidados de bom amigo. Ao passo que, por mim arrancado barbaramente dos teus braços e repelido para longe, hão de a ausência e a saudade envolver-te, à proporção que os dias se passarem, num prestigioso véu de poesia e desgraça; há de dar-te irresistível e fascinante auréola de vítima resignada, a quem seria baixa perfídia enganar traiçoeiramente.

— A tua ausência será pois a garantia do seu amor e da sua fidelidade. Ele terá medo de pecar, porque já saberá de antemão que a sua consciência lhe não perdoará semelhante injustiça. Aquilo mesmo que aqui, ao teu lado, seria por ele admitido como fatal consequência do resguardo da crise puerperal, lá atingirá no seu foro íntimo às negras proporções de torpe covardia. Lá, sem elementos de resgate do crime, para fazer calar a consciência, sem poder de resto prestar socorros à tua gravidez, nem poder consolar-te do teu estado, ele não terá ânimo de faltar à fé conjugal, porque todo o seu coração será pouco para chorar a tua ausência; todo o seu pensamento será pouco para se lembrar de ti! Todo ele, minha filha, será pouco para ter um só ideal — tornar a ver-te, e beijar o filho! Todo o seu corpo só terá um desejo, uma preocupação constante, uma necessidade expansiva: — o de cair-te nos braços, soluçando palavras de amor, e matar com os teus beijos a grande saudade que o devorava longe da tua ternura e longe do teu corpo!

— E, vamos lá... — acrescentei, tomando as mãos de minha filha, que me escutava imobilizada, com o olhar ferrado num só ponto. — Falemos com franqueza: achas tu que as coisas correriam deste modo, continuando ele aqui ao teu lado? Sabes tu, porventura como permanecerás gravada no seu espírito durante a ausência necessária à tua parturição?... ficarás gravada como ele te veja pela última vez, no momento do beijo da despedida; aparecer-lhe-ás no espírito como te tenho agora defronte dos meus olhos — com o corpo ainda não deformado como estará daqui a poucos meses. Por enquanto, Palmira, a gravidez te não prejudicou a beleza; ao contrário: vai bem ao teu rosto essa cor misteriosa e pálida e essa tristeza de sorrir; não te fica mal ainda essa languidez no andar, como essa vaga expressão que tens nos olhos e nos gestos. Mas, quando o teu feto atingir ao seu último período de gestação, sabes tu, minha filha, como estarás diferente e como serás outra? — abatida, desbotada, sem cintura, com os pés inchados, a cara intumescida, as pernas trôpegas, o ventre enorme, e o estômago em revolta, o que seguro te produzirá engulhos e mau hálito!...

Palmira interrompeu o seu silêncio, sem interromper o seu olhar, para responder com um suspiro profundo:

— Ora! meu marido me amará de qualquer modo!... Não faço questão de ser bonita para ele!...

— Então para quem fazes tu questão de ser bonita, se não é para teu marido? A mim é que agradarás do mesmo modo em qualquer estado, porque sou tua mãe; mas a ele, e só a ele, te convém seduzir como mulher. E acredita, minha Palmira, que nesse erro consiste boa parte das comuns infelicidades domésticas! Em geral, por aí, a esposa só se enfeita e faz bonita, para sair à rua, quando dentro de sua casa é que ela precisa ser sedutora, porque é dentro de sua casa que ela tem um homem a quem agradar por toda a vida!

— Sim, mas a gravidez também não dura eternamente. Eu voltaria a ser o que era dantes...

— Não! Para teu marido nunca mais, depois do parto, volverias a ser o que dantes foras! Dantes foste o que agora continuas ainda a ser no espírito de Leandro — a encantadora e mimosa criatura que se fez mulher nos braços dele; e depois do parto serias, e continuarias a ser para sempre — a mulher que nos seus braços se fez mãe! Todos os teus encantos feminis, todas as graças da tua mocidade em flor, desapareceriam, para só ficar o ventre sagrado, que se abriu defronte de seus olhos e lhe despejou um filho nos braços! Bem vês que não é a mesma coisa!

— Não deve ser tanto assim!... Mamãe exagera com certeza!

— Exagero?! Sabes lá que impressão deixa um parto ao homem que o assiste?... Impressão que escandaliza os olhos, os ouvidos e o olfato! Sangrento drama, que comove e repugna! que faz dó e faz náuseas! Nele a mulher perde inconscientemente a noção do seu mais cativante e natural instinto, a sua única superioridade sobre o homem, o seu único meio de dominá-lo e prendê-lo — o pudor!

— No parto, em presença do esposo amado, o pudor, como todas as outras seduções da mulher, desfazem-se-lhe na lama infecta e generosa do seu sangue de mãe, para só prevalecer o filho que, de um salto, imediatamente, se apodera do principal lugar até aí ocupado por ela no coração do marido. E este, embriagado com a felicidade daquele novo amor, começa desde então a viver só em reviver no entezinho recém-nascido e melindroso, que é agora todo o encantamento do seu lar; enquanto a mulher, ainda mesmo que recupere as graças primitivas, fica, nos intervalos de resfriado matrimônio, encostada a um canto, esquecida como uma máquina em descanso.

Palmira soltou um suspiro mais longo que o outro, e continuou a fixar o mesmo ponto, com os olhos imóveis.

Eu prossegui:

— E depois?... logo depois do parto?... Enquanto o filho, nos seus primeiros dias de vida, com o seu primeiro choro, vai roubando à mãe todos os carinhos sensuais do marido dela, o que é a mulher?... É uma pouca de carne dolorida e mole que ali está sobre a cama! E é preciso defumar o quarto, mudar constantemente as roupas sujas! Ela, coitada! num resguardo absoluto, sem se poder lavar completamente, nem pentear-se, nem desinfetar os cabelos e o corpo, só vive para a sua recente maternidade e para o gozo animal do seu estado de alívio, depois que despejou a carga que a oprimia por tantos meses e que lhe fazia sofrer dores físicas e sobressaltos morais. Dos beijos de compaixão e de reconhecimento que o esposo lhe dá durante esse período do cheiro de alfazema, nasce entre os dois uma doce amizade, uma respeitosa estima de bons companheiros, um sentimento muito bonito, muito sério, muito duradouro, mas que é o inimigo mortal do amor genésico.

— A sexualidade, que entre eles vier depois, já nada tem que ver com o poderoso instinto, que os arrastou abraçados ao leito conjugal, e será mero produto do hábito, uma preguiçosa permuta de carícias frouxas, obra quase inconsciente da matéria, sem o menor concurso do espírito ou da imaginação, donde faz entretanto o amor fecundo a sua gloriosa força.

— Não! não! não, minha filha! teu esposo não te verá de ventre crescido, não te sentirá mau hálito, não ouvirá teus gemidos e gritos de parturiente, nem assistirá a sair-te das entranhas, entre as viscosas esponjosidades da placenta e a nauseante fedentina dos humores puerperais, um ensanguentado feto, uma posta vermelha de lodo vivo! Teu esposo não te verá amolentada, entre mornos travesseiros, impregnada de cheiro de alfazema, parida! Não! não há de ver! não quero!

Ela soltou um novo suspiro e mudou de mira, sem alterar a fixidez dos olhos.

— Não! — arrematei. — Hás de conservar-te integralmente sedutora na imaginação de teu marido! Quero que ele te deixe fresca e bonita, como ainda estás agora, e te venha encontrar depois, ainda mais interessante do que te deixou, com uma linda e cheirosa criancinha ao colo. O teu parto não há de inutilizar aos seus olhos a mulher que ele em ti ama. Não quero que ele se converta no teu amigo extremoso; quero que ele continue a ser o teu amante apaixonado. Quero enfim que Leandro se não desiluda contigo, como homem, para que ele não precise nunca substituir-te secretamente por outra mulher!

E, depois de uma pausa, terminei carinhosamente com estas palavras: — Ora aí tens tu, minha filha, a razão do meu procedimento. Agora, a ti compete apreciá-lo bem ou mal...

Palmira levantou-se, beijou-me, e caiu soluçando nos meus braços.

— Minha boa mãe!... — disse ela.

A pobre criança tinha compreendido tudo, e a sua singela frase pagou-me nesse instante de todos os desgostos que sofri e de todos os desvelos que por seu amor mantive até aí com tanta luta.

— De hoje em diante, — segredei-lhe eu, enxugando-lhe as lágrimas, — dormirás comigo no meu quarto, meu amor, ao lado de mim, na mesma cama, até à volta de teu marido. Está dito?

— Sim, sim, mamãe!

20

E assim foi. Durante os poucos dias que precederam a viagem de meu genro, minha filha dormiu todas as noites comigo.

Imagine-se o que dele não tive de sofrer por semelhante fato. Quando soube da minha resolução, desesperou-se; dessa vez chegou a chamar-me "jararaca!" Mas Palmira estava bem convencida das minhas razões e tanto me bastava, porque era todo o meu empenho não lhe irritar os nervos, contrariando-a. Quanto ao marido — que esbravejasse à vontade, contanto que se pusesse ao largo.

Também era só o que faltava — que fosse eu agora impressionar-me com o infantil egoísmo de meu genro! Procurava, é exato, esconder aos olhos de Palmira a minha superioridade sobre ele, fingindo até respeitá-lo e temê-lo, mas só pelo receio de que a compreensão justa da verdade viesse a prejudicar o juízo que minha filha mantinha com respeito ao valor moral de seu marido. Em uma palavra — receava que ele se amesquinhasse aos olhos dela.

Convém notar que Leandro, depois que aceitara, resmungando, a minha ditadura de sogra intransigente, começou a ter impertinências e rabugices de uma verdadeira criança. Ia ao ponto de fazer manha, para que a mulher o consolasse com carinhos e se fizesse zangada, de mentira, contra mim, fingindo-se revoltada e afetando indignação nas suas palavras, como a ama que, para engodar o bebê, diz injúrias à cadeira em que ele por acaso deu uma pancada com o corpo.

Nestas coisas de dentro de casa, no segredo do cofre doméstico, o marido quase sempre é muito mais pueril e piegas que a mulher. Esta só aparenta infantilidade na rua ou na exibição social, para se fazer inocente e cândida, porque assim dela exige o público; e aquele, para o efeito contrário, é aí que sustenta, ou simplesmente afeta, a rija linha do seu sexo forte. Da porta da rua para fora, ela é criança e ele é gente grande; mas, da porta da rua para dentro, é o homem quem dá a nota infantil, ao passo que a mulher em geral é quem garante a tranquila seriedade do lar, com a sua moral e o seu bom senso prático, com a sua perspicácia e com a sua constância, resignação e força de paciência.

Receosa de que semelhantes pieguices em meu genro viessem a deprimir sobremaneira a ilusão do amor que minha filha lhe consagrava, tratei em tempo de providenciar neste sentido, mas dei logo pouco depois pelo meu erro, percebendo que as mesmas pequenas separações por mim impostas aos dois, como preservativo contra o tédio, longe de extinguirem as infantilidades de Leandro, ainda mais lhes davam vida. E acabei por convencer-me de que o fato era natural e próprio do caráter mesmo do amor, e que por conseguinte nunca poderia ser ele desagradável à mulher amada.

Parece, à primeira vista, que o homem, quando se faz piegas e submisso ao lado de uma mulher, deve tornar-se ridículo aos olhos dela e pois incompatível com o seu amor; assim não acontece, porém, desde que tal pieguice e tal humilhação sejam praticadas só e exclusivamente com essa mulher e rigorosamente escondidas a todos os mais. E se esse homem, assim pueril e mimalho para com essa mulher amada, for opostamente para os outros, como muita vez sucede, um caráter enérgico e um espírito respeitável, então a coisa é completa no interesse do amor de ambos.

Está bem claro que tudo isso só se pode bem verificar quando o casal goza a felicidade de ter parentes mais velhos que o dominem, e contra os quais possa o esposo e a esposa queixarem-se entre si. Esta é uma das vantagens de ter sogra; enquanto o genro briga com a sogra não briga com a mulher; antes pelo contrário mais se chega para esta; e os frescos e surdos laços da conspiração que os reúne e religa, conseguem em muitos e muitos casos o que os afrouxados laços do instinto sexual já não podiam obter entre eles.

* * *

Bem diferente pois é no homem o seu modo de amar comparado com o modo de amar da mulher, como bem diferentes são as manifestações do amor de cada um.

O homem tem o jogo franco no amor; a mulher tem o jogo encoberto. O homem, desde que ame deveras, não pode guardar segredos para a mulher amada; tem, por uma lei congênita à sua própria ternura, de abrir defronte dela o seu coração, de par em par, como uma carteira, que ele todavia para outros trouxesse avaramente oculta e bem fechada; tem de expor-lhe a alma toda nua, e nu todo o seu mais recôndito pensamento. Não lhe esconderá nada do que se passa dentro dele, cavando e desencerrando até às mais íntimas e fundas circunstâncias, ainda mesmo aquelas que possam ser deprimentes do seu caráter, nocivas ao seu amor, e até mesmo desagradáveis e humilhantes para a mulher que as ouve.

O homem, que ama sinceramente, começa logo por contar à sua amada todas as particularidades de sua vida, chegando sempre a ser ridículo pela insistência em despejar aos pés dela todo o seco e frio bagaço do seu passado. Não se esquece do menor episódio; diz-lhe tudo, tudo, tudo! E a mulher suporta isto a sorrir, e recolhe o inútil despejo com sua condescendência de que o homem não seria capaz para com ela.

Ao passo que a mulher, por maior amor que consagre a um homem, nunca lhe mostra a alma por inteiro, nunca lhe franqueia totalmente o coração e nunca lhe confia de todo, nas suas confidências mais íntimas, o resíduo do seu passado. A mulher é amiga apaixonada do mistério, apesar de ser a eterna inimiga do segredo.

A mulher ama sempre de emboscada, armando laços e esparrelas; quer apanhar de surpresa o homem amado, sem que ele dê pela armadilha e possa a tempo defender-se. E daí o ela conhecer sempre tão profundamente o homem que ama e com quem vive; fato de grande desvantagem para ele, porque não há homem, por superior, capaz de resistir sem ridículo a semelhante análise; o que ainda constitui, a meu ver, mais um escolho para a convivência matrimonial.

Entretanto, o homem nunca chega a conhecer de todo a mulher que lhe pertence, por mais que ela o ame. Assim sucede que muita vez, na intimidade de um casal já de muitos anos constituído, lá uma bela ocasião o esposo fica admirado de ouvir falar à mulher de um fato, já velho na vida dela, e no entanto perfeitamente desconhecido para ele.

— Como, — diz o homem, — pois isso aconteceu?... Não sabia! ignorava-o até agora! Tu nunca mo disseste!...

— E por que havia de ter dito?... — argumenta a mulher. — Nunca tive ocasião de falar-te em semelhante coisa... Nunca me perguntaste nada a esse respeito...

E aqui está justamente a grande diferença no modo de amar dos dois sexos. O homem diz — espontaneamente, e a mulher confessa — interrogada.

Algumas há, casadas, que põem melindroso empenho em nunca mentir ao marido, e, sem jamais mentir com efeito, escondem-lhe tudo o que lhes convém ocultar, e às vezes coisas que são a desonra dele. Mas não mentiram.

O homem, em conclusão, dada mesmo a melhor hipótese da sua altivez e energia de caráter, pode ser banal e piegas no seu amor. E meu genro era assim, com a circunstância, porém, de que a sua puerilidade era toda cariciadora e amorosa para minha filha e era para mim só feita de impertinências e rabugens de criança malcriada. Como, não obstante, eu sabia pesar e dar o verdadeiro valor a tudo isso, não o responsabilizava por tais misérias, e íamos vivendo. De resto, como eu só o amava pelo efeito reflexivo do muito que eu queria a Palmira, achava-o ridículo, sem contudo sentir por ele ódio, nem desprezo, como nos sucede comumente acharmos ridículas, nos outros, muitas coisas que são naturais e que observamos em nós mesmos e em nós mesmos lhes reconhecemos a utilidade.

Todavia, a sua partida comoveu-me bastante. Fomos levá-lo a bordo. O Dr. César não pôde ir conosco, porque tinha em casa a irmã muito mal com uma pneumonia aguda.

Era em abril, num belo dia de sol. Palmira estava encantadora; fiz-lhe pôr, intencionalmente, um vestido preto enfeitado de rendas valencianas, porque assim convinha à sua palidez, que se agravara naquela última quinzena; o chapéu, muito simples e também preto, guardava-lhe apenas uma parte da cabeça, envolvido, com o rosto, num vaporoso véu cor-de-rosa, que à luz da manhã fazia realçar o tom magoado da sua formosura.

Na lancha, assentada ao lado do marido, com o busto destacando nitidamente do fundo brilhante e verde do mar, parecia-me mais bonita do que nunca. Durante a ida, Leandro conservou por toda a viagem uma das mãos dela entre as suas, lançando sobre mim, de vez em quando, olhares de feroz ressentimento. Eu fingia não perceber o seu ódio, e era toda ouvidos para o que os dois conversavam em voz baixa, esquecidos um no outro, num alheio egoísmo de amantes sobressaltados.

Percebi que minha filha lhe murmurava dos ciúmes que ia sentir por ele durante a ausência, e ouvi distintamente a resposta de meu genro:

— Se tu soubesses como levo este coração despedaçado, não me falarias nisso... Maldita a hora em que empenhei minha palavra!...

E, depois de desferir contra mim mais um olhar colérico, tirou o lenço da algibeira, para esconder o rosto, resmungando com azedume alguma coisa, no que senti ferir-me ainda a ponta de uma desconhecida injúria.

— Ora, coitado! — pensei, — julga-me mal e me não perdoa o mal que me julga... Mais tarde me fará justiça!...

E larguei tudo isso de mão, para só pensar no valor daquele vivo e palpitante ciúme de minha Palmira, tão amada e tão desejada pelo esposo...

Ah! esse espetáculo fazia lembrar-me de que eu, infeliz que fui! nunca tivera tido ciúmes de meu marido!

* * *

Há muita gente que diz do ciúme o que os franceses ainda não se lembraram de dizer contra os alemães, e eu mesma estou de acordo em que, na maior parte dos casos, ele nada mais seja do que uma grosseira manifestação do despeito e da vaidade. Mas, quando em vez de vir do orgulho ou do amor-próprio, ele vem objetivamente do nosso terno e vivedouro entusiasmo por certo e determinado ente querido, é uma das mais legítimas expansões do amor. Todo indivíduo que ama de qualquer modo, cerca de zelos vivos a pessoa amada.

Entre marido e mulher, como o casamento não é natural nem lógico, o ciúme complica-se e torna-se ridículo. Ao marido não assiste sequer o direito de mostrar ciúmes pela esposa, porque, das duas uma: — ou ele tem razão para revelá-los, ou não tem. Se tem razão não deve contentar-se com expô-los, deve por dignidade romper imediatamente os laços que a ela o prendem; e, se não tem razão, para que pois ofender e ferir em cheio na honra uma mulher inocente?

Sei, e posso afiançar, é que minha filha me fez inveja inda uma vez. Eu nunca senti, nem causei ciúmes em toda a minha existência; e isso faz muita falta na vida de uma mulher! A nossa felicidade não é como a do homem, compõe-se de um conjunto infinito de pequeninas alegrias e pequeninas mágoas. A vida de uma mulher feliz é complicadíssimo mosaico de lágrimas, beijos, suspiros e sorrisos; mas tudo isso ligeiro e passageiro, que não chegue nunca a prostrar pelo sofrimento, nem pelo gozo.

Eis o que me veio ao espírito, quando, já a bordo do paquete inglês que tinha de levar Leandro, vi saltarem dos olhos de Palmira as lágrimas que ela dava em sacrifício da conservação do seu amor conjugal.

Ah! tomara eu aquelas lágrimas, na minha mocidade! Quem me dera tê-las um dia chorado!...

Meu genro chorou também, e isso me comoveu, a despeito do modo frouxo por que ele, por mera formalidade, me abraçou em despedida. Antes assim, porém, do que ter abraços seus bem apertados e sinceros, sabendo que os outros, dados à esposa, haviam de afrouxar em breve. Deplorável que és tu, meu pobre coração de mulher! nesse momento, em que meus olhos choravam tanto como os de Palmira, tive vontade de chamar para meu peito de mãe aquele criançola resmungão e aquietá-lo com carícias: No fim de contas, apesar de tudo, era ele, sem consciência disso, o meu associado na obra da felicidade de minha filha. E esta o amava tanto, que seria impossível deixar de amá-lo eu também. Contudo, Leandro me detestava, o ingrato!

E a dor forte daquela separação de minha filha e meu genro, lembrou-me outra separação também entre dois casados, quando meu marido se ausentou de mim por oito meses. Éramos ainda bem moços e também choramos no abraço da despedida, mas, ai! as nossas lágrimas foram bem diferentes daquelas, e não recendiam àquele triste e poético aroma de amor ainda cego!... foram lágrimas de dois bons amigos incompatibilizados pelo casamento! Meu marido antevia que a viagem, e depois o estádio num país estranho, seriam alegre e salutar variante na sua existência trabalhosa e monótona do Brasil; e eu por mim, confesso, não fazia o menor sacrifício com aquele apartamento de Virgílio. Já não nos amávamos sexualmente — eis a verdade!

Palmira, ah! essa ficou inconsolável... Voltamos tristes de bordo. Por longo tempo, da nossa lancha, agitamos os lenços no ar, em resposta a uma pequenina asa branca que palpitava, lá ao longe, no tombadilho do vapor.

Uma vez em terra, dentro do carro, mandei tocar com força para Laranjeiras, compreendendo que Palmira, no seu silêncio ameaçador, reprimia a explosão de soluços que ameaçavam sufocá-la.

E a tempestade desencadeou-se com efeito, mal me recolhi à casa com minha filha. Foi um longo transbordar de soluços, que lhe sacudiam nervosamente o corpo inteiro. Ela não quis almoçar; enfiou pelo quarto, arrojando o chapéu, as luvas, a sombrinha, e atirou-se em seguida à cama, com o rosto escondido nos braços e nos travesseiros, a chorar, a chorar, a chorar!

E eu vi tudo isso, sorrindo no íntimo ao contemplar satisfeita aquela cena transcendente. Deixei-a soluçar por longo tempo, assim estendida sobre a cama, bela naquele desespero de saudade. Ah! — não se sustenta o amor sem o elemento dramático, e não há drama sem lágrimas!

Mas, pouco a pouco, o temporal foi serenando, descaindo em longos e espaçados suspiros de desabafo, e, quando à noite nos recolhemos ao mesmo aposento, Palmira tomou-me o rosto entre as mãos e, sem uma palavra, beijou-me as faces repetidas vezes, e pousou depois a sua cabeça no meu ombro, abraçando-me em silêncio.

Na oração que fizemos juntas antes de tomar o leito, agradeci a Deus ter-me concedido a realização daquele milagre de amor conjugal, e pedi-lhe, do fundo da alma, que continuasse a proteger a poética felicidade daquelas duas pobres criaturas, que eu aninhava sob as asas da minha experiência de mulher e do meu amor de mãe.

21

No dia seguinte o assunto exclusivo da conversa de Palmira foi só o marido, mas nos subsequentes, sem se esquecer dele por um instante, pensou também um pouco no filhinho esperado; até que, daí a algumas semanas, a sua preocupação se dividia por ambos em partes iguais. E o seu ventre foi tranquilamente crescendo, e ela foi cada vez mais se fazendo mãe, no meio dos cuidados do enxoval, que a nós duas traziam ocupadas de manhã até à noite. O Dr. César, agora que supunha a irmã fora de perigo, aparecia-nos com mais frequência e ficava às vezes palestrando conosco durante o serão, entre o jantar e o chá. A progressiva marcha da gravidez de minha filha era fiscalizada por ele com especial solicitude.

Chegou a primeira carta de Leandro. Que alegrão para nós três! Não era uma carta de marido, era uma longa, sentida e despejada confidência de amante infeliz; comovia a força de expressão e de sinceridade, sem cair jamais no sentimentalismo patético; era simples, forte e natural, como o mesmo amor que a inspirava. Assim de longe, sob o domínio absoluto de uma dor verdadeira, meu genro volvia-se homem, e nem uma só vez recorria às manhas e pieguices que tinha dantes ao lado da família. Referia-se ao filho secamente, quase com azedume, como se falasse de um importuno que viera intrometer-se na sua felicidade. E não dizia nunca "meu filho" ou "nosso filho", dizia "essa criança".

Isto perturbou-me um pouco. Teria eu, quem sabe? preparado com aquela separação uma desgraça terrível, prejudicando meu neto no seu direito de filho ao amor de seu pai?... Não seria indispensável, para a boa formação, desenvolvimento e completo remate do amor paterno, que o pai acompanhasse de perto, lado a lado, todos os fenômenos patológicos que na mulher precedem o nascimento do filho, e os que ocorrem durante e depois da parturição?... Não teria eu talvez, para conservar o amor de Leandro por minha filha e impedir que se quebrasse entre estes o encanto do desejo, roubado ao meu pobre netinho a parte que de direito lhe tocava no coração de seu pai?... Não estaria eu maquinando contra a pobre criaturinha uma tremenda maldade, com fazer que ficasse todo inteiro o coração de meu genro em posse da esposa?... Não estaria eu cometendo um crime?...

Consultei nesse sentido o Dr. César.

— Não! — respondeu-me ele, sem hesitar. — Não, minha amiga! Afaste do juízo semelhante apreensão. O amor de pai não se pronuncia antes do nascimento do filho e só é formado e desenvolvido com a convivência entre os dois. O amor materno, sim: existe desde a vida uterina do feto, com ele cresce, avulta quando ele nasce, e vai aumentando sempre na proporção do crescimento do filho. E está nisto a razão por que o amor de mãe é sempre, até que o filho atinja à puberdade, maior e mais intenso que o amor paterno; é que ele, na sua carreira, sai com grande avanço. O outro, quando acorda, encontra-o já vigoroso e adiantado.

"A natureza foi muito previdente na constituição destas coisas: o filho só poderia ser privado do amor de sua mãe, se alguém conseguisse de uma mulher fazê-la conceber e dar à luz sem que ela tivesse consciência disso, e ainda assim não conseguiria privá-lo dos desvelos e dos cuidados maternais: a doida concebe e tem filhos sem sentir por eles o menor vislumbre de amor, mas sem nunca aliás se descuidar, guiada só pelo seu instinto de fêmea, de prestar-lhe os socorros maternos. Faz tudo isso como qualquer bruto — pare, corta com os dentes o cordão umbilical, prepara o filho para a vida: assopra-lhe na boca, se for preciso dar-lhe aos pulmões o primeiro ar; bate-lhe nas palmas dos pés e das mãos; depois cria-o, e defende-o dos perigos materiais que o ameacem; mas não o ama. Aquele bocado de carne viva e palpitante é uma pouca da sua própria carne; e a carne, essa nunca enlouquece! Considere agora, minha amiga, que, pelo lado paterno, não há sequer esta circunstância material do desdobramento do corpo, do desdobramento da carne. Na mulher, aquele poderoso instinto animal, associado à razão e à consciência não menos poderosas, produz o que se chama o amor materno. E tudo isso se dá antes de chegar o amor paterno, que pode até nunca chegar, se não houver convivência entre o pai e o filho. Não é banal dizer que todo o homem é muito mais filho da mulher do que do homem; o que me leva a sustentar que na sociedade ele devia apresentar-se com o nome da mãe e não do pai!"

Fiquei perfeitamente tranquila com estas palavras e pus o coração a larga.

Na segunda carta, Leandro enviava o retrato à mulher, e uma poesia inspirada na saudade, acompanhando tudo um amor-perfeito colhido em certo jardim, na ocasião em que, diziam os versos, "no meio da alegria geral e do riso dos convivas — seu coração sangrava o martírio daquela terrível ausência, que o privava do estremecido objeto do seu amor..." Li e reli essa composição poética; não era um primor da arte, mas Palmira chorou de comoção ao lê-la. E comparei mentalmente aquela carta do marido de minha filha com as cartas que meu marido me escreveu na sua ausência dos oito meses. Que diferença! Que contraste!

E vamos lá! tinha eu ou não tinha razão para estar orgulhosa com a minha obra? Qual é aí o marido que até à presente data já escreveu versos de amor à sua mulher, durante o desgracioso período da gravidez ou da parturição? Qual é ele? Versos ao filho consequente, sim, muitos o têm feito, esquecidos da pobre criatura enfeada pelo parto, que jaz molemente sobre uma cama de colchões mornos, entre mornos travesseiros, defumados de alfazema!

Na carta, onde havia uma página, toda inteira, dedicada ao Dr. César, que aliás da primeira remessa tinha já recebido uma particularmente a ele dirigida, só uma fria frase me cabia. Era esta: "Apresenta meus cordiais respeitos a tua mãe e pede-lhe, em nosso nome, que me escreva por ti, quando porventura já não o possas fazer." A única frase pois que ele me concedia fora ainda assim determinada pelo amor de Palmira. Não me revoltei: Era o caso do doente que, desvairado pela dor, morde a mão do médico que o opera. Pois me mordesse! que me mordesse quanto quisesse! contanto que aquela mesma boca, que me mordia a mão, continuasse no futuro a beijar com duplicado ardor a boca de minha filha!

Não me agastei, nem me senti menos feliz por isso.

* * *

A natureza é boa amiga! Como sabe ela dar a todas as estações da existência novos interesses de vida! novas dores e novos prazeres! Nunca pensei que fosse tão intensa a felicidade de ser avó!...

À proporção todavia que se aproximava o grande acontecimento, comecei a palpitar de impaciência e sobressalto. Desfazia-me em pequenos cuidados com a enferma; afigurava-se-me que era eu a única responsável pelo que viesse a suceder; sentia-me tão dentro daquela situação, que era como se eu fosse o pai e tivesse de ser a mãe daquele filho! Talvez não acreditem, mas juro que me impressionei ainda mais do que quando eu própria estive para dar à luz pela primeira vez!

E, agora, inesperadas apreensões vinham perturbar a confiança que eu até aí depositava cegamente nas ótimas circunstâncias em que fora aquele filho concebido. Não descansava um instante, não me descuidava um momento da minha Palmira. De madrugada era eu a primeira a levantar-me e vencer-lhe a indolência, e obrigá-la a vestir-se e a sair comigo, para os passeios matutinos. Arrependia-me agora de lhe ter falado tão abertamente do parto, porque ia começando a descobrir nela também receios e sobressaltos. Mas animava-a com tanto carinho e habilidade, que a boa criança nunca se atreveu a fazer-me a mais leve queixa, mesmo indireta, contra a ausência do marido.

Minha gaveta da secretária estava cheia de livros de medicina, concernentes ao assunto que inteiro me possuía. Sempre que eu pilhava alguma folga ou quando podia roubar algumas horas ao sono, devorava o *Traité de l'art des accouchements* de Gazeaux, e tomava notas para discutir depois com o Dr. César, que nesses últimos tempos não nos deixava de visitar todos os dias. Devia já parecer ridícula aos olhos do bom médico com as fumaças de doutora que eu agora me dava na conversa.

E a crise aproximava-se.

Eu já me não pertencia; não tinha a cabeça no lugar; comia sem apetite; passava noites de insônia. Estava tão abatida, ou mais, que minha própria filha, e juro que dentro do meu coração palpitava o feto que ela trazia no ventre.

***

Mas afinal chegou o dia supremo. A casa revolucionou-se. César estava conosco, felizmente. Não posso afiançar que sofresse eu as dores puerperais, mas sei que sofri muito e que não abandonei minha filha um só instante, até receber nos meus braços um belo menino, perfeito, forte, com o crânio coberto já de cabelo preto.

Oh! Vitória! Vitória completa!

Saltaram-me as lágrimas dos olhos. Tive vontade de misturar meus cansados soluços de avó com aquele angelical vagido, que meu netinho me trazia do mistério da antevida, alguma coisa de um balbuciar divino, que ainda não é voz humana e também já não é simples eco de puro cântico de anjos! Minha filha, quase morta de prostração, branca e fria, como se todo o sangue e toda a vida lhe tivessem escorrido pelo ventre aberto, gemia ainda, devagarinho, e seus gemidos cortavam a alma.

Entreguei a criança ao médico e a uma parteira que nos acompanhava, e dei-me toda aos cuidados da puérpera. Não me despeguei mais do seu lado, até que ela serenou de todo.

Ah! correu tudo muito bem: confirmou-se a minha convicção de que o bom parto depende das boas circunstâncias de amor em que o filho é concebido. Transbordava-me agora o coração de alegria. Quando vi minha filha fora de perigo e prestados a meu neto os primeiros cuidados, corri ao quarto do oratório, ajoelhei-me defronte da Virgem-Mãe, e aí, com a alma também parturiente e aliviada das ânsias e sobressaltos que a pejavam, agradeci aos céus, entre lágrimas consoladoras, a ventura que eles nos enviavam.

Mas tornei logo para junto da enferma. Tomei-lhe a cabeça no regaço, e foi assim que Palmira adormeceu, como nos outros tempos, quando eu era moça e ela pequenina.

22

Mês e meio depois do nascimento de meu lindo netinho, recebia Leandro na Europa uma carta que o chamava para junto da esposa.

Fomos buscá-lo a bordo e César foi conosco.

A mulher que restituí aos braços e aos lábios sequiosos de meu genro era de novo a formosa criatura que ele deixara oito meses antes; se não é que, com cumprir o seu mais alto destino de mulher, ganhara em graça e sedução, como certas plantas que só são verdadeiramente belas e viçosas depois de darem o seu primeiro fruto.

Ele também vinha mais forte e bem disposto. Notei, no seu primeiro olhar trocado comigo, depois que cobriu de beijos sôfregos as faces, as mãozinhas e os pezinhos de seu filho, que Leandro me não guardava rancor, e estive quase a acreditar que ele já tivesse afinal chegado a compreender-me. Mas percebi logo o meu engano: ainda era muito cedo para tanto. Um homem vulgar não compreende assim tão facilmente as complicadas delicadezas de um coração de mãe.

César, esse é que me compreendia bem e tomava parte direta nas minhas alegrias e nas minhas vitórias. Com que ar de satisfação acompanhou o meu bom amigo, essa tarde, a reentrada de meu genro em casa da mulher, e com que sinceridade de contentamento se tornaram a ver!

O nosso jantar foi uma festa. Houve brindes, dirigidos quase todos ao pequerrucho, que compareceu à mesa nos braços da ama, e que, valha a verdade, se portou muito incorretamente. Ainda não vi criança para berrar tão forte, nem para ensopar cueiros daquele modo!

À noite vieram visitas; tocou-se, cantou-se e dançou-se. Atentando para uma das amigas de Palmira, acompanhada à nossa casa pelo marido, a qual também, havia poucos meses antes, tivera o seu primeiro filho, não me pude eximir de comparar esse casal com o meu casal, e reconhecer quão diferente era entre os dois pares o modo por que se mantinha e conduzia cada um de per si. No entanto, o casamento daqueles era sem dúvida muito mais recente que o de Leandro com minha filha...

Não me contive e disse ao ouvido desta:

— Olha! ali tens uma infeliz, cujo parto foi com certeza fiscalizado de perto pelo marido. Vê como os dois nunca se aproximam francamente um do outro, e repara como só conversam quando há uma terceira pessoa que forneça o assunto. — Estão separados pelo filho!...

E, porque Palmira fizesse um vivo gesto de surpresa com esta última frase, acrescentei em segredo, para bem lhe explicar minha sentença: — O filho, desde que o pai assista ao seu nascimento, é um traço de união moral, um laço de amizade, que se estabelece entre os dois indivíduos donde ele nasce, mas é ao mesmo tempo uma fria linha isoladora, que se cava para sempre entre o corpo de um homem e o corpo de uma mulher, que sensualmente até aí se amavam e se queriam.

Ela teve para mim um sorriso inteligente, em que lhe veio ao rosto toda a sua gratidão pelos meus desvelos, e o seu sorriso desabotoou-se num beijo que recebi na face. Quis detê-la ainda um instante, Leandro, porém, acercou-se de nós, com o seu ar de namorado feliz, passou-lhe o braço na cintura, e os dois afastaram-se, rindo e conversando intimamente.

Sentia-me um pouco fatigada. As canseiras daqueles últimos tempos deixaram-me abatida. Doíam-me as costas e o peito. Levantei-me com intenção de ir lá dentro tomar um copo de leite quente com uma gota de *cognac*, quando um fato, em extremo desagradável, veio interromper a nossa festa: acabava de chegar da casa do Dr. César um recado exigindo que ele seguisse imediatamente para lá, porque a irmã, que nesse dia se mostrara aliás muito melhor, fora ao cair da noite acometida por uma terrível hemoptise e parecia agora em perigo de vida.

O bom homem não esperou segunda ordem para tomar às pressas o sobretudo, o chapéu e a bengala. Corri a ter com ele e pedi-lhe, enquanto agitado me apertava a mão, que, se o caso fosse com efeito grave, me mandasse prevenir logo ao chegar à casa.

Infelizmente era. O mesmo cocheiro do nosso carro, em que fora o Dr. César, voltou com a notícia de que D. Etelvina agonizava. Entreguei logo a casa a meus filhos, agasalhei-me, tomei o meu livro de orações, despedi-me das visitas, e segui por minha vez, mandando puxar bem pelos cavalos.

* * *

César morava na praia do Flamengo. Quando cheguei lá, a pobre senhora expirava nos braços do irmão. Muito magra, muito descorada, com os olhos imóveis e sem fito, a boca ressequida babando sangue, o nariz laminoso e com um brilho sinistro, ela era apenas uma fugitiva sombra humana, que se exinania em soluços de morte.

Havia algumas pessoas presentes, mulheres e homens. Ajoelhei-me ao lado da cabeceira da cama, abri o meu livro de orações e pus-me a rezar em silêncio. A moribunda já não dava acordo do que se passava em torno do seu aniquilamento. Um colega de César, que com este lhe acompanhara a moléstia, sacudia os ombros desanimado, pronto já para sair.

E ali, dentro daquele quarto, defronte dos nossos olhos, uma vida apagou-se, deixando vazia e fria a quebradiça lâmpada de argila. Ninguém dava palavra, e todos, em volta, contemplavam o cadáver, como se à força de fitá-lo, procurassem compreender alguma coisa daquele fato tão comum e sempre tão extraordinário e tão comovedor.

Eu já não rezava, fitava-o também, como os outros, pensando nesse misterioso destino de todos nós. E lembrei-me de meu neto, que, com o mesmo mistério daquela retirada, havia pouco antes entrado na vida. Um a chegar e outro a sair!... Donde baixava ele?... e ela, para onde descia?... De que vívido manancial e para que fundo e soturno depósito — vinham e iam essas pobres almas, que vemos passar ruidosamente no cenário da existência, entrando e saindo pelos bastidores de treva?... O que haveria lá dentro, na misteriosa caixa desse teatro, onde talvez não repercuta uma só gargalhada ou um único soluço da comédia ou da tragédia que representamos cá fora?... Por que seria que os atores não voltavam nunca à cena, mesmo depois de muito aplaudidos?... Ou quem sabe se voltariam, mas já descaracterizados e já irreconhecíveis para aqueles que em vida os vitoriaram com o seu amor ou com o seu ódio!...

Trevas e trevas!

Uma velha amiga da morta interrompeu o seu pranto, para pedir aos homens que se retirassem dali: ia preparar-se o cadáver para entrar na terra. Nessa ocasião, César encarregava um amigo de cuidar do enterro. E nenhuma de nós descansou um instante até que o corpo de Etelvina, depois de lavado, vestido, penteado e calçado, foi posto sobre um sofá da sala próxima, com as ósseas mãos cruzadas sobre a carcaça do peito, e com o escaveirado queixo seguro por um lenço de seda branca. E, à cabeceira do sofá, armou-se uma mesa, coberta por uma toalha de rendas, com a imagem de Cristo crucificado, entre duas velas de cera, que ardiam com uma luz amarela e fumegante.

Então, assentaram-se todos em volta do cadáver, e continuaram a contemplá-lo. E o silêncio foi de novo se condensando, numa oprimidora harmonia com o frio da madrugada e com o longínquo ladrar dos cães lá fora na rua. E mais e mais pesada e úmida se foi fazendo a tristeza. As velas, ao lado do crucifixo, pareciam chorar com aquelas suas quentes e longas lágrimas de cera, a escorrerem-lhe em vagarosos fios e a pingarem, gota a gota.

A primeira mosca pousou no lábio da defunta.

Em torno, numa desolação muda, ouvia-se, de longe em longe, um longo suspiro. E tristes figuras, negras de luto, permaneciam imóveis, com o queixo apoiado na mão — a fitar o cadáver.

Eu também o fitava sempre, irresistivelmente, sem saber por quê.

Serviu-se café. Tomei a chávena que me levaram, e continuei a encarar o cadáver... Mas, de súbito, uma ideia, que nunca até então me viera ao espírito, atravessou-me o coração de lado a lado, como com aquela mesma agulha que eu vira pouco antes coser o lençol da defunta: "E se a minha hora estivesse também a bater?... Sim, nada mais natural!... Achava-me velha, fraca; sentia-me doente... podia pois morrer de um momento para outro!... E minha filha?! ficaria para sempre abandonada à imprevidência moral do marido, sem ter quem lhes dirigisse a vida?... Mas assim, os dois acabariam fatalmente por cair na vulgaridade do casamento e no tédio da promiscuidade sexual!... E a minha obra, tão penosamente levada ao ponto em que se achava, seria perdida, completamente perdida!..."

Esta ideia fez-me fechar os olhos, para não ver o cadáver. Compreendi que outras pessoas que lá estavam em redor dele e pareciam dormir, tinham apenas, como eu, fechado os olhos, também para não ver a morte.

Como me sucedia sempre ao preocupar-me qualquer ideia sem pronta solução, pensei em César, e lembrei-me de que, havia talvez mais de duas horas, notara eu a sua ausência da sala, e não tivera por conseguinte trocado com ele senão algumas frases de pêsame oficial, em presença de estranhos; e que, pois, não lhe havia recolhido ainda uma só palavra de dor, quando aliás devia o meu pobre amigo estar mortalmente ferido no coração: — Aquela sua irmã, agora ali finda e putrescente, era toda a sua última família, era a sua extinta comunhão doméstica!... E eu sabia perfeitamente quão extremoso fora o amor que os ligara por mais de vinte anos. Ainda não lhe tinha visto uma lágrima — devia sofrer muito! Precisava ir para junto dele...

Levantei-me à sua procura. Talvez estivesse no seu gabinete de trabalho. Fui ver.

O gabinete tinha luz e o reposteiro estava corrido. O pobre homem lá se achava com efeito, sozinho, assentado à secretária, o rosto escondido entre as mãos, de costas voltadas para a porta de entrada. Os seus cabelos brancos, cortados à escovinha, brilhavam argentinamente ao reflexo da luz do gás que lhes batia de cima.

— Posso entrar, César?...

Ele ergueu-se com sobressalto e veio receber-me. Tomou-me as mãos, puxou-me para junto de si, fechou-me nos braços sobre o peito, e desatou a soluçar, como se só esperasse por mim para dar curso àquela explosão de desabafo.

Eu compreendi — cerrei-o forte no meu colo e pousei a cabeça no seu peito generoso, procurando fazê-lo sentir, bem no fundo do coração, que ainda lhe ficava neste mundo de misérias — uma irmã, uma amiga, uma camarada fiel, para o amar estremecidamente como a outra o amara durante a vida inteira.

E assim estivemos muito tempo, estreitados nos braços um do outro, a chorarmos ambos, sem achar nenhum de nós uma palavra, dele para mim, ou de mim para ele.

* * *

Ia, no entanto, naquela ocasião, decidir-se entre nós dois o fato mais extraordinário de toda a nossa existência...

23

Ele afinal fez-me tomar uma cadeira e assentou-se perto de mim. Nunca lhe tinha visto a fisionomia que lhe vi nesse momento: ela dizia ao mesmo tempo todos os velhos, intermináveis desgostos do seu passado roto e sem fundo, e todo o desespero do seu presente restrito e sem saída. Num relance veio-me ao espírito a síntese da sua longa existência de sessenta e tantos anos — um rosário de lutos: mulher, filhos e genros foram todos pouco a pouco caindo em torno da sua velha dor sobrevivente, até que a última da família, aquela retardatária irmã que o estremecia, lhe fugia também agora, depois de uma tossegosa e gemebunda existência de hética!

— Acabou-se tudo!... — murmurou o infeliz, como se seguisse o rápido voo do meu pensamento.

Tomei-lhe as mãos.

— Não... — disse em segredo, que minhas lágrimas tornavam mais abafado e íntimo, — ainda lhe resta uma amiga, uma irmã, uma companheira...

Ele levou à boca as minhas mãos, que se orvalharam nas suas barbas úmidas de pranto.

— Mas como hei de viver agora?... — prosseguiu. — Como hei de viver sozinho aqui, neste frio hospital abandonado, donde vi saírem, um a um, para o cemitério, todos os entes que me pertenciam?... Diga, minha amiga, diga-me como hei de suportar esta miséria? — E cobriu o rosto com o lenço, soluçando mais forte. — Ah, destino injusto e perverso!... levar-me a morte os outros todos e deixar-me a mim, o mais velho e o mais necessitado de morrer! O que fico eu fazendo aqui?... O que fico fazendo?...

A sua agonia retalhava-me o coração. Chamei-lhe a encanecida cabeça para o meu colo de amiga, e assim ficamos longo tempo, calados ambos.

As moscas, acordadas essa noite com a presença de um cadáver na casa, zumbiam alegres no silêncio do quarto.

César desviou-se do meu colo e deixou-se ficar cabisbaixo, com as suas mãos nas minhas. Compreendi que nesse instante o meu pensamento ia caminhando ao lado do dele, em silêncio, como dois velhos e tristes companheiros inseparáveis; e por fim o nosso pensamento foi se derretendo em palavras, apenas balbuciadas. César começou a falar em voz muito baixa, soturnamente, como se temesse acordar a irmã, que dormia lá na sala, no seu leito frio. Falava em segredo, com o rosto quase unido ao meu, numa surda conspiração contra a vida. Era o resíduo do seu pobre coração, já de muito tempo despedaçado, que vinha agora assim diluído pelas lágrimas.

E ele murmurou, como num sonho:

— Ultimamente, minha Olímpia, uma estranha amargura me persegue... a nosso respeito... uma dor secreta, penosa como um arrependimento tardio... alguma coisa da mágoa de não ter colhido a felicidade, no bom momento em que ela nos passou cantando diante dos olhos... um irremissível desgosto de não ter sido em tempo o teu marido ou me ter feito o teu amante...

Abaixei os olhos. Era a primeira vez que falávamos abertamente do nosso velho amor.

César prosseguiu no mesmo tom: — Sim, sim, minha amiga... nós nascemos um para o outro!... Foi uma tremenda infelicidade não nos termos encontrado antes dos nossos loucos casamentos... ou não termos então rompido com todas as conveniências e com todas as convenções — para nos unirmos para sempre; para nos pertencermos, exclusivamente, sem o menor desvio da nossa ternura; e para que enfim pudéssemos ser agora, minha amada, inseparáveis companheiros neste fim de vida!...

— Não... — respondi, — não meu querido amigo, não seria a mesma coisa; não seríamos ainda hoje moralmente e virtualmente consorciados como somos. O casamento ou a concubinagem desvirtuariam o espírito do nosso amor, tão puro e tão elevado... O matrimônio carnal é incompatível com a sagrada amizade, com a verdadeira dedicação, porque vive dos sentidos e não do sentimento... Se tivéramos algum dia unido os nossos corpos, as nossas almas estariam hoje separadas! Se algum dia tivéramos tido em nosso consórcio, que foi tão claro e tão casto, outros laços que não o desta profunda e delicada afeição que nos irmana; hoje, que somos velhos ambos e pois inúteis para a sensualidade, não teríamos — tu em mim a tua consoladora amiga; eu em ti o meu derradeiro amor...

César encarou-me surpreso:

Como assim? Pois eu negava o amor dos sentidos ligado ao sentimento do amor?...

— Certamente. Na língua não há palavras para exprimir essas duas coisas tão diversas e até tão opostas: — o amor produzido pelo instinto sensual e o amor produzido pela simpatia e atração moral de dois espíritos, que se procuram e se casam. O grande erro do casamento vulgar, o que o torna insuportável, é pretender aliar o instinto da procriação com o sentimento do amor ou da amizade, que nada tem a ver com ele e até o repele. O irracional também é como o homem suscetível de apego de amizade, nunca porém se preocupa com isso, quando trata de cumprir o seu mister procriador. O homem não deve ter comunicação carnal com a mulher que ama!

César mostrava-se cada vez mais surpreso.

— E tua filha?!... — interpelou ele; — tua filha não ama e não é amada pelo marido?...

— Ama sensualmente, — respondi; — mas, para o outro amor, para este que nos ligou até hoje, ela está perfeitamente incompatibilizada com ele. O marido não pode ser nunca o amigo. O esposo do corpo não pode ser ao mesmo tempo o esposo da alma; e nisto estava a razão de ser e a grande força dos confessores primitivos. Mas o padre não era amigo sincero e nem sempre foi leal e foi casto; daí, a causa única por que ele não persistiu e não ficou para sempre nos casais junto à mulher e ao lado do marido.

César meditou um instante, e disse depois:

— Tens razão talvez... O que não impede que, apesar de nos amarmos sempre e apesar de termos nascido um para o outro, e apesar dos meus sessenta e cinco anos, e apesar de que sejas agora uma avó de cabelos brancos, não possamos viver juntos, como eu vivi até hoje com minha irmã, porque não somos casados... E, se aqui te detenho comigo, assim neste gabinete, se te cingi ao meu peito e te guardei um instante nos meus braços já trêmulos, é porque há aí a pequena distância de nós um cadáver que tudo justifica; ao contrário nem isso mesmo seria razoável!... Vê tu que escravidão a nossa!

— É a convenção social, meu amigo...

— Oh! o código social! Sofra-se tudo; suportem-se todas as misérias, mas não se falte nunca aos seus preceitos! Mas, antes de aparecer esse mesquinho código arranjado pelo homem, já um outro existia, imposto pela natureza, muito mais sábio, mais justo e mais generoso; e esse mesmo homem que reclama, sob pena dos maiores castigos, o bom cumprimento do seu código, calca aos pés, a cada momento, as leis do outro, sem receber por isso, dos seus semelhantes, a menor punição! De sorte que eu, tendo uma amiga a quem estremeço, com quem poderia arrastar menos tristemente o sudário da minha velhice, não hei de valer-me da companhia dela, nem usar livremente da sua casta amizade, porque o tal código social não mo permite! É caso para lamentar não seres tu homem, ou não ser eu mulher!

— Não, César, nada aproveitaríamos com ser do mesmo sexo... Nunca houve equilíbrio perfeito de qualquer amor senão entre pessoas de sexo diferente. O amor que te tenho, apesar de ideal, nunca poderia eu senti-lo por outra mulher, fosse esta minha mãe, minha irmã ou minha filha...

— Mas, meu Deus! isso é a negação das tuas teorias sobre o casamento...

— Não... Por quê?...

— Segundo o que acabas de dizer, duas pessoas de sexo diferente podem então, sem incompatibilidade, viver eternamente juntas...

— Decerto, desde que se amem castamente como nós dois nos amamos, e não tenham entre si a menor aproximação carnal. O que incompatibiliza moralmente os cônjuges é o amor físico. Se dois amigos de sexo diferente pudessem, na plenitude da mocidade, realizar um consórcio naquelas condições, e vivessem juntos sem a menor preocupação dos sentidos, seriam eternamente felizes e cada vez mais se amariam, porque para eles a convivência constante, ao contrário do que sucede aos que se unem pelo sexo, longe de enfraquecer-lhes o amor, havia de ir cristalizando-o lentamente, até fazê-lo atingir o supremo estado de pureza, inquebrantável e límpido como um diamante. Seria esse o único casamento eterno!

— E os filhos?...

— Que filhos? Acaso figuraste semelhante hipótese, quando há vinte anos te uniste eternamente a essa tua pobre irmã, que acaba de morrer, deixando-te a alma viúva do seu amor?...

— Eu a amava, justamente porque ela era minha irmã...

— E nós somos irmãos, justamente porque nos amamos. E assim deve ser entre todos os homens e todas as mulheres que se amam.

— Oh! seria isso a extinção da espécie... a não ser que, em tal casamento, a cada um dos consortes assistisse o direito de ir buscar fora do casal, onde melhor o levassem os seus apetites carnais, a satisfação do instinto procriador!...

— E por que não? O instinto materialíssimo da procriação nada tem que ver com o amor, isto é, com o verdadeiro sentimento de humanidade elevado ao seu mais alto grau da comoção. A fêmea é para o macho — produzem; a mulher é para o homem — amam-se. Entre os que se ajuntam instintivamente, não pode existir o amor, só há sensualidade! É o caso de minha filha e meu genro; é o contrário do nosso caso!

— Então, para que fazer questão de sexo?...

— Porque, repito, entre duas pessoas do mesmo sexo, a não ser no caso particular do amor materno, que é um desdobramento do amor-próprio, só pode haver ligeiras relações de estima e simpatia. Amor, verdadeiramente amor, só pode existir entre o homem e a mulher; só entre estes se fará inteira confiança de parte a parte, inteiro equilíbrio de espíritos e de corações. A sexualidade física refletindo-se no moral é tão poderosa que se estende até aos pais com relação aos próprios filhos, ou vice-versa. A filha ama sempre mais o pai do que a mãe, e o filho mais a mãe do que o pai. Pode-se afirmar que não é só o corpo que tem sexo, a alma também o tem, e só a alma de uma mulher pode compreender a alma de um homem e só por esta pode ser compreendida. Há muita coisa que um homem não confia ao espírito de outro homem, nem uma mulher ao de outra mulher. Eu, por exemplo, em caso nenhum teria jamais revelado a outra pessoa do meu sexo tudo o que até hoje te relatei da minha vida íntima e dos meus mais íntimos pensamentos; e tu, meu velho amigo, juro que também não serias capaz nunca de pôr a alma nua defronte de nenhum homem, como tantas e tantas vezes a exibiste defronte dos meus olhos. Por quê? porque sempre nos amamos sinceramente, e muito, tanto quanto é possível, sem nunca todavia depravarmos o nosso amor humano com a rasteira preocupação de nossos instintos bestiais! Se o tivéramos feito, não te poderia eu falar agora deste modo, nem tu me ouvirias a sério e de boa-fé, como me estás ouvindo: Rir-nos-íamos um do outro; achar-nos-íamos ridículos!... Os indivíduos, sujeitados e unidos pela sensualidade, quando se acham a sós os dois, só podem falar com empenho dos interesses do próprio instinto que os uniu, seja dos interesses do gozo sexual, ou seja dos interesses dos filhos; no mais, as poucas e frias palavras que trocam entre si são concernentes a coisas chatas, caseiras e materiais como o mesmo amor que os liga. E nós, desde o primeiro dia em que nos conhecemos até hoje, conservamos um para o outro a mesma linha de elevação moral, o mesmo respeito e a mesma poesia no amor!

Calei-me, e só então notamos que o dia acabava de invadir o gabinete por uma larga janela envidraçada.

César ergueu-se, e eu também. Ele, lívido com aquela noite de insônia e de lágrimas, parecia um espectro.

Adiantou-se lentamente para mim, estendendo-me as mãos trêmulas.

— Se assim é... — disse-me comovido e suplicante; — não nos separemos mais!... Vivamos juntos este resto de vida, unidos por este elevado amor de que me falas!... Posto nossas almas há muito se esposaram, casemo-nos, já que assim o quer a sociedade; e que eu te possa ter ao meu lado, e que eu te fale e te veja todos os dias, a qualquer instante; e que eu possa contar contigo, minha amiga, perto do meu leito, quando este pobre corpo morrer de todo!

Abaixei a cabeça.

Depois de longa pausa, tartamudeei muito triste:

— Ninguém nos compreenderia... Seríamos cobertos de ridículo, por todos, por minha família até, por minha filha!

— Não! — insistiu ele. — Não acontecerá assim: já todos se habituaram a ver em ti um espírito superior, emancipado de preconceitos mesquinhos. Casar-nos-emos para poder viver perto um do outro, mas separados de corpo, como dois irmãos. Lembra-te de que hoje tua família é o meu único herdeiro e eu preciso justificar publicamente esse fato. Não me abandones aqui com as minhas saudades, sem ter eu um coração onde aqueça esta velha alma tua amiga! Casando-me contigo, minha querida irmã, não é só uma companhia que trarei para meu lado; Palmira será também minha filha e Leandro será meu filho... E eu terei o direito de amá-los e de importuná-los um pouco com as minhas rabugices de velho... E terei, para se rir de mim, para puxar-me as barbas e trepar-me pelas pernas, o teu netinho, Olímpia! Ele, o diabrete, vendo-me todos os dias a teu lado e habituando-se a brincar comigo, acabará por amar-me, como se com efeito fosse neto de nós dois... E só a ideia de que lhe ouvirei ainda chamar-me "Vovô"! só com esta ideia... vês tu, minha filha?... correm-me já as lágrimas pelo rosto!

Aproximei-me dele, para cingi-lo nos meus braços.

— Descansa — respondi-lhe. — Não ficarás abandonado, meu bom amigo! Mesmo nestes pesados dias de nojo serei desde já a tua companheira. Logo mais voltarei com Palmira, para passarmos três dias contigo. Leandro ficará lá em casa durante esse tempo.

César amparou-se de mim, soluçando. Entre as suas lágrimas só uma palavra compreendi das que me disse: "Obrigado! Obrigado!" Depois tomou-me a cabeça entre as mãos e beijou-me na testa. Eu lhe respondi com um beijo igual.

Foi o primeiro beijo que trocamos em toda a nossa longa vida de amor.

* * *

Ao sair do gabinete, dirigi-me logo para a sala em que estava o cadáver. Em volta dele pareceu-me tudo ainda mais triste com aquela deslavada luz do amanhecer. As raras pessoas que ficaram a guardar a morta dormiam nas suas cadeiras, com a cabeça pendida sobre o peito. As velas choravam sempre, e mais sinistras achei agora as suas lágrimas. O corpo, já completamente rijo, fazia mais frio o ambiente, e um ligeiro fedor úmido evolava-se dele.

24

Quando, pela manhã, cheguei à casa, sentia-me muito mal disposta. Era sem dúvida a reação de todas aquelas canseiras acumuladas ultimamente. — Mas tudo isso passaria com algumas horas de absoluto repouso. — Recolhi-me ao quarto, quase sem forças para despir-me. Despedi a criada, recomendando-lhe que me não chamasse enquanto eu estivesse na cama.

Deitei-me, e comecei a pensar, à espera do sono: teria eu ânimo de realizar a boa ação que vinha de prometer ao meu amigo?... Teria a coragem de afrontar com o ridículo, que porventura iria despertar aquele casamento feito entre dois velhos?... Compreenderiam essa ligação moral; esse esposório de duas almas amigas, que se estremecem e se buscam, através de uma existência inteira; e afinal se abraçam, não para a satisfação do amor, mas para afugentar o medo que, separadas e sozinhas, sentiria cada uma no frio resto do seu caminho já ensombrado pela morte?...

Não, com certeza, ninguém compreenderia! Não obstante, esse casamento, singular embora, era perfeitamente lógico e era essencialmente humano! Em que e por que o amor e os reclamos da alma valem e merecem menos que as sensuais necessidades do corpo?... Acaso a solidariedade da carne, instinto de todo animal, é mais digna que a solidariedade do espírito, privilégio exclusivo do homem?... Pois tão facilmente aceitavam todos e compreendiam a conveniência de um companheiro para os nossos sentidos inconscientes, e não compreenderiam a razão de um companheiro para o nosso espírito, que é a parte racional do ser humano, o que o sobreleva dos brutos e o que o aproxima de Deus?...

Não, ninguém compreenderia!... Entretanto, aquele casamento seria de grande utilidade, nem só para o meu velho amigo, como para mim própria. Cansada já, precisava ter mais perto o meu auxiliar na obra da felicidade matrimonial de Palmira; precisava de um substituto imediato para as faltas, que eu seguro iria fazer agora no meu posto de vigia. De resto, e talvez principalmente, a expectativa de ter César a meu lado neste último quartel da vida, enchia-me o coração de uma inefável esperança de completa felicidade moral.

Mas, que diria meu genro?... que pensaria minha filha?...

Oh! para esses ficaria tudo, mais tarde, explicado neste manuscrito, que em tempo lhes chegaria às mãos! E, quanto ao mais — já muito fazia eu em dar-lhes a pública satisfação do casamento!

Sim! estava resolvido — César viria acabar seus dias a meu lado!

E comecei a pensar na disposição da casa para acomodá-lo convenientemente, e até em nosso futuro modo de viver.

Havia um aposento magnífico para ele, e o meu quarto de trabalho, que era vasto, passaria a ser comum entre nós dois. Seria o nosso ponto principal de convivência: enquanto César aí estivesse ocupado lá com os seus trabalhos, estaria eu costurando, lendo ou escrevendo; e isso não impediria que minha filha continuasse a passar nessa mesma sala as horas que costumava passar comigo.

E via já o meu velho camarada, ao almoço e ao jantar, assentado ao lado de meu neto, a rirem-se os dois um com o outro, a brincarem, como duas crianças. E via-o depois passeando conosco, nas belas manhãs de Petrópolis, levando-me pelo braço, feliz com aquela família toda inteira e completa, que eu lhe dava, como um presente de bodas, para consolação do resto da sua existência. E via-o à noite, na sala, de cabeça coberta e lenço ao pescoço, jogando comigo antes do chá; enquanto Palmira ao piano acompanhava o enamorado e choroso bandolim do marido. E via-o afinal estendido no seu leito extremo, já prestes a deixar a vida, guardando as minhas mãos nas suas, e entregando-me o último suspiro da sua alma irmã da minha, tão generosa, tão amorável e tão pura.

Mas o sono não vinha e a minha indisposição crescia vivamente. Dolorosos calafrios obrigavam-me a encolher-me toda debaixo dos cobertores. Sentia doer-me o lado da cintura, a boca seca, o estômago ansiado. Compreendi que não podia dormir. Tateei o tímpano, vibrei-o e pedi à criada uma chávena de chá bem quente. Ao tomar os primeiros goles, vomitei logo, e senti dores no estômago.

Quando minha filha, alvoroçada com a notícia do meu incômodo, me procurou aflita, eu ardia em febre e não podia conter os gemidos. Meu genro veio também pouco depois, todo de luto, já preparado para o enterro de D. Etelvina, que seria à tarde. Apesar do sofrimento, falei-lhes no abandono em que ia ficar o nosso Dr. César e no estado de desconsolo em que eu o deixara ao lado do cadáver da irmã, último parente que lhe fugia para debaixo da terra.

Leandro prometeu-me que lhe faria uma visita logo em seguida ao almoço e ficaria com ele até às horas do saimento. Pedi-lhe mais que, depois do enterro, o não deixasse sozinho naquele casarão triste e solitário; que, em meu nome, o persuadisse de vir para junto de nós, ao menos por esses primeiros dias; e lhe dissesse que eu não podia lá ir com Palmira, como prometera e tencionava, mas que viesse ele; entregasse a casa aos serventes e trouxesse de companhia o seu velho criado Antônio. Era isso o bastante.

* * *

Recebidas estas disposições, Leandro saiu do quarto, e minha filha começou a tratar de mim, convencida, como eu, de que era passageiro o mal. Não valia a pena chamar médico; César viria à tarde ou à noite e daria as providências necessárias. A despeito da minha crescente indisposição, perguntei a Palmira que tal lhe parecia a ideia de convidarmos o meu velho amigo para ficar morando indefinidamente conosco. Ela não se abalou com o alvitre, como esperava eu.

— Ali, — disse, — todos queriam e estimavam tanto o Dr. César, que este era para a família menos um estranho que um parente.

Recomendei-lhe então falasse a esse respeito com Leandro e desse-me depois sincera conta da impressão que semelhante ideia produzisse no ânimo dele.

— Ora! — respondeu minha filha. — Leandro é deveras amigo do velho César. Mamãe bem sabe que ele o estima e respeita como a um pai! Há de sem dúvida ficar satisfeito com a notícia...

— Sim, mas fala-lhe, porque talvez não fiquem as coisas neste ponto.

O pior é que o meu padecimento aumentava, e do meio para o fim do dia, tão mal me achei e tão pouco acordo dei de mim, que não posso agora render cópia exata do que se passou. Caí em modorra de febre; creio que delirei. Sei apenas que César veio logo ao fechar da noite; que me receitou; deu-me a tomar os remédios e não me abandonou até ao momento em que, já tarde, Palmira o constrangeu a recolher-se ao quarto que lhe destinávamos.

E eu, que o tinha chamado para aliviá-lo das suas penas, recebia agora dele os desvelos de amigo e os cuidados de médico e de enfermeiro. O que supúnhamos febre passageira era nada menos que uma inflamação de fígado. A moléstia caracterizou-se nessa mesma noite com a alteração na glândula, e o Dr. César fez logo o seu diagnóstico: "Hepatite intersticial, proveniente de impaludismo."

E tive de guardar o leito no dia seguinte e nos outros imediatos, mostrando-se César ao meu lado de uma solicitude sem igual.

* * *

Mas, ao fim da primeira semana, reconhecíamos já que a nossa posição era falsa. Desde que constou a minha enfermidade, começaram as visitas, algumas de mera cerimônia, outras de verdadeira estima; e o meu pobre amigo confessava-se constrangido ali, à vista dos estranhos. Além disso, era natural que ele, sem estar de todo transferido lá para casa, sentisse falta dos seus velhos hábitos; homem, como sempre foi, dado metodicamente a longos estudos e a trabalhos científicos. Não me animava contudo a propor-lhe a mudança absoluta, sem a justificativa do casamento. E a situação, dentro em pouco, complicou-se ainda mais, pela contingência em que me vi de ter, para segurança da cura, de aproveitar, ainda no primeiro período da moléstia, a estação das águas de Caxambu.

Foi assim que se resolveu em família, e logo se apressou, o nosso singular casamento.

Como ainda não podia eu sair à rua, tivemos de solicitar uma licença da Igreja para realizá-lo em casa. Não foi difícil, e a formalidade religiosa durou pouco tempo, sem grande escândalo na vizinhança.

As pessoas de nossa amizade receberam a comunicação do fato nos seguintes termos:

"Olímpia da Câmara e o Dr. César Veloso participam a V. Ex.ª que contraíram o direito de passar juntos a sua velhice, aparentando-se legalmente pelos vínculos conjugais."

Não sei se a novidade foi muito comentada lá fora, nos vários grupos das nossas relações; não mo disseram, nem eu tampouco a ninguém o perguntei. Quanto a lá por casa — Ah! isso foi diferente: O senhor meu genro não procurou sequer disfarçar o riso que o fato lhe provocava! O leviano, sem atingir o alcance do meu proceder, só nele via o ridículo casamento de dois velhos. Perdoei-lhe, não obstante, ainda essa descortesia, porque ela não era obra da maldade do seu coração, mas só da sua inferioridade moral.

Palmira, essa não riu logo, pelo menos em minha presença; ficou a cismar, sem ânimo de interpelar-me, e daí por diante evitava até de entrar em conversa comigo sobre este assunto. Mas, com César, já não foi tão generosa, porque um dia a surpreendi a facecia contra o padrasto a respeito do caso. Ele, não sei o que tinha dito, que ela, com aqueles seus modos de rapariga travessa, pois nunca os perdeu de todo, tomou-lhe as lunetas, armou-as no nariz e começou a arremedar os meus gestos e a minha voz, exclamando comicamente, com o dedo no ar e a cabecinha empertigada:

— Casaram-se ?... Está muito bem! mas não consinto que fiquem juntos muitos dias seguidos... Não! não! a felicidade conjugal, meu caro Dr. César, é nisto que se baseia! E se duvida, vou já buscar-lhe a Bíblia!...

César pôs-se a rir, e eu não pude deixar de fazer o mesmo. Ela, ao dar comigo, que a espreitava, ficou desapontada e corrida: desprendeu as lunetas do nariz, entregou-as ao dono; e o diabrete veio correndo atirar-se-me ao pescoço e pedir-me com seus beijos o beijo do meu perdão.

* * *

Todavia, eu continuava doente. Realizou-se a mudança definitiva de César lá para casa, e daí a dois dias arribamos todos para Caxambu. Fui bem prostrada.

No fim de um mês de águas estava de pé, mas compreendi que me havia empolgado a moléstia que terá de matar-me. Alguma coisa se modificou no meu ser físico, alguma coisa em mim se quebrou para sempre. Reconheci que um novo marco divisório se firmara na minha existência, separando o último período vivido de um novo período que começava. Este deve ser naturalmente o último, porque em minha família nunca vamos além dos sessenta anos.

Agora, porém, que me importava a ideia de morrer, se estava tudo bem disposto para garantir a felicidade dos entes queridos que eu deixava no mundo?

Depois de três meses de Caxambu voltamos à casa de Laranjeiras, e de novo entrou definitivamente nos seus eixos a nossa vida doméstica, mais completa agora com a presença de César. Pouco a pouco, à vista da atitude que guardávamos, eu e meu esposo, Leandro foi compreendendo a nossa verdadeira situação. Deixou de rir; e, tanto ele como Palmira, começaram a envolver o meu venerável companheiro na mesma atmosfera de carinhoso respeito em que ela sempre me teve e em que aquele ultimamente me firmava.

A minha aliança com César era a de dois velhos irmãos amoráveis; e o exemplo do nosso mútuo respeito, da inalterável delicadeza de palavras e maneiras que mantínhamos um pelo outro, e principalmente a ação constante daquela nossa profunda amizade, casta, sagrada e puramente espiritual, não tardaram a dar de si os frutos que eu pressupunha, refletindo-se diretamente no ânimo de minha filha e de meu genro. Foi para eles tão eficaz e poderoso o efeito desse exemplo de amor impoluto, que no fim de alguns meses se tornava de todo desnecessária a minha intervenção para obrigá-los a cumprir o regime de vida que eu lhes impusera, sem haver, não obstante, desfalecimento de amor sensual por parte de nenhum dos dois. Ou porque tivessem afinal se habituado às periódicas separações de leito, ou porque compreendessem já o seu valor e eficácia; ou fosse enfim que o alto exemplo da nossa calma ternura lhes apurasse o espírito e lhes aperfeiçoasse o coração, o certo é que eles iam agora, sem esforço, naturalmente, vivendo como lhes ensinara eu a viver, e confessavam-se felizes; e, pela primeira vez, mostravam-se gratos ao meu maternal desvelo.

Com a convivência Leandro foi cada vez mais se fazendo filho de César; afinal, muitas vezes, nos seus regulares afastamentos do tálamo, meu genro dormia no mesmo quarto com o padrasto, e Palmira e meu neto dormiam comigo. E iam-se assim os dias passando, sem a mais ligeira nuvem de desarmonia, sem o menor atrito de caracteres, nem sombras de descontentamento, porque, ao contrário do que em geral sucede nas famílias ainda mesmo pouco numerosas, não formávamos pequenos grupos conspiradores; não havia segredos entre todos nós, nem por conseguinte podia haver ressentimento.

A liberdade moral e física de cada um era completa, sem despertar nos outros o vislumbre de uma ofensiva suspeita. Leandro entrava e saía de nossa casa livremente; ora dormia, ora não dormia perto da mulher, e deixava de aparecer-lhe nos dias que lhe convinha, sem que isso nela despertasse ciúmes ou enfados de despeito.

Sem o preclaro exemplo da minha comovida e amorosa castidade, não sei se poderia, apesar do empenho que pus em dirigir a felicidade de Palmira, ter evitado entre ela e o marido as ridículas contendas e as enervantes misérias do matrimônio. E com efeito — que bela lição de amor e que virtuoso exemplo de ventura não era esse casal de velhos, assim vivendo unidos só pelo coração e pelo espírito, sem jamais se fatigarem da presença um do outro, sem nunca precisar nenhum dos dois fingir nos seus sorrisos e nas suas palavras de ternura!... Ah! tínhamos sempre o que conversar, porque bem pouco falávamos de nós mesmos, o que equivale a falar dos nossos instintos ou dos nossos interesses materiais. Podíamos penetrar desassombradamente em todos os assuntos, discutir os pontos mais elevados da moral e da razão, porque não nos tínhamos jamais incompatibilizado intelectualmente pelas grosseiras animalidades do corpo. Podíamos olhar-nos bem de face um para o outro, sem corar ou sem rir, porque éramos igualmente puros aos nossos olhos, porque nunca entre nós esvoaçou a asa do mais fugitivo menoscabo, e porque tínhamos sido sempre, na mocidade, e éramos e continuávamos a sê-lo na velhice, os mesmos amigos castos, os mesmos irmãos amorosos, cujas ideias e cujas revelações de gestos e palavras jamais foram postas entre nós ao serviço da luxúria e das vergonhosas e inconfessáveis imundícias da carne!

Oh! juro que eu era, como esposa, ainda mais feliz que minha filha, para cuja felicidade trabalhei eficazmente durante toda a minha vida de mulher.

Sim, fui e sou feliz, apesar da moléstia que me vai minando a existência. Sou agora, neste momento em que escrevo estas palavras, a mais venturosa das mães, a mais enternecida das avós e a mais bem-aventurada das esposas. Enquanto escrevo isto, sinto perto, bem perto de mim, o meu amigo amado, que aí está a dois passos, descansando numa poltrona, a fumar o seu charuto enquanto lê um jornal. Ouço-lhe com volúpia o fraco e curto resfolegar de velho, afinado pela minha respiração de enferma e pela débil respiração do meu netinho. Sinto, pensando nisto, invadirem minha alma a paz e o amor que cercam os meus gemidos e os meus cabelos brancos... Sei que Palmira é feliz e sei que ela me ama; sei que meu genro me fará justiça e me amará um dia tanto quanto minha filha; sei que morrerei abençoada por eles e...

* * *

Mas não posso continuar a escrever: César acaba de levantar-se e vir ter comigo. Tomou-me a mão esquerda e disse-me com autoridade de médico:

— Bem! por hoje basta! Qualquer abuso de trabalho, minha amiga, pode prostrar-te de cama... Vamos antes dar um passeio pela chácara... A tarde está magnífica!

25

São passados nada menos de um ano e dois meses depois que escrevi as últimas palavras que aí ficam para trás; só agora pude voltar ao meu manuscrito e talvez, quem sabe? para me despedir dele, porque é já com bastante custo que ainda lanço no papel estas linhas, trêmulas e pálidas como a própria mão que as traça.

Como estou desfeita e abatida!

Depois das enganadoras melhoras granjeadas com os ares e águas de Caxambu, o mal acordou de novo, para seguir vitoriosamente o seu negro curso. O meu terrível fígado, apesar dos cuidados médicos, aumentou sempre durante o segundo período da moléstia; e agora, já no terceiro, sinto que me matará este depauperamento geral de forças e esta cruel ascite, que me dá o absurdo aspecto de uma tísica em último grau e grávida.

Todavia, durante esse tempo fizemos uma excursão pela Europa; já de volta ao Rio de Janeiro, operei a minha hidropisia abdominal, e só hoje consigo, ainda sem deixar a cama, tentar sobre a mesa de cabeceira esta página difícil... Ai! dói-me todo o lado direito; doem-me os pulmões e sinto falta de ar!

Mas é preciso arrastar-me até ao fim das minhas revelações... Vamos: Palmira está pejada de novo; o marido, sem que ninguém lhe falasse nisso, declarou já que iria aos Estados Unidos durante o resguardo puerperal. Recomendei-lhe que não deixasse de visitar Salt Lake City, capital do território de Utah e procurasse, como o Afonso Celso, conversar com os prosélitos e sectários de José Smith, patriarca dos mórmons. A convicção filosófica dessa tribo de homens fortes pode preparar-lhe o espírito para a metade da existência que lhe falta viver ainda com a mulher.

Meu esposo goza da melhor saúde que é dado gozar a um velho, e seria completamente feliz se não fossem os meus padecimentos. Creio que só aos seus desvelos de amigo e de médico, tenho ainda conseguido viver; pelo menos...

Ai! senti agora mesmo nos pulmões uma dor aguda! Não posso continuar a escrever... Bem me dizia César que seria imprudência dar-me a este trabalho...

* * *

E terminava aqui o curioso manuscrito que Leandro me deu para ler na sua pitoresca vivenda da Tijuca. As últimas páginas não pareciam escritas pelo mesmo punho que traçara as primeiras com letra tão firme e corrente. As frases finais eram quase ininteligíveis.

Devorei-o em duas seções: uma à noite, antes de dormir, até às duas horas da madrugada seguinte, e a outra entre o almoço e o jantar desse mesmo dia. Mal o terminei, corri ao meu amigo para pedir-lhe os pormenores da morte dessa inteligente e singular senhora, a quem tão mal julgara eu até aí e por quem, depois daquela leitura, sentia a mais profunda admiração e o mais enternecido respeito; e eis em substância o que me narrou Leandro:

* * *

D. Olímpia, depois que interrompeu com um gemido aquela sua página interminada, nunca mais levantou a cabeça dos travesseiros, vindo a falecer da moléstia que a prostrava.

Durou muitos dias a sua agonia mortal. Durante esse tempo, César fez todos os milagres da dedicação e do amor para salvá-la. Jamais amante nenhum foi tão extremoso e digno desse nome; nem jamais noivo de vinte anos chorou com tamanha paixão o desviver da noiva virginal e formosa.

A casta companheira da sua velhice morreu-lhe nos braços e recebeu o seu beijo derradeiro entre as lágrimas dos filhos. Poucos momentos antes de expirar, chamou estes dois para bem junto dela e, tomando uma das mãos de Leandro, e tomando uma das mãos de Palmira, falou-lhes com a flébil sombra de voz que ainda lhe restava:

— Logo que eu feche os olhos, — disse-lhes compassadamente, — abram aquela gaveta da minha secretária, cuja chave está debaixo deste travesseiro, e tirem de lá o manuscrito que fui escrevendo depois que Palmira se casou. Encontrarão aí a justificação plena de todos os meus atos e de todas as minhas palavras. Foi por amor de ti, minha filha, que concebi aquelas ideias, e foi para ti, meu genro, que as escrevi. Leiam-no ambos com atenção e procurem seguir à risca os preceitos que lá se acham estabelecidos, porque essa é a minha derradeira e única vontade, ao deixar este mundo. Se o fizerem, hão de ser eternamente felizes como animais humanos: terão a felicidade material em que se funda a vida orgânica da nossa espécie; mas, se quiserem desfrutar a outra felicidade, a melhor, a mais alta e mais perfeita; essa, que nenhum dos dois conhece ainda; essa, que eu gozei longe e ao lado deste meu atual esposo; essa, em que se baseia e garante a vida moral — tenha cada um de vocês dois o seu amigo, o amado do seu espírito, o eleito da sua inteligência, porque todo o homem, como toda a mulher, precisa tanto de um companheiro para a sua carne, como de um companheiro para a sua alma! A vida é o amor, e o amor não é só a procriação. Cristo não deixou filhos, mas a semente de seu amor vive e frutifica até hoje no coração dos homens... É possível que a ideal melancolia do seu beijo imaculado, chorando eternamente através dos séculos, secasse muitos ventres, esterilizasse muitos homens, mas fecundou de imorredoura ternura muitos e muitos corações!... A carne é egoísta — temam o despotismo da carne! A carne é irmã degenerada — é o Caim da alma! Afastem um do outro esses dois irmãos irreconciliáveis, para que o ideal não caia assassinado pela besta! Vá cada um de vocês dois, meus filhos, buscar o esposo da sua alma, fora e bem longe do leito matrimonial, com os olhos bem limpos de luxúria, com a boca despreocupada de beijos terrenos, com o sangue tranquilo e o corpo deslodado das lubrificações carnais! Minha filha — toma um amante — para teu espírito! Meu filho — elege uma amiga — para o teu coração de homem!

E calou-se.

Foram estas as suas últimas palavras. Depois de balbuciá-las, deixou pender a cabeça sobre o colo do esposo, e morreu sem um gemido.

Mattos, Malta ou Matta?

Romance ao Correr da Pena

De um cavalheiro cujo nome ocultamos, não só a seu pedido, como porque seria imprudente e talvez mesmo perigoso revelá-lo, recebemos uma importantíssima carta, a que damos publicidade porque o seu assunto se prende intimamente à gravíssima questão — Castro Malta.

É possível, provável mesmo, que das obsequiosas informações desse cavalheiro resultem novos elementos de convicção que auxiliem o desfecho dessa questão, concorrendo para descobrir esse tenebroso mistério, que tanto se empenha a polícia em ocultar.

Ao nosso amável informante pedimos desculpa de havermos publicado integralmente a sua carta e que nos remeta sem detença quaisquer informações novas, que porventura venha a colher.

Eis a carta:

*Sr. Redator d*A Semana.

Posto que apenas ligeiros laços de cortesia liguem as nossas relações, tomo a liberdade de dirigir-me a V. S.ª porque entendo ser esse o melhor caminho para chegar aos fins a que desejo chegar.

Trata-se de merecer de V. S.ª um obséquio, cuja realização, que não lhe custará grande sacrifício, trará no entanto para este seu criado vantagens incalculáveis, e mais ainda como que o gozo do cumprimento de um dever.

O meu desejo é que V. S.ª dê na sua esperançosa Folha uma notícia, uma simples notícia, a respeito de certo fato, insignificante na aparência, mas em verdade de um grande alcance social e político. E, para que V. S.ª possa dar tal notícia com toda a segurança, preciso é que eu fale de outros fatos, sobre os quais não daria palavra, se imprevistas circunstâncias não me obrigassem a semelhante coisa.

Em primeiro lugar, Sr. Redator, convém lembrar-lhe que eu sou casado; que, se não tenho filhos é porque morreu o único que me chegou a nascer; e que até hoje tenho desempenhado com toda a retidão e todo o zelo o modesto emprego que conquistei a concurso na Secretaria em que ainda ontem tive o prazer de encontrar V. S.ª, pedindo informações a respeito de certa autoridade, envolvida na grande questão que neste momento preocupa a população inteira desta vastíssima cidade — a questão Malta.

Além do que fica dito, é público e notório que não sou homem de escândalos, que não me embriago, nem ando com francesas e que, em todo o princípio do mês, logo ao receber o meu ordenado, pago pontualmente aos meus fornecedores, e guardo o resto do dinheiro para as despesas de bondes e de outras coisas que não admitem crédito.

Vê, pois, V. S.ª que sou homem de bons costumes, que vivo às claras, como se costuma dizer, e que, por conseguinte, se me acho metido numa questão suspeita e de todo o ponto transcendental, é simplesmente porque assim o quiseram outros, sem que eu, dou-lhe a minha palavra de honra, tenha de modo algum contribuído para isso.

Sr. Redator, disse-lhe já que sou casado, mas ainda não acrescentei que, há coisa de ano a esta parte, sou o mais desgraçado dos maridos. Há um ano que me entrou pela primeira vez no cérebro o demônio da desconfiança a respeito das virtudes de minha mulher, e desde então a esta data não consigo um momento de repouso.

Imagine V. S.ª que eu, uma tarde, por sinal que era sábado, entrando em casa um pouco mais cedo do que de costume, encontrei minha mulher escondida debaixo da escada, entre uma barrica vazia e um colchão que servia às vezes para algum amigo que porventura pernoitasse conosco.

Perguntei-lhe que fazia ali; ela, em vez de responder, abriu a chorar, e escondeu o rosto.

Já bastante intrigado com a brincadeira, puxo-a pelo braço e observo o lugar deixado por ela, a ver se descobria a explicação daquele fato estranho.

A princípio nada encontrei, além da barrica vazia e do colchão; mas empurrando este com o pé, dei com um número da Gazeta de Notícias, *para o qual não teria atentado, se minha mulher não soltara um grito, justamente na ocasião em que eu o tomara com avidez.*

Eu, porém, sem lhe dar tempo a arrancar-me das mãos a folha, ganho o meu quarto de carreira, fecho-me por dentro, dando duas voltas à fechadura.

Era isso mesmo todavia o que desejava e o que conseguira a espertalhona, porque, segundo fui mais tarde informado, ela, em bem não me viu fugir com a Gazeta, *tornou logo ao ponto em que a encontrei e, rebuscando com a mão por detrás da barrica, daí sacou um objeto e com ele fugiu para o porão da casa.*

Esse objeto, vim depois a descobrir, era um pequeno cofre de madeira preta com embutidos de metal amarelo, contendo o quê ainda não sei.

Minha mulher, em seguida a esse fato, principiou a não me querer encarar de frente e a evitar comigo a menor troca de palavras. Enterrava-se no quarto das seis às seis, e, se eu a outra qualquer hora tentava chamá-la a mim, escondia a cabeça nos travesseiros e punha-se a soluçar, que era uma coisa por demais.

Aborrecido, triste, completamente desarticulado dos meus hábitos, deixava-me então ficar pelos cantos, a cismar, a enfiar cachimbadas, sempre em busca de descobrir a ponta daquele mistério, que já me tirava regularmente o sono e o apetite.

E minha mulher — nada de desembuchar. A princípio lancei mão da violência: ameacei-a com os punhos cerrados, falei no meu revólver de seis tiros; depois — empreguei meios brandos: fiz-me terno, pedi, choraminguei; em seguida — recorri à astúcia: armei ciladas, fiz planos, espiei pelas fechaduras, andei na ponta dos pés, apalpei as trevas e procurei agarrar um gesto dos seus, um sorriso, ou uma dessas palavras indiscretas que às vezes nos escapam na inconsciência do sonho. Mas tudo isso foi inútil; tudo isso foi trabalho perdido. Cresciam as dúvidas e com elas o meu padecer e as minhas tristezas.

Então, meu consolo único era um papagaio que ela trouxera quando nos casamos. Mas, ai!, esse mesmo, desde que a dona se enterrara no quarto, estava quase tão triste como eu e não queria dar à língua, nem à mão de Deus Padre.

Afinal, um dia, quando, de furioso que estava, até já me dispunha a torcer-lhe o pescoço, o pobre bicho encrespou as penas da nuca, fechou voluptuosamente os olhos, abriu de leve as asas e disse, como quem suspira:

— "João Alves!"

Eu voltei-me para ele o mais ligeiro que é possível:

— Hein?! Como?! Fala, fala, minha rosa! Peço-te por amor de Deus que fales! Vamos! Quem passa, meu loiro?...

Mas o maldito abaixou a cabeça, e calou o bico por uma vez.

Entretanto, aquelas duas palavras que lhe escaparam, aquele nome, eram já um indício, uma descoberta, um ponto de partida. Se o papagaio as pronunciara tão bem, era sem dúvida porque de muito se havia familiarizado com elas.

Ora, eu nunca levara a casa nenhum João Alves; pela vizinhança também não me constava que houvesse gente com esse nome... de quem pois o ouvira o papagaio?...

Esta era a minha questão; este era o meu ponto de partida.

Mas, que noites, Sr. Redator! que noites passei eu a pensar naquelas duas palavras!... Quantas e quantas suspeitas não me passaram pela mente. Ah! Só pode compreender o peso de uma dúvida dessa ordem quem como eu a carregou nos ombros por tantos dias.

"João Alves! João Alves!" Estas duas palavrinhas cosiam-me os miolos, como se uma fosse a agulha e a outra o fio!

Uma noite surpreendi-me defronte de minha mulher, a berrar-lhe contra o rosto:

— Tu me hás de dizer quem é o João Alves! ou eu te beberei até a última gota de sangue!

Minha mulher soltou um grito e caiu de costas na cama, sem sentidos. Corri à despensa em busca do vinagre; mas, de atrapalhado que estava, demoro-me um pouco a encontrar o galheteiro e, quando volto ao quarto, já não achei ninguém.

Percorro toda a casa, revisto os móveis, os cantos, o quintal, o porão — nada! A pérfida havia-se escapado pela porta da cozinha.

Saí, fui à venda pedir informações; indago pela vizinhança, e só no dia seguinte descubro que a miserável fugira com um tal João Alves que há muito a convidava para isso.

— Ah! O papagaio tinha razão!

Armei-me, passei a noite a fariscar-lhes a pista. Pela manhã, depois de quebrar a cabeça em procurá-los, vim a saber que os infames estavam refugiados a dois passos de minha casa, numa hospedaria que ficava ao canto da rua.

Corri para lá espumando de raiva, meti ombros à porta, entrei; mas os fugitivos já lá não estavam e deles só havia um vestígio importante. Foi um cartão de visita que o amante de minha mulher deixara ficar por esquecimento.

Pois bem, Sr. Redator, nesse cartão estava escrito "Castro Matta". E estes dois novos nomes, ligados aos que pronunciara o papagaio, aproximam-se muito singularmente do nome por extenso daquele célebre homem que hoje os jornais com tanto afinco procuram descobrir. E agora, custe o que custar hei de desencavá-lo: não porque me interessem as questões públicas, mas porque esse João Alves de Castro Matta há de sofrer pelo que me fez.

É isso, Sr. Redator, o que por ora lhe tenho a comunicar e do que, peço, faça uma pequena notícia, escondendo os pontos mais privados desta carta. E, se V. S.ª quiser ligar o seu esforço ao meu, havemos de dizer ao público o que foi feito do Malta ou Matta, porque, segundo as últimas informações que colhi e que amanhã lhe enviarei, cada vez mais se justificam as minhas suspeitas sobre a identidade do grande patife.

Pelo que eu lhe for dizendo, verá V. S.ª que estou a par de tudo e que os mais culpados nesta questão não são os que mereceram as maiores acusações da imprensa.

Consola-me a ideia de que, vingando a minha honra ultrajada, vou igualmente prestar um grande serviço a Justiça e ao Direito.

Rio de Janeiro, 28 de dezembro de 1884.

Sou de V. S.ª
At.º cr.º obr.º

Novas revelações
Segunda carta

*Sr. Redator d*A Semana.

Não sei se lhe agradeça o seu procedimento com a minha carta ou se lho censure; o que afianço é que ele me surpreendeu deveras e, se não me magoou, também não me produziu grandes impressões de gosto.

Esperava que V. S.ª, atendendo ao meu justo pedido, se limitasse a extrair, de tudo que lhe enviei, uma pequena notícia e, quando vi a minha carta publicada na sua íntegra e, quando tive ocasião de ver a sensação que ela produziu sobre o público desta capital, confesso-lhe, Sr. Redator, tive sérios receios de haver cometido uma leviandade.

Porque, cumpre declarar, eu não tenho o hábito de me articular diretamente com as massas populares, e sempre que me vejo alvo de atenções gerais, apodera-se de mim um tal constrangimento e uma tal ansiedade, que chego a ficar doente.

Entretanto, V. S.ª teve a prudência de ocultar o meu nome e o de outras pessoas que citei, e isso já é para mim não pequena animação.

Nem sei qual seria a minha conduta, se V. S.ª não tomasse tão delicada resolução. E, já que as coisas seguiram esse caminho, estou disposto a não retroceder, e declarar pra frente tudo que me constar a respeito do assunto.

Como lhe disse na minha primeira correspondência, apenas o que me ficou da investigação da hospedaria foi um cartão de visita onde se lia o nome de Castro Matta.

Pois bem, Sr. Redator, armado desse documento, saí a tomar informações no quarteirão inteiro e vim a saber por um homem do ganho que este próprio levara para a ponte das Barcas Ferry um baú de folha com as iniciais J.A.C.M.

Peço-lhe informações sobre o dono ou dona dessa bagagem, e ele me respondeu que a pessoa que lha entregara era um homem alto, magro, de cabelos pretos e barba à inglesa, vestido com certa elegância, de polainas e chapéu alto, mas que não podia afiançar se ele era ou não o verdadeiro dono da bagagem ou simplesmente um encarregado dela, visto que o sujeito, a cada passo que dava, dizia com um gesto de impaciência: — Que maçada! Que maçada!

E o carregador declarou mais que, indo a tomar uma caixa de chapéu de senhora que o sujeito tinha sobre a mala, ele a defendeu com certo interesse e disse que não se incomodasse com a caixa, que ele mesmo a levaria e que, ao metê-la debaixo do braço, acrescentara:

— Não! desta não me separo por coisa alguma!

— E ele não te disse como se chamava? — perguntei ao homem do ganho.

— Saiba vossemecê que não senhor; mas quando cheguei à estação, encontrei-o de braço com uma senhora, que lhe dava o tratamento de "Seu Joãozinho".

Estas duas palavras fizeram-me pulsar o coração com maior força.

— E essa senhora, que estava com ele — interroguei de novo —, essa senhora que espécie de gente mostrava ser? Qual era o seu tipo? Era baixa, gorda, ou magra e alta?

— Nem muito baixa, nem muito gorda, assim pelo feitio daquela madama que ali vem.

E o ganhador apontou com o seu velho chapéu de lebre para uma francesa que se encaminhava para o nosso lado e que era justamente da estatura de minha mulher.

— E era morena? perguntei em crescente sobressalto.

— Nem por isso; mas era... era moreninha e com umas faces rosadas que faziam gosto. Lembra-me ainda que, numa ocasião em que o sujeito lhe disse alguma coisa ao ouvido, ela soltou uma risada muito gostosa e eu vi então uns dentes mais alvos que esse peito de sua camisa.

Corri instintivamente os olhos pela minha camisa e lembrei-me da brancura sedutora dos dentes de minha mulher.

— E como estava vestida? — inquiritei de novo.

— Homem! Disso não me lembro!...

— Diabo! — praguejei.

— Ah! agora me recordo! Estava toda de preto e tinha um chapéu de palha escura que lhe escondia os olhos.

— Os olhos? E de que cor eram eles?

— Não lhe posso dizer, patrão, porque o chapéu não deixava...

"É a mesma, não tem que ver!" pensei, lembrando-me de um chapéu que dois meses antes eu havia comprado para minha mulher na Notre Dame.

E, metendo uma nota de dez tostões na mão do homem, acrescentei:

— Ora diga-me cá! não reparou se a sujeita tinha algum sestro?

— Sestro?

— Sim! Pergunto se ela não tinha o costume de fazer alguma coisa particular com as feições ou com alguma parte do corpo.

— Parte do corpo?

— Quer dizer, se ela não tinha algum cacoete.

— Que diabo vem a ser isso?

— Mau! Agora é você que me interroga! Pergunto-lhe, homem de Deus, se a sujeita não piscava com os olhos, não mexia com a boca ou não sacudia os ombros.

— Mexia, patrão, sacudia e piscava.

— Tudo a um tempo?!

— A um tempo, como?

— Bem, já vejo que não arranjamos mais nada. Adeus, obrigado.

— Ah! É verdade — disse o homem, voltando a ter comigo —, ela, patrão, todas as vezes que falava, lambia os cantos da boca...

— Lambia os cantos da boca?! Ah!

Já não podia haver dúvida! Era ela! Era minha mulher! Era Margarida.

Quando voltei a mim da última revelação do carregador, este já não estava em minha presença, ao passo que a francesa, que lhe servira de comparação para me dar ideia do tamanho da sujeita, permanecia ao meu lado e observava-me de um modo estranho.

Eu, porém, não me sentia disposto a prestar-lhe atenção e corria tomar o bonde das Barcas Ferry.

Eram cinco e meia; ainda tinha tempo talvez de encontrá-los nas ruas de Niterói. Entrei na estação como um louco, procurando descobrir em todas as pessoas, em todas as coisas um indício que me pudesse elucidar naquela conjuntura.

Nada! nada!

Fui para bordo, assentei-me ao canto de um banco no tombadilho, e confesso que nunca achei que as Barcas Ferry caminhavam tão devagar. Sentia ímpetos de atirar-me ao mar; uma vontade dolorosa de chorar estrangulava-me a garganta. Não podia estar quieto, ergui-me, dei algumas voltas pelo tombadilho e afinal desci.

Imagine, Sr. Redator, qual não foi a minha surpresa quando, na primeira fisionomia que meus olhos descobriram, reconheci a mesma francesa que servira de comparação ao homem do ganho.

"Será talvez uma coincidência..." pensei, e resolvi não mais cuidar disso.

Mas a francesa se havia levantado e, vindo ter comigo, disse em meia-língua:

— Se quiser saber o que foi feito deles, acompanhe-me, quando chegarmos.

Quis pedir mais algumas explicações, mas a francesa, como se a coisa não fosse com ela, afastou-se e retomou na barca o lugar que havia abandonado e a leitura de um livro que tinha interrompido.

Sou de V. S.ª
At.º cr.º e ven.ºʳ

Novas Revelações
Terceira Carta

Mal a barca abicou na ponte da estação de Niterói, saltei de um pulo, só cuidando seguir a misteriosa francesa que me havia prometido informações sobre o casal fugitivo.

Mas, qual não foi a minha decepção, quando, volvendo em torno os olhos ávidos, não encontrei a estrela em que baseara as minhas melhores esperanças.

Ela havia desaparecido, como por feitiço, visto que, apesar das pesquisas que empreguei, não lhe descobri sequer o rastro.

— "Estaria se divertindo à minha custa?" — perguntei aos meus botões, que, naturalmente para me serem agradáveis, não quiseram opinar comigo.

— Bem! — deliberei: — Não pensemos nisto!

E fui cuidar de obter novas informações. Dirigi-me logo para o buffet próximo à ponte e perguntei a um criado que servia a um canto da sala um grupo de rapazes, se ele tinha visto saltar um sujeito de suíças, polainas, chapéu branco, de braço dado a uma dama vestida de preto, com um chapéu de palha.

O criado olhou para mim, coçou o queixo e resmungou:

— Homem! Eu lhe digo... Saltar, saltaram, até mais de um par, o negócio porém é que não reparei se algum deles era esse de que fala o senhor...

— E uma francesa que chegou justamente nesta barca? — perguntei. — Uma francesa de estatura regular, cabelos loiros e vestido de ramagens. Também não saberá dar-me notícias dela?...

Mal acabei de proferir estas palavras, um dos rapazes do grupo ergueu-se de improviso e, estacando defronte de mim, e ferrando-me um olhar muito atrevido, interrogou-me:

— Que deseja o senhor dessa francesa?

Confesso que não encontrei logo o que responder a semelhante tipo. Ele, porém, acrescentou:

— Vamos! Estou às suas ordens! Os negócios dessa senhora tratam-se comigo.

— O senhor é seu marido?

— Não tenho que lhe dar explicações. Sou da francesa o que bem entendo ou quero ser! Apenas não admito que nenhum sujeito, seja lá quem for, tenha com ela qualquer negócio particular!

— Pois então, dê-lhe lembranças! — repliquei eu, voltando-me vivamente e muito disposto a dar às de vila-diogo.

O tipo não me deixou tempo para isso e cortou-me o caminho, indo postar-se à saída do buffet. Os outros rapazes seus companheiros, que eram em número de quatro, haviam-se erguido já e estavam incorporados ao meu adversário.

— O senhor não me sairá das unhas enquanto não explicar o que deseja da mulher que procura!

E, voltando-se para um dos companheiros:

— É uma questão a respeito da Jeannite! Sempre ela! Sempre as mesmas maçadas por causa daquela sirigaita!

Os rapazes, que se haviam levantado por último, olharam-me então de alto a baixo e depois puseram-se todos a observar os pés, e a chuparem os competentes charutos, muito sérios e muito tranquilos.

A questão ia estourar definitivamente por parte do meu provocador, quando este soltou um formidável "Ah!" e então vimos todos assomar à porta do buffet a causadora de todo aquele alvoroço.

Fez-se um grande silêncio, no meio do qual a Jeannite atravessou a sala, foi ao encontro do meu formidável agressor e, depois de apontar para mim, lhe disse com a voz firme e resoluta:

— Este senhor não me conhece ainda, encontrei-o na barca e prometi que lhe daria informações a respeito de um casal que fugiu aqui para Niterói.

— A parte feminina desse casal é minha mulher! — disse eu, corando levemente.

— Já sei, — respondeu a francesa.

— Seria um casal que saltou na barca das cinco? — interrogou o encarregado dos negócios da Jeannite. — Um casal muito unidinho, cujo homem trazia debaixo do braço uma caixa de chapéu de senhora?

— É esse justamente! — exclamei com um vislumbre.

— Cale-se! — volveu a francesa em voz baixa ao meu ouvido. — Eu me encarrego de tudo, descanse!

— Pois esse casal, meu caro senhor — continuou o da agressão —, esse casal seguiu para os lados de São Gonçalo. É só o que lhe posso dizer a respeito.

— Obrigado! — respondi; e fiz menção de sair.

— Olhe! — acrescentou a francesa — não seja precipitado. Tome o bonde do Barreto e...

Neste ponto ela abaixou a voz disfarçando e concluiu com esta frase:

*— Às oito horas na rua do Imperador, n.º***.*

— Para quê?

— Aí encontrará todas as informações.

O sujeito que se dizia encarregado de seus negócios, já então apresentando um ar inteiramente oposto ao que tomara no princípio da questão, encaminhou-se humildemente para a recém-chegada e, de chapéu na mão, balbuciou com um sorriso de caixeiro:

— Eu não tive a menor intenção de contrariar-te, Lelé!

— Cale-se! — exclamou ela com desprezo, e em seguida piscou para o meu lado o seu olho esquerdo, e saiu do buffet *ainda mais senhora de si do que entrara.*

Saí também, mas, para não deixar alguma sombra de suspeita no espírito dos rapazes, tomei direção contrária à da francesa e cheguei até a sair por uma outra porta.

O tal encarregado dos negócios dela falara-me em São Gonçalo; tinha eu, pois, de meter-me no bonde de Sant'Ana.

Quando ia a fazer isso, sou detido por um homem de meia-idade, gordo e de óculos, que me disse, falando-me à orelha:

— Não vá a São Gonçalo, seria perder o seu tempo; se quiser ouvir um bom conselho, siga os rastros da francesa que veio com o senhor na barca. Só ela, só a Jeannite lhe poderá dirigir os passos com segurança. Em todo o caso, se V. S.ª não quiser dar ouvidos às minhas palavras, acredite ao menos que não deve tomar o bonde de Sant'Ana e sim o do Barreto, porque este o aproximará mais facilmente daqueles que procura.

Dizendo isto, o homem recuou dois passos e, escondendo o rosto numa capa rio-grandense que trazia, desapareceu nas sombras de uma casa em construção que nos ficava ao lado.

Fiquei parado no meio da rua, sem saber que partido tomar. Cada informação das que lograra apanhar, longe de me elucidar o espírito, mais tenebroso mo havia deixado.

Afinal, entre tudo isso, só a francesa falara claro e decisivamente.

Puxei do relógio, consultei as horas, eram sete.

*— Bem! — deliberei. — Às oito estarei na rua do Imperador n.º * * *.*

Segui.

Não gastei muito tempo a chegar ao ponto da entrevista e, a dois passos da casa indicada, o mesmo sujeito gordo de há pouco aproximou-se de mim e, levando o indicador aos lábios, fez-me sinal que o acompanhasse.

Tive vontade de hesitar, mas, chegado como estava àquele ponto da intriga, deixei-me levar.

Daí a poucos instantes era eu introduzido numa pequena alcova cor-de-rosa, iluminada por um único bico de gás.

Mal entrei, senti correr um reposteiro que havia por detrás de uma cama e então vi surgir, como num sonho, a misteriosa francesa.

Ela caminhou para mim, sorrindo, e, logo que me teve ao alcance de suas mãos, passou-me os braços em volta do pescoço e exclamou entre beijos:

— És meu!

— Perdão! — disse eu. — Perdão! Agora, tenha paciência, mas não me pertenço a mim mesmo, quanto mais a V. Ex.ª. Não tenho um minuto a perder! Preciso encontrar o amante de minha mulher!

— O Castro Matta? — perguntou a francesa, sem me largar das unhas.

— Sim! O Castro Matta!

— Descansa! — volveu ela. — O amante de tua mulher está seguro e muito bem seguro! Dei já todas as providências para isso...

— Como assim ?

— Lê.

E eu li uma portaria da polícia, declarando que o meu homem fora recolhido ao xadrez na véspera, isto é — no dia 16 do mês de novembro.

— Quê? Pois ele está no xadrez?

— Juro-te que está, e não quero ser quem sou, se daqui a três dias o detrator de tua honra não estiver recolhido à Casa de Detenção.

— Em todo o caso, é preciso que eu vá no seu encalço.

— Não! — exclamou a mulher. — Não sairás daqui, senão amanhã, depois do meio-dia.

— Ora esta! gaguejei, atirando-me sobre um divã — só me faltava mais isto!

Sou de V. S.ª
At.º cr.º e ven.ºʳ

Novas revelações
Quarta carta

Sr. Redator.

Recebi a sua estimável cartinha, na qual declara V. S.ª os justos motivos pelos quais não deu publicidade as últimas comunicações que lhe fiz, reservando-as para mais tarde, visto que não seria de bom aviso expô-las tão precipitadamente.

Verdade é que tais revelações tanto podiam aparecer agora, como mais tarde, encarando-as pelo lado do interesse que elas tenham porventura nesta questão.

Entretanto vou prosseguir, tomando o fio das revelações justamente no ponto em que as deixamos.

Quando saí da casa de Jeannite, isto é, dois dias e meio depois de ter entrado, já o meu homem, segundo o que dissera aquela, devia estar recolhido à Casa de Detenção.

A francesa deu-me uma fotografia dele, um retrato que o tratante havia três meses antes tirado em casa do Emilio Rouede, quando esse pintor de marinhas ainda se dava a trabalhos fotográficos.

Esse retrato estava em tudo de acordo com as informações que eu conseguira apanhar a respeito do Castro Matta.

Senhor de mais esse belo auxílio, dirigi-me para a Casa de Correção, onde felizmente tenho nada menos do que três amigos; pedi-lhes notícias do Matta e um deles me respondeu que o meu homem havia seguido na véspera para a Santa Casa de Misericórdia.

— Para a Santa Casa? — perguntei surpreso.

— Sim, — disse-me o amigo. — Foi tratar-se de uma congestão hepática.

— Mas, como assim? — tornei a perguntar. — Ele parecia vender saúde e, segundo o que acabou de dizer aquele senhor (apontei para um outro dos amigos), o homem foi preso por ter sido pilhado a fazer desordens na Praça da Constituição.

— Esse ponto agora é que eu não lhe posso esclarecer, — volveu o meu informante. — Apenas lhe digo que o Castro Matta não é lá grande coisa debaixo do ponto de vista da seriedade e da boa conduta.

O meu amigo e informante gostava em extremo de armar a frase com uma certa pompa de linguagem; sinto até não poder reproduzi-las mais fielmente, porque algumas delas são bem boas.

Mas não é disso que se trata agora, e não podemos perder tempo com semelhante coisa.

— Então o sujeito, o tal Matta, é homem de maus costumes, hein? — perguntei ao amigo.

— Chi! — fez ele — nem lhe digo nada! Sem ir muito longe, ainda na véspera da desordem que ele fez na Praça da Constituição, foi visto a passear em Niterói com uma sujeita da vida airada, uma sujeitinha vestida de preto e com um grande chapéu de palha, que lhe escondia quase todo o rosto.

Imagine, Sr. Redator, a impressão que estas palavras me causaram, a mim que reconheci naquele vestido preto e naquele chapéu de palha a mulher a quem para sempre havia ligado meu nome e meu futuro.

Mal sabia eu quando te comprava na Notre Dame, pobre chapéu de palha!, que terias ocasião de entrar tão diretamente nas minhas dores e nos meus sobressaltos de marido atraiçoado!

Desconsolado, aflito e naturalmente com uma cara d'asno, ia a deixar a Detenção para tomar o caminho da Santa Casa da Misericórdia, quando um dos meus três amigos chamou-me de parte e disse-me:

— Tu me mereces toda a confiança e vou falar-te com franqueza. O Malta...

— Malta ou Matta?

— O Malta — sustentou ele —, o Castro Malta.

— Mas não é o Malta que eu procuro, é o Matta.

— É tudo uma e a mesma coisa. Digo-te mais: o sujeito não é só Matta e Malta, é também Mattos.

— Hein?

— É o que te digo. O velhaco usa e abusa desses três apelidos, conforme a situação e conforme o plano de suas velhacadas. É Malta quando quer comprar a crédito qualquer coisa; é Mattos quando se mete em desordens e arruaças e só é Matta nas aventuras amorosas.

— Então é o mesmo, — disse eu. — E justamente por causa de uma questão amorosa que eu ando em busca do tratante.

— Aposto que se trata da Jeannite!

— Da Jeannite? Uma francesa, de cabelos loiros?

— Isso! É a amante dele.

— Dele quem?

— Do Matta, Malta ou Mattos.

— Que me dizes, homem?

— Pois não. Olha, vou mostrar-te uma carta que ainda hoje ela me escreveu.

E o meu amigo, tirando do bolso uma folha de papel, marca pequena, leu pouco mais ou menos o seguinte, entre outras coisas, às quais não prestei a mesma atenção:

"Aquele miserável pagou-me tudo, vinguei-me dele (o miserável era o Matta); logo que tive as provas da sua traição, procurei o marido da mulher com quem ele me traía, obriguei-o a vir a minha casa, prendi-o, fingi-me apaixonada por ele e vinguei-me durante sessenta horas."

Eu soltei um suspiro; — que me estaria ainda reservado?!

O amigo, depois de guardar a carta, acrescentou:

— Foi ela, a Jeannite quem arranjou a prisão do maroto...

— Pois a Jeannite tem essa influência na polícia?

— Então não sabes do que há, homem de Deus?

Eu confessei que não sabia, e o amigo passou então a fazer-me a delicada revelação que na minha última carta expus a V. S.ª e que V. S.ª resolveu guardar para mais tarde.

— Mas enfim — disse eu ao meu obsequioso informante —, disseste que ias me falar com franqueza a respeito do tal Matta e ainda não declaraste o que é feito dele.

— O que é feito dele? Eis justamente o que te vou dizer em confiança...

E depois de observar se não nos escutavam:

— O Malta não foi para a Misericórdia!

— Não foi? Mas então onde está ele?

— Está aqui, escondido. Temos ordem superior para não consentir que ele se comunique com pessoa nenhuma e para declarar que ele foi para a Misericórdia. Amanhã hás de ver isso justamente nas notas policiais.

— De sorte que o homem está aqui? — perguntei ainda.

— Está, — disse o amigo. — E estará por muito tempo!

— E a mulher com quem o viram a passear em Niterói? Sabes porventura me dizer que fim levou?

— Também cá está e tem de responder a processo por crime de roubo.

— Roubo?! E presa?! Oh!

— Admiras-te de quê?!

— Desgraçado! essa mulher é minha...

— Tua, quê?

— ...esposa!

— Oh! Desculpa! Eu não sabia...

— E é permitido ir ter com ela?

— Pois não. Acompanha-me.

E dizendo isto, o meu amigo tomou a direção do lugar onde se achavam os presos. Acompanhei-o.

Ao chegarmos à célula em que se achava a amante do Malta, senti que o suor me caía em bagos pela fronte; uma vertigem me escondeu por instantes a luz dos olhos, quis avançar e as pernas afrouxaram-se-me a tal ponto que o amigo amparou--me nos seus braços e exclamou:

—Então, fulano! Que é isso? Nada de fraquezas! Sê homem, meu amigo!

Eu concentrei todas as minhas forças e respondi:

— Estou às tuas ordens! Vamos!

O amigo empurrou a porta e eu soltei um grito de surpresa e de indignação.

Imagine V. S.ª quem havia eu de encontrar ali, em vez de minha mulher, como esperava? Imagine quem, Sr. Redator: — minha sogra!

Sou de V. S.ª
At.º cr.º e ven.ºr

Novas revelações
Quinta carta

Sr. Redator.

Antes de mais nada, antes de lhe dar conta dos fatos extraordinários que se vão seguir, seja-me permitido dizer duas palavras a respeito de minha sogra, dessa megera, a quem o acaso, por desgraça, fez mãe da mulher com quem casei.

Dona Leonarda dos Prazeres é uma velhusca de quarenta e tantos anos que não parece ter mais de trinta e poucos. Forte, bem conservada e lépida, diz até muita gente que ela mete mais vista do que a filha, com quem aliás se parece muito.

Dona Leonarda é viúva e foi casada quatro vezes. (Margarida nasceu do seu primeiro matrimônio.) Teve por maridos os seguintes homens: um ferrador, um açougueiro, um jornalista e um farmacêutico.

Consta que todos eles acabaram meio idiotas, notando-se que dois deram cabo da vida, um suicidando-se a tiro e o outro a veneno.

Dona Leonarda herdou do último de seus maridos, o farmacêutico, uma casinha de porta e janela, cinco apólices da dívida pública e a farmácia. Comeu tudo isso dentro de um ano e passou a viver à minha custa. Eu que não estava disposto a aturá-la em casa, arranjei-lhe uma pensão com os parentes ricos do defunto farmacêutico e tratei de nunca mais saber notícias dela.

Isto foi, haverá coisa de quatro anos, e, depois de todo esse tempo, é que a fui encontrar pela primeira vez ali, na Casa de Correção e presa como ladra, segundo a informação do meu amigo.

Entrei na célula e, sem mais comentários, exigi de minha sogra a explicação de tudo aquilo. Ela fechou os olhos e meneou a cabeça negativamente.

— Não quer falar? — perguntei eu.

Ela tornou a dizer que não, com a cabeça.

— É a sua última resposta?

Ela sacudiu a cabeça afirmativamente.

— Mas a senhora não sabe o que me trouxe aqui?

Ela levantou os ombros, com indiferença.

— Não sabe que se trata de sua filha?

Ela repetiu o movimento dos ombros.

— Saberá ao menos dizer-me o que foi feito dela?

A velha esticou o beiço inferior com um jeito expressivo, que dizia — "Não sei."

Cada vez mais furioso, pedi ao amigo que me levasse à presença de Castro Matta.

— Não posso, — respondeu ele. — Tenho ordem para não o mostrar a ninguém.

Ao sair da Casa de Detenção, um dos outros amigos, aquele justamente que me havia afiançado que o Matta estava recolhido à Misericórdia, segredou-me já na rua:

— Vou agora à Misericórdia, a serviço; se quiseres ver o homem, vem comigo.

Aceitei o convite e, imagine-se qual foi a minha nova surpresa, quando, penetrando o meu amigo na enfermaria, tornou ao meu lado e disse-me ao ouvido:

— Já não encontras um homem, encontras um cadáver.

E, avançando alguns passos, foi ter a uma cama, onde se via um grande vulto humano coberto por um lençol velho.

O meu amigo levantou a coberta por uma das pontas e acrescentou:

— Vê!

Eu puxei do bolso a fotografia que me dera a Jeannite e confrontei-a com o cadáver.

Não podia haver dúvida.

Era o mesmo, sem tirar nem pôr.

E a graça é que a fotografia estava perfeitamente de acordo com as primeiras informações que no ponto das Barcas me dera o carregador, "magro, cabelo preto, barba à inglesa", e [pela] elegância é de supor que usasse polainas e chapéu alto.

Detive-me defronte daquele cadáver, a fazer algumas considerações a respeito dele.

"Ali estava para sempre inanimado o homem que minha mulher preferiu a mim e por quem trocou a sua tranquilidade, o seu futuro e a sua honra! E fossem lá compreender as mulheres! Por que razão aquele tipo de barbas inglesas, aquele desordeiro vulgar e de más entranhas sem dúvida, havia de merecer mais do que eu?... Por quê? Por ser bruto? Não! Por ter mais talento? Não creio... Ele não seria capaz de escrever estas cartas... Por ser mais honesto? Impossível! Por que seria então? Ainda se fosse rico, mas qual, segundo informações que me deram mais tarde, só lhe encontraram nas algibeiras dois níqueis de tostão, uma caixa de fósforos, algumas cartas de namoro, algumas contas, um pente e três cigarros. Por que pois teria minha mulher o preferido a mim?

"Ah! Quem poderá explicar esses mistérios e essas aberrações do coração feminino! Quantas vezes essas insensatas não largam de mão o ouro verdadeiro para se lançarem sobre o mais ordinário dos metais!..."

Fazia eu tais considerações, quando o meu bom amigo tocou-me no ombro.

— Então! — disse ele — queres agora ficar aí, defronte desse corpo?

— A que horas é o enterro? — perguntei.

— Deve ser daqui a uma hora. Às quatro.

— Pois eu espero. Quero acompanhá-lo até ao cemitério, quero vê-lo descer à sepultura, cair-lhe sobre o peito a terra e a cal, e só depois disso respirarei com franqueza.

— Então, adeus, — disse-me o amigo. — Deixo-te, que ainda tenho que fazer.

— Adeus. Obrigado.

O amigo saiu e eu fiquei ao lado do defunto. Estava disposto a não abandoná-lo um só instante.

"Depois do enterro ou talvez amanhã" — resolvi comigo — "tratarei de continuar nas minhas pesquisas. Minha sogra não quer falar, mas eu hei de descobrir onde se esconde a filha!... Em último caso vou ter com a Jeannite e peço-lhe novas informações."

Mas, apesar de ter ali, defronte dos olhos, aquele cadáver, que era a confirmação silenciosa da fotografia e das afirmações do sujeito que o vira com minha mulher, as palavras do meu outro amigo não me deixaram a cabeça!

"Está aqui na Casa de Correção escondido; temos ordem superior para não consentir que ele se comunique com pessoa nenhuma e para declarar que ele foi para a Misericórdia. Amanhã hás de ver isso mesmo nas notas policiais..."

E como se poderia explicar o engano tão grosseiro [em] que se achara o meu outro amigo? Como explicar igualmente a prisão de minha sogra? Onde estaria a minha mulher?

Eram essas as interrogações que se erguiam dentro de meu cérebro, quando vi chegar um homem, acompanhado por dois serventes, o qual apontou para o cadáver, e disse:

— Carroça com ele!

— Perdão, — intervim eu, chegando-me para o sujeito. — Saberá dizer-me, caro senhor, de quem é este cadáver?

— Do Malta.

— Tem certeza que é Malta?

— Malta ou Mattos... — respondeu o sujeito. — Também não sei com certeza. Se não me engano é Castro. Castro Malta ou Castro Matta Pelo nome não se perca!

"Não se perca! Mal sabia o desgraçado o que havia de suceder"; considerei comigo e, tornando ao sujeito, perguntei-lhe se não sabia que espécie de homem fora esse Malta ou Mattos.

— Uma espécie de vagabundo!

— Mas não tinha profissão?

— Qual! Vivia da jogatina.

"Ora essa!" considerei eu. — "O Castro Matta de que me falaram os vizinhos, quando eu saí a procurar minha mulher, era encadernador, e constou-me que empregado em uma das melhores livrarias da corte."

Cada vez mais intrigado, fiz ainda algumas perguntas ao sujeito e, vendo que não obtinha melhores esclarecimentos, despedi-me dele e dispus-me a acompanhar o enterro.

Eram cinco horas da tarde quando saiu o corpo da Santa Casa da Misericórdia, dentro de um carro negro, onde se via uma cruz pintada de branco. Tomei um tilbury *e acompanhei-o sem dar a entender que o fazia.*

A carroça tomou a direção do Cemitério de São Francisco Xavier; eu atrás.

Ia triste, como se acompanhasse o enterro de um parente ou de um amigo; sentia até vontade de chorar, quando o meu tilbury *deslizou surdamente pela areia do Campo.*

E a carrocinha negra, miserável, lá ia na frente puxada por um burro. De vez em quando, nas curvas do caminho, eu a perdia de vista, mas daí a pouco divisava de novo o chapéu alto do gato-pingado e, então, fechava os olhos para o não ver.

Que estranho mal-estar se apoderava de mim à proporção que me aproximava do cemitério! Afigurava-se-me um crime o que eu fazia naquele momento. Ia perseguindo um cadáver, rondando-o como se receasse vê-lo fugir no meio da viagem.

Puxei do bolso a fotografia e quase me faltou a coragem para encará-la. O retrato sorria, parecia sorrir de mim. Por instantes, afigurou-se-me que os traços de sua fisionomia se acentuaram para sorrir com mais vontade; depois parecia que se fecharam na triste expressão que eu vira na cara do defunto.

Tornei a guardar a fotografia, e só então reparei que o tilbury *já estava parado há alguns minutos, defronte do portão do cemitério.*

Entrei sempre atrás da carroça e fiquei meio contrariado, quando o guarda declarou que já não eram horas de enterrar.

O corpo foi depositado na capela. Era tal a insistência com que eu o acompanhava que passei por parente do morto. O meu cocheiro chegou mesmo a lançar-me um olhar de consolação.

Ia a sair, mas hesitei. Despedi o tilbury *e pus-me a passear em volta da capela, onde podia por entre as grades ver o cadáver deitado ao comprido sobre uma mesa de pedra.*

Não sei por que eu me demorava ali, mas sei que me sentia atraído misteriosamente para aquele corpo.

Não podia lhe tirar a vista de cima. Olhei em torno de mim, estava só, o guarda se havia afastado, quando um grito me escapou dos lábios.

Pareceu-me ter visto o cadáver virar a cabeça de um para outro lado.

"Estou sonhando!..." disse comigo, mas resolvi observar, ainda que fosse preciso esconder-me no cemitério.

Pela seguinte carta verá V. S.ª que não era um sonho.

Sou de V. S.ª
At.º cr.º e ven.ºʳ

Novas revelações
Sexta carta

Sr. Redator.

Como lhe disse à semana passada, não era um sonho o que eu via na capela do Cemitério de São Francisco Xavier.

O corpo havia mexido com a cabeça e repetira pouco depois o movimento como quem se debate na agonia de um pesadelo.

Quis gritar e chamar por alguém, mas não pude, faltou-me a voz, e fiquei chumbado à grade da capela, sem conseguir fazer um movimento.

Entretanto, a noite avultava rapidamente e quase que se não podia distinguir nada para dentro das grades. A lua, que não costuma faltar às cenas desta ordem, já lá estava no céu num transbordamento de luzes prateadas, que melhor faziam destacar as casuarinas e as pedras brancas dos mausoléus.

Um rumor surdo, gemebundo, levantava-se tristemente do chão e de tal forma se casava às sombras da noite, que parecia sair de dentro delas; dir-se-ia que a treva sussurrava derramando-se pelo vale, como uma enorme legião de espectros.

Com o luar não há claro-escuro; e essa divisão rápida da luz e da treva sempre me produziu no espírito os mais imprevistos e pavorosos efeitos.

Não sei por quê, mas eu, que sou um homem de verdadeira coragem, quando estou ao sol, tremo e fujo de tudo debaixo da mefistofélica influência da lua.

E, de mais a mais, num cemitério. — Calcule-se.

Aos meus olhos as campas se transformavam todas em grandes fantasmas saídos das sepulturas; os ciprestes eram frenéticos gigantes que conspiravam, debruçando-se uns sobre os outros, para se falarem em segredo, e logo depois se apartarem horrorizados com o que ouviam.

Imagine-se!

Ah! Nem sei como ainda me podia ter nas pernas! O suor escorria-me por dentro do colarinho; o sangue espolinhava-se-me no coração, a cabeça andava-me à roda, a arder.

E, coisa esquisita, quanto mais me ardia a cabeça, tanto mais frios sentia eu os pés e as mãos.

Um frio incômodo, que parecia penetrar na carne em forma de agulhas em brasa.

E esse frio foi se estendendo pelas pernas e pelos braços, até se apoderar da minha região intestinal. Então, como se me apertassem o ventre com um cinturão de aço, comecei a sentir cólicas e vontade de vomitar: faltava-me o ar nos pulmões e o peito parecia querer abrir-se para fora em duas folhas, como uma janela.

Entretanto, o corpo de Castro Matta acabava de erguer-se a meio sobre a mesa de mármore e circunvagava em torno de si os olhos espavoridos e cheios de inconsciência.

Com um supremo esforço fiz um movimento para fugir; ele deu por mim, levantou o braço descarnado e começou a chamar-me silenciosamente.

Depois ergueu-se de todo, lançou fora da mesa as pernas e saltou no chão, arrastando a mortalha que lhe haviam prendido ao pescoço.

E com o solene caminhar das figuras fantásticas de Goya, aproximou-se das grades em que eu estava.

O sangue agitou-se dentro de mim com mais força, o cinturão de aço parecia disposto a cortar-me de meio a meio pelo ventre, e os braços e as pernas principiavam-me a tremer convulsivamente.

Mais dois passos e estaria cara a cara com o maldito ressuscitado; nisto, porém, senti baterem-me de leve no ombro. Volto-me — defronte de meus olhos estava um vulto de homem.

Era alto, magro, de cabelos pretos e barba à inglesa.

— Eu sou Castro Malta! — disse-me ele, batendo no peito com energia.

Mas, nesse instante a porta da capela abriu-se e o outro apareceu terrivelmente embrulhado na sua mortalha.

— Ah! — disse o segundo Castro, recuando de braços abertos, e logo em seguida caiu para trás, sem sentidos.

No entanto, o da mortalha se aproximou de mim e pediu-me que não me assustasse, como o outro, e fizesse o obséquio de dizer se eu era o guarda do cemitério.

— Não senhor — respondi —, sou um simples parente de um morto que se enterrou hoje.

— Ah! — exclamou o ressuscitado. — É parente de um colega meu, logo posso contar com o senhor!

E o ladrão dizendo isto nem parecia que tinha morrido na véspera e que por um triz estivera para ser metido dentro da terra.

"Muito forte deve ser o espírito deste sujeito" pensei eu, a vê-lo sorrir defronte de mim, como se nada lhe houvesse acontecido de extraordinário.

Não me pude conter e perguntei-lhe se havia ficado impressionado com o que lhe sucedera.

— Não, — disse-me ele muito naturalmente. — E até estimei a minha suposta morte. Daqui a pouco lhe direi a razão por quê. Se o senhor está resolvido a dar-me hospitalidade por esta noite, eu lhe contarei a minha história e verá o amigo que, nem só não devo estar triste em ter ressuscitado, como também não deveria ficar se tivesse morrido deveras.

— Bem, — respondi. — Levá-lo-ei comigo para casa, tenho interesse igualmente em conversar com o senhor.

Interrompemos, porém, a conversa, para cuidar do sujeito que perdera os sentidos. O da mortalha abaixou-se, apalpou-lhe a testa e os pulsos, e exclamou depois:

— Ora esta!

— Que é? — interroguei.

— Pois você acredita? Este homem não se lembrou de morrer?...

— Morreu?

— Ora! Creio que até já fede! Este já não gustará mais farinha!

E voltando-se de todo para mim:

— Isto é o que se chama fortuna! A minha saída do cemitério, depois de estar inscrito nos livros dos mortos, iria talvez produzir grandes revoluções no outro mundo! Assim deixo alguém no meu lugar!

— Vai deixar esse homem no seu lugar?

— Certamente, e eu seria um asno se não aproveitasse a boa vontade com que o pobre rapaz morreu! Vou trocar o meu lugar com o dele. Eu era defunto e tinha uma mortalha; ele um vivo e tinha roupa, relógio e talvez dinheiro. Trocamos. Ele fica sobre a minha mesa de pedra e eu vou para a mesa do restaurante que o esperava. Já vê que não sou tão caipora, principalmente se atendermos para o fato de que o meu protetor tem a minha estatura e que o seu chapéu me serve.

Dizendo isto, o ressuscitado colocara na cabeça o chapéu do outro, que apanhara do chão e, agora, de cartola e amortalhado como estava, tinha alguma coisa de cômico e de horrível.

A graça é que eu, desde que me pus a confrontá-los, achava-os igualmente parecidos com a fotografia que me dera a Jeannite.

— Bem! tratemos de trocar as fatiotas, — acrescentou o ressuscitado, despindo o outro.

E, daí a uma hora, o novo Castro Malta competentemente amortalhado, ficava estendido sobre a mesa da capela: ao passo que o outro saía do cemitério pelo meu braço e dizia-me em ar de graça, consultando as algibeiras:

— Relógio, corrente de ouro, cinquenta e tantos mil-réis em dinheiro e livre, livre como as asas. Mas de tudo isso o que eu herdei de melhor daquele santo morto, foi este objeto!

E mostrou-me um cartão que tirara da carteira.

— Um cartão de visita?

—Sim. De hoje em diante já não existo para os meus credores e para os meus inimigos. Morri! Este que aqui vai pelo seu braço, chama-se...

E lendo o cartão:

— João Alves Castro Malta.

E acrescentou, fazendo parar um carro que passava:

— Durante a viagem lhe contarei tudo.

Sou de V. S.ª

At.º cr.º e ven.or

Novas revelações
Sétima carta

Sr. Redator:

Vou tentar reproduzir aqui, com a maior fidelidade que me for possível, o significativo diálogo que se travou entre mim e o extraordinário ressuscitado, depois que deixamos o cemitério e nos metemos dentro do carro.

— Em primeiro lugar, — disse-me ele, — vou contar-lhe com toda a franqueza a minha história, sem o que não poderia o senhor capacitar-se de que não sou precisamente um doido: Nasci na cidade de Campinas, e, segundo me consta, meu pai,

a quem não tive o gosto de conhecer, era um sujeito honrado e de bons costumes, o que aliás não lhe impediu de sucumbir a uma indigestão de lagostas, justamente quando minha mãe estava em vésperas de dar-me ao mundo. A morte de meu pobre pai precipitou um pouco este vulgaríssimo fenômeno fisiológico, obrigando minha desgraçada mãe a pagar com a própria existência o meu direito de fazer parte dessa coisa que se chama humanidade e a um lugar neste mesquinho inferno que se chama o mundo. Por conseguinte, apenas com um dia de vida já recebia eu os primeiros coices da fortuna, achando-me completamente desamparado e sem ter ao menos uma teta que me garantisse a subsistência. Foi então que um pobre cocheiro se compadeceu de mim e carregou-me para casa. O cocheiro era casado e sua mulher entregava-se ao modesto e honrado mister de criar bodes e cabras. Foi uma cabra a única ama-de-leite que eu conheci, e tal amor tomei desde então a esse benfazejo animal, que ainda hoje, quando por acaso o encontro na rua ou em qualquer parte, a vontade que tenho é de ferrar-lhe um abraço.

— Nada mais justo..., — considerei eu.

— Mas, — continuou o narrador, — a desdita não quis que o meu protetor levasse ao cabo a obra de caridade que me estava reservada e fê-lo sucumbir, pouco depois da mulher e quando eu ainda não tinha mais do que cinco anos de idade.

"Passei então para as mãos de um tipo, o melhor dos que tenho conhecido no mundo, e que foi ao mesmo tempo o meu salvador e a minha perdição."

— A sua perdição?

— Sim. Eu me explico: Pedro Melindroso, o homem que substituiu ao meu lado o cocheiro, era um filósofo, cujas teorias abstratas e metafísicas entraram muito profundamente pelo vasto terreno da loucura.

"Foi justamente por isso que ele me recolheu. Um dia viu-me chorando abraçado à cabra que me amamentara e escondeu-se para me espreitar.

"Eu, que me supunha a sós com a minha doce companheira de infância, exclamava deveras comovido à orelha do bicho: 'Bebé! Bebé! (era este o tratamento que eu lhe dava) minha querida Bebé, não imaginas quanto te quero bem e quanto gosto mais de ti do que de todo o mundo!

"O filósofo, saindo do seu esconderijo, veio ter comigo e perguntou-me se era verdade o que ouvira de minha boca.

"Eu, meio perturbado com a presença dele, respondi que sim e que não trocaria a minha querida Bebé por ninguém.

"— Quem é seu pai? — perguntou-me ele depois.

"— Não cheguei a conhecê-lo, — respondi.

"— E sua mãe?

"— Morreu quando me pôs no mundo.

"— E com quem você vive agora?

"— Com ninguém.

"— Você não tem casa?

"— Não.

"— Onde dorme?

"— Quase sempre no curral do Zé Coxo.

"— Onde come?

"— Onde encontro o que comer. E quando não encontro, peço.

"— E quando não lhe dão?

"— Roubo.

"— E não se vexa de roubar?

"— Não, porque não faço por maldade semelhante coisa, mas sim por não haver outro remédio.

"— E por que você não se mata?

"— Porque não quero.

"— E que espera você da vida?

"— Nada, não sei.

"— Quer vir comigo, para minha casa?

"— Vou, se me deixar levar Bebé.

"— Pois então acompanhe-me com ela.

"Desde esse dia principiei a ter de novo uma cama, um talher certo à mesa do filósofo e roupa lavada e engomada.

"— Você quer ser uma besta ou um homem instruído? — perguntou-me o Melindroso, meses depois de me haver tomado à sua conta. — Mas, desde já o previno de uma coisa, — acrescentou ele. — Eu não admito meio-termo em questões de ilustração. Você no caso que não queira ser uma besta, há de ser um sábio. Escolha.

"— Quero ser um sábio.

"— Mas, veja bem, rapaz. Para ser um sábio é necessário que você tenha talento, paciência e coragem. Consulte o seu espírito e veja se pode contar com essas três qualidades.

"— Posso, sim senhor.

"—Tu tens talento? — volveu o filósofo, passando a tratar-me por tu, o que nele significava bom humor.

"— Tenho.

"— Pois então responde ao que te vou perguntar.

"— Pronto.

"— Que farias tu a um cão que te mordesse?

"— Dava-lhe com uma pedra.

"— E a um que te lambesse os pés?

"— Nada.

"— Bem. Vejamos agora se tens coragem. Dá-me um soco.

"Eu não esperei segunda ordem e ferrei-lhe um murro na barriga.

"— Bom, — disse o filósofo. — Estou satisfeito e quanto às provas de paciência reservo-as para mais tarde. Amanhã principiarás a estudar comigo. E daqui a alguns anos saberás tudo que é dado alcançar ao conhecimento humano.

"No dia seguinte o meu protetor começou a ensinar-me simultaneamente as seguintes matérias: Gramática Portuguesa, Francesa, Latina e Grega; Aritmética, Geografia Física e Astronômica, Música, Desenho e Ginástica.

"E inútil dizer que de tudo isso só me ficara na cabeça uma confusão diabólica, o que aliás não desanimara o meu singularíssimo professor, nem o fazia retirar de mim a progressiva confiança que eu lhe inspirava.

"E todos os dias apresentava-me um novo livro e dizia-me:

"— Lê isto! É bastante que leias: não procures compreender, procura decorar. A cabeça é como a terra, não tem necessidade de conhecer a semente que recebe no

seio; a natureza se encarregará de cumprir com os seus deveres. A tua inteligência é a natureza e os livros que te dou são a semente. Decora-os e mais tarde a planta brotará, sem que tu próprio descubras a razão por quê.

"Eu obedecia. Dos meus seis anos até aos vinte e um, li nada menos do que dez mil volumes de diversos assuntos.

"Meu professor nada me ensinava a fundo, nem consentia que eu me inclinasse para nenhuma especialidade.

"— Não, — dizia-me ele, — um verdadeiro sábio não deve ter especialidade. Tu deves saber um pouco de tudo e quase nada de todas as coisas. É preciso que entendas tanto de Teologia como de Botânica, como de Arquitetura, como da Arte Culinária, como de Economia Política, como de Literatura e do resto. Quero que a tua inteligência se derrame em torno de ti, pelo universo e não que ela se encanalize pelo tubo de uma especialidade.

"Prefiro a extensão à profundeza; prefiro o estudo da humanidade ao estudo do homem; prefiro o estudo do homem ao estudo de um órgão ou de um osso; prefiro o estudo de um osso ao estudo particular de uma molécula, e prefiro o estudo de uma molécula ao de um átomo ou à especialidade de não estudar coisa nenhuma.

"— Vês? — prosseguiu ele, — é a isto que nos conduz a especialidade — a zero. A especialidade é o meio de ir apertando as coisas até reduzi-las a nada. Ser especialista e não ser coisa alguma vem a dar na mesma, porque nada adianta conhecer um elo de uma cadeia, quando a gente não conhece a cadeia inteira. Nada adianta conhecer a folha de uma árvore, quando não se conhece a árvore. Depois que saibas tudo sinteticamente, dar-te-ei licença para os teus estudos concretos; antes não, não admito que te demores defronte de nenhuma ciência particular.

"Este sistema educativo do meu singular protetor, que nesse tempo eu supunha um sábio e que depois verifiquei não passar de um louco, esse sistema fez com que eu aos vinte e dois anos, quando me achei de novo abandonado no mundo, não encontrasse meios de ganhar a vida.

"Entendia de tudo e nada sabia ao certo. Tentei todas as profissões, experimentei-me em todas as carreiras — nada. Sabia Medicina e não podia curar; sabia Direito e não podia advogar; Engenharia e não era engenheiro; Pintura e não era pintor; Arquitetura e não era construtor; enfim entendia de tudo e não era nada.

"Então fiz-me boêmio e filósofo; principiei a aceitar a vida como esta se apresentasse, sem me preocupar com o dia seguinte.

— Foi nessas condições, — acrescentou ele, — que conheci uma velhusca, viúva de um farmacêutico, chamada Leonarda.

— Aquela que estava presa? — perguntei.

— Justamente.

"Minha sogra" disse eu comigo; e dispus-me a continuar a ouvir o ressuscitado, cujas revelações foram-se-me tornando cada vez mais interessantes, como verá V. S.ª pela outra carta que lhe hei de mandar para a futura semana.

Sou de V. S.ª
At.º cr.º e ven.ºʳ

Novas revelações
Oitava carta

Sr. Redator:

Chegado que fui a casa, em companhia do ressuscitado, disse a este que entrasse, acendi duas velas, ofereci-lhe uma cadeira e dispunha-me a ouvir com toda a atenção o fio de sua narrativa, quando ele me observou que estava a cair de fome e precisava refazer as forças com duas ou três costeletas antes de principiar de novo o diálogo.

"Isso agora é que é o diabo!" — disse eu comigo, lembrando-me de que, depois que minha mulher abandonara aquela casa, nunca mais se acendera o fogão.

O ressuscitado, como se adivinhasse o meu pensamento, lembrou que fôssemos cear a um restaurante.

—Não, — respondi eu, — é melhor ficarmos aqui. Temos de conversar longamente e precisamos para isso de toda a liberdade. Eu me encarrego de arranjar o que comer, é um instante! Fique o amigo à minha espera; não me demorarei muito.

E, antes que ele apresentasse alguma objeção, saí gritando-lhe:

— Até logo.

— Veja se não se demora, hein? Tenho o estômago a gemer.

Saí de casa, meti-me no carro que havíamos deixado à porta, e fui comprar, ao primeiro hotel que encontrei, o necessário para uma ceia.

— Trouxe vinho? — perguntou-me o hóspede, logo que me viu voltar.

— Trouxe.

— Quantas garrafas?

— Duas.

— É pouco.

— Pouco?

— Decerto. Uma garrafa de vinho não chega para nada!...

— Mas eu trouxe duas...

— Uma não se conta!

— Não compreendo!

— São teorias do meu educador. E desculpe não entrar por enquanto em maiores explicações, porque já não me posso ter de fraqueza.

Dizendo isto, o meu singular hóspede havia já desembrulhado a cesta dos comestíveis, e tirava de dentro o conteúdo, exclamando a cada peça:

— Bravo! Um frango assado! — Um pedaço de roast-beef, esplêndido! — Ostras de forno, magnífico!

— Queijo de Minas, soberbo! — Pastéis de camarão, divino! — Uma linguiça, ótimo!

— Creio que chega — disse eu.

— Pelo menos remedeia, — afiançou o ressuscitado, atirando para longe o chapéu e cravando os dentes no frango. — O amigo algum dia já passou meia semana sem comer? — perguntou-me ele.

— Não me lembro.

— Pois aqui está quem já atravessou uma semana inteira, sem meter para a boca um grão de arroz. Tenho curtido muito boa fome nesta heroica Cidade de São Sebastião. Aqui onde me vê, conheço todas as delícias da miséria!

— Ninguém o diria, atendendo para esse bom humor de que dispõe o amigo.

— Ah! Mas é que eu encaro o mundo de um ponto de vista muito filosófico. Não me preocupo absolutamente com a vida, nem com a morte. Que m'importa a mim que as coisas corram deste ou daquele modo? Que m'importa que chova ou que faça frio? Acaso desejo conservar a existência?

— O senhor é um homem singular!...

— Não, sou apenas um indiferente, sou uma sombra! Sei que nada valemos, sei que tudo isto que nos cerca desaparecerá dentro de certo tempo, sei que nós todos vivemos para cumprir uma lei indefectível da natureza, e deixo-me por conseguinte governar como um verdadeiro instrumento. Não tenho vontades, não tenho querer. Aceito a vida, aceito os fatos, sejam eles quais forem, sem lhes perguntar donde vieram, que significam ou qual o fim a que se destinam. Que diabo me pode suceder com este sistema? — A morte? — Puff! estou me ninando para ela! — O descrédito? Mas que diabo vem a ser isso? Não aspiro posição alguma na sociedade, não pretendo nada de meus semelhantes; vivo, porque assim o determinaram os mistérios da criação; não me mato, porque seria uma maçada, e deixo correrem as coisas como elas bem entendam!

— Mas a sua filosofia não o impedirá de sofrer física e moralmente, quando for acometido por alguma dor...

— Dor?

— Então, também nega a dor?

— Decerto. Sofrem apenas os que desejam sofrer.

— Ora essa! Então se eu lhe pisar o melhor calo, o senhor não dá por isso?

— Pode ser que sinta a pressão do seu pé sobre o dedo em que se acha o calo, mas juro-lhe que não experimentarei com isso impressão mais agradável ou desagradável do que se me dessem um beijo.

— Então por que exigiu o senhor que eu fosse buscar isso com que está se regalando? Se a fome não o incomodava, para que satisfazê-la?

— Porque ela assim o quer; isso não é comigo, é com o meu estômago, que funciona por conta própria, sem me consultar absolutamente. Apenas o que eu faço é auxiliá-lo, emprestando-lhe outros membros e outros órgãos. Por exemplo.

E tomou um pastel de sobre a mesa:

— O estômago deseja este pastel, para quê — não sei, nem quero saber, mas precisa dele e reclama-o. Eu, que faço? Agarro no pastel, levo-o à boca...

E, mastigando:

— Mastigo-o... Engulo-o e agora cada um que se arranje!

— E se o senhor não tivesse o pastel à mão?

— Teria outra coisa. Se não fosse hoje, amanhã ou depois ou daqui a oito dias. Com a diferença, porém, que daqui a oito dias, se não me aparecesse um pastel, ou coisa semelhante, lançar-me-ia às orelhas do primeiro cidadão que me passasse ao alcance dos dentes.

— Bem, — observei, já farto de ouvir as extravagantes teorias do meu ressuscitado. — Deixemos por ora a sua filosofia e vamos tratar do que nos interessa.

— A mim nada interessa, — atalhou ele.

— Perdão, mas não se trata só do senhor.

— Sim, mas eu só trato de mim...

— Pois faça o favor de abrir uma exceção nos seus costumes e responda às perguntas que lhe vou fazer.

— Ah! Isso não me incomoda e até me diverte. Quer conversar, não é verdade? Pois converse pr'aí; gosto muito de falar, porque falar é uma coisa excelente, não demanda nenhum esforço, não demanda dinheiro, nem paciência, nem energia, nem instrução. A gente abre a boca e deixa que a palavra saia, assim como agora. Vê? Eu não faço o menor esforço para dizer tudo isto... Tenho o estômago cheio, a cabeça um pouco atordoada pelo que já falta de vinho nessas garrafas; ninguém conta com a minha vida ou com a minha morte; posso, por conseguinte, levar aqui a falar deste modo, enquanto houver o que arder nos castiçais e enquanto o sono usar dos seus direitos de não fazer-me adormecer.

— Bem, — disse eu, — mas o que eu desejo não é ouvi-lo falar e sim ouvir certos esclarecimentos que me são necessários. Diga-me, por exemplo, como chegou o senhor a travar as suas relações com a viúva do farmacêutico.

— Pois não! Uma noite, não sei que horas eram nem que dia da semana, achei-me cansado e morto de fome. Tinha caminhado por muitas ruas e não encontrava uma casa aberta. Afinal, dobrando para um largo, vi luz numa casinha de duas janelas. Fui até lá, bati. Perguntaram-me o que queria. — "Quero falar ao dono ou dona da casa." Apareceu uma velhusca. "Quem é? — Sou eu! Faça o favor de abrir! — Que deseja? — Comer!" Iam-me fechar a porta na cara, mas não dei tempo para isso, e penetrei na casa. — "Não se assuste!" disse à velha, que parecia tremer de medo. — "Não se assuste, não lhe farei o menor mal." E, vendo que a mesa estava servida com um resto de ceia, assentei-me e comecei a comer com o mesmo apetite com que devorei o frango de ainda há pouco. Depois tomei uma garrafa e enxuguei-a. Feito o que, abri uma porta, que dava para uma alcova, e estendi-me sobre uma boa cama que encontrei.

— E a velhusca?

— A velhusca a princípio quis ir chamar a polícia, mas, à vista do meu sangue-frio e talvez do ar pacífico de minha fisionomia, contentou-se em acompanhar-me os movimentos e afinal até já me achava graça. Dormi lá essa noite, dormi perfeitamente e, como, no dia seguinte, a velhusca me deu almoço, deixei-me ficar até que as pernas me pediram exercício. Fui então passear, mas logo que me senti cansado, voltei à casa da velhusca, e assim fui fazendo até que ela já não podia estar por muito tempo separada de mim, e já pagava as coisas de que eu ia precisando e já me dava dinheiro, charutos, garrafas de cerveja e balas.

— Depois?

— Depois começou a aconselhar-me que trabalhasse...

— E o senhor?

— Eu contei-lhe a minha história, falei-lhe no Melindroso e disse que não tinha elementos para ganhar a vida e que estava disposto a ir passando à mercê do acaso, até que um bonde ou uma febre de mau caráter se lembrasse de levar-me ao cemitério.

— Mas o fato da sua prisão?

— Ah! Vou contar-lhe tudo pelo miúdo.

Sou de V. S.ª
At.º cr.º e ven.or

Novas revelações
Nona carta

Sr. Redator:

O singular homem, que eu tinha defronte dos olhos, narrou-me do seguinte modo o fato da sua prisão em companhia de minha sogra.

— Um ano depois que eu me relacionara com essa velhusca sublime, cuja forma o protetor acaso, ou Providência, escolhera para vir ao meu socorro, achei-me com ela, a Providência, passeando no pequeno jardim que existe defronte da Estação de Pedro II, quando um carregador me perguntou que fazíamos ali.

"— Creio que vou tomar um cálix de vermouth, *respondi eu. — Por quê?*

"— Nada, resmungou o carregador. — É cá uma coisa!

"E afastou-se.

"Poucos minutos depois, saboreava o meu vermouth *ao lado da velha Providência, quando um urbano se aproximou de nós e perguntou como eu me chamava.*

"— João Alberto Castro Matta, — disse eu.

"— E esta senhora? — interrogou o urbano.

"— Dona Leonarda da Conceição Meloso.

"— Pois queiram acompanhar-nos.

"— Para quê?

"— Saberá na Estação.

"A velhusca ao receber esta ordem perdeu os sentidos e eu, que não me alterei, pus-me a rir nas barbas do urbano.

"— Você está se rindo de mim? — perguntou-me este.

"— Assim o creio — afirmei, soltando uma gargalhada.

"O urbano puxou pelo refle e ia dardejá-lo sobre a minha cabeça, quando de um salto lhe tomei a arma das mãos, arrojei-a para longe e investindo de cabeçadas contra o agressor, fi-lo cair dentro de um tanque do jardim.

"Em seguida, despejei o meu cálice de vermouth *sobre a testa de Dona Leonarda, chamei um carro, meti-me com ela dentro e mandei tocar para casa.*

"Mas o conflito com o urbano havia atraído muita gente e em breve era o meu carro escoltado por uma porção de soldados. De sorte que, ao chegarmos, eu e a minha velhusca, à rua da Misericórdia, um morcego abriu-me violentamente a portinhola da sege e intimou-me a que me rendesse no mesmo instante à prisão.

"— Bem, — respondi, irei. — Tanto se me dá ser preso, como não ser. Mas, peço-lhes que me deixem ao menos acompanhar primeiro esta senhora a sua casa.

"— Nada! — bradou um sujeito, com ares de autoridade, o qual acabava de surgir defronte de mim: — Nada! Sua cúmplice irá também. Sigam!

"E, gritando para um praça: — Não os larguem e levem-nos quanto antes à Estação.

"Fomos os dois conduzidos à presença de uma nova autoridade, e, ato contínuo, mandaram-nos para a Casa de Correção, onde nos engaiolaram em células separadas.

"Eis aí, como fui preso. Depois sobreveio-me uma espécie de desfalecimento nervoso, do qual só tornei a mim na capela do Cemitério, naquela triste situação que já o amigo conhece perfeitamente."

Sr. Redator, à vista desta declaração do ressuscitado, concluí que a Jeannite, dando as providências para que o amante e mais a sua miserável cúmplice fossem apanhados pela polícia, tinha motivado esse ridículo engano.

Calculei que, em vez da filha, tivessem prendido a mãe e, em vez do amante de minha mulher, tivessem prendido o amante de minha sogra.

E assim foi. Notando-se, porém, que a terrível Jeannite tanta gente pôs na pista dos perseguidos e tantas providências deu para os apanhar, que, na ocasião em que um Castro Malta era recolhido à Casa de Detenção com uma mulher, outro já lá estava com outra.

Os empregados da Casa, segundo deduzo do que lhes ouvi no dia do singular enterro, não se achavam muito a par da verdade e, tanto assim que uns me diziam que o Castro Matta ou Malta havia seguido moribundo para a Santa Casa da Misericórdia, e outros afirmavam que o legítimo Castro Malta estava engaiolado na Detenção.

Perplexo com as novas revelações do ressuscitado, deliberei esclarecer por uma vez os acontecimentos e, no dia seguinte à minha conversa com ele, atirei-me de novo para a Casa de Correção.

— Então? — perguntei ao empregado que já me havia fornecido as primeiras informações, que notícias me dá o senhor do Castro Malta?

— O Castro Malta, — respondeu-me o empregado, — enterrou-se hoje pela manhã no Cemitério de São Francisco Xavier. A prisão desse vagabundo, a quem Deus haja, motivou também a injusta prisão de um inocente que, ontem mesmo, mal se verificou o engano, foi posto em liberdade com uma rapariga que o acompanhava; ficando uma velhusca que viera com o que faleceu.

— Bonito! — disse eu. — Os senhores podem limpar as mãos à parede!

— Por quê?

— Porque fizeram asneira! Porque soltaram o legítimo Castro Malta e a legítima cúmplice do Castro, e ficaram aí com uma pobre desmiolada, que nada tem com o negócio!

— Como ?! Explique-se!

— Ora! Fizeram-na bonita! A mulher que os senhores soltaram é minha esposa, é a legítima amante do legítimo Castro Malta; a outra, coitada! é minha sogra, uma doida, cujo crime único foi meter-se com um boêmio que a estas horas deve ainda estar deitado em minha cama, a digerir uma ceia que lhe dei ontem.

—Perdão! — volveu o empregado policial. — Perdão! O senhor não pode ter em casa o amante da velhusca que ainda cá está presa, porque esse desgraçado foi daqui muito mal para a Misericórdia, morreu, e enterrou-se hoje pela manhã.

— Engana-se, quem se enterrou foi o verdadeiro Castro Malta, o amante de minha mulher, aquele que fora para aqui recolhido com uma rapariga morena, de olhos pretos e cabelos lisos, isto é, com minha esposa! Ora essa!

— Pois eu lhe vou mostrar o que prova que o homem da velhusca morreu e está enterrado na sepultura nº... Ora espere! Posso até lhe dizer o número da sepultura...

— É inútil, — observei. — É inútil. Sei donde parte o seu engano e receio, tentando esclarecê-lo, tornar mais embrulhada toda esta história.

— Não! Se há novos enganos, convém pô-los a limpo. Fale, fale por quem é, meu amigo.

— Pois então saiba que o sujeito, que foi na qualidade de defunto para o Cemitério de São Francisco, não era um cadáver.

— Como assim?

— Estava perfeitamente vivo.

— Impossível! Pois se ele foi enterrado hoje, às nove horas da manhã, e aqui estão os documentos.

— Não foi a ele que enterraram. Foi ao outro.

— Que outro?

— O tal Castro Malta, aquele que um dia antes fora solto com a mulher que o acompanhava.

— Mas, como?

— Muito facilmente.

E eu contei ao empregado da Casa de Correção o que assisti no cemitério.

— Jesus! — exclamou ele depois. — Que trapalhada, minha Nossa Senhora! Que trapalhada! Como diabo agora poderemos sair desta?...

— É exato! — confirmei. — O negócio está mal-parado!

— Quer saber de uma coisa? — acrescentou o empregado. — Faça-me um obséquio — não toque nisto a pessoa alguma. Finja que não sabe de nada! Se não se der uma palavra sobre o caso, ninguém descobrirá a verdade e a história cairá no esquecimento! Que importa um Castro Malta de menos ou de mais? Se não está enterrado o verdadeiro, foi alguém enterrado por ele. Tanto valem seis como meia dúzia! Ao passo que, se formos a mexer nessa embrulhada, a coisa pode complicar-se cada vez mais e redundar em prejuízo de todos nós. Promete que não dará uma palavra sobre isso?

— Prometo.

— Bem. Nesse caso vou falar ao Chefe para pôr na rua a velhusca, e fica terminada a questão.

Coitado! Mal sabia ele que então é que ela, a questão, ia deveras principiar!

Minha sogra, logo que se pilhou solta, jurou que havia de vingar-se daquela maldita polícia, que, sem mais nem menos, lhe arrancara dos braços o homem amado e, segundo ela supunha, mandaram-no para a Misericórdia e daí para o cemitério — morto.

— Ah! Isto não há de ficar assim! — bradava Dona Leonarda, quando me encontrou por acaso na rua. — Isto não há de ficar assim! Pois então prende-se a gente deste modo, e deste modo se dá cabo de um homem! A quem me hei de dirigir sei eu! Tenho alguns conhecidos na imprensa, graças a Deus! E meu compadre Quintino há de mostrar-lhes de quantos paus se faz uma canoa! Hão de ver o bom e o bonito! Súcia de trapalhões!

E, como verificará V. S.ª pela seguinte carta, não era debalde que o demônio da velha dizia aquilo.

Sou de V. S.ª
At.º cr.º e ven.ºʳ

Romance ao correr da pena
Capítulo 10

Antes de dar conta da primeira e memorável entrevista que a terrível Dona Leonarda cometeu contra o seu compadre Quintino, peço ao leitor que me acompanhe de novo à minha casa, onde iremos encontrar o nosso extravagante João Alberto, estendido sobre a cama, a fumar voluptuosamente um charuto dos que encontrara na algibeira do seu substituto de morte.

— Então? — disse-lhe ao entrar no quarto. — Como vai isso?

— Magnificamente! — respondeu ele. — Sinto-me melhor do que nunca! Ah! Vejo que não há para a saúde e para o bom humor como algumas horas de morte e um passeio ao Cemitério de São Francisco!... Gostei tanto da brincadeira que, se fosse homem de recursos, havia de lá ir todas as semanas, dentro de um caixão e puxado pelo burrinho da Misericórdia!

— Bem, — volvi eu. — Mas deixe por enquanto as considerações, e passemos uma revista nas algibeiras daquele fraque, porque desconfio que encontrarei aí alguns esclarecimentos úteis para as minhas pesquisas.

— Então o senhor quer me revistar as algibeiras?

— Perdão! não lhe quero revistar as algibeiras, as suas, mas sim as algibeiras do fraque do homem que eu procurara.

— Que procurara? Explique-se!

— Sim. Aquele sujeito que ficou no cemitério é o homem que eu procurara.

— Para quê?

— Negócios particulares...

— Não! Desde que eu me apossei do lugar, da roupa, da carteira e do nome daquele pobre homem, entendo que sou o seu único representante sobre a terra e estou disposto a responder por ele. Diga pois o que deseja do meu infeliz cliente. Os seus negócios tratam-se comigo!

— Já lhe disse que são negócios particulares, e só tratáveis com ele próprio. Quero dar uma busca nessas algibeiras, porque é natural que o miserável trouxesse consigo algum documento dos seus crimes.

— Ah! Ele era um criminoso?

— Dos piores.

— E que lhe queria o senhor?

— Matá-lo.

— Sim?

— Com certeza.

— E não poderia o amigo, com um pouco de boa vontade, substituir essa intenção por outra?

— Por outra?

— Sim; visto que agora, neste bom momento de repouso e ventre cheio, não me seria muito agradável cumprir com essa desagradável formalidade...

— De que formalidade está o senhor aí a falar?

— Da formalidade de morrer pelo meu homem. Já não lhe disse que aceitei com todos os ônus o lugar vago que ele deixou no mundo?

— Vago parece-me você!

— E sou.

— Vago e cínico!

— Também, mas confesso que neste momento não estou muito disposto a morrer. Ponhamos de parte esta questão por enquanto e mais tarde entraremos em qualquer acordo. Pode todavia ficar tranquilo, que se faz muito empenho em matar o Castro Malta, eu não fugirei ao dever. Descanse.

— O senhor é idiota.

— É exato talvez, mas veja se pode ir dar um passeio; tenho sono e preciso dormir. Vá!

Dizendo isto o ressuscitado bocejava, encolhendo-se na cama e aconchegando-se aos travesseiros.

— Olhe! — acrescentou ele — se faz muito gosto em revistar-me as algibeiras, reviste-as durante o meu sono e, se quiser roubar o dinheiro que aí tenho, peço-lhe o obséquio de não roubar tudo. Deixe-me alguma coisa...

E bocejava de novo.

Eu, para não lhe distrair o sono, deixei de responder e saí do quarto.

Daí a pouco o boêmio ressonava como um porco, e eu tratei de apoderar-me da roupa que ele trouxera do cemitério.

Principiei a revista pelo fraque, passei depois ao colete e afinal às calças.

Encontrei o seguinte, cujos objetos inventariei em uma folha de papel, que hoje se acha em poder do compadre de minha sogra:

Uma carteira com três bolsos, havendo em um deles uma conta de charutos da Casa Havanesa; um pedaço de papel sujo e meio roto, no qual se liam os seguintes versos:

Amei-te um dia, oh! que triste sorte!
Amei-te muito, amei-te por demais
Visto que tu, mulher, eras mais forte
Do que...

O resto não se podia ler.

Havia ainda nesse bolso da carteira um décimo da loteria de São Paulo; uma receita passada pelo Dr. Silva Araújo, e uma pequena trança de cabelos castanhos amarrados por uma fita azul toda nodoada de óleo cheiroso.

No outro bolso da carteira encontrei duas notas de vinte mil-réis e uma de dez; ao lado das notas um outro décimo da loteria de São Paulo e uma cautela do

Monte-do-Socorro, que constava de — um broche de ouro em forma de coração, guarnecido por um chuveiro de diamantes.

Calcule-se o interesse que me produziu essa denunciadora cautela, logo que me saltou à cabeça a ideia de um broche justamente naquelas condições, que possuía minha mulher.

Foi já com as mãos trêmulas e o coração aflito que prossegui à busca no terceiro bolso da carteira.

Encontrei uma fotografia. E adivinhe-se de quem!

Da Jeannite.

Nas costas do retrato lia-se escrito em bastardinho

A mon petit bien aimé.

E grudado ao fundo do bolso estava uma estampilha do correio.

Passando à segunda algibeira do fraque, encontrei um maço de papéis, que tratei logo de inventariar, declarando pelo seguinte modo o que eles continham:

1.° — "João Alves. — Se já não precisas da Nana, *devolve-ma, que o dono ma reclamou por duas vezes. — Teu, Costa Rosas."*

2.° — "O Sr. João Alves Castro Malta deve a Gaspar Leite & C. cinco mil-réis, importância de um jantar. — Recebi, 8 de Novembro de 1883. — Gaspar Leite & C."

3° — "Joãozinho. — Espero-te hoje. Meu marido está de serviço. — Tua, x."

A letra deste bilhete não me era conhecida, felizmente.

4.° — "Ilmo. Sr. Castro Malta. Segunda-feira mato um peru e minha filhinha faz anos. Venha jantar conosco. Se quiser pode trazer o Melo. — P.S. Não esqueça o violão. — Seu, Mendonça de Freitas."

5.° — "Sr. Castro. — Estou cansado de procurá-lo em casa e na rua. O senhor tem caçoado deveras comigo; pensei que tratava com um homem sério e tratei com um velhaco. Se até o dia 31 deste mês o senhor não pagar o que me deve, entrego a sua conta a um procurador. — Thomaz Cardoso."

6.° — "João Alves. — Vê se me aprontas o discurso. O dia do casamento está a bater à porta, e tu bem sabes que eu prometi fazer um improviso. — Teu primo e amigo, Cazuza.

O sétimo documento era um artigo de fundo cortado da *Gazeta da Tarde.*

8.° — Seis cartões iguais de uma casa de móveis.

9.° — Um lápis com bainha de metal.

10.° — "Ir à rua Primeiro de Março n.° 20, procurar no escritório dos fundos a ordem do Sr. Comendador Manoel da Silva Braga para me ser entregue a chave de sua chácara, em Catumbi."

11.° — "Amônia — 30 gramas. H_2O *— 100 gramas."*

Nessa algibeira havia mais dois charutos e um caderninho de mortalhas Abbadie.

Passando ao bolso de fora do fraque encontrei um lenço barrado de azul, com um monograma composto de um R, um S e um B.

Este lenço cheirava a água-da-colônia misturada com fumo.

Nas algibeiras de trás havia um outro lenço sem marca e enxovalhado e uma caixa de fósforos de pau.

Nas algibeiras do colete encontrei um relógio, cuja corrente pendia a uma das casas dos botões; uma fosforeira de platina cheia de fósforos de cera; uma pequena chave de trinco e uma outra de gaveta; um botãozinho de colarinho, obra de madrepérola; três níqueis de 200 réis e mais dois vinténs embrulhados em papel; ainda um décimo da loteria de São Paulo; um limpador de unhas; um pedaço de papel em que estava escrito "Rua do Conde d'Eu n.º 8" e mais um vidro esfumado de óculos ou lunetas.

Nas calças encontrei quatro mil-réis em notas miúdas, oito cigarros, um pedaço de vela estearina, um canivete, e atrás, perto do cós, em uma algibeira disfarçada, havia um revólver de seis tiros, completamente carregado e em descanso.

Já desanimado, ia abandonar a roupa do miserável amante de minha mulher, quando descobri o bolsinho da luva e, aí, rebuscando avidamente, encontrei uma carta que me elucidou mais do que todos aqueles documentos e da qual darei parte ao leitor no seguinte capítulo.

A essa carta devo eu o bom resultado das minhas pesquisas. Mas, não precipitemos os acontecimentos.

Capítulo 11

Eis a carta:

João Alves. — Acabo de obter as informações que te prometi no momento em que te recolheram à Casa de Correção, em companhia da tal Margarida. Essa mulher fatal, por quem te apaixonaste e que ainda te dará muitas ocasiões de desgosto.

Logo que foste seguro pela polícia, corri à casa da Jeannite e vim a saber que não era esta a promotora da tua prisão, como supunhas, mas sim o Dr. Campelo da Fonseca, autoridade que conheces muito melhor do que eu.

Esse procedimento do Dr. Campello é sem dúvida consequência do ciúme. O homem está cada vez mais apaixonado pela Jeannite e, quando descobriu as tuas relações com ela, não trepidou, para se vingar, de prevalecer-se da sua posição de autoridade policial.

É triste, mas é assim.

Por outro lado, a Jeannite, que estava a ferro e fogo contigo por causa da Margarida, tratou de atiçar as cóleras do Campelo e, com tanto afinco trabalhou, que foste afinal dar com os ossos na Casa de Correção.

Em todo caso não desanimei e, auxiliado pelo nosso amigo comum, o Tobias, que bem sabes é empregado na polícia, espero provar que o Castro Malta, de que se trata, não és tu, e sim um vagabundo que mora ultimamente com a mãe de Margarida.

Este plano não tem nada de mau, porque, graças às circunstâncias auspiciosas que o cercam, ele promete um resultado magnífico.

O vagabundo chama-se João A. Castro Matta, nome que se confunde com o teu e a mulher que vive em companhia dele tem o mesmo nome da filha e dizem que se parece com ela.

Ora, nestas condições, é muito fácil obrigar os teus perseguidores a um formidável engano; tanto mais se atendermos a que a Jeannite e o Campello, aproveitando a tua prisão, acham-se refugiados em Paquetá. Ele para escapar das vistas da sociedade e principalmente das vistas da própria família; ela para se esquecer de ti, que afinal és o único homem verdadeiramente amado por semelhante demônio.

Demônio, sim, que outro nome não merece aquela mulher; demônio, porque a maldita jura e afiança que te há de fazer todo o mal possível. Demônio, porque a sua cólera e o seu despeito não se saciam com o simples fato da tua prisão e querem a tua morte.

Tu, porém, não hás de morrer enquanto eu existir no mundo. Sou teu amigo, prometo defender-te e será mais fácil reduzirem-me a postas do que levarem a efeito os seus diabólicos projetos.

*Logo que te soltem, o que espero sucederá amanhã ou depois, corre à rua da Misericórdia n.º * * *, sobe ao segundo andar dessa casa, bate três vezes na porta que hás de encontrar no tope da escada e, quando te aparecer um sujeito calvo, de barbas loiras, dize-lhe apenas:* "Ué, ué, catu." *Esse sujeito te responderá:* "To be at the threshold of the door." *E levar-te-á imediatamente a um quarto, onde poderás esconder a tua amante e onde encontrarás tudo de que precisares durante um mês, sem sair de casa.*

Se não nos virmos antes de te encerrares aí e, se porventura der-te na veneta sair à rua, não tenhas o menor escrúpulo em confiar Margarida ao sujeito das barbas loiras, e, quando voltares à casa, repete a frase que te ensinei para a primeira vez.

Aqui terminava a carta, isto é: até aqui chegava o que dela se podia ler, porque o resto tinha sido intencionalmente obliterado com qualquer substância corrosiva.

Quando terminei a leitura, volvi os olhos para o quarto: João Alberto continuava a dormir a sono solto. Consultei o relógio, eram quatro horas da tarde, guardei no bolso alguns dos objetos encontrados nas algibeiras do Malta, outros escondi nas gavetas da minha secretária, pus o chapéu na cabeça e saí, deixando a porta cuidadosamente fechada por fora.

Na rua principiei a notar que me doía o estômago; era falta de alimentação; desde a véspera que eu nada havia comido.

Entrei num restaurante, pedi um jantar e deliberei metodizar os meus raciocínios, enquanto mo servissem.

Achava-me ainda entre a sopa e o segundo prato, quando ouvi por detrás de mim a voz de minha sogra, que conversava com alguém.

Ela não dera comigo e, graças a um aparador que havia entre as nossas mesas, podia eu escutá-la à vontade, sem ser descoberto.

— Pois é como lhe digo, — rosnava minha sogra. — Pois é como lhe digo. Meu compadre Quintino afiançou-me que isto não ficará no pé em que se acha! Ele já anda tratando da questão e, ou eu muito me engano ou a coisa dará pano para mangas! Pois onde já se viu semelhante embrulhada? Agora, só o que eu desejo é ver minha filha para lhe perguntar o que foi feito do homem com quem ela fugiu do lorpa do marido, porque, segundo me consta, esse homem também desapareceu, assim sem mais nem menos!

— Também desapareceu?

— Pois não! Desapareceu no mesmo dia em que foi solto.

— E ninguém dá notícias dele?

— Ninguém. Uns entendem que ele fugiu, outros que foi assassinado por meu genro; eu, porém, não aceito nenhuma dessas explicações; a primeira porque João Alves não fugiria sem me participar; e a segunda porque conheço o gênio do marido de minha filha e sei que ele é incapaz de matar quem quer que seja.

— A senhora se dava com ele?

— Com quem? com o João Alves?

— Sim.

— Dava-me. Conheço-o da casa da Jeannite, de quem fui engomadeira durante dois anos.

— Essa Jeannite não é aquela do Dr. Campelo?

— É.

— E que foi feito dela?

— Sei cá! Dizem que está ainda metida com o homem em Paquetá.

Nisto o diálogo foi interrompido por um terceiro personagem, e minha sogra passou a boquejar sobre novos assuntos. Eu, que já tinha completado o jantar, saí do hotel e tratei de seguir a indicação da carta.

Tomei para a rua da Misericórdia e, durante toda a viagem, ia repetindo mentalmente a frase simbólica: "Ué, ué, catu!"

Quanto mais me aproximava do misterioso ponto indicado pelo singular protetor de Castro Malta, mais acelerado me batia o coração.

Que me esperaria ainda? Que terríveis surpresas me aguardariam naquela casa, a cuja porta tinha eu de bater três pancadas, como se batesse à porta de um templo maçônico?

Fiz-me forte e resolvi submeter-me ao que desse e viesse.

Afinal cheguei ao ponto.

Era um sobrado alto, já velho, de dois andares.

Atravessei a porta da rua, subi o primeiro lance de escadas, olhando para todos os lados. Não encontrei sinal de vida; aquilo parecia uma casa habitada por espectros; um silêncio de igreja deserta enchia os corredores; meus passos ecoavam ali, como se eu caminhasse dentro de uma catacumba e à proporção que me adiantava e subia, mais e mais avultavam as sombras e o silêncio.

Era quase noite quando cheguei finalmente à porta indicada pelo misterioso confidente de Malta.

Bati a primeira e a segunda vez; à terceira abriu-se a porta e vi defronte de mim um homem enorme, todo calvo e de longas barbas ruivas.

"É agora!" — pensei num arrepio.

E levei instintivamente a mão ao peito.

Capítulo 12

— *Ué, ué, catu!* — gritei ao homem das barbas loiras.

Ele grogolejou imediatamente alguma coisa, que tanto podia ser a frase inglesa apontada pela carta do Malta, como podia ser um simples espirro.

Em seguida virou-me as costas e pôs-se a andar para o interior da casa.

Acompanhei-o.

Acompanhei-o, não sem o meu bocadinho de sobressalto, porque a cara do tal sujeito não era das que mais inspiram confiança.

Antes pelo contrário, na impassibilidade córnea do seu rosto havia alguma coisa de funambulesco e uma expressão dura de velha ironia cozida em genebra e calda de tabaco.

"Quem diabo seria aquele homem?" — ia eu a pensar. — "Quem diabo seria aquele silencioso monstro de seis pés de altura, que me surgia defronte dos olhos, como se eu estivesse num sonho?..."

E as mais estranhas considerações principiaram a dançar em volta de meu cérebro.

Afigurava-se-me que o sujeito era nada menos do que um gato, encantado, vivendo dos ratos que apanhasse naqueles quartos desertos, e, à noite, miando a sua tristeza pelos telhados da vizinhança.

Sim, que ele tinha olhos de gato. Bem o notei ao fitá-los.

Olhos verdes, redondos, com a pupila muito sensível e transformável à mais sutil alteração da luz.

À proporção que eu o contemplava pelas costas, mais me ia penetrando de tão extravagante convicção. Afinal já não era um gato o que eu supunha ver, mas sim um tigre, um verdadeiro tigre disfarçado em homem.

Tanto assim que, na ocasião em que ele se voltou para me dizer: — "É aqui" —, recuei dois passos e estive a perder os sentidos.

Então o monstro pôs-se a rir.

— Pois ele ri? — interroguei, mais pasmado do que se o visse trepar de gatinhas pela parede. — Ele ri? O monstro!...

Este, como se adivinhasse o meu espanto, adiantou-se para mim e ferrou-me os seus dois olhos de onça.

— Ah! — gemi, sentindo faltarem-me as pernas. — Estou aqui, estou nas garras do bicho!

Mas o meu estado de ansiedade durou apenas alguns segundos, porque o sujeito, estendendo uma das mãos, segredou-me lamuriosamente:

— Deixe ver uns níqueis!

— Pois não! — respondi, correndo os dedos ao bolso. — Dou-lhe até coisa melhor. Mas, antes disso, preciso que o senhor me forneça algumas explicações.

— Explicações de quê?

— Em primeiro lugar, diga-me: onde estou eu?

— Aqui.

— Isso já sei, mas pergunto que casa é esta.

— É uma hospedaria.
— Hein?
— Hospedaria, sim senhor.
— E sem hóspedes?
— Os hóspedes dormem fora.
— E passam o dia aqui?
— Também não senhor.
— Ah! Compreendo... Vêm só para comer... É casa de pasto.
— Não! não há comida.
— Pior!
— Pois o senhor não compreende ?...
— Não; e peço-lhe que me dê a explicação.

O tipo olhou duas ou três vezes em torno de si e, chegando a boca ao meu ouvido, soprou a seguinte frase:

— Isto é uma casa de jogo...

— Ah! Já devia ter adivinhado... E como se chama esta espelunca?...

— Hospedaria do Gato.

— Do Gato, hein? Bem me adivinhava o coração... E a que horas principia a jogatina?

— À meia-noite em ponto.

— E todos os jogadores dizem ao entrar a mesma frase que eu disse?

— Alguns; outros miam apenas. São os fregueses antigos.

— Bom! — respondi eu, entregando-lhe uma nota de dois mil-réis. — Aí tem pelo que já falou, e ganhará outro tanto se me der as informações de que ainda preciso.

— Vamos lá, mas espero que o senhor não nos comprometa. Bem sabe que estas casas...

— Descanse, as informações de que preciso só aproveitam a mim próprio; trata-se de interesses particulares.

— Então, estou às suas ordens.

— Por que razão me levou o senhor para aquela porta?

— Porque ali é a entrada para as salas de jogo.

— E onde está uma mulher que há dias foi confiada à sua guarda?

— Qual delas?

— Pois quê! O senhor tem muitas aqui?

— Tenho dez.

— Dez mulheres! Virgem Santíssima!

— E o senhor não poderá falar a nenhuma delas sem dar primeiro o sinal competente...

— O sinal?

— Sim, nós aqui chamamos sinal às palavras convencionadas entre duas ou mais pessoas para se encontrarem cá dentro em lugar seguro.

— Mas se eu lhe dissesse como é pouco mais ou menos a que eu procuro, o senhor não poderia?...

— Impossível! Nem mesmo se eu quisesse... não as conheço... Elas chegam em geral cobertas com um grande véu, e às vezes trazem máscara...

— E nunca dão o nome?

— Nunca.

— E os homens que as acompanham?

— Esses, esses têm todos uma alcunha, que só pode ser compreendida por mim, ou por meu patrão ou por algum velho frequentador da casa.

— Diga algumas dessas alcunhas.

— Para quê? Isso não lhe serviria de nada. Imagine os nomes mais vulgares e os títulos mais comuns, junte-os e terá uma lista completa dos cinco mil homens que frequentam esta casa.

— Cinco mil?

— Quando menos.

— E todos eles aparecem juntos?

— Não. São até bem poucos os fregueses de toda a noite. Muitos apresentam-se uma vez por semana; outros, duas; outros, três; outros vêm por fruta. Às vezes a casa se enche; outras não. Depende muito do dia.

— E quais são os dias em que há mais gente?

— Nas vésperas de festa principalmente. E, quando não há festa, nos sábados e domingos.

— Paga-se entrada?

— Não, paga-se apenas o *barato*.

Nisto, fomos interrompidos por uma campainha elétrica.

— É uma das tais sujeitas que me está chamando..., — explicou o homem. — Com sua licença...

— Vá, mas volte.

— Decerto. Venho já.

"Muito bem!..." disse eu comigo, assim que me vi sozinho. — "Aqui está, onde veio parar minha mulher, se não mente aquela maldita carta."

Instintivamente levei a mão ao bolso e saquei a denunciadora folha de papel que me conduzira até ali.

A tal frase misteriosa, de que me falara o tipo de barbas loiras, devia estar na parte da carta corroída pelo ácido.

— "E não poder eu adivinhar o que está escrito debaixo desta mancha amarela!..." — pensei. — "Daria uma perna ao diabo para poder saber o que aqui está!..."

Cheguei-me mais para junto de uma janela que havia a quatro passos e, levando o papel à altura dos olhos, soltei um grito de prazer.

É que, pondo-se a carta contra a luz, podia-se distinguir o que estava escrito debaixo da mancha do ácido.

Foi com grande dificuldade que li o seguinte no meio de outras coisas:

"Quando o homem das barbas loiras te perguntar a quem desejas falar, responde-lhe unicamente e..."

Nesta ocasião, porém, o maldito *cara de gato* bateu-me uma palmada nas costas, e eu, com o susto que tive, deixei cair a carta pela janela.

— Maldição! — exclamei.

E, debruçando-me sobre o peitoril, olhei para baixo.

A janela dava para um cortiço e a preciosa carta caíra dentro de uma tina cheia d'água.

Capítulo 13

Como principiava a fechar-se a noite, não perdi tempo, disse ao *cara de gato* que me esperasse um instante e lancei-me de carreira para o andar de baixo.

Entrava-se no grande cortiço por um largo portão quadrado, em cuja parte superior havia uma lanterna enegrecida de fumo e coberta de pó.

À direita e à esquerda um correr de casinhas conduzia a um coradouro, cheio de gamelas e jiraus de madeira, sobre os quais viam-se algumas peças de roupa, estendidas ou enrodilhadas.

Uma mulher de enormes ancas, a saia apanhada nos rins, a cabeça em um lenço de alcobaça, os pés à vontade em um grande par de tamancos, os braços arremangados até as axilas, retirava de uma corda, suspensa em toda a extensão da estalagem, a roupa que levara a secar durante o dia.

À proporção que ela ia recolhendo a roupa, lançava-a num vasto cesto de vime, que tinha ao seu lado.

— Ó boa mulherzinha, — disse-lhe eu, — vossemecê dá-me licença que eu tire ali daquela tina um papel que me caiu lá de cima?

— Pois não, senhor meu genro! — respondeu ela, voltando-se para mim.

— Minha sogra!...

— Em carne e osso!

— A senhora num cortiço?...

— É verdade! E que há nisso de extraordinário? Antes lavar que pedir!

— Sim, mas podia lavar na sua própria casa, como fazia dantes, e não vir meter-se aqui, numa estalagem, num lugar onde se reúne o que há de pior no Rio de Janeiro.

— Ora! deixe-se de bazófias! Faltou-me água em casa e não convinha perder a freguesia. Assim, disse eu comigo: "Pago um cruzado por dia à Mariquinhas Pepé e lavo na estalagem dela a minha roupa".

— E desde quando está lavando aqui?

— Há poucos dias; desde que falei pela primeira vez ao Compadre Quintino. Mas, você não disse que vinha buscar um papel que lhe caiu das mãos? É bom ir buscá-lo antes que ele se extravie.

— Tem razão, — disse eu, indo buscar a carta.

E, ao voltar para junto de minha sogra, perguntei-lhe:

— Sabe o que me trouxe a esta casa?

— Diga.

— Vim à procura de minha mulher.

— De minha filha?

— É verdade.

— E encontrou-a?

— Ainda não sei, esta carta é que vai decidir.

— Pois não volte lá, que perde o seu tempo.

— Como? Explique-se.

— Já lhe disse o que tinha a dizer. Não vá, que perde o seu tempo. Se quiser encontrar Margarida, espere um pouco por mim. Deixe-me recolher esta roupa e podemos ir juntos.

— Ao lugar onde ela está?

— Sim, senhor. Eu me comprometo a restituí-la. E, olhe, o que lhe afianço é que ela vai para as suas mãos tão pura ou mais do que quando fugiu de casa.

— Calculo!

— Calculo, não, coitadinha! Que ela não cometeu a menor falta; apenas foi vítima de uma trapalhada, da qual o senhor é o único culpado.

— Homessa agora é melhor! Pois ainda em cima sou eu que levo a culpa?

— Com certeza, mas deixe-me acabar com isto, que já lhe dou trela.

Daí a meia hora saía eu da estalagem com minha sogra, que acabava de se preparar para isso.

Ela chamou um carregador de sua confiança, ordenou-lhe que levasse o cesto de roupa para o Campo de Sant'Ana, e, atirando um xale sobre os ombros, segredou--me ao ouvido:

— Antes de tudo, vamos procurar meu compadre.

— Onde o vamos procurar?

— Na rua do Ouvidor.

— Na redação d'*O País*?

— Ai, ai!

A ideia de entrar na redação d'*O País* ao lado de minha sogra pareceu-me a mais ridícula do mundo, mas não havia que hesitar: a mulher prometera restituir--me a filha e isto era todo o meu empenho.

Ao chegarmos ao escritório da folha, ia perguntar a um moço loiro que estava ao balcão, se era possível falar ao Sr. Quintino, quando minha sogra me puxou pelo braço e exclamou:

— Não esteja a perder tempo! Quando se quer falar com alguém vai-se logo subindo!

E, antes que eu a detivesse, já o demônio da velha galgava as escadas e, com um desembaraço dos diabos, levantava pouco depois o reposteiro da sala privada da redação, gritando para dentro:

— O compadre dá licença?

— Entre, — respondeu o redator-em-chefe da folha.

Ela não esperou segunda ordem e ganhou a sala, exclamando para mim, que ia atrás:

— Entre você também, meu genro!

A estas palavras o redator espichou levemente a cabeça e mediu-me com o seu olhar penetrante e desconfiado.

— Que deseja a senhora? — perguntou ele.

— Venho para saber que há de novo sobre o homem.

— Se a senhora tivesse lido *O País,* saberia que se vai proceder amanhã à exumação do cadáver no Cemitério de São Francisco Xavier.

— De que cadáver? — perguntei empalidecendo.

— Do suposto Castro Malta.

— Pois é tempo perdido, — disse eu, — porque ele lá não está.

— Disso já sei eu! — acrescentou o Sr. Quintino, — mas quero levar a questão avante.

— O Castro Malta está em minha casa. Posso apresentá-lo, quando V. S.ª quiser.

— O senhor está louco?

— Digo a verdade. Se V. S.ª quiser a prova, eu o trarei amanhã aqui.

— Não. Quero que traga hoje mesmo, — respondeu o redator, correndo a sua mão pálida por um pesa-papéis que estava sobre a mesa e representava uma luva amarrotada.

— Mas hoje mesmo não é possível, — retorqui. — Daqui tenho de ir com minha sogra a...

— Não! — atalhou esta. — Não! Se você diz que o Castro está em sua casa, vamos lá em primeiro lugar. Quero vê-lo!

— Mas, esse Castro, — perguntou o Sr. Quintino a Dona Leonarda, — esse Castro não é o mesmo que a senhora me afiançou haver morrido na Casa de Misericórdia?

— É, ou pelo menos deve ser.

— Mas então como está vivo?

— Ora essa! porque não morreu!

Tive ímpetos de confessar ao redator tudo que sabia a respeito do fato do Cemitério; mas por esse tempo a questão Castro Malta havia já tomado tais proporções entre o público que eu, receoso de futuros incômodos, resolvi não dar uma palavra, arrependido até de haver feito a declaração que me escapara dos lábios,

— Bem! — disse o Sr. Quintino — amanhã. Espero-os aqui às 11 horas do dia. Não faltem.

— E se o homem não quiser acompanhar-me? — perguntei.

— Nesse caso irei eu ao encontro dele. Olhe! é até melhor que eu vá justamente. Deixe-me o número de sua casa e espere amanhã por mim às nove horas.

— Da manhã?

— Sim, senhor.

Fizemos as nossas despedidas ao Sr. Quintino e, já na rua do Ouvidor, quis convencer a minha sogra de que devíamos ir primeiro ao encontro de Margarida, mas a velha não cedeu e puxou-me para os lados de minha casa.

"Em que diabo de trapalhada me meti!...." — pensava eu pelo caminho. — "Afinal a questão caiu já no domínio público; de dia para dia ela toma um caráter mais sério, e não quero pensar em quais serão para mim as consequências de tudo isto!... Ah! Margarida, Margarida, mal sabes tu o martírio que me tens feito passar!..."

Só às nove da noite chegamos a casa.

Minha sogra arfava de impaciência ao meu lado, enquanto eu abria a porta.

— Quem é? — perguntou uma voz de dentro.

— Ai! o meu rico homem! — exclamou a velha, levando aos olhos uma das pontas do xale.

E, apesar da escuridão, enfiou de carreira pelo corredor.

Capítulo 14

Tive de assistir a uma cena de ternura: Dona Leonarda, mal avistou meu hóspede, abriu em três pulos uma carreira que foi acabar nos braços dele.

Apertou-o, beijou-lhe os lábios, chorou-lhe sobre o peito a sua velha e crônica saudade.

Castro Malta deixava-se amimar, sem uma palavra de oposição cu de ternura.

— Tu me amas? — perguntou-lhe ela com a voz sumida e estrangulada de comoção. — Tu me amas, Castro?

— Pois não! — respondia ele, já impaciente.

E, voltando-se para mim, enquanto a velha o estreitava nos braços:

— Eis a vida, meu amigo! Eis a vida! Pense e reflita sobre este caso e diga-me depois a razão, por que sou tão estremecido por esta mulher.

— Castro! — repreendeu a velha, abaixando os olhos, muito séria.

— Mas se é assim..., ia continuar o ressuscitado, quando eu, vendo que a cena ameaçava prolongar-se por muito tempo, resolvi cortá-la, dizendo ao amoroso casal que estava defronte dos meus olhos:

— Bem, jovens pombos apaixonados, agora que já se abraçaram à vontade, agora que, segundo julgo, já não há restos de saudade viva dentro de nenhum de vocês dois, vamos tratar do que a todos nos interessa.

— A mim nada interessa mais do que isto! — afirmou minha sogra.

— E a mim nada interessa absolutamente! — acrescentou o Castro, deixando--se cair em uma cadeira.

— Dou-lhes a minha palavra de honra em como estou caindo de fome. Juro que um pedaço de carne assada não me faria agora mal de espécie alguma, mas...

— Mas..., — ajudei eu, verdadeiramente intrigado.

— Mas o quê, Sr. Castro?

— Mas... É verdade! Mas o quê?... Para lhes falar com franqueza, já não me lembro do que dizia...

— Lembro-me eu, — observei, reunindo na memória os fragmentos esparsos da conversa. — Lembro-me eu... O senhor dizia que...

— Nada! Não! — atalhou Castro. — Não me lembre nada! Deixemo-nos disso! Para que diabo havemos de lembrarmo-nos de coisas que não nos interessam, isto é, que não interessam ao senhor, porque a mim nada, absolutamente nada, me interessa!...

— Isso já o senhor repetiu mais de vinte vezes!

O maluco ia dar-me réplica, mas teve de sustê-la com a chegada de alguém, que acabava de entrar.

Todos nós três voltamo-nos para o novo personagem.

Era o Sr. Quintino, compadre de minha sogra.

— Ah! É o senhor, compadrinho? — gritou esta. — Que boa surpresa!

— É verdade, — respondeu o redator d'*O País,* dirigindo-se mais ao gesto de curiosidade que eu fazia do que mesmo às palavras de Dona Leonarda. — É verdade! Sou eu, que, descobrindo o grande equívoco em que navegam os senhores todos, apressei-me a vir desvendá-lo!

— Como?! — pinchou a velha. — Como, seu compadre?

— Quer dizer, — continuou o famoso jornalista. — Quer dizer que a senhora e este senhor seu genro, se me não

palhada.

— Não compreendo! — afian

— Nem eu! — reforçou a velha.

— Explicar-me-ei! — tornou o Sr. Quintino. — Explicar-me-ei!

— Pois então veja se anda com isso! — disse Dona Leonarda, dominada por grande aflição. — Veja se anda com isso, porque dou-lhe a minha palavra de honra que já estou farta de toda esta porcariada de Castros Mattas e Maltas, e já não me sinto disposta a aturar mais semelhante mexericada! Arre! Arre! Que até fede! Até fede esta questão!

— Bom! bom! — cortou o jornalista. — Não vale a pena arreliar-se por tão pouco, minha senhora. A minha visita a esta casa não teve por fim dar incômodos, mas pura e simplesmente esclarecer o engano que havia.

— Pois esclareça por uma vez! — bradou a velha.

— O Castro Malta de que fala a senhora, — explicou Quintino, assim como o Castro de que fala o senhor seu genro, nada têm de comum com o Castro Malta de que fala o jornal de que sou redator-em-chefe!

— Como assim?

— Quer dizer que nenhum desses dois Castros é o meu, nenhum desses é aquele que *O País* procurou descobrir! Pelos documentos, que me acaba de fornecer a Santa Casa de Misericórdia e pelos dados obtidos pelo senhor promotor público, sabe-se que o Castro Malta, recrutado, o Castro Malta recolhido ao hospital, o Castro Malta falecido, enterrado e não encontrado no cemitério, nada tem de comum com as pessoas de que me falaram vossemecês!

— Ora essa! — resmungou minha sogra. — Ora essa! Mas em todo caso, não tenho outro remédio senão acreditar nas suas palavras, porque o Castro de que me fala o Sr. Quintino é um Castro morto, ao passo que o Castro, de que eu falava, o meu rico Malta, está mais vivo do que um azougue!

— Bem! — retorqui. — Mas tudo isso não me esclarece no ponto em que eu desejo ser esclarecido! Para mim, tanto se me dá que o Castro Malta fosse assassinado na polícia, como se morresse tranquilamente sobre sua cama, ao lado de sua mulher e de seus filhos; o que me interessa, o que me preocupa, é descobrir quem é e onde paira o Castro Malta que seduziu minha mulher.

— Por esse respondo eu! — atalhou a velha.

— Então responda! — disse, avançando sobre ela.

— Ei-lo! — exclamou a velha apontando para o meu hóspede que dormia já a sono solto estirado na cadeira.

— Este?! — perguntei pasmo. — Não! É impossível! Não creio.

— Pois então, ouça e verá!

Capítulo 15

A velha endireitou os óculos, fungou três vezes, repuxou as saias nos rins e disse, apontando para o ressuscitado:

— Eis o autor da questão!

— Este? — bradei, espantado. — É impossível!

— Vai ver, — replicou a velha, — vai ver!

— Não creio, — repliquei. — É impossível, repito!

— Impossível o quê? — perguntou-me o acusado.

— Impossível que seja o senhor o autor da grande intriga que se tem feito a respeito de Castro Malta, de mim e de todas as pessoas que se interessam nesta questão.

— Que questão? — perguntou-me o Castro.

— Ora! que diabo de questão pode ser? A questão Castro Malta.

— Castro Malta?

— Pois o senhor não conhece a questão de que lhe falo?

— Eu não conheço senão o que me ensinou o Precioso, o meu mestre.

— Visto isso, — acrescentei, — o senhor não está a par da grande questão que nos trouxe aqui!

— Juro-lhe que não.

— Não sabe do que se trata?

— Não!

— Nunca escreveu cartas à minha mulher?

— Nem à sua, nem a mulher alguma!

— Então, — exclamei, voltando-me para Dona Leonarda, — então como afiançou a senhora que este homem era o autor de toda aquela trapalhada?

— Por uma razão muito simples, porque tenho as provas de que ele é o único autor da história.

— Apresente-as.

— Não é preciso, — atalhou Quintino, — eu explico tudo.

— Este senhor, — acrescentou, voltando-se para mim. — Este senhor não é mais que um simples romancista.

— Como? — disse eu.

— Sim, não é mais do que um simples romancista. A sua intenção dele era somente fazer um romance, um romance para *A Semana* e, na falta de melhor assunto, agarrou o meu!

— O seu?

— Sim, o meu, a minha questão, o meu Castro Malta.

— Como é lá isso? — perguntei.

— Pois não, — respondeu-me Quintino. — Pois não! O senhor entendeu fazer um romance de uma questão séria, que levantei pel'*O País* e começou a escrever cartas disparatadas e tolas para *A Semana*.

— Eu? — interroguei.

— Sim, sim, o senhor! — bradou o chefe da redação d'*O País* agarrando-me pelo braço. — O senhor! que, sem o menor escrúpulo quis fazer de um assunto sério um pretexto para novelas de mau gosto!

— Repare que me ofende!

— Qual ofende, nem meio ofende! O senhor já ouviu muito pior do *Jornal do Comércio* e nem por isso deu o cavaco.

— Sim, mas isso é outro caso! O jornal não é responsável por coisa alguma. Ele não sabe o que faz, coitado!

— Em todo caso, voltando à questão, posso afirmar que o senhor não passa de um especulador que se apoderou de uma questão que lhe não pertence. O senhor nunca foi casado; nunca teve o emprego público de que falou na sua carta; nunca teve relações com a tal Jeannite de que por várias vezes tratou, e muito menos teve relações com empregados da Santa Casa de Misericórdia.

— O senhor está me ofendendo!

— Ora qual, meu amigo, um romancista nunca se pode dar por ofendido com estas coisas; um romancista é um grande mentiroso, que vive a empulhar o público com as suas patranhas. Hoje afirma que o diabo é cor do céu e amanhã jura que Deus é cor de fogo!

— Eu nunca fiz em minha vida afirmações dessa ordem!

— Se não fez dessa ordem fez piores. Leia as suas próprias obras, estude-as com atenção; verá que não é mentira o que digo.

E o Sr. Quintino, voltando-se para minha sogra, acrescentou:

— Creia, minha senhora, que falo verdade. Este homem que está ao seu lado é um intrigante, é um enredador, é finalmente um romancista!

— Eu?!

— Sim! sim, o senhor, e escusa negar. Perguntem à *Folha Nova,* perguntem à *Gazeta de Notícias,* perguntem à *Gazetinha,* à *Gazeta da Tarde,* perguntem ao próprio *Jornal do Comércio,* e todos esses órgãos afirmarão o que avancei.

— Estou desmoralizado! — exclamei, procurando uma saída.

Mas, à porta de entrada se haviam reunido vários *reporters* e homens de letras que me tolheram a passagem.

Todos riam, e eu sentia já o suor correr-me pela fronte e entranhar-se pelos mistérios do colarinho.

Afinal, vendo que assomavam à porta o Valentim, o Filinto de Almeida, o Alfredo de Souza, o Luís Murat, o Urbano Duarte, o Arthur Azevedo, o Alberto de Oliveira, o Raimundo Correia, o Dermeval da Fonseca e muitos outros rapazes conhecidos, não tive remédio senão confessar tudo e abaixar a cabeça, resignado ao que desse e viesse.

— Então! — volveu para mim o Sr. Quintino, creio que defronte desta gente não terá o senhor a mesma petulância de querer fazer acreditar que escreveu de boa-fé tais cartas para *A Semana*. Vamos, explique-se, senhor romancista!

— Bem! — respondi, fazendo-me pálido e puxando para trás os meus cabelos. — Bem! vou falar com franqueza. Ouçam-me com toda a atenção.

O auditório armou um grande ar de concentração; cada uma das pessoas presentes concheou a mão na orelha e inclinou-se para o meu lado.

Senti-me intimidado. Bati na testa, revirei os olhos e disse:

— Meus senhores, querem encontrar a explicação de toda essa história? Querem? Pois leiam um romance que vai aparecer no rodapé d*O País*.

— E como se há de chamar esse romance? — perguntou-me o Sr. Quintino.

— Ora faça-se de novas! — respondi eu. — O senhor bem sabe qual é o título do romance que vou publicar no seu jornal.

E, dizendo isto, dei por acabado este livro, que não é um romance, nem um tratado científico, nem um catecismo, nem um panfleto político, nem um dicionário, nem tampouco um livro de memórias; mas simplesmente — um prêmio para os assinantes d'*A Semana*.

Demônios

Demônios*

O meu quarto de rapaz solteiro era bem no alto; um mirante isolado, por cima do terceiro andar de uma grande e sombria casa de pensão da rua do Riachuelo, com uma larga varanda de duas portas, aberta contra o nascente, e meia dúzia de janelas desafrontadas, que davam para os outros pontos, dominando os telhados da vizinhança.

Um pobre quarto, mas uma vista esplêndida! Da varanda, em que eu tinha as minhas queridas violetas, as minhas begônias e os meus tinhorões, únicos companheiros animados daquele meu isolamento e daquela minha triste vida de escritor, descortinava-se amplamente, nas encantadoras nuanças da perspectiva, uma grande parte da cidade, que se estendia por ali afora, com a sua pitoresca acumulação de árvores e telhados, palmeiras e chaminés, torres de igreja e perfis de montanhas tortuosas, donde o sol, através da atmosfera, tirava, nos seus sonhos dourados, os mais belos efeitos de luz. Os morros, mais perto, mais longe, erguiam-se alegres e verdejantes, ponteados de casinhas brancas, e lá se iam desdobrando, a fazer-se cada vez mais azuis e vaporosos, até que se perdiam de todo, muito além, nos segredos do horizonte, confundidos com as nuvens, numa só coloração de tintas ideais e castas.

Meu prazer era trabalhar aí, de manhã bem cedo, depois do café, olhando tudo aquilo pelas janelas abertas defronte da minha velha e singela mesa de carvalho, bebendo pelos olhos a alma dessa natureza inocente e namoradora, que me sorria, sem fatigar-me jamais o espírito, com a sua graça ingênua e com sua virgindade sensual.

E ninguém me viesse falar em quadros e estatuetas; não! queria as paredes nuas, totalmente nuas, e os móveis sem adornos, porque a arte me parecia mesquinha e banal em confronto com aquela fascinadora realidade, tão simples, tão despretensiosa, mas tão rica e tão completa.

O único desenho que eu conservava à vista, pendurado à cabeceira da cama, era um retrato de Laura, minha noiva prometida, e esse feito por mim mesmo, a pastel, representando-a com a roupa de andar em casa, o pescoço nu e o cabelo preso ao alto da cabeça por um laço de fita cor-de-rosa.

1

Quase nunca trabalhava à noite; às vezes, porém, quando me sucedia acordar fora de horas, sem vontade de continuar a dormir, ia para a mesa e esperava lendo ou escrevendo que amanhecesse.

Uma ocasião acordei assim, mas sem consciência de nada, como se viesse de um desses longos sonos de doente a decidir; desses profundos e silenciosos, em que

* Conto dedicado "A Eduardo Valim" (1893).

não há sonhos, e dos quais, ou se desperta vitorioso para entrar em ampla convalescença, ou se sai apenas um instante para mergulhar logo nesse outro sono, ainda mais profundo, donde nunca mais se volta.

Olhei em torno de mim, admirado do longo espaço que me separava da vida e, logo que me senti mais senhor das minhas faculdades, estranhei não perceber o dia através das cortinas do quarto, e não ouvir, como de costume, pipilarem as cambaxirras defronte das janelas por cima dos telhados.

— É que naturalmente ainda não amanheceu. Também não deve tardar muito... — calculei, saltando da cama e enfiando o roupão de banho, disposto a esperar sua alteza o sol, assentado à varanda a fumar um cigarro.

Entretanto, coisa singular! parecia-me ter dormido em demasia; ter dormido muito mais da minha conta habitual. Sentia-me estranhamente farto de sono; tinha a impressão lassa de quem passou da sua hora de acordar e foi entrando, a dormir, pelo dia e pela tarde, como só nos acontece depois de uma grande extenuação nervosa ou tendo anteriormente perdido muitas noites seguidas.

Ora, comigo não havia razão para semelhante coisa, porque, justamente naqueles últimos tempos, desde que estava noivo, recolhia-me sempre cedo e cedo me deitava. Ainda na véspera, lembro-me bem, depois do jantar saíra apenas a dar um pequeno passeio, fizera à família de Laura a minha visita de todos os dias, e às dez horas já estava de volta, estendido na cama, com um livro aberto sobre o peito, a bocejar. Não passariam de onze e meia quando peguei no sono.

Sim! não havia dúvida que era bem singular não ter amanhecido!... pensei, indo abrir uma das janelas da varanda.

Qual não foi, porém, a minha decepção quando, interrogando o nascente, dei com ele ainda completamente fechado e negro, e, abaixando o olhar, vi a cidade afogada em trevas e sucumbida no mais profundo silêncio!

— Oh! Era singular, muito singular!

No céu as estrelas pareciam amortecidas, de um bruxulear difuso e pálido; nas ruas os lampiões mal se acusavam por longas reticências de uma luz deslavada e triste. Nenhum operário passava para o trabalho; não se ouvia o cantarolar de um ébrio, o rodar de um carro, nem o ladrar de um cão.

Singular! muito singular!

Acendi a vela e corri ao meu relógio de algibeira. Marcava meia-noite. Levei-o ao ouvido, com a avidez de quem consulta o coração de um moribundo; já não pulsava: tinha esgotado toda a corda. Fi-lo começar a trabalhar de novo, mas as suas pulsações eram tão fracas, que só com extrema dificuldade conseguia eu distingui-las.

— É singular! muito singular! — repetia, calculando que, se o relógio esgotara toda a corda, era porque eu então havia dormido muito mais ainda do que supunha! eu então atravessara um dia inteiro sem acordar e entrara do mesmo modo pela noite seguinte.

Mas, afinal que horas seriam?...

Tornei à varanda, para consultar de novo aquela estranha noite, em que as estrelas desmaiavam antes de chegar a aurora. E a noite nada me respondeu, fechada no seu egoísmo surdo e tenebroso.

Que horas seriam?... Se eu ouvisse algum relógio da vizinhança!... Ouvir?... Mas se em torno de mim tudo parecia entorpecido e morto?...

E veio-me a dúvida de que eu tivesse perdido a faculdade de ouvir durante aquele maldito sono de tantas horas; fulminado por esta ideia, precipitei-me sobre o tímpano da mesa e vibrei-o com toda a força.

O som fez-se, porém, abafado e lento, como se lutasse com grande resistência para vencer o peso do ar.

E só então notei que a luz da vela, à semelhança do som do tímpano, também não era intensa e clara como de ordinário e parecia oprimida por uma atmosfera de catacumba.

Que significaria isto?... que estranho cataclismo abalaria o mundo?... que teria acontecido de tão transcendente durante aquela minha ausência da vida, para que eu, à volta, viesse encontrar o som e a luz, as duas expressões mais impressionadoras do mundo físico, assim trôpegas e assim vacilantes, nem que toda a natureza envelhecesse maravilhosamente enquanto eu tinha os olhos fechados e o cérebro em repouso?!...

— Ilusão minha, com certeza! que louca és tu, minha pobre fantasia! Daqui a nada estará amanhecendo, e todos estes teus caprichos, teus ou da noite, essa outra doida, desaparecerão aos primeiros raios do sol. O melhor é trabalharmos! Sinto-me até bem-disposto para escrever! Trabalhemos! trabalhemos, que daqui a pouco tudo reviverá como nos outros dias! de novo os vales e as montanhas se farão esmeraldinas e alegres; e o céu transbordará da sua refulgente concha de turquesa a opulência das cores e das luzes; e de novo ondulará no espaço a música dos ventos; e as aves acordarão as rosas dos campos com os seus melodiosos duetos de amor! Trabalhemos! Trabalhemos!

Acendi mais duas velas, porque só com a primeira quase que me era impossível enxergar; arranjei-me ao lavatório; fiz uma xícara de café bem forte, tomei-a, e fui para a mesa de trabalho.

2

Daí a um instante, vergado defronte do tinteiro, com o cigarro fumegando entre os dedos, não pensava absolutamente em mais nada, senão no que o bico da minha pena ia desfiando caprichoso do meu cérebro para lançar, linha a linha, sobre o papel.

Estava de veia, com efeito! As primeiras folhas encheram-se logo. Minha mão, a princípio lenta, começou, pouco a pouco, a fazer-se nervosa, a não querer parar, e afinal abriu a correr, a correr, cada vez mais depressa; disparando por fim às cegas, como um cavalo que se esquenta e se inflama na vertigem do galope. Depois, tal febre de concepção se apoderou de mim, que perdi a consciência de tudo e deixei-me arrebatar por ela, arquejante e sem fôlego, num vôo febril, num arranco violento, que me levava de rastros pelo ideal aos tropeções com as minhas doidas fantasias de poeta.

E páginas e páginas se sucederam. E as ideias, que nem um bando de demônios, vinham-me em borbotão, devorando-se umas às outras, num delírio de chegar primeiro; e as frases e as imagens acudiam-me como relâmpagos, fuzilando, já prontas e armadas da cabeça aos pés. E eu, sem tempo de molhar a pena, nem tempo de desviar os olhos do campo da peleja, ia arremessando para trás de mim, uma após outra, as tiras escritas, suando, arfando, sucumbindo nas garras daquele feroz inimigo que me aniquilava.

E lutei! e lutei! e lutei!

De repente, acordo desta vertigem, como se voltasse de um pesadelo estonteado, com o sobressalto de quem, por uma briga de momento, se esquece do grande perigo que o espera. Dei um salto da cadeira; varri inquieto o olhar em derredor. Ao lado da minha mesa havia um monte de folhas de papel cobertas de tinta; as velas bruxuleavam a extinguir-se e o meu cinzeiro estava pejado de pontas de cigarro.

Oh! muitas horas deviam ter decorrido durante essa minha ausência, na qual o sono agora não fora cúmplice. Parecia-me impossível haver trabalhado tanto, sem dar o menor acordo do que se passava em torno de mim.

Corri à janela.

Meu Deus! o nascente continuava fechado e negro; a cidade deserta e muda. As estrelas tinham empalidecido ainda mais, e as luzes dos lampiões transpareciam apenas, através da espessura da noite, como sinistros olhos que me piscavam da treva.

Meu Deus! meu Deus, que teria acontecido?!...

Acendi novas velas, e notei que as suas chamas eram mais lívidas que o fogo-fátuo das sepulturas. Conchei a mão contra o ouvido e fiquei longo tempo a esperar inutilmente que do profundo e gelado silêncio lá de fora me viesse um sinal de vida.

Nada! Nada!

Fui à varanda; apalpei as minhas queridas plantas; estavam fanadas, e as suas tristes folhas pendiam molemente para fora dos vasos, como embambecidos membros de um cadáver ainda quente. Debrucei-me sobre as minhas estremecidas violetas e procurei respirar-lhes a alma embalsamada. Já não tinham perfume!

Atônito e ansioso volvi os olhos para o espaço. As estrelas, já sem contornos, derramavam-se na tinta negra do céu, como indecisas nódoas luminosas que fugiam lentamente.

Meu Deus! meu Deus, que iria acontecer ainda?

Voltei ao quarto e consultei o relógio. Marcava dez horas.

Oh! Pois já dez horas se tinham passado depois que eu abrira os olhos?... Por que então não amanhecera em todo esse tempo!... Teria eu enlouquecido?...

Já trêmulo, apanhei do chão as folhas de papel, uma por uma; eram muitas, muitas! E por melhor esforço que fizesse, não conseguia lembrar-me do que eu próprio nelas escrevera.

Apalpei as fontes; latejavam. Passei as mãos pelos olhos, depois consultei o coração; batia forte.

E só então notei que estava com muita fome e estava com muita sede.

Tomei a bilha d'água e esgotei-a de uma assentada. Assanhou-se-me a fome.

Abri todas as janelas do quarto, em seguida a porta, e chamei pelo criado. Mas a minha voz, apesar do esforço que fiz para gritar, saía frouxa e abafada, quase indistinguível.

Ninguém me respondeu, nem mesmo o eco.

Meu Deus! Meu Deus!

E um violento calafrio percorreu-me o corpo. Principiei a ter medo de tudo; principiei a não querer saber o que se tinha passado em torno de mim durante aquele maldito sono traiçoeiro; desejei não pensar, não sentir, não ter consciência de nada. O meu cérebro, todavia, continuava a trabalhar com a precisão do meu relógio, que ia desfiando os segundos inalteravelmente, enchendo minutos e formando horas.

E o céu era cada vez mais negro, e as estrelas cada vez mais apagadas, como derradeiros e tristes lampejos de uma pobre natureza que morre!

Meu Deus! meu Deus! o que seria?

Enchi-me de coragem; tomei uma das velas e, com mil precauções para impedir que ela se apagasse, desci o primeiro lance de escadas.

A casa tinha muitos cômodos e poucos desocupados. Eu conhecia quase todos os hóspedes. No segundo andar morava um médico; resolvi bater de preferência à porta dele.

Fui e bati; mas ninguém me respondeu.

Bati mais forte. Ainda nada.

Bati então desesperadamente, com as mãos e com os pés. A porta tremia, abalava, mas nem o eco respondia.

Meti ombros contra ela e arrombei-a. O mesmo silêncio. Espichei o pescoço, espiei lá para dentro. Nada consegui ver; a luz da minha vela iluminava menos que a brasa de um cigarro.

Esperei um instante.

Ainda nada.

Entrei.

3

O médico estava estendido na sua cama, embrulhado no lençol. Tinha contraída a boca e os olhos meio abertos.

Chamei-o; segurei-lhe o braço com violência e recuei aterrado, porque lhe senti o corpo rígido e frio. Aproximei, trêmulo, a minha vela contra o seu rosto imóvel; ele não abriu os olhos; não fez o menor gesto. E na palidez das faces notei-lhe as manchas esverdeadas de carne que vai entrar em decomposição.

E o meu terror cresceu. E apoderou-se de mim o medo do incompreensível; o medo do que se não explica; o medo do que se não acredita. E saí do quarto querendo pedir socorro, sem conseguir ter voz para gritar e apenas resbunando uns vagidos guturais de agonizante.

E corri aos outros quartos, e já sem bater fui arrombando as portas que encontrei fechadas. A luz da minha vela, cada vez mais lívida, parecia, como eu, tiritar de medo.

Oh! que terrível momento! que terrível momento! Era como se em torno de mim o Nada insondável e tenebroso escancarasse, para devorar-me, a sua enorme boca viscosa e sôfrega. Por todas aquelas camas, que eu percorria como um louco, só tateava corpos enregelados e hirtos.

Não encontrava ninguém com vida; ninguém! Era a morte geral! a morte completa! uma tragédia silenciosa e terrível, com um único espectador, que era eu. Em cada quarto havia um cadáver pelo menos! Vi mães apertando contra o seio sem vida os filhinhos mortos; vi casais abraçados, dormindo aquele derradeiro sono, enleados ainda pelo último delírio de seus amores; vi brancas figuras de mulher estateladas no chão decompostas na impudência da morte; estudantes cor de cera debruçados sobre a mesa de estudo, os braços dobrados sobre o compêndio aberto, defronte da lâmpada para sempre extinta. E tudo frio, e tudo imóvel, como se aquelas vidas fossem de improviso apagadas pelo mesmo sopro; ou como se a terra, sentindo de repente uma grande fome, enlouquecesse para devorar de uma só vez todos os seus filhos.

Percorri os outros andares da casa: Sempre o mesmo abominável espetáculo!

Não havia mais ninguém! não havia mais ninguém! Tinham todos desertado em massa!

E por quê? E para onde tinham fugido aquelas almas, num só voo, arribadas como um bando de aves forasteiras?...

Estranha greve! Mas por que não me chamaram, a mim também, antes de partir?... Por que me abandonaram sozinho entre aquele pavoroso despojo nauseabundo?...

Que teria sido, meu Deus? que teria sido tudo aquilo?... Por que toda aquela gente fugia em segredo, silenciosamente, sem a extrema despedida dos moribundos sem os gritos de agonia?... E eu, execrável exceção! por que continuava a existir, acotovelando os mortos e fechado com eles dentro da mesma catacumba?...

Então, uma ideia fuzilou rápida no meu espírito, pondo-me no coração um sobressalto horrível. Lembrei-me de Laura. Naquele momento estaria ela, como os outros, também, inanimada e gélida; ou, triste retardatária! ficaria à minha espera, impaciente por desferir o misterioso voo?... Em todo o caso era para lá, para junto dessa adorada e virginal criatura, que eu devia ir sem perda de tempo; junto dela, viva ou morta, é que eu devia esperar a minha vez de mergulhar também no tenebroso pélago!

Morta?! Mas por que morta?... se eu vivia era bem possível que ela também vivesse ainda!...

E que me importava o resto, que me importavam os outros todos, contanto que eu a tivesse viva e palpitante nos meus braços?!...

Meu Deus! e se nós ficássemos os dois sozinhos na terra, sem mais ninguém, ninguém?... Se nos víssemos a sós, ela e eu, estreitados um contra o outro, num eterno egoísmo paradisíaco, assistindo recomeçar a criação em torno do nosso isolamento?... assistindo, ao som dos nossos beijos de amor, formar-se de novo o mundo, brotar de novo a vida, acordando toda a natureza, estrela por estrela, asa por asa, pétala por pétala?...

Sim! sim! Era preciso correr para junto dela!

4

Mas a fome torturava-me cada vez mais fúria. Era impossível levar mais tempo sem comer. Antes de socorrer o coração era preciso socorrer o estômago.

A fome! O amor! Mas, como todos os outros morriam em volta de mim e eu pensava em amor e eu tinha fome!... A fome, que é a voz mais poderosa do instinto da conservação pessoal, como o amor é a voz do instinto da conservação da espécie! A fome e o amor, que são a garantia da vida; os dois inalteráveis pólos do eixo em que há milhões de séculos gira misteriosamente o mundo orgânico!

E, no entanto, não podia deixar de comer antes de mais nada. Quantas horas teriam decorrido depois da minha última refeição?... Não sabia; não conseguia calcular sequer. O meu relógio, agora inútil, marcava estupidamente doze horas. Doze horas de quê?.... Doze horas!... Que significaria esta palavra?...

Arremessei o relógio para longe de mim, despedaçando-o contra a parede.

Ó meu Deus! se continuasse para sempre aquela incompreensível noite, como poderia eu saber os dias que se passavam?... Como poderia marcar as semanas e os meses?... O tempo é o sol; se o sol nunca mais voltasse, o tempo deixaria de existir!

E eu me senti perdido num grande Nada indefinido, vago, sem fundo e sem contornos.

Meu Deus! meu Deus! quando terminaria aquele suplício?

Desci ao andar térreo da casa, apressando-me agora para aproveitar a mesquinha luz da vela que, pouco a pouco, me abandonava também.

Oh! só a ideia de que era aquela a derradeira luz que me restava!... A ideia da escuridão completa que seria depois, fazia-me gelar o sangue. Trevas e mortos, que horror!

Penetrei na sala de jantar. À porta tropecei no cadáver de um cão; passei adiante. O criado jazia estendido junto à mesa, espumando pela boca e pelas ventas; não fiz caso. Do fundo dos quartos vinha já um bafo enjoativo de putrefação ainda recente.

Arrombei o armário, apoderei-me da comida que lá havia e devorei-a como um animal, sem procurar talher. Depois bebi, sem copo, uma garrafa de vinho. E, logo que senti o estômago reconfortado, e, logo que o vinho me alegrou o corpo, foi-se-me enfraquecendo a ideia de morrer com os outros e foi-me nascendo a esperança de encontrar vivos lá fora, na rua. Mal era que a luz da vela minguara tanto que agora brilhava menos que um pirilampo. Tentei acender outras. Vão esforço! a luz ia deixar de existir.

E, antes que ela me fugisse para sempre, comecei a encher as algibeiras com o que sobrou da minha fome.

Era tempo! era tempo! porque a miserável chama, depois de espreguiçar-se um instante, foi-se contraindo, a tremer, a tremer, bruxuleando, até sumir-se de todo, como o extremo lampejo do olhar de um moribundo.

E fez-se então a mais completa, a mais cerrada escuridão que é possível conceber. Era a treva absoluta; treva de morte; treva de caos; treva que só compreende quem tiver os olhos arrancados e as órbitas entupidas de terra.

Foi terrível o meu abalo, fiquei espavorido, como se ela me apanhasse de surpresa. Inchou-se-me por dentro o coração, sufocando-me a garganta; gelou-se-me a medula e secou-se-me a língua. Senti-me como entalado ainda vivo no fundo de um túmulo estreito; senti desabar sobre minha pobre alma, com todo o seu peso de maldição, aquela imensa noite negra e devoradora.

Imóvel, arquejei por algum tempo nesta agonia. Depois estendi os braços e, arrastando os pés, procurei tirar-me dali às apalpadelas.

Atravessei o longo corredor, esbarrando em tudo, como um cego sem guia, e conduzi-me lentamente até ao portão de entrada.

Saí.

Lá fora, na rua, o meu primeiro impulso foi olhar para o espaço; estava tão negro e tão mudo como a terra. A luz dos lampiões apagara-se de todo e no céu já não havia o mais tênue vestígio de uma estrela.

Treva! Treva e só treva!

Mas eu conhecia muito bem o caminho da casa de minha noiva, e havia de lá chegar, custasse o que custasse!

Dispus-me a partir, tateando o chão com os pés, sem despregar das paredes as minhas duas mãos abertas na altura do rosto.

Passo a passo, venci até à primeira esquina. Esbarrei com um cadáver encostado às grades de um jardim; apalpei-o, era um polícia. Não me detive; segui adiante, dobrando para a rua transversal.

Começava a sentir frio. Uma densa umidade saía da terra, tornando aquela maldita noite ainda mais dolorosa. Mas não desanimei, prossegui pacientemente, medindo o meu caminho, palmo a palmo, e procurando reconhecer pelo tato o lugar em que me achava.

E seguia, seguia lentamente.

Já me não abalavam os cadáveres com que eu topava pelas calçadas. Todo o meu sentido se me concentrava nas mãos; a minha única preocupação era me não desorientar e perder na viagem.

E lá ia, lá ia, arrastando-me de porta em porta, de casa em casa, de rua em rua, com a silenciosa resignação dos cegos desamparados.

De vez em quando, era preciso deter-me um instante, para respirar mais à vontade. Doíam-me os braços de os ter continuamente erguidos. Secava-se-me a boca. Um enorme cansaço invadia-me o corpo inteiro. Há quanto tempo durava já esta tortura? não sei; apenas sentia claramente que pelas paredes, o bolor principiava a formar altas camadas de uma vegetação aquosa, e que meus pés se encharcavam cada vez mais no lodo que o solo ressumbrava.

Veio-me então o receio de que eu, daí a pouco, não pudesse reconhecer o caminho e não lograsse por conseguinte chegar ao meu destino. Era preciso, pois, não perder um segundo; não dar tempo ao bolor e à lama de esconderem de todo o chão e as paredes.

E procurei, numa aflição, aligeirar o passo, a despeito da fadiga que me acabrunhava. Mas, ah! era impossível conseguir mais do que arrastar-me penosamente, como um verme ferido.

E o meu desespero crescia com a minha impotência e com o meu sobressalto.

Miséria! Agora já me custava até distinguir o que meus dedos tenteavam, porque o frio os tornara dormentes e sem tato. Mas arrastava-me, arquejante, sequioso, coberto de suor, sem fôlego; mas arrastava-me.

Arrastava-me.

Afinal uma alegria agitou-me o coração: minhas mãos acabavam de reconhecer as grades do jardim de Laura. Reanimou-se-me a alma. Mais alguns passos somente, e estaria à sua porta!

Fiz um extremo esforço e rastejei até lá.

Enfim!

E deixei-me cair prostrado, naquele mesmo patamar, que eu, dantes, tantas vezes atravessara ligeiro e alegre, com o peito a estalar-me de felicidade.

A casa estava aberta. Procurei o primeiro degrau da escada e aí caí de rojo, sem forças ainda para galgá-la.

E resfoleguei, com a cabeça pendida, os braços abandonados ao descanso, as pernas entorpecidas pela umidade. E, todavia, ai de mim! as minhas esperanças feneciam ao frio sopro de morte que vinha lá de dentro.

Nem um rumor! Nem o mais leve murmúrio! Nem o mais ligeiro sinal de vida! Terrível desilusão aquele silêncio pressagiava!

As lágrimas começaram a correr-me pelo rosto também silenciosas.

Descansei longo tempo! depois ergui-me e pus-me a subir a escada, lentamente, lentamente.

5

Ah! Quantas recordações aquela escada me trazia!... Era aí, nos seus últimos degraus, junto às grades de madeira polida que eu, todos os dias, ao despedir-me de Laura, trocava com esta o silencioso juramento do nosso olhar. Foi aí que eu pela primeira vez lhe beijei a sua formosa e pequenina mão de brasileira.

Estaquei, todo vergado lá para dentro, escutando.

Nada!

Entrei na sala de visitas, vagarosamente, abrindo caminho com os braços abertos, como se nadasse na escuridão. Reconheci os primeiros objetos em que tropecei; reconheci o velho piano em que ela costumava tocar as suas peças favoritas; reconheci as estantes, pejadas de partituras, em que nossas mãos muitas vezes se encontraram, procurando a mesma música; e depois, avançando alguns passos de sonâmbulo, dei com a poltrona, a mesma poltrona em que ela, reclinada, de olhos baixos e chorosos ouviu corando o meu protesto de amor, quando, também pela primeira vez, me animei a confessar-lho.

Oh! como tudo isso agora me acabrunhava de saudade!... Conhecemo-nos havia coisa de cinco anos; Laura então era ainda quase uma criança e eu ainda não era bem um homem. Vimo-nos um domingo, pela manhã, ao sairmos da missa. Eu ia ao lado de minha mãe, que nesse tempo ainda existia e...

Mas, para que reviver semelhantes recordações?... Acaso tinha eu o direito de pensar em amor?... Pensar em amor, quando em torno de mim o mundo inteiro se transformava em lodo?...

Esbarrei contra uma mesinha redonda, tateei-a, achei sobre ela, entre outras coisas, uma bilha d'água; bebi sequiosamente. Em seguida procurei achar a porta, que comunicava com o interior da casa; mas vacilei. Tremiam-me as pernas e arquejava-me o peito.

Oh! Já não podia haver o menor vislumbre de esperança! Aquele canto sagrado e tranquilo, aquela habitação da honestidade e do pudor, também tinham sido varridos pelo implacável sopro!

Mas era preciso decidir-me a entrar. Quis chamar por alguém; não consegui articular mais do que o murmúrio de um segredo indistinguível.

Fiz-me forte; avancei às apalpadelas. Encontrei uma porta; abri-a. Penetrei numa saleta; não encontrei ninguém. Caminhei para diante; entrei na primeira alcova, tateei o primeiro cadáver.

Pelas barbas reconheci logo o pai de Laura. Estava deitado no seu leito; tinha a boca úmida e viscosa.

Limpei as mãos à roupa e continuei a minha tenebrosa revista.

No quarto imediato a mãe de minha noiva jazia ajoelhada defronte do seu oratório; ainda com as mãos postas, mas o rosto já pendido para a terra. Corri-lhe os dedos pela cabeça; ela desabou para o lado, dura como uma estátua. A queda não produziu ruído.

Continuei a andar.

O quarto que se seguia era o de Laura; sabia-o perfeitamente. O coração agitou-se-me sobressaltado; mas fui caminhando sempre, com os braços estendidos e a respiração convulsa.

Nunca houvera ousado penetrar naquela casta alcova de donzela, e um respeito profundo imobilizou-me junto à porta, como se me pesasse profanar com a minha presença tão puro e religioso asilo do pudor. Era, porém, indispensável que eu me convencesse de que Laura também me havia abandonado como os outros; que me convencesse de que ela consentira que a sua alma, que era só minha, partisse com as outras almas desertoras; que eu disso me convencesse, para então cair ali mesmo a seus pés, fulminado, amaldiçoando a Deus e à sua loucura!

E havia de ser assim! Havia de ser assim, porque antes, mil vezes antes, morto com ela do que vivo sem a possuir!

Entrei no quarto. Apalpei as trevas. Não havia sequer o rumor da asa de uma mosca. Adiantei-me.

Achei uma estreita cama, castamente velada por ligeiro cortinado de cambraia. Afastei-o e, continuando a tatear, encontrei um corpo, mimoso e franzino todo fechado num roupão de flanela. Reconheci aqueles formosos cabelos cetinosos: reconheci aquela carne delicada e virgem; aquela pequenina mão, e também reconheci a aliança, que eu mesmo lhe colocara num dos dedos.

Mas oh! Laura, a minha estremecida Laura, estava tão fria e tão inanimada como os outros!

E um fluxo de soluços, abafados e sem eco, saiu-me do coração.

Ajoelhei-me junto à cama e, tal como fizera com as minhas violetas, debrucei--me sobre aquele pudibundo rosto já sem vida, para respirar-lhe o bálsamo da alma. Longo tempo meus lábios, que as lágrimas ensopavam, àqueles frios lábios se colaram, no mais sentido, no mais terno e profundo beijo que se deu sobre a terra.

— Laura! — balbuciei tremente. — Ó minha Laura! Pois será possível que tu, pobre e querida flor, casta companheira das minhas esperanças! será possível que tu também me abandonasses... sem uma palavra ao menos... indiferente e alheia como os outros?... Para onde tão longe e tão precipitadamente te partiste, doce amiga, que do nosso mísero amor nem a mais ligeira lembrança me deixaste?...

E cingindo-a nos meus braços, tomei-a contra o peito, a soluçar de dor e de saudade.

— Não; não! — disse-lhe sem voz. — Não me separarei de ti, adorável despojo! Não te deixarei aqui sozinha, minha Laura! Viva, eras tu que me conduzias às mais altas regiões do ideal e do amor; viva, eras tu que davas asas ao meu espírito, energia ao meu coração e garras ao meu talento! Eras tu, luz de minha alma, que me fazias ambicionar futuro, glória, imortalidade! Morta, hás de arrastar-me contigo ao insondável pélago do Nada! Sim! Desceremos ao abismo, os dois, abraçados, eternamente unidos, e lá ficaremos para sempre, como duas raízes mortas, entretecidas e petrificadas no fundo da terra!

E, em vão tentando falar assim, chamei-a de todo contra meu corpo, entre soluços, osculando-lhe os cabelos.

Ó meu Deus! Estaria sonhando?... Dir-se-ia que a sua cabeça levemente se movera para melhor repousar sobre meu ombro!... Não seria ilusão do meu próprio amor despedaçado?...

— Laura! — tentei dizer, mas a voz não me passava da garganta.

E colei de novo os meus lábios contra os lábios dela.

— Laura! Laura!

Oh! Agora sentira perfeitamente. Sim! sim! não me enganava! Ela vivia! Ela vivia ainda, meu Deus!

6

E comecei a bater-lhe na palma das mãos, a soprar-lhe os olhos, a agitar-lhe o corpo entre meus braços, procurando chamá-la à vida.

E não haver uma luz! E eu não poder articular palavra! E não dispor de recurso algum para lhe poupar ao menos o sobressalto que a esperava quando recuperasse os sentidos! Que ansiedade! Que terrível tormento!

E, com ela recolhida ao colo, assim prostrada e muda, continuei a murmurar--lhe ao ouvido as palavras mais doces que toda a minha ternura conseguia descobrir nos segredos do meu pobre amor.

Ela começou a reanimar-se; seu corpo foi a pouco e pouco recuperando o calor perdido.

Seus lábios entreabriram-se já, respirando de leve.

— Laura! Laura!

Afinal, senti as suas pestanas roçarem-me na face. Ela abria os olhos.

— Laura!

Não me respondeu de nenhum modo, nem tampouco se mostrou sobressaltada com a minha presença. Parecia sonâmbula, indiferente à escuridão.

— Laura! minha Laura!

Aproximei os lábios de seus lábios ainda frios, e senti um murmúrio suave e medroso exprimir o meu nome.

Oh! ninguém, ninguém pode calcular a comoção que se apossou de mim! Todo aquele tenebroso inferno por um instante se alegrou e sorriu.

E, nesse transporte de todo o meu ser, não entrava, todavia, o menor contingente dos sentidos. Nesse momento todo eu pertencia a um delicioso estado místico, alheio completamente à vida animal. Era como se me transportasse para outro mundo, reduzido a uma essência ideal e indissolúvel, feita de amor e bem-aventurança. Compreendi então esse voo etéreo de duas almas aladas na mesma fé, deslizando juntas pelo espaço em busca do paraíso. Senti a terra mesquinha para nós, tão grandes e tão alevantados no nosso sentimento. Compreendi a divinal e suprema volúpia do noivado de dois espíritos que se unem para sempre.

— Minha Laura! Minha Laura!

Ela passou-me os braços em volta do pescoço e trêmula uniu sua boca à minha, para dizer que tinha sede.

Lembrei-me da bilha d'água. Ergui-me e fui, às apalpadelas buscá-la onde estava.

Depois de beber, Laura perguntou-me se a luz e o som nunca mais voltariam. Respondi vagamente, sem compreender como podia ser que ela se não assustava naquelas trevas e não me repelia do seu leito de donzela.

Era bem estranho o nosso modo de conversar. Não falávamos, apenas movíamos com os lábios. Havia um mistério de sugestão no comércio das nossas ideias; tanto que, para nos entendermos melhor, precisávamos às vezes unir as cabeças, fronte com fronte.

E semelhante processo de dialogar em silêncio fatigava-nos, a ambos, em extremo. Eu sentia distintamente, com a testa colada à testa de Laura, o esforço que ela fazia para compreender bem o meu pensamento.

E interrogamos um ao outro, ao mesmo tempo, o que seria então de nós, perdidos e abandonados no meio daquele tenebroso campo de mortos? Como poderíamos sobreviver a todos os nossos semelhantes?...

Emudecemos por longo espaço, de mãos dadas e com as frontes unidas.

Resolvemos morrer juntos.

Sim! Era tudo que nos restava! Mas, de que modo realizar esse intento?... Que morte descobriríamos capaz de arrebatar-nos aos dois de uma só vez?...

Calamo-nos de novo, ajustando melhor as frontes cada qual mais absorto pela mesma preocupação.

Ela, por fim lembrou o mar. Sairíamos juntos à procura dele, e abracados pereceríamos no fundo das águas. Ajoelhou-se e rezou, pedindo a Deus por toda aquela humanidade que partira antes de nós; depois ergueu-se, passou-me o braço na cintura, e começamos juntos a tatear a escuridão, dispostos a cumprir o nosso derradeiro voto.

7

Lá fora a umidade crescia, liquefazendo a crosta da terra. O chão tinha já uma sorvedora acumulação de lodo, em que o pé se atolava. As ruas estreitavam-se entre duas florestas de bolor que nasciam de cada lado das paredes.

Laura e eu, presos um ao outro pela cintura, arriscamos os primeiros passos e pusemo-nos a andar com extrema dificuldade, procurando a direção do mar, tristes e mudos, como os dois enxotados do Paraíso.

Pouco a pouco foi-nos ganhando uma profunda indiferença por toda aquela lama, em cujo ventre, nós, pobres vermes penosamente nos movíamos. E deixamos que os nossos espíritos, desarmados da faculdade de falar, se procurassem e se entendessem por conta própria, num misterioso idílio em que as nossas almas se estreitavam e se confundiam.

Agora, já não nos era preciso unir as frontes ou os lábios para trocar ideias e pensamentos. Nossos cérebros travavam entre si um contínuo e silencioso diálogo, que em parte nos adoçava as penas daquela triste viagem para a Morte; enquanto os nossos corpos esquecidos, iam maquinalmente prosseguindo, passo a passo, por entre o limo pegajoso e úmido.

Lembrei-me das provisões que trazia na algibeira; ofereci-lhas; Laura recusou--as, afirmando que não tinha fome.

Reparei então que eu também não sentia agora a menor vontade de comer e, o que era mais singular, não sentia frio.

E continuamos a nossa peregrinação e o nosso diálogo. Ela, de vez em quando, repousava a cabeça no meu ombro, e parávamos para descansar.

Mas o lodo crescia, e o bolor condensava-se de um lado e de outro lado, mal nos deixando uma estreita vereda por onde, no entanto, prosseguíamos sempre, arrastando-nos abraçados.

Já não tateávamos o caminho, nem era preciso, porque não havia que recear o menor choque. Por entre a densa vegetação do mofo, nasciam agora da direita e da esquerda, almofadando a nossa passagem, enormes cogumelos e fungões, penugentos e aveludados, contra os quais escorregávamos como por sobre arminhos podres.

Àquela absoluta ausência do sol e do calor, formavam-se e cresciam esses monstros da treva, disformes seres úmidos e moles; tortulhos gigantescos cujas polpas esponjosas, como imensos tubérculos de tísico, nossos braços não podiam abarcar. Era horrível senti-los crescer assim fantasticamente, inchando ao lado e defronte uns dos outros como se toda a atividade molecular e toda a força agregativa e atômica que povoava a terra, os céus e as águas, viessem concentrar-se neles, para neles resumir a vida inteira. Era horrível, para nós, que nada mais ouvíamos, senti-

-los inspirar e respirar, como animais, sorvendo gulosamente o oxigênio daquela infindável noite.

Ai! desgraçados de nós, minha querida Laura! De tudo que vivia à luz do sol só eles persistiam; só eles e nós dois, tristes privilegiados naquela fria e tenebrosa desorganização do mundo!

Meu Deus! Era como se nesse nojento viveiro, borbulhante do lodo e da treva, viera refugiar-se a grande alma do Mal, depois de repelida por todos os infernos.

Respiramos um momento sem trocar uma ideia; depois, resignados, continuamos a caminhar para diante, presos à cintura um do outro, como dois míseros criminosos condenados a viver eternamente.

8

Era-nos já de todo impossível reconhecer o lugar por onde andávamos, nem calcular o tempo que havia decorrido depois que estávamos juntos. Às vezes se nos afigurava que muitos e muitos anos nos separavam do último sol; outras vezes nos parecia a ambos que aquelas trevas tinham-se fechado em torno de nós apenas alguns momentos antes.

O que sentíamos bem claro era que os nossos pés cada vez mais se entranhavam no lodo, e que toda aquela umidade grossa, da lama e do ar espesso, já nos não repugnava como a princípio e dava-nos agora, ao contrário, certa satisfação volutuosa embeber-nos nela, como se por todos os nossos poros a sorvêssemos para nos alimentar.

Os sapatos foram-se-nos a pouco e pouco desfazendo, até nos abandonarem descalços completamente; e as nossas vestimentas reduziram-se a farrapos imundos. Laura estremeceu de pudor com a ideia de que em breve estaria totalmente despida e descomposta; soltou os cabelos para se abrigar com eles e pediu-me que apressássemos a viagem, a ver se alcançávamos o mar, antes que as roupas a deixassem de todo. Depois calou-se por muito tempo.

Comecei a notar que os pensamentos dela iam progressivamente rareando, tal qual sucedia aliás comigo mesmo.

Minha memória embotava-se. Afinal, já não era só a palavra falada que nos fugia; era também a palavra concebida. As luzes da nossa inteligência desmaiavam lentamente, como no céu as trêmulas estrelas que pouco a pouco se apagaram para sempre. Já não víamos; já não falávamos; íamos também deixar de pensar.

Meu Deus! era a treva que nos invadia! Era a treva, bem o sentíamos! que começava, gota a gota, a cair dentro de nós.

Só uma ideia, uma só, nos restava por fim: descobrir o mar, para pedir-lhe o termo daquela horrível agonia. Laura passou-me os braços em volta do pescoço, suplicando-me com o seu derradeiro pensamento que eu não a deixasse viver por muito tempo ainda.

E avançamos com maior coragem, na esperança de morrer.

9

Mas, à proporção que o nosso espírito por tal estranho modo se neutralizava, fortalecia-se-nos o corpo maravilhosamente, a refazer-se de seiva no meio nutritivo e fertilizante daquela decomposição geral. Sentíamos perfeitamente o misterioso trabalho de revisceração que se travava dentro de nós; sentíamos o sangue enriquecer de fluidos vitais e ativar-se nos nossos vasos, circulando vertiginosamente a martelar por todo o corpo. Nosso organismo transformava-se num laboratório, revolucionado por uma chusma de demônios.

E nossos músculos robusteceram-se por encanto, e os nossos membros avultaram num contínuo desenvolvimento. E sentimos crescer os ossos, e sentimos a medula pulular engrossando e aumentando dentro deles. E sentimos as nossas mãos e os nossos pés tornarem-se fortes, como os de um gigante; e as nossas pernas encorparem, mais consistentes e mais ágeis; e os nossos braços se estenderem maciços e poderosos.

E todo o nosso sistema muscular se desenvolveu de súbito, em prejuízo do sistema nervoso que se amesquinhava progressivamente. Fizemo-nos hercúleos, de uma pujança de animais ferozes, sentindo-nos capazes cada qual de afrontar impávidos todos os elementos do globo e todas as lutas pela vida física.

Depois de apalpar-me surpreso, tateei o pescoço, o tronco e os quadris de Laura. Parecia-me ter debaixo das minhas mãos de gigante a estátua colossal de uma deusa pagã. Seus peitos eram fecundos e opulentos; suas ilhargas cheias e grossas como as de um animal bravio.

E assim refeitos pusemo-nos a andar familiarmente naquele lodo, como se fôramos criados nele. Também já não podíamos ficar um instante no mesmo lugar, inativos; uma irresistível necessidade de exercício arrastava-nos, a despeito da nossa vontade, agora fraca e mal segura. E, quanto mais se nos embrutecia o cérebro, tanto mais os nossos membros reclamavam atividade e ação; sentíamos gosto em correr, correr muito, cabriolando por ali afora, e sentíamos ímpetos de lutar, de vencer, de dominar alguém com a nossa força.

Laura atirava-se contra mim, numa carícia selvagem e pletórica, apanhando-me a boca com os seus lábios fortes de mulher irracional e estreitando-se comigo sensualmente, a morder-me os ombros e os braços.

E lá íamos inseparáveis naquela nossa nova maneira de existir, sem memória de outra vida, amando-nos com toda a força dos nossos impulsos; para sempre esquecidos um no outro, como os dois últimos parasitas do cadáver de um mundo.

Certa vez, de surpresa, nossos olhos tiveram a alegria de ver.

Uma enorme e difusa claridade fosforescente estendia-se defronte de nós, a perder de vista. Era o mar.

Estava morto e quieto.

Um triste mar, sem ondas e sem soluços, chumbado à terra na sua profunda imobilidade de orgulhoso monstro abatido.

Fazia dó vê-lo assim, concentrado e mudo, saudoso das estrelas, viúvo do luar. Sua grande alma branca, de antigo lutador, parecia debruçar-se ainda sobre o resfriado cadáver daquelas águas silenciosas, chorando as extintas noites, claras e felizes, em que elas, como um bando de náiades alegres, vinham aos saltos, tontas de alegria, quebrar na praia as suas risadas de prata.

Pobre mar! Pobre atleta! Nada mais lhe restava agora sobre o plúmbeo dorso fosforescente do que tristes esqueletos dos últimos navios, ali fincados, espectrais e negros, como inúteis e partidas cruzes de um velho cemitério abandonado.

10

Aproximamo-nos daquele pobre oceano morto. Tentei invadi-lo, mas meus pés não acharam que distinguir entre sua fosforescente gelatina e a lama negra da terra, tudo era igualmente lodo.

Laura conservava-se imóvel como que aterrada defronte do imenso cadáver luminoso. Agora, assim contra a embaciada lâmina das águas, nossos perfis se destacavam tão bem, como, ao longe, se destacavam as ruínas dos navios. Já nos não recordávamos da nossa intenção de afogar-nos juntos. Com um gesto chamei-a para meu lado. Laura, sem dar um passo, encarou-me com espanto, estranhando-me. Tornei a chamá-la; não veio.

Fui ter então com ela; ao ver-me, porém, aproximar, deu medrosa um ligeiro salto para trás e pôs-se a correr pela extensão da praia, como se fugisse a um monstro desconhecido.

Precipitei-me também, para alcançá-la. Vendo-se perseguida, atirou-se ao chão, a galopar, quadrupedando que nem um animal. Eu fiz o mesmo, e coisa singular! notei que me sentia muito mais à vontade nessa posição de quadrúpede do que na minha natural posição de homem.

Assim galopamos longo tempo à beira-mar; mas, percebendc que a minha companheira me fugia assustada para o lado das trevas, tentei detê-la, soltei um grito, soprando com toda a força o ar dos meus pulmões de gigante. Nada mais consegui do que dar um ronco de besta; Laura, todavia respondeu com outro. Corri para ela e os nossos berros ferozes perderam-se longamente por aquele mundo vazio e morto.

Alcancei-a por fim; ela havia caído por terra, prostrada de fadiga. Deitei-me ao seu lado, rosnando ofegante de cansaço. Na escuridão reconheceu-me logo; tomou-me contra o seu corpo e afagou-me instintivamente.

Quando resolvemos continuar a nossa peregrinação, foi de quatro pés que nos pusemos a andar ao lado um do outro, naturalmente sem dar por isso.

Então meu corpo principiou a revestir-se de um pêlo espesso. Apalpei as costas de Laura e observei que com ela acontecia a mesma coisa.

Assim era melhor, porque ficaríamos perfeitamente abrigados do frio, que agora aumentava.

Depois, senti que os meus maxilares se dilatavam de modo estranho, e que as minhas presas cresciam, tornando-se mais fortes, mais adequadas ao ataque, e que, lentamente, se afastavam dos dentes queixais; e que meu crânio se achatava;

e que a parte inferior do meu rosto se alongava para a frente, afilando como um focinho de cão; e que meu nariz deixava de ser aquilino e perdia a linha vertical, para acompanhar o alongamento da mandíbula; e que enfim as minhas ventas se patenteavam, arregaçadas para o ar, úmidas e frias.

Laura, ao meu lado, sofria iguais transformações.

E notamos que, à medida que se nos apagavam uns restos de inteligência e o nosso tato se perdia, apurava-se-nos o olfato de um modo admirável, tomando as proporções de um faro certeiro e sutil, que alcançava léguas.

E galopávamos contentes ao lado um do outro, grunhindo e sorvendo o ar, satisfeitos de existir assim. Agora, o fartum da terra encharcada e das matérias em decomposição, longe de enjoar-nos, chamava-nos a vontade de comer. E os meus bigodes, cujos fios se inteiriçavam como cerdas de porco, serviam-me para sondar o caminho, porque as minhas mãos haviam afinal perdido de todo a delicadeza do tato.

Já não me lembrava por melhor esforço que empregasse, uma só palavra do meu idioma, como se eu nunca tivera falado. Agora, para entender-me com Laura, era preciso uivar; e ela me respondia do mesmo modo.

Não conseguia também lembrar-me nitidamente de como fora o mundo antes daquelas trevas e daquelas nossas metamorfoses, e até já me não recordava bem de como tinha sido a minha própria fisionomia primitiva, nem a de Laura. Entretanto, meu cérebro funcionava ainda, lá a seu modo, porque, afinal, tinha eu consciência de que existia e preocupava-me em conservar junto de mim a minha companheira, a quem agora só com os dentes afagava.

Quanto tempo se passou assim para nós, nesse estado de irracionais, é o que não posso dizer; apenas sei que, sem saudades de outra vida, trotando ao lado um do outro, percorríamos então o mundo perfeitamente familiarizados com a treva e com a lama, esfocinhando no chão, à procura de raízes, que devorávamos com prazer; e sei que, ao sentir-nos cansados, nos estendíamos por terra, juntos e tranquilos, perfeitamente felizes, porque não pensávamos e porque não sofríamos.

11

De uma feita, porém, ao levantar-me do chão, senti os pés trôpegos, pesados, e como que propensos a se entranharem por ele. Apalpei-os e encontrei as unhas moles e abafadas, a despregarem-se. Laura, junto de mim, observou em si a mesma coisa. Começamos logo a tirá-las com os dentes, sem experimentarmos a menor dor; depois passamos a fazer o mesmo com as das mãos; as pontas dos nossos dedos logo que se acharam despojadas das unhas, transformaram-se numa espécie de ventosa do polvo, numas bocas de sanguessuga, que se dilatavam e contraíam incessantemente, sorvendo gulosas o ar e a umidade. Começaram-nos os pés a radiar em longos e ávidos tentáculos de pólipo; e os seus filamentos e as suas radículas eminhocaram pelo lodo fresco do chão, procurando sôfregos internar-se bem na terra, para ir lá dentro beber-lhes o húmus azotado e nutriente; enquanto os dedos das mãos esgalhavam, um a um, ganhando pelo espaço e chupando o ar voluptuosamente pelos seus respiradouros, fossando e fungando, irrequietos e morosos, como trombas de elefante.

Desesperado, ergui-me em toda a minha colossal estatura de gigante e sacudi os braços, tentando dar um arranco, para soltar-me do solo. Foi inútil. Nem só não consegui despregar meus pés enraizados no chão, como fiquei de mãos atiradas para o alto, numa postura mística como arrebatado num êxtase religioso, imóvel. Laura, igualmente presa à terra, ergueu-se rente comigo, peito a peito, entrelaçando nos meus seus braços esgalhados e procurando unir sua boca à minha boca.

E assim nos quedamos para sempre, aí plantados e seguros, sem nunca mais nos soltarmos um do outro, nem mais podermos mover com os nossos duros membros contraídos. E, pouco a pouco, nossos cabelos e nossos pêlos se nos foram desprendendo e caindo lentamente pelo corpo abaixo. E cada poro que eles deixavam era um novo respiradouro que se abria para beber a noite tenebrosa. Então sentimos que o nosso sangue ia-se a mais e mais se arrefecendo e desfibrinando, até ficar de todo transformado numa seiva linfática e fria. Nossa medula começou a endurecer e revestir-se de camadas lenhosas, que substituíam os ossos e os músculos; e nós fomos surdamente nos lignificando, nos encascando, a fazer-nos fibrosos desde o tronco até às hastes e às estipulas.

E os nossos pés, num misterioso trabalho subterrâneo, continuavam a lançar pelas entranhas da terra as suas longas e insaciáveis raízes; e os dedos das nossas mãos continuavam a multiplicar-se, a crescer e a esfolhar, como galhos de uma árvore que reverdece. Nossos olhos desfizeram-se em goma espessa e escorreram-nos pela crosta da cara, secando depois como resina; e das suas órbitas vazias começavam a brotar muitos rebentões viçosos. Os dentes despregaram-se, um por um, caindo de per si, e as nossas bocas murcharam-se inúteis, vindo, tanto delas, como de nossas ventas já sem faro, novas vergônteas e renovos que abriam novas folhas e novas brácteas. E agora só por estas e pelas extensas raízes de nossos pés é que nos alimentávamos para viver.

E vivíamos.

Uma existência tranquila, doce, profundamente feliz, em que não havia desejos, nem saudades; uma vida imperturbável e surda, em que os nossos braços iam por si mesmos se estendendo preguiçosamente para o céu, a reproduzirem novos galhos donde outros rebentavam, cada vez mais copados e verdejantes. Ao passo que as nossas pernas, entrelaçadas num só caule, cresciam e engrossavam, cobertas de armaduras corticais, fazendo-se imponentes e nodosas, como os estalados troncos desses velhos gigantes das florestas primitivas.

12

Quietos e abraçados na nossa silenciosa felicidade, bebendo longamente aquela inabalável noite, em cujo ventre dormiam mortas as estrelas, que nós dantes tantas vezes contemplávamos embevecidos e amorosos, crescemos juntos e juntos estendemos os nossos ramos e as nossas raízes, não sei por quanto tempo.

Não sei também se demos flor ou se demos frutos; tenho apenas consciência de que depois, muito depois, uma nova imobilidade, ainda mais profunda, veio enrijar-nos de todo. E sei que as nossas fibras e os nossos tecidos endureceram a ponto de cortar a circulação dos fluidos que nos nutriam; e que o nosso polposo âmago e a nossa medula se foi alcalinando, até de todo se converter em grés siliciosa e calcária; e que afinal fomos perdendo gradualmente a natureza de matéria orgânica para assumirmos os caracteres do mineral.

Nossos gigantescos membros agora completamente desprovidos da sua folhagem, contraíram-se hirtos, sufocando os nossos poros; e nós dois, sempre abraçados, nos inteiriçamos numa só mole informe, sonora e maciça, onde as nossas veias primitivas, já secas e tolhidas, formavam sulcos ferruginosos, feitos como que do nosso velho sangue petrificado.

E, século a século, a sensibilidade foi-se-nos perdendo numa sombria indiferença de rocha. E, século a século, fomos de grés, de cisto, ao supremo estado de cristalização.

E vivemos, vivemos, e vivemos, até que a lama que nos cercava principiou a dissolver-se numa substância líquida, que tendia a fazer-se gasosa e a desagregar-se, perdendo o seu centro de equilíbrio; uma gaseificação geral, como devia ter sido antes do primeiro matrimônio entre as duas primeiras moléculas que se encontraram e se uniram e se fecundaram, para começar a interminável cadeia da vida, desde o ar atmosférico até ao sílex, desde o eozoon até ao bípede.

E oscilamos indolentemente naquele oceano fluido.

Mas, por fim, sentimos faltar-nos o apoio, e resvalamos no vácuo, e precipitamo-nos pelo éter.

E, abraçados a princípio, soltamo-nos depois e começamos a percorrer o firmamento, girando em volta um do outro, como um casal de estrelas errantes e amorosas, que vão espaço afora em busca do ideal.

Ora fica aí leitor paciente, nessa dúzia de capítulos desenxabidos, o que eu, naquela maldita noite de insônia, escrevi no meu quarto de rapaz solteiro, esperando que Sua Alteza, o Sol, se dignasse de abrir a sua audiência matutina com os pássaros e com as flores.

Vícios

Tarde de inverno. Ouvia-se o relógio palpitar soturnamente ao fundo da longa sala e ouvia-se o crepitar das asas de um inseto que se debatia contra as vidraças de uma janela fechada. A casa, na sua adormecida opulência coberta de pó, tinha um duro e profundo aspecto de tristeza.

Dois homens, pai e filho, um eternamente irresponsável e criança, apesar das suas rugas e dos seus cabelos falsamente negros, o outro já desiludido e velho, a despeito dos seus miseráveis vinte e poucos anos; ambos cansados, ambos tristes, ambos inúteis e vencidos, quedavam-se, sem ânimo para mais nada, assentados um defronte do outro, olhando o espaço, como que vegetalizados ambos por um só e mesmo tédio, por um só e mesmo desgosto de existir, por uma só e mesma preguiça de viver.

Sentia-se desconsoladamente que naquelas escuras paredes sobrecobertas de enegrecidos painéis e desbotadas tapeçarias e naquele teto de estuque já sem cor e naqueles dourados móveis despolidos pelo tempo, há muito não ecoavam rir e palrear de crianças ou alegres vozes de família. Apesar dos dois espectros de homem que lá permaneciam imóveis, a casa toda parecia totalmente desabitada.

O velho de cabelos tintos levantou-se afinal, bocejando, deu como um sonâmbulo algumas trôpegas voltas pelo aposento, tomou um cálice de *cognac* da frasqueira que havia a um canto sobre um tremó antigo, acendeu um cigarro e encaminhou-se lentamente para o outro, a quem tocou no ombro.

— Então.... — disse, parando defronte dele.

O rapaz fixou-o com o seu indiferente olhar de enfermo sem cura, e balbuciou suplicante:

— Prepara-me uma injeção de morfina... Sim?

— Não!

— Ora!

— Não é possível, meu filho...

— Por amor de Deus!

— Não. Só logo mais quando eu voltar.

O moço contraiu aflitivamente o rosto, em cópia de toda a sua dolorida contrariedade; e abateu-se mais na cadeira, deixando pender a cabeça sobre o peito e abandonando os braços ao próprio peso.

— Sentes-te mal hoje? — perguntou o pai.

O interrogado sacudiu os ombros indiferentemente, sem levantar o rosto.

Pobre criança?... pensou aquele, refranzindo as rugas da sua marmórea e despojada fronte de velho folgazão. Muito caro pagas tu a minha loucura de te haver dado a vida!... Maldita hora em que consenti, por conveniências de fortuna, me casassem com tua mãe!...

O enfermo, como se lhe percebera o pensamento, ergueu os olhos para fixar os do pai; e este acrescentou, agora falando:

— Que falta te fez ela na infância!... tua mãe!

O moço deu de ombros outra vez com a mesma desdenhosa indiferença.

— Minha mãe... — tartamudeou depois, pondo-se a olhar um retrato de mulher que havia na sala. — Minha mãe... sei cá!... Nem sequer a conheci!

E, insistindo em contemplar o retrato, disse ainda com um suspiro bocejado:

— Era bem bonita minha mãe...

— Bonita e boa! Não serias, talvez, assim inútil e perdido para a vida, se nos teus primeiros anos ela te inoculasse no espírito, com o seu amor, as ideias do Bem, que eu nunca tive!

E prosseguiu, depois de sorver de um trago um novo cálice de *cognac:*

— Era uma boa criatura; era, não há dúvida! Honesta, friamente virtuosa, muito discreta e concentrada. Não sei se algum dia me amou, casou-se por obediência aos pais, foi sempre em absoluto indiferente às minhas carícias como às irregularidades da minha má conduta de homem casado! Mas, quem sabe, se ela não morresse logo depois do parto, se te não deixasse tão cedo sozinho comigo; quem sabe o que poderias vir a ser?... A nossa riqueza, o meu temperamento leviano e a educação ociosa e galante que me deram, tudo isso, meu pobre filho, conspirou contra ti e fez de teu pai o pior que até hoje existiu no mundo!...

O rapaz sacudiu novamente os ombros, com desprezo, enquanto o outro ia ainda esgotar um cálice de *cognac* à garrafeira do tremó.

Ah! se ela não tivesse morrido tão cedo!... exclamou o velho estroina, lamentosamente. E acrescentou, como se precisasse descarregar a consciência numa humilhante confissão de todo o seu crime paterno: — Vê tu que desgraça! Fui eu, eu só, o teu exemplo na infância, o teu guia, o teu mestre eu! Eu, que jamais compreendi deveres de espécie alguma, nem tive nunca esperanças no futuro, nem ambições de qualquer gênero, nem ao menos confiança e fé na família ou em Deus! Sei que sou homem, porque às vezes sofro! O companheiro fiel que me seguiu pela existência, meu filho, não foste tu, nem foi tua mãe ou algum amigo estremecido, foi a forte paixão pelos meus próprios vícios; e, na ausência destes, foi só o tédio que enxerguei sempre ao meu lado. Ah! como tenho remorsos de te haver feito viver!... Como fui mau, principalmente com relação a ti!...

— É exato! — suspirou o filho.

— Como sou um pai digno da tua inutilidade e da tua degeneração! Como tu, pobre esqueleto gotoso, és bem o filho dos meus ossos!

E depois de outro cálice de *cognac*, o velho começou a declamar, em uma explosão nervosa, agitando os braços e dando à voz inflexões teatrais:

— Fui na existência um navio inútil, sem carga, sem destino, sem bandeiras e sem munições para nenhum combate! Vaguei, errante e perdido, por todos os mares largos do vício, sacudido por todas as tempestades e por todos os vendavais da intemperança e da luxúria! Cheguei à velhice como um casco naufragando com a mastreação partida, as enxárcias estaladas e o cavername arrebentado! Eis o que sou!

O filho afastou-o com a mão, enfastiadamente, a torcer o rosto aflito em um esgar de repugnância.

— Vai-te embora!... — murmurou. — Já estás bêbedo!...

— E é este despojo, — continuou a declamar o pai, sem levar em conta aquelas palavras; — e é este resto de naufrágio que há vinte anos representa para ti, minha querida vítima, todo o teu passado e toda a tua família!... Oh! sem dúvida que não serias isso que aí está prostrado nessa cadeira, a implorar por amor de Deus uma injeção de morfina, se fosses gerado por qualquer outro homem!... Perdoa-me ter sido eu o teu pai, meu filho!

— Mas, vai-te embora! Vai-te embora, por piedade! Para que me hás de torturar?!

— Amo-te, entretanto, pobre criança! sempre te amei! O meu amor, porém, nunca te serviu de benefício; fez-te ao contrário, caminhar até hoje pela minha mão no sombrio e úmido caminho da minha loucura, sem me lembrar, desgraçados de nós! que não tinhas tu herdado de mim, como eu herdei de meu pai, a resistência física que ele economizara durante a sua vida e que eu prodigamente gastei toda inteira, só comigo, nos meus prazeres egoístas!

— Mas, vai-te embora! São quatro horas. A primeira banca principia no Clube às quatro e meia! Vai-te embora! Vai jogar!

— Queres tu vir comigo?...

— Não.

— Vê se te resolves... Talvez até isso te faça bem...

— Não posso. Sinto-me mal.

— Como tens um pai diferente do pai que eu tive!... Aquele que ali está naquele quadro, ao lado de tua avó, ah! esse era um homem!...

— Não recomeces por amor de Deus! Vai-te embora!

— Aquele não conhecia tédios, nem fastios! Não tinha vícios! Trabalhou toda a vida! Triplicou a fortuna que herdou e que eu desbaratei antes dos trinta anos! Era um justo!

— Já sei de tudo isso! já mo disseste mil vezes! Vai-te embora! Vai-te embora, se me não queres ver disparatar.

— Se eu tivesse ao menos amado tua mãe... é possível, se assim fosse, que te salvasses!... E como merecia ela ser amada!... a infeliz senhora!... Ah! se a conhecesses, meu filho!... — (E a voz do miserável começou a estalar, ameaçando abrir em soluços). — Era uma santa criatura! Fria, indiferente, mas resignada e casta!... Imagina que eu...

O outro, porém, ergueu-se possesso e começou a agitar-se por toda a sala, bradando desabridamente:

— Mas que mal fiz eu para me torturarem deste modo?!

— Acalma-te! Acalma-te!

— Arre! É muito! É demais!

— Acalma-te, meu filho!

— Acalmar-me, é boa! Já me não posso conter! Era isto que querias?! Pois aqui o tens! Daqui a pouco estou por terra, espumando!

— Não! Não te apoquentes! Saio já! Saio imediatamente!...

— Agora! Agora pouco me importa que saias ou não! O que eu não queria era cair neste estado! Vê como tremo todo! Olha como tenho já a língua! Olha para as minhas mãos!

— Vê se sossegas!...

— Que inferno! Que inferno! — bramiu o moço. E, depois de puxar pelos cabelos e bater contra a cabeça os punhos contraídos, exclamou, de braços e olhos arrancados para o teto: — Mas meu Deus! meu Deus! por que me fizeram viver?! Que espírito cruel me chamou a esta vida de lama, sem indagar se eu tinha forças para arrastá-la pelo mundo! Por que me entalaram nesta prisão que me dói, onde meu pobre espírito ofega oprimido e a minha carne geme e os meus ossos estalam?! E para que me deixaram cá dentro do barro podre deste corpo só prestável para doer, esta maldita consciência que marca os segundos da minha agonia como um relógio de médico; esta enfermeira coberta de luto que ronda a minha insônia e pesa a minha incalculável miséria, grama a grama, numa balança de hospital?! Por quê?! Por quê?! Que mal fiz eu ao mundo, meu Deus?! Amaldiçoados sejam os criadores de existências e mais os seus agentes e os seus cúmplices! Amaldiçoado sejas tu, velho libertino!...

— Meu filho...

— Vai-te para o diabo! Se ao menos pudesse eu matar-me! Mas o covarde instinto da vida agarra-me torpemente a esta carcaça epilética e leva-me de bruços pela existência, como a lesma rastejando na própria baba!

— Acalma-te, meu filho!

— Mostra-me então o meu lugar nesse alegre banquete, do qual nunca te levantaste! Mostra-me o meu talher e o meu copo! Aponta-me a cama da mulher que tenha lábios e braços para me amar! Vamos! O que é do meu quinhão? Devoraste-mo tu, Falstaff! Choras, hein? mas choras repleto e ainda não saciado! Choras, bem vejo! mas tens rido a vida toda com todas as dissolutas que topaste no caminho! tens palpitado de comoção em todas as bancas de azar! tens-te embriagado com todos os vinhos que existem na terra! E continuas a beber, a fumar, a viver noites inteiras no amor e no jogo; e eu?! O que foi que eu gozei até agora?! Deste-me para ama-de-leite uma das tuas cúmplices venéreas! desmamaste-me a *cognac!* levaste-me ainda criança a todos os lugares em que te corrompeste! fizeste-me, na idade em que se aprendem as orações fumar e beber para divertir os teus companheiros de libertinagem e fizeste-me macaquear os libertinos para servir de histrião às tuas prostitutas! És um monstro! Sai da minha presença ou eu te mato!

— Não! não, meu filho, não quero que fiques mal comigo!... Não ficarás! Aqui tens morfina!

— Morfina?! Ah! dá-ma! dá-ma! Perdôo-te tudo! Como és bom! como és bom, meu pai, obrigado!

Último lance

Dez luíses!

Era tudo que lhe restava!... Eram as últimas moedas da larga e velha herança que até a ele chegara, escorrendo sonoramente, de degrau em degrau, por uma nobre escadaria de avós. Dez luíses!...

E D. Filipe, depois de agitar na mão fidalga, as derradeiras moedas de ouro, encaminhou-se lentamente para o lugar que meia hora antes havia abandonado à banca da roleta.

De pé, apoiado ao espaldar da sua cadeira ainda vazia, deixou cair sobre o tabuleiro verde o seu frio olhar indiferente e altivo. Os números desapareciam afogados no ouro e na prata dos outros jogadores.

Permaneceu imóvel por longo tempo, sem ver o que olhava. Seus sentidos estavam de todo ocupados pelo pensamento que lhe trabalhava aflito dentro do cérebro: — Era preciso refazer a fortuna esbanjada, ou parte dela... Mas com cem mil francos, apenas cem mil! poderia salvar-se, sem cair no ridículo aos olhos do meio em que se arruinara... Com cem mil francos correria, sem perda de tempo, a Paris, solveria as dívidas que ali deixara garantidas sob palavra, e logo em seguida, a pretexto de qualquer exigência da saúde, simularia uma viagem à Suíça e partiria para a América, com o que lhe restasse em dinheiro. Na América engendravam-se rápidas riquezas; descobriam-se dotes fabulosos! Se fosse preciso trabalhar — trabalharia!

Não sabia em que, e como, iria trabalhar, mas a miragem do novo mundo surgia-lhe à imaginação num sonho de ouro; numa apoteose de milagres de reabilitação, em que a sua incompetência para qualquer trabalho produtivo encontraria lugar entre os vencedores. Nenhum programa, nenhuma ideia acompanhava aquela esperança; confiava na América como confiara nas cartas e na roleta. Era ainda uma esperança de jogador. Era a cega confiança no acaso!

Não seria a América também um tabuleiro verde, banhado pelo ouro da Califórnia?... Ele era a moeda jogada num último lance pelo desespero!

Iria!

E, depois?... Como seria belo volver à Europa, muitas vezes milionário, com um resto de mocidade, para continuar a gozar os vícios interrompidos?...

E, enquanto castelavam seus doidos pensamentos, sucediam-se os golpes da roleta, e o ouro e a prata dos jogadores perpassavam em rio por defronte dos seus olhos distraídos.

— Mas, e se eu perder?... — interrogou ele à própria consciência.

E o fidalgo não teve ânimo de entestar com a solução que esta pergunta exigia, como se temesse abrir de pronto, ali mesmo, um duro e violento compromisso com a sua honra.

Todavia, se perdesse aquele miserável punhado de moedas, que lhe restava além do... suicídio?... Que lhe restava no mundo, que não fosse ridículo e humilhante?...

E viu-se sem vintém, esgueirando-se como uma sombra pelas ruas escuras, com as mãos escondidas nas algibeiras do sobretudo, fugindo de todos, desconfiado de que a sua irremediável miséria fosse de longe pressentida como uma moléstia infecta. Teve um calefrio de terror.

As falazes hipóteses de salvação, que covardemente se lhe apresentavam ao espírito, lembrando amigos ricos e recursos inconfessáveis, eram amargamente repelidas pelo seu orgulho, ainda não vencido.

— *Faites vos jeux, messieurs!* — exclamou o banqueiro.

E D. Filipe sorriu resignado e triste, como respondendo afirmativamente para dentro de si mesmo à voz que apelava para seus brios, e, depois de sacudir ainda uma vez as dez moedas, espalmou a sua linda mão inútil e, com um ar mais do que nunca indiferente e sobranceiro, despejou-as na seção do vermelho que à mesa lhe ficava em frente.

— *Rien ne va plus!*

Uma vertigem toldou-lhe a fingida calma.

A pequena esfera de marfim girava já no quadrante da roleta. Fez-se em toda a sala um silêncio que doía de frio.

Se naquele golpe, em vez de um número vermelho, viesse um número preto, pensou o desgraçado, qualquer mendigo das ruas seria mais rico do que ele!...

E a bola girava já com menos força, prestes a tombar no número vencedor.

O fidalgo deixou-se cair assentado na cadeira, fincando os cotovelos na mesa e escondendo o rosto nas suas duas mãos abertas.

A bola tombou no número. Vermelho!

Os dez luíses de D. Filipe transformaram-se em vinte. E o fidalgo não teve um gesto; esperou novo golpe, aparentemente imperturbável.

O tabuleiro esvaziou-se e de novo se encheu de reluzentes paradas. O banqueiro fechou o jogo; a bola girou, caiu.

Veio outra vez vermelho.

D. Filipe continuou imóvel, sem tirar as mãos do rosto. Sobre os seus vinte luíses derramaram-se outros vinte.

E o jogo continuou, silenciosamente.

E, no meio do surdo ansiar dos que jogavam, um terceiro número vermelho dobrou a parada de D. Filipe, que conservava a sua imobilidade de pedra.

Tão forte, porém, era o arfar do seu peito, que todo o corpo lhe acompanhava as pulsações do coração.

Vermelho!

E oitenta luíses despejaram-se sobre os oitenta luíses do jogador imóvel.

Vermelho!

E o ouro começou a avultar defronte dele.

Vermelho ainda!

E as moedas iam formando já um cômoro de ouro defronte daquela figura estática, da qual só se viam distintamente as duas mãos, muito brancas, ligeiramente veiadas de azul puro.

Ainda vermelho!

E a figura imperturbável parecia agora de todo petrificada. E as duas mãos brancas pareciam fitar escarninhamente os outros jogadores, rindo por entre os dedos fixos.

A imobilidade e a fortuna do singular parceiro começavam a impressionar a todos.

Vermelho!

E já os olhares dos homens e das mulheres não se podiam despregar daquele misterioso companheiro de vício, cuja fisionomia nenhum deles conhecia ainda, absorvido como até então estivera cada qual no próprio jogo.

Vermelho! Vermelho!

E o monte de ouro ia crescendo, crescendo, defronte daquelas duas mãos que pareciam cada vez mais brancas, mais escarninhas, e mais ferradas ao rosto do jogador imóvel.

Vermelho! Vermelho! Vermelho!

E as moedas alargavam a zona inteira, escorrendo por entre os cotovelos do jogador de pedra, e caíam-lhe pelas pernas inalteráveis, e rolavam tinindo pelo chão.

Vermelho! E os jogadores esqueciam-se do próprio jogo para só atentar no jogo do singular conviva; à espera todos que aquelas duas mãos de mármore se afastassem; que aquela escarninha máscara caísse, revelando alguém.

E a cada golpe uma nova riqueza vinha dobrar a riqueza acumulada defronte do sinistro mascarado de mármore. Em vão, ao lado dele, uma formosa criatura, com ares de rainha e olhos de *soubrette,* aquecia-lhe havia meia hora a perna esquerda com a sua perna direita; em vão, por detrás da sua cadeira, formara-se um palpitante grupo de mulheres, que riam forte e lhe discutiam a fortuna, apostando, a cada novo golpe da sorte, se o original jogador sustentaria ou não o lance por inteiro.

E já quando o vermelho era ainda uma vez anunciado pelo trêmulo banqueiro, partia de toda a sala uma explosiva exclamação de pasmo.

Era preciso tocar a cada instante o tímpano, pedindo atenção e silêncio.

Mas os comentários reproduziam-se, fervendo em torno da estátua feliz. Uns protestavam contra a loucura daquela pertinácia, pedindo para seu castigo um número negro; outros se entusiasmavam com ela e soltavam bravos de aplauso; outros ainda calculavam o ouro acumulado, somando os lances.

E o banqueiro, cada vez mais pálido, tomava com a mão trêmula a bola fatídica, e, a tremer, fazia-a girar na gamela dos números, e, a tremer, anunciava ofegante o número vencedor que era sempre vermelho.

Cada número vinha acompanhado de um coro de pragas e gargalhadas.

Até que, num desalento do capitão vencido, o banqueiro, dando ainda o último vermelho, anunciou com uma voz de náufrago sem esperanças:

— Banca... à glória!

Mas, nem assim, o imperturbável jogador misterioso fizera o menor gesto; ao passo que em redor dele se acotovelavam os viciosos de ambos os sexos e de todas as nações, formando uma rumorosa e irrequieta muralha, ansiosa de curiosidade.

Chamaram-no de todos os lados, em todas as línguas e em todos os tons.

Ele se não moveu.

Tocaram-lhe no ombro; tocaram-lhe na cabeça.

Nada!

Sacudiram-lhe o corpo.

A estátua continuou imóvel.

Então, dois homens, tomando cada um uma das mãos do fidalgo, arrancaram-lhas do rosto, enquanto um terceiro lhe levantava a cabeça.

E um só grito de horror partiu dentre toda aquela gente.

Quem à glória levara a banca e ali estava imóvel a jogar com eles durante a noite, provocado pelas mulheres e invejado pelos homens, era um cadáver frio, de olhos escancarados, a boca semi-aberta, e com duas lágrimas compridas escorrendo pela algidez das faces contraídas.

Largaram-no espavoridos; e o morto tombou com a cabeça sobre a mesa, colando o rosto e as mãos de mármore sobre o seu ouro, como se o quisesse defender da cobiça dos outros jogadores sobreviventes, que já discutiam aos gritos a legitimidade daquela posse.

O macaco azul*

Ontem, mexendo nos meus papéis velhos, encontrei a seguinte carta:

Caro Senhor.

Escrevo estas palavras possuído do maior desespero. Cada vez menos esperança tenho de alcançar o meu sonho dourado. — O seu macaco azul não me sai um instante do pensamento! É horrível! Nem um verso! Do amigo infeliz

Paulino

* Conto dedicado "A Coelho Neto" (1893).

Não parece um disparate este bilhete?

Pois não é. Ouçam o caso e verão!

Uma noite — isto vai há um bom par de anos — conversava eu com o Artur Barreiros no largo da Mãe do Bispo, a respeito dos últimos versos então publicados pelo Conselheiro Otaviano Rosa, quando um sujeito, de fraque cor de café com leite, veio a pouco e pouco, aproximando-se de nós e deixou-se ficar a pequena distância, com a mão no queixo, ouvindo atentamente o que conversávamos.

— O Otaviano, — sentenciou o Barreiros, — o Otaviano faz magníficos versos, lá isso ninguém lhe pode negar! mas, tem paciência! o Otaviano não é poeta!

Eu sustentava precisamente o contrário, afiançando que o aplaudido Otaviano fazia maus versos, tendo aliás uma verdadeira alma de poeta, e poeta inspirado.

O Barreiros replicou, acumulando em abono da sua opinião uma infinidade de argumentos de que já me não lembro.

Eu trepliquei firme, citando os alexandrinos errados do conselheiro.

O Barreiros não se deu por vencido e exigiu que eu lhe apontasse alguém no Brasil que soubesse arquitetar alexandrinos melhor que S. Ex.ª.

Eu respondi com esta frase esmagadora:

— Quem? Tu!

E acrescentei, dando um piparote na aba do chapéu e segurando o meu contendor, com ambas as mãos pela gola do fraque:

— Queres que te fale com franqueza?... Isto de fazer versos inspirados e bem-feitos; ou, por outra: isto de ser ou não ser poeta, depende única e exclusivamente de uma coisa muito simples...

— O que é?

— É ter o segredo da poesia! Se o sujeito está senhor do segredo da poesia, faz, brincando, a quantidade de versos que entender, e todos bons, corretos, fáceis, harmoniosos; e, se o sujeito não tem o segredo, escusa de quebrar a cabeça! pode ir cuidar de outro ofício, porque com as musas não arranjará nada que preste! Não és do meu parecer?

— Sim, nesse ponto estamos de pleno acordo, — conveio o Barreiros. — Tudo está em possuir o segredo!...

E, tomando uma expressão de orgulho concentrado, rematou, abaixando a cabeça e olhando-me por cima das lunetas: — Segredo que qualquer um de nós dois conhece melhor que as palmas da própria mão!...

— Segredo que eu me prezo de possuir, como até hoje ninguém o conseguiu, — declarei convicto.

E com esta frase me despedi e separei-me do Artur. Ele tomou para os lados de Botafogo, onde morava, e eu desci pela rua Guarda Velha.

Mal dera sozinho alguns passos, o tal sujeito de fraque cor de café com leite aproximou-se de mim, tocou-me no ombro, e disse-me com suma delicadeza:

— Perdão, cavalheiro! Queira desculpar interrompê-lo. Sei que vai estranhar o que lhe vou dizer, mas...

— Estou às suas ordens. Pode falar.

— É que ainda há pouco, quando o senhor conversava com o seu amigo, afirmou a respeito da poesia certa coisa que muito e muito me interessa... Desejo que ma explique...

Bonito! — pensei eu. É algum parente ou algum admirador do Conselheiro Otaviano, que vem tomar-me uma satisfação. Bem feito! Quem me manda a mim ter a língua tão comprida?...

— Entremos aqui no jardim da fábrica, — propôs o meu interlocutor; — tomaremos um copo de cerveja enquanto o senhor far-me-á o obséquio de esclarecer o ponto em questão.

O tom destas palavras tranquilizou-me em parte. Concordei e fomos assentar-nos em volta de uma mesinha de ferro, defronte de dois chopes, por baixo de um pequeno grupo de palmeiras.

— O senhor, — principiou o sujeito, depois de tomar dois goles do seu copo, — declarou ainda há pouco que possui o segredo da poesia... Não é verdade?

Eu olhei para ele muito sério, sem conseguir perceber onde diabo queria o homem chegar.

— Não é verdade? — insistiu com empenho. Nega que ainda há pouco declarou possuir o segredo dos poetas?

— Gracejo!... Foi puro gracejo de minha parte... — respondi sorrindo modestamente. — Aquilo foi para mexer com o Barreiros, que — aqui para nós — na prosa é um purista, mas que a respeito de poesia, não sabe distinguir um alexandrino de um decassílabo. Tanto ele como eu nunca fizemos versos; creia!

— Ó senhor! por quem é não negue! fale com franqueza!

— Mas juro-lhe que estou confessando a verdade...

— Não seja egoísta!

E o homem chegou a sua cadeira para junto de mim e segurou-me uma das mãos.

— Diga! — suplicou ele, — diga por amor de Deus qual é o tal segredo; e conte que, desde esse momento, o senhor terá em mim o seu amigo mais reconhecido e devotado!

— Mas, meu caro senhor, juro-lhe que...

O tipo interrompeu-me, tapando-me a boca com a mão, e exclamou deveras comovido:

— Ah! Se o senhor soubesse; se o senhor pudesse imaginar quanto tenho até hoje sofrido por causa disto!

— Disto o quê? A poesia?

— É verdade! Desde que me entendo, procuro a todo o instante fazer versos!... Mas qual! em vão consumo nessa luta de todos os dias os meus melhores esforços e as minhas mais profundas concentrações!... É inútil! Todavia, creia, senhor, o meu maior desejo, toda a ambição de minha alma, foi sempre, como hoje ainda, compor alguns versos, poucos que fossem, fracos muito embora; mas, com um milhão de raios! que fossem versos! e que rimassem! e que estivessem metrificados! e que dissessem alguma coisa!

— E nunca até hoje o conseguiu?... — interroguei, sinceramente pasmo.

— Nunca! Nunca! Se o metro não sai mau, é a ideia que não presta; e se a ideia é mais ou menos aceitável, em vão procuro a rima! A rima não chega nem à mão de Deus Padre! Ah! tem sido uma campanha! uma campanha sem tréguas! Não me farto de ler os mestres; sei de cor o compêndio do Castilho; trago na algibeira o dicionário de consoantes; e não consigo um soneto, uma estrofe, uma quadra! Foi por isso que pensei cá comigo: "Quem sabe se haverá algum mistério, algum segredo, nisto de fazer versos?... algum segredo, de cuja posse dependa em rigor a faculdade de ser poeta?..." Ah! e o que não daria eu para alcançar semelhante segredo?... Matutava nisto justamente, quando o senhor, conversando com o seu amigo, afirmou que o segredo existe com efeito, e, melhor ainda, que o senhor o possui, podendo por conseguinte transmiti-lo adiante!

— Perdão! Perdão! O senhor está enganado, eu...

— Oh! não negue! Não negue por quem é! O senhor tem fechada na mão a minha felicidade! Se não quer que eu enlouqueça confie-me o segredo! Peço-lhe! Suplico-lhe! Dou-lhe em troca a minha vida, se a exige!

— Mas, meu Deus! o senhor está completamente iludido... Não existe semelhante coisa!... Juro-lhe que não existe!

— Não seja mau! Não insista em recusar um obséquio que lhe custa tão pouco e que vale tanto para mim! Bem sei que há de prezar muito o seu segredo mas dou-lhe minha palavra de honra que me conservarei digno dele até à morte! Vamos! declare! fale! diga logo o que é, ou nunca mais o largarei! nunca mais o deixarei tranquilo! Diga ou serei eternamente a sua sombra!

— Ora esta! Como quer que lhe diga que não sei de semelhante segredo?!

— Não mo negue por tudo o que o seu coração mais ama neste mundo!

— O senhor tomou a nuvem por Juno! Não compreendeu o sentido de minhas palavras!

— O segredo! O segredo! O segredo!

Perdi a paciência. Ergui-me e exclamei disposto a fugir:

— Quer saber o que mais?! Vá para o diabo que o carregue!

— Espere, senhor! Espere! Ouça-me por amor de Deus!

— Não me aborreça. Ora bolas!

— Hei de persegui-lo até alcançar o segredo!

* * *

E, como de fato, o tal sujeito acompanhou-me logo com tamanha insistência, que eu, para ver-me livre dele, prometi-lhe afinal que lhe havia de revelar o mistério.

No dia seguinte já lá estava o demônio do homem defronte da minha casa e não me largava a porta.

Para o restaurante, para o trabalho, para o teatro, para toda a parte, acompanhava-me aquele implacável fraque cor de café com leite, a pedir-me o segredo por todos os modos, de viva voz, por escrito e até por mímica, de longe.

Eu vivia já nervoso, doente com aquela obsessão. Cheguei a pensar em queixar-me à polícia ou empreender uma viagem.

Ocorreu-me, porém, uma ideia feliz, e mal a tive disse ao tipo que estava resolvido a confiar-lhe o segredo.

Ele quase perdeu os sentidos de tão contente que ficou. Marcou-me logo uma entrevista em lugar seguro; e, à hora marcada, lá estávamos os dois.

— Então que é?... — perguntou-me o monstro, esfregando as mãos.

— Uma coisa muito simples, — segredei-lhe eu. — Para qualquer pessoa fazer bons versos, seja quem for, basta-lhe o seguinte: — Não pensar no macaco azul. — Está satisfeito?

— Não pensar no...

— Macaco azul. Abstrair do espírito, completamente, a ideia do macaco azul.

— Macaco azul? O que é macaco azul...?

— Pergunta a quem não lhe sabe responder ao certo. Imagine um grande símio azul-ferrete, com as pernas e os braços bem compridos, os olhos pequeninos, os dentes muito brancos, e aí tem o senhor o que é o macaco azul.

— Mas que há de comum entre esse mono e a poesia?...

— Tudo, visto que, enquanto o senhor estiver com a ideia no macaco azul, não pode compor um verso!

— Mas eu nunca pensei em semelhante bicho!...

— Parece-lhe; é que às vezes a gente está com ele na cabeça e não dá por isso.

— Pois hoje mesmo vou fazer a experiência... Ora quero ver se desta vez...

— Faça e verá.

* * *

No dia seguinte, o pobre homem entrou-me pela casa como um raio. Vinha furioso.

— Agora, gritou ele, é que o diabo do bicho não me larga mesmo! É pegar eu na pena, e aí está o maldito a dar-me voltas ao miolo!

— Tenha paciência! Espere alerta a ocasião em que ele não lhe venha à ideia e aproveite-a logo para escrever seus versos.

— Ora! Antes o senhor nunca me falasse no tal bicho! Assim, nem só continuo a não fazer versos, como ainda quebro a cabeça de ver se consigo não pensar no demônio do macaco!

* * *

E foi nestas circunstâncias que Paulino me escreveu aquela carta.

O impenitente

Conto-vos o caso como mo contaram.

Frei Álvaro era um bom homem e um mau frade. Capaz de todas as virtudes e de todos os atos de devoção, não tinha, todavia, a heroica ciência de domar os impulsos de seu voluptuoso temperamento de mestiço e, a despeito dos constantes protestos que fazia para não pecar, pecava sempre. Como extremo recurso, condenara-se, nos últimos tempos, a não arredar pé do convento. À noite fechava-se na cela, procurando penitenciar-se dos passados desvarios; mas, só reprimir o irresistível desejo de recomeçá-los, era já o maior dos sacrifícios que ele podia impor à sua carne rebelde.

Chorava.

Chorava ardendo de remorsos por não poder levar de vencida os inimigos da sua alma envergonhada; chorava por não ter forças para fazer calar os endemoniados hóspedes do seu corpo, que, dia e noite, lhe amotinavam o sangue. Quanto mais violentamente procurava combatê-los, tanto mais viva lhe acometia o espírito a incendiária memória dos seus amores pecaminosos.

E no palpitante cordão de mulheres que, em vertigem, lhe perpassavam cantando diante dos desejos torturados, era Leonília, com seus formosos cabelos pretos, a de imagem mais nítida, mais persistente e mais perturbadora.

Em que dia a vira pela primeira vez e como se fizera amar por ela, não o sei, porque esses monásticos amores só chegam a ser percebidos pelos leigos como eu, quando o fogo já minou de todo e abriu em labareda a lançar fumo até cá fora. À primeira faísca e às primeiras brasas, nunca ninguém, que eu saiba, os pressentiu nem deles suspeitou.

Certo é que, durante belos anos, Frei Álvaro, meia-noite dada, fugia aos muros do seu convento, e, escolhendo escuras ruas, cosendo-se à própria sombra, ia pedir à alcova de Leonília o que não lhe podia dar a solidão da cela.

Pertenceria só ao frade a bela moça? Não o creio.

E ele? seria só dela? Também não, pois reza a lenda donde me vem o caso que, em vários outros pontos da cidade, Frei Álvaro era igualmente visto fora de horas, embuçado e suspeito, correndo sem dúvida em busca de profanas consolações daquele mesmo gênero.

Mas, no martírio da reclusão a que por último se votara, era seguro a lembrança de Leonília o seu maior tormento. E assim, aconteceu que, certa noite, à força de pensar nela, foi tal o seu desassossego de corpo e alma, que o frade não pôde rezar, nem pôde dormir, nem pôde ler, nem pôde fazer nada. Com os olhos fechados ou abertos, tinha-a defronte deles, linda de amor, a enlouquecê-lo de saudade e de desejo.

Então, desistindo da cama e dos livros, pôs-se à janela, muito triste, e ficou longo tempo a consultar a noite silenciosa. Lá fora a lua, inda mais triste, iluminava a cidade adormecida, e no alto as estrelas pareciam que pestanejavam de tédio. Nada lhe mandava um ar de consolação para aquela infindável tortura de desejar o proibido.

De repente, porém, estremeceu, sem poder acreditar no que viam seus olhos.

Seria verdade ou seria ilusão dos seus atormentados desejos?... Lá embaixo, no pátio, dentro dos muros do convento, um vulto de mulher passeava sobre o lajedo.

Não podia haver dúvida!... Era uma mulher, uma mulher toda de branco, com a cabeça nua e os longos cabelos negros derramados.

Céus! E era Leonília!... sim, sim, era ela, nem podiam ser de outra mulher aqueles cabelos tão formosos e aquele airoso menear de corpo! Sim! era ela... Mas, como entrara ali?... Como se animara a tanto?

E o frade, sem mais ter mão em si, correu a tomar o chapéu e a capa e lançou-se como um doido para fora da cela.

Atravessou fremente os longos corredores, desgalgou escadaria de pedra, e ganhou o pátio.

Mas o vulto já lá não estava.

O monge procurou-o, aflito, por todos os cantos. Não o encontrou.

Correu ao parapeito que dava do alto para a rua, sobre o qual se debruçou ansioso e, com assombro, descobriu de novo o misterioso vulto agora, lá fora, a passear embaixo, à luz do lampião de gás.

Já impressionado de todo, Frei Álvaro desceu de um relance as escadas do átrio, escalou as grades do mosteiro e saltou à rua.

O vulto já não se achava no mesmo ponto; tinha-se afastado para mais longe. Frei Álvaro atirou-se para lá, em disparada, mas o vulto deitou a correr, fugindo na frente dele.

— Leonília! Leonília! Espera! Não me fujas!

O vulto corria sempre, sem responder.

— Olha que sou eu! Atende!

Leonília parou um instante, voltou o rosto para trás, sorriu e fugiu de novo quando o monge se aproximava.

Afinal, já não corria, deslizava, como se fora levada pelas frescas virações da noite velha, que lhe desfraldavam as saias e os cabelos flutuantes.

E o monge a persegui-la, ardendo por alcançá-la.

— Atende! Atende, flor de minha alma! — ele suplicava, já com a voz quebrada pelo cansaço. — Atende, pelo amor de Deus, que deste modo me matas, criminosa!

Ela, ao escutar-lhe as sentidas vozes, parecia atender, suspendendo o voo, não por comovida, mas por feminil negaça, a rir provocadora, braços no ar e o calcanhar suspenso, pronta, mal o frade se chegasse, a desferir nova carreira.

E assim venceram ambos ruas e becos, quebrando esquinas, cortando largos e praças. O frade já tinha perdido a noção do tempo e do lugar, e estava prestes a cair exausto quando, vendo a moça tomar certa ladeira muito conhecida deles dois, criou novo ânimo e prosseguiu na empresa, sem afrouxar o passo.

— Vai recolher-se à casa!... — concluiu de si para si. — Não me quis falar na rua... Ainda bem!

Leonília, com efeito, ao chegar à porta da casa onde outrora o religioso fruía as consolações que o seu mosteiro lhe negava, enfiou por ela e sumiu-se sem ruído.

O frade acompanhou-a de carreira, mas já não a viu no corredor e foi galgando a escada. Encontrou em cima a porta aberta, mas a sala tenebrosa e solitária. Penetrou nela, tateando, e seguiu adiante, sem topar nenhum móvel pelo caminho.

— Leonília! — chamou ele.

Ninguém lhe respondeu.

O quarto imediato estava também franqueado, também deserto e vazio, mas não tão escuro, graças à luz que vinha da sala do fundo. O religioso não hesitou em precipitar-se para esta; mas, ao chegar à entrada, estacou, soltando um grito de terror.

Gelara-lhe o sangue o que se lhe ofereceu aos olhos. Eriçaram-se-lhe os cabelos; invencível tremor apoderou-se do seu corpo inteiro.

A sala de jantar onde, tantas vezes, feliz, ceara a sós com Leonília, estava transformada em câmara mortuária, toda funebremente paramentada de cortinas de veludo negro, que pendiam do teto, consteladas de lantejoulas e guarnecidas de caveiras de prata. Só faltava o altar. No centro, sobre uma grande essa, também negra e enfeitada de galões dourados, havia um caixão de defunto. Dentro do caixão um cadáver todo de branco, cabelos soltos. Em volta, círios ardiam, altos, em solenes tocheiros, cuspindo a cera quente e o fumo cor de crepe.

O monge, lívido e trêmulo, aproximara-se do catafalco. Olhou para dentro do caixão e recuou aterrado.

Reconheceu o cadáver. Era da própria mulher que, pouco antes, o fora buscar ao convento e o viera arrastando até aí pelas ruas da cidade.

Sem ânimo de formular um pensamento, o frade deixou-se cair de joelhos sobre o negro tapete do chão e, arrancando do seio o seu crucifixo, abraçou-se com este e começou a rezar fervorosamente.

Rezou muito, de cabeça baixa, o rosto afogado em lágrimas. Depois ergueu-se, foi ter à essa, pôs-se na ponta pés para poder alcançar com os lábios o rosto do cadáver e pousou nas faces enregeladas um extremo beijo de amor.

Em seguida, olhou em derredor de si, desconfiado e tímido e, como não houvesse na sala uma só imagem sagrada em companhia da morta, desprendeu do pescoço o crucifixo e foi piedosamente dependurá-lo na parede, à cabeceira dela.

Mas, nesse mesmo instante, as tochas apagaram-se de súbito e fez-se completa escuridão em torno do impenitente. Foi às apalpadelas que ele conseguiu chegar até à porta de saída e ganhar a rua.

Lá fora, a noite se tinha feito também negra e os ventos se tinham desencadeado em fúria, ameaçando tempestade. O monge deitou a fugir para o mosteiro, sem ânimo de voltar o rosto para trás, como temeroso de que Leonília por sua vez o perseguisse agora até ao domicílio.

Quando alcançou a cela, tiritava de febre.

Acharam-no pela manhã, sem sentidos, defronte do seu oratório, joelhos em terra, braços pendidos, cabeça de borco sobre um degrau do altar.

Só muitos dias depois, um dia de sol, conseguiu sair à rua, ainda pálido e desfeito. Seu primeiro cuidado foi correr aonde morara Leonília e rondar a casa em que a vira morta.

Encontrou-a fechada e com letreiro anunciando o aluguel.

— Está vazia, depois que nela morreu o último inquilino, — explicou um vizinho.

— Há muitos dias? — quis saber o frade. E estremeceu quando ouviu dizer que havia uns oito ou dez.

— E o morador, quem era? — perguntou ainda.

— Era uma mulher. Chamava-se Leonília... Morreu de repente...

— Ah!

— Se quer alugar a casa, encontra a chave ali na esquina...

Frei Álvaro agradeceu, despediu-se do informante, foi buscar a chave, abriu a porta, entrou e percorreu toda a casa.

Só ele, além de Deus, soube a impressão que sentiu ao contemplar aquelas salas e aqueles quartos.

— Estranho caso!... — disse consigo, sem ânimo de olhar de rosto para o temeroso abismo da dúvida. — Fui vítima de uma alucinação que coincidiu com a morte desta querida cúmplice dos meus pecados de amor...

E, enxugando os olhos, ia retirar-se, conformado com a dupla dor da saudade e do remorso, quando, ao passar rente de certa parede, estremeceu de novo.

Tinha dado com os olhos no seu crucifixo, do qual já nem se lembrava. Permanecia pendurado no mesmo ponto em que o monge o deixara na terrível noite.

Pelo caminho

Durara a pândega a noite inteira; uma dessas orgias banais, grosseironas, genuinamente fluminenses; que principiam por um jantar de hotel, em gabinete particular, continuam durante a representação de qualquer teatro, depois durante a ceia no München, até às duas ou três horas da manhã, para terminar por um invariável passeio de carro aos arrabaldes da cidade.

Os quatro pândegos, dois rapazes e duas raparigas armados de algumas garrafas de *Cliquot,* foram dar com os ossos na Tijuca quando o dia repontava.

O carro havia parado, e os libertinos, de taça em punho, sopeavam a rolha do *champagne,* prontos para saudar o primeiro raio de sol que lhes viesse iluminar a orgia daquela noite perdida. Estavam perto da raiz da serra, numa encosta em que velhas árvores tranquilas pareciam encolher-se de frio ao orvalhado relento. As montanhas, como gigantes estendidos ao longo do horizonte, dormiam ainda, agasalhadas nos seus lençóis de neblina. O repousado aspecto da natureza contrastava com a feição dissoluta daquela libertinagem ao ar livre. Do grupo dos folgazões evolava-se um capitoso vapor de loucura em pleno viço, de estroinice em flor, uma forte exalação de mocidade que ferve e crepita ao doido fogo dos primeiros vícios.

Irradiou o sol e as taças ergueram-se transbordantes.

— Ao amor! Ao prazer!

— Hurrah!

O bramido alegre ecoou na solidão dos vales, e uma das loureiras abriu a cantar uma cançoneta bufa, acompanhada nos estribilhos pelos três companheiros.

Entretanto, nessa mesma direção, outro grupo bem diverso lentamente se aproximava, subindo a estrada em tardio e cansado passo.

Era naturalmente algum enfermo acompanhado pela família, que demandava a serra da Tijuca, em busca de salvação nos ares puros. Vinha na frente uma cadeirinha carregada à moda antiga por dois negros; ao lado dela, caminhando a pé, guardava-lhe a portinhola um homem de cabelos brancos e respeitável aparência, o ar solícito e pesaroso; e, logo atrás, arrastava-se uma velha e triste carruagem de aluguel, com a cúpula fechada.

O novo grupo parou defronte do primeiro. Calaram-se os estroinas, e um destes, reconhecendo o homem que guardava o palanquim, ergueu-se, lívido e trêmulo de comoção. É que, por aquele velho, podia calcular com segurança quem era a infeliz criatura que ia ali enferma ou talvez moribunda. E, através das névoas da sua embriaguez, começou-lhe por dentro a ofegar a consciência, na medrosa previsão de remorsos e vergonha.

Os negros depuseram no chão o palanquim, desviaram do varal os ombros fatigados e afastaram-se, para descansar um instante.

Moveu-se então a cortina da portinhola; débil mãozinha arredou-a de dentro com dificuldade, e uma feminil cabeça loura surgiu à luz dourada da manhã. No rosto, mais pálido que o de uma santa de cera, fulguravam-lhe os olhos com estranho brilho.

E esses olhos deram com os olhos que a fitavam do outro grupo e cintilaram mais forte, num relâmpago seguido de um grito, que a cortina do palanquim abafou logo.

O moço, que a custo se conservara de pé no carro, deixou-se cair sobre as almofadas, cobrindo o rosto com as mãos, enquanto os outros libertinos, esgotando a última taça, gritaram ao cocheiro que tocasse para a cidade.

O carro disparou.

— Ao amor! Ao prazer!

— Hurrah!

2

Tinham sido namorados. Ele era rico e belo, a moça pobre e de feições modestas. O namoro fora em casa da família dela, antes do bandoleiro se ter atirado à vida dos prazeres.

Um dia, depois de todos os juramentos trocados na linguagem dos olhos e na linguagem dos sorrisos, ele aproximou a sua cadeira da máquina de costura em que a moça trabalhava, e segredou:

— Se eu tivesse plena certeza de que me amas!...

Ela estremeceu e corou, abaixando os olhos.

Ele prosseguiu no mesmo tom: — E quanto sofro a pensar nisto!.... São vagos desejos incompletos, um querer sem vontade, um desejar sem ânimo... E, no entanto, minha flor, sinto que me falta na vida alguma coisa, que talvez não seja só a tua ternura... Se me perguntarem o que é, não saberei responder... mas sinto que preciso dedicar-me a qualquer ideal, sacrificar-me por qualquer amor!

Ela deixara de coser e não levantava o rosto. Ele aproximou mais a sua cadeira e segredou ainda, tomando-lhe as mãos: — Tu me amas?... Fala!...

A moça estremeceu mais forte e levantou para o seu amado os olhos transparentes, no fundo dos quais brilhava agora o reflexo de uma esperança feliz.

— Sim... — balbuciou, enrubescendo.

E por um instante sua doce alma de donzela sentiu aproximar-se a música de uma confissão de amor. E seu coração abriu, de par em par, as pétalas viçosas, para recolher a palavra ambicionada, a palavra insubstituível na vida da mulher. — Amo-te! — o sagrado "Amo-te" que toda a mulher, para ser feliz, precisa ter ouvido, da boca de um homem, pelo menos uma vez na existência.

Mas a desejada palavra não chegou aos ouvidos da moça, nem passou dos lábios irresolutos do seu namorado.

Alguém interrompeu o idílio. A leviana cadeira afastou-se, sem declarar o que tinha a dizer à modesta maquinazinha de costura.

3

Depois que o bandoleiro se ausentou de todo, a pobre moça ia contando os dias pelos progressos da sua mágoa. A dor e a tristeza cristalizaram-se em moléstia. Demais, fora sempre propensa às afecções pulmonares; a melindrosa suscetibilidade do seu frágil organismo reclamava, para o milagre da vida, o milagre do amor.

Como toda moça casta, sem brilhante prestígio de ouro ou de beleza, fora sempre concentrada e retraída. Não dividia com outros os seus tímidos desgostos de donzela e as suas humildes decepções de menina pobre. Um como íntimo recato de orgulhosa franqueza, um como consciente pudor da sua imaculada inferioridade, um como decoro da sua virtude inútil, faziam-na reprimir os soluços diante da família e das amigas, recalcando em segredo as lágrimas vencidas, que lhe subiam do coração e para o coração voltavam, sem ninguém que as compreendesse ou enxugasse.

Nunca lhe ouviram a sombra de uma queixa. Todavia, na sua angelical credulidade, chegara a crer houvesse, no circo ginástico da vida, alguma coisa entre os homens que não fosse egoísmo só e vaidade; chegou, pobre inocente! a supor que o fato de ser meiga, dócil, virtuosa e pura lhe valeria o amor do moço pelo seu coração eleito. E, uma vez desiludida, a sua feminilidade, em vez de expandir em flor o aroma dos vinte anos, fechou-se em botão, para nunca mais recender, vencida, como foram vencidas as suas lágrimas.

E também nunca mais lhe voltaram às faces as rosas que a natureza aí lhe tinha posto para atrair as asas dos beijos amorosos; nem aos olhos tampouco lhe voltaram as alegrias com que dantes esperavam sorrindo o "Amo-te" sagrado.

Enfermou de todo. Afinal sua existência era já um caminhar seguro para a morte. O pai estalava de desespero sentindo fugir-lhe irremissivelmente aquela vida estremecida, pouco a pouco, como um perfume que se evapora. Ela sorria, resignada. Estava cada vez mais abatida, mais fraca; parecia alimentar-se só com a muda preocupação da sua mágoa sem consolo. O pai levou-a a princípio para o Silvestre, depois para a raiz da serra da Tijuca; o médico, porém, à proporção que a moléstia subia, ordenou que fossem também subindo sempre em busca de ares mais puros.

E lá iam eles, como um bando de foragidos, a fugir diante da morte. Só a doente parecia conformada com a situação, os mais se maldiziam e choravam. Ela sorria sempre, sempre triste, com o rosto levemente inclinado sobre o ombro.

Já quase se não distinguiam as suas falas, e só pelos olhos verdadeiramente se exprimia, que esses eram agora mais vivos e penetrantes. Às vezes, como se pretendesse desabituar-se de viver, fugia para um profundo cismar, de que a custo desmergulhava estremunhada. Pedia nesses momentos que lhe abrissem a janela do quarto, e o seu olhar voava logo para o azul, como mensageiro da sua alma que também não tardaria, com o mesmo destino, a desferir o voo.

E assim foi que a maquinazinha de costura para sempre se conservou fechada e esquecida a um canto da modesta sala de jantar. Nunca mais a leviana cadeira se aproximou dela, para declarar o que lhe tinha a dizer.

4

— Ao Amor! Ao Prazer! Hurrah! blasfemou o eco.

E o carro dos libertinos sumiu-se na primeira dobra da estrada.

O campo recaiu na sua concentração murmurosa.

A cadeirinha continuava no ponto em que a depuseram. O sol, ainda brando, derramava-se como uma bênção de amor e nuvens de tênue fumo brancacento desfiavam-se no espaço, subindo dos vales como de um incensório religioso. O céu tinha uma consoladora transparência em que se lhe via a alma; pássaros cantavam em torno da tranquila moribunda; ouvia-se o marulhar choroso das cascatas, a súplica dos ventos, a prece matinal dos ninhos. Toda a natureza parecia em oração.

A moça pediu que lhe abrissem a porta do palanquim e, reclinada sobre o colo do pai, fitou o espaço com o seu olhar de turquesa úmida. O azul do céu compreendeu o azul daqueles olhos celestiais. Houve entre eles um idílio mudo e supremo.

Ninguém em torno dava uma palavra; só se ouviam os murmúrios da mata, acordando ao sol e os esgarçados ecos da música dos Meninos Desvalidos que, para além da serra, tocava a alvorada. A moça continuou a olhar para o azul, como se se deixasse arrebatar lentamente pelos olhos. Encarou longo e longo tempo o espaço, sem pestanejar. Depois, duas lágrimas apontaram-lhe nas pálpebras imóveis e foram descendo silenciosas pela palidez das faces. Um sorriso que já não era da terra pairou um instante à superfície dos seus lábios puros.

Estava morta.

Resposta

Sim, minha senhora, pode acreditar nas frases que me enviou na sua enternecida consulta, transcritas da carta que "Ele" lhe escreveu. São sinceras, afianço!

Ai, minha senhora como eu conheço esses casos!... A estas horas deve o infeliz estorcegar-se de agonia num dos círculos mais torturantes desse inferno subterrâneo do amor, para onde, depois dos beijos trocados à luz das estrelas ou no confidencial sigilo das alcovas, vão as almas penar tristemente com saudades e ciúmes às doidas e fugitivas horas que beberam de lábios juntos pela mesma taça agora partida.

O amor, interrompido na plenitude do seu enlevo, é a mágoa maior e mais amarga que o coração conhece. O homem, quando se vê forçado a deixar a mulher que ama, mal dela se afasta, sente logo, a rondar-lhe os passos, a retardar-lhe a fuga, o doloroso espetro da sua felicidade perdida. E essa sombra, expulsa com ele do paraíso, nunca mais o larga, acompanha-o, soluçando-lhe ao lado, gemendo e suplicando, a puxar-lhe a cada instante a negra túnica de desesperos que o infeliz a custo lá vai arrastando pela noite sem estrelas da sua retirada.

E se é ela que lhe foge dos braços... ah! então já não é mágoa, é dor e verdadeira, que às vezes mata. Quando a mulher nos foge dos braços deixa-nos a alma vazia, como o abandonado molde de uma estátua.

Para onde formos, para onde fugirmos, havemos de levar a ausência dela. Em tudo que ouvirmos, em tudo que fizermos, havemos de sentir um pouco da sua essência, como se a ingrata se volatilizasse num doloroso aroma e estivesse a pairar sobre todas as coisas que nos cercam.

Cor, música, perfume, tudo nos diz que ela existe, mas tudo nos diz que ela está ausente de nós. Todos os objetos que vemos se ressentem dela, como se a nossa amada acabasse nesse instante de passar por eles. Descobrimos a marca do seu pé por todos os caminhos da nossa vida, o aroma da sua mão em todas as carícias que nos façam outras mulheres, um raio dos seus olhos mentirosos em todas as luzes da terra e em todas as luzes do céu, o negrume dos seus cabelos em todas as trevas do nosso abandono e o eco do seu riso e a harmonia da sua voz em todos os nossos íntimos gemidos e em todos os gorjeios e todos os murmúrios da natureza.

A feiticeira abelha passou por nós, fugiu, sumiu-se, mas o cristal ainda geme, ferido, às vibrações produzidas pelo roçar da sua asa dourada!

Estranha natureza das coisas! Quando a mulher, que nos enchia toda a existência com o seu amor, nos foge repentinamente, nós, que havíamos nela tudo concentrado; nós, que fazíamos dela a nossa melhor preocupação e o nosso único egoísmo; nós, que com o seu vulto querido escondíamos todos os aspectos da vida, todas as outras criaturas da terra, e tudo, tudo, que não fosse o nosso próprio amor; nós, que só a ela víamos, só a ela sentíamos, só a ela amávamos; nós, uma vez despojados da sua presença vamos encontrá-la virtualmente por toda a parte, a cada passo, e em todos os objetos que ela dantes não nos deixava sentir nem ver.

Como isto é penosamente verdadeiro, minha senhora!

Enquanto a possuíamos, ela representava para nós o mundo inteiro; perdemo-la, é o mundo inteiro que para nós a representa agora. O sol que se levanta fala-nos dela; a noite ao cair no-la lembra com a sua primeira estrela. Uma mulher que passa, um pássaro que canta, tudo nos aviva a nossa saudade, tudo nos lembra a nossa amada ausente, tudo nos apunhala o coração. E quanto mais queremos esquecê-la, tanto mais a sua lembrança nos arrebata para as extintas épocas felizes do nosso amor. Os mais insignificantes fatos de então, dos quais até aí nem sequer nos recordávamos, transformam-se agora em objeto de saudade e fazem-nos chorar de dor.

E principiamos, minha senhora, a reconstruir todos e todos os episódios, até os mais ínfimos, da vida de amantes que dantes tínhamos; começamos, com uma paciência inquisitorial, a apanhar do fundo da nossa saudade, um por um, todos os fragmentos do poema de amor que ela e nós estraçalhamos num fatal momento de cólera.

Não nos escapa a mais pequenina partícula do passado feliz; mergulhamos aos vales mais profundos da memória, para de lá voltarmos ofegantes com uma frase, uma palavra, um sorriso, que ela nos deu despreocupadamente nos tempos venturosos.

Tudo isso, todos esses nadas da ternura, têm agora grande valimento para nós; tudo isso ganhou prestígio e perfume aos olhos da nossa alma ferida. Uma flor sem destino que ela nos enfiara um dia na botoeira do fraque; algumas palavras que de outra vez nos disse, assentada sobre os nossos joelhos; um suspiro que lhe escapou quando em certa ocasião lhe falávamos de outra mulher; um sonho em que lhe ouvimos dizer baixinho o nosso nome; tudo, tudo, para o que não atentávamos então, surge-nos agora ao espírito, repassado de um melancólico arrependimento de não termos sabido melhor aproveitar em tempo aquela felicidade, para sempre perdida.

E eis que vemos a sua imagem, nítida, real, estendida no leito, com os olhos meio cerrados, um leve sorriso, em que transparece uma pontinha de fadiga, a entreabrir-lhe as pétalas da boca. Íamos então a sair e, enquanto abotoávamos o sobretudo, de costas, indiferentemente, víamos a sua imagem refletida no espelho. Ah! nessa ocasião, loucos que somos! não reparávamos quanto ela era formosa! Olhávamos saciados para o mármore do seu corpo como um guarda de museu olha a nudez das Vênus gregas.

E continua o martírio: Vemo-la, agora vestida, esbelta, pronta para o passeio, a prender uma flor ao colo, enquanto nós, estendidos num divã, esperávamos por ela a fumar ou a ler. E vemo-la assentada negligentemente à mesa do almoço, em roupa de manhã, ou mais tarde, às horas de calor, na chácara, a folhear um romance ou solfejar uma canção. E na rua, no teatro, na sala ou na alcova, é sempre ela que vemos, é sempre ela que encontramos, depois que ela nos fugiu dos braços.

E o tormento não para mais, nunca mais, minha senhora! O cérebro não larga de raspar as paredes da memória. A saudade trabalha, trabalha dentro da nossa amargura, como uma toupeira dentro da terra, de dia e de noite, a escavar o passado, para extrair de lá as raízes do nosso amor com que ela, a bruxa, se alimenta. E é a chorar que sonhamos todas as sepultadas venturas que a perjura nos deu um dia; é com o coração aberto, a escorrer sangue, que nos arrastamos até à miragem dos beijos que já não existem; é com as asas partidas e as carnes alanhadas que de lá caímos desiludidos, desabando, como o anjo maldito, no mais fundo do abismo, da nossa dor sem esperança.

Ah, não! minha senhora, não! Ele não lhe mentia na carta que lhe escreveu. Responda e verá.

Mas, é preciso preveni-la de uma coisa, e é que os frutos da reconciliação, por melhores, não valerão juntos uma só partícula da deliciosa mágoa que neste instante lhe faz arfar o seio e que ontem a levou tão comovida a consultar-me sobre o estado atual do seu coração.

Na união amorosa de um par, diz certo filósofo, é sempre um só o que ama; o outro deixa-o amar. Pois na separação deve ser o mesmo — um sofre e o outro deixa-o sofrer.

É o que lhe dou de conselho, minha senhora — deixe-o sofrer. Deixe-o lá, que sofra sozinho, porque, quando chegar a sua vez, juro que V. Exa. não me consultará sobre o caso; todas as loucuras aconselhadas pelo seu próprio desespero lhe parecerão boas, desde que a conduzam para junto da pessoa amada.

Aos vinte anos*

Abri minha janela sobre a chácara. Um bom cheiro de resedás e laranjeiras entrou-me pelo quarto, de camaradagem com o sol, tão confundidos que parecia que era o sol que estava recendendo daquele modo. Vinham ébrios de abril. Os canteiros riam pela boca vermelha das rosas; as verduras cantavam, e a república das asas papeava, saltitando, em conflito com a república das folhas. Borboletas doidejavam, como pétalas vivas de flores animadas que se desprendessem da haste.

Tomei a minha xícara de café quente e acendi um cigarro, disposto à leitura dos jornais do dia. Mas ao levantar os olhos para certo lado da vizinhança, dei com os de alguém que me fitava; fiz com a cabeça um cumprimento quase involuntário, e fui deste bem pago, porque recebi outro com os juros de um sorriso; e, ou porque aquele sorriso era fresco e perfumado como a manhã daquele abril, ou porque aquela manhã era alegre e animadora como o sorriso que desabotoou nos lábios da minha vizinha, o certo foi que neste dia escrevi os meus melhores versos e no seguinte conversei a respeito destes com a pessoa que os inspirou.

Chamava-se Ester, e era bonita. Delgada sem ser magra; morena, sem ser trigueira; afável, sem ser vulgar: uns olhos que falavam todos os caprichosos dialetos da ternura; uma boquinha que era um beijo feito de duas pétalas; uns dentes melhores que as joias mais valiosas de Golconda; cabelos mais lindos do que aqueles com que Eva escondeu o seu primeiro pudor no paraíso.

Fiquei fascinado. Ester enleou-me todo nas teias da sua formosura, penetrando-me até ao fundo da alma com os irresistíveis tentáculos dos seus dezesseis anos. Desde então conversamos todos os dias, de janela contra janela. Disse-me que era solteira, e eu jurei que seríamos um do outro.

Perguntei-lhe uma vez se me amava, e ela, sorrindo, atirou-me com um bogari que nesse momento trazia pendente dos lábios.

Ai! sonhei com a minha Ester, bonita e pura, noites e noites seguidas. Idealizei toda uma existência de felicidade ao lado daquela meiga criatura adorável; até que um dia, já não podendo resistir ao desejo de vê-la mais de perto, aproveitei-me de uma casa à sua contígua, que estava para alugar, e consegui, galgando o muro do terraço, cair-lhe aos pés, humilde e apaixonado.

— Ui! que veio o senhor fazer aqui? — perguntou-me trêmula, empalidecendo.

— Dizer-te que te amo loucamente e que não sei continuar a viver sem ti! suplicar-te que me apresente a quem devo pedir a tua mão, e que marques um dia para o casamento, ou então que me emprestes um revólver e me deixes meter aqui mesmo duas balas nos miolos!

Ela, em vez de responder, tratou de tirar-se do meu alcance e fugiu para a porta do terraço.

— Então?... Nada respondes?... — inquiri no fim de alguns instantes.

— Vá-se embora, criatura!

— Não me amas?

* Conto dedicado "A Afonso Celso" (1893).

— Não digo que não; ao contrário, o senhor é o primeiro rapaz de quem eu gosto mas vá-se embora, por amor de Deus!

— Quem dispõe de tua mão?

— Quem dispõe de mim é meu tutor...

— Onde está ele? Quem é? Como se chama?

— Chama-se José Bento Furtado. É capitalista, comendador, e deve estar agora na praça do comércio.

— Preciso falar-lhe.

— Se é para pedir-me em casamento, declaro-lhe que perde o seu tempo.

— Por quê?

— Meu tutor não quer que eu case antes dos vinte anos e já decidiu com quem há de ser.

— Já?! Com quem é?

— Com ele mesmo.

— Com ele? Oh! E que idade tem seu tutor?

— Cinquenta anos.

— Jesus! E a senhora consente?...

— Que remédio! Sou órfã, sabe? de pai e mãe... Teria ficado ao desamparo desde pequenina se não fosse aquele santo homem.

— É seu parente?

— Não, é meu benfeitor.

— E a senhora ama-o?...

— Como filha sou louca por ele.

— Mas esse amor, longe de satisfazer a um noivo, é pelo contrário um sério obstáculo para o casamento... A senhora vai fazer a sua desgraça e a do pobre homem!

— Ora! o outro amor virá depois...

— Duvido!

— Virá à força de dedicação por parte dele e de reconhecimento por minha parte.

— Acho tudo isso imoral e ridículo, permita que lho diga!

— Não estamos de acordo.

— E se eu me entender com ele? se lhe pedir que ma dê, suplicar, de joelhos, se preciso for?... Pode ser que o homem, bom, como a senhora diz que é, se compadeça de mim, ou de nós e...

— É inútil! Ele só tem uma preocupação na vida: ser meu marido!

— Fujamos então!

— Deus me livre! Estou certa de que com isso causaria a morte do meu benfeitor!

— Devo, nesse caso, perder todas as esperanças de...?

— Não! Deve esperar com paciência. Pode bem ser que ele mude ainda de ideia, ou, quem sabe? pode ser que morra antes de realizar o seu projeto...

— E acha a senhora que esperarei, sabe Deus por quanto tempo! sem sucumbir à violência da minha paixão?...

— O verdadeiro amor a tudo resiste, quanto mais ao tempo! Tenha fé e constância é só o que lhe digo. E adeus.

— Pois adeus!

— Não vale zangar-se. Trepe de novo ao muro e retire-se. Vou buscar-lhe uma cadeira.

— Obrigado. Não é preciso. Faço todo o gosto em cair, se me escorregar a mão! Quem me dera até que morresse da queda, aqui mesmo!

— Deixe-se de tolices! Vá!

— Dê-me ao menos um beijo, para a viagem!

— Nem meio!

— Nada?

— Nada. Vá!

Saí; saí ridiculamente, trepando-me pelo muro, como um macaco, e levando o desalento no coração. — Ah! maldito tutor dos diabos! Velho gaiteiro e libertino! Ignóbil maluco, que acabava de transformar em fel todo o encanto e toda a poesia da minha existência! — A vontade que eu sentira era de matá-lo; era de vingar-me ferozmente da terrível agonia que aquele monstro me ferrara no coração!

— Mas não as perdes, miserável! Deixa estar! — prometia eu com os meus botões.

Não pude comer, nem dormir, durante muitos dias. Entretanto, a minha adorável vizinha falava-me sempre, sorria-me, atirava-me flores, recitava os meus versos e conversava-me sobre o nosso amor. Eu estava cada vez mais apaixonado.

Resolvi destruir o obstáculo da minha felicidade. Resolvi dar cabo do tutor de Ester.

Já o conhecia de vista; muita vez encontramo-nos à volta do espetáculo, em caminho de casa. Ora, a rua em que habitava o miserável era escusa e sombria... Não havia que hesitar: comprei um revólver de seis tiros e as competentes balas.

— E há de ser amanhã mesmo! — jurei comigo.

E deliberei passar o resto desse dia a familiarizar-me com a arma no fundo da chácara; mas logo às primeiras detonações, os vizinhos protestaram; interveio a polícia, e eu tive de resignar-me a tomar um bonde da Tijuca e ir continuar o meu sinistro exercício no hotel Jordão.

Ficou, pois, transferido o terrível desígnio para mais tarde. Eram alguns dias de vida que eu concedia ao desgraçado.

No fim de uma semana estava apto a disparar sem receio de perder a pontaria. Voltei para o meu cômodo de rapaz solteiro; acendi um charuto; estirei-me no canapé e dispus-me a esperar pela hora.

— Mas — pensei já à noite — quem sabe se Ester não exagerou a coisa?... Ela é um pouquinho imaginosa... Pode ser que, se eu falasse ao tutor de certo modo... hem? Sim! é bem possível que o homem se convencesse e... Em todo o caso, que diabo, nada perderia eu em tentar!... Seria até muito digno de minha parte...

— Está dito! resolvi, enterrando a cabeça entre os travesseiros. Amanhã procuro-o; faço-lhe o pedido com todas as formalidades; se o estúpido negar — insisto, falo, discuto; e, se ele, ainda assim não ceder, então bem — zás! morreu! Acabou-se!

No dia imediato, de casaca e gravata branca, entrava eu na sala de visitas do meu homem.

Era domingo, e apesar de uma hora da tarde, ouvi barulho de louça lá dentro.

Mandei o meu cartão. Meia hora depois apareceu-me o velhote, de rodaque branco, chinelas, sem colete, palitando os dentes.

A gravidade do meu trajo desconcertou-o um tanto. Pediu-me desculpa por me receber tão à frescata, ofereceu-me uma cadeira e perguntou-me ao que devia a honra daquela visita.

Que, lhe parecia, tratava-se de coisa séria...

— Do que há de mais sério, senhor comendador Furtado! Trata-se da minha felicidade! do meu futuro! Trata-se da minha própria vida!...

— Tenha a bondade de pôr os pontos nos i i...

— Venho pedir-lhe a mão de sua filha...

— Filha?

— Quer dizer: sua pupila...

— Pupila?...

— Sim, sua adorável pupila, a quem amo, a quem idolatro e por quem sou correspondido com igual ardor! Se ela não o declarou ainda a V. S.ª é porque receia com isso contrariá-lo; creia porém, senhor comendador, que...

— Mas, perdão, eu não tenho pupila nenhuma!

— Como? E D. Ester?...

— Ester?!...

— Sim! a encantadora, a minha divina Ester! Ah! Ei-la! É essa que aí chega! — exclamei, vendo que a minha estremecida vizinha surgia na saleta contígua.

— Esta?!... — balbuciou o comendador, quando ela entrou na sala, — mas esta é minha mulher!...

— ?!...

Heranças

Duro o sobrecenho, a cara franzida e má, trabalhava ele sombriamente à sua secretária, importunado pelo rumor de duas vozes, uma de homem e outra de mulher, que altercavam na sala próxima, num arrastado crescendo de rixa habitual.

— Diabo! — resmungou, coçando a cabeça. — Já lá estão os dois a brigar! Não me deixam fazer nada!...

O ruído aumentou. Cruzaram-se injúrias mais fortes; ouviram-se punhadas e pontapés nos móveis.

— Que inferno!

E o rapaz arremessou a pena e correu à porta da sala, exclamando desabridamente:

— Então, meu pai! não tenciona acabar com isso?!

— Pois não vês que é tua mãe que me provoca?! — berrou o outro apoplético de raiva. — Vem ouvir só o que ela me está dizendo, esta peste!

— Ora tenha juízo!...

— Malandro!

— Ouviste?!

— Não faça caso!...

— Especulador!

— É demais!

— Deixe-a lá!...

— Bêbedo! Covarde!

— Covarde?! Pois vou dar-te o pano de amostra da minha covardia, víbora assanhada!

E o homem atirou-se em fúria, de mãos prontas para fechar a mulher dentro das garras. Mas o filho, de um salto, susteve-lhe a carreira e apresou-o energicamente pelo vigoroso dorso, empurrando-o para o quarto onde trabalhava e cuja porta obstruiu com o corpo.

— Deixa-me, ou te arrependerás! — bradou o pai, ameaçando-o com o punho cerrado.

— Acalme-se! O senhor já está em idade de ter juízo! Apre!

— Tento na língua! Olha que ainda sou homem para amassar vocês dois numa só pasta!

O filho não fez caso da nova ameaça, deu com ímpeto uma volta à maçaneta da porta e disse ao outro em tom seco:

— O senhor está hoje num dos seus dias, e eu preciso trabalhar, sabe? O melhor é pôr-se ao fresco! Vá dar um giro pela estrada. A lua já nasceu e os caminhos estão secos até à estação...

— Não vou! Ninguém aqui nesta casa tem o direito de mandar-me sair!

— Decerto, mas é melhor que se afaste... No fim de contas sou seu filho e pesa-me ter de faltar-lhe ao respeito para defender minha mãe.

— Chega a tempo esse escrúpulo... Não há que ver!...

— Não puxe palavras! Sinto-me pouco disposto a discutir e tenho muito que fazer!

— Pois não me provocasses! Não te fosses meter onde não eras chamado!

— Não o provoquei, ora esta! Meti-me na sua contenda com minha mãe, para lhe não deixar que batesse nela. Não seria a primeira vez. Sei até onde vai a força do seu gênio!

— Meu gênio! E podes tu falar dele?... Acaso tens tu melhor gênio do que eu?... Não me terás dado porventura as mais belas provas da tua brutalidade e da tua insolência?... Sempre te conheci feroz! Ainda bem pequeno, em um ímpeto de raiva, uma vez que no açude te quis constranger a nadar comigo, mordeste-me o braço como um cão! conservo até hoje no corpo o sinal dos teus dentes! olha!

E, em um só tempo, o homem arregaçou até os bíceps as mangas do braço esquerdo, e estendeu-o ereto e nu defronte dos olhos do filho.

Este abaixou a cabeça com tristeza, sem desfranzir o sobrecenho...

— É exato... — disse, — saí aos meus... Juro-lhe porém que sempre me arrependo das minhas violências, mal as cometo... E se ainda há pouco não interviesse na sua disputa com minha mãe, o senhor tê-la-ia espancado...

— E o que tinhas a ver com isso? Antes dela ser tua mãe, já era minha mulher! Tu lhe deves respeito, mas eu tenho o direito de ser respeitado por ela!

— Bom! Acabou-se! Vá dar um passeio; vá que isso lhe fará bem...

— Não acabou tal! quiseste arrematar a contenda, pois agora é aguentar com ela! Se assim não fosse, escusava eu de estar aqui a trocar palavras contigo; já sabes que posso passar perfeitamente sem te ouvir a voz...

— Mas afinal, onde quer o senhor chegar?

— Quero despejar os meus ressentimentos contra tua mãe e contra ti!

O rapaz sacudiu a cabeça com impaciência, e soprou forte todo o ar dos pulmões, cerrando mais as sobrancelhas.

O outro prosseguiu resfolegando a miúdo:

— Ela, aos teus olhos, será tudo quanto quiseres; para mim é e sempre foi um demônio! uma fúria infernal! uma serpente venenosa!

— Lembro-lhe de novo que sua mulher é minha mãe...

— Sei, e é por isso justamente que não a conheces. Não podes ver nela a verdadeira criatura que nela existe! Todas as mulheres são, para os seus competentes filhos, uns anjos impecáveis; mas se aquele diabo te dissesse uma só parte do que a mim me repete a cada instante, na febre do rancor e da maldade, terias a cabeça em fogo como a minha me escalda neste momento!

— Basta! não quero saber disso!

— Hás de saber! Não aceito imposições!

— Peço-lhe então que se cale, ou se retire...

— Pedes-me? Com que direito? Acaso esperas tu que eu atenda aos teus pedidos? Só pedidos de amigos se tomam em consideração e tu nunca foste meu amigo!

— Se nunca fui seu amigo a culpa não é minha. O amor filial é sempre uma consequência do amor dos pais. Não nasce com o filho, é preciso formá-lo. Sei que amo minha mãe...

— Tal mãe, tal filho! Ela declara que me detesta; ele declara que nunca me amou...

— E o senhor?... amou-me algum dia?... No entanto o seu amor de pai devia ter nascido comigo, que sou seu filho. Eu tinha o direito, ao apear-me na vida, de encontrar o seu amor já de pé, à minha espera ao lado dos gemidos de minha mãe parturiente; e foi só o amor materno que me recebeu, e só ele me vigilou o berço. Carícias de pai não me recorda havê-las recebido na idade em que se forma o amor no coração das crianças. Saí dos alugados braços de uma ama para o venal desterro de um internato de segunda ordem, onde bem raras vezes o senhor foi visitar-me. Nesse tempo, confesso-lhe, menos me lembrava das suas feições que das de outros pais que lá iam frequentemente visitar os filhos mais felizes do que eu; nem sei, com franqueza! até como não cheguei a esquecê-las de todo! Do internato segui logo a trabalhar para um país estranho, onde suas cartas foram tão raras quanto foram as suas visitas ao colégio. Volto à minha terra, entro de novo nesta casa, sou friamente acolhido pelo senhor e, pouco depois, recebo ordem sua para tomar por esposa uma rapariga, que eu mal conhecia; recuso. O senhor insiste. Resisto a pé firme; o senhor opõe-me com empenho uma série de razões pecuniárias, que em nada alteram o meu propósito; e então o senhor ameaça-me, como se eu fora uma criança ou um imbecil, e lança-me à cara todas as brutalidades que lhe vêm à boca; eu pela primeira vez, fico conhecendo o homem que é meu pai: começo a detestá-lo e uma vez por todas, perco-lhe o respeito: insulto-o! Desde esse infeliz momento, toda a indiferença que o senhor tinha por mim transformou-se em ódio, ódio legítimo e mortal. E, de então até hoje, o senhor, apesar dos meus esforços em ser bom filho para minha mãe, não procura disfarçar sequer a profunda aversão que eu lhe inspiro! Não é esta a verdade?

— Sim, é! Eu te odeio, porque o teu proceder para comigo, negando-te a aceitar a esposa, cujo dote vinha salvar tua família da miséria, foi indigno e cruel, em vista da franqueza com que te falei e das súplicas que te fiz!

— Indigno?

— Foi mais: foi degradante, porque foi uma extorsão, foi um roubo!

— Oh!

— Sim, um roubo! Posso prová-lo!

— Não! Não há razões que justifiquem a exigência de tal sacrifício nem há homem de bom senso que se preste a casar pelas conveniências pecuniárias do pai!

— Ah! Eu fui um deles! Como tu, saí do colégio para aprender a ganhar a vida longe de minha terra; ao voltar a esta casa meu pai apontou-me, como te apontei, a mulher com quem devia eu casar. Recalcitrei, como tu recalcitraste; mas o pobre homem trouxe-me para este quarto, que era então o seu gabinete de trabalho, fechou-se comigo e, chorando abriu-me o coração e contou-me a sua vida; disse-me que seu casamento tinha já sido feito em idênticas circunstâncias para salvar meu avô de uma vergonhosa ruína, e pintou-me nua e crua, tal qual como fiz contigo, a sua tristíssima posição. Ele, coitado, tinha aqui em casa uma órfã rica e feia, de quem era tutor, e de cujo dote lançara mão; a maioridade dela estava a bater à porta; ia chegar o momento da prestação de contas e meu pai não tinha com quê. A sua última esperança era o meu casamento com a pupila, essa detestável criatura que foi depois tua mãe. Pois bem! eu, aliás apaixonado por outra mulher, de quem até hoje nunca mais me esqueci; eu não tive ânimo como tu tiveste, miserável, de abandonar meu pai ao desespero e ao opróbrio que o esperavam e sacrifiquei-me por ele. Era o meu dever de filho — cumpri-o. Meu filho, por sua vez, não fez o mesmo a meu favor — lesou-me! É um ladrão!

— Cale-se, por amor de Deus! — exclamou o rapaz, sentindo que a cólera, dentro dele a custo reprimida, ameaçava rebentar.

— Não me calarei! Hás de me ouvir!

— Oh! cale-se! cale-se! não me queira fazer mais desgraçado do que sou! Cale-se, ou não responderei por mim!

— Ameaças-me?! — bramiu o pai. — Não te tenho medo!

O rapaz cerrou os punhos, rilhando os dentes. Tremiam-lhe os músculos da face, tal era o esforço que fazia para conter-se.

E os dois olharam-se, em mudo e ofegante desafio. Pai e filho mediram-se com o mesmo ódio, com a mesma irascibilidade hereditária, com a mesma loucura consanguínea.

Uma palavra mais, só uma palavra, bastaria para os lançar um contra o outro.

Mas a porta da sala abriu-se de roldão, e a mãe acudiu, correndo para o filho, a cujo pescoço se agarrou com ímpeto.

— Meu filho, não lhe batas! não lhe batas — implorou a mísera.

— Não lhe tocarei! Obrigado, minha mãe... Ele, porém, que saia já da minha presença! Não o posso ver!

— Lembra-te de que ele é teu pai...

— Seu pai, nunca! — vociferou o outro. Não é possível que este monstro seja meu filho!

E, espumando de raiva, dirigiu-se à mulher, com o punho fechado e o braço estendido, quase a tocar-lhe no rosto:

— Esse bandido é teu sangue, é só teu sangue! Semelhante traficante nunca poderia ter procedido de mim! Concebeste-o de qualquer cigano ou de qualquer vaqueiro errante!

— Ah! — gemeu a mulher em um grito de dor e de revolta, levando ao coração ambas as mãos como se o tiveram apunhalado.

— Rua! — berrou o pai. — Sai já daqui de minha casa! Rua, miserável!

E atirou-se sobre o filho, para o lançar fora.

Ouviu-se então um bramido de fera assanhada. O rapaz, com um movimento rápido, empolgara-o pela cintura, gritando-lhe feroz:

— Tu é que sairás, infame! Vou despenhar-te pela escada!

E travou-se a luta, irracional e bárbara. Pai e filho eram ambos possantes e destemidos. O rapaz cingia o outro pelos rins e, aos arrancos, procurava arrojá-lo para o corredor. Mas o adversário resistia, e os dois estreitaram-se com mais gana, feitos em um só, em uma só mole ofegante e furiosa, que rodava aos trancos pela casa, levando aos trambolhões o que topava, despedaçando móveis e vidraças, esfregando-se pelas paredes, a rodar sempre fundidos em um infernal abraço de ódio, filho de ódio, de ódio do mesmo sangue.

Afinal fraqueou o mais velho, caindo de joelhos. E o outro, de pé, começou a arrastá-lo penosamente para o lado da escada.

— Hás de sair! Hás de sair!

O arrastado forcejava para resistir ainda, escorando-se no chão com os pés, com as pernas e com os cotovelos; mas, polegada a polegada, ia cedendo. Arfavam como dois touros.

— Larga-me! Larga-me!

— Hás de sair! Hás de sair!

E aproximavam-se do patamar. Já parte do caminho estava vencida. Não tardaria o primeiro degrau. O mais velho, porém, a certa altura do corredor, fez um supremo esforço para erguer a cabeça e, pondo as mãos, suplicou de joelhos, quase sem fôlego:

— Para aqui, por amor de Deus! Não me leves mais adiante!... Foi até aqui, neste lugar justamente, que eu, nestas mesmas condições, uma noite como esta... arrastei teu avô como me estás arrastando agora!... Não me leves além do que eu o levei!... Não seria justo!... Vingaste-o!... Estamos quites!

A serpente

João Brás foi jantar à Santa Teresa com o seu amigo Manuel Fortuna, como costumava fazer invariavelmente todos os domingos.

Eram ambos do comércio: João guarda-livros e o outro estabelecido com uma loja de alfaiate. Grisalhando já entre os quarenta e os cinquenta, não tinham eles todavia vinte anos quando se conheceram; e essa longa amizade jamais fora perturbada pelo menor atrito de caráter.

— A paz dos anjos seja nesta casa! — exclamou João Brás, no tom risonho e tranquilo com que, ao chegar os domingos à casa do velho amigo, dizia sempre e sempre essa mesma frase.

— Bons ventos o tragam, compadre, — respondeu Manuel, estendendo-lhe a mão. — Como tem passado? E minha afilhada como vai?

— Sem novidade, graças a Deus. Lá foi mais o marido e os filhos visitar a sogra, na Piedade. Naturalmente só voltam amanhã no trem das nove e meia. — D. Maria, já sei, está lá dentro?

— Está. Vá entrando compadre.

E o guarda-livros enfiou sem-cerimônia até à cozinha para ir entregar à D. Maria, que lá estava às voltas com o jantar e com a cozinheira, os pacotes de doces e frutas que ele trazia pendurados da mão esquerda.

Abraçaram-se formalmente, entre as palavras e os risos do costume.

João Brás era viúvo já pela segunda vez. Do primeiro matrimônio ficara-lhe uma filha, que, pelo batismo, o fizera compadre de Manuel, e depois, dezoito anos mais tarde, lhe dera um lindo casal de netos, agora constituídos no alegre enlevo da sua velhice.

Aqueles jantarzinhos domingueiros em casa do amigo tinham para ele o irresistível encanto do mais velho hábito de sua vida. Mal cumprimentava os donos da casa, trocava a sobrecasaca por um rodaque de linho branco e estendia-se numa cadeira de balanço, sob as árvores do jardim, à espera que o chamassem para a mesa. O cozido, o vinho virgem e os motivos da conversa entre os três eram quase sempre os mesmos. Depois do café, os dois compadres armavam sobre as pernas o tabuleiro do gamão e enfiavam partidas até às dez e meia da noite, enquanto D. Maria se arranchava lá fora com as famílias da vizinhança, fazendo roda à porta da chácara ou passeando pelas aproximações da casa.

Manuel todavia não era casado com a sua companheira. Tendo, aos trinta anos, a recolhido como empregada para lhe tomar conta da casa, da despensa e das roupas brancas, deixou-se afinal entrar passivamente no inventário dessas coisas, e ela acabou por tomar conta também dele. Quando deram por si, estavam unidos pela mais legítima ternura e estavam conviventes no mais perfeito pé de igualdade.

D. Maria era honesta por índole, era sadia e limpa; o negociante sentiu-se bem ao lado dela e deixou-se ficar.

Terminado o jantar, Manuel foi, como de costume, buscar o gamão; e assentados um defronte do outro, dispuseram-se os dois amigos à pachorrenta campanha, trocando logo as primeiras facécias e as primeiras risadas de todas as suas inumeráveis partidas.

— Mas então, compadre, — interrogou João, armando o jogo; — afinal que me diz você do que falei outro dia a respeito de D. Maria?... Está resolvido a...

— Ai mau! Já aí vem você com a mania! Tardava-me essa cantiga! Ora para que lhe havia de dar!

— Mania não, homem de Deus! É tudo que há de mais razoável e de mais justo! D. Maria é uma senhora séria... você não tenciona separar-se dela... por que, pois, não se casam logo?... Seria mais bonito!

— Mas por que diabo hei de me eu casar, se somos felizes assim como vivemos há treze para quatorze anos... Nunca até hoje nenhum de nós dois pensou em semelhante coisa... As nossas relações de amizade não podem ser mais limitadas e modestas. Ela não tem pretensões e eu, cá pelo meu lado, nada espero nem desejo fora do meu canto, onde vivo em boa paz, graças a Deus! Quando queremos sair, saímos! Vamos ao teatro! vamos ao Passeio Público! vamos a toda a parte! Ninguém repara em nós! Por que então hei de eu agora tirar-me dos meus cuidados e casar?!... Não mo dirá você?!...

— Seria mais bonito!...

— Ora deixe-se disso, compadre!

— É uma questão de moral!...

— Então, seu João, eu sou um homem imoral?... Por quê?

— Não digo isso, mas...

— Se tivéssemos filhos, vá! Convenho que seria de vantagem o casamento... mas, se até hoje eles não vieram, é natural que nunca mais venham.

— Não, compadre, o seu casamento com D. Maria não é só um ato de moralidade, é também um dever de gratidão e é bom cumprimento de justiça! Pois então uma mulher, uma senhora, dedica-se durante quatorze anos a um homem, procedendo sempre com a mais severa honestidade, ajudando-o na vida, tratando dele, aturando-o enfim! e, ao cabo de todo esse tempo, ele se não resolve a fazer por ela um pouco mais do que no primeiro dia das suas relações!... Não! não é justo, seu compadre! Tenha paciência, mas não é justo!

— Homem! Sabe de uma coisa? Não falemos mais nisto! Você quando mete a cabeça para um lado não há meio de tirá-la daí!

— Pois não falemos! não falemos! O meu protesto, porém, fica de pé!

Não falemos, não falemos, mas no domingo seguinte, durante o joguinho, o compadre João Brás voltou à carga e acrescentou às novas escusas do amigo:

— É! nas suas condições dizem os homens geralmente a mesma coisa e afinal acabam sempre casando à última hora, quando a mulher está a despedir-se da vida e já nada aproveita por conseguinte com a tardia resolução do seu ingrato companheiro; ao passo que esse mesmo ato de justiça, praticado antes, em pleno gozo da existência, seria honroso motivo de verdadeira felicidade para ela!

— Ora deixe-me em paz, compadre! Deixe-nos viver como vamos vivendo e preste mais atenção ao jogo, se não prego-lhe um gamão cantado.

— Pois vivam, continuem a viver seguros pela mão esquerda, mas eu cá ficarei com o direito de revoltar-me, se um dia, em caso extremo, resolver-se você a coonestar a sua união com D. Maria!

Manuel soprou com mais força e arregaçou as sobrancelhas, dando silenciosa cópia de quanto fatigava aquela torturante catequese. E continuou a jogar sem dizer palavra.

O outro prosseguiu, distraído do jogo:

— Além disso, é que pode você morrer de um momento para outro, sem ter tido tempo de pôr em ordem os seus negócios, e a pobre senhora ficar para aí desamparada no mundo! Você tem parentes em Portugal, até irmãos se me não engano, pois saiba então que mesmo com testamento, esta casa e o que você possui no banco há de tudo parar em poder deles, arriscando ficar D. Maria sem ter onde cair morta e precisando na velhice andar pelas esquinas a pedir por amor de Deus um bocado de pão para matar a fome! Vamos lá! Isto lhe parece justo, seu compadre?!

— Oh! Não diga isso, criatura, que você me aperta o coração! Ora já se viu?!

— Pois é cumprir com o seu dever, homem. Case-se por uma vez!

E, como D. Maria nesse momento entrava do passeio, o moralista levantou-se, deixando o tabuleiro do gamão sobre as pernas do parceiro, e foi ter com ela, para lhe dizer à queima-roupa:

— Estive até agora conversando com o compadre a seu respeito, D. Maria! Mas isto é um cabeçudo de marca! Pergunte-lhe pelo que lhe falei e ajude-me também pelo seu lado!

Manuel soltou uma gargalhada.

— Sabes tu qual é agora a mania do João?... — disse ele, voltando-se para a companheira. — É casar-nos! Ora já se viu para que lhe havia de dar?... E não me larga, o teimoso! Não me fala noutra coisa!

— E não lhe parece que eu tenho razão? — perguntou João Brás, dirigindo-se por sua vez a D. Maria, que os escutava imóvel, sorrindo em silêncio.

— Ah! — respondeu ela com doçura. — Eu estimaria... isso com certeza... Para que negar?... Casada sempre é outra coisa: pode uma mulher andar de cabeça erguida e pode mandar em voz alta, porque manda no que é seu! Mas cá por mim, em boa hora o diga! dou-me por muito feliz em ter Deus me chegado para um homem como seu compadre, e nada exijo nem reclamo, porque muito já é o que ele faz por mim e pelos meus!

— E não dói a você a consciência, seu Manuel, — exclamou João Brás com a voz tragicamente comovida, estendendo o braço e derreando para um lado a cabeça. — Não dói a você a consciência ao ouvir estas palavras, que são a expressão pura da virtude e da resignação?

— Pois bem! Pois bem! — rosnou Manuel, quase vencido. — Havemos de ver! Havemos de ver!

— Não! — replicou o outro energicamente: — "Havemos de ver" é uma promessa de caloteiro! Você o que não quer, já sei, é incomodar-se, pois eu me encarrego de tudo! Amanhã mesmo trato dos papéis. Está dito?

— Sim, sim! Veremos amanhã.

— Não! Não! Já daqui não saio sem autorização para correr os banhos! Quando me meto numa coisa, é assim! O caso é estar convencido da justiça e da razão!

— Mas que desensofrimento! Que sangria desatada! — exclamou Manuel. — Irra! Parece que você vai salvar o pai da forca!

— Nada, meu amigo! O que se tem de fazer, faz-se logo. — O pão endurece de um dia para outro! — E lá a senhora, D. Maria, ajude-me a arrastar este egoísta! Segure-o pelos ombros, que eu o seguro pelas pernas, e despejemos com ele do terraço abaixo, se não nos autorizar já e já a tratar amanhã mesmo dos papéis do casamento!

— Pois com um milhão de raios! — vociferou afinal o perseguido, fugindo ao terrível compadre, que por pilhéria o agarrava já pelas pernas. — Arranje! arranje você lá os papéis que quiser! arranje o diabo! mas deixe-me em paz e nunca mais me fale em semelhante coisa! Apre! Pode gabar-se, meu caro, de que é um serrazina de primeira força! Nunca vi coisa igual!

— Ora bravo! — aplaudiu João, batendo palmas. — Até que afinal você provou que é um homem de bem! Venha de lá este abraço! E, quanto à senhora, os meus parabéns de amigo sincero! Amanhã mesmo trato dos papéis!

— Mas olhe lá, seu João... — atalhou o outro, segurando-lhe o braço. — Observo-lhe que não estou absolutamente disposto a prestar-me ao ridículo nesta idade! Só consinto no casamento se este for coisa muito íntima, muito em segredo, sem festas, sem convites e sem nada de barulho.

— Ó homem! — volveu João Brás, — o casamento faz-se de madrugada, um dia destes, na competente igreja sem que ninguém tenha que meter lá o nariz! E depois ficam vocês casados e dignamente unidos para sempre! Podemos é jantar, nós os três juntos esse dia; o que, para não alterar a praxe, bem pode ser num domingo. Hein? Que lhes parece?...

— Bom... Assim vá lá! — cedeu Manuel.

— Fica então marcado para o domingo que vem?...

— Pois marquem lá para domingo! Irra!

E assim foi. No domingo seguinte Manuel levou D. Maria à igreja de sua freguesia e voltaram de lá marido e mulher, graças a João Brás que tinha tudo despachado, com uma expedição capaz de envergonhar ao mais ativo agente de casamentos.

O jantar, já se vê, foi melhor nesse dia e regado mais copiosamente. D. Maria mandou matar peru e recebeu de mimo um leitão assado. Fez doces e comprou frutas e flores. Manuel, à tarde, admirou-se de ver entrarem-lhe pela sala algumas vizinhas com trajos de festa, acompanhadas pelos parentes e não se pôde furtar a parabéns e abraços, que lhe faziam torcer o nariz.

— Aquele compadre João Brás era o diabo! Afinal de contas tudo aquilo estava fora do programa!

Manuel principiava a arrepender-se do que tinha feito e parecia já menos alegre que nos outros dias.

D. Maria, essa pelo contrário, estava radiante e mostrava-se mais empertigada, mais dona-de-casa. À mesa falou aos convivas com um ar empantufado e senhoril, que ninguém, ainda menos Manuel, até aí lhe conhecera.

Contudo, o bom homem, apesar de deveras contrariado por sair dos seus velhos hábitos, não se queixou; e, mal terminados os fervorosos brindes da sobremesa, foi pachorrentamente buscar o tabuleiro do gamão e armou-o sobre os joelhos, no lugar do costume, assentado defronte do vitorioso compadre.

D. Maria acabava nesse instante de assomar à porta da sala, palitando os dentes. Ao ver o marido, que armava a primeira partida, exclamou:

— Também vocês são terríveis com esse infernal gamão! Oh! nem mesmo no dia de meu casamento e com visitas aqui deixam o diabo do jogo!

E arrebatou das pernas dos dois parceiros o tabuleiro, com os dados, as pedras e *os copos* de couro, que se espalharam pelo chão.

João Brás soltou uma risada supondo que aquilo era simples gracejo. Mas, D. Maria acrescentou de cara fechada e com voz dura:

— Ó senhores! Que diabo, deixem-se dessa sensaboria uma vez ao menos! Tenham um pouco em conta o dia de hoje!

E afastou-se, muito escamada, sacudindo os quadris e abanando-se com o leque.

Os dois compadres, assentados um defronte do outro, como se fossem agora jogar o sisudo, olharam-se, sem ânimo de proferir palavra.

E assim que se pilharam a sós, Manuel segredou ao amigo:

— Você viu, compadre! Você viu o pano da amostra?

João não respondeu e Manuel murmurou, sacudindo a cabeça:

— Pode ser que me engane, e Deus o queira! mas suponho que para sempre me fugiu de casa a tranquilidade!...

E tinha razão o pobre homem: tais coisas se foram sucedendo em casa dele que Manuel, meses depois, surgiu um dia no escritório do amigo, e atirou-se numa cadeira esbaforido de cólera.

— Que houve de novo, compadre? que mais lhe aconteceu? — perguntou o guarda-livros.

— Foi você quem se encarregou dos papéis para casar-nos, não é verdade? — bramiu o negociante. — Pois, meu amigo, trate agora dos papéis do divórcio, porque este que aqui está nunca mais porá os pés na casa em que estiver aquela fúria! Nunca mais, ouviu!?

E aquele homem, até aí tão pachorrento, tinha agora uma catadura de tigre assanhado e dardejava ferozmente o guarda-chuva, ameaçando quebrar os globos das arandelas do gás.

— Arre! Arre! — berrava ele! — Vá para o inferno e o diabo que a ature!

— Mas, compadre, reconsidere, escute! Você está fora de si, homem!

— Não! — berrou Manuel, esbugalhando os olhos e rilhando os queixais. — Não, com mil raios! Se me aproximar daquele demônio é para estrangulá-lo! não volto à casa! não quero ser assassino!

— Mas o que mais houve, compadre?

— Que houve?! — e o infeliz soltou uma galhada satânica. — Que houve?! Vá lá a casa e veja o estado em que deixamos tudo! Vá ver!

No Maranhão*

Quando eu tinha treze anos, lá na província, uma das famílias que mais intimamente se dava com a minha era a do velho Cunha, um bom homem, já afastado do comércio a retalho, onde fizera o seu pecúlio, e casado com uma senhora brasileira, D. Mariana.

Tinham um casal de filhos: Luís e Rosa, ou Rosinha, como lhe chamávamos. Luís era mais velho que a irmã apenas um ano e mais moço do que eu apenas meses.

* Conto dedicado "A Francisco Colás" (1893).

Fomos por bem dizer criados juntos, porque, quando não era eu que ia visitá-los, eram eles dois que vinham passar o dia comigo.

Morava na praia de Santo Antônio, num grande e belo sobrado, cujos fundos, como o de todas as casas do litoral da ilha do Maranhão, davam diretamente para o mar.

O Cunha, além desta casa, que era de sua propriedade, tinha um sítio onde ia frequentemente passear com a família.

Quase sempre levavam-me também. O sítio chamava-se "Boa-Vinda" e ficava à margem do rio Anil, para além de Vinhais. Embarcava-se no próprio quintal da casa.

Estes passeios à Boa-Vinda constituíam um dos maiores encantos da minha infância. Criado à beira-mar na minha ilha, eu adorava a água; aos doze anos era já valente nadador, sabia governar um escaler ou uma canoa, amainar com destreza a vela num temporal, e meu remo não se deixava bater facilmente pelo remo de pá de qualquer jacumaúba pescador de piabas.

Saíamos quase sempre no segredo da primeira madrugada e chegávamos ao sítio ao repontar do sol.

Ah! que deliciosos passeios! Que belas manhãs frescas, deslizadas por entre os mangais, sentindo-se recender forte o odor salgado das maresias! E depois, lá no sítio, instalados na varanda de telha-vã, que prazer não era devorar o almoço, assentados todos em bancos de pau, de volta de uma mesa coberta de linho claro, a beber-se o vinho novo do caju por grandes canecas de terra vermelha! E depois — toca a brincar! toca a correr por aí a fora, em pleno mato, cabelos ao vento, corpo e coração à larga!

E, à tarde, depois do jantar, quando a natureza principiava a cair nos desfalecimentos chorosos do crepúsculo, vínhamos todos assentar-nos na eira, defronte da casa, ouvindo o pio mavioso e plangente das sururinas que se acoitavam para dormir nas matas próximas. Então, Luís ia buscar a sua flauta, Rosinha o seu violão, e eu, acompanhado por eles, punha-me a cantar as modas mais bonitas de minha terra.

D. Mariana e o Cunha gostavam de ouvir-me cantar. Nesse tempo a minha voz tinha ainda, como minha alma, toda a frescura da inocência.

À noite, enfim, metiam-se de novo no balaio as vasilhas do farnel, carregava-se com tudo para bordo da canoa, estendia-se por cima uma vela de lona, em que nos assentávamos os três, Luís, a irmã e eu; o Cunha tomava conta do leme, com a mulher ao lado; três escravos encarregavam-se dos remos; e rebatíamos para a cidade.

Tanto era risonha e viva a ida pela manhã, quanto era arrastada e quase triste a volta pela noite. D. Mariana começava a cabecear de sono; o Cunha punha-se a falar conosco sobre as nossas obrigações de aula no dia seguinte; Luís em geral deitava-se com a cabeça no regaço da irmã; e eu esticava-me sobre a lona. de rosto para o céu, a olhar as estrelas.

Uma noite voltávamos do sítio nessas condições. Mas havia luar.

E que luar! Desse que parece feito para quem anda embarcado; desse que vai espalhando pelo caminho adiante brancos fantasmas que soluçam, correndo pelas águas, surgindo e desaparecendo com as suas mortalhas de prata, numa agonia de morte, como se fossem as almas aflitas dos afogados.

Tínhamos já passado Vinhais havia muito e íamos agora deixando atrás de nós, uma por uma, todas as velhas quintas do Caminho-Grande, que dão um lado para o Anil. D. Mariana toscanejava como de costume, recostada numa almofada, o rosto pousado na palma da mão; Rosinha, com um braço fora da canoa, brincava pensativa, com as pontas dos dedos na orla fosforescente que se fazia nas águas a cada rumorosa braceagem dos remos; Luís cantarolava distraído; o velho Cunha, vergado sobre o braço do leme, com o seu grande chapéu de carnaúba derreado para a nuca, a camisa e o casaco de brim pardo abertos sobre o peito, fitava as praias que íamos percorrendo, como se a beleza daquela noite do Norte e a solidão daquele formoso rio azul lhe enleassem traiçoeiramente o espírito burguês, fazendo o milagre de arrebatá-lo para um devaneio contemplativo e poético.

Qual! No fim de longo recolhimento, quando passávamos em certa altura do rio, disse-me ele com um suspiro de lástima:

— Que desperdício de dinheiro e quanta incúria vai por aqui!... Vês aquelas ruínas cobertas de mato? aqui foi principiado há bem quarenta anos para um grande armazém de alfândega... nunca passou do começo! Teve a mesma sorte do cais da Sagração e do dique das Mercês! Que gente!

E eu pus-me a considerar as ruínas, que pareciam crescer à luz do luar; e o Cunha, possuído de uma febre de censura, continuava a derramar pelas tristes águas do Anil a sua cansada indignação contra os malditos presidentes de província, que tão mal cuidavam da nossa pobre e querida capital.

E, à marcha monótona e vagarosa da canoa, ia-se desdobrando lentamente ao lado de nós todo o flanco alcantilado da cidade.

Surgiu à distância o largo dos Remédios, elevando-se da praia como um velho baluarte dos tempos guerreiros.

Ouvia-se já um rumor tristonho de casuarinas.

— Está ali! — exclamou o Cunha estendendo o braço para o lado de terra. — Para que esbanjar dinheiro com uma estátua daquela ordem, quando há por aí tanta coisa de necessidade séria de que se não cuida?...

Olhei a direção que o Cunha indicava e vi a estátua de Gonçalves Dias, erguida no meio do largo dos Remédios, toda branca, muito alta, riste ao luar como a solitária coluna de um túmulo.

Não achei ânimo nem palavras para protestar contra o que dizia o velho Cunha. De Gonçalves Dias sabia apenas que fora um poeta infeliz e nada mais.

— É! — rosnou o pobre homem. Para o luxo de encarapitar aquele grande boneco no tope daquele imenso canudo de mármore, houve dinheiro! E dinheiro grosso! Todo o povo do Maranhão concorreu! Ao passo que para concluir o trapiche de Campos Melo, que é uma necessidade reclamada todos os dias pelo comércio, não apareceu ainda quem se mexesse? Súcia de doidos! Isto é uma coisa tão revoltante que eu confesso, chego quase a arrepender-me de me ter naturalizado!

Tornei a olhar para a estátua e, não sei por quê, as palavras do velho Cunha não me produziram desta vez a impressão de respeito que costumavam exercer sobre o meu espírito de criança. Pungia-me aquilo até como uma blasfêmia cuspida sobre uma imagem sagrada. Lá em casa de minha família todos veneravam a memória do nosso poeta, e na escola onde eu aprendia a escrever a língua portuguesa o meu próprio mestre lhe chamava a ele mestre.

No entanto, não opus uma palavra de defesa; mas, fitando agora de mais perto a branca figura de pedra, que na sua mudez gloriosa encara aquele mesmo mar que serviu de sepultura ao cantor das palmeiras de minha terra, achei-lhe o ar tão tranquilo, tão superior, tão distante de mim e do Cunha, que balbuciei para este timidamente:

— Mas, seu Cunha, se o povo lhe fez aquela estátua, é porque ele naturalmente a mereceu, coitado!

— Mereceu?! Por quê? O que foi que ele fez?... "Minha terra tem palmeiras, onde canta o sabiá. As aves que aqui gorjeiam, não gorjeiam como lá"?! Está aí o que ele fez! Fez versos!

E o Cunha, no auge da sua indignação, redobrou de fúria contra a loucura dos homens, que levantavam estátuas a poetas em vez de cuidar dos trapiches que o comércio a retalho reclamava.

Nesse instante a canoa deslizava justamente por defronte do largo dos Remédios. A lua, perdida e só no meio do céu luminoso, banhava no seu misterioso eflúvio a imóvel e branca figura de mármore.

E Rosinha, que não prestara atenção à nossa conversa, abriu a cantar, com a sua voz cristalina de donzela, uma das cantigas mais populares do Brasil:

Se queres saber os meios
Por que às vezes me arrebata
Nas asas do pensamento
A poesia tão grata;
Por que vejo nos meus sonhos
Tantos anjinhos dos céus,
vem comigo, oh doce amada
Que eu te direi os caminhos
Donde se enxergam os anjinhos,
Donde se trata com Deus.

E aquela menina, na sua virginal singeleza, estava desafrontando Gonçalves Dias, porque são dele os versos que ela ia cantando aos pés da sua estátua, inocentemente; rendendo, sem saber, enquanto o pai o amaldiçoava, o maior preito que se pode render a um poeta: repetir-lhe os versos, sem indagar quem os fez.

Não sou supersticioso, nem o era nesse tempo, apesar dos meus treze anos, mas quis parecer-me que naquele momento a estátua sorriu.

Efeitos do luar, naturalmente.

Uma lição*

Era uma saleta ao lado de uma sala de jantar; ao fundo um reposteiro corrido com ares burocráticos; ao centro uma banquinha de charão, conspurcada de cinza de

* Conto dedicado "A Martinho Garcez" (1893).

charuto e nicotina diluída em saliva. É noite e a luz que vem de cima, transbordando de um globo de gás, ilumina o grupo de três velhotes, mais ou menos barrigudos, que conversavam em voz baixa e com voluptuoso interesse.

Um deles acabou de contar alguma coisa que ainda faz rir aos outros dois. E, tal é o riso, que os três amigos, segurando cada qual a competente barriga com ambas as mãos, deixam-se cair para as costas do sofá e arfam ao som uniforme da mesma gargalhada.

— Ora o Silveira... Ora o nosso Silveira!... — dizia um, aproveitando as curtas intermitências da hilaridade. — Não sabia, desembargador, que você em rapaz fora tão levado! Ora o demo!

O desembargador, limpando as lágrimas do riso, ia talvez contar mais alguma das suas, quando o terceiro velhote segredou ao grupo:

— Homem, deixe lá falar! todos nós pagamos o nosso dízimo ao diabo! Aqui onde me veem, pai de dois filhos homens, avô por aí naturalmente, e em vésperas de conselheiro do Estado; eu, acreditem, também tive as minhas rapaziadas...

Estas palavras acalmaram, como por feitiço, o riso dos outros dois, que se voltaram para quem as pronunciou, já dispostos a saborear a nova anedota.

— Uma ocasião — isto vai há coisa de uns trinta anos — principiou o quase conselheiro; — uma ocasião; recolhi-me para o meu quarto de estudante, um pouco apressado pelo mau tempo, quando dou com uma rapariga muito bem parecida, que vinha em sentido contrário e sem guarda-chuva.

Instintivamente parei defronte dela. O demônio da pequena tinha uns olhos!... Parei e logo em seguida retrocedi, acompanhando-lhe o passo.

— A senhora está-se molhando por gosto?... — perguntei eu.

Ela não deu resposta.

No fim de três minutos acrescentei:

— Por que não aceita o meu chapéu?... Não posso ver uma dama apanhar chuva deste modo!

— Obrigada, — volveu ela, sem me voltar o rosto.

E apressou o passo.

— Ingrata!

E apressei o passo também.

— Mau! — exclamou a perseguida, estacando em frente de mim e desferindo-me um olhar, tão sobranceiro, imponente e tão digno, que eu abaixei as pálpebras e pedi-lhe perdão com um gaguejo.

— Não tive intenção de a magoar... — disse. V. Ex.ª apanhava chuva e entendi que era do meu dever oferecer-lhe uma parte do meu chapéu.

— E se eu fosse para muito longe?...

— A verdadeira cortesia não olha distâncias!...

Ela, ao que parece, compreendeu a sinceridade das minhas palavras, porque interrogou logo, desfranzindo o rosto:

— Foi então por mera delicadeza que...?

— Juro-lhe que sim, minha senhora. Uma vez, porém, que V. Ex.ª se julga ofendida, peço-lhe mil perdões e sigo de novo o meu caminho...

Nisto, uma formidável rajada de vento passou por entre nós, e a chuva recrudesceu tempestuosamente.

— E, para provar que não minto, — acrescentei, entregando-lhe o chapéu, — tenha a bondade de levá-lo, e depois mo restituirá...

— E o senhor?...

— Ali! Eu moro muito perto, naquele sobrado de alugar cômodos. V. Ex.ª fará o obséquio de remetê-lo para o n.º 5. Aqui o tem.

Ela consultou o tempo, mediu-me de alto a baixo e depois, tomando uma resolução, disse:

— Não! dê-me o seu braço e acompanhe-me ao canto da rua. Talvez apareça um carro.

Mal, porém, avançamos alguns passos, por tal forma recresceu a chuva, que era quase impossível prosseguir.

— E esta?... — resmungou ela, muito contrariada. — Esta só a mim sucede!... A maldita chuva aumenta, e nada de aparecer um carro!...

Ao chegarmos à esquina, tivemos de parar defronte da grande enxurrada que cortava a rua. Não era possível ir mais adiante. De carro, nem sinal! As casas fechavam-se todas, se bem que não passasse de nove horas da noite; os relâmpagos repetiam-se num bruxulear elétrico, os trovões abalavam os prédios e faziam tremer os vidros gotejantes dos lampiões. Já ninguém se animava a afrontar o tempo; os próprios cães escondiam-se pelos batentes das portas trancadas.

E o meu belo par, muito impaciente, mordia os beiços e marcava compassos, espaçando a lama debaixo dos pés, sem dar palavra.

Eu também não dava.

Entretanto, não podíamos ficar ali: a peste da chuva crescia... crescia...

Em breve teríamos água até ao meio da canela. De vez em quando passava um carro, mas ao longe, com as rodas a levantar água, como as de um vapor.

— E agora?... — perguntou-me a desconhecida, com raiva.

Eu sacudi os ombros.

Decorreu mais um instante.

— Se V. Ex.ª quisesse...

— Quê?

— É verdade que não tenho mais do que um pobre quarto de estudante, todavia...

— Entrar numa república?... Ora!...

— Perdão! Não é uma república, minha senhora. Moro naquele sobrado; casa muito séria, ocupo um quarto da frente, e...

— Que não pensariam seus companheiros!

— Moro só, V. Ex.ª não seria vista, nem desacatada por ninguém...

— Ainda assim seria estúrdio!...

— Em todo o caso, sempre me parece mais razoável do que ficar aqui, com este tempo!... A chuva não durará toda a noite... eu poderia arranjar um carro, e...

— Diga-me uma coisa: O senhor dá-me a sua palavra de honra em como será cavalheiro?

— Oh! minha senhora!...

— Jura que se portará condignamente comigo?... Jura que não me faltará ao respeito?...

— Dou-lhe minha palavra de honra!

— Bem. Aceito o seu convite. Estou certa de que o senhor não quererá desmerecer da confiança que me inspirou! E vamos, vamos que já me sinto resfriar até aos ossos!

Dei-lhe de novo o braço e voltamos ambos por onde tínhamos andado.

Na ocasião em que eu acendia a vela que costumava ficar atrás da porta da rua, a senhora ainda insistia, cravando-me um olhar muito sério!...

— O senhor promete então que...

— Pode entrar descansada, minha senhora!

E as nossas duas sombras estenderam-se juntas pelo fundo esvazamento de corredor.

Chegamos ao primeiro andar, abri meu quarto, dei luz ao gás, ofereci uma cadeira à bela hóspede e fui buscar a um canto uma garrafa.

— Acho que V. Ex.ª fará bem em tomar uma gota de *cognac*... — propus, enchendo dois cálices. — Está frio e talvez V. Ex.ª sinta os pés molhados.

— Não, os pés estão enxutos; trago galochas. Mas aceito.

Bebido o *cognac,* a senhora começou a correr com os olhos uma silenciosa revista no aposento. Em seguida ergueu-se e foi, um pouco apavorada, contemplar de perto o meu esqueleto de estudo, que jazia pendurado ao fundo do quarto; depois encaminhou-se para a minha pequena mesa de trabalho, abriu os compêndios que aí estavam, fez uma careta de indignação à vista das gravuras de um tratado de fisiologia, que lhe caiu às unhas; e ficou muito espantada encontrando sobre o criado-mudo um revólver e um carregamento de balas inglesas.

— Isto então é o que se chama uma república?... — perguntou afinal, abrangendo com um gesto o que seus olhos lobrigavam.

E depois da minha resposta:

— Mora inteiramente só?!

— Inteiramente.

— E tem família?

— Em Minas.

— Ah! É da província. Está há muito tempo na corte?

— Há cinco meses.

— Apenas?...

E aproximou-se de mim.

— É exato, — disse eu. — Ainda não conheço bem isto por aqui...

— Tem gostado?

— Nada posso dizer por enquanto. Minha vida tem sido tão pouco divertida... Saio de casa para as aulas, das aulas para o restaurante e do restaurante para casa. Ainda não tenho amigos...

— Deve então sentir muita saudade da família...

— Pudera! Vivi sempre em companhia dela, e agora, de um momento para outro, ficar assim tão só... tão...

— Por que não mora com outros estudantes?

— Ainda não descobri um bom companheiro. Além disso, sou mesmo um pouco esquisito de gênio. Prefiro estar só.

— Ah! Mas há de ter algumas relações...

— Muito poucas, e essas poucas em consideração a meu pai.

— E por que não frequenta os teatros?

— Vou de vez em quando. Não posso perder noites seguidas: quero ver se faço dois anos em um só.

— Ah! é estudioso!...

— Não sou dos mais vadios...

— Bom será que continue assim. Esta cidade é muito perigosa para os rapazes...

— Ora! não é tanto como se diz... Eu, pelo menos, confesso que supunha outra coisa!... Sempre imaginei gozar no Rio de Janeiro uma vida mais divertida...

— Em que sentido?

— Em todos. A respeito de amores, por exemplo, sou de um caiporismo!...

— Creio que levantou o tempo!... — observou a senhora, afastando-se de mim escrupulosamente e lançando o olhar para a janela.

Eu supliquei perdão com um gesto de ternura e humildade.

— Tenha a bondade de ver se levantou o tempo, — exigiu ela batendo com o pé.

— Chove a cântaros! Ah! mas pode ficar tranquila, que eu sei respeitar a quem o merece.

Ela deixou-se cair numa cadeira, soltando um suspiro de resignação.

— V. Ex.ª toma uma xícara de café?... — perguntei, indo buscar a máquina e a garrafa de espírito de vinho.

— Não se incomode por minha causa.

— Costumo fazer café todas as noites.

— Nesse caso...

— Tenho também requeijão e doce. Se V. Ex.ª quisesse... O que nos falta aqui é pão!

Ela sorriu à simplicidade destas palavras.

— E estou quase aceitando... — respondeu já de bom humor, e vindo assentar-se perto da mesa, depois de tirar o chapéu e o mantelete.

— Bem. Vou num instante arranjar o que falta!...

— Com este tempo? Não! não consinto!

— É um momento! Não me molho! Há uma confeitaria na esquina! Ora! quantas vezes não tenho feito o mesmo com tempo ainda pior!...

Ela tornou a sorrir.

— Quer ver?... — perguntei, lançando sobre a cabeça uma grande capa de borracha, sacando as botinas e as meias e enrodilhando as calças nos joelhos. — De um pulo estou lá e de outro cá!

Ela soltou uma risada.

Voltei daí a meia hora, não com os pães simplesmente, mas também com uma empada de camarões, uma galinha assada, alguns pastéis de Santa Clara, duas garrafas de Borgonha e outra de moscatel de Setúbal.

— Que é isto, Nossa Senhora! — exclamou a moça, largando o livro, que ficara a ler durante a minha ausência.

— Pareceu-me melhor cearmos juntos... Eu estou com tanto apetite!

— Que extravagância! Por isso é que vocês estudantes andam sempre atrapalhados no fim do mês!... Se esbanjam a mesada logo nos primeiros dias!...

— Mas eu faço nisto tanto gosto... Espero que V. Ex.ª aceitará uma asa desta galinha, que me parece deliciosa. Vamos! arranja-se a mesa aqui mesmo.

— E eu posso ajudá-lo, — declarou a senhora, afastando os meus livros e os meus papéis para um canto do quarto.

— Tenha a bondade de não segurar o tinteiro desse modo. Está quebrado...

— Estes estudantes! Ainda chove muito lá fora?

— Chih! horrorosamente! Um dilúvio!

— E eu aqui!...

— Não terá motivos para arrepender-se, verá! Bom! agora, faz favor? Dê-me aqueles embrulhos que eu trouxe.

— Pronto!

— Obrigado.

— Três garrafas!... Para que tanto vinho?

— Fica aí, se sobrar.

— Vocês!

— Muito bem! O diabo é que só temos um talher... Ah! posso arranjar-me com esta espátula e este canivete. Felizmente há dois pratos e não faltam copos. Principiemos!

— Isto contado não se acredita!

— Não sei onde esteja o mal!... Creio que não praticamos até agora nenhuma ação feia...

— Não digo que haja mal, nem que praticássemos ações feias, mas parece-me extraordinário, imprevisto pelo menos, achar-me neste momento ceando ao lado de um rapaz, que eu há duas horas não conhecia...

— Rapaz que procura merecer essa honra, esforçando-se para cumprir com os seus deveres de cavalheiro...

— O senhor como se chama?

— João Carlos do Souto. E a senhora?

— Não lhe posso dizer. Compreenderá que...

— Está claro, e não insisto.

— Espero mesmo que se algum dia nos encontrarmos noutro lugar, o senhor guardará toda a discrição sobre estas casualidades de hoje...

— Oh! certamente, minha senhora!

— Sim, porque afinal de contas não me pesa na consciência o que sucedeu... Se não fosse esta maldita chuva!...

— Diga antes: esta chuva abençoada...

— Mau! Não vá por esse caminho, que vai mal! nada de galanteios!...

— Já aqui não está quem falou!

E calamo-nos os dois por um instante, a mastigar em silêncio, enquanto lá fora o vendaval esfuziava contra as janelas.

— V. Ex.ª bebe tão pouco... não gosta de Borgonha?

— Gosto, e este me parece bem bom, mas não convém abusar. O senhor já tomou quase uma garrafa!... Cuidado!

— Ora, este vinho é inocente!

— Fie-se nisso!

— Quer mais um pouco?

— Vá lá!

— Além de que a chuva não parece disposta a parar tão cedo... Ainda sente muito frio?

— Já vai passando.

— Está aborrecida?

— Não. E a graça é que me chegou o apetite... Quer saber? vou repetir a empada!

— É tão bom comer em companhia, não é verdade? E agora, são bem poucas as vezes em que eu não como sozinho!... Isto para quem estava acostumado com família!... Por meu gosto, casava-me...

— Já tem noiva?

— Qual!

— Podia ter deixado alguma na província...

— Ninguém me quer...

— É porque ainda é cedo; quando chegar a ocasião...

— Estarei velho...

— Velho? tem graça. Que idade é a sua?

— V. Ex.ª não acredita. Dezoito anos.

— Só?

— Mostro ter mais, não é?

— Parece ter vinte e tantos. Mas está criança; eu sim é que me posso chamar velha...

— Tem vinte, aposto!

— Acrescente mais cinco.

— Vinte e cinco... Ninguém dirá.

— E então que idade represento?

— Aí dezoito, quando muito...

— Lisonjeiro...

— Afianço-lhe que não sou...

E, com o pretexto de servir-lhe o doce, fui aproximando a minha cadeira da sua.

— Quê... Pois o senhor ainda vai abrir essa terceira garrafa?...

— Não nos havemos de servir de Borgonha para o doce...

— Não lhe faça mal!...

— Qual! Sou de cabeça muito forte!

— Então, à sua saúde!

— Obrigado. Toque!

— Sim; mas não precisa chegar-se tanto...

— Eu não me estou chegando...

— Deixe-se disso! Lembre-se do que me prometeu!...

— Tem razão. Desculpe, e bebamos à saúde do feliz mortal que possui o seu coração...

— Não sei quem seja, mas acompanho. Passe-me aquele queijo.

Em vez do queijo, o que lhe passei foi o braço em volta dos quadris, chamando--lhe a cabeça para junto dos meus lábios.

— Mau, mau, mau! — exclamou ela, defendendo-se. — O senhor parece que bebeu demais! Já não estou achando muita graça!

— Não são os vinhos que me embriagam... A senhora bem o vê.

— Não quero ver coisa alguma...

— Então, bem o sente...

— Não sinto nada!

— Adivinhe então, minha senhora, adivinhe o que não tenho ânimo de dizer, meu anjo!

— Ora bolas! Isso já passa de desaforo! solte-me! Se eu desconfiasse disto, não tinha entrado!

— Que queres?... A gente nem sempre se governa em certas ocasiões! És tão bela! tão bela! eu te amo! Sim! eu já te amo, minha flor!

E, como acompanhasse estas palavras com uma gesticulação em extremo correlativa, ela ergueu-se de improviso e fez menção de sair.

Alcancei-a já na porta do quarto e caí aos seus pés, envolvendo-a nos braços.

— Perdoa, perdoa, minha santa! — exclamara, a cobrir-lhe de beijos as duas mãozinhas, que nessa ocasião me pareciam mais bonitas, sem luvas. — Perdoa! sou um bruto, sou um grosseiro, mas...

— Quero sair! Já! Não fico aqui nem mais um instante! Deixe-me! Deixe-me!

— Pois sim, mas hás de sair depois de haver perdoado! Juro que estou arrependido do que fiz!

— Não sei! Deixe-me!

— Oh! Ainda chove tanto! Espere ao menos que chegue o carro que mandei buscar pelo caixeiro da confeitaria.

— Um carro?...

— Sim, e não deve tardar. É mais um segundo! Um segundo apenas!

— Mas se o senhor está com tolices!

— Prometo não fazer nada!

— Jura!

— Juro!

— Ora, vamos a ver!

Acabamos de tomar café, quando a carruagem parou à porta.

— Ei-la aí! — disse a tirana pondo-se de pé.

— Ainda chove... — observei eu timidamente.

— Não faz mal!...

— Ao menos não se vá, fazendo de mim um juízo desfavorável, creia que...

— Não. Adeus. Não vou fazendo juízo algum! Adeus, obrigada!

— Jura que não está ressentida?...

— Pode ficar descansado. Adeus.

— Acredite que...

— Adeus!

— Não. Diga primeiro se ainda está contrariada! Com franqueza!

— Com franqueza — estou!

— Não me perdoa?...

— Não. Boa noite!

Acompanhei-a ao corredor e, já na porta da rua, ainda lhe pedi perdão.

* * *

Dois dias depois, entrando num hotel, habitado só por mulheres, fugiu-me da garganta um grito de pasmo:

— Que vejo?!... Pois é a senhora?! A senhora aqui?!

Ela soltou uma gargalhada e apontou-me com o dedo a três companheiras que lá se achavam.

— É o tal!...

— Ora esta!... — resmunguei. — Para que então me iludiu daquele modo?

— Iludi! Ó filho, eu estava no meu papel, fazendo o que fiz; tu é que não estavas no teu acreditando! Quem te mandou ser tolo?...

— É boa! — disse um dos velhotes. — É muito boa!

E as três barrigas tornaram-se a agitar nas convulsões do riso.

Fora de horas

Ora! Para que lhes hei de contar isto? Histórias do Norte! Histórias de amor! Coisas que não voltam mais!

Era a última vez que eu ia ter com ela, e seria menos uma entrevista de amor do que um encontro de despedida; meus lábios pressentiam já ligeiro travor de lágrima nos beijos que sonhava pelo caminho.

Fui. Ela me esperava à meia-noite, como de costume, espreitando por detrás da porta cerrada, descalça e palpitante de ansiedade e de susto. Eu costumava chegar furtivamente, cosendo-me à própria sombra pelas paredes da rua. Entrava; a porta fechava-se então de todo, surdamente, e nós ficávamos sendo um do outro até esgotar-se a noite. Ninguém desconfiava da nossa felicidade.

Vivia a minha amada em companhia de uma parenta velha, sua madrinha, viúva e rica, senhora de engenho, dona austera e venerável, devota até ao fanatismo. A madrinha idolatrava-a loucamente. A casa era grande, antiga e nobre, povoada de agregados, de mucambas e muitos fâmulos. Para chegar ao quarto da afilhada era preciso atravessarmos, eu e ela, de mãos dadas, na escuridão, longos corredores e varandas; com o calcanhar no ar, a respiração suspensa, os sapatos fora. Mas que prêmio era ganhar o fim dessa jornada aflitiva e tenebrosa! A alcova lá no fundo, isolada do resto da casa, dava janelas sobre um jardim de árvores floríferas, todo cercado de altos muros de convento e todo envolvido no doce mistério de uma fortaleza de amor.

Que delícia contemplar da altura das janelas silenciosas o céu todo orvalhado de estrelas, e beber o segredo da noite; cinturas presas, cabeças juntas, cabelos confundidos.

Ela não tinha mãe desde o berço e fora criada pela madrinha. Casara aos quinze anos e enviuvara aos dezoito. A nossa loucura principiou no calor das valsas e foi-se derramando num delírio de mocidade até àquela perfumada alcova, onde a nossa última madrugada recolheu no seio o eco dos nossos derradeiros beijos.

A madrinha não me podia ver.

Ressentimentos de devota: Eu nesse tempo, com pouco mais de vinte anos, supunha-me um batalhador predestinado a regenerar o mundo a golpes desapiedados contra as velhas instituições; tinha o meu jornal republicano e acatólico e duelava-me, dia a dia, ferozmente, com os redatores de um órgão ultramontano e com os velhos jornalistas conservadores. Imaginem se a velha me podia ver!

Era por toda a cidade apontado a dedo; amado pela metade da população e amaldiçoado pela outra. Os devotos enfureciam-se comigo e os padres pediam ao diabo que me carregasse para longe da minha província.

Ouviu-os o demo. Tive de partir para o Rio de Janeiro. E foi nas últimas horas precursoras desse triste dia que os mais amorosos lábios de mulher gemeram contra os meus a dolorosa cavatina precursora da saudade.

Ai! quantas lágrimas nos ensoparam os beijos e quantos soluços nos cortaram os juramentos de fidelidade! Só resolvemos separar-nos quando o horizonte já nos ameaçava com a aurora. E lentamente nos afastamos do nosso paraíso, mais tristes e mais mudos que os dois primeiros amantes enxotados sobre a terra. Ao meu lado ela caminhava quase tão nua e certamente mais comovida e chorosa do que a primeira Eva.

— Espera! Espera ainda um instante, meu querido amor! — suplicava-me entre beijos desesperançados, na ocasião de abrirmos a porta da rua. — Espera! Diz-me um negro pressentimento que nunca mais nos veremos! Espera ainda! um instante só!

Mas era preciso separar-nos. O dia não tardaria a repontar e eu tinha de estar ao lado de minha família ao amanhecer. O vapor largaria cedo. Os amigos viriam buscar-me logo pela manhã. Era preciso ir!

— Adeus! Adeus!

E arranquei-me dos seus braços, enquanto desfalecida e soluçante, ela se amparava contra a parede do corredor. E, para não sucumbir também, tratei de apressar a fuga e precipitei-me sobre a porta da rua.

Mas, que horror! a chave já lá não estava na fechadura. Alguém de casa tinha carregado com ela.

— Ah! Foi Dindinha com certeza, — disse dolorosamente a minha pobre amada. — Meu Deus! meu Deus!

E quase sem poder andar, de tão nervosa e trêmula, voltou ao interior da casa e tornou a ter comigo, para me segredar aterrada que havia luz no quarto da madrinha.

— Descobriu tudo! Descobriu tudo! — murmurou aflita. — Fechou-nos! Estamos presos! Estamos perdidos!

— E agora?... — perguntei, deveras agitado, lembrando-me da monástica altura dos muros do jardim.

— Não sei! Não sei! — foi a única resposta que lhe obtive.

Tornamos à alcova, mais tristes e mais lentos do que de lá saímos. A ideia da nossa separação não nos acabrunhava mais do que a de ficarmos juntos à força. Se me doía abandonar aquele doce paraíso de amor, não me atormentava menos ter de ficar lá dentro prisioneiro.

E ela, perplexa, chorava, chorava, apertando a cabeça entre os formosos braços, numa angústia sem esperança de salvação. Urgia, porém, tomar qualquer partido decisivo: o dia estava a chegar e eu não podia amanhecer ali, tendo de seguir para o Rio de Janeiro e embarcar dentro de poucas horas!

Afinal, a minha companheira de agonia muniu-se de coragem e foi bater de leve, muito de leve, no quarto da madrinha.

Silêncio.

Tornou a bater.

Bateu pela terceira vez.

— Quem está aí?

— Sou eu, Dindinha. Abra por favor...

— Que quer a senhora?

— Nada, Dindinha... Eu queria a chave da porta da rua...

— Para quê?

— Não me pergunte, Dindinha, por amor de Deus! e dê-me a chave... Peço-lhe por tudo que Dindinha mais deseja no mundo!...

— Não dou!

— Minha Dindinha...

— Não! não!

— Abra a sua porta ao menos...

E esta súplica foi já toda embebida de lágrimas e soluços.

A velha veio à porta e eu então pude espiar lá para dentro. Era um pequeno aposento, bem arrumado e limpo. Havia uma cômoda com um oratório, onde luzia uma lâmpada que era única a iluminar o honesto e tranquilo dormitório. Pelas paredes aprumavam-se quadros de santos, contrastando com o retrato a óleo de um tenente de cavalaria, mal pintado, mas de olhinhos vivos e que parecia sorrir lá da sua moldura para a viuvinha, com o ar escarninho assim de quem diz: "Tu então, pequena, fizeste a tua falcatrua e foste apanhada, hein?... Pois é bem feito!"

A velha, assentada de novo na sua rede, conservava a fisionomia fechada e parecia implacável.

A afilhada, procurando esconder nos braços nus a pecadora nudez do colo, desfazia-se em lágrimas e nelas repisava as suas súplicas, jurando que nunca mais, nunca mais! por tudo que houvesse de sagrado! reincidiria naquela feia culpa!

— Não!

— Tenha pena de mim, Dindinha!...

— Quem é que estava aí com a senhora?!

A moça calou-se, de olhos baixos, arfando-lhe por sob a cambraia da camisa os seios atormentados.

— Diz ou não diz?

— É... é... Para que Dindinha quer saber?... Dindinha vai ficar zangada se eu disser...

— Diga quem é!

— Dindinha saberá depois...

— Pois então retire-se já daqui! Saia da minha presença!

— Não... Não... Eu digo... É...

E ouvi o meu nome balbuciado a medo no ouvido da velha.

Um charuto aceso, que lhe metessem pela orelha, não lhe produziria tanto efeito.

A devota teve um frouxo de tosse convulsa.

— Com efeito! — rosnou afinal, contendo a custo uma explosão de cólera. — Com efeito! Pois é esse alma perdida, esse ateu, esse monstro, que a senhora introduziu velhacamente em minha casa?!

— Tenha paciência, Dindinha... Ele parte esta manhã mesmo para o Rio de Janeiro...

— Paciência?!... É boa! Esse herege há de ficar aqui preso e só sairá com alto dia e na presença do senhor vigário geral e dos padres da Sé, a quem vou chamar! o público há de ver e apreciar o escândalo, para vergonha sua e para castigo dele! Paciência! Sim, hei de ter paciência, mas será para desmascarar aquele pedreiro livre!

A velha tinha chegado ao auge da cólera e já falava em voz alta.

Vi o caso perdido.

E a minha pobre cúmplice, de pé ao lado da rede, descalça e apenas resguardada pela trêmula camisa, abaixou ainda mais o rosto e deixou que as suas perdidas lágrimas lhe corressem ao suspirado resfolegar do peito.

A velha conservava-se inflexível. Mas a afilhada chegou-se mais para junto dela e pousando carinhosamente uma das mãos nos punhos da rede, começou a embalá-la de leve, e começou a murmurar num flébil queixume ressentido:

— Dindinha, entretanto, não devia fazer assim comigo... Dindinha bem sabe o muito que lhe quero e o muito que a respeito... Mas Dindinha devia lembrar-se de que enviuvei com dezoito anos e tenho apenas vinte... devia lembrar-se de que sou moça e que o rapaz a quem amo não pode sequer aproximar-se de Dindinha...

— Confiada!

— Devia lembrar-se que... certa noite — (e abaixou mais a voz) — quando eu era ainda pequenina e dormia no mesmo quarto com Dindinha... já depois que meu padrinho se separou de vosmecê... o tenente Ferraz, que ali está pintado na parede, saltou a janela do nosso quarto e Dindinha o recebeu nos braços, depois de ter ido verificar se eu estava dormindo...

— Cala-te, doida!

— Eu estava bem acordada, mas fiquei quietinha na minha rede, fingindo que dormia, só para ser agradável à Dindinha... e ouvi todas as palavras de ternura que o tenente disse ao ouvido da Dindinha.. E nunca falei disto a ninguém... Ouvi tudo! Por sinal que o tenente dizia: "Eu te amo, minha flor! Eu te amo como um louco! — Se quiseres que..."

Mas a velha interrompeu-a.

— Cala-te! Cala-te! — disse.

A sua fisionomia tinha pouco a pouco se transformado com as palavras da afilhada e ia ganhando um triste e compassivo ar de desconsolação. Os olhos relentaram-se-lhe de saudade com aquele frio recordar do passado.

Quando a rapariga quis continuar as suas revelações, ela interrompeu-a de novo com um fundo suspiro e acrescentou com a voz quebrada pela comoção:

— Cala-te, minha filha!... Aí tens a chave... Abre-lhe a porta... Vai! vai, antes que amanheça... E deixa-me só! deixa-me ficar só!

Inveja

Era uma rica tarde de novembro. O sol acabava de retirar-se naquele instante, mas a terra, toda enrubescida, palpitava ainda com o calor dos seus últimos beijos.

O céu, vermelho e quente, debruçava-se sobre ela, envolvendo-a num longo abraço voluptuoso; de todos os lados ouvia-se o lamentoso estridular das cigarras, e as árvores concentravam-se, murmurando, em êxtases, como se rezassem a oração do crepúsculo.

Àquela hora de recolhimento e de amor a natureza parecia comovida.

A noite abria lentamente no espaço as suas asas de paz, úmidas de orvalho, prenhez de estrelas que ainda mal se denunciavam numa palpitação difusa. Uma boiada recolhia ao longe, abeberando nos charcos do caminho, e bois tranquilos levantavam a cabeça, com a boca escorrendo em fios de prata, e enchiam a solidão das clareiras com a prolongada tristeza dos seus mugidos. Num quintal, entre uma nuvem de pombos, uma rapariga apanhava da corda a roupa lavada que estivera a secar durante o dia; enquanto um homem, em mangas de camisa, passava pela estrada, cantando, de ferramenta ao ombro. De cada casa vinha um rumor alegre de família que se reúne para jantar, e, junto com latidos de cães e choros de criança, ouvia-se o contente palavrear dos trabalhadores em descanso, ao lado da mulher e dos filhos.

Entretanto, um padre ainda moço, depois de passear silenciosamente à sombra das árvores, foi assentar-se, triste e preocupado, nos restos de uma fonte de pedra, cuja pobreza as ervas disfarçavam com a opulência da sua folhagem viçosa e florida. E aí ficou a cismar, perdido num profundo enlevo, como se o ardente perfume daquela tarde de verão fora forte demais para a sua pobre alma enferma de homem casto.

Estranhos e indefinidos desejos levantavam-se dentro dele, pedindo confortos de uma felicidade que lhe não pertencia e levando-o a cobiçar uma doce existência desconhecida, que seu coração magoado e ressentido mal se animava de sonhar por instinto.

E, assim, vinham-lhe à memória, com uma reminiscência dolorosa, todas as suas aspirações da infância. Ah! nesse tempo, quanta esperança no futuro!... Quanta inocência nas suas aspirações!... Quanta confiança em tudo que é da terra e em tudo que é do céu!... Nesse tempo não conhecia ele a luta dos homens contra os homens; não conhecia as guerras da inveja e as guerras da vaidade; não conhecia as humilhantes necessidades deste mundo; não conhecia ainda a responsabilidade da sua vida e não sabia como e quanto dói ambicionar muito e nada conseguir. Ah! nesse tempo feliz, ele era expansivo e risonho. Nesse tempo ele era bom.

Mas, continuou a pensar, cruzando sobre o fundo estômago as mãos finas e descoradas, enterraram-me numa casa abominável, para ser padre. Deram-me depois uma mortalha negra e disseram-me: "Estuda, medita, reza, e faze-te um santo! És moço? Pois bem! quando o sangue, em ondas de fogo, subir-te à cabeça e quiser estrangular os teus votos, agarra aquele cilício e fustiga com ele o corpo! quando vires uma mulher, cujo olhar, úmido e casto, te faça sonhar os deslumbramentos do amor, bate com os punhos cerrados contra o teu peito e alanha tua carne com as unhas, até que sangres de todo o veneno da tua mocidade! Fecha-te ao prazer e à ternura, fecha-te dentro da tua fé, como se te fechasses dentro de um túmulo!"

E, com estas recordações, o infeliz quedara-se esquecido, a olhar cegamente para a paisagem que defronte dele ia pouco e pouco se esfumando e esbatendo nos crepes da noite; ao passo que no céu as estrelas se acendiam.

Desde que o destinaram a padre, sentia-se arrastado para a tristeza e para a solidão; achava certo gozo amargo em deixar-se consumir pela áspera certeza da sua inutilidade física. Não queria a convivência dos outros homens, porque todos tinham e desfrutavam aquilo que lhe era vedado — o amor, a alegria, a doce consolação da família. O que ele desejava do fundo do seu desgosto era morrer, morrer logo ou quando menos envelhecer quanto antes; ficar feio, acabado, impotente; que o seu cabelo de preto e lustroso se tornasse todo branco; que o seu olhar arrefecesse; que os seus dentes amarelassem e a sua fronte se abrisse em rugas. Desejava refugiar-se covardemente na velhice como num abrigo seguro contra as paixões mundanas.

Sofria ímpetos de arrancar aquele seu coração importuno e esmagá-lo debaixo dos pés. Não se sentia capaz de domar a matilha que lhe rosnava no sangue; sobressaltava-se com a ideia de sucumbir a uma revolta mais forte dos nervos, e só a lembrança de que seria capaz de uma paixão sensual sacudia-o todo com um frio tremor de febre.

— Todavia... — replicou-lhe do íntimo da consciência uma voz meiga, medrosa, quase imperceptível — todavia, o amor deve ser bem bom!...

E dois fios compridos escorreram pelas faces pálidas do padre.

Nisto, o canto de um passarinho fê-lo olhar para cima. Na embalsamada cúpula de verdura que cobria a monte o inocente intruso trinava ao lado da sua companheira.

O moço estremeceu e ficou a olhar fixamente para eles. Os dois velhaquinhos, descuidosos na sua felicidade, conservavam-se muito unidos, como se estivessem cochichando segredos de amor. A fêmea estendia a cabeça ao amigo e, enquanto este lhe ordenava as penas com o bico, ela, num arrepio, contraía-se toda, com as asas levemente abertas e trêmulas. Depois, uniram-se ainda mais, prostrados logo pelo mesmo entorpecimento.

Então, o jovem eclesiástico, tomado de uma vertigem, levantou o guarda-chuva e com uma pancada lançou por terra o amoroso par.

Os pobrezitos, ainda palpitantes de amor, caíram, estrebuchando a seus pés.

O padre voltou o rosto e afastou-se silenciosamente.

No horizonte esbatia-se a última réstia de sol e o sino de uma torre distante começou a soluçar Ave-Maria.

Politipo

Suicidou-se anteontem o meu triste amigo Boaventura da Costa.

Pobre Boaventura! Jamais o caiporismo encontrou asilo tão cômodo para as suas traiçoeiras manobras como naquele corpinho dele, arqueado e seco, cuja exiguidade física, em contraste com a rara grandeza de sua alma, muita vez me levou a pensar seriamente na injustiça dos céus e na desequilibrada desigualdade das coisas cá da terra.

Não conheci ainda criatura de melhor coração, nem de pior estrela. Possuía o desgraçado os mais formosos dotes morais de que é susceptível um animal da nossa espécie, escondidos, porém, na mais ingrata e comprometedora figura que até hoje viram meus olhos por entre a intérmina cadeia dos tipos ridículos.

O livro era excelente, mas a encadernação detestável.

Imagine-se um homenzinho de cinco pés de altura sobre um de largo, com uma grande cabeça feia, quase sem testa, olhos fundos, pequenos e descabelado; nariz de feitio duvidoso, boca sem expressão, gestos vulgares, nenhum sinal de barba, braços curtos, peito apertado e pernas arqueadas; e ter-se-á uma ideia do tipo do meu malogrado amigo.

Tipo destinado a perder-se na multidão, mas que a cada instante se destacava justamente pela sua extraordinária vulgaridade; tipo sem nenhum traço individual, sem uma nota própria, mas que por isso mesmo se fazia singular e apontado; tipo, cuja fisionomia ninguém conseguia reter na memória, mas que todos supunham conhecer ou já ter visto em alguma parte; tipo a que homem algum, nem mesmo aqueles a quem o infeliz, levado pelos impulsos generosos de sua alma, prestava com sacrifício os mais galantes obséquios, jamais encarou sem uma instintiva e secreta ponta de desconfiança.

Se em qualquer conflito, na rua, num teatro, no café ou no bonde, era uma senhora desacatada, ou um velho vítima de alguma violência; ou uma criança batida por alguém mais forte do que ela, Boaventura tomava logo as dores pela parte fraca, revoltava-se indignado, castigava com palavras enérgicas o culpado; mas ninguém, ninguém lhe atribuía a paternidade de ação tão generosa. Ao passo que, quando em sua presença se cometia qualquer ato desairoso, cujo autor não fosse logo descoberto, todos olhavam para ele desconfiados, e em cada rosto o pobre Boaventura percebia uma acusação tácita.

E o pior é que nestas ocasiões, em que tão injustamente era tomado por outro, ficava o desgraçado por tal modo confuso e perplexo, que, em vez de protestar, começava a empalidecer, a engolir em seco, agravando cada vez mais a sua dura situação.

Outro doloroso caiporismo dos seus, era o de parecer-se com todo o mundo. Boaventura não tinha fisionomia própria; tinha um pouco da de toda a gente. Daí os quiproquós em que ele apesar de tão bom e tão pacato, vivia sempre enredado. Tão depressa o tomavam por um ator, como por um padre, ou por um barbeiro, ou por um polícia secreto; tomavam-no por tudo e por todos, menos pelo Boaventura da Costa, rapaz solteiro, amanuense de uma repartição pública, pessoa honesta e de bons costumes.

Tinha cara de tudo e não tinha cara de nada, ao certo. A circunstância da sua falta absoluta de barba dava-lhe ao rosto uma dúbia expressão, que tanto podia ser de homem, como de mulher, ou mesmo de criança. Era muito difícil, senão impossível, determinar-lhe a idade. Visto de certo modo, parecia um sujeito de trinta anos, mas bastava que ele mudasse de posição para que o observador mudasse também de julgamento; de perfil representava pessoa bastante idosa, mas, olhado de costas, dir-se-ia um estudante de preparatórios; contemplado de cima para baixo era quase um bonito moço, porém, de baixo para cima era simplesmente horrível.

Encarando-o bem de frente, ninguém hesitaria em dar-lhe vinte e cinco anos, mas, com o rosto em três quartos, afigurava apenas dezoito. Quando saía à rua, em noites chuvosas, com a gola do sobretudo até às orelhas e o chapéu até à gola do sobretudo, passava por um velhinho octogenário; e, quando estava em casa, no verão, em fralda de camisa, a brincar com o seu gato ou com o seu cachorro, era sem tirar nem pôr, um nhônhô de uns dez ou doze anos de idade.

Um dia, entre muitos, em que a polícia, por engano, lhe invadiu os aposentos, surpreendeu-o dormindo, muito agachadinho sob os lençóis, com a cabeça embrulhada num lenço à laia de touca, e o sargento exclamou comovido:

— Uma criança! Pobrezinha! Como a deixaram aqui tão desamparada!

De outra vez quando ainda a polícia quis dar caça a certas mulheres, que tiveram a fantasia de tomar trajos de homem e percorrer assim as ruas da cidade, Boaventura foi logo agarrado e só na estação conseguiu provar que não era quem supunham. Outra ocasião, indo procurar certo artista, de cujos serviços precisava, foi recebido no corredor com esta singularíssima frase:

— Quê? Pois a senhora tem a coragem de voltar?... E quer ver se me engana com essas calças?

Tomara-o pela sogra, a quem na véspera havia despedido de casa.

Não se dava conflito de rua, em que, passando perto o Boaventura, não o tomassem imediatamente por um dos desordeiros. Era ele sempre o mais sobressaltado, o mais lívido, o mais suspeito dos circunstantes. Não conseguia atravessar um quarteirão, sem que fosse a cada passo interrompido por várias pessoas desconhecidas, que lhe davam joviais palmadas no ombro e na barriga, acompanhando-as de alegres e risonhas frases de velha e íntima amizade.

Em outros casos era um credor que o perseguia, convencido de que o devedor queria escapar-lhe, fingindo não ser o próprio; ou uma mulher que o descompunha em público; ou um agente policial que lhe rondava os passos; ou um soldado que lhe cortava o caminho supondo ver nele um colega desertor.

E tudo isto ia o infeliz suportando, sem nunca aliás ter em sua vida cometido a menor culpa.

Uma existência impossível!

Se se achava numa repartição pública, tomavam-no, infalivelmente, pelo contínuo; nas igrejas passava sempre pelo sacristão, nos cafés, se acontecia levantar-se da mesa sem chapéu, bradava-lhe logo um consumidor, segurando-lhe o braço:

— Garção! Há meia hora que reclamo que me sirva.

Se ia provar um paletó à loja do alfaiate, enquanto estivesse em mangas de camisa, era só a ele que se dirigiam as pessoas chegadas depois. Nas muitas vezes que foi preso como suposto autor de vários crimes, a autoridade afiançava sempre que ele tinha diversos retratos na polícia. Verdade era que as fotografias não se pareciam entre si, mas todas se pareciam com Boaventura.

Num clube familiar, quando o infeliz já no corredor, reclamava do porteiro o seu chapéu para retirar-se, uma senhora de nervos fortes chegou-se por detrás dele na ponta dos pés e ferrou-lhe um beliscão.

— Pensas que não vi o teu escândalo com a viúva Sarmento, grandíssimo velhaco?!
O mísero voltara-se inalteravelmente, sem a menor surpresa. Ah! ele já estava mais habituado àqueles enganos.

Que vida!

Afinal, e nem podia deixar de ser assim, atirou-se ao mar.

No necrotério, onde fui por acaso, encontrei já muita gente; e todos aflitos, e todos agoniados defronte daquele cadáver que se parecia com um parente ou com um amigo de cada um deles.

Havia choro a valer e, entre o clamor geral, distinguiam-se estas e outras frases:

— Meu filho morto! Meu filho morto!

— Valha-me Deus! Estou viúva! Ai o meu rico homem!

— Ó senhores! Ia jurar que este cadáver é o do Manduca!

— Mas não me engano! é o meu caixeiro!

— Dir-se-ia que este moço era um meu antigo companheiro de bilhar!...

— E eu aposto como é um velho, que tinha um botequim por debaixo da casa onde eu moro!

— Qual velho, o quê! Conheço este defunto. Era estudante de Medicina! Uma vez até tomamos banho juntos, no boqueirão. Lembro-me dele perfeitamente!

— Estudante! Ora muito obrigado! há mais de dois anos chamei-o fora de horas para ir ver minha mulher que tinia de cólicas! Era médico velho!

— Impossível! Afianço que este era um pequeno que vendia jornais. Ia levar--me todos os dias a *Gazeta* à casa. É que a morte alterou-lhe as feições.

— Meu pai!

— O Bernardino!

— Oh! Meu padrinho!

— Jesus! Este é meu tio José!

— Coitado do padre Rocha!

* * *

Pobre Boaventura! Só eu compreendi, adivinhei, que aquele cadáver não podia ser senão o teu, ó triste Boaventura da Costa!

E isso mesmo porque me pareceu reconhecer naquele defunto todo o mundo, menos tu, meu desgraçado amigo.

Das notas de uma viúva*

"Eu tinha dez meses de viúva e havia seis que Paulo me fazia a corte. Por esse tempo propôs-me ele um passeio ao campo e eu aceitei.

A manhã era esplêndida; uma bela manhã de setembro, cheia de luz e temperada por um calor comunicativo e doce. Cedo metemo-nos num carrinho de vime,

---

* Conto dedicado "A Pardal Mallet" (1893).

leve como uma cesta, rasteiro como um divã, e cômodo como um leito. Paulo deu rédeas ao animal e o carro conduziu-nos para fora da cidade.

Eu sentia um bom humor extraordinário; o ar puro e consolador daquela madrugada, pulverizado no espaço em vapores cor-de-rosa, enchia-me toda como de uma grande alma nova, feita de coisas alegres e benfazejas. Tive vontade de rir e de cantar.

O sol principiava a destacar o contorno irregular das árvores e derramava sobre as montanhas uma luz sanguínea e transparente. Achei-me expansiva, travessa com repentes de criança; e, não sei por quê, Paulo nessa ocasião se me afigurou muito melhor do que nas outras. Cheguei a descobrir-lhe espírito e a desfazer-me em risadas com algumas pilhérias suas que, fora dali, me fariam bocejar.

Em certa altura paramos. Ele ajudou-me a descer, prendeu o cavalo, abriu a minha sombrinha, e começamos os dois a andar de braço dado por debaixo das árvores.

Que delicioso passeio! Ninguém pode calcular quanto me sentia feliz. Mais alguns passos e tínhamos chegado a um caramanchão, ou melhor, alpendre de verdura, misterioso, morno, impregnado de perfumes resinosos e embebidos de azul sombrio. Ao lado, uma cascata corria em sussurros; e as suas águas esfarelavam-se nas pedras, irradiando na fulguração do sol.

Paulo deixou-me por um instante, para ir buscar o carro. E, nesse momento de inteira liberdade, quando senti que não era observada por ninguém, levantei-me, bati palmas e pus-me a dançar como uma doida; depois galguei aos saltos o lado da cascata e recebi no rosto o pó úmido das águas, donde o sol tirava cambiantes multicores e dourados. Abaixei-me, colhi água na concha das mãos e bebi. Afinal, assentei-me no chão e abri a cantar uma coisa alegre que aprendera ainda no tempo do colégio.

Paulo voltou com o carro e recolheu ao pavilhão o cesto do almoço. Estendeu a toalha sobre uma mesinha de pedra que havia; pousou uma máquina de café, duas garrafas de Bordeaux, uma de *champagne*, uma botija de curaçau, uma empada, um assado, queijo, frutas e pão.

Sentia apetite e confesso que estava encantada com tudo aquilo. Era a primeira vez que me animava a fazer uma folia desse gênero — um almoço ao ar livre, ao lado de um rapaz.

E Paulo não me parecia o mesmo homem: descobria-lhe maneiras e qualidades, para as quais jamais atentara enquanto o vira somente nas frias atitudes circunspectas da vida; notava-lhe agora a distinta estroinice dos pândegos de boa família, criados e animados entre senhoras finas e orgulhosas; um certo pouco caso fidalgo e elegante pelas virtudes comuns e pelos vícios vulgares; um ar altivo e másculo de quem está habituado a gastar forte com os seus prazeres; uma linha moderna, libertina e gentil a um tempo, feita de extravagância de bom gosto, e um pouco de viagens, alguns conhecimentos de música, um nada de política, anedotas francesas, algum dinheiro, charutos caros, um monóculo, o uso de várias línguas, duas gotas de mel inglês no lenço, um fato bem-feito de casimira de cambraia, um chapéu de palha, luvas amarelas, polainas e uma bengala.

E o grande caso é que estava um rapagão, cheio de gestos largos, de atiramentos de perna e de grandes exclamações em inglês.

Assentei-me no banco que circulava a mesa e ele fez o mesmo defronte de mim. Informou-se se eu estava satisfeita com o passeio; falou em repeti-lo. Era preciso aproveitar o verão. Mas, nos domingos — nada! Havia muita gente!

E abria garrafas, dava lume à máquina de café, servia-me de mariscos e falava-me do seu amor. Eu contei-lhe francamente as impressões que recebera aquela manhã e mostrei-me contente.

— Se soubesse, minha amiga, — disse-me ele, — quanto me sinto bem a seu lado!... Nem mesmo me reconheço, creia! Fico tolo só a pensar em nossa futura felicidade, em nossa casa e em nossos...

Ia falar nos filhos, mas deteve-se e ficou a olhar-me em silêncio, com os olhos afogados numa grande insistência humilde. Parecia haver um pranto escondido por detrás das suas pupilas verdes.

— Descanse, falta pouco!... — respondi, possuída de alguma coisa que não sei bem se era compaixão.

— Falta um século!... — emendou ele com um suspiro.

E chegou-se mais para mim. Tinha o ar tão respeitoso que não fugi.

— Por que não fica mais à vontade? — aconselhou-me, ajudando-me, muito solícito, a tirar o chapéu e desfazer-me do mantelete.

Houve um silêncio. Ele queixou-se da falta de gelo, abriu uma nova garrafa de Bordeaux e encheu as taças. Depois, leu-me uns versos que a mim fizera no meu tempo de solteira. Vieram recordações. — O nosso namoro! Quanta criancice!

— E o bofetão?...

Esta lembrança trouxe-me uma risada que me fez engasgar. Sobreveio-me tosse; fiquei um pouco sufocada...

Ele levantou-se logo, começou a bater-me delicadamente nas costas. E, a pretexto de auxiliar-me, afagava-me os cabelos e a fronte.

— Não é nada! não é nada! — dizia. — Um gole de *champagne!*

— Não! antes água...

Correu à cascata e voltou com um copo d' água.

Tornamos à palestra, e não reparei logo que o rapaz desta vez ficara inteiramente encostado a mim. Passamos à sobremesa. As pilhérias repetiam-se mais a miúdo. Paulo pôs-se a fumar.

Consenti e disse até que gostava do cheiro do fumo. Ele fez saltar a rolha do *champagne*. Sentia-me enlanguescer; os olhos ardiam-me um tanto e todo o corpo me pedia repouso; insensivelmente fui perdendo alguma coisa da minha cerimônia e pondo-me à vontade; estiquei mais as pernas, recostei-me nas costas do banco e debrucei para trás a cabeça.

Ele ficou a olhar-me muito com um ar sério e infeliz. Tive vontade de dizer qualquer coisa e nada mais consegui do que sorrir. Estava fatigada.

Paulo aconselhou-me que fumasse um cigarrinho e esta ideia extravagante não me pareceu má. Fumei o meu primeiro cigarro.

Em seguida senti um vago desejo de dormir. Ele serviu o café e o licor. Fez-me tomar antes um pouco de *champagne* misturado com Bordeaux.

E continuamos a conversar. As recordações de antes do meu casamento vinham a todo instante.

— Isto sempre teve gênio!... — segredava ele, ameigando-me o queixo.

Chamava-me criaturinha má, sem coração; ameaçava-me com vingançazinhas, que se realizariam quando fôssemos casados. Tinha ditos maliciosos, palavras de sentido dúbio e olhares cheios de paixão.

Eu estendia-me cada vez mais no banco, amolecida por um entorpecimento agradável; as pálpebras fechavam-se-me. Fazia-se-me vontade de ser menos severa para com aquele pobre companheiro de infância; tanto que não me sobressaltei quando senti a sua mão empolgar-me a cintura.

— Como eu te amo! — murmurou ele, com a boca muito perto de meu rosto.

O seu hálito abrasava-me as faces.

— Não faça assim: — pedi, repelindo-o frouxamente.

Mas ele passou-me a outra mão na cinta e puxou-me para si.

Fiz ainda alguma resistência; sentia-me, porém, tão mole, e além disso sabia-me tanto ser abraçada por alguém naquela ocasião, que me deixei levar e caí sobre ele, com a cabeça desfalecida no seu ombro.

Paulo segurou-me o rosto e estonteou-me de beijos.

Eram ardentes, vivos, repetidos, como os tiros de uma metralhadora."

Insepultos*

Havia nada menos de trinta e cinco anos que eu deixara minha cidade natal quando lá tornei pela primeira vez.

Trinta e cinco anos! Quantas voltas não dera o mundo durante essa larga ausência! De lá saíra levando por única bagagem — pobre órfão desamparado! — um leve saco cheio de ilusões, e voltava agora triunfante, de novo sozinho é verdade, mas com o meu saco cheio de ouro até à boca.

Como é de calcular, tão brilhante foi a volta quão mesquinha e triste tinha sido a partida; receberam-me com música, vivas e foguetes, numa estrondosa manifestação de entusiasmo; e desde logo por diante começaram a ferver em volta do meu nome ou do meu título os melhores e mais carinhosos adjetivos, como em volta de mim ferveram as festas, os bailes e os regalos.

Tomaram-me por tal modo que me não deixaram tempo sequer para lembrar-me da única pessoa talvez que tivesse tido uma lágrima sincera quando de lá parti desamparado e pobre.

Foi essa gentil pessoa a dona dos meus primeiros amores. Um romancete dos dezoito anos. — Ah! como nesse tempo meu coração era puro! — Vi-a uma vez numa festa de arraial e logo ficamos namorados. Chamava-se Alice. Consegui relacionar-me com a família dela; depois tivemos entrevistas ao fundo do quintal de sua casa, debaixo de um caramanchão de jasmins. Fiz-lhe, trêmulo, com as suas pequeninas mãos entre as minhas, a confissão do meu amor; ela abaixou os olhos enrubescendo e, toda confusa, toda medrosa, jurou, balbuciando como num sonho, que só a mim queria por toda a vida e só a mim aceitaria por esposo.

---

* Conto intitulado "Cadáveres insepultos" e dedicado "A Emílio Roriede" (1893).

E parti, no entanto, para o Rio de Janeiro sem ao menos lhe dizer adeus, porque nessa ocasião estava Alice fora da cidade. Mas, por muitas vezes, nos meus primeiros desenganos e na febre das minhas lutas pela vida e principalmente depois na ressaca das minhas vitórias sem mérito, a sua singela imagem, graciosa e casta, vinha alegrar a sombria aridez dos castelos da minha ambição com a brancura das suas asas, como alva pomba vai às vezes pousar na enegrecida torre de uma velha igreja abandonada e vazia.

Amigo desmemoriado e ingrato que és tu, meu pobre coração! só três meses depois da minha estada na província — três meses! te lembraste de Alice! E achaste-a de novo, perjuro! achaste-a, de memória, na amargura da tua velha saudade, como no fundo de um venturoso sonho extinto! achaste-a, a fitar-me ainda do passado, com os seus grandes olhos inocentes e amorosos. Achaste-a, sim, que meus lábios ainda sentiram a doce impressão da inocente boca de donzela que os beijou noutro tempo! Achaste-a, que em minha alma cansada respirou ainda o delicado aroma que eu nela adivinhava dantes, como se adivinha no botão de rosa o perfume que há de ter a flor desabrochando.

Ah! muito e muito me impressionaram semelhantes recordações! impressionaram-me tanto que, quando depois me achava em sociedade, instintivamente iam sempre meus olhos procurar no grupo das damas alguma que me desse ideia da formosa criatura por quem meu coração gemeu a primeira nota de amor. Mas qual! estavam todas bem longe de lembrar sequer aquela graça meiga e despretensiosa, aquele doce agrado, humilde, quase infantil, que em Alice me cativaram. Em nenhum daqueles olhos de mulher que agora me cobiçavam, em nenhum daqueles sorrisos que nas salas me seguiam atados numa esperança de casamento rico, encontrava eu o mais ligeiro vislumbre do amor passado, daquele amor que eu vira outrora nos olhos dela, tão natural e sincero!

Mas uma noite, no palácio do presidente, por ocasião de um baile que me era oferecido, ruminava a minha incoercível saudade ao fundo de uma janela, quando notei que viera colocar-se ao meu lado uma senhora gorda, idosa e respeitável. Aprumei-me logo, vergando-me galantemente, de claque em punho, e, antes de achar tempo para dizer qualquer banalidade de cortesia, reparei que ela me fitava com estranha insistência.

Tive um sobressalto. O coração bateu-me com mais força. Entre nós dois cavou-se um profundo silêncio, frio e desconsolado como a velhice.

Encaramo-nos ainda um instante, sem dar palavra; depois, voltando pouco a pouco do meu abalo, senti ir acordando a minha memória defronte daquela triste e cansada fisionomia, que ali me fitava obstinadamente, como se por detrás dela uma alma oculta me estivesse espiando do passado.

E reunindo, como depois de um naufrágio, os miseráveis destroços de uma querida formosura que já não existia senão na memória do meu coração e na poesia da minha saudade, balbuciei com os lábios trêmulos e os olhos úmidos:

— Alice!

Ela sorriu tristemente e conservou-se muda.

No fim de algum tempo suspirou e disse-me que estava à espera de ver se eu ainda a reconheceria.

Aproximamo-nos então um do outro e conversamos. Contou-me que já tinha netos. Enviuvara com seis filhos e sofrera muito desde o primeiro parto.

Em seguida vieram as recordações, e tudo lembradc por ela, com uma voz em que faltavam dentes e uma comoção que lhe fazia os olhos menores e mais empapuçados.

E eu, enquanto a ouvia, examinava-a disfarçadamente, procurando descobrir e colher uma lembrança da encantadora companheira dos meus primeiros sonhos por entre aqueles fúnebres restos insepultos.

Que terrível desilusão, meu Deus!

Oh! por que aquela desumana criatura consentiu que eu a visse assim, indecorosamente descomposta de beleza? Por que aquela insensata não fugiu para dentro do mundo, não se escondeu na terra, antes que a senilidade lhe viesse daquele modo ultrajar tão miseravelmente o corpo que eu até esse instante divinizava na minha saudade?

Ela, coitada! como se percebera o meu íntimo juízo, fez-me notar, jovialmente, que também eu pelo meu lado estava bem longe de lembrar o que fui. E de novo entristecida, malgrado o esforço que fazia para alegrar o rosto, recordou-me, com um inquietante sorriso, os meus belos cabelos de moço, quando eu os tinha negros, abundantes e anelados; e referiu-se, meneando a cabeça desconsoladamente, à extinta alvura dos meus dentes e à rosada frescura primitiva de meus lábios, outrora tão bonitos e tão senhores dos seus últimos beijos de criança e dos seus primeiros beijos de mulher. E, fitando meus olhos, parecia procurar neles uns olhos que não eram os meus, mas ia com os dela entrando por eles familiarmente, para vir cá dentro de mim buscar os outros, os seus íntimos, os seus alegres companheiros de mocidade, que deviam lá estar ainda nesse passado feliz que cada um de nós carinhosamente continuava a guardar no fundo d'alma.

Acordei-a desse devaneio com uma facécia desenxabida, falando do meu bigode branco e da minha calva.

Rimo-nos ambos e continuei a rir durante o resto da nossa conversa. Mas, enquanto eu ria e gracejava, ia-me entrando traiçoeiramente no coração um hóspede sombrio, uma sinistra amargura, que principiava a instalar-se nele, varrendo para fora os últimos farrapos de ilusão que o intruso ainda encontraria lá dentro, esquecidos pelo chão e pelas paredes frias.

Não pude demorar-me ali. Dei-me por indisposto e retirei-me em meio da festa, sem levar na deserção outro companheiro além de um charuto acendido no momento de tomar o carro.

Ao entrar em casa dispensei o criado, recolhi-me sozinho aos meus aposentos e, ao passar pelo espelho do guarda-roupa, mirei-me longa e silenciosamente, como se só então e de surpresa me visse tão velho e acabrunhado, estranhando por tal modo a minha própria imagem como se naquele instante desse cara a cara com um desconhecido que eu não sabia donde vinha, nem o que de mim queria, para estar ali a fixar-me com tamanha impertinência.

Maldita sombra importuna! Maldito despojo de mim mesmo!

Traço por traço examinei-me da cabeça aos pés; todo eu, como Alice, tinha já desaparecido na melhor parte, e os meus restos eram cabelos sem cor, olhos sem luz, boca sem beijos e alma sem dono.

Como eu estava retardado neste mundo!

Despi-me. Não pude ler, nem pensar, nem fazer nada. Pus-me a fumar, estirado no divã, perdido numa infinidade de tolices aborrecidas. De vez em quando observava com tédio as minhas mãos engelhadas, o meu ventre disforme, as minhas pernas trôpegas e os meus pés deformados.

Oh! definitivamente esta vida era uma mistificação e não valia a pena viver! isto é, trabalhar tanto, desejar tanto, e para quê? para ir morrendo, até nos estalar afinal a última fibra e rolar dentro da terra indiferente mais uma pouca de lama.

E senti um doloroso e vago desejo de não continuar a existir, mas sem morrer; uma insaciável vontade de desertar do presente para o passado extinto; volver-me de novo o que eu fora, desprotegido e pobre, mas rico de inexperiência, com a minha mocidade inteira e inteiro o meu tesouro de ilusões; e que eu pudesse ir pelo passado a dentro, correndo, até chegar de novo aos dezoito anos, e atravessar então o muro do quintal daquela Alice, que não morrera e que já vivia, e cair-lhe aos pés, debaixo do cheiroso caramanchão de jasmins, e beijar-lhe os dedos brancos e mimosos, e dizer-lhe com a minha boca de moço mil coisas de amor e ouvir em resposta: "Eu te amo! Eu te amo!" e poder acreditar nestas palavras sem a mais ligeira sombra de desconfiança, como outrora, quando elas saíam quentes do coração de Alice para estalarem à superfície da boca num beijo contra meus lábios.

E depois, abraçado com ela, eternamente jovens como os amantes que os poetas celebram nos seus poemas de amor, queria fugir para um outro mundo bem longe deste, ideal e puro, onde não houvesse dinheiro nem honrarias, e onde se não fosse apodrecendo em vida, aos poucos, como nesta miserável terra em que nos arrastamos sem asas.

O madeireiro*

— Sua ama está em casa, rapariga?

— Está, sim, senhor. Tenha a bondade de dizer quem é.

— Diga-lhe que é a pessoa que ela espera para jantar.

— Ah! Pode subir... Minha ama vem já.

Entrei e reconheci a saleta, onde eu dantes fora recebido tantas vezes pela viuvinha do general.

Quanta recordação! Vira-a uma noite no Clube de Regatas; apresentou-ma um jornalista então em moda; dançamos e conversamos muito. Ao despedir-nos, ela, com um sorriso prometedor, disse-me que costumava receber às terças-feiras os amigos em sua casa e que eu lhe aparecesse.

Fui, e um mês depois éramos mais do que amigos, éramos amantes.

Adorável criatura! simples, inteligente e meiga. No entanto, o meu amor por ela fora sempre um tanto frouxo e preguiçoso. Aceitava e desfrutava a sua ternura como quem aceita um obséquio de cortesia. Teria eu porventura o direito a recusá-la?...

---

* Conto dedicado "A Pardal Mallett" (1893).

Mas, assim como nasceram, acabaram os nossos amores; uma ocasião cheguei tarde demais à entrevista; de outra vez lá não fui; depois esperei-a e ela não se apresentou; até que um dia, quando dei por mim, reparei que já não era seu amante.

Seis meses já lá se iam depois disto, e eis que uma bela manhã, ao levantar-me da cama, entregaram-me uma carta.

Era dela.

Meu amigo.

Sei que conserva as minhas cartas e peço-lhe que mas restitua. Venha jantar comigo, mas não se apresente sem elas. É um caso sério, acredite.

São vinte. Não me falte e conte com a estima de quem espera merecer-lhe este último obséquio.

Afianço que será o último. Sua amiga,

Laura.

Para que diabo quereria ela as suas cartas?... Teria receio de que as mostrasse a alguém?... Impossível!

Principiavam-me estas considerações, quando se afastou a cortina da saleta e a viuvinha do general surgiu defronte de mim.

— Com efeito! — disse ela. — Só assim o tornaria a ter em minha casa! Bons olhos o vejam!

Beijei-lhe a mão.

— Trouxe?... — perguntou.

— Suas cartas? Pois não! Bem sabe que para mim as suas ordens são sagradas...

— Ainda bem. Sente-se.

Sentamo-nos ao lado um do outro. Ela recendia uma combinação agradável de cananga-do-Japão e sabonete inglês; tinha um vestido de linho enfeitado de rendas; e na frescura aveludada do seu colo destacava-se um medalhão de ônix.

— Então, que fantasia foi essa?... — interroguei, depois de um silêncio em que nos contemplamos com o mesmo sorriso.

E no íntimo já estava gostando de haver lá ido. Achava-a mais galante; quase que me parecia mais moça e mais bonita.

— Que fantasia?...

— A de exigir as suas cartas...

Ela fez do seu meio sorriso um sorriso inteiro.

— Tinha receio de que alguém as visse?... — perguntei, tomando-lhe as mãos entre as minhas.

— Não! Suponho-o incapaz de tal baixeza...

— Então?...

— Mas para que deixá-las lá?... Está tudo acabado entre nós.

E retirou a mão.

Eu cheguei-me mais para ela.

— Quem sabe?... — disse.

Laura soltou uma risada.

— Você há de ser sempre o mesmo!... Não se lembraria de mim se não recebesse o meu bilhete, e agora... Tipo!

— Não digas tal, que é uma injustiça!
— Espere! Tire a mão da cinta! Tenha juízo!
— Já não te mereço nada?...
— Deixe em paz o passado e tratemos do futuro. Eu quero que você seja meu amigo...

Dizendo isto, erguera-se e fora abrir uma janela que despejava sobre o jardim.

— Está então tudo acabado?... Tudo? — inquiri, erguendo-me também, e envolvendo-a no meu desejo, que ela fazia agora reviver, maior do que nunca.

É que incontestavelmente o demônio da viuvinha estava muito mais apetitosa. Nunca tivera aqueles ombros, aquele sorriso tão sanguíneo e aqueles dentes tão brancos! Seus olhos ganharam muito durante a minha ausência, estavam mais úmidos e misteriosos, quase brejeiros! O seu cabelo parecia-me mais preto e mais lustroso; a sua pele mais pálida, com uma cheirosa frescura de magnólia. Todos os seus movimentos adquiriram inesperada sedução; e o seu quadril havia enrijado de um modo surpreendente; o seu colo tomara irresistíveis proeminências que meus olhos cobiçosos não se fartavam de beijar.

— Então, tudo acabado, hein?...
— Tudo!
— Tudo? tudo?...
— Absolutamente!
— Para sempre?
— Você assim o quis, meu amigo! Queixe-se de si!

Ia lançar-lhe as mãos e fechá-la num abraço; ela, porém, desviou-se, ordenando-me com um gesto muito sério que me contivesse, puxou duas cadeiras para junto da janela e pediu-me que a ouvisse com toda a atenção.

— Sabe por que lhe exigi as minhas cartas?...
— Por quê?
— Porque vou casar...
— Como? A senhora disse que ia casar?!
— Dentro de dois meses.
— Com quem, Laura?

E fiquei também eu muito sério.

— Com um negociante de madeiras.
— Um madeireiro?

Ela meneou afirmativamente a cabeça; eu fiz um trejeito de bico com os lábios e pus-me a sacudir a perna.

— Está bom!
— Que quer você?... Uma senhora nas minhas condições precisa casar!...
— Ora esta! Um madeireiro!...
— Que me ama muito mais do que você me amou, tanto assim que está disposto a fazer o que você nunca teve a coragem de imaginar sequer! E juro-lhe meu amigo, que saberei merecer a confiança de meu marido! Serei em virtude o modelo das esposas!...

Olhei-a de certo modo.

— Não seja tolo! — disse ela em resposta ao meu olhar.

E fugiu lá para dentro, sem consentir que eu a acompanhasse.

Só nos tornamos a ver meia hora depois, já à mesa do jantar.

— E as cartas? — reclamou ela.

Tirei o maço do bolso, desatei-lhe a fitinha cor-de-rosa que o atava; contei as cartas, estavam todas as vinte metodicamente numeradas, com as competentes datas em cima escritas em letra boa.

Mas não tive ânimo de entregá-las.

— Olhe! disse, trago-lhas noutro dia... Se as restituir agora, que pretexto posso ter para voltar cá?...

— Hein? Como? Isso não é de cavalheiro...

— Não sei! Quem lhe mandou ficar mais sedutora do que era?

— Está então disposto a não entregar as minhas cartas?...

— E até a servir-me delas como arma de vingança!

Laura franziu a sobrancelha e mordeu os beiços.

Tínhamos já cruzado o talher da sobremesa e bebíamos, calados ambos, a nossa taça de *champanhe*.

O silêncio durou ainda bastante tempo. Ela só o quebrou para perguntar, muito seca, se eu queria mais açúcar no café.

E continuamos mudos.

Afinal, acendi um charuto e arrastei minha cadeira, para junto da sua.

— É melhor ser minha amiga... — segredei passando-lhe o braço na cintura.

— Não desejo outra coisa, — balbuciou ressentida e magoada. — Peço-lhe justamente que me proteja como amigo, em vez de pôr obstáculos ao meu futuro. Que diabo! eu preciso casar!...

— Eu lhe entrego as cartas... Descanse.

— Então dê-mas!

— Com a condição de prolongar a minha visita até mais tarde...

— Mas...

— E fazermos um pouco de música ao piano como dantes. Está dito?

— Jura que me entrega depois as cartas?...

— Dou-lhe a minha palavra de honra.

— Pois então fique.

Às onze e meia, Laura apresentou-me o chapéu e a bengala.

Repeli-os e declarei positivamente que não lhe entregaria as cartas, se ela não me concedesse por aquela noite, aquela noite só gozar ainda uma vez dos direitos que dantes o seu amor me conferia tão solicitamente.

Ela a princípio não quis, mostrou-se zangada; mas eu insisti, supliquei, jurei que seria a última vez, a última!

E não saí.

Pela manhã, depois do almoço, Laura exigiu de novo as suas cartas.

Tirei o pacotinho da algibeira, abri-o, contei dez.

— É a metade. Aí ficam!

— Como a metade?...

— Pois, Laura, você me acha tão tolo que te entregasse logo todas as tuas cartas?... E depois, em troca do que te pediria que prolongasse um outro jantar como o de ontem?...

— Isso é uma velhacada!

— Que seja!

— Estou quase não aceitando nenhuma!

— Daqui a uma semana vir-te-ei trazer as outras dez. Está dito?

Daí a uma semana, com efeito, lá ia eu, com as dez cartinhas na algibeira, em caminho da casa de Laura. E nunca em minha vida esperei com tanta ânsia a hora de uma entrevista de amor. Os dias que a precederam afiguraram-se-me intermináveis e tristes. A viuvinha também se mostrava ansiosa, quando menos por apanhar as suas cartas.

Mas, coitada! não recebeu as dez, recebeu cinco.

Pois se a achei ainda mais arrebatadora nesta segunda concessão que na primeira!...

E na seguinte semana recebeu apenas duas cartas, e nas outras que se seguiram recebeu uma de cada vez.

Ah! mas também ninguém poderá imaginar a minha aflição ao desfazer-me da última! um jogador não estaria mais comovido ao jogar o derradeiro tento! Eu ia ficar completamente arruinado; ia ficar perdido; ia ficar sem Laura, o que agora se me afigurava a maior desgraça deste mundo!

Arrependi-me de lhe ter dado dez logo de uma vez e cinco da outra. Que grande estúpido fora eu! Esbanjara o meu belo capital, quando o podia ter feito render por muito tempo!...

Então o espetro do madeireiro surgiu-me à fantasia, como eu o imaginava: bruto, vermelho, gordo e suarento. E Laura, ao meu lado, no abandono tépido da sua alcova sorria triunfante, porque tinha rasgado o único laço que a prendia a outro homem. Estava livre!

Rasguei a carta ao meio.

— Tratante!

— Aqui tem, — disse passando-lhe metade da folha de papel. Ainda me fica direito a um almoço e metade de uma noite em sua companhia... Peço-lhe que me deixe voltar..

Ela riu-se, e só então reparei que meus olhos estavam cheios d'água.

— Queres que te passe de novo o baralho?... — perguntou-me enternecida, cingindo-se ao meu peito.

— Se quero!... Isso nem se pergunta!

— Mas agora é a minha vez de pôr a condição...

— Qual é?

— Só tornaremos a jogá-lo depois de casados, serve-te?

— E o madeireiro? Ele não tem cartas tuas?

— Tranquiliza-te que, além de meu marido, eu só amei e escrevi a um homem, que és tu!

— Pois aceito com todos os diabos! E, como ainda tenho jus a um almoço, não preciso sair já!

Uma semana depois, Laura dizia-me à volta da igreja:

— Mas, meu querido, como queres tu que eu te mostre uma pessoa que não existe?...

— Como não existe?... Então o teu ex-noivo, o célebre madeireiro, cujo retrato trazias no medalhão de ônix...

— Qual noivo! Aquela fotografia é de um jardineiro que tive há muitos anos e que morreu aqui em casa.

— Então tudo aquilo foi...

— Foi o meio de arrastar-te para junto de mim, tolo! e reconquistar o teu amor, que era tudo o que ambicionava nesta vida!

Músculos e nervos*

Terminava a primeira parte do espetáculo, quando D. Olímpia entrou no circo, pelo braço do pai.

Havia grande enchente. O público vibrava ainda sob a impressão do último trabalho exibido, que devia ter sido maravilhoso, porque o entusiasmo explodia por toda a plateia e de todos os lados gritavam ferozmente: "Scott! À cena Scott!" Dois sujeitos de libré azul com alamares dourados conduziam para o interior do teatro um cavalo que acabava de servir. Muitos espectadores, de chapéu no alto da cabeça, estavam de pé e batiam com a bengala nas costas das cadeiras; as cocotes pareciam loucas e soltavam guinchos, que ninguém entendia; das galerias trovejava um barulho infernal, e, por entre aquela descarga atroadora, só o nome do idolatrado acrobata sobressaía, exclamado com delírio por mil vozes.

— Scott! Scott!

Olímpia sentiu-se aturdida; o pai, no íntimo, arrependia-se de lhe ter feito a vontade, consentindo em levá-la ao circo, mas o médico recomendara tanto que não a contrariassem... e ela havia mostrado tanto empenho no capricho de ir aquela noite ao Politeama...

De repente, um grito uníssono partiu da multidão. Estalaram as palmas com mais ímpetos; choveram chapéus; arremessaram-se leques e ramalhetes, Scott havia reaparecido.

— Bravo! Bravo, Scott!

E os aplausos recrudesceram ainda.

O ginasta, que entrara de carreira, parou em meio da arena, aprumou o corpo, sacudiu a cabeleira anelada, e, voltando-se para a direita e para a esquerda, atirava beijos, sorrindo, no meio daquela tempestade gloriosa.

Depois de agradecer, estalou graciosamente os dedos e retirou-se de costas, a dar cambalhotas no ar.

Desencadeou-se de novo a fúria dos seus admiradores, e ele teve de voltar à cena ainda uma vez, mais outra, cada vez mais triunfante.

Olímpia, entretanto, com a cabeça pendida para a frente, o olhar fito, os lábios entreabertos, dir-se-ia hipnotizada, tal era a sua imobilidade. O pai tentou chamá-la à conversa; ela respondeu por monossílabos.

— Queres... vamos embora.

---

* Conto dedicado "Ao Dr. Francisco Portela" (1893).

— Não.

Na segunda parte do espetáculo, a moça parecia divertir-se. Não despregava a vista de Scott, a quem cabia a melhor parte dos trabalhos da noite.

O mais famoso era a sorte dos voos. Consistia em dependurar-se ele de um trapézio muito alto, deixar-se arrebatar pelo espaço e, em meio do trajeto, soltar as mãos, dar uma cambalhota e ir agarrar-se a um outro trapézio que o esperava do lado oposto.

Cada um destes saltos levantava sempre uma explosão de bravos.

Scott havia feito já; por duas vezes, o seu voo arriscado; faltava-lhe o último e o mais perigoso. Diferençava este dos primeiros em que o acrobata, em vez de lançar-se de frente, tinha de ir de costas e voltar-se no ar, para alcançar o trapézio fronteiro.

O público palpitava ansioso, até que Scott afinal assomou no alto trampolim armado nas torrinhas, junto ao teto.

Cavou-se logo um fundo silêncio nos espectadores. Os corações batiam com sobressalto; todos os olhos estavam cravados na esbelta figura do artista, que, lá muito em cima, parecia, nas suas roupas justas de meia, a estátua de uma divindade olímpica. Destacava-se-lhe bem o largo peito, hercúleo, guardado pelos grossos braços nus, em contraste com os rins estreitos, mais estreitos que as suas nervosas coxas, cujos músculos de aço se encapelavam ao menor movimento do corpo.

Com uma das mãos ele segurava o trapézio, enquanto com a outra limpava o suor da testa. Depois, tranquilamente, sem o menor abalo, prendeu o lenço à sua cinta bordada e de lantejoulas e deu volta ao corpo.

Ouvia-se a respiração ofegante do público.

Scott sacudiu o braço do trapézio, experimentando-o, puxou-o afinal contra o colo e deixou-se arrebatar de costas.

Em meio do circo desprendeu-se, gritou: "Hop!" deu uma volta no ar e lançou-se de braços estendidos para o outro trapézio.

Mas, o voo fora mal calculado, e o acrobata não encontrou onde agarrar-se.

Um terrível bramido, como de cem tigres a que rasgassem a um só tempo o coração, ecoou por todo o teatro. Viu-se a bela figura de Scott, um instante solta no espaço, virar para baixo a cabeça e cair na arena, estatelada, com as pernas abertas.

O recinto do circo encheu-se logo. Nos camarotes mulheres desmaiaram, em gritos; algumas pessoas fugiam espavoridas, como se houvesse um incêndio; outras jaziam pálidas, a boca aberta e a voz gelada na garganta. Ninguém mais se entendia; nas torrinhas passavam uns por cima dos outros, numa avidez aterrada, disputando ver se conseguiam distinguir o acrobata.

Este, todavia, sem acordo e quase sem vida, agonizava por terra, a vomitar sangue.

Olímpia, lívida, trêmula, estonteada, quando deu por si, achou-se, sem saber como, ao lado do moribundo. Ajoelhou-se no chão, tomou-lhe a cabeça no regaço, e vergou-se toda sobre ele, procurando sentir nas faces frias o derradeiro calor daquele belo corpo escultural e másculo. E, desatinada, ofegante, apalpava-lhe o peito, o rosto, a brônzea carne dos braços, e, com um grito de extrema agonia, molhava a boca no sangue que ele expelia pela boca.

Scott teve um estremecimento geral de corpo, contraiu-se, vergou a cabeça para trás, volveu para a moça os seus límpidos olhos comovidos, agora turvados pela morte, soltou o gemido derradeiro.

E o corpo do acrobata escapou das mãos finas de Olímpia, inanimado.

Como o demo as arma*

Teresinha era a flor das pequenas lá da fábrica. Todos lhe queriam bem. Ninguém como ela para saber guardar as conveniências e saber cumprir com os seus deveres sem fazer caretas de sacrifício.

Vivia de cara alegre; tocava o seu bocado de piano; sabia arranjar desenhos para os seus bordados; tinha repentes de muita graça; e nunca nenhuma das companheiras lhe apanhara a ponta de um desses escândalos, que são a riqueza das palestras nos lugares em que há muitas raparigas juntas.

Além disso, era de uma economia limpa e natural; nas suas mãozinhas cor-de-rosa e picadas de agulha o escasso ordenado de costureira parecia transformar-se em moeda forte. Vestido seu nunca ficava fatalmente velho: era já mudar-lhe o feitio; era já trocar-lhe os enfeites, e aí estava Teresinha metendo as outras no chinelo.

— Uma joia! — resumia o gerente da fábrica.

E jurava que, se não fora velho e casado, havia de fazer-lhe a felicidade.

Mas Teresinha, pelo jeito, não queria casar. Por mais de uma vez apareceram-lhe partidos bem aceitáveis, e ela torcera o narizinho a todos, dizendo que ainda era muito cedo para pensar nisso. Um seu vizinho, o Lucas, com armarinho de modas e rapaz estimado no comércio, chegou a oferecer-lhe um dote de dez contos de réis; outro, o Cruz, também com armarinho e não menos estimado que o primeiro, jurou-lhe, numa carta, que faria saltar os miolos, se ela não o tomasse por marido. Teresinha não quis nenhum dos dois e continuou, muito escorreita no seu vestidinho justo ao corpo, uma flor ao peito, a bolsa de couro na mão, a passar-lhes todos os dias pela porta, no sonoro tique-taque dos seus passos miúdos, indo pela manhã para a fábrica e voltando à tarde para casa, sempre ligeira e saltitante como um pássaro arisco.

Mas, quando lhe morreu a tia com que ela habitava, e a pequena ficou só no mundo, disseram logo:

— Agora é que veremos se ela quebra ou não quebra o capricho!

— Talvez se agregue por aí a qualquer família conhecida... — conjeturaram.

— Não! não será tão tola que se sujeite a isso, podendo dispor de um marido logo que o queira!...

— De um ou de mais!

— Ora! não falta quem a deseje!

* Conto dedicado "A Arthur Azevedo" (1893).

Teresinha, todavia, não se casou nem foi abrigar-se à sombra de ninguém; ficou morando na mesma casa em que lhe morrera a tia conservando uma criada velha que as acompanhava havia muitos anos. Na fábrica a mesma pontualidade, a mesma linha de conduta, a mesma limpeza e diligência no serviço, na rua — aquele mesmo passinho curto e apressado, que mal deixava aos seus vários pretendentes lobrigar a ponta das suas honestas botinas pretas de salto baixo.

Não obstante, meses depois, principiaram de aparecer-lhe transformações. Notavam todos, lá na fábrica, que a Teresinha já não era aquela rapariga alegre e caprichosa dos primeiros tempos; agora tinha esquisitices de gênio e caía em fundas abstrações, quedando-se horas perdidas a olhar para o espaço, de boca aberta, o trabalho esquecido sobre os joelhos.

— Que terá ela?... — cochichavam as companheiras.

E observavam, com pontinhas de riso brejeiro, que a exemplar Teresinha, — a diligência em pessoa — já não era a primeira a pegar na costura e a última a deixar o serviço.

A partir daí, puseram-se a espreitá-la e a segui-la na rua.

Descobriram logo que Teresinha ao sair do trabalho, em vez de ir para casa, metia-se na Biblioteca Nacional ou nos gabinetes de leitura ou então nas lojas dos livreiros.

E viam-na passar um tempo esquecido a escolher brochuras, a consultar revistas e alfarrábios, fariscando nelas com o nariz enterrado entre as páginas, alguma coisa, que ninguém atinava com o que fosse.

— Querem ver que ela deu para filósofa?... — comentaram as outras raparigas.

Uma das mais velhacas da roda afiançou que não seria a primeira Teresa que desse para isso.

E o grande fato é que todo o dinheirinho das economias de Teresinha era lambido pelos vendedores de livros. Já lhe notavam até certa negligência no traje e no penteado.

Uma vez apresentou-se na oficina de sapatos rotos.

— Ó Teresinha! — objurgou-lhe uma amiga, — tu estás ficando desmazelada!

Por outro lado, o gerente principiava a resmungar: Pois ele queria lá doutoras no estabelecimento!... A senhora dona Teresinha parecia já não ligar a mínima importância ao serviço! O tempo era-lhe pouco para os romances que ela trazia escondidos no bolso! Não! assim, que tivesse paciência! mas não havia remédio senão mandá-la passear! Ia-se ali para desunhar na costura e não para contar-se tábuas do teto. E, por isso, que diabo! pagava-se a todas pontualmente em bom dinheiro! Não se tinha ali ninguém de graça!

Uma ocasião apresentou-se mais tarde, muito pálida, com grandes olheiras. Percebia-se facilmente que passara a noite em claro.

Trazia entre os dedos um volume de Théophile Gautier, marcado em certa página.

Nesse dia trabalhou bastante, com febre. Mal, porém, terminou a obrigação, correu à casa e fechou-se na sala, defronte do candeeiro de querosene.

Abriu o livro no lugar marcado — *Une larme du diable!*

Releu inda uma vez a singularíssima novela. Aquela extravagante fantasia do rei dos boêmios, a alma doente e sonhadora do eleito da decadência romântica, a imaginação desvairada daquele fumador de ópio, embriagaram-na com uma delícia de vinho traiçoeiro.

Uma lágrima do diabo!

Que haveria de verdade nessa lágrima e o que vinha a ser ao certo, esse diabo, de que lhe falavam os poetas, os padres, os professores, as crianças e as velhas?... Já em outros livros encontrara o mesmo que afirmara Gautier: o tal gênio do mal, disfarçado em rapaz bonito, a correr o mundo, para tentar as pobres raparigas. Um alfarrábio religioso de sua tia ensinara-lhe que o maldito andava solto, aí por essas ruas da cidade, janota, barbeado e cheiroso, e que as moças inexperientes precisavam ter todo o cuidado, porque o patife, além de tudo, escondia os cornos e o rabo, e não havia por onde reconhecê-lo.

Definitivamente era muito perigoso para ela arriscar-se sozinha, todos os dias, a cair em semelhante perigo!

E se o encontrasse?...

Santo Deus! só esta ideia a fazia tremer toda.

E começou a chegar-se muito para os velhos, a afeiçoar-se por eles. Com os moços é que não queria graças; temia-os a todos, principalmente os simpáticos e esmerados na roupa.

— Nada! nada de imprudências! Pode muito bem ser que eu caia nas mãos do tal!

Isso, porém, não impediu que a cautelosa Teresinha, um belo dia, ao dobrar uma esquina, desse cara a cara com um belo rapagão louro, de bigodes retorcidos, nariz arrebitado e monóculo.

Cheirava que era um gosto.

— Estou perdida! — balbuciou ela trêmula, estacando defronte do rapaz, sem ânimo de erguer a vista, porque tinha de antemão certeza de que o olhar dele havia de cegá-la.

— Desta vez não me escapas! — murmurou o moço.

— Não há dúvida! É ele mesmo! — gaguejou a medrosa, quase a chorar. — Valha-me Nossa Senhora!

E recuou alguns passos.

— Não fujas! — disse o sujeito.

Ela obedeceu logo e até chegou-se mais para o diabo, atraída, presa, vencida, como se aquelas duas palavras fossem as pontas de uma tenaz que a segurasse pelas carnes.

Ele passou-lhe o braço na cintura.

— Tenho tanta coisa a dizer-te, minha flor! Se quisesse ouvir-me... Oh! eu seria o ente mais feliz do mundo! Olha! a tarde está magnífica, vamos nós dar um passeio juntos?

Teresinha não opôs objeção e deixou-se conduzir.

— Meu Deus! Meu Deus! — lamentava-se ela pelo caminho segurando-se ao braço do demônio. — Estou aqui, estou no inferno!

O demônio levou-a para casa dele e mal entraram, atirou-se-lhe aos pés, cobrindo-a de beijos ardentes.

Ela soluçava.

— Por que choras, meu amor?

Seu hálito queimava. Teresinha via saírem-lhe faíscas dos olhos. E, sempre a tremer, e sem ânimo de recusar nada pedia-lhe compaixão, convencida de que era aquele o último momento da sua vida.

— O diabo não é tão feio como se pinta!... — volveu o moço, afagando-a.

— Ah! não! não! bem o vejo!... — respondeu ela, receosa de contrariá-lo. — Mas, por quem é, não me faça mal!

— Fazer-te mal? Que loucura! Fazer-te mal, eu, que te amo; eu, que há tanto tempo passo horas e horas à espera que saias do serviço para acompanhar-te de longe, sem te perder de vista; o que, sabes? é difícil, porque nunca vi andar tão depressa! Mas esqueçamos tudo! agora és só minha, não é verdade?... Não é verdade que, de hoje em diante, me confiarás toda a tua alma e todo o teu coração?...

— Que remédio tenho eu!

— Não imaginas como seremos felizes! Meu ordenado chega perfeitamente para os dois e...

— Quê?... Seu ordenado?...

— Sim, meu amor, eu sou empregado público...

— Empregado? Não é possível!

— Sou, filhinha! Estou a dizer-te! Sou empregado no tesouro; apanhei o lugar por concurso; ganho trezentos mil réis por mês, afora os achegos que aparecem.

— O senhor está gracejando! Diga-me uma coisa, mas não me engane... O senhor não é o diabo?

O rapaz soltou uma risada.

— Pois tu ainda acreditas no diabo? É boa!

— Ora esta!... — murmurou Teresinha, — se eu desconfiasse!... Agora... paciência! já não há remédio... Caso-me com o Lucas.

Índice Geral

Copyright© 2017 by Global Editora
1ª Edição, Editora Nova Aguilar, São Paulo 2018

Jefferson L. Alves – diretor editorial
Jiro Takahashi – editor executivo
Sebastião Lacerda – consultoria
Flávio Samuel – gerente de produção
Emerson Charles e Jefferson Campos – assistentes de produção
Ana Cecília Água de Melo e Rutzkaya Queiroz dos Reis – fixação de textos
Antônio Amaral Rocha, Augusto Rodrigues, Elaine Kobiaco, Fábio Yuji Furukawa, Heitor Paixão, Isabel Soares, Lucimar de Santana, Luiz Maria Veiga, Márcia Benjamim, Maria Cecília Junqueira e Sylvia Lohn – revisão
Homem de Melo & Troia Design – projeto de design
Evelyn Rodrigues do Prado – editoração eletrônica

Obra atualizada conforme o
NOVO ACORDO ORTOGRÁFICO DA LÍNGUA PORTUGUESA.

Dados Internacionais de Catalogação na Publicação (CIP)
(Câmara Brasileira do Livro, SP, Brasil)

Azevedo, Aluísio, 1857-1913.
Aluísio Azevedo : ficção completa, volume 2 / Aluísio Azevedo; [organizador Orna Messer Levin]. – São Paulo : Editora Nova Aguilar, 2018.

Conteúdo: O homem – O coruja – O cortiço – A mortalha de Alzira – Livro de uma sogra – Mattos, Malta ou Matta? – Demônios.
ISBN 978-85-210-0112-6

1. Azevedo, Aluísio, 1857-1913 2. Escritores brasileiros 3. Romance brasileiro I. Levin, Orna Messer. II. Título.

15-05012 CDD-869.98

Índices para catálogo sistemático:

1. Escritores brasileiros : Literatura brasileira 869.98

EDITORA
NOVA
AGUILAR
Direitos Reservados

editora nova aguilar.
Rua Pirapitingui, 111 – Liberdade
CEP 01508-020 – São Paulo – SP
Tel.: (11) 3277-7999 – Fax: (11) 3277-8141
e-mail: global@globaleditora.com.br
www.novaaguilar.com.br

Colabore com a produção científica e cultural.
Proibida a reprodução total ou parcial desta obra sem a autorização do editor.

Impresso na Índia

Nº de Catálogo: **10032**